ein Ullstein Buch

ein Ullstein-Buch
Nr. 20121
im Verlag Ullstein GmbH,
Frankfurt/M – Berlin – Wien
Titel der Originalausgabe:
Shardik
Aus dem Englischen
von Wilhelm Thaler

Ungekürzte, um die Zeichnungen
von Jochen Fortmann erweiterte Ausgabe

Umschlagentwurf:
Hansberd Lindemann
unter Verwendung einer
Illustration von
Jochen Fortmann
Die Lageskizzen
auf den Seiten 38, 207 und
239 zeichnete Jean-Claude Lézin
Alle Rechte vorbehalten
© 1974 by Richard Adams
Übersetzung © 1977 Verlag
Ullstein GmbH, Frankfurt/M - Berlin
Printed in Germany 1981
Druck und Verarbeitung:
Mohndruck Graphische Betriebe GmbH,
Gütersloh
ISBN 3 548 20121 0

September 1981
20.–39. Tsd.

CIP-Kurztitelaufnahme
der Deutschen Bibliothek

Adams, Richard:
Shardik: Roman/Richard Adams.
Mit Zeichn. von Jochen Fortmann.
[Aus d. Engl. von Wilhelm Thaler]. –
Ungekürzte Ausg. – Frankfurt/M;
Berlin; Wien: Ullstein, 1981.
   (Ullstein-Buch; Nr. 20121)
   Einheitssacht.: Shardik «dt.»
ISBN 3-548-20121-0
NE: GT

Vom selben Autor
in der Reihe der
Ullstein Bücher

Unten am Fluß (3508)

Richard Adams　Shardik

Roman

Mit Zeichnungen
von Jochen Fortmann

ein Ullstein Buch

Inhalt

Erster Teil · Ortelga

Zweiter Teil · Gelt

Dritter Teil · Bekla

Vierter Teil · Urtah und Kabin

Fünfter Teil · Zeray

Sechster Teil · Genshed

Siebenter Teil · Die Kraft Gottes

Für mein einstiges Mündel
in Amtsvormundschaft
ALICE PINTO
in stets aufrichtiger Zuneigung

οἴκτιστον δὴ κεῖνο ἐμοῖς ἴδον ὀφθαλμοῖσι
 πάντων ὅσσ' ἐμόγησα πόρους ἁλὸς ἐξερεείνων.
Odyssee XII, 258

Siehe, ich werde meinen Boten senden . . .
Wer aber mag ausharren bis zum Tage seines Kommens?
Und wer wird standhalten, wenn er erscheinet?
Denn er ist wie ein läuterndes Feuer.
Maleachi, Kapitel III

Aberglaube und Zufall offenbaren den Willen Gottes.
C. G. Jung

1. Das Feuer

Sogar in der trockenen Hitze des Spätsommers war es nie still in dem großen Wald. Den Boden entlang – weiche, nackte Erde, Zweige und gefallene Äste, modernde Blätter, so schwarz wie Asche – zog ein beständiger Strom von Geräuschen dahin. Wie ein Feuer mit murmelnden Flammen brennt, unterbrochen dann und wann vom Krachen explodierender Knoten in den Scheiten und dem Fallen und Nachsinken der Kohle, so vergingen die Stunden des Dämmerlichtes auf dem Waldboden unter Knistern, Prasseln, stöhnender und sterbender Brise, dem Trippeln von Nagern, Schlangen, Eidechsen und mitunter dem gedämpften Trotten eines größeren Tieres. Darüber bildete das grüne Halbdunkel der Schlingpflanzen und Äste ein anderes Reich, bewohnt von Affen und Faultieren, von jagenden Spinnen und zahllosen Vögeln – Geschöpfe, die ihr ganzes Leben hoch über dem Boden verbrachten. Hier waren die Geräusche lauter und schärfer – Geplapper, plötzliches Gackern und Schreie, hohles Klopfen, glockenartige Rufe und das Rauschen von aufgestörten Blättern und Zweigen. Noch höher, in den obersten Regionen, wo die Sonnenstrahlen auf die Oberfläche des Waldes fielen wie auf die Außenseite einer grünen Wolkenbank, trat an die Stelle rauher Düsternis ein stummes Licht, das war das Gebiet großer, durch das Gezweig huschender Schmetterlinge in einer Einsamkeit, wo kein Auge sie bewunderte, kein Ohr die zarten, von diesen herrlichen Flügeln erzeugten Geräusche vernahm.

Die Geschöpfe des Waldbodens bewohnten – gleich den blinden grotesken Fischen in den Tiefen des Ozeans – ganz unbewußt die untersten Stufen einer Welt, die vom verschwommenen Dämmerlicht senkrecht emporragte bis zu schattenloser, blendender Helligkeit. Auf ihren heimlichen Wegen kriechend oder hastend, kamen sie selten weit fort und sahen nur wenig von Sonne und Mond. Ein dorniges Dickicht, ein Labyrinth von Erdlöchern zwischen Baumstämmen, ein mit Felsstücken und Steinen bedeckter Abhang – solche Stellen waren meist das einzige, was deren Bewohner von der

Erde, wo sie lebten und starben, jemals kennenlernten. Sie wurden dort geboren, blieben eine Zeitlang am Leben und kannten schließlich jeden Zoll innerhalb ihrer engen Grenzen. Mitunter streiften manche ein wenig weiter fort – wenn es an Beute oder Futter mangelte oder, was seltener vorkam, infolge des Eindringens einer unbegreiflichen Macht aus Bereichen jenseits ihres alltäglichen Lebens.

Die Luft zwischen den Bäumen schien sich kaum zu regen. Die Hitze hatte sie schwül gemacht, so daß die geflügelten Insekten sich sogar träge auf diejenigen Blätter setzten, unter denen Gottesanbeterin und Spinne lauerten, zu schläfrig, um zuzuschlagen. Am Fuß eines schrägen, roten Felsens kam ein Stachelschwein schnuppernd und wühlend heran. Es riß einen kleinen, aus Reisig gebauten Zufluchtsort auf, und ein mageres, rundohriges Geschöpfchen, nichts als Augen und knochige Glieder, flüchtete über die Steine davon. Das Stachelschwein kümmerte sich nicht um das Tierchen und wollte schon die zwischen dem Reisig umherkriechenden Käfer verzehren, da plötzlich hielt es inne, hob den Kopf und lauschte. Es regte sich nicht, während ein braunes, mungoartiges Geschöpf schnell durch die Büsche brach und in seinem Loch verschwand. Aus einiger Entfernung kam der Lärm keifender Vögel.

Gleich darauf war auch das Stachelschwein verschwunden. Es hatte nicht nur die Angst der anderen Tiere in der Nähe gespürt, sondern auch etwas von deren Ursache – eine Störung, ein Vibrieren des Waldbodens. Etwas unvorstellbar Schweres bewegte sich in der Nähe, und diese Bewegung war wie ein Trommelschlag auf den Boden. Die Vibrationen wurden stärker, so daß sogar ein menschliches Ohr das unregelmäßige Geräusch einer schweren Bewegung im Halbdunkel gehört hätte. Durch die gefallenen Blätter rollte ein Stein bergab, ihm folgte ein Krachen im Unterholz. Dann begann sich oben auf dem Hang jenseits des roten Felsens die dichte Masse der Zweige und Ranken zu bewegen. Ein junger Baum neigte sich nach außen, splitterte und stürzte krachend der Länge nach zu Boden, wobei er auf seinen gebogenen Zweigen auf und nieder wippte, als hätte beim Fall nicht nur das Geräusch, sondern auch die Bewegung ein Echo in der Einsamkeit geweckt.

In der Öffnung erschien, halb verborgen durch ein Gewirr von Ranken, Blättern und abgerissenen Blüten, eine Schreckensgestalt, noch furchterregender sogar als dieser dunkle, wilde Ort. Sie war gewaltig – riesenhaft –, auf ihren Hinterbeinen stehend mehr als zweimal so hoch wie ein Mensch. Die zottigen Füße trugen große, gebogene Krallen, dick wie Menschenfinger, an denen Reste von abgerissenen Farnen und Baumrinden hingen. Das Maul, ein dampfender, mit weißen Pflöcken besetzter Schlund, stand offen. Die Schnauze war schnüffelnd vorgestreckt, die blutunterlaufenen Augen starrten kurzsichtig über den unbekannten Boden. Das Tier stand lange aufrecht, atmete schwer und knurrte. Dann ließ es sich schwerfällig auf alle viere nieder und schob sich vorwärts ins Unterholz; die runden Krallen – sie ließen sich nicht einziehen – kratzten an den Steinen, und es bahnte sich seinen Weg den Abhang hinab zu dem roten Felsen. Es war ein Bär – ein Bär, wie man ihn in tausend Jahren nicht zu Gesicht bekommt, stärker als ein Nashorn und so schwer wie acht starke Männer. Er kam zu der freien Stelle beim Felsen, hielt an und warf den Kopf unruhig von einer Seite zur anderen. Dann erhob er sich wieder auf die Hinterbeine, schnüffelte und gab gleich darauf ein tiefes, hustendes Bellen von sich. Er hatte Angst.

Angst – dieser Baumzerbrecher, dessen Schritt den Boden erschütterte, wovor sollte er sich fürchten? Das in sein flaches Erdloch unter dem Felsen geduckte Stachelschwein spürte erstaunt die Furcht des Bären. Was hatte ihn zur Wanderschaft durch fremdes Gebiet, durch tiefen Wald getrieben, den er nicht kannte? Hinter ihm näherte sich ein seltsamer Geruch, ein scharfer Pulvergestank, eine schleichende Furcht.

Eine Gruppe gelber Gibbons turnte Hand über Hand oben durch die Bäume, sie schrien und heulten, als sie über ihre Baumpfade verschwanden. Dann kam ein Paar Ginsterkatzen durch das Gestrüpp getrottet, lief ohne einen Seitenblick knapp neben dem Bären vorbei und verschwand so schnell, wie es gekommen war. Ein seltsamer, unnatürlicher Wind erhob sich, brachte die dichte Blättermasse oben auf dem Hügel in Bewegung, und daraus flogen die Vögel ins Freie – Papageien, Bartkuckucks und bunte Finken, leuchtend blaue und grüne Zuckervögel und purpurne Stärlinge, Spechte und Eisvögel –, und alle schrien und schnatterten im Wind. Der Wald war erfüllt vom Geräusch hastiger, trappelnder Bewegung. Ein Gürteltier schleppte sich, anscheinend verletzt, vorbei; ein Nabelschwein und eine lange, grün schillernde Schlange huschten vorüber. Das Stachelschwein brach, fast vor den Füßen des Bären, aus seinem

Loch hervor und verschwand. Und immer noch stand der Bär aufrecht, hoch erhoben über dem flachen Felsen, schnüffelte und zögerte. Dann blies der Wind gewaltiger und brachte ein Geräusch heran, das sich von einem Waldende zum anderen zu erstrecken schien, ein Rauschen, wie von einem trockenen Wasserfall oder dem Atem eines Riesen – das Geräusch, das den furchterregenden Geruch begleitete. Der Bär wandte sich um und trottete zwischen den Baumstämmen davon.

Das Geräusch wurde zu einem Dröhnen und immer größer die Zahl der davor flüchtenden Tiere. Viele waren schon der Erschöpfung nahe, dennoch stolperten sie vorwärts mit offenen, wütend knurrenden Mäulern und wie blind starrenden Augen. Manche strauchelten und wurden niedergetrampelt. Durch die freien Stellen im Gebüsch zog grünlicher Rauch. Bald spiegelte sich auf den menschenhandgroßen, gelbgrünen Blättern ein flackerndes, hüpfendes Licht, das heller war als alles, was je in das Halbdunkel des Waldes gedrungen war. Die Hitze wurde größer, bis kein Lebewesen – keine Eidechse, keine Fliege – mehr in der Lichtung rund um den Felsen zurückblieb. Und dann endlich erschien ein noch schrecklicherer Besucher als der Riesenbär. Eine Flamme durchstieß den Schlingpflanzenvorhang, verschwand, kam wieder und zuckte aus und ein wie die Zunge einer Schlange. Ein Zweig mit trockenen, scharf gezähnten Blättern an einem Zeltasla-Busch fing Feuer, flammte hell auf und warf einen grausigen Schein auf den Rauch, der nun wie Nebel die Lichtung erfüllte. Gleich darauf wurde die ganze Blätterwand auf der Anhöhe wie von einem Flammenmesser vom Boden her aufgerissen, und sofort lief das Feuer der Länge nach über den Baum, den der Bär gefällt hatte. In wenigen Augenblicken war der Ort mit all seinen Merkmalen, mit allem, was ihn zu einer Stelle gemacht hatte, die man riechen, spüren und sehen konnte, für immer vernichtet. Ein toter Baum, der ein halbes Jahr lang, vom Gebüsch gestützt, dort gelehnt hatte, fiel brennend auf den roten Felsen, zerschlug dessen vorstehende Höcker und versah seine Oberfläche mit schwarzen Streifen wie ein Tigerfell. Nun brannte auch die Lichtung, wie zuvor Kilometer des Waldes gebrannt hatten, um das Feuer bis dorthin zu bringen. Und als sie ausgebrannt war, waren die vordersten Flammen schon vom Wind eine Meile weiter getrieben worden, wo das Feuer seinen Weg fortsetzte.

2. Der Fluß

Der riesige Bär wanderte unentschlossen durch den Wald, bald hielt er an und starrte auf seine unbekannte Umgebung, bald verfiel er, noch vom Zischen und Gestank brennender Ranken und dem näherkommenden Feuer verfolgt, wieder in seinen watschelnden Trott. Er war bestürzt und vergrämt. Seit Einbruch der vorigen Nacht war er gehetzt worden, ständig zögernd, doch immer außerstande, einen Ausweg aus der Gefahr zu finden. Er hatte noch niemals fliehen müssen. Seit Jahren hatte sich kein lebendes Wesen gegen ihn gestellt. Nun schlich er zornig und in gewisser Weise beschämt weiter, stolperte über kaum beachtete Wurzeln, von Durst gequält, auf der verzweifelten Suche nach einer Gelegenheit, umzukehren und gegen diesen flackernden Feind zu kämpfen, der sich durch nichts abschrecken ließ. Einmal war er am Rand eines kleinen Morastes stehengeblieben, getäuscht durch den Anschein, daß endlich dem Vorrücken des Feindes Einhalt geboten wurde; er flüchtete gerade noch rechtzeitig, ehe er umzingelt wurde, da das Feuer von beiden Seiten herankam. Einmal ging er wie im Wahnsinn auf seinen eigenen Spuren zurück und schlug und hieb in die Flammen, bis seine Tatzen brannten und schwarz waren und sein Pelz versengte Streifen hatte. Dennoch blieb er zeitweilig stehen, ging hin und her und suchte eine Gelegenheit zum Kampf; und sooft er sich umwandte und weiterging, schlug er gegen die Baumstämme und zerfetzte die Büsche mit schweren Schlägen seiner Pranken.

Er kam immer langsamer vorwärts, er keuchte, seine Zunge hing ihm aus dem Maul, und er schloß halb die Augen vor dem Rauch, der immer näher kam. Er stieß mit dem einen verbrannten Fuß an einen scharfen Stein, stürzte und wälzte sich auf die Seite; als er hochkam, war er verwirrt, machte halb kehrt und begann, parallel zu der herankommenden Flammenlinie auf und ab zu gehen. Er war erschöpft und hatte die Orientierung verloren. Der ihn umgebende Rauch raubte ihm den Atem, er wußte nicht einmal mehr, von welcher Seite das Feuer kam. Die nächsten Flammen erwischten ein trockenes Gewirr von Quianwurzeln, liefen daran entlang und leckten an einer seiner Vorderpranken. Dann ertönte ein Brüllen von allen Seiten, als käme der Feind endlich zum Handgemenge. Noch lauter jedoch war das rasende Wutgebrüll des Bären, der sich endlich zum Kampf umwandte. Er drehte den Kopf nach links und

rechts und teilte fürchterliche Schläge gegen die Feuersbrunst rundum aus, so daß die Funken sprühten, erhob sich zu seiner ganzen Größe und trampelte hin und her, bis der weiche Boden unter seinen Füßen flachgetreten war und tatsächlich unter seinem Gewicht einzusinken schien. Eine lange Flamme züngelte an seinem dicken Pelz empor, das Tier war bald von Feuer eingehüllt und schwankte in einem grotesken, entsetzlichen Rhythmus hin und her. In Wut und Schmerz war er bis zum Rand einer steilen Böschung gestolpert. Als er sich vorneigte, sah er plötzlich unter sich in gespenstischer Beleuchtung einen zweiten Bären, der mit schimmernder Fratze seine brennenden Tatzen hob. Dann sprang er vorwärts und war fort. Gleich darauf war ein schweres Aufklatschen und ein zischendes, löschendes Aufbranden von tiefem Wasser zu hören.

Da und dort längs des Ufers wurde das Feuer unterbrochen, nahm ab und erlosch, bis nur noch Stellen mit dichterem Unterholz brannten oder vereinzelt glimmten. Das Feuer hatte sich kilometerweit durch den trockenen Wald bis zum Nordufer des Telthearnaflusses durchgefressen, und nun endlich konnte es nicht mehr weiterbrennen.

Der Bär suchte einen Halt, fand keinen und stieg zur Oberfläche hoch. Das blendende Licht war fort, und er befand sich im Dunkel, dem Dunkel des steilen Ufers und des Blätterwerks, das sich darüber wölbte und am Flußufer entlang eine Art Tunnel bildete. Der Bär planschte und wälzte sich an den Flußrand, konnte aber teils wegen der Abschüssigkeit des Ufers und der weichen, unter seinen Pranken nachgebenden Erde, teils wegen der Strömung, die ihn dauernd losriß und stromabwärts schwemmte, keinen Halt finden. Als er sich dann keuchend festhielt, begann sich das überhängende Schutzdach in dem flackernden Licht des Feuers zu erhellen, das auf die letzten Zweige, das Tunneldach übergriff. Zischend fielen Funken, brennende Holzstücke und Asche in den Fluß. Von diesem schrecklichen Regen bedroht, löste sich der Bär vom Ufer und schwamm langsam und unbeholfen aus dem Tunnel der brennenden Bäume hinaus zum offenen Wasser.

Die Sonne ging allmählich unter und schien geradeaus den Fluß entlang, ihre Strahlen färbten die über seine Oberfläche ziehenden Wolken dunkelrot. Geschwärzte Baumstrünke, schwer wie Sturmböcke, schwammen flußabwärts und bahnten sich den Weg durch weniger gewichtiges Treibgut, klumpige Aschenmassen und schwimmende Schlingpflanzen. Ein Tauchen, Scharren, Aufprallen und Anhalten schwerer aneinanderschlagender Massen überall. Hinaus in dieses neblige Chaos schwamm der Bär, mühte sich ab, ging unter, bekam keine Luft, kam wieder hoch und kämpfte sich quer über den Fluß stromabwärts. Ein Stamm versetzte ihm einen Stoß in die Seite, der einem Pferd die Rippen eingedrückt hätte, und er drehte sich herum und schlug mit beiden Vordertatzen darauf, halb klammerte er sich verzweifelt fest, halb schlug er aus Zorn zu. Sein Gewicht zog den Stamm unter die Oberfläche, der dann überrollte, und der Bär verwickelte sich in einen noch glimmenden Ast, der langsam, wie eine Hand mit Fingern, nach unten kam. Unter der Wasserfläche verfingen sich die Hintertatzen des Bären in etwas Unsichtbarem, und der Stamm trieb fort, während die Hintertatzen strampelten und sich befreiten. Er rang nach Luft, schluckte Wasser, aschigen Schaum und wirbelnde Blätter. Tierleichen schwammen vorbei – ein gestreifter Makati mit gebleckten Zähnen und geschlossenen Augen, ein Erdferkel mit dem Bauch nach oben und ein Ameisenbär, dessen langer Schwanz im Strom hin und her trieb. Der Bär hatte die vage Absicht, ans andere Ufer zu schwimmen – ein undeutlicher Schimmer von Bäumen in der Ferne. Doch wurde dies, wie alles andere, in dem sprudelnden Durcheinander mitten im Strom fortgeschwemmt, und der Bär wurde wieder, wie im Wald, zu einem in bloßer Todesangst vorangetriebenen Geschöpf.

Die Zeit verstrich, und seine Anstrengungen wurden schwächer. Müdigkeit, Hunger, der von den Verbrennungen herrührende Schock, das Gewicht seines dichten, durchnäßten Pelzes und die dauernden Stöße des Treibholzes zermürbten ihn, wie das Wetter Berge zerfrißt. Die Nacht sank herab, und die Rauchwolken trennten sich von der kilometerlangen einsamen, trüben Wasserfläche. Zuerst hatte der mächtige Rücken des Bären über die Oberfläche hinausgeragt, und er hatte sich beim Schwimmen umgesehen. Nun hielt er nur mehr den Kopf aus dem Wasser, und der Hals war weit zurückgebogen, um die Schnauze hoch genug zum Atmen zu halten. Fast ohne Bewußtsein und ohne seine Umgebung wahrzunehmen, trieb der Bär dahin. Er sah nicht die dunkle Uferlinie, die vor ihm aus dem Zwielicht auftauchte. Der Fluß teilte sich, strömte auf der einen Seite stark, auf der anderen etwas sanfter dahin. Die Hinterfüße des Bären berührten den Grund, aber er reagierte nicht, sondern trieb nur hilflos weiter, bis er schließlich an einem hohen, schmalen Felsen anhielt, der aus dem Wasser ragte; den umarmte er unbeholfen, grotesk, wie ein Insekt sich an einem Stock festhält.

Dort blieb er lange im Dunkel, aufrecht wie ein gekippter Monolith, schließlich ließ er seine Stütze zögernd los und sank auf allen vieren ins Wasser, platschte durch das Seichtwasser, stolperte in den Wald dahinter, bis er endlich zwischen den trockenen, faserigen Wurzeln eines Gehölzes von Quianbäumen bewußtlos liegenblieb.

3. Der Jäger

Die etwa vierzig Kilometer lange Insel teilte den Fluß in zwei Wasserläufe; ihre stromaufwärts liegende Spitze brach den Strom in der Mitte, während ihr stromabwärts liegendes Ende sich nahe dem unverbrannten Ufer befand, das der Bär nicht erreicht hatte. Die Durchfahrt, die bis zu diesem schmalen östlichen Ende immer enger wurde, floß durch die Reste eines Dammwegs hinaus – eine seichte Stelle mit plätscherndem Wasser, gefährlich unterbrochen durch tiefe Löcher –, der in früherer Zeit von längst verschwundenen Menschen gebaut worden war. Die Insel war größtenteils von Schilfgürteln umgeben, so daß bei Wind oder Sturm die Wellen nicht unmittelbar gegen die Steine schlugen, sondern landeinwärts abnahmen und ihre Kraft unmerklich zwischen den wogenden Rohrbänken verbrauchten. Ein Stück landeinwärts der stromaufwärts liegenden Spitze erhob sich eine felsige Hügelkette aus dem Dschungel, die rückgratartig über die halbe Länge der Insel verlief.

Am Fuß dieser Kette schlief der Bär unter dem grün blühenden Quian, als wollte er nie mehr erwachen. Unter und über ihm waren das Schilf und die unteren Böschungen voll von geflüchteten Geschöpfen, die durch den Strom herübergelangt waren. Einige waren gestorben – verbrannt oder ertrunken –, aber viele, besonders die, die schwimmen konnten – Ottern, Frösche und Schlangen –, hatten überlebt, erholten sich bereits und begannen, nach Nahrung zu suchen. Die Bäume waren voller Vögel, die von dem brennenden Ufer herübergeflogen waren; sie befanden sich, aus ihrem natürlichen Rhythmus aufgestört, dauernd in Bewegung und schnatterten im Dunkel. Trotz Müdigkeit und Hunger war jedes Tier, das wußte, was es hieß, getrieben zu werden und einen jagenden Feind zu fürchten, auf der Hut. Die Umgebung war fremd; keines wußte, wo ein sicherer Ort zu finden wäre; und dieses Gefühl des Verlorenseins strahlte überall, wie ein kalter Boden Nebel abgibt, eine fühlbare Spannung aus – scharfe Angstschreie, Geräusche von überstürzter Bewegung und plötzlicher Flucht –, ganz anders als der normale, heimliche Rhythmus des Waldes. Nur der Bär schlief weiter, unbewegt wie ein Fels im Meer, hörte nichts, sah nichts, fühlte nichts, nicht einmal die Brandwunden, wo große Flecke in seinem Fell zerstört waren und das Fleisch darunter runzlig.

Als der Morgen graute, kehrte der Wind zurück und brachte von jenseits des Flusses den Geruch von kilometerlangen Flächen voll Asche und schwelendem Urwald. Die Sonne ging hinter dem Kamm auf. Den Wald unter dem Westabhang ließ sie im Schatten; hier blieben die geflüchteten Tiere stehen, lauernd und verwirrt, und wagten sich nicht ins helle Licht hinaus, das nun an den Inselufern glitzerte.

Dieser Sonnenschein war es und der alles durchdringende Geruch der verkohlten Bäume, die das Herannahen des Mannes deckten. Er watete knietief durch das seichte Wasser, duckte sich, um unter den gefiederten Büscheln des Schilfrohrs verborgen zu bleiben. Er trug Kniehosen aus derbem Stoff und ein an den Seiten und Schultern mit groben Stichen genähtes Lederwams. Seine Füße waren an den Knöcheln in Ledersäcke geschnürt, die wie unförmige Stiefel aussahen. Er trug ein Halsband aus gebogenen, spitzen Zähnen, und an seinem Gürtel hingen ein Messer und ein Köcher mit Pfeilen. Seinen geschwungenen, besaiteten Bogen trug er um den Hals, um dessen Ende nicht im Wasser nachzuschleppen. In der einen Hand hielt er einen Stock, an dem drei tote Vögel – ein Kranich und zwei Fasane – mit den Beinen festgebunden waren.

Als er das im Schatten liegende westliche Ende der Insel erreichte, blieb er stehen, hob vorsichtig den Kopf und lugte über das Schilf in den dahinter liegenden Wald. Dann machte er sich auf den Weg zum Ufer, das Schilfrohr vor ihm teilte sich mit einem zischenden Geräusch wie das einer Sense in langem Gras. Ein Entenpaar flog auf, aber er beachtete es nicht, denn er riskierte es selten oder nie, durch einen Schuß auf fliegende Vögel womöglich einen Pfeil zu verlieren. Als er trockenen Boden erreichte, duckte er sich sofort in einem hohen Schierlingsgebüsch nieder.

Hier blieb er zwei Stunden, regungslos und wachsam, während die Sonne höher stieg und allmählich über den Hügelkamm wanderte. Zweimal schoß er, und beide Pfeile trafen ihr Ziel – der eine eine Gans, der andere ein *Ketlana,* ein kleines Waldreh. Beide Male ließ er die Beute liegen, wo sie gefallen war, und blieb in seinem Versteck. Da er eine Beunruhigung um sich spürte und die Asche im Wind roch, hielt er es für richtig, sich still zu verhalten und auf andere verirrte und heimatlose Tiere zu warten, die vorbeikommen würden. So duckte er sich denn und wartete, aufmerksam wie ein Eskimo vor einem Seehundloch, und bewegte sich nur dann und wann, um die Fliegen zu verscheuchen.

Beim Anblick des Leoparden waren seine ersten Reaktionen nur ein schneller Biß auf die Lippe und ein Festerfassen seines Bogens. Das Tier kam durch die Bäume, mit langsamem Schritt und nach beiden Seiten Ausschau haltend, gerade auf ihn zu. Offensichtlich war es nicht nur unruhig, sondern auch hungrig und auf der Hut – ein gefährliches Geschöpf, dem jeder einsame Jäger besser aus dem Weg ging. Es kam näher, blieb stehen und starrte eine Weile auf das Versteck, dann wandte es sich um und trottete zu der Stelle, wo das Ketlana mit dem gefiederten Pfeil im Hals lag. Während es den Kopf vorstreckte und an dem Blut schnupperte, schlich der Mann geräuschlos aus dem Versteck, beschrieb einen Halbkreis, blieb hinter jedem Baum stehen und beobachtete, ob das Tier sich bewegte. Er atmete mit abgewandtem Kopf und achtete bei jedem Schritt darauf, Ästen und losen Steinen auszuweichen.

Er war schon einen halben Bogenschuß weit von dem Leoparden entfernt, als plötzlich ein Wildschwein aus dem Gebüsch trabte, gegen ihn tapste und quiekend zurück ins Dunkel lief. Der Leopard wandte sich um, starrte und kam auf den Jäger zu.

Er machte kehrt und bewegte sich gemächlich fort, wobei er sich gegen den panischen Impuls wehrte, schneller zu gehen. Zurückblickend sah er, daß der Leopard in einen Trab verfallen war und ihn überholte. Er begann zu laufen, warf seine Vögel fort und eilte zu den Hügeln, in der Hoffnung, seinen furchtbaren Verfolger in den Büschen auf den unteren Abhängen abschütteln zu können. Am Fuß des Hügels wandte er sich am Rand eines Quianhaines um und hob seinen Bogen. Obwohl er genau wußte, was geschehen würde, wenn er den Leoparden verwundete, schien ihm seine einzige, verzweifelte Chance darin zu liegen zu versuchen, dem Tier zwischen den

Büschen und Ranken lange genug auszuweichen, um mehrmals Pfeile abschießen zu können und es so entweder kampfunfähig zu machen oder in die Flucht zu schlagen. Er zielte und schoß, aber die Angst machte seine Hand unsicher. Der Pfeil streifte die Flanke des Leoparden, blieb einen Augenblick hängen und fiel dann zu Boden. Der Leopard bleckte die Zähne und stürzte fauchend auf den Jäger los, der blindlings den Hügel hinab floh. Ein Stein rollte unter seinem Fuß fort, und er stürzte, sich mehrfach überschlagend, zu Boden. Er spürte einen scharfen Schmerz, als ihn ein Ast in die linke Schulter stach, dann ging ihm der Atem aus. Sein Körper schlug schwer gegen eine große, zottige Masse, und er blieb, keuchend und vor Entsetzen lahm, liegen und blickte in die Richtung zurück, aus der er gestürzt war. Sein Bogen war fort, und als er sich auf die Knie hochrappelte, sah er, daß sein linker Arm und die Hand von Blut gerötet waren.

Der Leopard tauchte auf der Höhe der steilen Böschung auf, von der der Mann hinabgestürzt war. Der versuchte, lautlos zu bleiben, aber aus seiner Lunge drang ein Keuchen, und der Leopard wandte ihm, schnell wie ein Vogel, den Kopf zu. Mit flachgelegten Ohren und peitschendem Schwanz duckte sich das Tier über ihm zum Sprung. Er konnte seine nach unten gebogenen Eckzähne sehen und schwebte einen langen Augenblick hindurch in Todesangst wie vor einem fürchterlichen Absturz, in dessen Tiefe sein Leben vernichtet sein würde.

Plötzlich fühlte er sich beiseite geschoben und merkte, daß er auf dem Rücken lag und nach oben blickte. Über ihm stand ein Geschöpf, hoch wie eine Zypresse, mit einer Keule so nahe an seinem Gesicht, daß er den zottigen Pelz riechen konnte; es war so gewaltig, daß er es mit seinem verstörten Geist nicht begreifen konnte. Wie ein Mann, der, vom Schlachtfeld bewußtlos fortgebracht, verwundert aufwacht und zuerst einen Abfallhaufen, dann ein Herdfeuer, dann zwei Frauen sieht, die Bündel tragen, und nun weiß, daß er in einem Dorf ist, so sah der Jäger einen klauenbewehrten Fuß, der größer war als sein eigener Kopf, eine Wand von verbranntem und halb bis zum anscheinend rohen Fleisch abgerissenen grobem Haar, eine große, sich vom Himmel abhebende, keilförmige Schnauze und wußte, daß er neben einem Tier lag. Noch immer stand der Leopard oben auf der Böschung, nun duckte er sich und blickte auf den Kopf, der ihn wohl schrecklich anstarrte. Dann fegte ihn das riesige

Tier mit einem einzigen Hieb von der Böschung, so daß er in die Höhe flog, sich in der Luft überschlug und krachend zwischen die Quianstämme stürzte. Mit einem Donnergebrüll, das eine Wolke von Vögeln auffliegen ließ, wandte sich das Tier neuerlich zum Angriff. Es ließ sich auf alle vier Füße fallen und geriet dabei mit seiner linken Flanke an einen Baum. Es knurrte und wich, vor Schmerz zusammenzuckend, zur Seite. Dann hörte es den Leoparden, der sich durch das Unterholz kämpfte, wandte sich dem Geräusch zu und verschwand.

Der Jäger erhob sich langsam und griff nach seiner verwundeten Schulter. Wie schrecklich auch die erlittene Angst ist, der Umschwung kann so rasch erfolgen, wie wenn man plötzlich aus tiefem Schlaf erwacht. Er fand seinen Bogen und schlich über die Böschung nach oben. Obgleich er wußte, was er gesehen hatte, wirbelten seine Gedanken gleich einem Boot im Wasserstrudel rund um den Mittelpunkt der Gewißheit. Er hatte einen Bären gesehen. Aber um Himmels willen, was für ein Bär? Woher war er gekommen? War er tatsächlich schon auf der Insel gewesen, als der Jäger am Morgen durch das seichte Wasser gewatet war, oder war er eine Ausgeburt seiner Furcht, eine Antwort auf sein Gebet? Hatte er vielleicht selbst, als er fast besinnungslos am Fuß der Böschung kauerte, eine verzweifelte Geisterreise unternommen, um das Geschöpf aus dem Jenseits herbeizurufen? Eines war jedenfalls sicher: Wo immer dieses Tier, das einen ausgewachsenen Leoparden mit einem Schlag durch die Luft schleuderte, hergekommen war, nun war es von dieser Welt, war Fleisch und Blut. Es würde ebensowenig verschwinden wie der Sperling auf dem Zweig.

Langsam hinkte er zum Fluß zurück. Die Gans war fort und der Pfeil mit ihr, aber das Ketlana lag noch dort, wo es gefallen war; er zog den Pfeil heraus, nahm es unter seinen gesunden Arm und wanderte damit zum Schilf. Dort erst überwältigte ihn der erlittene Schock. Er sank zitternd zu Boden und weinte lautlos am Flußufer. Lange Zeit lag er dort auf dem Bauch, ohne sich um seine Sicherheit zu kümmern. Und langsam – nicht plötzlich, sondern glimmend und auflodernd wie ein frisch entzündetes Feuer – wurde ihm klar, was – oder wer – es eigentlich war, das er gesehen hatte.

Wie ein Wanderer vielleicht in einer fernen Wildnis eine Handvoll Steine vom Boden aufhebt, sie oberflächlich untersucht und dann mit steigender Erregung zuerst vermutet, später für wahrscheinlich hält und dann sicher ist, daß es Diamanten sein müssen; oder wie ein Schiffskapitän auf großer Fahrt in fernen Gewässern zu einem unbekannten Vorgebirge kommt, sich eine Stunde lang mit der Führung des Schiffs befaßt und erst dann allmählich erkennt, daß er – er selbst – in den unentdeckten Fabelozean gesegelt ist, der seinen Vorfahren nur durch Legende und Gerüchte bekannt war – so überkam diesen Jäger allmählich die verblüffende, fast unglaubliche Erkenntnis dessen, was er gesehen haben mußte. Da beruhigte er sich, stand auf und begann, am Ufer zwischen den Bäumen auf und ab zu gehen. Endlich blieb er stehen, wandte sich der jenseits der Flußenge stehenden Sonne zu, hob seinen verletzten Arm und betete lange: es war ein wortloses, stilles Gebet voll zitternder Ehrfurcht. Dann hob er, immer noch verwirrt, das Ketlana auf und watete durch das Schilf, zurück über das seichte Wasser, bis er zu dem Floß kam, das er am Morgen festgemacht hatte; er machte es los und ließ sich stromabwärts treiben.

4. Der Großbaron

Es war spät am Nachmittag, als der Jäger Kelderek endlich in Sicht des Kennzeichens kam, das er suchte, eines hohen Anemonenbaums in einiger Entfernung oberhalb der stromabwärts liegenden Inselspitze. Die Äste mit ihren farnartigen, auf der Rückseite silbrigen Blättern hingen tief über den Fluß und bildeten eine abgeschlossene Uferlaube am Wasser. Das Schilf davor war geschnitten worden, um einem sitzenden Wächter einen klaren Überblick über die Durchfahrt zu gewähren. Kelderek steuerte sein Floß mit einiger Mühe zur Kanaleinfahrt, blickte zum Anemonenbaum und hob, wie zum Gruß, sein Paddel. Es erfolgte keine Antwort, aber er erwartete auch keine. Er lenkte das Floß zu einem kräftigen, im Wasser stehenden Pfosten, tastete an ihm nach unten, fand das unter der Wasserfläche zum Ufer führende Tau und zog sich an Land.

Als er den Baum erreichte, zog er das Floß durch den Vorhang der hängenden Zweige. Im Inneren ragte ein kurzer Holzpier vom Ufer vor, und darauf saß ein Mann, der zwischen Blättern auf den Fluß hinausstarrte. Hinter ihm saß ein zweiter Mann, der ein Netz ausbesserte. An dem verborgenen Kai waren noch vier oder fünf andere Flöße festgemacht. Der Blick des Ausguckmannes fiel auf das einzelne Ketlana und die wenigen neben Kelderek liegenden Fische und heftete sich dann auf den müden, blutbeschmierten Jäger.

»Nun denn, Kelderek, Kinderspielfreund. Du hast wenig vorzuweisen, weniger noch als gewöhnlich. Wo bist du verletzt?«

»An der Schulter, Shendron, und der Arm ist steif und schmerzt.«

»Du siehst benommen aus. Hast du Fieber?«

Der Jäger antwortete nicht.

»Ich fragte: ›Hast du Fieber?‹«

Er schüttelte den Kopf.

»Wie bist du zu der Wunde gekommen?«

Kelderek zögerte, dann schüttelte er wieder den Kopf und schwieg.

»Du Dummkopf, meinst du, ich frage dich aus reiner Klatschsucht? Ich muß alles erfahren – das weißt du. War es ein Mensch oder ein Tier, das dich verwundete?«

»Ich bin gestürzt und habe mich verletzt.«

Der Shendron wartete.

»Ein Leopard hat mich verfolgt«, fügte Kelderek hinzu.

»Glaubst du, du erzählst hier Kindern am Strand Geschichten?« platzte der Shendron ungeduldig los. »Muß ich weiterfragen: ›Und was geschah dann?‹ Erzähl mir, was vorgefallen ist. Oder ist es dir lieber, zum Großbaron geschickt zu werden, um ihm zu sagen, was du nicht erzählen wolltest?«

Kelderek setzte sich an den Rand des Holzpiers, blickte zu Boden und stocherte mit einem Stecken in dem dunkelgrünen Wasser unter sich. Endlich sagte der Shendron: »Kelderek, ich weiß, man hält dich mit deinem ›Katze fängt Fisch‹ und all dem Unsinn für einen einfältigen Burschen. Ob das stimmt, kann ich nicht beurteilen. Jedenfalls aber weißt du sehr wohl, daß jeder Jäger, der ausfährt, bei der Rückkehr alles erzählen muß. So lautet Bel-ka-Trazets Befehl. Hat das Feuer einen Leoparden nach Ortelga getrieben? Bist du mit Fremden zusammengetroffen? Wie sieht es am Westende der Insel aus? All das muß ich erfahren.«

Kelderek zitterte auf seinem Platz, sagte aber noch immer nichts.

»Hör mal«, sagte der Netzflicker, der zum erstenmal sprach, »du weißt doch, er ist ein Einfaltspinsel – Kelderek *Zenzuata* – Kelderek, der mit den Kindern spielt. Er ist auf die Jagd gegangen, hat sich verletzt – ist mit wenig Beute zurückgekehrt. Können wir's nicht dabei belassen? Wer will sich die Mühe machen, ihn dem Großbaron vorzuführen?«

Der Shendron, ein älterer Mann, runzelte die Stirn. »Ich bin nicht hier, damit man seinen Spaß mit mir treibt. Vielleicht ist die Insel voll mit allerhand wilden Tieren, vielleicht auch mit Menschen. Warum nicht? Und dieser Mann, den du für einen Einfaltspinsel hältst – vielleicht hintergeht er uns. Mit wem hat er heute gesprochen? Und hat man ihn bestochen, damit er nichts sagt?«

»Aber wenn er uns hinterginge«, sagte der Netzflicker, »würde er dann nicht mit einer vorbereiteten Geschichte kommen? Verlaß dich darauf, er . . .«

Der Jäger erhob sich und blickte gespannt von dem einen zum anderen.

»Ich hintergehe niemanden; aber ich kann auch nicht erzählen, was ich heute gesehen habe.«

Der Shendron und sein Gefährte wechselten Blicke. In der abendlichen Stille plätscherte das Wasser unter der Plattform in einer leichten Brise, und irgendwo landeinwärts ertönte ein leiser Ruf: »Jasta! Das Brennholz!«

»Was soll das heißen?« fragte der Shendron. »Du machst es mir schwer, Kelderek, aber dir noch schwerer – viel schwerer.«

»Ich kann dir nicht erzählen, was ich gesehen habe«, wiederholte der Jäger mit Verzweiflung in der Stimme.

Der Shendron zog die Schultern hoch. »Gut, Taphro, da es anscheinend keine Hilfe gegen diese Torheit gibt, mußt du ihn zum Sindrad führen. Aber du bist ein großer Narr, Kelderek. Der Zorn des Großbarons ist ein Sturm, den schon so mancher nicht überlebt hat.«

»Das weiß ich. Gottes Wille geschehe.«

Der Shendron schüttelte den Kopf. Kelderek legte ihm, als wollte er ihn zu versöhnen suchen, eine Hand auf die Schulter, aber der andere schüttelte sie unwillig ab und wandte sich schweigend wieder seiner Flußwache zu. Düsteren Blicks winkte Taphro nun dem Jäger, ihm am Ufer entlang zu folgen.

Die Stadt, welche das schmale Ostende der Insel überzog, war landeinwärts durch ein verzweigtes, teils natürliches, teils künstliches Verteidigungssystem befestigt, das von einem Ufer zum anderen verlief. Westlich von dem Anemonenbaum, auf der anderen

Seite der Stadt, zogen sich vier Reihen spitzer Pfähle vom Ufer bis in die Wälder hinein. Im Landesinneren bildeten die dichteren Urwaldstellen Hindernisse, die man kaum noch verstärken konnte, aber auch dort waren die natürlichen Schlingpflanzen gekappt und in fast undurchdringliche, hintereinanderliegende Schirmwände verwandelt worden. An den offeneren Stellen waren Dornbüsche gepflanzt worden – *Trazada*, Kräuseldorn, und die schreckliche *Ancottlia,* deren Gift brennt und juckt, bis die Menschen sich das Fleisch mit den Nägeln aufreißen. Steile Stellen hatte man noch steiler gemacht, und an einer Stelle hatte man die Mündung eines Sumpfes eingedämmt und einen – um diese Jahreszeit zusammengeschrumpften – kleinen See gebildet, in dem man junge, auf dem Festland gefangene Alligatoren ausgesetzt hatte, die groß und gefährlich geworden waren. Längs des äußeren Randes verlief der achtzig Meter breite sogenannte »Todesgürtel«, der nie betreten wurde außer von den Leuten, welche ihn instand zu halten hatten. Dort gab es versteckte Fußfallen, die an großen Baumstämmen befestigt waren; verborgene, mit spitzen Pfählen bestückte Gräben – einer davon enthielt Schlangen; Pfähle im Gras; und ein paar harmlos aussehende Pfade führten zu eingeschlossenen Plätzen, die von Plattformen auf den Bäumen aus mit Pfeilen und anderen Schleuderwaffen beschossen werden konnten. Der Gürtel war durch rohe Palisaden unterteilt, so daß ein seitliches Eindringen für vorrückende Feinde erschwert wurde und sie sich darauf beschränken mußten, an Stellen aufzutauchen, wo man sie erwarten konnte. Die ganze Linie und ihre Bestandteile fügten sich so natürlich in die Urwaldumgebung, daß ein Fremder, wenn er auch vielleicht da und dort merken mochte, daß Menschen an der Arbeit gewesen waren, sich kaum eine Vorstellung von ihren Ausmaßen machen konnte. Diese hervorragende Abschirmung einer offenen Flanke, die von dem Großbaron, Bel-ka-Trazet, erdacht und in mehreren Jahren ausgeführt worden war, hatte noch nie einer Prüfung standzuhalten gehabt. Aber ihre mühevolle Errichtung und das Bewußtsein ihrer Existenz hatte, wie Bel-ka-Trazet vielleicht vorausgesehen hatte, den Ortelganern ein Vertrauen und ein Sicherheitsgefühl gebracht, das vielleicht so viel wert war wie die Anlage selbst. Die Linie beschützte nicht nur die Stadt, sondern erschwerte es auch den Einwohnern, sie ohne Wissen des Großbarons zu verlassen.

Kelderek und Taphro kehrten dem Gürtel den Rücken und wanderten über den schmalen Pfad zwischen den Hanffeldern der Stadt zu. Da und dort trugen Frauen Wasser von den Schilfgürteln hinauf, oder sie düngten den bereits abgeernteten und gesäuberten Boden. Um diese Stunde arbeiteten aber nur wenige, denn es war schon beinahe Essenszeit. Nicht weit entfernt, hinter den Bäumen, kräuselten sich Rauchsäulen zum Abendhimmel empor, und mit ihnen erklang von irgendwoher am Rand der Hütten der Gesang einer Frau:

> »Er kam, er kam des Nachts.
> Rote Blumen trug ich im Haar.
> Ich ließ meine Lampe erleuchtet, meine Lampe brennt.
> *Senandril na kora, senandril na ro.*«

In der Stimme lag eine unverhüllte Wärme und Zufriedenheit. Kelderek warf Taphro einen Blick zu, wies mit einem Kopfnicken in Richtung des Gesanges und lächelte.

»Hast du Angst?« fragte Taphro mürrisch.

Der ernste, besorgte Blick saß wieder in Keldereks Augen.

»Vor den Großbaron zu treten und ihm zu sagen, daß du dich geweigert hättest, dem Shendron zu erzählen, was du weißt? Du mußt verrückt sein! Warum bist du ein solcher Narr?«

»Weil sich dies nicht zum Verbergen oder Lügen eignet. Gott . . .« Er brach ab.

Taphro gab keine Antwort, sondern streckte bloß die Hand nach Keldereks Waffen – Messer und Bogen – aus. Der Jäger reichte sie ihm wortlos.

Sie kamen zu den ersten Hütten mit ihren Koch-, Rauch- und Abfallgerüchen. Männer kamen von der Tagesarbeit zurück, und Frauen standen in den Türen, riefen ihre Kinder oder plauderten mit Nachbarn. Wenn auch der eine oder andere neugierig Kelderek anblickte, der ruhig neben dem Boten des Shendrons dahinschritt, sprach keiner ihn an oder fragte, wohin er denn ginge. Plötzlich kam ein Kind, ein etwa sieben- oder achtjähriger Junge, herangelaufen und faßte ihn an der Hand. Der Jäger blieb stehen.

»Kelderek«, fragte das Kind, »kommst du heute abend spielen?«

Kelderek zögerte. »Nun . . . ich kann es nicht sagen. Nein, Sarin, ich glaube, heute abend werde ich nicht kommen können.«

»Warum nicht?« fragte das Kind, sichtlich enttäuscht. »Du hast dich an der Schulter verletzt – deshalb?«

»Ich muß dem Großbaron etwas erzählen«, sagte Kelderek einfach.

Ein anderer, älterer Junge, der dazugekommen war, brach in Lachen aus. »Und ich muß vor Sonnenuntergang den Herrn von Bekla aufsuchen – eine Frage von Leben und Tod, Kelderek, fopp uns doch nicht. Willst du heute nicht spielen?«

»Komm doch, vorwärts!« sagte Taphro ungeduldig und scharrte mit den Füßen im Staub.

»Nein, es ist wahr!« sagte Kelderek, ohne sich um ihn zu kümmern. »Ich bin auf dem Weg zum Großbaron. Aber ich komme zurück: entweder heute abend oder – nun, vielleicht an einem anderen Abend.«

Er wandte sich ab, aber die Knaben trabten weiter neben ihm her. »Heute nachmittag haben wir gespielt«, sagte der Kleine. »Wir spielten ›Katze fängt Fisch‹. Ich habe den Fisch zweimal erwischt.«

»Bravo«, sagte der Jäger und lächelte zu ihm nieder.

»Haut ab!« schrie Taphro und tat, als wollte er sie schlagen. »Vorwärts – verschwindet! Du schwachköpfiger Narr«, fügte er, zu Kelderek gewandt, hinzu. »In deinem Alter mit Kindern zu spielen!«

»Gute Nacht!« rief ihnen Kelderek nach. »Die gute Nacht, um die ihr betet – wer weiß, für wen?«

Sie winkten ihm und verschwanden zwischen den rauchgeschwärzten Hütten. Ein vorbeigehender Mann sprach Kelderek an, aber der antwortete nicht, sondern ging geistesabwesend, den Blick zu Boden gerichtet, weiter.

Nachdem sie ein ausgedehntes Gebiet von Seilerbahnen durchquert hatten, kamen die beiden schließlich zu einer Gruppe größerer Hütten, die im Halbkreis nicht weit von der Ostspitze der Insel und dem zerstörten Damm standen. Dazwischen waren Bäume gepflanzt worden, und das Geräusch des Flusses vermengte sich mit der Abendbrise und der Bewegung der Blätter, die nach dem heißen, trockenen Tag eine erfrischende Kühle vermittelten. Mehrere Männer, die ihrem Aussehen und ihrer Beschäftigung nach Diener und Handwerker zu sein schienen, richteten Pfeile aus, spitzten Pfähle zu und reparierten Bogen, Speere und Äxte. Ein stämmiger Schmied, der seine Tagesarbeit eben beendet hatte, stieg aus seiner Schmiede in eine flache, offene Grube, während seine zwei jungen Helfer das Feuer löschten und hinter ihm Ordnung machten.

Kelderek hielt an und wandte sich nochmals an Taphro.

»Schlecht gezielte Pfeile können Unschuldige verwunden. Es ist nicht nötig, daß du mit diesen Männern über mich redest und klatschst.«

»Was geht es dich an?«

»Sie sollen nicht erfahren, daß ich ein Geheimnis bewahre«, sagte Kelderek.

Taphro nickte kurz und näherte sich einem Mann, der einen Schleifstein säuberte; das Wasser spritzte spiralenförmig auf, als er das Rad drehte.

»Shendrons Bote. Wo ist Bel-ka-Trazet?«

»Der? Beim Essen.« Der Mann wies mit dem Daumen zu der größten Hütte.

»Ich muß mit ihm reden.«

»Wenn es warten kann«, antwortete der Mann, »solltest du eben warten. Frag Numiss – den Rothaarigen –, wenn er herauskommt. Der wird dir sagen, wenn Bel-ka-Trazet fertig ist.«

Der neolithische Mensch, der bärtige Assyrer, die klugen Griechen, die brüllenden Wikinger, die Tataren, die Azteken, die Samurais, die Ritter, die Menschenfresser und Menschen, deren Köpfe unterhalb ihrer Schultern wachsen: eines zumindest haben sie alle gemeinsam – das Warten, bis jemand Wichtiges bereit ist, sie zu empfangen. Numiss kaute ein Stück Speck, während er Taphro zuhörte, unterbrach ihn und wies ihn und Kelderek zu einer Bank an der Mauer. Dort nahmen sie Platz. Die Sonne ging unter, bis ihr Rand den Horizont stromaufwärts berührte. Die Fliegen summten. Die meisten Handwerker gingen fort. Taphro döste. Der Platz wurde beinahe leer, das einzige Geräusch über dem Wasser war das Stimmengemurmel, das aus dem Inneren der großen Hütte nach außen drang. Endlich kam Numiss heraus und schüttelte Taphro an der Schulter. Die beiden erhoben sich und folgten dem Diener durch die Tür, auf der Bel-ka-Trazets Zeichen aufgemalt war: eine goldene Schlange.

Die Hütte war in zwei Teile geteilt. Hinten lagen Bel-ka-Trazets Privatgemächer. Der größere Teil, bekannt als Sindrad, diente als Beratungsraum und als Speisesaal für die Barone. Es geschah selten, daß alle Barone zugleich versammelt waren, es sei denn, es wurde eine Vollversammlung einberufen. Es gab dauernd Reisen zum Festland, Jagdausflüge und Handelsunternehmungen, denn die

Insel besaß kein Eisen oder anderes Metall außer dem, das von den Gelter Bergen im Austausch gegen Häute, Federn, Halbedelsteine und Artikel wie Pfeile und Seile und was immer eben einen Tauschwert besaß, eingeführt wurde. Abgesehen von den Baronen und deren Dienerschaft mußten alle Jäger und Händler um die Aus- und Einreiseerlaubnis einkommen. Sooft die Barone zurückkehrten, mußten sie wie jeder andere ihre Neuigkeiten berichten, und während sie auf der Insel wohnten, nahmen sie gewöhnlich die Abendmahlzeit mit Bel-ka-Trazet im Sindrad ein.

Als Taphro und Kelderek eintraten, wandten sich ihnen fünf oder sechs Gesichter zu. Mit der Mahlzeit war man fertig, und die Reste, Knochen, Rinden und Häute, lagen verstreut auf dem Fußboden. Ein junger Diener sammelte diese Abfälle in einen Korb, während ein anderer frischen Sand aufstreute. Vier von den Baronen saßen noch, die Trinkhörner in der Hand und die Ellbogen auf den Tisch gestützt, auf den Bänken. Zwei aber standen abseits beim Eingang – sie wollten sichtlich noch das letzte Tageslicht benutzen, denn sie diskutierten leise über einem Rechengestell mit Kugeln und einem Stück geglätteter, mit Schriftzeichen bedeckter Rinde. Das war wohl eine Liste oder ein Inventarverzeichnis, denn als Kelderek vorbeiging, sagte einer der beiden Barone, mit Blick auf die Rinde: »Nein, fünfundzwanzig Seile, nicht mehr«, worauf der andere eine Kugel mit dem Zeigefinger zurückschob und erwiderte: »Und du *hast* fünfundzwanzig Seile bereitliegen, oder?«

Kelderek und Taphro blieben vor einem jungen, sehr hochgewachsenen Mann mit einem silbernen Ring am linken Arm stehen. Als sie eingetreten waren, hatte er mit dem Rücken zur Tür gesessen, doch nun drehte er sich um und blickte sie an; in einer Hand hielt er sein Trinkhorn; er saß einigermaßen unsicher auf dem Tisch, seine Füße stützten sich auf die Bank darunter. Mit ausdruckslosem Lächeln maß er Kelderek von oben bis unten, sagte aber nichts. Kelderek senkte verwirrt den Blick. Der junge Baron schwieg weiter, und der Jäger versuchte, um Haltung zu bewahren, seine Aufmerksamkeit auf den großen Tisch zu richten, der ihm schon geschildert worden war, den er aber noch nie gesehen hatte. Er war alt und mit einer Kunstfertigkeit geschnitzt, über die kein jetzt auf Ortelga lebender Zimmermann oder Holzarbeiter verfügte. Jedes der acht Beine war in Pyramidenform geschnitten, die spitz zulaufenden Seitenflächen bildeten eine Reihe von Stufen, die bis nach oben reichten. Die beiden Ecken der Tischplatte, die er sehen konnte, stellten wütende Bärenköpfe mit geöffnetem Maul und vorgeschobener Schnauze dar. Sie waren äußerst lebensecht. Kelderek zitterte und blickte rasch wieder auf.

»Und wasch für Ekschtraarbeit bringt ihr unsch?« fragte der junge Baron munter.

»Ihr wollt wohl Burschen für 'n Dammbau, oder?«

»Nein, Herr«, sagte Numiss leise. »Das ist der Mann, der dem Shendron nicht berichten wollte.«

»Scho?« fragte der junge Baron, leerte sein Horn und winkte einem Diener, er solle es wieder füllen. »Isch alscho 'n vernünftiger Mann. Hat kein'n Schinn, mit Schendrons tschu reden. Blöde Burschen. Alle Schendrons blöde Burschen, nöch?« sagte er zu Kelderek.

»Glaubt mir, Herr«, antwortete Kelderek, »ich habe nichts gegen den Shendron, aber – aber die Sache –«

»Kannscht du leschen?« unterbrach ihn der junge Baron.

»Lesen? Nein, Herr.«

»Ich auch nicht. Schau dir dort drüben den alten Fassel-Hasta an. Was liest er? Wer soll das wissen? Gib nur acht: der wird dich behexen.«

Der Baron mit dem Rindenstück wandte sich stirnrunzelnd um und starrte den jungen Mann an, als wollte er sagen, *er* sei jedenfalls nicht jemand, der sich wie ein betrunkener Narr aufführe.

»Ich werde es dir sagen«, erklärte der junge Baron, glitt vom Tisch nach vorne und landete mit einem Ruck auf der Bank, »alles übers Schreiben – ein Wort –«

»Ta-Kominion«, rief eine heisere Stimme aus dem anderen Zimmer, »ich will mit diesen Männern sprechen. Zelda, führe sie herein.«

Ein anderer Baron erhob sich von der Bank gegenüber und winkte Kelderek und Taphro. Sie folgten ihm aus dem Sindrad ins andere Zimmer, wo der Großbaron allein saß. Beide neigten zum Zeichen des Respekts und der Untertänigkeit den Kopf und hoben die Handflächen an die Stirn, senkten den Blick und warteten.

Kelderek, der noch nie vor Bel-ka-Trazet gestanden hatte, hatte sich auf diesen Augenblick vorbereiten wollen. Ihm gegenüberzutreten war an sich eine Qual, denn der Großbaron war widerlich entstellt. Sein Gesicht – wenn man es noch ein Gesicht nennen konnte – sah aus, als wäre es eingeschmolzen worden und man hätte es ihm überlassen, von selbst wieder fest zu werden. Das linke Auge unter der weiß umsäumten Stirn lag schief und war gräßlich über die Wange nach unten gerutscht, halb bedeckt von einem großen Fleischwulst, der von der Nasenwurzel zum Hals lief. Das Kinn war nach rechts verzerrt, so daß die Lippen schief aufeinanderlagen; über das Kinn lief eine bläuliche, hammerähnliche Narbe. Was es in dieser schrecklichen Maske an Ausdruck gab, wirkte sarkastisch, durchdringend, stolz und uninteressiert – es war das Antlitz eines unzerstörbaren Mannes, eines Mannes, der Verrat, Belagerung, Wüste und Überschwemmung überlebt hatte.

Der Großbaron saß auf einem runden, trommelartigen Schemel und starrte auf den Jäger. Er trug trotz der Hitze einen schweren Pelzumhang, der mit einer Messingkette am Hals befestigt war, so daß sein gespenstischer Kopf aussah, als wäre er von einem Feind abgeschlagen und auf der Spitze eines schwarzen Zeltes befestigt worden. Es herrschte eine Weile Stille – eine Stille, die voll Spannung war wie eine Bogensaite. Dann sagte Bel-ka-Trazet: »Wie heißt du?«

Auch seine Stimme war verzerrt; sie war rauh und leise, mit einem merkwürdigen Klang, wie wenn ein Stein über eine Eisfläche hüpft.

»Kelderek, Herr.«

»Warum bist du hier?«

»Der Shendron vom Zoanbaum hat mich geschickt.«

»Das weiß ich. Weshalb hat er dich geschickt?«

»Weil ich es nicht für richtig hielt, ihm zu erzählen, was mir heute zugestoßen ist.«

»Warum vergeudet dein Shendron meine Zeit?« sagte Bel-ka-Trazet zu Taphro. »Konnte er den Mann nicht zum Sprechen bringen? Willst du behaupten, daß er euch beiden trotzte?«

»Er – der Jäger – dieser Mann, Herr«, stammelte Taphro. »Er sagte, er würde es uns nicht erzählen. Der Shendron fragte ihn über – über seine Verwundung aus. Er antwortete, ein Leopard habe ihn verfolgt, aber mehr wollte er uns nicht sagen. Als wir es wissen wollten, erklärte er, er könne uns nichts sagen.«

Es entstand eine Pause.

»Er weigert sich, Herr«, fuhr Taphro fort. »Wir sagten ihm . . .«

»Schweig!«

Bel-ka-Trazet verstummte, runzelte die Stirn und drückte mit zwei Fingern auf den Wulst unter seinem Auge. Schließlich blickte er auf.

»Du bist ein ungeschickter Lügner, scheint mir, Kelderek. Warum machst du dir die Mühe, von einem Leoparden zu reden? Weshalb sagst du nicht, daß du von einem Baum gestürzt bist?«

»Ich habe die Wahrheit gesagt, Herr. Es war ein Leopard dort.«

»Und diese Verletzung«, fuhr Bel-ka-Trazet fort, streckte die Hand aus, erfaßte Keldereks linkes Handgelenk und bewegte dessen Arm ein wenig, wobei er andeutete, daß er beträchtlich stärker daran ziehen könnte, wenn er wollte, »diese geringfügige Verletzung. Vielleicht wurde sie dir von jemandem zugefügt, der enttäuscht war, daß du ihm keine bessere Nachricht brachtest? Vielleicht hast du zu ihm gesagt: ›Die Shendrons sind wachsam, sie zu überraschen wäre schwierig‹, und das hat ihm mißfallen?«

»Nein, Herr.«

»Nun, wir werden sehen. Es war also ein Leopard dort, und du bist gestürzt. Was geschah dann?«

Kelderek schwieg.

»Ist dieser Mann schwachsinnig?« fragte Bel-ka-Trazet, zu Zelda gewandt.

»Nun, Herr«, antwortete Zelda, »ich weiß nicht viel von ihm, aber ich glaube, er gilt als einfältig. Man lacht über ihn – er spielt mit den Kindern . . .«

»Was tut er?«

»Er spricht mit Kindern, Herr, am Strand.«

»Was sonst?«

»Sonst lebt er zurückgezogen, das tun Jäger oft. Er wohnt allein und fügt keinem Schaden zu, soviel ich weiß. Sein Vater hatte Jägerrechte, durfte nach Belieben kommen und gehen, und diese Rechte wurden ihm als Erbe zuerkannt. Wenn Ihr wünscht, werden wir uns genauer über ihn erkundigen.«

»Tu das«, sagte Bel-ka-Trazet, und dann zu Taphro: »Du kannst gehen.«

Taphro legte blitzschnell die Hand an seine Stirn, und schon war er verschwunden wie eine Kerzenflamme im Wind. Zelda folgte ihm mit mehr Würde.

»Nun, Kelderek«, sagte der verzerrte Mund langsam, »du sagst, du seist ein ehrlicher Mann, und wir sind allein, es hindert dich also nichts, mir deine Geschichte zu erzählen.«

Auf Keldereks Stirn brach der Schweiß aus. Er versuchte zu sprechen, brachte jedoch kein Wort hervor.

»Warum hast du dem Shendron ein paar Worte gesagt und dich geweigert weiterzusprechen?« fragte der Großbaron. »Was war das für ein Unsinn? Ein Gauner sollte wissen, wie er seine Spuren verwischt. Wenn du etwas verbergen wolltest, warum hast du nicht eine Geschichte erfunden, die den Shendron überzeugt hätte?«

»Weil – weil die Wahrheit –«, der Jäger zögerte. »Weil ich Angst hatte und noch immer Angst habe.« Er brach ab, doch dann rief er plötzlich: »Wer kann Gott belügen? . . .«

Bel-ka-Trazet belauerte ihn wie eine Eidechse eine Fliege.

»Zelda!« rief er plötzlich. Der Baron kam wieder herein.

»Führe diesen Mann hinaus, lege seinen Arm in eine Schlinge und gib ihm zu essen. Bring ihn in einer halben Stunde wieder zu mir – und dann, Kelderek« – er stieß seinen Dolch in die auf den Deckel der neben ihm stehenden Truhe gemalte goldene Schlange –, »wirst du mir, das schwöre ich bei diesem Dolch, erzählen, was du weißt!«

Über das Unvorhersehbare im Umgang mit Bel-ka-Trazet erzählte man sich so manche Geschichten. Von Zeldas Hand unter der Schulter gestützt, stolperte Kelderek in das Sindrad hinaus und setzte sich geduckt auf eine Bank; die Diener brachten ihm Essen und eine Lederschlinge.

Als er dann wieder vor Bel-ka-Trazet stand, war es Nacht geworden. Im Sindrad draußen war es still, denn mit Ausnahme von zwei Baronen waren alle nach Hause gegangen. Zelda saß im Feuerschein und sah die Befiederung einiger Pfeile durch, die der Pfeilmacher gebracht hatte. Fassel-Hasta kauerte auf einer anderen Bank am Tisch und schrieb beim Licht einer rauchenden Steingutlampe langsam mit einem Tintenpinsel auf eine Rinde. Auch auf Bel-ka-Trazets Truhendeckel brannte eine Lampe. Im Dunkel dahinter flogen zwei schimmernde Glühwürmchen durch den Raum. Man hatte einen Vorhang aus Holzperlen über den Eingang fallen lassen, und die stießen dann und wann leise in der nächtlichen Brise aneinander.

Die Verzerrung von Bel-ka-Trazets Gesicht wirkte wie ein Gaukelbild des Lampenlichts, die Züge schrecklich wie vom Teufel in einem Maskenspiel, die Nase schien sich in einer einzigen, ungebrochenen Linie bis zum Hals hinzuziehen, die Schatten unterhalb des Kinns pulsierten leise und rhythmisch wie die Kehle einer Kröte.

Und es war tatsächlich ein Spiel, in dem sie nun agieren sollten, dachte Kelderek, denn es entsprach nichts von alldem, was er im Leben gekannt hatte. Ein einfacher Mann, der nur nach seinem Lebensunterhalt, nicht nach Reichtum oder Macht strebt, war rätselhafterweise auserlesen und zum Werkzeug gemacht worden, um Bel-ka-Trazets Willen zu durchkreuzen.

»Nun, Kelderek«, sagte der Großbaron, mit einer leichten Betonung des Namens, in der eine gewisse Verachtung lag, »während du dir den Bauch vollschlugst, habe ich über dich so viel erfahren, wie man über einen solchen Mann zu wissen braucht – das heißt alles, ausgenommen, was du mir nun erzählen wirst, Kelderek Zenzuata. Weißt du, daß man dich so nennt?«

»Ja, Herr.«

»Kelderek, der Kinderspielfreund. Ein alleinstehender junger Mann, der anscheinend keine Neigung für Schenken hat und Mädchen gegenüber von unnatürlicher Gleichgültigkeit ist, aber dennoch bekannt als geschickter Jäger, der oft Wild und Raritäten für die Kaufleute heimbringt, die mit Gelt und Bekla Handel treiben.«

»Wenn ihr so viel gehört habt, Herr . . .«

»Deshalb ist ihm gestattet, nach Belieben allein zu gehen und zu kommen, ohne daß man ihm Fragen stellt. Manchmal bleibt er mehrere Tage hintereinander fort, nicht wahr?«

»Das ist notwendig, Herr, wenn das Wild . . .«

»Warum spielst du mit den Kindern? Ein junger, unverheirateter Mann – was ist das für ein Unsinn?«

Kelderek überlegte.

»Kinder brauchen oft Freunde«, sagte er. »Manche der Kinder, mit denen ich spiele, sind unglücklich. Manche sind elternlos – ihre Eltern haben sie verlassen . . .«

Er brach verlegen ab und begegnete dem Blick Bel-ka-Trazets, dessen verzerrtes Auge ihn über dem Hautwulst anstarrte. Nach einer Weile murmelte er unsicher: »Die Flammen Gottes . . .«

»Was? Was hast du gesagt?«

»Die Flammen Gottes, Herr. Kinder – ihre Augen und Ohren sind offen – sie sprechen die Wahrheit . . .«

»Das wirst auch du tun, Kelderek, bevor ich mit dir fertig bin. Man hält dich also für einen einfältigen Burschen, vielleicht schwach im Kopf, dem Trunk und Weibern abhold, der mit Kindern spielt und gern von Gott redet; denn einen solchen Mann würde niemand verdächtigen, nicht wahr, daß er spioniert, daß er ein Verräter ist, Botschaften befördert oder bei seinen einsamen Jagdausflügen mit den Feinden Umgang hat ...«

»Herr ...«

»Bis er eines Tages verwundet und fast mit leeren Händen heimkommt von einem Ort, der angeblich voller Wild ist, zu verwirrt, um sich eine Geschichte ausgedacht zu haben ...«

»O Herr!« Der Jäger sank in die Knie.

»Hast du bei dem Mann Mißfallen erregt, Kelderek, ist das der Grund? Ein Räuber aus der Deelguy-Wüste vielleicht oder ein schmieriger Sklavenhändler aus dem Terekenalt, der darauf aus ist, durch die Beförderung von Botschaften auf seinen dreckigen Reisen ein wenig Taschengeld zu verdienen? Vielleicht mißfiel deine Meldung, oder war die Bezahlung ungenügend?«

»Nein, Herr, nein!«

»Steh auf!«

Die Holzperlen schlugen in einem Windstoß aneinander, der die Lampenflamme niederdrückte, so daß die Schatten über die Wand huschten wie erschreckte Fische in einem tiefen Teich. Der Großbaron schwieg und sammelte sich mit dem Gebaren eines Mannes, dem ein Hindernis begegnet, der jedoch entschlossen ist, es auf die eine oder andere Weise zu überwinden. Als er wieder sprach, war sein Ton ruhiger.

»Also, soweit ich es beurteilen kann, Kelderek, magst du ein ehrlicher Mann sein, wenn auch ein großer Narr mit deinem Gerede von Kindern und von Gott. Hättest du nicht einen einzigen Freund herbeirufen können, der deine Ehrlichkeit bezeugt?«

»Herr ...«

»Nein, du konntest es nicht, scheint mir, oder es ist dir gar nicht eingefallen. Aber wir wollen annehmen, daß du ehrlich bist und daß heute etwas vorfiel, das du aus irgendeinem Grund weder verborgen noch enthüllt hast. Wärst du mit der schlauen Absicht umgegangen, es ganz zu verschweigen, so wärst du, nehme ich an, nicht gezwungen worden hierherzukommen – dann würdest du jetzt nicht hier stehen. Du weißt also zweifellos sehr wohl, daß es etwas ist, das früher oder später ans Licht kommen muß, und daß es daher töricht wäre, es verheimlichen zu wollen.«

»Ja, Herr, dessen bin ich sicher«, antwortete Kelderek ohne Zögern.

Bel-ka-Trazet zog sein Messer und begann, die Dolchspitze in der Lampenflamme zu erhitzen, wie einer, der sich müßig damit die Zeit vertreibt, während er auf das Essen oder auf einen Freund wartet.

»Herr«, sagte Kelderek plötzlich, »wenn ein Mann von der Jagd zurückkäme und zum Shendron oder zu seinen Freunden sagte: ›Ich habe einen Stern gefunden, der vom Himmel auf die Erde gefallen ist‹, wer würde ihm das glauben?«

Bel-ka-Trazet gab keine Antwort und drehte weiter die Messerspitze in der Flamme.

»Was aber, o Herr, wenn der Mann wirklich einen Stern gefunden hat? Was sollte er tun und wem sollte er ihn bringen?«

»*Du* willst *mir* Fragen stellen, Kelderek, und dazu in Rätseln? Ich habe für Phantasten und ihre Reden nichts übrig, also nimm dich in acht!«

Der Großbaron ballte die Faust, doch dann öffnete er sie wieder wie ein Mann, der sich zu Geduld entschlossen hat, und starrte weiter mit skeptischem Blick auf Kelderek.

»Nun?« sagte er schließlich.

»Ich fürchte Euch, Herr. Ich fürchte Eure Macht und Euren Zorn. Aber der Stern, den ich fand – der kommt von Gott, und auch den fürchte ich. Ich fürchte ihn noch mehr. Ich weiß, wem das enthüllt werden muß . . .«, seine Stimme wurde zu einem erstickten Keuchen, ». . . ich kann es – nur der Tuginda enthüllen!«

Schon hatte ihn Bel-ka-Trazet an der Kehle gefaßt und ihn zu Boden gezwungen. Der Jäger bog seinen Kopf scharf nach hinten, fort von der nah an sein Gesicht gehaltenen heißen Dolchspitze.

»Ich werde das tun – ich kann nur jenes tun! Beim Bären, du wirst dir nicht länger aussuchen, was du tun willst, wenn dein Bogenauge ausgestochen ist! Du endest in Zeray, mein Sohn!«

Keldereks ausgestreckte Hände umklammerten den schwarzen Umhang des über ihn gebeugten Barons, der ihn vom Knie bis zu der verwundeten Schulter rückwärts zu Boden drückte. Er hatte die Augen vor der Hitze des Dolches geschlossen und schien nahe daran, im Griff des Großbarons ohnmächtig zu werden. Als er aber schließlich sprach – Bel-ka-Trazet bückte sich tief zu ihm nieder, um die Worte zu vernehmen –, flüsterte er:

»Es muß sein, wie Gott will, o Herr. Die Sache ist groß – größer sogar als dein heißer Dolch.«

Die Perlen im Eingang klickten aneinander. Ohne seinen Griff zu lockern, blickte der Baron über seine Schulter hinter die Lampe ins Dunkel. Zeldas Stimme sagte:

»Boten von der Tuginda, Herr. Sie will dringend mit Euch sprechen, sagt sie. Ihr sollt noch heute abend nach Quiso kommen.«

Bel-ka-Trazet holte zischend Atem, richtete sich auf und schüttelte Kelderek ab, der der Länge nach hinfiel und regungslos liegenblieb. Das Messer entglitt der Hand des Großbarons und blieb im Fußboden stecken, wobei es ein fettiges Stück Abfall festnagelte, das mit einem üblen Geruch zu schmelzen begann. Der Baron bückte sich schnell, hob das Messer auf und zertrat das Stück. Dann sagte er ruhig:

»Heute nacht noch nach Quiso? Was soll das bedeuten? Gott helfe uns! Bist du sicher?«

»Ja, Herr. Wollt Ihr selbst mit den Mädchen sprechen, die die Botschaft brachten?«

»Ja – nein, lassen wir das. Sie würde keine Botschaft schicken, es sei denn –. Sag Ankray und Faron, sie sollen ein Kanu bereitmachen. Und sorge dafür, daß dieser Mann an Bord gebracht wird.«

»Dieser Mann, Herr?«

»An Bord bringen!«

Wieder raschelte der Perlenvorhang, als der Großbaron hindurchschritt, das Sindrad durchquerte und draußen unter die Bäume trat. Zelda eilte ins Dienerquartier und konnte im Licht des Mondviertels sehen, wie die konische Form im schweren Pelzumhang ungeduldig am Ufer auf und ab schritt.

5. Nachts nach Quiso

Kelderek kniete am Bug, bald lugte er in das fleckige Dunkel vor sich, bald schloß er die Augen und ließ in einem neuen Anfall von Furcht das Kinn an seine Brust sinken. Hinter ihm saß schweigend der riesige Ankray, Bel-ka-Trazets Diener und Leibwächter, während das Kanu längs dem Südufer des Telthearnas stromabwärts trieb. Dann und wann senkte Ankray sein Paddel, um die Fahrt zu verlangsamen oder die Richtung zu ändern, und bei dem Geräusch schrak Kelderek zusammen, als könnte der laute Ruderschlag im Dunkel lauernde Feinde auf sie aufmerksam machen. Bel-ka-Trazet hatte, seit er Befehl zum Ablegen erteilt hatte, kein Wort gesprochen; er saß zusammengesunken, mit den Händen auf dem Schoß, in dem schmalen Heck.

Immer wieder schreckten die Wirbel und siedenden Luftblasen bei den Ruderschlägen ein Tier in der Nähe auf, und Kelderek wandte den Kopf in die Richtung schlagender Flügel, aufspritzenden Wassers bei einem Sprung oder krachenden Unterholzes am Ufer. Er biß sich in die Lippe und hielt sich an der Kanuwand fest, bemüht, nicht zu vergessen, daß dies nur Vögel und Tiere waren, die er kannte – daß er bei Tag jedes davon erkennen würde. Aber neben den Fluchtgeräuschen lauschte er dauernd nach einem anderen, schrecklicheren Geräusch und bangte vor einem zweiten Erscheinen jenes Tieres, für das, wie er glaubte, die Kilometer des Urwalds und Flusses kein Hindernis bedeuteten. Und dann, davon abgelenkt, stand sein Geist bedrückt einer anderen, lebenslangen Furcht gegenüber – der Furcht vor der Insel, zu der sie fuhren. Warum war der Baron dorthin gerufen worden, und was hatte diese Berufung mit der Neuigkeit zu tun, die er selbst zu erzählen sich geweigert hatte?

Sie waren schon eine lange Strecke unter den Bäumen gefahren, die über das Wasser hingen, als die Diener offensichtlich irgendeine Landmarke ausmachten. Das linke Paddel wurde wieder eingesetzt, das Kanu drehte bei und wandte sich der Flußmitte zu. Stromaufwärts waren einige schwache Lichter auf Ortelga gerade noch sichtbar, während rechts, weit draußen im Dunkel, nun hoch oben noch ein Licht auftauchte, ein flackerndes rotes Glühen, das verschwand und wieder erschien, als sie weiterfuhren. Die Diener mühten sich, das Kanu quer über den Strom zu rudern, der sie nun, so weit vom Ufer entfernt, stärker stromabwärts trieb. Kelderek merkte, wie die Leute hinter ihm immer unruhiger wurden. Der Rhythmus der Paddler wurde kurz und unregelmäßig. Der Bug stieß an etwas, das im Dunkel schwamm, und bei dem Ruck stöhnte Bel-ka-Trazet wie gequält auf. »Herr . . .« sagte Ankray. »Still!« befahl Bel-ka-Trazet sofort.

Wie Kinder in einem dunklen Raum, wie Wanderer, die nachts über einen Friedhof gehen, erfüllten die vier Männer das sie umgebende Dunkel mit der Furcht ihrer Herzen. Sie näherten sich der Insel Quiso, dem Reich der Tuginda und des Kultes, über den sie herrschte, einem Ort, wo Menschen keine Namen behielten – so meinte man wenigstens –, wo Waffen keine Wirkung hatten und wo die größte Kraft sich vergeblich gegen eine unbegreifliche Macht erschöpfen konnte. Jeder empfand zunehmend ein Gefühl von Einsamkeit und Schutzlosigkeit. Kelderek schien es, als läge er hilflos auf dem schwarzen Wasser, wie die durchsichtige Gylonfliege, von deren Myriaden die Flußoberfläche in jedem Frühjahr wimmelte, regungslos wie ein gefällter Baum im Wald, wie ein Stamm auf dem Holzplatz. Rundum in der Nacht standen die übelwollenden, unsichtbaren Waldbewohner, mit Axt und Feuer bewaffnete Zerstörer. Nun brannte der Stamm, zerbarst in Funken und Asche und trieb davon, hinaus über die vertraute Welt von Tag und Nacht, von Hunger, Arbeit und Ruhe. Das rote Licht schien nun nahe zu sein, und als es noch näher kam und höher über ihnen stand, fiel er nach vorne und schlug mit der Stirn auf den Bug.

Er spürte keinen Schmerz von dem Aufschlag, aber es schien ihm, als wäre er taub geworden, denn er hörte das Plätschern des Wassers nicht mehr. Der Wahrnehmungen, des Willens und der Identität beraubt, wußte er, daß er nur mehr aus menschlichen Überresten bestand. Er war niemand; und doch blieb er bei Bewußtsein. Gleichsam einem Befehl gehorchend, schloß er die Augen. Im selben Moment hörten die Paddler auf zu rudern, beugten Kopf und Arme, und das Kanu, das gänzlich seine Fahrtrichtung verlor, trieb mit dem Strom zu der unsichtbaren Insel.

Nun begann alles, was er seit der Kindheit von der Tuginda gesehen und gehört hatte, in dem ihm noch verbliebenen Bewußtsein aufzutauchen. Zweimal im Jahr kam sie zu Wasser nach Ortelga, die fernen Gongschläge ertönten durch den Frühmorgennebel, die Menschen warteten stumm am Ufer. Die Männer blieben bäuchlings am Boden liegen, während man die Tuginda und ihre Frauen empfing und zu einer für ihre Ankunft erbauten Hütte führte. Es gab Tänze und ein feierliches Blumenfest; aber ihr eigentliches Anliegen war zuerst eine Besprechung mit den Baronen und dann, in einer für die Frauen geheimen Sitzung, Gespräche über ihre Mysterien und die aus einer vorgeschlagenen Gruppe erfolgende Auswahl von einer oder zwei Frauen, die zum ständigen Dienst mit ihr nach Quiso zurückfuhren. Wenn sie am Ende des Tages bei Fackellicht im Dunkel davonfuhr, wurde die Hütte niedergebrannt und die Asche auf dem Wasser verstreut.

Wenn sie an Land kam, war sie verschleiert, doch wenn sie mit den Baronen sprach, trug sie eine Bärenmaske. Niemand kannte das Gesicht der Tuginda oder wußte, wer sie einst gewesen sein mochte. Die Frauen, die ausgewählt wurden, um sie auf ihre Insel zu begleiten, kehrten niemals zurück. Man nahm an, daß sie neue Namen erhielten; jedenfalls wurden ihre früheren Namen auf Ortelga nie wieder ausgesprochen. Man wußte nicht, ob die Tuginda starb oder abdankte, wer ihr folgte, wie ihre Nachfolgerin ausgewählt wurde oder auch nur, gelegentlich ihres Besuchs, ob sie eigentlich dieselbe Frau war wie das letztemal. Kelderek hatte einmal als Kind seinen Vater ausgefragt, begierig, wie die Jugend oft nach Dingen ist, bei denen sie merkt, daß die Älteren sie für ernst halten und wenig darüber sprechen. Als Antwort hatte sein Vater ein Stück Brot befeuchtet, es in die grobe Form eines Menschen geknetet und an den Rand des Feuers gestellt. »Bleib den Mysterien der Frauen fern, mein Sohn«, sagte er, »und fürchte sie aus tiefstem Herzen, denn sie können dich verzehren. Sieh doch« – das Brot trocknete, wurde braun, schwarz und schrumpfte zu Asche zusammen –, »verstehst du das?« Kelderek verstummte bei den ernsten Worten seines Vaters, nickte und sagte nichts mehr. Aber er merkte es sich.

Was hatte ihn heute abend in dem Raum hinter dem Sindrad behext? Was hatte ihn veranlaßt, dem Großbaron zu trotzen? Wie waren diese Worte über seine Lippen gekommen, und warum hatte ihn Bel-ka-Trazet nicht sofort getötet? Eines wußte er – seit er den Bären gesehen hatte, war er nicht mehr Herr seiner selbst. Zuerst hatte er geglaubt, er werde von Gottes Macht getrieben, doch nun war das Chaos sein Meister. Sein Geist und Körper waren aufgetrennt wie ein altes Kleidungsstück, und was von ihm noch übrig war, lag in der Macht der überirdischen, nachtumschlossenen Insel.

Sein Kopf ruhte noch auf dem Bug, und ein Arm hing über Bord ins Wasser. Hinter ihm entfiel das Paddel Ankrays Händen und trieb davon, das Kanu stieß am stromaufwärts liegenden Ufer auf Grund, seine Insassen sanken dort, wo sie saßen, benommen und gebannt, willenlos, wie bewußtlos zusammen. Und so blieben sie, Treibholz, Triftgut und Schaum, während weit stromaufwärts das Mondviertel unterging und die Dunkelheit einfiel, unterbrochen einzig durch den Schein des landeinwärts hoch oben unter den Bäumen noch brennenden Feuers.

Die Zeit verstrich – eine nur durch die Bewegung der Sterne gekennzeichnete Zeit. Kleine, kurze Flußwellen plätscherten an den Kanuwänden, und ein- oder zweimal bewegte ein aufkommender

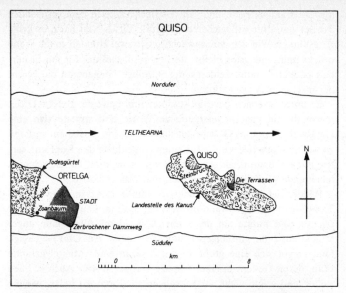

Nordufer

TELTHEARNA

QUISO

Todesgürtel

ORTELGA

Steinbruch

Die Terrassen

Felder

STADT

Zoanbaum

Landestelle des Kanus

Zerbrochener Dammweg

Südufer

N

km

1 0   8

Nachtwind geräuschvoll die Zweige der nächsten Bäume; nie jedoch gab es bei den vier im Kanu wie Vögel auf einer Stange im
Dunkel zusammengekauerten Männern die geringste Regung.

Endlich erschien ein kleineres grünes, schwankendes Licht und
näherte sich dem Wasser. Als es das steinige Ufer erreichte, war
ein Knirschen von Schritten und leises Stimmengemurmel zu vernehmen. Zwei Frauen in Mänteln kamen heran, die an einer Stange
zwischen sich eine runde, flache Laterne von der Größe eines
Schleifsteins trugen. Der Rahmen war aus Eisen, und die Zwischenräume waren mit geflochtenen Binsentafeln ausgefüllt, die lichtdurchlässig, aber stark genug waren, um die im Innern steckenden
Kerzen abzuschirmen und zu schützen.

Die zwei Frauen erreichten den Flußrand, blieben stehen und
horchten. Nach kurzer Zeit hörten sie im Dunkel das Anschlagen
des Wassers an das Kanu – ein nur für Ohren, die mit jedem Wind-
und Wellengeräusch am Ufer vertraut waren, vernehmbarer Ton.
Dann stellten sie die Laterne nieder, die eine zog die Stange aus dem
Ring und rief, wobei sie mit ihr auf das seichte Wasser schlug, mit
rauher Stimme: »Wacht auf!«

Der Klang erreichte Kelderek mit der Schärfe eines Moorhennenschreis. Er blickte auf und sah das flackernde, in dem spritzenden Wasser am Ufer widerscheinende grüne Licht. Nun hatte er keine Angst mehr. Wie sich der schwächere von zwei Hunden an die Wand drückt und regungslos bleibt, weil er weiß, daß das für ihn Sicherheit bedeutet, hatte Kelderek durch völlige Hingabe an die Macht der Insel seine Angst verloren.

Er hörte, wie sich der Baron hinter ihm bewegte. Bel-ka-Trazet murmelte ein paar unverständliche Worte und spritzte sich eine Handvoll Wasser ins Gesicht, machte aber keine Anstalten, an Land zu waten. Kelderek wandte für einen Augenblick den Kopf und sah, wie der Großbaron, als sei er noch immer betäubt, auf die schwach leuchtende Wirbelbewegung im seichten Wasser starrte.

Wieder rief die Frauenstimme: »Kommt!« Langsam stieg Bel-ka-Trazet über die Kanuwand ins Wasser, das ihm kaum bis ans Knie reichte, und watete auf das Licht zu. Kelderek folgte ihm, ungeschickt durch die glitschigen Tümpel patschend. Am Ufer angelangt, fand er vor sich eine große regungslose, in einen Mantel gehüllte Frau, deren Gesicht in einer Kapuze verborgen war. Auch er blieb stehen und wagte nicht, ihr Schweigen zu stören. Er hörte, wie die Diener hinter ihm an Land kamen, aber die hochgewachsene Frau beachtete sie nicht, sondern starrte ihn weiter an, als wolle sie seinen Herzschlag erschauen. Endlich – so dachte er – nickte sie und wandte sich um, bückte sich und steckte die Stange durch den Eisenring an der Laterne. Dann hoben sie und ihre Gefährtin sie hoch, und sie begannen, sich zu entfernen, ohne über die losen, nachgebenden Steine zu stolpern. Kein Mann regte sich, bis sie etwa zehn Schritte weit waren, dann rief die große Frau, ohne sich umzublicken: »Folgt uns!« Kelderek gehorchte und blieb dabei ein Stück hinter ihnen wie ein Diener.

Bald begannen sie, einen steilen Pfad in den Wald emporzusteigen. Er mußte zwischen den Felsen nach Handgriffen tasten, die Frauen aber schritten leicht hintereinander nach oben, wobei die größere die Stange über ihren Kopf hob, damit die Laterne nicht abrutschte. Sie stiegen weiter, und er folgte ihnen atemlos im Dunkel, bis der Weg weniger steil und dann eben wurde; er vermutete, daß sie nicht mehr weit vom höchsten Punkt der Insel entfernt sein konnten. Die Bäume wurden dicht, und er konnte das Licht vor ihnen nicht mehr sehen. Beim Klettern zwischen den Farnen und Blätterhaufen hörte er – je weiter er ging, desto lauter – das

Rauschen eines Wasserfalls, und plötzlich stand er auf einem Felsvorsprung über einer Schlucht. Auf der gegenüberliegenden Seite lag eine mit Steinen gepflasterte Terrasse, in deren Mitte die Nachglut eines Feuers glimmte. Dies war sicher die Lichtquelle hoch oben, die er vom Fluß aus gesehen hatte – eine als Wegweiser für sie entzündete Bake. Dahinter ragte im Dunkel eine Felswand hoch, und die konnte er deutlich sehen, denn an den Rändern der Terrasse standen fünf Dreifüße, jeder mit einer Bronzeschale, aus der transparente gelbe, grüne und blaue Flammen hochstiegen. Es gab wenig Rauch, aber die Luft war von einem harzigen, süßen Duft erfüllt.

Verwirrender und ehrfurchterregender als die leere Terrasse mit ihren Flammenschalen war die in die Felswand dahinter geschlagene quadratische Öffnung. Darüber hing, auf jeder Seite von einer Säule gestützt, ein aus Stein gehauener Ziergiebel, und es schien Kelderek, als starre ihn der schwarze Raum dazwischen rätselhaft an, wie das unsichtbare Antlitz der Frau mit der Kapuze am Ufer. Verwirrt wandte er den Blick ab, fühlte sich aber noch immer beobachtet, wie ein Gefangener in einem menschenerfüllten Gerichtshof; und als er nochmals hinsah, erblickte er wieder nur die flammenerleuchtete Terrasse und die Öffnung dahinter.

Er starrte nach unten in die Schlucht. Rechts von ihm, in dem flackernden Dunkel kaum sichtbar, konnte er den Wasserfall ausmachen, dessen Wasser nicht frei, sondern steil über Felsen hinabstürzte, bis es in dem tiefen darunterliegenden Spalt verschwand. Davor lag, nahe am herabstürzenden Wasser und vom Sprühwasser feucht glänzend, ein gefällter Baumstamm, nicht dicker als der Oberschenkel eines Mannes, und überbrückte die Schlucht von einem Abhang zum anderen. Die Oberseite war grob planiert worden, hatte aber kein Geländer, und darauf überquerten nun die zwei Frauen ebenso leicht, wie sie am Ufer gegangen waren, die Schlucht. Der biegsame Stamm wippte unter ihrem Gewicht, und die Laterne hüpfte auf der Stange, dennoch wanderten die beiden graziös, ohne Eile, darüber hin, wie Dorfmädchen, die abends ihre Krüge vom Brunnen bringen.

Langsam stieg Kelderek von dem Felsvorsprung nach unten. Beim diesseitigen Brückenende angelangt, begann er, ängstlich einen Fuß vor den anderen zu setzen. Der Wasserfall neben seinem Ellbogen besprengte ihn mit seinem kalten Strahl; das unsichtbare Wasser sandte von unten sein Echo zu ihm herauf. Nach wenigen Schritten kauerte er sich auf die Knie und tastete sich mit einer Hand an dem schaukelnden Baumstamm entlang. Er wagte nicht, den Blick zu heben und vor sich zu schauen. Er starrte auf seine Hand nieder; außer ihr konnte er nichts sehen als die Holzmaserung mit ihren Astknoten, die einer nach dem anderen in sein Gesichtsfeld kamen und wieder verschwanden, sobald er weiterkroch. Zweimal hielt er keuchend an und bohrte seine Nägel in die runde Unterseite, als der Stamm auf und nieder wippte.

Als er schließlich das andere Ende erreichte, tastete er sich blindlings längs des Bodens auf Händen und Knien weiter, bis er zufällig eine Handvoll kriechender *Locatalanga* erwischte und zerdrückte, durch deren scharfen Geruch er zu sich kam und erkannte, daß er nicht mehr krampfhaft über dem Wasser hin und her schwankte. Er erhob sich. Vor ihm überquerten die Frauen, wie zuvor hintereinander, die Mitte der Terrasse. Er beobachtete sie und sah, wie sie zu dem Rand des unter der Asche glimmenden Gluthaufens kamen. Sie traten hinein, ohne erst stehenzubleiben, und hoben den Saum ihrer Röcke genau so, als wateten sie durch eine Furt. Als die letzte ihren Rocksaum hochhob, sah er für einen Augenblick ihre nackten Füße. Asche und Funken stiegen in feinem Staub empor, wie Spreu rund um die Füße eines Müllers. Dann gingen sie weiter und ließen hinter sich eine freigelegte dunkelrote Spur quer durch den Kreis des erlöschenden Feuers.

Kelderek sank stöhnend zu Boden und vergrub das Gesicht in seiner Armbeuge.

So also kam er zu dem Oberen Tempel auf Quiso, der Terrasseninsel – der Überbringer der Botschaft, die Generationen erwartet, aber nie gehört hatten: verwundet, durchnäßt, am Boden kriechend, halb verrückt vor Erregung, seine Augen gegenüber dem verschließend, was vor ihnen lag, und nur entschlossen – ein seltsamer Entschluß – zur Aufgabe jeglicher Willenskraft, welche die Insel ihm noch gelassen hatte. Als schließlich der Großbaron und seine Diener zum Rand der Schlucht kamen und nun ihrerseits wie Krüppel über den wippenden Stamm wankten, fanden sie ihn ausgestreckt am Rand der Terrasse liegen, kichernd und keuchend, und es klang gräßlicher als das Lachen von Taubstummen.

6. Die Priesterin

Als Kelderek sich beruhigt hatte und dort, wo er lag, eingeschlafen zu sein schien, tauchte ein Licht in der Öffnung der Felswand auf. Es wurde heller, und zwei junge Frauen kamen heraus, von denen jede eine brennende Fackel trug. Es waren kräftige, derb aussehende Mädchen, barfuß, mit groben Überkleidern; aber auch die Frau eines Barons hätte nicht die Hälfte des Schmucks der Mädchen tragen können. Ihre langen Ohrringe, die beim Gehen baumelten und klirrten, bestanden aus einzelnen geschnitzten Knochenstücken, die zu Gehängen verbunden waren. Ihre dreifachen Halsbänder aus alternierenden *Penapas* und *Ziltaten* glänzten rosig und lohfarben im Fackellicht. An den Fingern trugen sie Holzringe, die so geschnitzt waren, daß sie wie geflochtener Inkarnatklee aussahen. Jede hatte einen breiten Gürtel aus Bronzeplatten mit einer in der Form eines Bärenkopfes gearbeiteten Schnalle und an der linken Hüfte eine leere Dolchscheide aus grünem Leder, spiralförmig gewunden wie eine Muschel, als Zeichen immerwährender Jungfräulichkeit.

Auf dem Rücken trugen sie Weidenkörbe, die mit Gummiharzstücken und mit schwarzem, hartem, schotterähnlichem Brennstoff gefüllt waren. Sie blieben an jedem der Dreifüße stehen, jede nahm mehrere Handvoll aus dem Korb der anderen und warf sie in die Schalen. Der Brennstoff fiel mit einem schwach klirrenden, anhaltenden und nachklingenden Geräusch in die Schalen, und die arbeitenden Mädchen beachteten die wartenden Männer nicht mehr, als wären sie angebundenes Vieh.

Sie hatten ihre Arbeit fast beendet, und die Terrasse leuchtete in frischem Licht, als eine dritte junge Frau langsam aus dem Dunkel der Höhle geschritten kam. Sie trug ein in Falten fallendes, eng drapiertes Kleid aus weißem Gewebe, so fein, wie es auf Ortelga nicht gewebt wurde, und ihr langes, schwarzes Haar hing lose über ihrem Rücken. Ihre Arme waren nackt, und ihr einziger Schmuck war ein großes, über eine Spanne breites Halsband aus feinen Goldgliedern, das ihre Schultern bedeckte wie ein Kleidungsstück. Als sie erschien, nahmen die zwei Mädchen ihre Körbe vom Rücken und stellten sich nebeneinander am Rand des Aschenhaufens auf.

Bel-ka-Trazet hob den Kopf, um dem Blick der jungen Frau zu begegnen. Er sagte aber nichts, und sie erwiderte seinen Blick mit Gelassenheit und Autorität, als hätte jeder Mann ein solches Gesicht wie er und als wäre für sie einer wie der andere. Nach einer Weile gab sie mit dem Kopf ein Zeichen, und eines der Mädchen trat vor und führte die Diener fort; sie verschwanden im Dunkel unter den Bäumen bei der Brücke. Im selben Augenblick bewegte sich der Jäger und erhob sich langsam. Abgerissen und schmutzig stand er vor der schönen Priesterin; er machte nicht den Eindruck von Primitivität, eher von Ahnungslosigkeit hinsichtlich seines Aussehens und seiner Umgebung.

Wie die hochgewachsene Frau am Ufer starrte die Priesterin Kelderek aufmerksam an, als prüfe sie ihn auf einer geistigen Waage. Schließlich nickte sie mit einer Art ernstem, verständnisvollem Erkennen und wandte sich wieder an den Großbaron.

»Es gibt also einen Grund dafür«, sagte sie, »daß dieser Mann hier sein soll. Wer ist er?«

»Einer, den ich mitgebracht habe, Saiyett«, antwortete Bel-ka-Trazet kurz, als wollte er sie daran erinnern, daß auch er ein Mann mit Autorität war.

Die Priesterin runzelte die Stirn. Dann trat sie auf den Großbaron zu, legte ihm die Hand auf die Schulter und zog mit dem Blick eines staunenden und neugierigen Kindes sein Schwert aus der Scheide; sie prüfte es, ohne daß der Baron sie daran zu hindern suchte.

»Was ist das?« fragte sie und bewegte es so, daß das Licht der Flammen auf der Klinge blitzte.

»Mein Schwert, Saiyett«, antwortete er mit einem Anflug von Ungeduld.

»Ah, dein« – sie zögerte einen Augenblick, als wäre das Wort neu für sie – »*Schwert*. Ein hübsches Ding – dieses Schwert. So-so-so-«, und sie zog die Schneide mit kräftigem Druck drei- oder viermal quer über ihren Unterarm. Sie verursachte keinen Schnitt und hinterließ keinerlei Spuren. »Sheldra«, rief sie dem verbliebenen Mädchen zu, »der Großbaron hat uns ein – ein *Schwert* gebracht.« Das Mädchen kam heran, faßte das Schwert mit beiden Händen und hielt es horizontal in Augenhöhe, wie um die Schärfe der Schneide zu bewundern.

»Ah, jetzt begreife ich«, sagte die Priesterin leichthin. Sie legte die Schwertklinge flach an ihre Brust und winkte dem Mädchen, es solle sie festhalten; dann hüpfte sie ein wenig und hing kurz an ihrem Kinn auf der Schneide, ließ sich darauf zu Boden nieder und wandte sich wieder an Bel-ka-Trazet.

»Und das?« fragte sie, sein Messer aus dem Gürtel ziehend. Diesmal antwortete er nicht. Mit vorgeblich verwundertem Blick stieß sie sich die Spitze in den linken Arm, drehte sie, zog sie blutlos heraus, schüttelte den Kopf und reichte das Messer dem Mädchen.

»Nun ja – Spielzeug.« Sie starrte ihn kühl an. »Wie heißt du?«

Der Baron öffnete den Mund zum Sprechen, aber nach einer Weile schlossen sich die verzerrten Lippen verächtlich, und er blickte sie weiter an, als habe sie nichts gesagt.

»Wie heißt du?« wandte sie sich im gleichen Ton an Kelderek.

Der Jäger fand, daß er alles wie im Traum, auf zwei Ebenen wahrnahm. Ein Mensch kann träumen, daß er etwas tut – vielleicht fliegt –, wovon er sogar im Traum weiß, daß er es nicht tun kann. Dennoch akzeptiert und erlebt er die Illusion und empfindet die Folgen der inakzeptablen Ursache als wirklich. Auf die gleiche Art hörte und verstand Kelderek die Worte der Priesterin und wußte dennoch, daß sie keinen Sinn hatten. Sie hätte ihn ebensogut fragen können: »Wie klingt der Mond?« Außerdem wußte er, daß sie es wußte und daß sie mit seinem Schweigen als Antwort zufrieden sein würde.

»Kommt!« sagte sie nach einer Pause und machte kehrt.

Sie ging vor ihnen, vor dem grimmigen, verstümmelten Baron und dem verwirrten Jäger, und führte sie aus dem Kreis der blau flammenden Schalen und durch die Öffnung in den Felsen.

7. Die Terrassen

Das Dunkel wurde nur durch das indirekte, von den Flammen draußen auf der Terrasse eindringende Licht schwach erhellt, doch das genügte Kelderek, um zu erkennen, daß sie sich in einem viereckigen, sichtlich aus dem unbearbeiteten Fels gehauenen Raum befanden. Der Boden unter seinen Füßen war Stein, und sein und seiner Begleiter Schatten bewegten sich flackernd über eine glatte Wand. Darauf erkannte er ein Gemälde, das, wie er meinte, ein riesiges, aufrecht stehendes Geschöpf darzustellen schien. Dann traten sie hinein ins Dunkel.

Er tastete sich hinter der Priesterin voran, dabei berührte er die vierkantig behauene Einfassung einer Öffnung in der Mauer, griff über sich – denn er hatte Angst, sich den Kopf zu stoßen –, fand aber keinen oberen Querbalken. Die Felsspalte war zwar hoch, aber ziemlich schmal – kaum mannsbreit –, und um seine verletzte Schulter zu schonen, schob er sich seitlich, mit dem rechten Arm voran, hinein. Sehen konnte er nichts, nur jene geheimnisvollen, schwach gefärbten Wolken und Nebeldämpfe, die einem, gleichsam durch das Versagen der eigenen Sicht, wie Dunstschwaden aus einem Sumpf im Dunkel vor den Augen schwimmen.

Der Boden unter seinen Füßen neigte sich steil abwärts. Er stolperte weiter und tastete sich an der Wand entlang, die sich nach rechts krümmte. Endlich erblickte er den Nachthimmel, von dem sich die wartende Gestalt der Priesterin abhob. Er kam heran, blieb neben ihr stehen und sah sich um.

Nach den Sternen zu schließen, war es kurz nach Mitternacht. Er stand hoch oben auf einem weiten, leeren Platz auf einer breiten Steinterrasse, deren ebene Oberfläche so rauh war, daß er die Körner und Knoten unter den Fußsohlen spürte. Zu beiden Seiten lagen bewaldete Abhänge. Die Terrasse führte in einer langen, regelmäßigen Kurve einen Steinwurf weit in einem Viertelkreis und endete zwischen Efeubüschen und Baumstämmen. Gleich darunter lag eine zweite, ähnliche Terrasse und dann noch eine und noch viele andere, das Ganze glich einer Treppe, die für Riesen oder für Götter gemacht zu sein schien. Der Abhang war steil – so steil, daß ein Sturz gefährlich gewesen wäre. Die leicht glänzenden, konzentrischen Bogen traten nach unten zurück, bis der Jäger sie im Sternenlicht nicht länger erkennen konnte. Tief unten konnte er gerade noch, wie am Grunde eines Brunnens, das Schimmern von Wasser wahrnehmen; das mußte, schien ihm, eine landumschlossene Bucht der Insel sein. Rundherum ragten auf beiden Seiten mächtige Bäume empor, ein regelrechter Wald, dessen Zwischenräume frei von den Schlinggewächsen und dem Dschungelgestrüpp des Festlandes waren. Als er hochblickte, frischte der Nachtwind auf, und das Blätterrascheln wurde lauter und höher, es klang wie ein wiederholtes Drängen – »Jess, jess!«, gefolgt von einem schmachtenden »Schau!-Sschau!«. Zusammen mit diesem Geräusch kam noch ein anderes, gleichfalls klar und andauernd, aber ohne Tonänderung, leiser und ein wenig rauschend. Er lauschte und erkannte es als das Rieseln und Tropfen von Wasser, das ebenso wie das Blätterraschen die Luft erfüllte. Woher mochte es kommen? Er blickte sich um.

Sie standen nahe dem einen Ende der obersten Terrasse. In einiger Entfernung kam ein seichter Strom – vielleicht aus der Schlucht, die er zuvor überquert hatte – leise plätschernd vom Hügel herab und floß über die Terrasse. Dort verteilte er sich, wahrscheinlich behindert durch einige Steine, in beide Richtungen und wurde an den Rändern zu einem bloßen Rinnsal, das über die rauhe, ebene Oberfläche rieselte. Von da sickerte und tröpfelte und plätscherte es über eine Terrasse nach der anderen hinunter und verteilte sich allenthalben dünn wie Regen auf einem Steildach. Das war die Ursache für das Glänzen der Terrassen im Sternenlicht und für die zarten, moussierenden Geräusche rundum wie von Myriaden Heidekraut im Moor oder Grillen auf einer Wiese.

Dem staunenden Kelderek wurde klar, daß dieser weite Platz künstlich angelegt war. Zitternd – vor ehrfürchtiger Scheu, nicht aber vor Angst – stand er dort, erfüllt von einer Art wilder und überschwenglicher Freude wie beim Tanz oder bei Festen, ihm schien, als schwebe er über seiner Erschöpfung und über dem Schmerz in seiner Schulter.

»Du warst noch nie bei den Terrassen?« sagte die Priesterin neben ihm. »Wir müssen über sie hinabsteigen – bist du dessen fähig?«

Als habe sie es ihm befohlen, begann er, selbstsicher wie auf ebenem Boden über die nassen Steinplatten hinabzusteigen. Der Baron rief ihn scharf, und er lehnte sich an eine einsame Gruppe von Efeubüschen, um den beiden, die noch über ihm standen, zuzulächeln wie Gefährten bei einem kindlichen Spiel. Als die Priesterin und der Baron vorsichtig näher kamen, hörte er den Baron sagen: »Er ist ein bißchen verrückt, Saiyett – ein einfältiger, närrischer Bursche, sagte man mir. Er könnte stürzen oder sich gar hinunterwerfen.«

»Nein, Baron«, erwiderte sie, »der Ort hat für ihn nichts Böses. Da du ihn hergebracht hast, könntest du vielleicht auch verraten, wieso?«

»Nein«, sagte der Baron kurz.

»Laß ihn gehen«, sagte sie. »Auf den Terrassen, heißt es, ist das Herz der Füße bester Führer.«

Bei diesen Worten wandte sich Kelderek wieder um und sprang mit sicheren Tritten platschend immer weiter hinunter. Der gefährliche Abstieg schien ein Sport zu sein, so anregend wie ein Sprung

ins tiefe Wasser. Die blasse Form der unten liegenden Bucht wurde größer, und nun konnte er ein Feuer sehen, das daneben flackerte. Er spürte, wie der steile Hügel hinter ihm immer höher wurde. Die Terrassenkurven wurden kürzer und schmäler, so daß sie schließlich kaum mehr als ein breiter Pfad zwischen den Bäumen waren. Er kam zur untersten Stufe, blieb stehen und sah sich in dem dunklen Kessel um. Es war tatsächlich, dachte er, wie der Grund eines Brunnens – nur daß die Luft warm war und die Steine anscheinend trokken unter seinen Füßen. Von oben konnte er kein Geräusch von seinen Begleitern vernehmen, und nach einer Weile machte er sich auf den Weg zu dem Feuerschein und dem darunter plätschernden Wasser.

Dieses Ufer zwischen den Bäumen war unregelmäßig und mit den gleichen Steinen gepflastert wie die Terrassen oben. Soweit er erkennen konnte, war es als Garten angelegt. Zwischen der Pflasterung waren stellenweise Büsche, Obstbäume und Blumen gepflanzt. Er kam zu einer büschelförmig als Spalier hochgezogenen *Tendriona,* die eine Laube bildete, und konnte über sich die reifen Früchte unter den Blättern riechen. Er langte nach oben, zog eine herunter, riß die dünne Rinde auf und aß sie im Weitergehen.

Er kletterte über eine niedrige Mauer und stand nun am Ufer eines etwa zwei Meter breiten Kanals. In dem fast bewegungslosen Wasser zu seinen Füßen blühten Wasserlilien und Pfeilkraut, in der Mitte jedoch strömte es ein wenig, und er dachte, das müsse der von den Terrassen wieder gesammelte Strom sein. Er überquerte eine schmale Fußbrücke und sah vor sich einen kreisförmigen, in symmetrischem Helldunkelmuster gepflasterten Platz. In der Mitte stand ein etwa eiförmiger, oben abgeflachter Stein, in den ein sternenartiges Symbol eingemeißelt war. Dahinter glühte das Feuer rot auf einem Eisenrost.

Seine Müdigkeit und Angst kehrten wieder. Unbewußt hatte er gedacht, das Ufer und das Feuer würden das Ende seiner nächtlichen Reise sein. Er wußte nicht, welches Ende, aber durfte er nicht, wo ein Feuer war, Menschen erwarten – und Ruhe? Sein Impuls auf den Terrassen war närrisch und zugleich unverschämt gewesen. Die Priesterin hatte ihm nicht gesagt, er solle hierher kommen; vielleicht lag ihr Ziel anderswo. Nun war hier nur die von Sternen erleuchtete Einsamkeit und der Schmerz in seiner Schulter. Er dachte daran umzukehren, konnte sich aber nicht dazu entschließen.

Vielleicht würden sie doch bald kommen. Er humpelte zu dem Stein hinüber, setzte sich, den Ellbogen aufs Knie gestützt, hin, legte den Kopf auf seine Hand und schloß die Augen.

Er fiel in einen unruhigen, leicht fiebrigen Schlummer, in dem die Vorgänge des langen Tages traumartig und wirr abzurollen begannen. Er sah sich wieder kniend im Kanu, wie er auf das Schlagen und Klatschen des Wassers im Dunkel lauschte. Aber er landete auf der Plattform des Shendrons und weigerte sich wieder einmal zu erzählen, was er gesehen hatte. Der Shendron wurde zornig und zwang ihn auf die Knie, bedrohte ihn mit seinem heißen Messer, da bewegten sich die Falten seines Pelzumhangs und wurden zu einem riesigen, zottigen Pelz, der dunkel war und wie eine Zypresse wogte.

»Beim Bären!« fauchte der Baron. »Du hast keine Wahl mehr!«

»Ich kann nur zu der Tuginda sprechen!« schrie der Jäger laut.

Er sprang auf die Beine und riß die Augen auf. Vor ihm, auf den schwarz-weißen Steinen, stand eine Frau von etwa fünfundvierzig Jahren. Sie hatte ein kräftiges, kluges Gesicht und war gekleidet wie eine Dienerin oder Bäuerin. Ihre Arme waren bis zu den Ellbogen nackt, und in einer Hand trug sie einen hölzernen Schöpflöffel. Er blickte sie im Mondlicht an, und ihr einfaches, vernünftiges Aussehen beruhigte ihn. Es gab zumindest eine Küche auf dieser Zauberinsel und eine ehrliche, umgängliche Person, die sich damit befaßte. Vielleicht konnte man bei ihr etwas zu essen bekommen.

»*Crendro*« (Ich sehe dich), sagte die Frau mit dem auf Ortelga üblichen Gruß.

»*Crendro*«, antwortete der Jäger.

»Bist du über die Terrassen heruntergekommen?« fragte die Frau.

»Ja.«

»Allein?«

»Die Priesterin und der Großbaron von Ortelga kommen noch – das hoffe ich zumindest.« Er griff sich mit einer Hand an den Kopf. »Entschuldige mich, ich bin todmüde, und meine Schulter schmerzt.«

»Setz dich wieder hin.« Er tat es.

»Warum bist du hier – auf Quiso?«

»Das darf ich dir nicht sagen. Ich habe eine Botschaft – eine Botschaft für die Tuginda. Nur ihr kann ich sie mitteilen.«

»Du? Ist es denn nicht Sache des Großbarons, sie der Tuginda mitzuteilen?«

»Nein. Das muß ich selbst tun.« Um nicht mehr zu sagen, fragte er: »Was ist das für ein Stein?«

»Er ist sehr alt. Er ist vom Himmel gefallen. Möchtest du etwas essen? Vielleicht kann ich den Schmerz in deiner Schulter lindern.«

»Das ist freundlich von dir. Ich möchte essen und mich auch ausruhen. Aber die Tuginda . . . meine Botschaft . . .«

»Das wird erledigt. Komm nur mit mir.«

Sie faßte ihn an der Hand, und im selben Augenblick sah er die Priesterin und Bel-ka-Trazet, die über die Brücke herankamen. Beim Anblick seiner Begleiterin blieb der Großbaron stehen, neigte den Kopf und hob die Hand an seine Stirn.

8. Die Tuginda

Der Jäger ließ sich schweigend rund um den Kreis und vorbei an dem Eisenrost führen, in dem das Feuer niedergebrannt war. Er fragte sich, ob es auch als Signal angezündet worden und nun nicht mehr nötig war, denn niemand schien es in Gang zu halten. Der Baron, der sie überholte, sprach kein Wort, hob nur wieder die Hand an die Stirn. Sie zitterte leicht, und auch sein Atem war, wenn auch beherrscht, so doch kurz und unregelmäßig. Der Jäger nahm an, daß ihn der Abstieg über die steilen, glitschigen Terrassen stärker angestrengt hatte, als er erkennen lassen wollte.

Sie verließen das Feuer, stiegen eine Treppe hinauf und blieben vor der Tür eines Steingebäudes stehen, deren Griff, ein hängender Eisenring, in der Form zweier miteinander ringender Bären gearbeitet war. Kelderek hatte noch nie eine so kunstvolle Arbeit gesehen und beobachtete verwundert, wie der Griff gedreht wurde und die gewichtige Tür sich nach innen schwenken ließ, ohne sich zu senken.

Als sie die Schwelle überschritten, begrüßte sie ein Mädchen, das genauso gekleidet war wie die beiden, die die Feuerbecken auf der Terrasse nachgefüllt hatten. Sie trug drei oder vier brennende Lampen auf einem Holztablett, die sie ihnen nacheinander reichte. Kelderek nahm eine Lampe, sah aber immer noch wenig von dem, was um ihn herum vorging, denn er war zu furchtsam, um stehenzubleiben oder umherzustarren. Von irgendwoher aus der Ferne kam ein Küchengeruch, und er merkte wieder, daß er hungrig war.

Sie betraten einen von einem Feuer erleuchteten Raum mit Steinfußboden, der wie eine Küche mit Bänken und einem langen, groben Tisch eingerichtet war. Über dem in der Wand eingebauten Herd befand sich ein kapuzenförmiger Kamin, darunter ein Aschenkasten, und hier betreute ein anderes Mädchen drei oder vier Kochtöpfe. Die beiden wechselten ein paar geflüsterte Worte und begannen, sich mit dem Herd und dem Tisch zu befassen; dann und wann warfen sie von scheuer Bewunderung erfüllte Blicke auf den Baron.

Dem Jäger war, seit sie den gepflasterten Kreis verlassen hatten, zum Bewußtsein gekommen, daß er ein Sakrileg begangen hatte. Der Stein, auf dem er gesessen hatte, war sichtlich geheiligt. Hatte man ihm nicht tatsächlich gesagt, er sei vom Himmel gefallen? Und die Frau – die schlichte Frau mit der Schöpfkelle – die konnte nur –

Als sie im Feuerschein auf ihn zutrat, wandte er sich zitternd um und sank auf die Knie.

»Saiyett – ich – ich konnte nicht wissen –«

»Hab keine Angst«, sagte sie. »Leg dich hierher auf den Tisch: ich will mir deine Schulter ansehen. Melathys, bring mir warmes Wasser, und bitte, Baron, willst du eine der Lampen neben mir halten?«

Als sie ihr gehorchten, schnürte die Tuginda das Wams des Jägers auf und begann, das gestockte Blut von der Wunde an der Schulter abzuwaschen. Sie arbeitete sorgfältig und ruhig, reinigte die Wunde, behandelte sie mit einer scharfen, bitter duftenden Salbe und verband schließlich die Schulter mit einem reinen Tuch. Hinter der Lampe blickte das entstellte Gesicht des Barons mit einem Ausdruck auf ihn nieder, der ihn veranlaßte, lieber die Augen zu schließen.

»Nun werden wir essen – und auch trinken«, sagte die Tuginda endlich und half ihm auf die Beine. »Ihr Mädchen könnt gehen. Ja, ja«, fügte sie ungeduldig hinzu, als die eine den Deckel vom Schmortopf lüftete und noch beim Herd blieb. »Ich kann das Gericht in die Schalen schöpfen, ob du es glaubst oder nicht.«

Die Mädchen eilten hinaus, und die Tuginda nahm ihren Schöpflöffel, rührte in den verschiedenen Töpfen und füllte vier Schalen. Kelderek aß abseits stehend, und sie tat nichts, um ihn davon abzubringen. Sie setzte sich auf eine Bank beim Herd und aß langsam und wenig; offenbar wollte sie nicht früher oder später als die anderen fertig werden. Die Schalen waren aus Holz, aber die Becher, in welche Melathys Wein goß, waren aus dünner Bronze, sechsseitig und mit flachem Boden, so daß sie im Gegensatz zu Trinkhörnern ungestützt standen, ohne daß etwas vergossen wurde. Das kühle Metall fühlte sich an den Lippen des Jägers ungewohnt an.

Als die beiden Männer zu Ende gegessen hatten, brachte Melathys Wasser für ihre Hände, räumte die Schalen und Becher fort und schürte das Feuer. Der Baron saß mit dem Rücken zum Tisch, der Tuginda gegenüber, während der Jäger im Dunkel stehen blieb.

»Ich habe nach dir gesandt, Baron«, begann die Tuginda. »Wie du weißt, ließ ich dich bitten, heute nacht hierherzukommen.«

»Du hast mich gedemütigt, Saiyett«, sagte der Baron. »Warum wurde Quisos Furcht gegen uns losgelassen? Weshalb mußten wir betäubt im Dunkel am Ufer liegenbleiben? Warum . . .«

»War nicht ein Fremder bei dir?« antwortete sie in einem Ton, der ihm jäh Einhalt gebot, doch seine Augen blieben auf sie gerichtet. »Was glaubst du, weshalb du den Landeplatz nicht erreichen durftest? Und warst du nicht bewaffnet?«

»Ich kam überstürzt hierher und achtete nicht darauf. Aber wie konntest du diese Dinge denn wissen, Saiyett?«

»Das spielt keine Rolle. Nun, die Demütigung, wie du es nennst, ist vorbei. Wir wollen nicht streiten. Hat man für die Mädchen gesorgt, die meine Botschaft nach Ortelga brachten?«

»Es ist schwierig, gegen den Strom nach Ortelga zu kommen. Sie waren müde. Ich sagte, sie sollten dort schlafen.«

Sie nickte.

»Ich nehme an, meine Botschaft kam unerwartet, und du brachtest mir eine unerwartete Antwort, einen Verwundeten, den ich allein und erschöpft auf dem Terethstein sitzend finde.«

»Saiyett, dieser Mann ist ein Jäger – ein einfacher Mann, man nennt ihn –« Er brach ab und runzelte die Stirn.

»Ich weiß von ihm«, sagte sie. »Auf Ortelga nennt man ihn Kelderek, den Kinderspielfreund. Hier hat er keinen Namen, bis ich einen erwähle.«

Bel-ka-Trazet fuhr fort:

»Er wurde heute abend nach seiner Rückkehr von einem Jagdausflug zu mir gebracht, nachdem er sich geweigert hatte, einem der Shendrons zu erzählen, was er gesehen hatte. Zuerst behandelte ich ihn mit Nachsicht, aber er wollte nichts sagen. Ich verhörte ihn, und

er antwortete mir wie ein Kind. Er sagte: ›Ich habe einen Stern gefunden. Wer wird mir glauben, daß ich einen Stern gefunden habe?‹
Dann sagte er: ›Ich werde nur zu der Tuginda sprechen.‹ Darauf
bedrohte ich ihn mit einem erhitzten Messer, aber er antwortete
nur: ›Es muß sein, wie Gott will.‹ Und dann, eben in jenem Augenblick, kam deine Botschaft, Saiyett. ›Also‹, dachte ich, ›da dieser
Mann gesagt hat, er werde nur zu dir sprechen – wer hat das je von
einem Mann gehört? –, nehmen wir ihn beim Wort, und sei es nur,
um ihn zum Sprechen zu bringen. Am besten kommt er auch mit
nach Quiso – um hier zu sterben, nehme ich an, und daran ist er
selbst schuld.‹ Und dann setzt er sich auf den Terethstein, Gott helfe
uns! Und wir finden ihn allein mit dir zusammen. Wie soll er noch
zurück nach Ortelga? Er muß sterben.«

»Das habe ich zu entscheiden, solange er in Quiso ist. Du siehst
viel, Baron, und du bewachst das Volk wie ein Adler seine Brut.
Du hast diesen Jäger gesehen und bist zornig und verdächtigst ihn,
weil er dir getrotzt hat. Hast du aus deinem Horst auf Ortelga sonst
nichts in den letzten zwei Tagen gesehen?«

Bel-ka-Trazet ärgerte sich offensichtlich über diese Befragung,
antwortete aber dennoch recht höflich:

»Den Brand, Saiyett. Es gab einen großen Brand.«

»Meilenweit hat der Dschungel jenseits des Telthearnas gebrannt.
Gestern regnete es den ganzen Tag Asche auf Quiso. In der Nacht
kamen vom Fluß Tiere an Land – manche Arten, die wir hier noch
nie gesehen haben. Ein Makati kommt zahm wie eine Katze zu Melathys und bettelt um Nahrung. Sie füttert ihn, folgt ihm dann zum
Wasser und findet eine grüne Schlange um den Terethstein gerin-
gelt. Was bedeuten diese Vorboten? Bei Morgengrauen verließ die
Quelle oben in der Schlucht ihr Bett und stürzte über die Terrassen
herab; doch unten sammelte sie sich wieder, floß zurück und richtete
keinen Schaden an. Warum? Warum wurden die Terrassen gewaschen, Baron? Für deine Füße oder für meine Füße? Oder war es
für das Kommen anderer Füße? Was für Botschaften, was für Anzeichen waren das?«

Der Baron schob seine Zunge an dem ausgezackten Rand einer
Lippe entlang und zupfte am Pelz seines Umhangs, antwortete aber
nichts. Die Tuginda wandte ihr Gesicht dem Feuer zu. Sie saß ganz
still da, die Hände auf dem Schoß, mit der Gelassenheit eines Baumes, wenn der Wind sich gelegt hat. Schließlich sagte sie:

»So sinne ich und bete und sammle das wenige an Weisheit, das ich im Laufe der Jahre gewonnen haben mag, denn ich weiß ebensowenig wie Melathys oder Rantzay oder die Mädchen, was diese Dinge bedeuten mögen. Schließlich schickte ich nach dir. Vielleicht, so scheint mir, bist *du* imstande, mir etwas zu erzählen, das du gesehen oder gehört hast. Vielleicht kannst *du* mir einen Anhaltspunkt geben.

Wie sollte ich ihn aber empfangen, wenn er kommt – er, den Gott zu senden beabsichtigt? Nicht mit Macht oder Pomp, nein, sondern als Dienerin. Was bin ich denn? Wenn er also kommen sollte, kleide ich mich wie die unwissende, arme Frau, als die Gott mich sieht. Ich weiß nichts, aber ich kann wenigstens eine Mahlzeit kochen. Und wenn die Mahlzeit fertig ist, gehe ich hinaus zum Tereth, um zu warten und zu beten.«

Sie verstummte wieder. Melathys murmelte:

»Vielleicht weiß der Großbaron mehr, als er uns erzählt hat.«

»Ich weiß nichts, Saiyett.«

»Aber mir wäre nie der Gedanke gekommen«, fuhr die Tuginda fort, »daß der Fremde, von dem ich wußte, daß er bei dir war . . .«

Sie brach ab und blickte durch den Raum zu Kelderek, der noch allein, vom Licht entfernt dort stand. »Nun, Jäger, du hieltest also vor dem erhitzten Messer des Großbarons daran fest, daß du eine Botschaft bringst, die einzig für meine Ohren bestimmt ist?«

»Das ist wahr, Saiyett«, antwortete er, »und es ist auch wahr, wie der Großbaron sagt, daß ich ein Mann ohne Rang bin – einer, der sein Leben als Jäger fristet. Doch ich wußte – und weiß es jetzt –, über jeden Zweifel oder Widerspruch hinaus, daß niemand vor dir diese Nachricht erfahren darf.«

»Dann erzähle mir, was du dem Shendron oder dem Großbaron nicht sagen konntest.«

Er begann, von seinem morgendlichen Jagdzug zu erzählen und von dem Unterholz, das voll von erschreckten, flüchtenden Tieren gewesen war. Dann berichtete er von dem Leoparden und von seinem tollkühnen Versuch, ihm zu entkommen und landeinwärts zu flüchten. Als er von seinem schlecht gezielten Pfeil sprach, von seiner panischen Flucht und dem Sturz von der Anhöhe, zitterte er und hielt sich an dem Tisch fest, um nicht zu stürzen. Eine der Lampen war leergebrannt, aber die Priesterin machte keine Bewegung, und der Docht rauchte weiter, bis er erloschen war.

»Und dann«, sagte der Jäger, »dann stand er dort über mir, wo ich lag, Saiyett, ein Bär – ein Bär, wie es noch keinen gab, ein Bär, so groß wie eine Wohnhütte; sein Fell war wie ein Wasserfall, die Schnauze wie ein Keil gegen den Himmel erhoben. Der Leopard war wie Eisen auf seinem Amboß. Eisen – nein, ach, glaubt mir! – als der Bär ihn schlug, wurde er wie ein Stück Holz, auf das die Axt fällt. Er wirbelte durch die Luft und fiel zu Boden wie ein durchbohrter Vogel. Es war der Bär – der Bär, der mich rettete. Er schlug einmal zu, dann war er fort.«

Der Jäger brach ab und trat langsam zum Feuer vor.

»Er war kein Traumbild, Saiyett, keine Ausgeburt meiner Angst. Er ist aus Fleisch und Blut – er ist wirklich. Ich sah die verbrannten Stellen an seiner Weiche – ich sah, daß sie ihn schmerzten. Ein Bär, Saiyett, auf Ortelga – ein Bär, doppelt so groß wie ein Mensch!« Er zögerte, dann fügte er fast unhörbar hinzu: »Wenn Gott ein Bär wäre –«

Die Priesterin hielt den Atem an. Der Baron erhob sich, und die Bank kippte rückwärts gegen den Tisch, als seine Hand die leere Scheide umfaßte.

»Das mußt du genauer erklären«, sagte die Tuginda in ruhigem, sachlichem Ton. »Was meinst du damit und was glaubst du von dem Bären?«

Der Jäger kam sich vor wie ein Mann, der endlich eine schwere, kilometerweit in Dunkel und Einsamkeit getragene Last an dem Ort absetzt, wo sie hingehört. Noch stärker aber verspürte er wieder die Ungläubigkeit, die ihn noch am Morgen an der einsamen Küste stromaufwärts auf Ortelga erfüllt hatte. Wie war es möglich, daß dies die bestimmte Zeit, hier der Ort und er selbst der Mann war? Und doch war es so. Es konnte nicht anders sein. Seine Augen begegneten dem scharfsichtigen, gespannten Blick der Tuginda.

»Saiyett«, antwortete er, »es ist Shardik, unser Herr.«

Es herrschte Totenstille. Dann erwiderte die Tuginda behutsam: »Du begreifst wohl, daß es unrecht wäre, frevlerisch und furchtbar, wenn du hier irrtest – wenn du dich und andere täuschtest? Einen Bären kann jeder sehen. Wenn das, was du gesehen hast, o Jäger, der mit Kindern spielt, ein Bär war, dann sag es um Gottes willen jetzt und kehre unversehrt und in Frieden heim!«

»Saiyett, ich bin nur ein gewöhnlicher Mann. Du bist es, die meinen Bericht prüfen muß, nicht ich. Doch so sicher ich lebe, so sicher bin ich auch, daß der Bär, der mich gerettet hat, niemand anders war als Shardik, unser Herr.«

»Dann«, antwortete die Tuginda, »ob es sich nun erweist, daß du recht oder unrecht hast, ist klar, was wir zu tun haben.«

Die Priesterin stand mit ausgestreckten Handflächen und geschlossenen Augen und betete stumm. Der Baron schritt mit gerunzelter Stirn langsam zur gegenüberliegenden Wand, drehte sich um und ging, den Blick auf den Boden gerichtet, zurück. Als er zu der Tuginda kam, legte sie die Hand auf sein Handgelenk, und er blieb stehen und blickte sie aus einem halb geschlossenen und einem starrenden Auge an. Sie lächelte ihm zu; für die ganze Welt sollte es scheinen, als gäbe es vor ihnen keine andere als diese sichere und angenehme Aussicht.

»Ich will dir etwas erzählen«, sagte sie. »Es war einmal ein weiser, verschlagener Baron, der gelobte, Ortelga und sein Volk zu schützen und alles fernzuhalten, was sie schädigen konnte: er ließ Fallen stellen und Gruben ausheben. Er bemerkte Feinde, fast noch ehe sie ihre eigenen Absichten kannten, und erzog sich dazu, selbst den Eidechsen an den Mauern zu mißtrauen. Um sicherzugehen, daß er nicht getäuscht wurde, traute er keinem; und er hatte recht. Ein Herrscher muß, wie ein Kaufmann, voller Verschlagenheit sein, darf nur der Hälfte dessen, was er hört, Glauben schenken, sonst geht er zugrunde.

Hier aber ist die Aufgabe schwieriger. Der Jäger sagt: ›Es ist Shardik, unser Herr‹, und der Herrscher, der gelernt hat, skeptisch und kein Narr zu sein, antwortet: ›Unsinn!‹ Und doch wissen wir alle, daß Shardik, unser Herr, eines Tages wiederkommen wird. Angenommen, dieser Tag wäre *heute,* und der Herrscher wäre im Irrtum – was für ein Irrtum wäre das! Die ganze geduldige Arbeit seines Lebens könnte ihn nicht wiedergutmachen.«

Bel-ka-Trazet schwieg.

»Wir dürfen nicht riskieren, uns zu irren. Nichts zu tun könnte der größte Frevel sein. Es gibt nur eines, was wir tun können. Wir müssen herausfinden, ob diese Nachricht wahr oder falsch ist; und wenn es unser Leben kostet, Gottes Wille muß geschehen. Es gibt schließlich andere Barone, und die Tuginda stirbt nicht.«

»Du sprichst gelassen, Saiyett«, erwiderte der Baron, »wie über die Tendriona-Ernte oder über den kommenden Regen. Aber wie kann es wahr sein –«

»Du lebst schon viele Jahre, Baron, und es war deine Arbeit, heute den Todesgürtel zu verstärken und morgen die Steuern einzutreiben. Und ich – auch ich habe lange Jahre bei meiner Arbeit verbracht – lebte mit den Prophezeiungen Shardiks und mit den Riten auf den Terrassen. Oftmals habe ich mir vorgestellt, daß die Nachricht kommt, und überlegt, was ich tun sollte, wenn sie tatsächlich käme. Deshalb kann ich dir jetzt sagen: ›Möglich, daß der Bericht dieses Jägers wahr ist‹, und dennoch ruhig sprechen.«

Der Baron schüttelte den Kopf und zog die Schultern hoch, als wolle er mit ihr nicht streiten.

»Gut, und was sollen wir tun?« fragte er.

»Schlafen«, antwortete sie unerwartet und ging zur Tür. »Ich werde die Mädchen rufen, sie sollen euch zeigen, wo.«

»Und morgen?«

»Morgen fahren wir stromaufwärts.«

Sie öffnete die Tür und schlug einmal auf einen Bronzegong. Dann kam sie zurück und legte Kelderek die Hand auf die gesunde Schulter.

»Gute Nacht«, sagte sie, »und wir wollen darauf vertrauen, daß es die gute Nacht sein wird, um die zu beten man die Kinder lehrt.«

9. Die Erzählung der Tuginda

Die schmale Durchfahrt von der landumschlossenen Bucht zum Telthearna war so stark gekrümmt, daß man sie nur mit einem Kanu befahren konnte. Die felsigen Vorsprünge hingen zu beiden Seiten über und umschlossen die Bucht wie eine Mauer, so daß der Fluß dahinter von ihr aus nicht sichtbar war.

Die kleine, zwischen ihren gepflasterten Ufern landeinwärts führende Bucht endete unter bunten Wasserlilien am äußersten Ende des Kanals bei dem Terethstein. Kelderek wartete mit Melathys, während die Dienerinnen die Kanus beluden, und blickte nach oben, vorbei an der Brücke, die er in der vorigen Nacht überquert hatte, dorthin, wo die Terrassen sich öffneten; ihre Form glich der eines mächtigen, auf dem Hügel zwischen den Wäldern mit der Spitze abwärts liegenden Keils. Er sah, daß der Strom nicht mehr darüber floß; er war wohl in der Nacht in sein normales Bett zurückgekehrt. Hoch oben erkannte er die Gestalten von Mädchen, die sich über Hacken und Körbe beugten und zwischen den Steinen Unkraut jäteten und saubermachten.

Als das Beladen der Kanus begonnen hatte, waren die Sonnenstrahlen noch nicht zu diesem nordwärts gerichteten Ufer gelangt, doch nun stieg die Sonne über den Terrassen hoch, schien auf die Bucht und verwandelte das undurchsichtige, graue Wasser in eine schwach bewegte, leuchtend grüne Tiefe. Auf das Pflaster fielen scharfe Schatten von den kleinen Steinhäusern, die da und dort, manche abgelegen unter Bäumen, andere im Freien, umgeben von Gras und Blumen, am Ufer standen.

Wie alt wohl diese Gebäude sein mochten? Es gab sie auf Ortelga nicht. All das hier konnte nur vor sehr langer Zeit errichtet worden sein. Welche Art Menschen mochten das gewesen sein, die die Terrassen gebaut hatten?

Er wandte sich zwinkernd von der Sonne ab und sah den ernsten, schweigenden Mädchen zu, wie sie die Kanus beluden. Auf Ortelga hätten sie geplaudert, Spaß gemacht und gesungen, um sich die Arbeit zu erleichtern. Diese Frauen bewegten sich zielbewußt und sprachen nur die wenigen Worte, die erforderlich waren. Sie schwiegen wohl, nahm er an, aus Gewohnheit und weil es auf der Insel üblich war. Was für eine Erlösung würde es sein, diesen düsteren, herzbedrückenden Ort der Geheimnisse und Zauberei zu verlassen! Dann fiel ihm wieder ein, wohin sie zogen, und erneut spürte er, wie die Angst ihm den Magen zusammenkrampfte.

Eine ältliche, grauhaarige Frau, welche die Arbeit der Mädchen geleitet hatte, kam vom Ufer auf Melathys zu.

»Wir sind mit dem Laden fertig, Saiyett«, sagte sie. »Willst du nachprüfen, ob alles dort ist?«

»Nein, Thula, ich verlasse mich auf dich«, sagte die Priesterin zerstreut.

Die alte Frau legte ihr eine Hand auf den Arm.

»Wir wissen nicht, meine Liebe, wohin ihr fahrt oder für wie lange«, sagte sie. »Willst du es mir nicht sagen? Erinnerst du dich, wie ich dich als Kind tröstete, wenn du von Sklavenhändlern träumtest und vom Krieg?«

»Ich weiß nur zu gut, wohin wir fahren«, antwortete Melathys, »nicht aber, wann ich zurückkommen werde.«

»Eine lange Reise?« fragte die Alte hartnäckig.

»Lang oder kurz«, sagte Melathys mit einem knappen, nervösen Lachen, »ich verspreche dir, daß ich, wer immer sterben mag, gut achtgeben werde, daß nicht ich es bin.« Sie bückte sich, pflückte eine rote Blume, hielt sie einen Augenblick der alten Frau unter die Nase und warf sie dann ins Wasser.

Die Alte machte eine unterdrückte Gebärde nervöser Unruhe.

»Es ist also gefährlich, mein Kind?« flüsterte sie. »Warum sprichst du vom Tod?«

Melathys blickte einen Augenblick starr und biß sich auf die Lippe. Dann löste sie das breite Goldband von ihrem Hals und legte es der alten Frau in die Hände.

»Das werde ich jedenfalls nicht brauchen«, sagte sie, »und wenn es gefährlich wird, kann ich ohne sein Gewicht schneller laufen. Frag mich nicht weiter, Thula. Es ist Zeit zum Aufbruch. Wo sind die Diener des Barons?«

»Er sagte, sie sollten nach Ortelga zurückkehren«, antwortete die Alte. »Sie haben bereits ihr Kanu geholt und sind fort.«

»Dann geh selbst und sag dem Baron, daß wir bereit sind. Lebe wohl, Thula. Denk an mich in deinen Gebeten.«

Sie überquerte das Pflaster, stieg in das nächste der vier Kanus und winkte dem Jäger, den Platz hinter ihr einzunehmen. Die beiden Mädchen im Heck tauchten ihre Paddel ein, und das Kanu legte vom Ufer ab. Sie überquerten die Bucht und begannen die Fahrt hinaus durch die schmale Spalte zwischen den Felsen.

Der Bug fuhr an einem Vorhang purpurblättriger Trazada vorbei, und Kelderek, der wußte, wie die kleinen Dornen stechen und brennen, senkte den Kopf und schützte sein Gesicht mit dem gesunden Arm. Er hörte, wie die steifen Blätter an die Kanuwand klatschten, dann spürte er einen frischen Wind und öffnete die Augen. Nun war man draußen und schaukelte in einer Bucht mit stillem Wasser unter dem Nordufer. Der grüne Schatten des Waldes über ihnen erstreckte sich stromaufwärts und über den Fluß. Dahinter war das Wasser blau und bewegt, es glitzerte in der Sonne und warf da und dort kleine Wellen mit weißen Kronen auf. Weit drüben lag die geschwärzte, öde Linie des linken Ufers. Er blickte über die Schulter zurück, konnte aber die Spalte, aus der sie herausgekommen waren, in dem Gewirr von Grün nicht mehr erkennen. Dann tauchte der Bug des zweiten Kanus auf, das sich den Weg durch das Blattwerk bahnte. Melathys folgte kalt lächelnd seinem Blick.

»Es gibt keinen anderen Platz auf der Insel, wo ein Kanu ans Ufer kommen kann. Sonst gibt es nur Felsen und Seichtwasser, wie die Stelle, wo ihr heute nacht gelandet seid.«

»Und die Tuginda?« fragte er. »Kommt sie nicht mit uns?«

Die Priesterin, die die beiden letzten herankommenden Kanus beobachtete, antwortete nicht gleich, sagte aber nach einer Weile: »Kennst du die Geschichte von Inanna?«

»Ja, gewiß, Saiyett. Sie ging in die Unterwelt, um ein Leben zu erbitten, und bei jedem Tor nahm man ihr etwas ab, ihre Kleider, ihren Schmuck und schließlich alles, was sie hatte.«

»In allen Zeiten war es üblich, daß die Tuginda, wenn sie von Quiso aufbrach, um Shardik, unseren Herrn, zu suchen, beim Verlassen der Insel nichts an sich hatte.« Nach kurzer Pause fügte sie hinzu: »Die Tuginda wünscht nicht, daß man auf Quiso von ihrer Abreise weiß. Bis sie erfahren, daß sie fort ist —«

»Aber wenn es keinen anderen Landungsplatz gibt?« sprudelte er hervor und unterbrach sie.

Sie sprach zu den Mädchen an den Paddeln.

»Nito! Neelith! Wir fahren jetzt das Ufer entlang bis zum Steinbruch.«

Am Westende der Bucht lief das Ufer zu einer Landspitze aus. Das Wasser darunter war ruhig, aber sie kamen nur mit Mühe vorwärts, denn der Gegenwind war stürmisch, und auf dieser Seite der Insel war die Strömung stark. Sie fuhren langsam stromaufwärts, die Kanus hüpften und sprangen in dem Wellengang. Schließlich sah Kelderek in einiger Entfernung vor ihnen an der Stelle der steilen grünen Abhänge graue Felsklippen. Die Vorderseite dieser Klippen schien eingehauen und losgebrochen worden zu sein. Es gab da mehrere Öffnungen mit geraden Seitenflächen wie große Fenster, und er bemerkte am Fuß der untersten eine Art Schwelle — eine flache, vorspringende Felsplatte in vielleicht drei- oder vierfacher Mannshöhe über dem Wasser. Als sie näher kamen, blickte er in eine tiefe Höhle im Felsen, auf deren Boden da und dort Steinblöcke und ein paar viereckig behauene Steinplatten lagen; es wirkte jedoch alles vernachlässigt und verödet.

Melathys wandte den Kopf. »Hier hat man die Steine für die Terrassen gebrochen.«

»Wer, Saiyett? Und wann?«

Wieder blieb sie ihm die Antwort schuldig und starrte nur auf die kleinen Wellen, die an den Fuß der Felsen plätscherten. Plötzlich fuhr Kelderek erschrocken zusammen, so daß das Kanu seitlich zu schaukeln begann und eines der Mädchen mit dem Paddel fest aufs Wasser schlagen mußte, um das Gleichgewicht zu halten. Auf der flachen Felsplatte über ihnen stand eine nackte Frau, deren Haar lose über ihren Schultern hing. Sie trat an den Rand und blickte einen Augenblick nach unten, um einen festen Halt für ihre Füße zu suchen. Dann sprang sie entschlossen ins tiefe Wasser.

Als sie an die Oberfläche kam, erkannte der Jäger, daß es niemand anders war als die Tuginda. Sie schwamm ruhig zum dritten Kanu, das ihr bereits entgegenfuhr. Das Kanu des Barons hatte abgedreht. Zuerst schloß der Jäger verwirrt die Augen, und dann begrub er, damit ihn die Priesterin nicht zurechtweise, sein Gesicht in den Händen.

»*Crendro*, Melathys!« rief die Tuginda, Kelderek hörte ihr Lachen, als sie in das Kanu kletterte. »Ich dachte, ich hätte nichts mitgebracht als ein leichtes Herz, aber nun fällt mir ein, daß ich noch zwei Dinge habe – die Namen, die ich unseren Gästen wiedergeben muß. Kannst du mich hören, Bel-ka-Trazet, oder beeilst du dich, wie aus Sicht- auch noch aus Hörweite zu kommen?«

»Aber, Saiyett«, antwortete der Baron barsch, »du hast uns erschreckt. Und muß ich nicht auf dich als Frau Rücksicht nehmen?«

»Allerdings, die Breite des Telthearnas bedeutet Rücksicht. Sind deine Diener nicht hier?«

»Nein, Saiyett. Ich habe sie nach Ortelga zurückgeschickt.«

»Gott sei mit ihnen. Und mit Melathys, denn ihre hübschen Arme wurden von der Trazada zerkratzt. Jäger, du scheuer, verträumter Jäger, wie heißt du?«

»Kelderek, Saiyett«, antwortete er, »Kelderek Zenzuata.«

»Also, jetzt können wir sicher sein, daß wir Quiso verlassen haben. Die Mädchen werden sich über die unerwartete Fahrt freuen. Wer ist mit uns gekommen? Sheldra, Nito, Neelith –«

Sie begann, mit den Mädchen zu plaudern und zu scherzen, deren Antworten zeigten, daß sie von der guten Laune der Priesterin überzeugt waren. Nach einer Weile kam ihr Kanu längsseits, und sie berührte Keldereks Arm.

»Deine Schulter?« fragte sie.

»Besser, Saiyett«, antwortete er. »Der Schmerz hat nachgelassen.«

»Das ist gut, denn wir werden dich brauchen.«

Obwohl die Tuginda ihre Abreise geheimgehalten hatte, mußte außer Melathys offenbar noch jemand gewußt haben, was sie vorhatte, und ihr Kanu entsprechend beladen haben, denn sie war nun wie zur Jagd gekleidet, in eine Tunika aus zusammengenähten Lederstreifen, Ledergamaschen und Sandalen; ihr nasses Haar war um ihren Kopf geschlungen und durch eine leichte Silberkette zusammengehalten. Sie trug, ebenso wie die Mädchen, ein Messer im Gürtel.

»Wir fahren nicht zum Ufer von Ortelga, Melathys«, sagte sie. »Die Shendrons würden uns sehen, und innerhalb einer Stunde würde die ganze Stadt davon sprechen.«

»Wie denn, Saiyett? Wollen wir nicht an die Westküste der Insel?«

»Doch, gewiß. Aber wir werden am anderen Ufer entlangfahren und später den Fluß kreuzen.«

Ihre solcherart verlängerte Fahrt dauerte fast bis zum Abend, da sie gezwungen waren, dem immer noch da und dort schwimmenden schweren Treibgut auszuweichen. Als sie das entgegengesetzte öde Ufer mit seinem Aschengeruch erreicht hatten, waren die Mädchen schon müde. Es gab wenig, eigentlich gar keinen richtigen Schatten, und sie mußten sich ausruhen, so gut sie konnten, teils in den Kanus, teils im Fluß selbst, denn sie konnten alle schwimmen wie Fischotter. Nur Melathys blieb, anscheinend von der Hitze unberührt, gedankenverloren und schweigend auf ihrem Platz sitzen. Sie aßen Seltanüsse, Ziegenkäse und rosa Tendrionas. Der lange Nachmittag verging mit langsamem Stromaufrudern an dem toten Ufer entlang. Es war mühselige Arbeit, denn jeder Paddelschlag wurde durch am Ufer halbverkohlte Bäume und Äste behindert, von denen manche unter Wasser lagen, andere ein Gewirr von Zweigen und Blättern an der Oberfläche ausbreiteten. Durch die Luft zog ständig ein feiner, schwarzer Sand, und auf die Kanus legte sich an den Wänden über der Wasserlinie eine Schicht von Aschenschaum, der im trägen Wasser schwamm.

Die Sonne näherte sich dem Horizont, als die Tuginda endlich den Befehl gab, nach links zu wenden und den Strom wieder zu überqueren. Kelderek, der wußte, wie schwer es war, die ständig wechselnden Strömungen des Telthearnas abzuschätzen, erkannte, daß sie offensichtlich eine erfahrene und geübte Binnenschifferin war. Hier jedenfalls war ihr Urteil hervorragend, denn der Fluß trug sie mit nur wenig zusätzlicher Anstrengung für die ermüdeten Mädchen hinüber und so weit hinunter, daß sie fast genau zu dem hohen, schmalen Felsen an der Westspitze von Ortelga gelangten.

Sie wateten ans Ufer und zogen gemeinsam die Kanus durch das Schilf, dann schlugen sie zwischen dem weichen, faserigen Wurzelgewirr eines Quianwäldchens das Lager auf. Es war ein wildes Ufer; und während ihr Feuer hochflammte – so daß die Formen der Baumstämme in seiner Hitze zu schwanken schienen – und draußen die untergehende Sonne vom Flußbereich verschwand, spürte Kelderek wieder, wie vor zwei Tagen, die ungewöhnliche Unruhe und Erregung im Wald rundum.

»Saiyett«, bemerkte er endlich, »und Ihr, Herr Baron, wenn ich mir erlauben darf, Euch einen Rat zu geben: wir sollten heute abend niemandem gestatten, sich vom Feuer zu entfernen. Wenn jemand fort muß, so soll er zum Fluß gehen, aber sonst nirgendwohin. Dieser Ort ist voll von Geschöpfen, die selber hier fremd, verloren und wild vor Angst sind.«

Bel-ka-Trazet nickte nur, und Kelderek, der befürchtete, zuviel gesagt zu haben, wälzte einen Stamm neben das Feuer und schabte ihn sauber, um eine Sitzgelegenheit für die Tuginda zu schaffen. Auf der anderen Seite schlug das Mädchen Sheldra das Lager für die Dienerinnen auf und bestimmte, was sie tun sollten. Sie hatte den ganzen Tag kein Wort zu Kelderek gesprochen, der nicht recht wußte, wie er sich verhalten sollte, und sie nun schon fragen wollte, ob er ihr behilflich sein könne; da rief ihn die Tuginda und bat ihn, die erste Wache zu übernehmen.

Es ergab sich, daß er die halbe Nacht auf Wache blieb. Er hatte kein Schlafbedürfnis. Er fragte sich, was für Wachen sie wohl sein würden – diese wortkargen, zurückhaltenden Mädchen, die so lange abgeschlossen in der Einsamkeit von Quiso gelebt hatten. Er wußte aber, daß er sich bloß zu täuschen versuchte – was ihm mißlang; sie waren durchaus verläßlich, und nicht sie waren der Grund für seine Wachsamkeit. In Wirklichkeit konnte er sich von der Todesangst und der Furcht vor Shardik den ganzen Tag nicht freimachen.

Beim Brüten im Dunkel überkamen ihn neue Befürchtungen, als er zuerst an den Großbaron und dann an Melathys dachte. Beide hatten Angst – dessen war er sicher; wahrscheinlich Angst vor dem

Tod, aber auch – und eben darin unterschieden sie sich von ihm – Angst, zu verlieren, was sie schon besaßen. Und wegen dieser Angst erfüllte die Herzen beider eine echte Hoffnung, von der keiner von ihnen der Tuginda etwas sagen würde, daß der Jäger ihnen die Unwahrheit erzählt hatte und daß diese Suche erfolglos enden würde; denn für die beiden schien es, daß, sogar wenn er ihnen die Wahrheit erzählt hatte, sie dadurch nichts zu gewinnen hätten.

Es kam ihm der Gedanke – der sein Herz betrübte und sein Einsamkeitsgefühl noch steigerte –, daß der Großbaron eigentlich unfähig war zu begreifen, was für ihn, den Jäger, sonnenklar war. Es fiel ihm ein alter, geiziger Händler ein, der vor einigen Jahren in seiner Nähe gewohnt hatte. Der Mann hatte durch kleinliches, hartes Feilschen sein Leben lang sein Auskommen gehabt. Eines Nachts kamen ein paar großtuerische junge Söldner von einem Feldzug im Dienste von Bekla nach Ortelga zurück und boten ihm, da sie ihren fröhlichen Saufausflug noch nicht beenden wollten, drei große Smaragde für einen Krug Wein an. Der alte Mann verweigerte ihn ihnen in der Überzeugung, daß es sich um einen Schwindel handeln müsse, und rühmte sich später sogar noch, daß er für solche Gauner eben zu klug gewesen sei.

Bel-ka-Trazet hatte Jahre darauf verwendet, dachte Kelderek, aus Ortelga eine Festung zu machen, und war nun darauf aus, seine Ernte reifen zu sehen – in Sicherheit alt zu werden hinter seinen Gruben und Pfählen, seinem Flußgraben und seinen Shendrons am Ufer entlang. In seiner Welt war für alles Fremde und Unbekannte nur draußen der richtige Platz. Von allen Ortelganern war er vielleicht derjenige, dessen Herz bei der Nachricht von Shardiks, der göttlichen Kraft, Rückkehr am wenigsten klopfen und glühen würde. Was Melathys anlangte, ihr genügte ihre Rolle als Priesterin und ihre Inselzauberei. Vielleicht hoffte sie, später selbst einmal Tuginda zu werden. Sie gehorchte der Tuginda bloß, weil sie ihr nicht ungehorsam sein durfte. Sicherlich, meinte er, empfand sie im Herzen weder die leidenschaftliche Hoffnung noch das tiefe Verantwortungsgefühl der Tuginda. Vielleicht war es natürlich, daß sie Angst hatte. Sie war eine Frau, scharfsinnig und jung, die es bereits zu einer verantwortungsvollen und angesehenen Stellung gebracht hatte. Sie hatte viel zu verlieren, falls ein gewaltsamer Tod sie hinwegraffen sollte. Er dachte daran, wie er sie zum erstenmal am Vorabend gesehen hatte, als sie auf der von Flammen beleuchteten Terrasse ihre unheimliche Macht geltend gemacht hatte; wie sie erkannt hatte, daß das Geheimnis unausgesprochen in seinem Herzen und in keinem anderen der nächtlichen Ankömmlinge aus Ortelga verborgen lag. In der Erinnerung überkam ihn eine heftige Enttäuschung. In Wirklichkeit hätte sie die einzigartige Nachricht, die er gebracht hatte, lieber nicht erfahren.

»Sie stehen beide weit über mir«, dachte er, als er langsam quer durch das Wäldchen schritt, wo seine Ohren von dem dauernden Quaken der Frösche am Ufer widerhallten. »Dennoch kann ich, ein einfacher Mann, deutlich erkennen, daß beide sich an das klammern – oder zu klammern versuchen –, wovon sie fürchten, es könnte geändert oder hinweggefegt werden. Ich habe keine solchen Gedanken, denn ich habe nichts zu verlieren; und außerdem habe ich Shardik, unseren Herrn, gesehen, sie aber nicht. Doch sogar wenn wir ihn wiederfinden und nicht sterben, werden sie, so glaube ich, auf die eine oder andere Weise ihn zu verleugnen versuchen. Und das könnte ich niemals, komme, was wolle.«

Der plötzliche scharfe Schrei eines Tieres im Wald erinnerte ihn an die Pflicht, die er übernommen hatte, und er kehrte an seinen Wachtposten zurück. Er ging wieder quer über die Lichtung, zwischen den schlafenden Mädchen hindurch.

Die Tuginda stand neben dem Feuer. Sie winkte ihm, und als er zu ihr trat, blickte sie ihn mit dem gleichen klugen, offenen Lächeln an, das er zum erstenmal bei dem Terethstein gesehen hatte, ehe er wußte, wer sie war.

»Deine Wache ist doch sicher längst vorbei, Kelderek?« fragte sie.

»Ich könnte nicht schlafen, Saiyett, auch wenn jemand anders meinen Platz einnähme, warum sollte ich also nicht Wache halten?«

»Schmerzt deine Schulter noch?«

»Nein – mein Herz, Saiyett.« Er erwiderte ihr Lächeln. »Ich bin unruhig. Und dafür gibt es alle Ursache.«

»Nun, Kelderek, du Kinderspielfreund, ich bin froh, daß du wach bist, denn wir beide müssen miteinander sprechen.« Sie entfernte sich von den Schläferinnen, und er folgte ihr, bis sie stehenblieb, sich an einen Quianstamm lehnte und sich ihm im Halbdunkel zuwandte. Die Frösche quakten weiter, und nun konnte er hören, wie die Wellen gegen das Schilfrohr klatschten.

»Du hast gehört, wie ich Melathys und dem Baron sagte, wir müßten so handeln, als wäre deine Nachricht wahr. Das sagte ich zu ihnen; du aber, Kelderek, sollst wissen: ich wäre nicht die Tuginda von Quiso, wäre ich nicht imstande, die Wahrheit zu erkennen, die von eines Mannes Herzen zu seinen Lippen strömt. Für mich besteht kein Zweifel, daß du wirklich Shardik, unseren Herrn, gesehen hast.«

Er fand keine Antwort, und nach kurzer Pause fuhr sie fort: »So sind denn wir es, du und ich – von all den ungezählten Tausenden, die darauf gewartet haben.«

»Ja. Aber du wirkst so ruhig, Saiyett, und ich – ich bin von Angst erfüllt, von der einfachen Angst eines Feiglings. Ich empfinde tatsächlich Ehrfurcht und Schauer, hauptsächlich aber habe ich einfach Angst, von einem Bären in Stücke gerissen zu werden. Es sind sehr gefährliche Geschöpfe. Hast du nicht auch Angst?«

Ihre Antwort war eine Gegenfrage.

»Was weißt du von Shardik, unserem Herrn?«

Er überlegte eine Weile, dann antwortete er: »Er ist von Gott – Gott ist in ihm – er ist Gottes Kraft – er ging dahin und wird wiederkommen. Nein, Saiyett, man glaubt es zu wissen, bis ein anderer nach den Worten fragt. Ich habe, wie alle Kinder, um die gute Nacht zu beten gelernt, in der Shardik wiederkommen wird.«

»Es kommt aber vor, daß uns mehr zuteil wird als das, womit wir rechnen. Viele beten. Wie viele haben wirklich überlegt, was es bedeuten würde, wenn die Gebete erhört würden?«

»Was immer daraus werden mag, Saiyett, ich könnte niemals wünschen, daß er nicht wiedergekommen wäre. Trotz all meiner Angst könnte ich nicht wünschen, ihn nicht gesehen zu haben.«

»Auch ich trotz meiner Angst nicht. Ja, auch ich fürchte mich; aber ich kann Gott wenigstens danken, daß ich nie die wirkliche, die wahre Aufgabe der Tuginda vergessen habe – bereit zu sein, wirklich und ernsthaft, Tag und Nacht, für die Wiederkehr Shardiks. Wie oft bin ich nachts allein über die Terrassen gewandert und habe gedacht: ›Wenn dies die Nacht wäre – wenn Shardik jetzt käme – was sollte ich tun?‹ Ich wußte, ich sollte mich fürchten, aber die Furcht ist geringer« – sie lächelte wieder –, »geringer, als ich befürchtete. Jetzt mußt du mehr erfahren, denn wir sind die Werkzeuge, du und ich.« Sie nickte bedächtig, ihr Blick blieb ins Dunkel gerichtet. »Und was das bedeutet, werden wir, so Gott uns hilft, zur von ihm gewollten Zeit erfahren.«

Kelderek sagte nichts, und die Tuginda fuhr fort:

»Es geht um mehr als nur um Menschen, die sich flach auf den Bauch werfen – um viel, viel mehr.« Er schwieg weiter.

»Kennst du Bekla, die große Stadt?«

»Natürlich, Saiyett.«

»Warst du jemals dort?«

»Ich? O nein, Saiyett. Wie sollte ein Mann wie ich nach Bekla kommen? Aber viele meiner Felle und Federn wurden von den Händlern dorthin auf den Markt gebracht. Es ist eine Reise von vier, fünf Tagen nach Süden, das weiß ich.«

»Wußtest du, daß vor langer Zeit – niemand weiß, vor wie langer Zeit – das Volk von Ortelga in Bekla herrschte?«

»*Wir* waren die Herrscher von Bekla?«

»Ja. Wir beherrschten das Reich, das sich nördlich bis zum Telthearna, westlich bis Paltesh und südlich bis Sarkid und Ikat-Yeldashay erstreckte. Wir waren ein großes Volk – Kämpfer, Händler und vor allem Baumeister und Handwerker –, ja, wir, die wir uns heute in überdachten Schuppen auf einer Insel verkriechen und mit Pflügen und Hauen ein paar Meilen vom Festland entfernt unseren Lebensunterhalt zusammenkratzen.

Wir haben Bekla erbaut. Bis heute ist es wie ein Garten mit anmutig gemeißelten Steinen. Der Palast der Barone ist schöner als ein Lilienteich, über dem die Wasserjungfern schweben. Die Straße der Baumeister war damals voll von Boten reicher Leute aus nah und fern, die den Handwerkern Vermögen versprachen, damit sie kämen und für sie arbeiteten. Und wer sich dazu bequemte, reiste schnell, denn es gab breite, gesicherte Straßen bis an die Grenzen.

In jenen Tagen lebte Shardik unter uns. Er war bei uns wie jetzt die Tuginda bei uns ist. Er wechselte von einer leiblichen Behausung in die andere.«

»Shardik herrschte in Bekla?«

»Nein, nicht in Bekla. Shardik wurde verehrt und Shardik beglückte uns von einem einsamen, heiligen Ort an der Grenze des Reiches aus, zu dem die Bittsteller in Demut reisten. Was glaubst du, wo das war?«

»Ich kann es nicht sagen, Saiyett.«

»Quiso war es, wo die Bruchstücke von Shardiks Macht noch wie Fetzen an einer Hecke im Wind hängen. Und Beklas Handwerker machten die ganze Insel zu einem Tempel für Shardik. Sie bauten den Dammweg vom Festland nach Ortelga – den Dammweg, der jetzt zerschlagen ist –, denn die Pilgergruppen wurden, nachdem sie sich auf dem Festland bei den Zweiseitigen Steinen gesammelt hatten, zuerst nach Ortelga gebracht und machten dann die Nachtfahrt nach Quiso, so wie du vorige Nacht. Unsere Handwerker ebneten und pflasterten auch die Terrasse, wo Melathys dich gestern traf; und sie bauten über die davor liegende Schlucht die Bittstellerbrücke, einen Eisensteg, so schmal wie ein Tau, den die Fremden überschreiten oder aber zurückgehen mußten. Doch diese Brücke ist schon vor vielen Jahren eingestürzt – lange bevor wir, du und ich, geboren wurden. Wie du weißt, liegt hinter der Terrasse der Obere Tempel, der aus dem Fels gehauen wurde. Du hast sein Inneres nicht gesehen, denn du standest im Dunkel. Es ist eine hohe Kammer, sechs Meter im Quadrat, die in dreißigjähriger Arbeit, Stück für Stück, aus dem Felsen gehauen wurde. Und noch mehr, sie schufen auch –«

»Die Terrassen!«

»Die Terrassen: der Welt größter künstlicher Bau. Vier Generationen Steinmetze und Baumeister arbeiteten über hundert Jahre, um die Terrassen fertigzustellen. Die sie begannen, erlebten ihre Vollendung nicht. Und sie pflasterten die Ufer der Bucht darunter und bauten die Wohnungen für die Priesterinnen und die Frauen.«

»Und Shardik, Saiyett? Wo wohnte der?«

»Er wohnte nicht in einem Haus. Er ging, wohin er wollte. Er streifte frei umher – manchmal durch die Wälder, manchmal über die Terrassen. Aber die Priesterinnen suchten nach ihm, fütterten ihn und betreuten ihn. Das war ihr Geheimnis.«

»Aber hat er nie Menschen getötet?«

»Doch, manchmal tötete er – eine Priesterin beim Gesang, wenn es Gott so wollte, oder vielleicht einen allzu kecken Bittsteller, der ihm unvorsichtig begegnet war oder ihn auf irgendeine Art und Weise herausgefordert hatte. Er erkannte auch die Wahrheit im Herzen der Menschen und wußte, wenn einer insgeheim sein Feind war. Wenn er tötete, so tat er es aus eigenem Antrieb – wir veranlaßten ihn nie dazu. Eher war es unser Geheimnis und unsere Geschicklichkeit, ihn so zu führen, daß er es nicht tat. Die Tuginda und ihre Priesterinnen kamen zu Shardik und schliefen in seiner Nähe – das war ihre Kunst, das Wunder, dem Bekla sein Glück und seine Macht verdankte.«

»Und erhielt er eine Gefährtin?«

»Manchmal erhielt er eine Gefährtin, aber es mußte nicht sein. Es war eine Frage von Zeichen und Omen, wen Gott zum Shardik machte, es hing von Seinem Willen, nicht von den Absichten der Menschen ab. Manchmal wußte die Tuginda tatsächlich, daß sie Quiso verlassen und mit ihren Mädchen in die Hügel oder in die Wälder gehen mußte, um eine Gefährtin für Shardik zu suchen und mitzubringen. Er mochte aber auch leben, bis er zu sterben schien, dann zogen sie aus und fanden ihn wiedergeboren und brachten ihn heim.«

»Wie?«

»Sie hatten Methoden, die wir noch kennen – oder zu kennen hoffen, denn sie wurden lange nicht angewandt –, sowohl Drogen wie auch andere Kunstgriffe, mit deren Hilfe man ihn, wenn auch nur für kurze Zeit, unter Kontrolle halten konnte. Aber keine davon war unfehlbar. Wenn Gottes Kraft in Erdenform erscheint, kann sie nicht wie eine Kuh dahin und dorthin getrieben werden, wo würden sonst Wunder und Ehrfurcht bleiben? Bei Shardik gab es stets Ungewißheit, Gefahr und tödliches Risiko: und das wenigstens ist etwas, dessen man noch immer sicher sein kann. Shardik fordert uns alles ab, was wir haben, und wer so viel nicht aus freiem Willen zu bieten hat, dem mag er es wohl mit Gewalt nehmen.«

Sie brach ab und starrte blicklos in das Dschungeldunkel, als erinnerte sie sich der Macht und Majestät des Shardik von den Terrassen und seiner einstigen Tuginda. Schließlich fragte Kelderek: »Aber – jene Tage nahmen ein Ende, Saiyett?«

»Sie nahmen ein Ende. Ich kenne die ganze Geschichte nicht. Es war ein allzu schlimmer Frevel, um in allen Einzelheiten bekannt oder besprochen zu werden. Ich kann nur sagen, daß die damalige Tuginda Shardik und das Volk und sich selbst verriet. Es gab da einen Menschen – nein, er verdiente nicht, Mensch genannt zu werden, denn wer anders als ein Gottverlorener würde so etwas zu planen wagen? –, einen umherziehenden Sklavenhändler. Sie wurde – mit ihm – ach!« – und hier verstummte die Tuginda überwältigt, drückte ihren Körper an den Quianstamm hinter sich und zitterte vor Abscheu und Entsetzen. Nach einer Weile faßte sie sich und fuhr fort:

»Er – er tötete Shardik und auch viele von den heiligen Frauen. Die übrigen machten er und seine Leute zu Sklaven, und die Frau, die einst Tuginda hieß, floh mit ihm über den Telthearna stromabwärts. Vielleicht kamen sie nach Zeray, vielleicht an einen anderen Ort – ich weiß es nicht, es macht nicht viel aus. Gott wußte, was sie getan hatten, und Er kann es sich immer leisten zu warten.

Dann erhoben sich Beklas Feinde und überfielen es, und uns fehlte es an Unerschrockenheit und Mut, um sie zu bekämpfen. Sie eroberten die Stadt. Der Großbaron fiel durch ihre Hände, und was vom Volk noch übrig war, flüchtete über die Ebene und die Gelter Berge an die Ufer des Telthearnas, denn sie hofften, wenigstens ihr Leben retten zu können, wenn sie als Bittsteller zu jenen Inseln flohen. Deshalb setzten sie auf Ortelga über und zerstörten den Dammweg hinter sich. Und ihre Feinde ließen sie dort in der Erde scharren und in den Wäldern von Aas leben, denn sie hatten ihre Stadt und ihr Reich erobert, und es lohnte sich nicht, verzweifelte Menschen in ihrem letzten Bollwerk anzugreifen. Auch Quiso überließen sie ihnen, denn sie fürchteten Quiso, obwohl es ein öder, geschändeter Ort geworden war. Eines jedoch verlangten sie: Shardik dürfte nie wiederkommen; und lange Zeit hindurch, bis es nicht mehr nötig war, wachten sie darüber, daß es bestimmt nicht geschah.

Die Jahre vergingen, und aus uns wurde ein unwissendes, verarmtes Volk. Viele ortelganische Handwerker zogen fort, um sich ihre Geschicklichkeit an reicheren Orten honorieren zu lassen, und die zurückbleibenden verloren ihre Fertigkeit aus Mangel an geeignetem Material und reicher Kundschaft. Nun kommen wir so weit auf das Festland, wie wir es wagen, und handeln mit dem, was wir zu bieten haben – mit Seilen und Häuten, für die wir eintauschen, was immer wir von draußen bekommen können. Und die Barone heben Gruben aus und postieren Shendrons, um auf einem Urwaldfleck, den kein anderer haben will, am Leben zu bleiben. Doch die Tuginda auf ihrer Insel hat eine Aufgabe – glaube mir, Kelderek, sie hat eine Aufgabe: die schwerste. Sie muß warten. Stets bereit sein für Shardiks Rückkehr. Denn eines wurde immer wieder klar vorausgesagt, durch jedes Zeichen und Omen, das die Tuginda und ihre Priesterinnen kennen – daß Shardik eines Tages wiederkommen wird.«

Kelderek stand eine Weile dort und blickte auf das Schilf im Mondschein. Dann sagte er: »Und die Werkzeuge, Saiyett? Du sagtest, wir seien die Werkzeuge.«

»Vor langer Zeit wurde ich unterrichtet, daß Gott alle Menschen beglücken wird, indem er durch Shardik und durch zwei auserwählte

Werkzeuge, einen Mann und eine Frau, eine große Wahrheit enthüllen wird. Aber zuerst wird Er diese Werkzeuge zerschmettern und sie dann selbst wieder für Seine Zwecke neu formen.«

»Was bedeutet das?«

»Ich weiß es nicht«, antwortete die Tuginda, »aber eines gibt es, Kelderek Zenzuata, dessen du sicher sein kannst. Wenn es wirklich Shardik, unser Herr, ist, wie wir beide glauben, dann gibt es einen guten Grund, warum du und kein anderer auserwählt wurdest, ihn zu finden und ihm zu dienen – ja, auch wenn du selbst nicht erraten kannst, was der Grund ist.«

»Ich bin kein Krieger, Saiyett. Ich –«

»Es wurde nie vorausgesagt, Shardiks Wiederkehr müsse bedeuten, daß die Macht und die Herrschaft der Ortelganer wiederhergestellt wird. Tatsächlich gibt es ein Sprichwort: ›Gott tut nicht zweimal das gleiche.‹«

»Was also, Saiyett, sollen wir tun, wenn wir ihn finden?«

»Einfach auf Gott warten«, antwortete sie. »Wenn wir unsere Augen und Ohren in aller Demut öffnen, wird uns gezeigt werden, was wir tun sollen. Und du mußt dich bereitmachen, Kelderek, dich mit demütigem und ehrlichem Herzen zu unterwerfen, denn vielleicht hängt die Erfüllung von Gottes Absicht gerade davon ab. Er kann uns nichts sagen, wenn wir nicht hören wollen. Wenn wir beide recht haben, werden wir bald nicht mehr mit unser beider Leben tun können, was wir wollen.«

Sie machte sich langsam auf den Weg zurück zum Feuer, und Kelderek ging neben ihr. Als sie hinkamen, faßte sie ihn an der Hand. »Bist du fähig, einen Bären aufzuspüren?«

»Das ist sehr gefährlich, Saiyett, glaube mir. Das Risiko –«

»Wir können nur Vertrauen haben. Es wird deine Aufgabe sein, den Bären zu finden. Ich selbst habe nun zwar in langen Jahren die Mysterien der Tuginda gelernt, aber weder ich noch irgendeine lebende Frau hat sie jemals in Gegenwart Shardiks, unseres Herrn, ausgeführt oder auch nur ausführen sehen. Gottes Wille geschehe.«

Sie flüsterte, denn sie waren am Feuer vorbeigeschritten und standen zwischen den schlafenden Frauen.

»Du mußt dich nun ausruhen, Kelderek«, sagte sie, »denn morgen haben wir viel zu tun.«

»So ist es, Saiyett. Soll ich zwei Mädchen wecken? Eine allein könnte sich fürchten.«

Die Tuginda blickte auf die atmenden Gestalten nieder, deren Ruhe so leicht, so entrückt und gefährdet schien wie die eines im tiefen Wasser stehenden Fisches.

»Laß die armen Dinger ruhen«, sagte sie. »Ich werde selbst Wache halten.«

10. Die Auffindung Shardiks

Während die Sonne höher stieg und südwärts um den Hügel wanderte, drang der längs des Ufers in die Bäume reflektierte Schimmer des Wassers vom Schilf durch die lichtdurchlässigen Blätter aufwärts und traf schließlich auf die zwischen den höheren Ästen einfallenden direkten Strahlen, die ihn undeutlich machten. Von den Unterseiten der Blätter schien ein grünes, schwaches, zweimal reflektiertes Licht nach unten, das über den nackten Boden zwischen den Baumstämmen Flecke säte, neben gefallenen Zweigen feine Schatten zog und auf den Kieselspitzen kleine Punkte zum Glitzern brachte. Die durch die dauernde Bewegung des sonnenbeschienenen Wassers gesprenkelten Blätter wirkten wie von einer Brise bewegt. Doch dieses scheinbare Hin und Her war eine Täuschung: es war windstill, die Bäume standen regungslos in der Hitze, und nichts bewegte sich außer dem vorbeifließenden Strom.

Kelderek stand am Ufer und lauschte den Dschungelgeräuschen aus dem Inland. Er bemerkte, daß seit seinem Abenteuer vor zwei Tagen – ja, seit ihrer Landung am vorigen Abend – die Verwirrung im Wald sich geklärt hatte und Aufregung und Bewegung nachließen. Es gab weniger Alarmrufe, weniger erschrocken auffliegende Vögel und durch die Bäume flüchtende Affen. Kein Zweifel, viele der fliehenden Tiere waren schon anderen zum Opfer gefallen. Von den Überlebenden mußten die meisten bereits begonnen haben, auf der Suche nach Nahrung und Sicherheit über die Insel nach Osten zu wandern. Wahrscheinlich waren manche wieder ins Wasser gegangen, um an das Südufer des Telthearnas auf der gegenüberliegenden Seite der Durchfahrt zu schwimmen. Er hatte da und dort Spuren im Schlamm und schmale, durch das Schilf führende Durchgänge gesehen. Es kam ihm der Gedanke: »Angenommen, *er* wäre fort? *Er* wäre nicht mehr auf der Insel?«

»Dann wären wir in Sicherheit«, dachte er, »und mein Leben würde, wie ein Strom nach einem Wolkenbruch, wieder in die Ufer zurückkehren, wo er vor zwei Tagen floß.« Er wandte den Kopf der Tuginda zu, die in einiger Entfernung mit Bel-ka-Trazet unter den Bäumen stand. »Aber ich könnte nicht wieder der Mann werden, der vor dem Leoparden floh. Zwei Tage – ich habe seither zwei Jahre erlebt! Selbst wenn ich wüßte, daß Shardik mich töten wird – und das wird er wahrscheinlich tun –, ich brächte nicht den Mut auf, darum zu beten, daß er fort sei.«

Je mehr er aber überlegte, desto plausibler schien ihm, daß der Bär nicht weit entfernt war. Er dachte an seinen plumpen, müden Gang, als er durch die Büsche davoneilte, und wie er vor Schmerz zusammenzuckte, als er seine Weiche an dem Baum scheuerte. Trotz seiner Größe und seines furchtgebietenden Äußeren hatte das Geschöpf, das er gesehen hatte, etwas Bedauernswertes an sich gehabt. Wenn das stimmte und der Bär irgendwie verwundet war, wäre es überaus gefährlich, sich ihm zu nähern. Besser, er schlug sich vorläufig jeden Gedanken an Shardik, den göttlich Starken, aus dem Kopf und widmete sich der schweren Aufgabe, die, das konnte man wohl sagen, für den Tag genügte: den Bären Shardik zu finden.

Er ging zurück zu der Tuginda und dem Baron und sagte ihnen, wie er die Zeichen des Waldes auslegte. Dann schlug er vor, sie sollten am besten zuerst die Strecke absuchen, wo er vor zwei Tagen gewesen war, um so zu dem Platz zu kommen, wo er den Bären zum erstenmal gesehen hatte. Er zeigte ihnen, wo er an Land gekommen war und wie er versucht hatte, ungesehen an dem Leoparden vorbeizugelangen und sich dann von ihm zu entfernen. Sie gingen zwischen den Büschen landeinwärts, gefolgt von Melathys und dem Mädchen Sheldra.

Melathys hatte, seit sie das Lager verlassen hatten, kaum ein Wort gesprochen. Kelderek warf einen Blick hinter sich und sah ihr angespanntes, in der Hitze sehr blasses Gesicht, als sie mit zitternder Hand den Schweiß von ihrer Schläfe wischte. Er hatte Mitleid mit ihr. Was war das für eine Arbeit für eine schöne junge Frau, an der Verfolgung eines verwundeten Bären teilzunehmen? Es wäre besser gewesen, sie im Lager zurückzulassen und ein zweites Mädchen aus der Dienerinnenschar mitzunehmen, ein hartes und unempfindliches Ding wie Sheldra, die aussah, als würde sie einen Bären nicht einmal bemerken, wenn er auf ihrer Zehe stünde.

Sie näherten sich dem Fuß des Hügels, und er ging voraus durch das dichte Unterholz zu der Stelle, wo er den Leoparden verwundet hatte. Zufällig stieß er auf seinen Pfeil, hob ihn auf und steckte die Kerbe in die Sehne des Bogens, den er trug. Er zog ein wenig daran, runzelte ärgerlich die Stirn, denn er mochte ihn nicht, und sein eigener Bogen fehlte ihm. Dieser gehörte einem der Mädchen – er war zu leicht und biegsam; man hätte sich die Mühe sparen können, ihn mitzunehmen. Er hätte gern gewußt, was Taphro, der mürrische Narr, mit seinem Bogen gemacht hatte. »Wenn wir je zurückkommen«, dachte er, »werde ich von dem Baron verlangen, daß er ihn mir zurückgeben läßt.«

Sie gingen vorsichtig weiter. »Hier bin ich gestürzt, Saiyett«, flüsterte er, »und siehst du, das sind die Spuren des Leoparden.«

»Und der Bär?« Die Tuginda sprach ebenso leise wie er.

»Der stand unten, Saiyett«, antwortete Kelderek und zeigte zum Fuß der Böschung, »aber er brauchte nicht nach oben zu langen, um den Leoparden zu treffen. Er schlug seitwärts – so.«

Die Tuginda starrte die steile Böschung hinunter, atmete tief ein, warf zuerst Bel-ka-Trazet einen Blick zu und sah dann den Jäger an.

»Bist du sicher?« fragte sie.

»Als sich der Leopard duckte, blickte er aufwärts in die Augen des Bären, Saiyett«, antwortete Kelderek. »Ich sehe ihn noch vor mir und das weiße Fell unter seinem Kinn.«

Die Tuginda schwieg, als versuchte sie, sich die gigantische Gestalt besser vorzustellen, die sich drohend und wütend knurrend auf die Hinterbeine erhoben hatte, so daß ihr Kopf über der Höhe der Böschung war, auf der sie standen. Schließlich fragte sie Bel-ka-Trazet:

»Ist das möglich?«

»Ich glaube nicht, Saiyett«, antwortete der Baron achselzuckend.

»Nun denn, gehen wir hinunter«, sagte sie. Kelderek bot ihr seinen Arm, aber sie winkte ihm, er solle sich um Melathys kümmern. Der Atem der Priesterin ging schnell und unregelmäßig, sie stützte sich schwer auf ihn und zögerte bei jedem Schritt. Am Grund der Böschung angelangt, lehnte sie sich mit dem Rücken an einen Baum, biß sich auf die Lippe und schloß ihre Augen. Er wollte sie gerade ansprechen, da legte ihm die Tuginda eine Hand auf die Schulter.

»Du hast den Bären nicht wiedergesehen, nachdem er dich hier verließ?«

»Nein, Saiyett«, antwortete er. »Er ist dort, durch die Büsche, fortgegangen.«

Er trat an den Baum heran, den der Bär mit seiner verwundeten Weiche gestreift hatte. »Er ist nicht hierher zurückgekommen.« Der Jäger schwieg eine Weile, dann fragte er in möglichst ruhigem Ton: »Soll ich nun seiner Spur folgen?«

»Wir müssen den Bären finden, wenn wir können, Kelderek. Deshalb sind wir ja gekommen.«

»Dann, Saiyett, gehe ich am besten allein. Der Bär könnte sich in der Nähe aufhalten, und ich muß vor allem leise sein.«

»Ich werde dich begleiten«, sagte Bel-ka-Trazet.

Er löste die Kette an seinem Hals, nahm seinen Pelzumhang ab und legte ihn auf den Boden. Seine linke Schulter war verstümmelt wie sein Gesicht – bucklig und knotig, wie eine freiliegende Baumwurzel. »Er trägt den Umhang, um es zu verbergen«, dachte Kelderek.

Sie waren nur ein paar Meter gegangen, da entdeckte der Jäger die Leopardenspuren, die teilweise von denen des Bären überdeckt waren. Der Leopard war wohl verwundet worden, nahm er an, hatte aber zu fliehen versucht, und der Bär hatte ihn verfolgt. Bald fanden sie die von Parasiten und Insekten schon halb zerfressene Leiche des Leoparden. Es gab keine Anzeichen eines Kampfes, und die Spur des Bären führte weiter durch die Büsche zu einem offenen Gehölz mit steinigem Grund. Hier konnte man zum erstenmal zwischen den Bäumen auf eine gewisse Entfernung hin sehen. Sie machten am Rand des Unterholzes halt, lauschten und sahen sich um, aber es regte sich nichts, alles war still, nur die Sittiche zwitscherten in den Zweigen.

»Die Frauen können ruhig hierherkommen«, sagte Bel-ka-Trazet ihm ins Ohr; dann glitt er geräuschlos zurück ins Unterholz.

Allein geblieben, versuchte Kelderek zu erraten, welchen Weg der Bär eingeschlagen haben mochte. Doch der steinige Boden wies keine Spuren auf, und er fühlte sich unsicher. Der Baron kam nicht zurück, und er fragte sich, ob vielleicht Melathys ohnmächtig geworden oder unpäßlich war. Endlich wurde er des Wartens müde, ging abgezählte hundert Schritte nach rechts und begann dann langsam, in einem weiten·Halbkreis den Boden nach den geringsten Anzeichen – Spuren, Klauenabdrücke, Tropfen oder Haarbüschel – abzusuchen.

Er hatte etwa die Hälfte der Strecke erfolglos zurückgelegt, als er wieder an den Rand eines Unterholzgürtels gelangte. Der war nicht sehr breit, denn Kelderek konnte dahinter freies Gelände sehen. Einem Impuls folgend, schlich er hindurch und kam oberhalb eines grasbedeckten Abhanges heraus, der auf allen Seiten von Wald umsäumt war und sich bis zum Nordufer der Insel und dem dahinter fließenden Telthearna ausdehnte. In geringer Entfernung von der Stelle, wo er stand, gab es eine Höhlung – eine etwa einen Steinwurf breite Grube. Sie war von Gebüsch und wuchernden Gewächsen umgeben, und etwa aus derselben Richtung kam ein leises Wasserrauschen. Er könnte eigentlich hingehen, dachte er, und ein wenig trinken, bevor er umkehrte. Die Bärenspur wiederzufinden, würde sich nun, da sie sie verloren hatten, wahrscheinlich als eine langwierige und mühsame Sache erweisen.

Er ging hinaus auf das freie Feld und sah, daß tatsächlich hinter der Höhlung eine Quelle den Abhang hinunterfloß. Die Höhlung lag nicht unmittelbar auf seinem Weg, aber er ging aus reiner Neugier hin und blickte hinein. Und schon ließ er sich auf Hände und Knie fallen und verbarg sich hinter einer dichten Pflanzengruppe nahe am Rand.

Er spürte den Puls in seiner Kniekehle, als hätte ein Finger an der Sehne gezupft, und sein Herz klopfte so heftig, daß er es zu hören glaubte. Er wartete, aber es war kein anderer Laut zu vernehmen. Vorsichtig hob er den Kopf und blickte nochmals hinunter.

Unten war der Boden, anders als im rundum von der Hitze ausgedörrten Wald, frisch und grün. Auf einer Seite wuchs eine Eiche, deren untere Äste mit dem Rand der Grube auf gleicher Höhe waren und sich über dem Boden ausbreiteten. Der Stamm war unten von kurzem, weichem Gras umgeben, und nahebei in seinem Schatten lag ein seichter Teich. Es gab keine Mündung, und als er hinblickte, spiegelten sich in dem bewegungslosen Wasser zwei Enten, die unter einer schildförmigen Wolke vorbeiflogen, ins Blaue segelten und außer Sicht gerieten. Längs des gegenüberliegenden Randes erhob sich eine Böschung, und darüber wuchs ein Gewirr von Trepsisranken – eine Art wilder Kürbis mit rauhen Blättern und trichterförmigen, scharlachroten Blüten.

Zwischen den Trepsisranken lag der Bär auf der Seite mit dem Wasser zugeneigtem, schlaff hängendem Kopf. Die Augen waren geschlossen, die Kiefer leicht geöffnet, und die Zunge stand vor.

Der Jäger, der zum zweitenmal seine gewaltigen Schultern und die unglaubliche Körpergröße sah, wurde von dem gleichen ekstatischen Unwirklichkeitsgefühl erfaßt, das er zwei Tage zuvor verspürt hatte; doch nun gesellte sich dazu ein Gefühl der Steigerung, der Erhebung auf ein höheres Niveau als das seines Alltagslebens. Einen solchen Bären konnte es unmöglich geben – und dennoch lag er vor ihm. Er hatte sich nicht getäuscht. Dies konnte in der Tat kein anderer sein als Shardik, die göttliche Kraft.

Hier war kein Raum mehr für den geringsten Zweifel, und alles, was er getan hatte, war richtig gewesen. Zugleich bedrückt und befreit, in Furcht und Scheu betete er: »O Shardik, o mein Herr, nimm mein Leben hin. Ich, Kelderek Zenzuata – ich bin für immer dein, deiner Befehle gewärtig, Shardik, mein Gebieter!«

Als sein erster Schock nachzulassen begann, sah er, daß er auch mit seiner Annahme recht gehabt hatte, der Bär wäre krank oder verwundet. Er war sichtlich in eine Bewußtlosigkeit versunken, die sich von dem Schlaf eines gesunden Tieres völlig unterschied. Und da war noch etwas – etwas Unnatürliches und Verwirrendes –, aber was? Es lag offen vor ihm, aber das war nicht alles. Dann nahm er es wahr. Die Trepsisranken wachsen schnell: von Sonnenaufgang bis -untergang wachsen sie quer über eine Tür. Der Körper des Bären war da und dort von hängenden Stengeln mit Blättern und roten Blüten bedeckt. Wie lange hatte demnach Shardik, ohne sich zu regen, neben dem Weiher gelegen? Einen Tag? Zwei Tage? Der Jäger blickte näher hin, seine Angst wurde zu Mitleid. An der freiliegenden Flanke zeigten sich entblößte Flecken in dem zottigen Pelz. Das Fleisch erschien dunkel und verfärbt. Aber auch getrocknetes Blut war doch sicherlich nicht so dunkel! Er stieg noch etwas tiefer über die Böschung in die Grube hinunter. Gewiß, da war Blut, aber die Wunden sahen dunkel aus, weil es darauf von trägen, kriechenden Fliegen wimmelte. Er schrie auf vor Ekel und Entsetzen. Shardik, der Leopardentöter, Shardik von den Terrassen, Shardik, unser Herr, kehrte nach ungezählten Jahren zurück zu seinem Volk – und lag, von Fliegen beschmutzt und sterbend vor Unrat, in einer Urwaldgrube voll Unkraut.

»Er stirbt«, dachte er. »Er stirbt, bevor es Morgen wird – wenn wir es nicht verhindern können. Ich aber werde hinuntergehen und trotz aller Gefahr Hilfe holen.«

Er wandte sich um, lief durch die Lichtung zurück, bahnte sich lärmend den Weg durch den Unterholzgürtel und rannte weiter zwischen den Bäumen zu der Stelle, wo der Baron ihn verlassen hatte. Plötzlich fühlte er, wie er strauchelte, und fiel betäubt und nach Luft ringend der Länge nach hin. Schwer atmend wälzte er sich zur Seite, das Flimmern vor seinen Augen klärte sich, und er sah Bel-ka-Trazets Gesicht vor sich, schief wie eine tropfende Kerze mit dem ihn anstarrenden Auge als Flamme.

»Was gibt's?« fragte der verzerrte Mund. »Warum läufst du umher und machst einen Lärm wie eine Ziege in einem Marktgehege?«

». . . Gestolpert . . . Herr . . .« keuchte Kelderek.

»Ich habe dir ein Bein gestellt, du ängstlicher Narr! Hast du den Bären zu uns geführt? Schnell, Mann, wo ist er?«

Kelderek erhob sich. Sein Gesicht war zerkratzt, und er hatte sich das Knie gezerrt, aber der verwundeten Schulter war zum Glück nichts geschehen.

«Ich bin nicht vor dem Bären davongelaufen, Herr. Ich habe ihn gefunden – ich habe Shardik, unseren Herrn, gefunden: aber vielleicht liegt er im Todesschlaf. Wo ist die Tuginda?«

»Hier bin ich«, sagte sie hinter ihm. »Wie weit ist es zu ihm, Kelderek?«

»In der Nähe, Saiyett – er ist verwundet und sehr krank, soweit ich es beurteilen kann. Er muß sich über einen Tag lang nicht bewegt haben. Er wird sterben . . .«

»Er wird nicht sterben«, antwortete die Tuginda lebhaft. »Wenn er wirklich Shardik, unser Herr, ist, wird er nicht sterben. Komm, führe uns hin.«

Kelderek blieb am Rand der Grube stehen und wies schweigend nach unten. Sooft einer seiner vier Begleiter an den Rand kam, betrachtete er ihn genau. Bel-ka-Trazet fuhr unwillkürlich zusammen, und dann – so schien es wenigstens – wandte er seinen Blick ab, als fürchte er sich tatsächlich vor dem, was er sah. Wenn es Furcht war, faßte er sich alsbald und kauerte sich, wie Kelderek, hinter die schützenden Gewächse, von wo aus er mit intensivem, aufmerksamem Blick in die Grube starrte, wie ein Steuermann das bewegte Wasser vor sich absucht.

Melathys warf kaum einen Blick nach unten, dann hob sie ihre Hände an ihre blutleeren Wangen und schloß die Augen. Sie machte kehrt und sank in die Knie, wie von einer schrecklichen Nachricht ins Herz getroffen.

Sheldra und die Tuginda blieben am Rand stehen. Sie schienen nicht sehr erschrocken und machten keinen Versuch, sich zu verstecken. Das Mädchen war ein wenig links hinter ihrer Herrin mit gespreizten Beinen, das Gewicht auf den Fersen, gelassen stehen geblieben, ihre Arme hingen lose an ihren Seiten. Das war gewiß nicht die Haltung einer Frau, die Angst hat. Sie blieb eine Weile regungslos stehen, dann hob sie den Kopf, als erinnerte sie sich an ihre Pflicht, blickte auf die Tuginda und wartete.

Die Hände der Tuginda waren in Taillenhöhe gefaltet, und ihre Schultern hoben und senkten sich langsam bei jedem Atemzug. Ihre Haltung machte den seltsamen Eindruck der Schwerelosigkeit, als stünde sie tatsächlich im Begriff, in die Grube zu schweben. Die Stellung des Kopfes war wachsam wie bei einem Vogel; doch trotz all ihrer lebhaften Spannung schien sie ebensowenig erschreckt wie die hinter ihr stehende Dienerin.

Bel-ka-Trazet erhob sich, die Tuginda wandte sich um und blickte ihn lange und ernst an. Kelderek erinnerte sich wieder, wie Melathys vor zwei Tagen in die Gesichter der Männer gestarrt hatte, die mühsam den Weg zum Oberen Tempel hinaufkamen; und wie er selbst gewissermaßen erkannt und ausgewählt worden war. Kein Zweifel, auch die Tuginda besaß die Fähigkeit zu erkennen, ohne Fragen zu stellen.

Nach einer kleinen Weile wandte sich die Tuginda von Bel-ka-Trazet ab und fragte ruhig: »Sheldra, du siehst wohl, daß es Shardik, unser Herr, ist?«

»Es ist Shardik, unser Herr, Saiyett«, sagte das Mädchen im gleichmäßigen Tonfall einer liturgischen Antwort.

»Ich gehe hinunter und wünsche, daß du mit mir kommst«, sagte die Tuginda.

Die zwei Frauen waren schon einige Meter hinabgestiegen, als Kelderek zu sich kam und ihnen folgen wollte. Da faßte ihn Bel-ka-Trazet am Arm.

»Sei kein Narr, Kelderek«, sagte er. »Sie werden getötet. Und selbst wenn sie nicht sterben, braucht dieser Unsinn dich nicht zu kümmern.«

Kelderek starrte ihn verdutzt an. Dann antwortete er, gewiß ohne Verachtung für den grauen, arg mitgenommenen Kämpfer, aber mit dem neuen und ungewohnten Bewußtsein, über dessen Autorität hinausgewachsen zu sein: »Shardik, unser Herr, ist dem Tode nah.«

Er nickte kurz, hob die Hand an seine Stirn, machte kehrt und folgte den beiden Frauen die steile Böschung hinunter.

Die Tuginda und ihre Begleiterin hatten den Grund der Höhlung erreicht und gingen rasch, ebensowenig zögernd, wie die Frauen mit den Laternen durch das Feuer geschritten waren; und da Kelderek es für besser erachtete, nicht zu springen oder zu laufen, um den Bären nicht zu erschrecken, holte er sie erst ein, als sie diesseits vom Weiher anhielten. Das Gras am Boden war feucht, und er nahm an, daß es von derselben unterirdischen Quelle berieselt wurde, die auch den Weiher füllte und das Wasser für den Bach auf dem offenen Abhang dahinter lieferte.

Der knietiefe Teich war vielleicht ein wenig zu breit, als daß ein Mann ihn überspringen konnte, und auf der gegenüberliegenden Seite war er von roten Trichterblüten eingefaßt, die unter ihren Massen von fingerförmigen, haarigen Blättern halb versteckt waren. Es stank nach Schmutz und Krankheit, und die Fliegen summten. Der Bär hatte sich nicht gerührt, und sie konnten seinen schweren Atem hören – er klang stumpf, ungesund. Die Schnauze war trocken, der Pelz gesträubt und glanzlos. Unter dem halb geschlossenen Lid des einen Auges war ein Schimmer von blutunterlaufenem Weiß zu erkennen. In der Nähe wirkte die Größe des Tieres überwältigend. Seine Schulter überragte Kelderek wie eine Wand, hinter der er nur den Himmel sehen konnte. Als er unsicher dort stand, hob der Bär, ohne die Augen zu öffnen, für einen Moment den Kopf, dann ließ er ihn müde wieder sinken, ähnlich wie ein schwerkranker Mann sich heftig bewegt, Erleichterung sucht, dann aber in der Bewegung nur Elend und Hilflosigkeit findet und aufgibt.

Ohne an eine Gefahr zu denken, machte Kelderek plätschernd ein halbes Dutzend Schritte durch den Teich, riß das Tuch von seiner verwundeten Schulter, benetzte es, hielt es an die Schnauze des Bären und befeuchtete dessen Zunge und Lippen. Die Kiefer bewegten sich krampfhaft, und da er sah, daß das mächtige Tier den Stoff zu kauen versuchte, tränkte er es nochmals und preßte seitlich Wasser in sein Maul.

Die Tuginda beugte sich über die Flanke des Bären, mit einem grünen Farnwedel in einer Hand, offenbar untersuchte sie eine der Wunden, nachdem sie die Fliegen davon verscheucht hatte. Dann begann sie, den Pelz abzusuchen, bald teilte sie ihn mit den Fingern, bald benutzte sie den Farnstengel als Sonde; Kelderek konnte sich denken, daß sie Fliegeneier und Würmer entfernte, aber ihre Miene zeigte keinen Abscheu, nur die gleiche Sorgfalt und Behutsamkeit, die er bemerkt hatte, als sie seine eigene Schulter behandelte.

Nach einiger Zeit machte sie eine Pause und winkte ihm; er stand noch in dem Teich, kletterte die Böschung empor, wobei die hohlen Trepsishalme unter seinen Füßen mit einem leisen »Nop, nop« brachen. Beim Tasten nach einem Halt faßte er einen Augenblick unabsichtlich die gebogenen Klauen einer Hintertatze, die so lang wie seine Hand und so dick wie sein Finger waren. Er kam nach oben, blieb neben Sheldra stehen und blickte auf den Bären nieder.

Shardiks Bauch und Flanken wiesen lange versengte, schwarz oder schmutziggrau gefärbte Streifen auf, als wären sie mit einer brennenden Fackel oder einer glühenden Eisenstange eingebrannt worden. An mehreren Stellen war der vier Finger dicke Pelz völlig verbrannt, und auf dem bloßen, ausgedörrten und gefurchten wilden Fleisch zeigten sich Risse und offene Wunden. Da und dort hing ein Häufchen Schmeißfliegeneier oder ein Wurm, den die Tuginda übersehen hatte. Mehrere Wunden waren faul, sie sonderten eine grünlich glänzende Substanz aus, die das zottige Haar verfärbte und zu steifen, trockenen Spitzen zusammenklebte. Eine breiige Masse aus gelbem, verwelktem Trepsis zeigte, daß das hilflose Geschöpf dort uriniert hatte, wo es lag. Zweifellos, dachte Kelderek, waren seine Hinterbacken auch eitrig und voller Würmer. Aber der Jäger fühlte keinen Ekel – nur Mitleid und die Entschlossenheit, seinen Teil bei der Lebensrettung Shardiks beizutragen.

»Es bleibt noch viel zu tun«, sagte die Tuginda, »wenn er nicht sterben soll. Wir müssen schnell handeln. Ich gehe jetzt zurück, spreche mit dem Baron und sage der Priesterin, was wir brauchen.«

Auf dem Weg zum Grubenrand sagte sie zu Kelderek: »Fasse Mut, wackerer Jäger. Du warst so geschickt, ihn zu finden, und Gott wird uns die Geschicklichkeit verleihen, ihn zu retten, keine Angst.«

»Es war nicht meine Geschicklichkeit, Saiyett –«, begann er, aber sie winkte ab, wandte den Kopf und begann, leise mit Sheldra zu sprechen. »– brauchen *Tessik* und *Theltocarna*«, hörte er, und kurz darauf: »– wenn er sich erholt, müssen wir es mit dem Gesang versuchen.«

Bel-ka-Trazet war noch dort, wo Kelderek ihn verlassen hatte. Melathys hatte sich erhoben und stand da, bleich wie der Mond, den Blick zu Boden gerichtet.

»Er hat viele Wunden«, sagte die Tuginda, »einige sind von Fliegen beschmutzt und vergiftet. Er muß vor dem Feuer über den Fluß geflüchtet sein – aber das wußte ich bereits sicher, als Kelderek uns berichtete.«

Bel-ka-Trazet schwieg, er schien zu überlegen. Dann blickte er, offensichtlich entschlossen, auf und sagte: »Wir beide, Saiyett, wollen uns doch klar sein. Du bist die Tuginda, und ich bin der Großbaron von Ortelga – bis mich einer tötet. Die Menschen gehorchen uns willig, weil sie glauben, daß wir, auf die eine oder andere Weise, sie zu schützen vermögen. Alte Geschichten, alte Träume – die Menschen lassen sich dadurch beherrschen und leiten, solange sie daran und an jene glauben, die Macht und Mysterium von ihnen erhalten. Deine Frauen gehen auf Feuer, tilgen Männernamen aus ihrem Gedächtnis, stechen sich Messer in die Arme und empfinden dabei keinen Schmerz. Das ist gut, denn die Menschen fürchten und gehorchen. Was aber hilft uns diese Sache mit dem Bären, und welchen Nutzen willst du daraus ziehen?«

»Ich weiß nicht«, antwortete die Tuginda, »und es ist jetzt nicht der Augenblick, derlei zu erörtern. Wir müssen um jeden Preis rasch handeln.«

»Hör mich aber doch an, Saiyett, denn du wirst meine Hilfe brauchen, und ich habe aus langer Erfahrung gelernt, was sich aus dieser und jener Handlung ergeben könnte. Wir haben einen großen Bären gefunden – wahrscheinlich den größten, der je gelebt hat. Ich hätte gewiß nicht geglaubt, daß ein solcher Bär existiert – das gebe ich zu. Was wird aber die Folge sein, wenn du ihn heilst? Wenn du in seiner Nähe bleibst, wird er dich und deine Frauen töten und dann der Schrecken von ganz Ortelga werden, bis sich die Männer gezwungen sehen, ihn unter Lebensgefahr zu jagen und zu vernichten. Selbst wenn wir annehmen, daß er dich nicht tötet, wird er bestenfalls diese Insel verlassen, und dann wirst du, da du vergeblich versucht hast, dich seiner zu bedienen, deinen Einfluß auf die Menschen verloren haben. Glaube mir, Saiyett, du hast nichts zu gewinnen. Als Erinnerung und als Legende besitzt Shardik Macht, und diese Macht ist unser, doch der Versuch, den Menschen einzureden, daß er wiedergekommen ist, kann letztlich nur von Schaden sein. Laß dir von mir raten und fahre unverzüglich zurück zu deiner Insel.«

Die Tuginda wartete schweigend, bis er ausgesprochen hatte. Dann winkte sie der Priesterin und sagte:

»Melathys, geh sofort zum Lager und sage den Mädchen, sie sollen alles, was wir brauchen werden, hierher bringen. Am besten paddeln sie die Kanus um den Strand herum und landen dort unten.« Sie zeigte auf das entfernte Nordufer jenseits der Landspitze am Fuß des langen Abhangs.

Die Priesterin eilte wortlos fort, und die Tuginda wandte sich wieder an den Jäger:

»Nun mußt du mir etwas sagen, Kelderek: ist Shardik, unser Herr, zu krank, um zu essen?«

»Sicherlich, Saiyett. Aber er wird trinken, und vielleicht könnte er Blut trinken oder vorgekaute Nahrung zu sich nehmen, wie man sie manchmal Kleinkindern gibt.«

»Um so besser, wenn er das tut. Es gibt eine Medizin, die er brauchen würde, aber es ist eine Pflanze, deren Wirkung nicht durch Beimischung von Wasser abgeschwächt werden darf.«

»Ich mache mich sofort auf den Weg, Saiyett, und werde Wild erlegen; wenn ich bloß meinen eigenen Bogen hätte!«

»Wurde er dir beim Oberen Tempel abgenommen?«

»Nein, Saiyett.« Er erklärte ihr die Sachlage.

»Das können wir für dich erledigen«, sagte sie. »Ich muß jemanden nach Ortelga schicken, um mir einiges zu besorgen. Aber du geh jetzt und tu, was du kannst.«

Er wandte sich um, halb darauf gefaßt, daß Bel-ka-Trazet ihn zurückrufen werde. Doch der Baron schwieg, und Kelderek ging rund um die Grube zu dem Teich und stillte endlich seinen Durst, bevor er loszog.

Seine Jagd dauerte mehrere Stunden, teils weil er im Gedanken an den Leoparden sehr vorsichtig durch die Wälder streifte, hauptsächlich aber weil das Wild scheu und er selbst nervös und erregt war. Er hatte mit dem Bogen Schwierigkeiten und verfehlte mehrmals ein leichtes Ziel. Erst am späten Nachmittag kam er mit zwei Paar Enten und einem Paka zurück – eine normalerweise für ihn armselige Beute, für die er sich aber sehr angestrengt hatte.

Die Mädchen hatten außerhalb der Grube, auf der windstillen Seite, ein Feuer angezündet. Drei oder vier brachten Holz herbei, während die anderen aus mit Ranken verbundenen Zweigen Schutzdächer anfertigten. Melathys saß mit Mörser und Stößel am Feuer und zerklopfte ein aromatisches Kraut. Er gab Neelith, die auf einem heißen Stein etwas buk, die Enten und legte den Paka beiseite, um ihn selbst auszunehmen und abzuhäuten. Zuerst aber ging er zu der Grube hinüber.

Der Bär lag noch zwischen den roten Trepsisblüten, wirkte aber schon weniger elend und bedauernswert. Seine großen Wunden waren mit einer gelben Salbe behandelt worden. Ein Mädchen verscheuchte die Fliegen mit einem Farnfächer von seinen Augen und Ohren, ein anderes bestrich seinen Rücken und seine Flanke, auf der er lag, soweit sie herankam. Zwei andere hatten Sand gebracht, um damit die verunreinigten Stellen am Boden, die sie schon gesäubert und mit spitzen Stöcken umgehackt hatten, zu bedecken. Die Tuginda hielt, wie er es getan hatte, ein feuchtes Tuch an das Maul des Bären, das sie aber nicht im Teich, sondern in dem zu ihren Füßen stehenden Wassereimer benetzte. Das gemächliche Verhalten der Mädchen stand in seltsamem Gegensatz zu der ungeheuren Gestalt des schrecklichen Geschöpfes, das sie betreuten. Kelderek sah, wie sie bei ihrer Arbeit innehielten, als der Bär sich unruhig bewegte. Sein Maul stand offen, und ein Hinterbein schlug schwach in die Luft, ehe es wieder zwischen den Trepsis zur Ruhe kam. Kelderek erinnerte sich an die Worte des Barons und dachte zum erstenmal: »Was aber wird geschehen, wenn es uns gelingt, ihn zu heilen?«

11. Die Erzählung Bel-ka-Trazets

Bei seinem jähen Erwachen erblickte Kelderek zuerst die Sterne und dann eine schwarze, struppige Gestalt, die sich gegen den Himmel abhob. Über ihn gebeugt stand ein Mann. Kelderek erhob sich schnell auf einen Arm.

»Endlich!« sagte Bel-ka-Trazet und stieß ihm nochmals den Fuß in die Rippen. »Nun, ich möchte sagen, du wirst bald besser schlafen.«

Kelderek erhob sich mühsam. »Ja, Herr?« Nun gewahrte er eines der Mädchen, das mit dem Bogen in der Hand hinter dem Baron stand.

»Du hast die erste Wache übernommen, Kelderek«, sagte Bel-ka-Trazet. »Wer hatte die zweite?«

»Die Priesterin Melathys, Herr. Ich weckte sie, wie mir aufgetragen worden war.«

»Welchen Eindruck machte sie auf dich? Was sagte sie?«

»Nichts, Herr; das heißt, nichts, woran ich mich erinnern kann. Sie schien – ebenso wie gestern; ich glaube, sie hatte vielleicht Angst.«

Bel-ka-Trazet nickte. »Die dritte Wache ist schon vorüber.«

Kelderek blickte wieder zu den Sternen empor. »Das sehe ich, Herr.«

»Dieses Mädchen erwachte von selbst und wollte ihre Wache antreten, fand aber sonst niemanden vor als die beiden Mädchen bei dem Bären. Das Mädchen, das vor ihr Wache halten sollte, war nicht geweckt worden, und die Priesterin ist nirgends zu finden.«

Kelderek kratzte einen Insektenbiß an seinem Arm und sagte nichts.

»Nun?« knurrte der Baron. »Soll ich hier stehen und zusehen, während du dich kratzt wie ein räudiger Affe?«

»Vielleicht sollten wir zum Fluß hinuntergehen, Herr?«

»Daran habe ich auch gedacht«, antwortete der Baron. Er wandte sich an das Mädchen. »Wo habt ihr gestern nachmittag die Kanus gelassen?«

»Nachdem wir sie ausgeladen hatten, Herr, zogen wir sie aus dem Wasser und legten sie unter in der Nähe stehende Bäume.«

»Du brauchst deine Herrin nicht zu wecken«, sagte Bel-ka-Trazet. »Übernimm jetzt deine Wache und warte auf unsere Rückkehr.«

»Sollten wir uns nicht bewaffnen, Herr?« fragte Kelderek. »Soll ich einen Bogen holen?«

»Dies hier wird genügen«, sagte der Baron, zog dem Mädchen das Messer aus dem Gürtel und machte sich im Sternenlicht auf den Weg.

Der Weg zum Fluß war leicht zu finden, sie folgten dem Lauf des Baches über die trockene, offene Wiese. Bel-ka-Trazet stützte sich beim Gehen auf einen langen Stecken, den er, wie Kelderek sich erinnerte, am Abend vorher zugeschnitten hatte. Bald konnten sie die nächtliche Brise leise im Schilf pfeifen hören. Der Baron blieb stehen und sah sich um. In Wassernähe wuchs das Gras lang, und die Mädchen hatten, als sie die Kanus hindurchzogen, einen Pfad ausgetreten. Diesem folgten Bel-ka-Trazet und Kelderek vom Ufer bis zu den Bäumen. Sie fanden nur drei Kanus, alle sorgfältig abgestellt und von niedrigen Zweigen bedeckt. Nebenan führte eine einzige

Furche durch das Gras zum Fluß zurück. Kelderek hockte sich darüber hin. Die aufgerissene Erde und das zerquetschte Gras rochen frisch, und einige Pflanzen bewegten sich noch langsam, indem sie ihre flachgedrückten Blätter wieder aufrichteten.

Bel-ka-Trazet stützte sich wie ein Ziegenhirt auf seinen Stock und blickte über den Fluß hinaus. Die Brise brachte einen Aschengeruch, aber es war nichts zu sehen.

»Dieses Mädchen war vernünftig«, sagte er schließlich. »Sie wollte mit dem Bären nichts zu tun haben.«

Kelderek, der bis zuletzt gehofft hatte, sich vielleicht doch geirrt zu haben, war nun bitter enttäuscht; es war wie die Qual eines Menschen, der beraubt wurde und nun überlegt, wie leicht alles hätte vermieden werden können, und er hatte das Gefühl, persönlich verraten worden zu sein durch jemanden, den er bewunderte und verehrte – allerdings war er klug genug, dies dem Baron gegenüber nicht zum Ausdruck zu bringen. Warum hatte Melathys ihn nicht gebeten, ihr zu helfen? Sie war so gewesen, dachte er traurig, wie eine schöne, mit Einlegearbeiten und Juwelen verzierte Paradewaffe, die sich als wenig ausgewogen und stumpf erwies.

»Aber wo ist sie hingefahren, Herr? Zurück nach Quiso?«

»Nein, und auch nach Ortelga nicht, denn sie weiß, dort würde man sie töten. Wir werden sie nie wiedersehen. Sie wird in Zeray landen. Schade, denn sie hätte besser als ich die Mädchen überreden können heimzufahren. Wie die Dinge liegen, haben wir bloß ein Kanu verloren – und noch ein paar Dinge, würde ich sagen.«

Sie machten sich, den Bach entlang, auf den Rückweg. Der Baron ging langsam, immer wieder den Stock ins Gras stechend, wie jemand, der über etwas nachdenkt. Nach einiger Zeit sagte er: »Kelderek, du hast mich beobachtet, als ich gestern zum erstenmal in die Grube hinunterblickte. Wahrscheinlich hast du gesehen, daß ich mich fürchtete.«

Kelderek dachte: »Will er mich töten?« Er antwortete: »Als *ich* den Bären zum erstenmal sah, Herr, warf ich mich zu Boden aus Angst.«

Bel-ka-Trazet winkte ihm, Schweigen gebietend.

»Ich *hatte* Angst und habe auch jetzt Angst. Ja, Angst um mein Leben – vielleicht ist Totsein gar nichts, doch wer findet Gefallen am Sterben? –, aber auch Angst um die Menschen, denn es wird viele Narren geben wie du; und auch vielleicht so närrische Weiber wie die dort oben«, und er hob seine Stockspitze in Richtung des Lagers.

Nach einer Weile fragte er plötzlich: »Weißt du, wie ich zu meinem hübschen Äußeren kam?« Und dann, als Kelderek nichts erwiderte: »Also, weißt du es oder nicht?«

»Eure Verunstaltung, Herr? Nein – wie könnte ich?«

»Wie soll *ich* wissen, was für Geschichten in den Schenken Ortelgas erzählt werden?«

»In denen verkehre ich nicht, Herr, wie Euch bekannt ist, und wenn darüber gesprochen wird, habe ich es nie gehört.«

»Du sollst es jetzt hören. Vor langer Zeit, als ich kaum mehr als ein Junge war, begleitete ich die ortelganischen Jäger – mal den einen, mal den anderen, denn mein Vater war mächtig und konnte von ihnen verlangen, daß sie mich mitnahmen. Er wollte, ich solle lernen, was junge Burschen durch die Jagd lernen können, und auch, was Jäger sie lehren können; und ich war aus eigenem Antrieb durchaus bereit zu lernen. Ich reiste weit fort von Ortelga, überquerte die Gelter Berge und jagte auf den Ebenen südwestlich von Kabin den Langhornbock. Ich kam bis Deelguy und stand zwei Stunden bis zum Hals im See von Klamsid, um bei Morgengrauen die Goldreiher mit dem Netz zu fangen.«

Sie waren am unteren Ende des Teichs angekommen, in den sich der Bach mit einem mannshohen Fall ergoß. Zu beiden Seiten verlief eine steile Böschung, und neben dem Teich streckte ein Melikon seine hübschen, mit saftigen Blättern bewachsenen Äste über das Wasser. Es ist der Baum, den die Bauern »Falsche Liebste« nennen. Die leuchtenden, hübschen Beeren, welche auf die Blüten folgen, sind ungenießbar und wertlos, aber gegen Ende des Sommers verwandelt sich ihre Farbe in ein blitzendes, pulverartiges Gold, und sie fallen von selbst bei völliger Windstille ab. Bel-ka-Trazet bückte sich, trank aus seinen hohlen Händen und setzte sich dann mit dem Rücken an die Böschung, den langen Stock aufrecht zwischen den hochgestellten Knien. Kelderek setzte sich beklommen neben ihn. Später erinnerte er sich an die rauhe Stimme, die langsame Bewegung der Sterne, das Rauschen des Wassers und dann und wann das leichte Plumpsen einer Beere in den Teich.

»Ich habe mit Durakkon und mit Senda-na-Say gejagt. Ich war mit den Baronen von Ortelga zusammen, als wir vor dreißig Jahren als Gäste des Königs von Terekenalt im Blauen Wald von Katria jagten und den Leoparden erlegten, den man den Schmied nannte. Es war König Karnat, der fast ein Riese war. Wir feierten nach der Jagd und wogen den König gegen den ›Schmied‹ ab; aber der Schmied erwies sich als schwerer. Den Baronen gefiel meine Beteiligung an der Jagd, und sie schenkten mir die Eckzähne des Schmieds; aber ich schenkte sie später einem Mädchen. Ja«, sagte Bel-ka-Trazet nachdenklich, »ich schenkte sie einem Mädchen, das sich freute, wenn es mein Gesicht sah.

Nun, mein Junge, es handelt sich nicht darum, was ich gesehen oder erlebt habe, wenn ich auch hier sitze und prahle angesichts der Sterne, die es vor langer Zeit gesehen haben und die Wahrheit von Lügen unterscheiden können. Als ich ein junger Mann geworden war, gab es in Ortelga keinen Baron oder Jäger, der nicht begierig und stolz gewesen wäre, mit mir zu jagen. Ich jagte, mit wem ich wollte, und lehnte Begleiter ab, die mir für den Namen, den ich mir gemacht hatte, zu schlecht erschienen. Ich war – ach! –« Er brach ab und stieß mit seinem Stock ins Gras. »Du hast doch schon gehört, nicht wahr, wie alte, runzlige Weiber rund um das Feuer von ihren Liebhabern und ihrer Schönheit sprachen?

Eines Tages kam ein Adeliger aus Bekla, ein gewisser ›Zilkron mit den Pfeilen‹, mit Geschenken zu meinem Vater zu Besuch. Dieser Zilkron hatte in Bekla von meinem Vater gehört, daß er die besten Jäger an sich zöge und daß er einen geschickten und mutigen Sohn hätte. Er schenkte meinem Vater Gold und feine Stoffe, und der Grund dafür war, daß er mit uns zur Jagd gehen wollte. Mein Vater hatte nichts übrig für diesen geschniegelten Herrn aus Bekla, konnte es sich aber, wie alle armseligen ortelganischen Barone, nicht leisten, Gold abzulehnen; so sagte er mir denn: ›Komm, mein Junge, wir führen ihn auf die andere Seite des Telthearnas und suchen ihm eine von den großen, wilden Katzen. Dann kann er ein paar Geschichten mit nach Hause nehmen.‹

In Wahrheit wußte mein Vater weniger, als er annahm, von den großen Katzen – den Katzen, die zweimal soviel wiegen wie ein Mensch, die Vieh und Alligatoren töten und die Schalen der Schildkröten aufreißen, wenn sie an Land kommen, um ihre Eier zu legen. In Wirklichkeit ist die Jagd auf sie zu gefährlich, es sei denn, man fängt sie in Fallen. Damals wußte ich bereits, was sich machen ließ und was nicht, und ich brauchte mir nicht zu beweisen, daß ich kein Feigling war. Aber ich wollte meinem Vater nicht sagen, daß ich besser Bescheid wußte als er. So überlegte ich mir also, wie ich am besten hinter seinem Rücken vorgehen konnte, um unser Leben zu retten.

Wir überquerten den Telthearna und begannen, als erstes die grünschwarzen Wasserschlangen zu jagen, die Leopardentöter, die vier- bis fünfmal so lang werden wie ein Mensch. Hast du die schon gejagt?«

»Nie, Herr«, antwortete Kelderek.

»Man findet sie nachts an den Flüssen, und sie sind bösartig und gefährlich. Sie haben kein Gift, töten aber durch Erdrücken. Wir ruhten tagsüber, so daß ich viel freie Zeit mit Zilkron verbrachte. Ich lernte ihn genau kennen, seinen Stolz und seine Eitelkeit, seine hervorragenden Waffen und die Ausrüstung, die er nicht zu gebrauchen verstand, und seine List, wenn er die Jägergespräche mit Geschichten ergänzte, die er anderswo gehört hatte. Und ich bearbeitete ihn dauernd, um ihm einzureden, daß die großen Katzen für ihn nicht der Mühe wert seien und er lieber andere Tiere jagen solle. Aber er war kein Feigling und auch kein Narr, und bald erkannte ich, daß ich ihm reinen Wein einschenken mußte, um ihn umzustimmen, denn er war entschlossen, sich einer Gefahr auszusetzen, mit der er zu Hause in Bekla prahlen könnte. Schließlich brachte ich die Sprache auf Bären. Welche Jagdtrophäe, fragte ich, ließ sich mit einem Bärenfell, Kopf, Klauen und allem übrigen, vergleichen? Innerlich wußte ich, daß die Gefahr immer noch groß sein würde, aber ich wußte wenigstens von Bären, daß sie nicht dauernd wild sind, daß sie schlecht sehen und sich manchmal aus der Fassung bringen lassen. In felsigem oder bergigem Gelände kann man sich auch manchmal von oben her an sie anschleichen und einen Speer oder Pfeil abschießen, bevor sie einen gesehen haben. Kurz und gut, Zilkron beschloß, daß wir auf die Bärenjagd gehen sollten, und sprach mit meinem Vater.

Mein Vater war unschlüssig, denn als Ortelganer durften wir keine Bären töten. Zuerst schüchterte ihn der Gedanke ein, aber wir waren weit von daheim, die Tuginda würde es nie erfahren, und es war auch keiner von uns fromm oder gottesfürchtig. Schließlich machten wir uns auf den Weg zum Shardra-Main, dem Bärengebirge, und kamen nach drei Tagen dort an.

Wir stiegen in die Berge hinauf und nahmen einige Dorfbewohner als Spurensucher und Führer in Dienst. Sie führten uns höher hinauf zu einem felsigen, sehr kalten Plateau. Sie sagten, dort lebten die Bären, kämen aber oft nach unten, um Farmen zu überfallen und in den Wäldern zu jagen. Die Dörfler hatten zweifellos etwas von den Bären gelernt, denn sie stahlen, was sie nur konnten. Einer stahl einen Schildpattkamm, den Zilkron mir geschenkt hatte, aber ich konnte nicht herausbekommen, wer der Dieb war.

Am zweiten Tag fanden wir einen Bären – einen großen Bären; als Zilkron ihn von weitem in Bewegung sah, zeigte er auf ihn und schnatterte verrücktes Zeug. Wir verfolgten ihn vorsichtig, denn ich war sicher, er würde, wenn er das Gefühl hätte, gejagt zu werden, auf der einen oder anderen Seite des Berges entschlüpfen und wir würden ihn ganz verlieren. Als wir an die Stelle kamen, wo wir ihn gesehen hatten, war er verschwunden, und es blieb uns nichts übrig, als höher zu steigen und zu hoffen, daß wir ihn von oben erblicken könnten. Wir bekamen ihn an jenem Tag nicht mehr zu Gesicht. Wir kampierten hoch oben in dem besten Unterstand, den wir finden konnten; und es war wahrlich sehr kalt.

Am nächsten Morgen, gerade als es hell wurde, erwachte ich und hörte seltsame Geräusche – es wurden Stöcke zerbrochen, ein Sack geschleift, ein Topf rollte zur Seite. Es klang nicht nach einem Kampf, sondern eher nach einem Betrunkenen, der umherstolpert, um sein Bett zu finden. Ich lag in einer kleinen durchgangartigen Spalte, vom Wind geschützt, erhob mich und ging hinaus, um zu sehen, was los war.

Was los war, war der Bär. Der Bursche aus Bekla, der die Wache hatte, war eingeschlafen, das Feuer war niedergebrannt, und keiner hatte gesehen, daß der Bär ins Lager getrottet kam. Er durchsuchte unsere Lebensmittel und bediente sich. Ein Sack Tendrionas war ihm in die Tatzen gekommen, und er schleppte ihn umher. Die Dörfler lagen alle reglos und still wie Steine auf dem Boden. Während ich zusah, patschte der Bär einen von ihnen mit der Tatze, wie um ihm zu sagen, er brauche keine Angst zu haben. Ich dachte: ›Wenn ich irgendwo an eine höhere Stelle kommen könnte, wo er mich nicht erreicht, könnte ich warten, bis er das Lager verläßt, und ihm dann einen Pfeil in den Leib jagen‹; denn ich wollte ihn nicht im Lager verwunden, mitten unter Menschen, die nicht gewarnt worden waren. Ich holte meinen Bogen und kletterte an der Seite der kleinen Spalte hoch, wo ich geschlafen hatte. Ich kam oberhalb des Felsens hinaus, und da war unser feiner Freund just unter mir, sein

Kopf steckte in dem Sack, er kaute und bewegte seinen Schwanz wie ein Lämmchen beim Mutterschaf. Ich hätte hinlangen und seinen Rücken berühren können. Er hörte mich, zog den Kopf heraus und stellte sich auf seine Hinterbeine; und dann – du magst es glauben oder nicht, Kelderek – blickte er mir ins Gesicht und neigte den Kopf vor mir mit verschränkten Vordertatzen. Dann ließ er sich auf alle viere fallen und trottete davon.

Während ich ihm nachstarrte, kam Zilkron, zur Verfolgung entschlossen, mit zweien seiner Diener heran. Ich speiste sie mit irgendeiner Ausrede ab – sie muß faul gewesen sein, denn Zilkron zog wortlos die Schultern hoch, und ich sah, wie seine Leute miteinander Blicke wechselten. Sollten sie denken, was sie wollten! Ich war wie du, Kelderek – und wie jeder andere Ortelganer, möchte ich sagen; nun, da ich dem Bären gegenübergestanden hatte, wollte ich ihn nicht töten und auch nicht zulassen, daß Zilkron ihn tötete. Ich wußte aber nicht, was ich tun sollte, denn ich konnte ja nicht sagen: ›Machen wir jetzt kehrt und gehen wir heim!‹

Nachdem mein Vater Zilkrons Bericht gehört hatte, fragte er mich unter vier Augen, ob ich Angst gehabt hätte. Ich versuchte, ihm zu schildern, was ich empfunden hatte, aber er hatte noch nie wirklich einen Bären getroffen und sah mich nur verwundert an.

An jenem Tag bestach ich den Anführer der Dorfleute, uns so zu führen, daß es aussah, als würden wir den Bären verfolgen, uns aber in Wirklichkeit dorthin zu bringen, wo wir ihn wahrscheinlich nicht finden würden. Ihm machte es nichts aus – er grinste bloß und nahm den Lohn an. Bis zum Einbruch der Nacht hatten wir vom Bären nichts mehr gesehen, und beim Einschlafen fragte ich mich, was ich weiter tun sollte.

Ich wurde von Zilkron geweckt. Der Vollmond ging gerade unter, und auf den Felsen glitzerte Frost. Sein Gesicht strahlte triumphierend – und wohl auch höhnisch, nahm ich an. Er flüsterte: ›Da ist er wieder, mein Junge!‹ Er hielt seinen großen, bemalten Bogen mit den grünen Silberquasten und dem polierten Jetthandgriff in den Händen. Sobald er sah, daß ich wach war, verließ er mich. Ich erhob mich und stolperte hinter ihm her. Die Dörfler kauerten hinter einem Felsen, aber mein Vater und Zilkrons zwei Diener standen draußen im Freien.

Tatsächlich, der Bär kam. Wie ein Bursche auf dem Weg zum Jahrmarkt – so trottete er dahin und leckte sich die Lippen. Er hatte unser Feuer gesehen und das Essen gerochen. ›Bis zum gestrigen Tag‹, dachte ich, ›hat er noch nie Menschen getroffen. Er weiß nicht, daß wir ihn töten wollen.‹ Das Feuer brannte hell genug, doch er schien sich nicht davor zu fürchten. Er kletterte über einen Felsen und schnupperte an dessen Fuß. Vermutlich hatten die Köche Proviant dort gelassen.

Zilkron legte mir eine Hand auf die Schulter, und ich spürte seine Goldringe an meinem Schlüsselbein. ›Keine Angst‹, sagte er, ›keine Angst, mein Junge. Ich jage ihm drei Pfeile in den Leib, bevor er auch nur Zeit hat, an einen Angriff zu denken.‹ Er schlich näher. Ich folgte ihm, und der Bär wandte sich um und sah uns.

Einer von Zilkrons Leuten – ein alter Bursche, der ihn seit seiner Kindheit betreut hatte – rief ihm zu: ›Nicht näher, Herr!‹ Zilkron winkte, ohne sich umzudrehen, mit der Hand nach hinten, dann spannte er seinen Bogen.

In diesem Augenblick erhob sich der Bär wieder auf die Hinterbeine und blickte mich direkt an, sein Kopf war gesenkt, seine Vorderpranken lagen übereinander, und er brummte zweimal kurz: ›Ah! Ah!‹ Als Zilkron die Sehne losließ, schlug ich ihm auf den Arm. Der Pfeil spaltete einen Zweig im Feuer, und die Funken flogen in einem Schauer hoch.

Zilkron wandte sich sehr ruhig zu mir um, als habe er etwas Ähnliches erwartet. ›Du blöder kleiner Feigling‹, sagte er, ›geh zur Seite!‹ Ich trat vor ihn und ging auf den Bären zu – meinen Bären, der einen Ortelganer bat, ihn vor diesem reichen Flegel zu schützen.

›Aus dem Weg!‹ schrie Zilkron. Ich wandte mich um, in der Absicht, ihm zu antworten; in dem Augenblick stürzte sich der Bär auf mich. Ich spürte einen schweren Schlag auf meiner linken Schulter, dann umfaßte er mich und drückte mich an sich, schnappte und biß nach meinem Gesicht. Sein feuchter, süßlicher Atem war das letzte, was ich spürte.

Als ich drei Tage später zu mir kam, waren wir wieder in dem Bergdorf. Zilkron hatte uns verlassen, denn mein Vater hatte gehört, wie er mich einen Feigling nannte, und sie hatten wütend gestritten. Wir blieben noch zwei Monate dort. Mein Vater saß an meinem Bett und sprach, hielt mich an der Hand und erzählte mir alte Geschichten; dann schwieg er, Tränen standen in seinen Augen, als er sah, was von seinem prächtigen Sohn übrig war.«

Bel-ka-Trazet lachte kurz. »Es war ein schwerer Schlag für ihn.

Er verstand weniger vom Leben als ich jetzt, da ich sein Alter erreicht habe. Aber das ist Nebensache. Was glaubst du, warum ich meine Diener aus Quiso zurückgeschickt habe und allein hierhergekommen bin? Ich will es dir sagen, Kelderek, und merk dir meine Worte. Da du ein Mann aus Ortelga bist, kannst du nicht umhin, die Macht des Bären zu spüren. Und jeder Ortelganer wird sie zu spüren bekommen, es sei denn, wir sorgen dafür – du und ich –, daß die Dinge eine andere Wendung nehmen. Gelingt uns das nicht, dann wird ganz Ortelga auf die eine oder andere Weise zerschlagen werden, genau wie mein Gesicht und mein Körper zerschlagen wurden. Der Bär ist Wahnsinn, Raserei, ein verräterischer, nicht voraussehbarer Sturm, der dich vernichtet und ertränkt, wenn du dich in ruhigem Wasser wähnst. Glaube mir, Kelderek, traue nie dem Bären. Er wird dir Gottes Allmacht versprechen und dich durch Verrat in Unglück und Verderben stürzen.«

Bel-ka-Trazet verstummte und blickte plötzlich auf. Jenseits der Böschung erschütterte ein schwerer, unsicherer Schritt die Äste des Melikons, so daß ein Beerenstrom in den Teich prasselte. Dann erschien unmittelbar über ihnen eine riesige, gebückte Gestalt, die sich gegen die leuchtenden Sterne abzeichnete. Kelderek sprang auf und fand sich den kurzsichtig starrenden Augen Shardiks gegenüber.

12. Abschied des Barons

Ohne sich zu erheben oder seinen Blick von dem Bären abzuwenden, tastete Bel-ka-Trazet hinter sich ins Wasser, ergriff einen Stein und warf ihn ins Dunkel jenseits der Böschung. Als er aufschlug, wandte der Bär den Kopf, und der Baron stieg schnell in den Teich, watete unter den Wasserfall und in den engen Raum zwischen dem Vorhang des herabstürzenden Wassers und der dahinterliegenden Böschung. Kelderek blieb, wo er war, während der Bär wieder zu ihm hinuntersah. Seine Augen blickten stumpf, und ein Zittern durchlief bald seine Vorderbeine, bald seinen Kopf. Plötzlich krampften sich die massiven Schultern des Tieres zusammen. Bel-ka-Trazet sagte leise und scharf: »Kelderek, komm hierher zurück!«

Wieder empfand der Jäger keine Furcht; mit einem spontanen Verständnis, über das sich zu wundern er keine Zeit fand, nahm er an den Empfindungen des Bären teil. Sie waren, das wußte er, durch Schmerzen abgeschwächt. Da er den Schmerz fühlte, empfand er auch den Impuls, ziellos fortzugehen und bei Bewegung und Zerstreuung Erleichterung zu suchen. Eine noch größere Erleichterung wäre es gewesen zu schlagen, zu töten, aber der Schmerz hatte ihn unsäglich geschwächt und verwirrt. Es wurde Kelderek nun klar, daß der Bär ihn nicht gesehen hatte. Er starrte nicht auf ihn, sondern auf die steile Böschung und wagte in seiner Schwäche nicht hinunterzugehen. Während er noch reglos stand, sank der Bär langsam nieder, bis Kelderek seinen feuchten Atem auf seinem Gesicht spürte. Wieder rief Bel-ka-Trazet: »Kelderek!«

Der Bär glitt, fiel nach vorn. Sein Fall glich dem Einsturz einer Brücke im Hochwasser. Kelderek sah gleichsam durch die getrübten Augen des Tieres, wie der Boden am Fuß der Böschung sich dem Stürzenden entgegenhob, und schwankte zur Seite vor der Männergestalt, die er plötzlich erblickte – sich selbst. Er stand im Wasser, als Shardik, mit den Tatzen schlagend, zusammenbrach und zum Teichrand rollte. Er beobachtete ihn, wie ein Kind den Kampf erwachsener Männer beobachtet – angespannt, erschreckt wachsam, doch zugleich ohne Furcht für sich selbst. Schließlich lag der Bär still. Seine Augen waren geschlossen, und eine der Wunden an seiner Flanke begann, langsam und dickflüssig wie Rahm auf das Gras zu bluten.

Es wurde Licht, und Kelderek hörte hinter sich die ersten heiseren Schreie in dem erwachenden Wald. Wortlos trat Bel-ka-Trazet durch den Wasserfall, zog sein Messer und ließ sich vor der regungslosen Masse auf ein Knie nieder. Der Kopf des Bären war an seine Brust gesunken, so daß das lange Kinn seine schlaffe Kehle bedeckte. Der Baron machte eine Bewegung zur Seite hin und wollte zustoßen, da trat Kelderek vor und wand ihm das Messer aus der Hand.

Bel-ka-Trazet wandte sich ihm mit einer so fürchterlich kalten Wut zu, daß dem Jäger die Worte auf den Lippen erstarben.

»Du wagst es, Hand an *mich* zu legen!« zischte der Baron durch die Zähne. »Gib mir das Messer!«

Zum zweitenmal dem Zorn und der Autorität des Großbarons von Ortelga gegenübergestellt, wankte Kelderek wirklich, als wäre er geschlagen worden. Für ihn, einen Mann ohne Rang oder Stellung, war Gehorsam gegenüber der Autorität fast seine zweite Natur. Er senkte den Blick, scharrte mit den Füßen und murmelte unverständliche Worte.

»Gib mir das Messer!« wiederholte Bel-ka-Trazet ruhig.

Plötzlich wandte Kelderek sich um und floh. Er hielt das Messer fest, stolperte durch den Teich und kletterte die Böschung hinauf. Als er sich umblickte, sah er, daß Bel-ka-Trazet ihn nicht verfolgte, sondern ein schweres Felsstück mit beiden Händen aufgehoben hatte, es über seinen Kopf hielt und neben den Bären trat.

Mit der Verzweiflung eines Mannes, der von einer Höhe um sein Leben springt, nahm Kelderek einen Stein auf und schleuderte ihn. Er traf Bel-ka-Trazet im Nacken. Der Baron warf den Kopf zurück und sank auf die Knie, das Felsstück glitt ihm aus den Händen und fiel auf seine rechte Wade. Einige Augenblicke lang kniete er ganz still mit nach oben gerichtetem Kopf und weit geöffnetem Mund, dann befreite er bedächtig sein Bein, erhob sich und blickte Kelderek mit einer vorsätzlichen Entschlossenheit an, die noch furchterregender war als sein Zorn.

Der Jäger wußte, daß er, um nicht selbst zu sterben, nun hinuntergehen und Bel-ka-Trazet töten mußte – und das konnte er nicht tun. Mit einem leisen Aufschrei hob er die Hände an sein Gesicht und lief ziellos neben dem Bach stromaufwärts.

Nach vielleicht fünfzig Metern faßte ihn jemand am Arm. »Kelderek«, sagte die Stimme der Tuginda, »was ist geschehen?«

Keiner Antwort fähig, ebenso betäubt wie der Bär selbst, konnte er nur mit zitterndem Arm zum Wasserfall hinweisen. Sie hastete sofort davon, gefolgt von Sheldra und vier oder fünf Mädchen, die ihre Bogen trugen.

Er lauschte, konnte aber nichts hören. Immer noch ängstlich und unentschlossen, fragte er sich, ob er Bel-ka-Trazet vielleicht entgehen konnte, indem er sich im Wald versteckte und später irgendwie auf das Festland zu gelangen versuchte. Er wollte die Flucht wiederaufnehmen, da fiel ihm plötzlich ein, daß er nicht mehr, wie vor drei Tagen, allein und schutzlos dem Baron gegenüberstand. Er war Shardiks Bote, der Überbringer von Gottes Botschaft nach Quiso. Wenn die Tuginda erfuhr, was an diesem Morgen bei dem Teich versucht und verhindert worden war, würde sie nie tatenlos zulassen, daß Bel-ka-Trazet ihn tötete.

»Wir sind Werkzeuge, sie und ich«, dachte er. »Sie wird mich retten. Shardik selbst wird mich retten; nicht aus Liebe oder weil ich ihm einen Dienst erwiesen habe, sondern einfach, weil er mich braucht und es deshalb bestimmt ist, daß ich am Leben bleibe. Gott wird die Werkzeuge zertrümmern und sie selbst für Seine Zwecke neu formen. Was immer das bedeuten mag, es kann nicht meinen Tod durch Bel-ka-Trazets Hand bedeuten.«

Er erhob sich, platschte durch den Bach und begab sich zurück zum Wasserfall. Unter sich sah er den Großbaron, auf seinen Stock gestützt, in ein Gespräch mit der Tuginda vertieft. Sie blickten nicht hin, als er über ihnen auftauchte. Eines der Mädchen hatte sich bis zur Taille entblößt und stillte mit ihren Kleidern das aus der offenen Wunde des Bären fließende Blut. Die anderen standen in einiger Entfernung beisammen, schweigend und aufmerksam, wie Vieh an einem Durchgang.

»Nun, Saiyett, ich habe getan, was ich konnte«, sagte der Baron grimmig. »Ja, gewiß, ich hätte deinen Bären getötet, wenn ich gekonnt hätte, aber es sollte nicht sein.«

»Das allein sollte dich veranlassen, darüber nachzudenken«, antwortete sie.

»Meine Meinung über diese Sache werde ich nicht ändern«, sagte er. »Ich kenne deine Absichten nicht, Saiyett, aber ich werde dir sagen, was ich vorhabe. Das Feuer brachte einen großen Bären auf diese Insel. Bären sind bösartige, gefährliche Geschöpfe, und Menschen, die anders darüber denken, erleiden durch sie Schaden und Leid. Solange der Bär an diesem einsamen Ort bleibt, lohnt es sich nicht, Menschenleben zu riskieren, aber wenn er wieder ins Innere der Insel geht und Ortelga heimsucht, verspreche ich dir, ihn töten zu lassen.«

»Und ich hege keine andere Absicht, als dem Willen Gottes zu dienen«, antwortete die Tuginda.

Bel-ka-Trazet zog wieder die Schultern hoch. »Ich hoffe nur, daß sich Gottes Wille nicht zu deinem Tod auswirkt, Saiyett. Da du aber nun weißt, was ich vorhabe, mag es sein, daß du beabsichtigst, deinen Frauen zu sagen, sie sollen *mich* töten. Du hast mich schließlich in deiner Gewalt.«

»Da ich keine Pläne habe und du daran gehindert wurdest, Shardik, unseren Herrn, zu töten, tust du uns keinen Schaden an.« Sie wandte sich, anscheinend gleichgültig, ab, er ging ihr jedoch nach.

»Da sind noch zwei Dinge, Saiyett. Erstens wirst du mir vielleicht jetzt, da ich am Leben bleiben soll, gestatten, nach Ortelga zurückzukehren. Wenn du mir ein Kanu gibst, werde ich dafür sorgen, daß es dir zurückgebracht wird. Zweitens, was den Jäger anlangt, so sagte ich dir bereits, was er vorhin getan hat. Er ist mein Untertan, nicht der deine. Ich nehme an, du wirst mich nicht daran hindern, ihn zu suchen und zu töten.«

»Ich schicke zwei von den Mädchen mit einem Kanu nach Quiso. Sie werden dich in Ortelga absetzen. Den Jäger kann ich nicht entbehren. Ich brauche ihn.«

Damit schritt die Tuginda fort und begann, mit großem Nachdruck mit den Mädchen zu sprechen, wies zuerst zum Hügel empor, dann nach unten zum Fluß und erteilte dabei ihre Weisungen. Einen Augenblick schien der Baron ihr nochmals folgen zu wollen. Dann zog er die Schultern hoch, wandte sich um, stieg über die Böschung, vorbei an Kelderek, den er keines Blickes würdigte, und ging weiter in Richtung zum Lager. Er suchte sein Hinken zu verbergen, und sein schreckliches Gesicht wirkte so grau und verstört, daß Kelderek, der bereit gewesen war, sich nach besten Kräften zu verteidigen, zitterte und seinen Blick abwandte wie vor einer furchterregenden Erscheinung. »Er fürchtet sich!« dachte er. »Er weiß jetzt, daß er sich gegen Shardik, unseren Herrn, nicht durchsetzen kann, und fürchtet sich!«

Plötzlich sprang er vorwärts und rief: »Herr! O Herr, vergebt mir!« Aber der Baron stapfte weiter, als habe er nichts gehört, und Kelderek blickte ihm nach – auf die verfärbte Beule in seinem Nakken und auf den schweren, schwarzen Pelzumhang, der über dem Gras von einer Seite zur anderen pendelte.

Er sollte Bel-ka-Trazet nie wiedersehen.

13. Der Gesang

Shardik lag den ganzen Tag am Bach im Schatten der Böschung und der Melikonzweige. Die zwei Mädchen, die in der Nacht in der Grube gewacht hatten, hatten sich recht vorsichtig verhalten, als der Bär sich mühselig erhoben hatte und den Abhang nach oben gestiegen war. Zuerst hatten sie gedacht, er sei zu schwach, um hinaufzugelangen, aber als ihm das tatsächlich glückte und er, wenngleich der Erschöpfung nahe, begann, zu dem Bach hinunterzuwandern, war ihm das ältere Mädchen, Muni, gefolgt, während ihre Gefährtin zu der Tuginda eilte, um sie zu wecken. Tatsächlich war Muni nur wenige Schritte entfernt gewesen, als Shardik bei dem Teich zusammenbrach, hatte aber Kelderek nicht gesehen, so eilig war sie zurückgehastet, um die Tuginda zu holen.

Die nach Quiso entsandten Mädchen kehrten noch vor Mitternacht zurück, denn ohne den langen Umweg quer über den Fluß war ihre Reise stromaufwärts viel kürzer als die erste. Sie brachten frische Vorräte, Reinigungssalben sowie andere Medikamente und ein Kräuterschlafmittel, das die Tuginda selbst dem Bären sofort verabreichte. Einige Stunden lang hatte das Mittel wenig Erfolg, aber gegen Morgen schlief Shardik tief und regte sich nicht, während seine Brandwunden wieder gesäubert wurden.

Als Kelderek am nächsten Nachmittag aus dem Wald zurückkam, wo er Schlingen ausgelegt hatte, traf er Sheldra, die in der Nähe des Lagers auf der Wiese stand. Er folgte ihrem Blick und sah in einiger Entfernung die Gestalt einer ungewöhnlich hochgewachsenen Frau in Mantel und Kapuze, die neben dem Bach den Abhang hinaufschritt. Er erkannte die Laternenträgerin, die er nachts am Ufer von Quiso getroffen hatte. Noch weiter entfernt, am Fluß, befanden sich sechs oder sieben Frauen, deren jede eine Last trug, sichtlich auf dem Weg zum Lager.

»Wer ist das?« fragte Kelderek, auf die große Frau zeigend.

»Rantzay«, sagte Sheldra, ohne ihn anzublicken.

Nach wie vor gab es unter den Mädchen keines, mit dem Kelderek sich ungezwungen hätte unterhalten können. Selbst untereinander sprachen sie wenig, benutzten Worte, wie Messer oder Faden, einfach als Mittel zur Bewältigung ihrer Aufgaben. Er spürte jedoch keine Verachtung in ihrer düsteren Zurückhaltung, die er eigentlich gerade aus dem entgegengesetzten Grund als einschüchternd empfand – weil sie Respekt vermuten ließ und ihm eine Würde, ja sogar eine Autorität verlieh, an die er nicht gewöhnt war. Sie sahen ihn nicht, wie die Mädchen in Ortelga einen jungen Mann sahen, sondern betrachteten ihn, wie alles andere in ihrem Leben, im Licht des Kultes, dem ihr Dasein geweiht war. Ihr Verhalten zeigte, daß sie in ihm eine wichtige Persönlichkeit sahen, den Mann, der Shardik, unseren Herrn, als erster gesehen und erkannt und dann unter Lebensgefahr der Tuginda die Nachricht gebracht hatte. Sheldras Antwort war nicht geringschätzig gemeint. Sie hatte ihm so kurz geantwortet, wie sie jeder ihrer Gefährtinnen geantwortet hätte, und vielleicht sogar vergessen, daß er, im Gegensatz zu den Mädchen, die Inselpriesterinnen nicht beim Namen kannte. Er empfand es eher als ein Versehen denn als Mißachtung, daß sie nichts weiter hinzufügte. Sie hatte nicht so viele Worte, wie nötig gewesen wären, für seine Information verwendet, ebenso wie sie (trotz aller Übung und Tüchtigkeit) vielleicht zu wenig Wasser in einen Eimer getan oder nicht genug Holz auf das Feuer gelegt hätte. Zumindest dessen war er sicher, und so fand er genug Selbstvertrauen, um mit Entschiedenheit zu sprechen:

»Sag mir, wer Rantzay ist und warum sie und die anderen Frauen hier sind.«

Sheldra antwortete nicht sofort, und er dachte: »Sie wird mich ignorieren.«

Dann sagte sie: »Melathys war von denen, die mit der Tuginda kamen, die einzige Priesterin. Wir anderen sind Novizen oder Dienerinnen.«

»Aber Melathys muß fast ebenso jung sein wie die anderen«, sagte Kelderek.

»Melathys ist keine Ortelganerin. Sie wurde in den Bürgerkriegen Beklas – den Heldrilerkriegen – aus einem Sklavenlager gerettet und als Kind zu den Terrassen gebracht. Sie lernte schon sehr jung viele der Mysterien.«

»Und weiter?« fragte Kelderek, als das Mädchen nichts mehr sagte.

»Als die Tuginda erfuhr, daß Shardik, unser Herr, tatsächlich wiedergekommen war und daß wir hier bleiben müssen, um ihn zu betreuen und zu heilen, ließ sie die Priesterinnen Anthred und Rantzay sowie die Mädchen kommen, die sie unterrichten. Wenn Shardik sich erholt, wird man sie für den Gesang brauchen.«

Sie verstummte wieder, dann plötzlich rief sie aus: »Die Frauen, die Shardik, unserem Herrn, vor langer Zeit dienten, brauchten ihre Tapferkeit und Entschlossenheit.«

»Das glaube ich dir«, sagte Kelderek und blickte hinunter, wo der Bär noch immer still wie eine Felsklippe neben dem Teich im Drogenschlaf lag. Doch im gleichen Augenblick erfüllte eine rückhaltlos freudige Stimmung und die Überzeugung sein Herz, daß es der Tuginda allein bestimmt gewesen war, so stark wie er die wilde und geheimnisvolle Göttlichkeit Shardiks zu empfinden. Für ihn war Shardik mehr als das Leben, ein Feuer, in dem er bereit – nein, begierig – war zu vergehen. Und darum würde Shardik ihn nicht vernichten, sondern verwandeln – das wußte er. Er bebte einen Augenblick, wie von einer Vorahnung erfaßt, in der schwülen Luft, wandte sich um und ging zurück zum Lager.

In der Nacht sprach die Tuginda wieder mit ihm; sie gingen langsam am Ufer oberhalb des Wasserfalles auf und ab, wo dieselbe flache Laterne mit dem grünlichen Binsendocht brannte, der er über den wippenden Baumstamm im Dunkeln gefolgt war. Die um einen Kopf größere Rantzay ging im gleichen Schritt mit ihnen an der anderen Seite der Tuginda, und als er sah, daß sie aus Ehrerbietung ihren langen Schritt dem der Tuginda und dem seinen anpaßte, erinnerte er sich mit einer gewissen ironischen Erheiterung, wie er sich durch die steilen Wälder hinter ihr hergetastet und mühsam vorwärts gearbeitet hatte. Sie sprachen über Shardik, und die hagere, schweigende Priesterin hörte aufmerksam zu.

»Seine Wunden sind sauber«, sagte die Tuginda. »Die Infektion ist fast ganz bekämpft. Mittel und Medikamente wirken bei einem Lebewesen, ob Mensch oder Tier, das so etwas noch nie verwendet hat, immer stark; jetzt können wir beinahe sicher sein, daß er wieder gesund wird. Hättest du ihn nur einige Stunden später gefunden, Kelderek, wäre unsere Hilfe zu spät gekommen.«

Kelderek hatte den Eindruck, daß nun endlich der Moment gekommen war, ihr die Frage zu stellen, die ihn in den letzten drei Tagen beschäftigte, die wie ein Glühwürmchen in einem dunklen Raum verschwand und wiederkehrte.

»Was sollen wir tun, Saiyett, wenn er gesund wird?«

»Das weiß ich ebensowenig wie du. Wir müssen warten, bis man es uns zeigt.«

Er fragte weiter drauflos: »Hast du denn die Absicht, ihn nach Quiso – zu den Terrassen zu bringen?«

»Ob *ich* die Absicht habe?« Sie blickte ihn einen Moment kühl an, wie sie Bel-ka-Trazet angesehen hatte; dann aber antwortete sie kurz und sachlich: »Du mußt verstehen, Kelderek, daß es nicht unsere Sache ist, Pläne für Shardik, unseren Herrn, zu machen und sie auszuführen. Es ist richtig, wie ich dir sagte, daß es vor langer Zeit manchmal Aufgabe der Tuginda war, Shardik heim zu den Terrassen zu bringen. Aber zu jener Zeit herrschten wir in Bekla, und alles war geordnet und sicher. Heute, in diesem Augenblick, wissen wir nichts, nur daß Shardik, unser Herr, zu seinem Volk zurückgekehrt ist. Seine Botschaft und seine Absicht können wir noch nicht erkennen. Unsere Pflicht ist einfach, zu warten und bereit zu sein, Gottes Willen zu vernehmen und auszuführen, wie immer er lauten mag.«

Sie wandten sich um und gingen wieder auf den Wasserfall zu.

»Das bedeutet aber nicht«, fuhr sie fort, «daß wir nicht scharfsinnig denken und vorsichtig handeln müssen. Übermorgen wird der Bär nicht mehr unter dem Einfluß der Mittel stehen und allmählich seine Kraft wiedererlangen. Du bist ein Jäger. Was, glaubst du, wird er dann tun?«

Kelderek war verdutzt. Seine Frage war unbeantwortet an ihn zurückgegeben worden. Trotz der Worte, die er sie zu Bel-ka-Trazet hatte sprechen hören, war ihm nie eingefallen, daß die Tuginda keinen Plan haben könnte, um Shardik zu den Terrassen zu bringen. Er hatte sich nur darüber den Kopf zerbrochen, wie es bewerkstelligt werden sollte, denn selbst wenn der Bär unter Drogeneinfluß betäubt blieb, schienen die Schwierigkeiten ungeheuer. Nun wurde ihm zu seinem Schrecken klar, daß sie einfach zu warten gedachte, bis das gewaltige wilde Tier seine natürlichen Kräfte wiedererlangte. Wenn dies tatsächlich – wie sie offensichtlich glaubte – der Weg der Demut und der Gottesgläubigkeit war, so ging das über seine Erfahrung oder sein Verständnis hinaus. Zum erstenmal begann sein in sie gesetztes Vertrauen zu wanken.

Sie las seine Gedanken. »Wir kaufen keine Seile auf dem Markt, Kelderek, oder verkaufen Häute an den Händler. Ebensowenig arbeiten wir für den Großbaron, indem wir Gruben im Wald ausheben oder ihm eine Frau suchen. Wir bieten unser Leben Gott und Shardik, unserem Herrn, dar und verpflichten uns, in Demut anzunehmen, was immer Er gnädig dafür zu geben geruht. Ich habe dich gefragt – was wird der Bär wahrscheinlich tun?«

»Er befindet sich in einer fremden Umgebung, die er nicht kennt, Saiyett, und wird nach seiner Krankheit hungrig sein. Er wird nach Nahrung suchen, und vielleicht wird er wild sein.«

»Wird er umherwandern?«

»Ich habe mir überlegt, daß wir bald alle gezwungen sein werden umherzuwandern. Wir haben nur noch wenig zu essen, und ich kann nicht allein für so viele Menschen jagen.«

»Da wir sicher sein können, daß der Großbaron sich weigern

würde, uns aus Ortelga Nahrungsmittel zu schicken, müssen wir uns helfen, so gut wir können. Es gibt Fische im Fluß und Rotwild im Schilf, und wir haben Netze und Bogen. Suche dir sechs Mädchen aus und nimm sie mit auf die Jagd. Anfangs wird es vielleicht nicht viel zu teilen geben, aber es wird mehr werden, wenn sie ihr Geschäft lernen.«

»Das wird sich eine Zeitlang machen lassen, Saiyett . . .«

»Bist du ungeduldig, Kelderek? Wen hast du in Ortelga zurückgelassen?«

»Keinen Menschen, Saiyett. Meine Eltern sind tot, und ich bin unverheiratet.«

»Ein Mädchen?«

Er schüttelte den Kopf, aber sie betrachtete ihn weiter mit ernsten Augen.

»Es gibt hier Mädchen. Begehe nur keinen Frevel, vor allem jetzt nicht, denn die geringste Missetat wäre unser Tod.«

Er rief empört: »Saiyett, wie kannst du glauben –«

Sie sah ihn nur ruhig an, begegnete seinem Blick, während sie weitergingen und nochmals im Licht der Sterne umkehrten. Und vor seinem geistigen Auge erschien Melathys' Gestalt auf der Terrasse; die dunkelhaarige Melathys in weißem Gewand mit dem Goldhalsband auf Hals und Schultern, die lachende Melathys, wie sie mit dem Pfeil und dem Schwert spielte, und dann zitternd und schwitzend vor Furcht am Rand der Grube. Wo war sie jetzt? Was war aus ihr geworden? Sein Widerspruch wurde unsicher und verstummte.

Am nächsten Tag begann ein Leben, an das er in späteren Jahren oft zurückdenken sollte; ein Leben, so klar, so einfach und unmittelbar wie Regen. Wenn er je an der Tuginda gezweifelt oder sich gefragt hatte, was aus ihrer Demut und ihrem Glauben werden sollte, hatte er keine Zeit, sich daran zu erinnern. Zuerst waren die Mädchen so ungeschickt und dumm, daß er verzweifelte und mehr als einmal drauf und dran war, der Tuginda zu sagen, daß die Aufgabe seine Kräfte übersteige. Als sie am ersten Tag ein Ketlana zum freien Feld trieben, hielt Zilthe, fast noch ein Kind und die jüngste von seinen Jägerinnen, die er wegen ihrer Aufgeweckheit und Energie ausgewählt hatte, seine Bewegung im Dickicht für die des Wilds und schoß einen Pfeil ab, der zwischen seinem Arm und seinem Körper hindurchflog. Sie töteten an dem Tag so wenig, daß er sich gezwungen sah, die ganze Nacht zu fischen. In den von Sternen beschienenen seichten Stellen fingen sie mit dem Netz einen großen Stachelflosser, eine Bramba, die wie ein Opal glänzte. Er war im Begriff, sie zu speeren, als der schlecht befestigte Ankerpflock sich löste und der Fisch mit einem heftigen Stoß untertauchte und das halbe Netz ins tiefe Wasser mitnahm. Nito biß sich auf die Lippen und sagte nichts.

Am zweiten Abend waren alle im Lager hungrig, und der magere, struppige Bär wurde mit Medikamenten halb betäubt und mit Fischstücken und mühsam abgesparten Mehlkuchen gefüttert, die man in der Asche gebacken hatte.

Aber die Not fördert auch bei den Ungeschicktesten erstaunliche Fähigkeiten zutage. Einige der Mädchen waren halbwegs brauchbare Schützen, und am dritten Tag hatten sie das Glück, fünf oder sechs Gänse zu erlegen. Am Abend wurde am Feuer gefeiert, es wurden Geschichten von einst aus Bekla erzählt, vom Helden Deparioth, dem Befreier von Yelda und Gründer von Sarkid, und von Fleitil, dem unsterblichen Erbauer des Tamarriktores; und sie sangen gemeinsam in seltsamen, Kelderek unbekannten Harmonien, denen er mit einer Art bebendem Unbehagen folgte, als ihre Stimmen einander rundum und in die Tiefe folgten, wie der Wasserfall der Terrassen in den Wäldern von Quiso.

Bald hatte er alles vergessen, bis auf den Augenblick der Gegenwart – das nasse Gras am frühen Morgen, wenn er, die Hände zum fernen Fluß erhoben, dort betend stand, den Geruch der Trepsis, wenn man unter deren Blättern die kleinen Kürbisse suchte, die seit dem Vortag gereift waren, das grüne Licht und die Hitze des Waldes und die gespannten Blicke zwischen den Mädchen, wenn sie mit Pfeilen auf der Sehne im Hinterhalt warteten; den Jasmingeruch am Abend und das regelmäßige, mühlenartige Tschunk-tschunk der Paddel, wenn sie stromaufwärts ruderten, um einen aussichtsreichen Teich auszufischen. Die Mädchen lernten nach den ersten paar Tagen schnell, und er konnte sie zu zweit und zu dritt losschicken, die einen zum Fischen, die anderen zur Verfolgung einer Spur im Wald oder in ein Versteck im Schilf zur Jagd auf Wildvögel. Er hatte viel zu tun mit der Herstellung von Pfeilen – denn sie verloren viel zu viele –, bis er es Muni beibrachte, die dann bessere verfertigte als er. Ortelga und seine Angst vor Bel-ka-Trazets Rache schlug er sich aus dem Sinn. Zuerst träumte er noch lebhaft von dem Baron, der mit einem Gesicht wie aus Bruchsteinen aus dem Boden emporstieg und ihm winkte, er solle ihm in den Wald folgen, wo der Bär wartete; oder er ging am Ufer und warf seine Kapuze zurück und enthüllte sein vor Hitze glühendes, halb verbranntes Gesicht, das rot und grau war wie ein im Feuer flackerndes Holzscheit. Doch bald änderten sich seine Träume, verschwammen in nebelhafte, undefinierbare Eindrücke von Sternen und Blumen, die sich in dunklem Wasser spiegelten, oder von in weiter Ferne über Mauerruinen auf einer leeren Ebene dahinziehenden Wolken; oder es schien ihm, daß er die Tuginda bekümmert sprechen hörte, die ihn mit Worten, an welche er sich nie erinnern konnte, einer Missetat beschuldigte, die noch gar nicht begangen worden war. Nicht daß er aufgehört hätte, sich um sein Leben zu ängstigen oder die Gefahren der Zukunft zu fürchten. Er hatte diese Dinge einfach beiseite geschoben und lebte gleich den anderen Geschöpfen in Wald und Fluß von einer Stunde zur anderen, während seine Sinne von Tönen und Gerüchen erfüllt, seine Gedanken nur mit seinem Handwerk beschäftigt waren. Oft legte er sich, wie die Tiere es tun, nachts oder tagsüber, wo immer er war, für ein Schläfchen hin – und wurde von einem ernsten, atemlosen Mädchen mit der Nachricht von einem Zug Enten vor dem Ufer oder dem Herannahen einer Affengruppe durch die Bäume, eine Meile entfernt, geweckt. Jede eingebrachte Wildbeute wurde ohne Frage angenommen; und oft konnte er, wenn Neelith ihm seinen Teil aus dem über dem Feuer hängenden Eisentopf reichte, nicht erraten, was für ein Fleisch es sein mochte, er war nur froh, daß einige Mädchen offenbar ohne seine Mithilfe Erfolg gehabt hatten.

Am fünften oder sechsten Tag, nachdem Sheldra seinen Bogen aus Ortelga zurückgebracht hatte (sie hatte ihn offenbar wiederbekommen, ohne Bel-ka-Trazet zu bemühen), stand Kelderek mit Zilthe etwa eine halbe Meile vom Lager entfernt beim Eingang in den Wald. Sie hatten sich neben einem kaum sichtbaren Pfad verborgen, der zum Ufer führte, und warteten auf das Auftauchen irgendeines Tieres. Es war Abend, und die Sonnenstrahlen begannen, die Zweige über ihm zu röten. Plötzlich hörte er den Gesang weiblicher Stimmen in der Ferne. Als er lauschte, sträubten sich seine Haare im Nacken. Er erinnerte sich an die Gesänge ohne Worte beim Feuer. Sie hatten, so schien es ihm, die übertragene und doch vertraute Vorstellung vom Raunen des Windes in den Blättern, von Wellen auf dem Fluß, vom Aufschlagen der Kanus gegen bewegtes Wasser und von fallendem Regen vermittelt. Was er nun hörte, war der jahrhundertelangen Bewegung von Dingen ähnlich, die den Menschen nur deshalb unbewegt erscheinen, weil ihr eigenes Leben kurz ist: die Bewegung von Bäumen, die wachsen und sterben, von Sternen, die ihre Standorte am Himmel ändern, von Bergen, die durch Jahrtausende von Hitze, Frost und Sturm abgetragen werden. Es war wie das Errichten einer Stadt. Große, viereckige Blöcke von Wechselgesängen wurden schwungvoll übereinandergelagert, bis das Herz tief unten stand und der Blick nach oben schweifte auf die endlos über die dunkle Linie der vollendeten Wälle ziehenden Wolken. Zilthe stand da mit geschlossenen Augen und ausgestreckten Händen. Obwohl Kelderek nichts sah und Furcht empfand, schien es ihm, als würde er auf eine Ebene gehoben, wo kein Gebet mehr nötig war, da die in Gottes Sinn stets vorhandene Harmonie für seine anbetend im Staub liegende Seele vernehmbar gemacht worden war. Er war auf die Knie gesunken, und sein Mund war verzerrt wie bei einem Mann im Todeskampf. Er lauschte weiter und hörte, wie der Gesang leiser wurde und dann schnell in Stille glitt wie ein Taucher in tiefes Wasser.

Er erhob sich und ging langsam zum Waldrand. Doch es war, als betrachte er sich selbst, wie er sich im Traum bewegte. Der Traum war sein eigenes Leben, Zeit und Empfindung, Hunger und Durst, die er nun aus der Höhe strahlender Stille beobachtete. Er sah, wie sein Unterarm von einem Trazadazweig gekratzt wurde, und spürte fern in seinem Fleisch einen schmerzenden Widerhall. Langsam, sehr langsam schwebte er nach unten, um sich wieder mit seinem Körper zu vereinigen. Sie kamen zusammen, wie sich gebrochene Spiegelungen auf einer Wasserfläche auflösen, die zur Ruhe kommt; und er fand sich wieder, wie er auf die Wiese hinausblickte und sich am Arm kratzte.

Shardik, hinter dem die Sonne unterging, kam über den Abhang herunter; bald streifte er unsicher dahin und dorthin, bald hielt er an und blickte zu den Bäumen und auf den Fluß in der Ferne. Hinter ihm gingen in einem weiten Kreis acht oder neun der Frauen, darunter Rantzay und die Tuginda. Wenn er zögerte, blieben auch sie stehen und wiegten sich, in gleichen Abständen voneinander, im Rhythmus ihres Gesangs; der Abendwind bewegte ihr Haar und den Saum ihrer Gewänder. Wenn er weiterging, kamen sie mit, so daß er stets in ihrer Mitte und vor ihnen blieb. Keine der Frauen zeigte

Hast oder Furcht. Kelderek, der sie beobachtete, erinnerten sie an das gemeinsame Wenden eines Vogelzugs in der Luft oder eines Schwarms von Fischen in klarem Wasser.

Es war offenkundig, daß Shardik halb benebelt war, ob nun vom dauernden Einfluß der Drogen oder vom einschläfernden Gesang, konnte der Jäger nicht sagen. Die Frauen drehten sich um ihn wie vom Wind geschüttelte, strahlenförmig von einem Baumstamm ausgehende Äste. Plötzlich verspürte Kelderek die Sehnsucht, sich ihrem gefährlichen und schönen Tanz anzuschließen, sein Leben Shardik darzubieten, sich als einer von jenen zu erweisen, denen Shardiks Macht sich offenbart hatte und durch die seine Macht in die Welt fließen konnte. Und mit dieser Sehnsucht kam die Überzeugung – aber es machte auch nichts, wenn er sich irrte –, daß Shardik ihm kein Leid zufügen würde. Er trat unter den Bäumen hervor und stieg die Anhöhe empor.

Bis er nur mehr einen Steinwurf von ihnen entfernt war, ließen die Frauen und der Bär nicht erkennen, daß sie ihn gesehen hatten. Dann blieb der Bär, der sich eher in Richtung zum Fluß als zum Wald bewegt hatte, stehen und wandte ihm seinen gesenkten Kopf zu. Auch der Jäger hielt an und wartete mit zum Gruß erhobener Hand. Die sinkende Sonne blendete ihn, aber er merkte es nicht. Durch des Bären Augen sah er sich selbst allein auf der Anhöhe stehen.

Der Bär spähte unsicher über das sonnenbeleuchtete Gras. Dann kam er auf die einsame Gestalt des Jägers zu, bis er vor dessen vom Licht geblendeten Augen als dunkle Masse erschien und Kelderek seinen Atem und das trockene, klatschende Geräusch seiner Klauen hören konnte. Der scharfe Bärengeruch umgab ihn, aber er war sich nur seines eigenen Geruchs für Shardik bewußt, der in seinem Erwachen aus Krankheit und Drogenschlaf verwirrt und unsicher, durch seine eigene Schwäche und die unbekannte Umgebung geängstigt war. Er schnüffelte mißtrauisch an der vor ihm stehenden menschlichen Gestalt, ohne sich durch eine plötzliche Bewegung oder Handlung ihrerseits beirren zu lassen. Wieder hörte er die Stimmen bald auf der einen, bald auf der anderen Seite, die einander in verschiedenen Tonlagen antworteten, ihn verwirrten und seine Wildheit irreführten. Er ging wieder vorwärts, in der einzigen Richtung, aus der keine Stimmen kamen, und zugleich wandte sich das menschliche Geschöpf, gegen das er keine Feindseligkeit emp-

fand, um und ging mit ihm in die Dämmerung und in die Geborgenheit der Wälder.

Auf ein Zeichen der Tuginda blieben die Frauen an Ort und Stelle
stehen, während Shardik mit dem Jäger das Randgebiet des Waldes
betrat und zwischen den Bäumen verschwand.

14. Kelderek, der Herr

In jener Nacht schlief Kelderek auf dem bloßen Boden neben Shardik, ohne an Feuer oder Nahrung, an Leoparden, Schlangen oder
andere im Dunkel lauernde Gefahren zu denken. Auch an Bel-ka-
Trazet, an die Tuginda oder daran, was im Lager vorgehen mochte,
dachte er nicht. So wie Melathys sich die Schneide des Schwertes
an die Kehle gelegt hatte, lag Kelderek sicher neben dem Bären.
Als er in der Nacht erwachte, sah er dessen Rücken wie einen Dach-
first gegen die Sterne und schlief sofort wieder ruhig und sorglos ein.
Als es Morgen wurde, das kühle Grau heraufzog und die Vögel in
den Zweigen zu zwitschern begannen, schlug er die Augen rechtzeitig auf, um Shardik zu erblicken, der zwischen den Büschen da-
vonwanderte.

Er sprang steif und vor Kälte zitternd auf, lockerte die Glieder
und strich sich mit den Händen über das Gesicht, als habe sein verwunderter Geist eben zum erstenmal in seinen Körper Eingang gefunden. An einem anderen Ort, das wußte er, in einer anderen, unsichtbaren, aber nicht entfernten Gegend, die immateriell war, jedoch wirklicher als der Wald und der Fluß, waren Shardik und Kelderek ein einziges Geschöpf, das Ganze und der Teil, wie die schar-
lachrote Trichterblüte ein Teil der rauhblättrigen, wuchernden Ausläufer der Trepsisranke war. In Gedanken versunken, machte er keinen Versuch, dem Bären zu folgen, sondern begab sich, als dieser
fort war, auf die Suche nach seinen Gefährtinnen.

Er stieß sehr bald auf Rantzay, die allein, auf einen Stock gestützt
und gegen die Kälte in einen Mantel gehüllt, auf einer Lichtung
stand. Als er herankam, neigte sie den Kopf und hob die Hand an
die Stirn. Ihre Hand zitterte, ob aus Angst oder vor Kälte, wußte er
nicht.

»Warum bist du hier?« fragte er mit ruhiger Überlegenheit.

»Herr, eine von uns ist die ganze Nacht in deiner Nähe geblieben, denn wir wußten nicht – wir wußten nicht, was dir vielleicht widerfahren würde. Läßt du Shardik, unseren Herrn, jetzt allein?«

»Für eine Weile. Sage dreien der Mädchen, sie sollen ihm folgen und sich bemühen, ihn im Auge zu behalten. Eine soll zu Mittag zurückkommen und berichten, wo er ist. Er wird Nahrung brauchen, es sei denn, er kann sie sich selbst suchen.«

Sie berührte wieder ihre Stirn, wartete, als er fortging, und folgte ihm dann zurück zum Lager. Die Tuginda war hinunter zum Fluß gegangen, um zu baden, und er aß allein; Neelith brachte Speise und Trank und bediente ihn schweigend auf einem Knie. Als er endlich die Tuginda zurückkommen sah, ging er ihr entgegen. Die sie begleitenden Mädchen blieben sofort zurück, und er unterhielt sich wieder allein mit ihr bei dem Wasserfall. Nun war es aber der Jäger, der Fragen stellte, die Tuginda hörte ihm aufmerksam zu und antwortete ihm genau und rückhaltlos, wie eine Frau einem Mann antwortet, von dem sie erwartet, daß er sie leiten und ihr helfen wird.

»Der Gesang, Saiyett«, begann er. »Was bedeutet der Gesang, und welchen Zweck hat er?«

»Er ist eines der alten Geheimnisse«, antwortete sie, »aus den Tagen, als Shardik, unser Herr, auf den Terrassen wohnte. Er wurde seit jener Zeit bis heute erhalten. Damals boten die Sängerinnen mit ihrem Gesang auch gleichzeitig ihr Leben dar. Deshalb erhielt keine Frau auf Quiso jemals den Befehl, Sängerin zu werden. Wer sich dazu entschließt, muß es aus eigenem Antrieb tun; wir können ihr zwar beibringen, was wir selbst wissen, stets aber bleibt dabei ein Teil, der vom Willen Gottes und von ihr selbst abhängt. Die Kunst darf nicht um des eigenen Fortkommens willen oder um anderen zu gefallen angestrebt werden, sondern nur zur Befriedigung der Sehnsucht der Sängerin, alles darzubieten, was sie besitzt. Sollte das Streben und die Hingabe der Sängerinnen zweifelhaft werden – so wurde mir überliefert –, würde auch die Macht des Gesanges schwinden. Bis gestern abend hatte keine heute lebende Frau je an der Darbietung des Gesanges für Shardik, unseren Herrn, teilgenommen. Ich dankte Gott, als ich sah, daß dessen Macht nicht verlorengegangen ist.«

»Was ist die Macht?«

Sie blickte ihn erstaunt an. »Du weißt doch, was sie ist, Kelderek Zenzuata. Warum fragst du nach Worten, um wie auf Krücken zu gehen, wenn du es in deinem Herzen hüpfen und glühen gespürt hast?«

»Ich weiß, wie der Gesang auf mich gewirkt hat, Saiyett. Aber nicht mir wurde er gestern nacht dargebracht.«

»Ich kann dir nicht sagen, was im Herzen Shardiks, unseres Herrn, vorgeht. Ich glaube inzwischen, daß du mehr darüber weißt als ich. Doch wie ich schon vor langer Zeit gelernt habe, ist es ein Weg, durch den wir ihm und Gott näherkommen. Indem wir ihm so huldigen, legen wir eine schmale, schwankende Brücke über die Schlucht, die seine wilde Natur von der unseren trennt; und so werden wir eines Tages imstande sein, ohne Straucheln durch das Feuer seiner Nähe zu wandeln.«

Kelderek überlegte eine Zeitlang. Schließlich fragte er: »Kann er also durch den Gesang beaufsichtigt – gelenkt werden?«

Sie schüttelte den Kopf. »Nein. Shardik, unser Herr, kann niemals gelenkt werden, denn er ist die göttliche Kraft. Wenn aber der Gesang andächtig, aufrichtig und beherzt dargeboten wird, ist er wie die Macht, die wir über Waffen haben. Für einige Zeit überwindet er Shardiks Wildheit, der sich daran gewöhnt und so dazu gelangt, ihn als die gebührende Ehrfurcht anzunehmen, die wir ihm darbieten. Nichtsdestoweniger, Kelderek« – sie lächelte –, »*Herr,* glaube nicht, daß irgend jemand, Mann oder Frau, einfach des Gesanges wegen das hätte tun können, was du gestern nacht getan hast. Shardik ist immer gefährlicher als der Blitz, unzuverlässiger als der Telthearna zur Regenzeit. Du bist sein Werkzeug, sonst wäre es dir wie dem Leoparden ergangen.«

»Warum hast du den Baron fortgelassen? Er haßt Shardik, unseren Herrn.«

»Hätte ich ihn ermorden, sein hartes Herz mit einem härteren bezwingen sollen? Was wäre dabei herausgekommen? Er ist kein schlechter Mensch, und Gott sieht alles. Habe ich nicht gehört, wie du selbst ihn, als er davonging, um Vergebung batest?«

»Aber glaubst du, daß er sich damit zufriedengeben wird, Shardik, unseren Herrn, unversehrt zu lassen?«

»Ich glaube, was ich immer geglaubt habe, daß weder er noch sonst jemand Shardik, unseren Herrn, daran hindern kann, auszuführen, was auszuführen, und kundzutun, was kundzutun er gekommen ist. Aber ich sage es nochmals – wir können, was kommen wird, nur mit Demut erwarten. Unseren eigenen Zweck zu ersinnen und Shardik, unseren Herrn, für dieses Ziel zu verwenden – das wäre Frevel und Wahnsinn.«

»Das hast du mich gelehrt, Saiyett; doch nun will ich es wagen, auch dir einen Rat zu geben. Wir sollten unsere Huldigung für unseren Herrn Shardik so vervollkommnen, wie ein Mann seine Waffen vorbereitet, von denen er weiß, daß er mit ihnen sein Leben verteidigen muß. Den Liederlichen und Kleinmütigen bringt die Verehrung nichts ein. Ich habe die Verehrung von Menschen gesehen, die, wäre sie ein von ihnen gebautes Dach gewesen, keinem halbstündigen Regen standgehalten hätte; und sie besaßen nicht einmal genug Geist, um sich zu wundern, warum sie ihre Herzen kalt ließ und ihnen keinen Mut und keinen Trost gab. Shardik, unser Herr, ist tatsächlich die göttliche Kraft, aber seine Anbeter werden nur das ernten, was sie säen. Wie viele Frauen haben wir, hier und in Quiso, die im Gesang geschult und imstande sind, Shardik, unserem Herrn, furchtlos in der Nähe zu dienen, wie einst vor langer Zeit?«

»Ich kann es noch nicht sagen – vielleicht nicht mehr als zehn oder zwölf. Es ist, wie schon gesagt, mehr als eine Frage von Geschicklichkeit und Mut, denn es kann sich ergeben, daß Shardik, unser Herr, die einen akzeptiert, andere aber nicht. Du weißt, wie ein kleines Mädchen in Ortelga vielleicht tanzen lernt und davon träumt, in Bekla Herzen zu brechen; doch wenn sie erwachsen ist, hat sie eine schlechte Gestalt oder ist zu groß, und damit ist der Traum aus.«

»All das müssen wir herausfinden und erproben, Saiyett – seine Sängerinnen müssen so verläßlich sein wie ein ortelganisches Seil im Sturm, seine Jägerinnen aufmerksam und unermüdlich. Er wird jetzt umherwandern; und während er wandert, können wir unsere Arbeit vervollkommnen, wenn uns nur Zeit genug gegeben wird.«

»Zeit?« fragte sie, blieb stehen und wandte sich ihm zu – und wieder sah er die kluge, einfache Frau mit dem Schöpflöffel vor sich, die ihn unter den Terrassen erwartet hatte. »Zeit, Kelderek?«

»Ja, Saiyett, Zeit. Denn früher oder später wird entweder Shardik nach Ortelga gehen, oder Ortelga wird zu ihm kommen. An dem Tag wird er die Oberhand behalten oder vernichtet werden; und was immer geschieht, den Ausgang werden wir allein bestimmen.«

15. Ta-Kominion

Kelderek lag geduckt im Dunkel und lauschte. Es war Neumond, und der Wald ließ das Sternenlicht nicht durch. Er konnte den Bären zwischen den Bäumen hören und versuchte zum wiederholten Male festzustellen, ob er sich von ihm entfernte. Aber es wurde wieder still, nur das laute Quaken der Frösche war am Ufer zu hören. Nach einiger Zeit drang ein leises Brummen an sein Ohr. Er rief: »Ruhig, Shardik, ruhig, o mein Herr« und legte sich nieder in der Hoffnung, daß der Bär sich ausruhen werde, wenn er fühlte, daß er selbst still lag. Bald bemerkte er, daß seine Finger sich in den weichen Boden bohrten und daß er sich zum Aufsprung anspannte. Er hatte Angst: nicht nur vor Shardik in dieser unsicheren, mißtrauischen Stimmung, sondern auch, weil er spürte, daß Shardik selbst beunruhigt war – worüber, wußte er nicht.

Schon seit Tagen streifte der Bär durch die Wälder und Felder der Insel; manchmal platschte er längs des südlichen, landeinwärts gelegenen Ufers durch das Schilf, dann wieder wandte er sich zur Mitte der Insel und stieg auf die Hügelkette, doch stets strebte er ostwärts, stromabwärts in Richtung von Ortelga, das hinter seinem Dschungelwall aus Fallen und Palisaden lag. Seine Verehrer folgten ihm Tag und Nacht. In aller Herzen brannte die Furcht vor gewaltsamem Tod, niedergehalten durch eine unbändige Hoffnung und durch Vertrauen – was sie erhofften, wußten sie nicht, aber sie vertrauten auf die Macht Shardiks, ihres Herrn, der durch Feuer und Wasser zu seinem Volk zurückgekehrt war.

Kelderek selbst blieb stets in der Nähe des Bären, beobachtete alles, was er tat, gab auf seine Stimmungen und Eigenarten acht; auf seine beängstigende Gewohnheit, in Erregung oder Zorn von einer Seite zur anderen zu springen, seine träge Neugier, die langsame Kraft, mit der er, wie ein starker Wasserstrahl, einen schweren Stein umstürzte, einen gefällten Baumstamm hochhob oder einen jungen Baum niederstieß, das hundeähnliche Knurren mit mißtrauisch hochgezogener Lippe, sein Zurückschrecken vor den heißen Felsen in der Mittagsglut und seine Vorliebe, beim Wasser zu schlafen. Jedesmal bei Sonnenuntergang wurde der Gesang wiederholt, die Frauen bildeten ihren Halbkreis um den Bären, manchmal schön symmetrisch in offenem Gelände, oft mit mehr Schwierigkeiten zwischen Bäumen oder auf felsigen Abhängen. In den ersten Tagen kamen die meisten Insassen des Lagers, begeistert in ihrer Verwunderung und Freude über Shardiks Rückkehr, heran, um sich anzubieten und ihre eifrige Ergebenheit zu zeigen, die größer war als ihre Furcht, und die uralten Fertigkeiten zu erproben, die sie auf den Terrassen gelernt, von denen sie aber nie erwartet hatten, daß sie sie je im Ernst gebrauchen sollten. Als die Sängerinnen am vierten Abend einen weiten Kreis rund um einen Hain in Ufernähe gebildet hatten, brach der Bär plötzlich durch das Unterholz und schlug die Priesterin Anthred mit einem Prankenhieb zu Boden, der ihren Körper fast in zwei Teile zerriß. Sie war auf der Stelle tot. Der Gesang brach ab, Shardik verschwand in den Wald, und erst zur Mittagszeit des nächsten Tages fand ihn Kelderek, nachdem er viele Stunden lang mühsam seine Spur gesucht hatte, am Fuß eines Felsufers auf der anderen Inselseite. Als die Tuginda zu der Stelle kam, ging sie allein auf Shardik zu und blieb betend stehen, bis es klar wurde, daß er sie nicht angreifen würde. An jenem Abend leitete sie selbst den Gesang und bewegte sich ohne Hast und graziös wie ein Mädchen, wann immer der Bär auf sie zukam.

Einen oder zwei Tage später stolperte Sheldra bei einem Schritt rückwärts auf einem steilen Hang und stieß sich den Kopf. Shardik beachtete sie aber nicht und trottete an ihr vorbei, als sie benommen zwischen den Steinen lag. Kelderek half ihr auf die Füße, und sie nahm wortlos ihren Platz wieder ein.

Mit der Zeit schien Shardik, wie es die Tuginda in ihren Gesprächen mit Kelderek über frühere Zeiten ins Auge gefaßt hatte, sich an den Dienst der Mädchen zu gewöhnen und mitunter sogar beinahe seine Rolle zu spielen – er starrte sie hoch aufgerichtet an oder strich hin und her, als wolle er untersuchen, ob sie ihre Kunst beherrschten. Drei oder vier von ihnen – darunter Sheldra – zeigten sich imstande, sich in seiner Anwesenheit ruhig zu benehmen. Andere, auch solche, die jahrelang in Quiso Dienst gemacht und alle Bewegungen und Rhythmen gelernt hatten, konnten nach wenigen Abenden ihre Furcht nicht länger beherrschen. Diese ließ Kelderek eine Weile aussetzen und berief nur abwechselnd die eine oder andere, damit sie ihre Rolle, so gut sie konnte, spielte. Zu Beginn des Gesangs beobachtete er sie genau, denn Shardik bemerkte es sofort, wenn eine Angst hatte, und das schien ihn zu erzürnen; er starrte sie mit einem halb verständnisvollen, halb wilden Blick an, bis das Opfer, dessen letzter Rest an Mut schwand, aus dem Kreis ausbrach und vor Scham weinend davonlief. Sooft es Kelderek möglich war, kam er diesem Ärger zuvor und rief das Mädchen aus dem Kreis, bevor der Bär auf sie losging. Sein eigenes Leben setzte er täglich aufs Spiel, aber Shardik bedrohte ihn niemals, sondern blieb ruhig liegen, wenn der Jäger ihm Nahrung brachte oder seine fast geheilten Wunden untersuchte.

Die Tage verstrichen, und die Gedanken an Ortelga und den Großbaron ängstigten ihn mehr als Shardik. Es wurde täglich schwieriger, genug Wild zu finden und zu erlegen, und es wurde ihm klar, daß sie auf ihrem Weg über die Insel nach Osten schon beinahe deren nie im Überfluß vorhandenen Wildbestand erschöpft hatten. Sooft ihre Wanderungen sie an das Südufer führten, zeigte sich das Festlandufer des Telthearnas jenseits der schmäler werdenden Durchfahrt näher. Wie weit waren sie noch von Ortelga entfernt? Wie genau ließ Bel-ka-Trazet sie überwachen, und was würde geschehen, wenn sie – wozu es schließlich kommen mußte – den Todesgürtel erreichten mit seinem Labyrinth von versteckten Fallen? Würden sie nicht, selbst wenn er irgendwie imstande wäre, Shardik zur Umkehr zu veranlassen, verhungern müssen? Täglich standen er und die Tuginda, von den Frauen beobachtet, vor dem Bären und beteten laut: »Enthülle deine Macht, Shardik, o Herr! Zeige uns, was wir tun sollen!« Unter vier Augen mit der Tuginda sprach er von seinen Befürchtungen, aber er begegnete immer nur ruhigem, ungetrübtem Vertrauen, dem gegenüber er, wäre es von jemand anders gekommen, die Geduld verloren hätte.

Nun kauerte er im Dunkel und wurde von Zweifel und Ungewißheit geplagt. Zum erstenmal, seit er ihn in der Grube gefunden hatte, wußte er, daß er sich vor Shardik fürchtete. Sie hatten den ganzen Tag nichts Eßbares erjagt, und bei Sonnenuntergang war der Bär so heftig und wild gewesen, daß der Gesang versagt hatte und rauh und unheilvoll abbrach. Als es Nacht wurde, wanderte Shardik fort in den dichten Wald. Kelderek nahm Sheldra mit und folgte ihm, so gut er konnte; dabei erwartete er jeden Augenblick, selbst von dem Bären als Beutetier gejagt zu werden, bis er endlich – nach wie langer Zeit, hätte er nicht sagen können (er konnte die Sterne nicht sehen) – Shardik in der Nähe umherwandern hörte. Er wußte nicht, ob der Bär umkehren und sie angreifen, ob er sich schlafen legen oder tiefer in den Wald gehen würde, und Kelderek, der schon müde war, beschloß, wach zu bleiben und zu warten.

Nach einer Weile schlief Sheldra ein, doch er horchte aufmerksam auf das geringste Geräusch im Dunkel. Manchmal glaubte er, den Atem des Bären oder das Rascheln der von seinen Klauen bewegten Blätter zu hören. Nach einigen Stunden merkte er intuitiv, daß die Stimmung des Bären sich geändert hatte. Er war nicht mehr bösartig und angriffsbereit, sondern unruhig. Kelderek hatte nicht gewußt oder geahnt, daß Shardik, sein Herr, Angst haben könne. Was konnte die Ursache sein? Sollte ein gefährliches Geschöpf in der Nähe sein – eine vom Norufer herübergeschwommene große Katze oder eine der riesigen Nachtschlangen, von denen Bel-ka-Trazet gesprochen hatte? Er erhob sich und rief wieder: »Ruhig, Shardik, mein Herr. Deine Macht ist von Gott.«

In diesem Augenblick pfiff irgendwo im Dunkel ein Mann. Kelderek erstarrte. Das Blut klopfte in seinem Kopf – fünf, sechs, sieben, acht. Dann pfiff der Mann, leise, aber unverkennbar, den Kehrreim eines Liedes: *»Senandril na kora, senandril na ro.«*

Gleich darauf faßte ihn Sheldra am Handgelenk.

»Wer ist das, Herr?«

»Ich weiß es nicht«, flüsterte er. »Warte.«

Das Mädchen spannte den Bogen fast unhörbar, dann führte sie seine Hand an den Griff des Messers in ihrem Gürtel. Er zog es heraus und schlich vorwärts. Links neben ihm brummte der Bär und hustete. Im Gedanken an seinen von unsichtbaren Feinden mit Pfeilen durchbohrten Herrn bebte Kelderek vor verzweifelter Eile und vor Zorn. Er bahnte sich schneller den Weg durch die Büsche. Sofort rief rechts von ihm aus dem Dunkel eine leise Stimme: »Wer ist da?«

Wer immer auch gesprochen hatte, zumindest befand sich Kelderek jetzt zwischen ihm und Shardik. Er starrte in die Richtung, konnte aber nur die gegen das blassere Dunkel – den freien Himmel über dem Fluß – schwarz hochragenden Baumstämme ausmachen. Ein leiser Wind bewegte die Blätter, und ein Stern blinkte hindurch.

Nun kamen Geräusche von Bewegungen, seinen eigenen ähnlich – das Knacken von Zweigen und das Rascheln von Blätterwerk. Plötzlich sah er, was er erwartet hatte – ein blitzartiges Vorbeizucken von einem Baumstamm zum nächsten; es war so nah, daß er erschrak.

Zehn Schritte – acht? Er fragte sich, ob Bel-ka-Trazet selbst so nahe sein könnte, und erinnerte sich zugleich an den Trick des Barons beim Teich, mit dem er den Bären abgelenkt hatte. Er tastete mit den Fingern nach einem Stein, konnte aber keinen finden, preßte eine Handvoll feuchte Erde zusammen und warf sie aufwärts durch den Raum zwischen den Bäumen. Sie fiel jenseits prasselnd auf die Blätter nieder, und er stürzte vorwärts. Dabei stieß er gegen den Rücken eines Mannes – eines großen Mannes, denn sein Kopf traf ihn zwischen den Schultern. Der Mann strauchelte, und Kelderek faßte ihn mit einem Arm um den Hals und riß ihn nach hinten nieder. Der Mann fiel schwer auf ihn, Kelderek wand sich unter ihm hervor und hob Sheldras Messer.

Der Mann hatte keinen Ton von sich gegeben, und Kelderek dachte: »Er ist allein.« Das beruhigte ihn ein wenig, denn Bel-ka-Trazet würde nicht so dumm sein, einen einzelnen Mann auszusenden, um mit Shardik und dessen bewaffneten und ergebenen Anhängern fertig zu werden. Er drückte ihm die Messerspitze an die Kehle und wollte Sheldra rufen, als der Mann zum erstenmal sprach.

»Wo ist Shardik, unser Herr?«

»Was kümmert das dich?« gab Kelderek zur Antwort und stieß ihn zurück, als er sich aufzusetzen versuchte. »Wer bist du?«

Erstaunlicherweise lachte der Mann. »Ich? Ach, ich bin ein Bursche, der aus Ortelga durch den Todesgürtel gekommen ist, nur um sich halb bewußtlos schlagen zu lassen, weil er im Dunkel pfiff. Hat Shardik, unser Herr, dich gelehrt, wie ein Wegelagerer in Deelguy einem Mann von hinten die Kehle einzudrücken?«

Ob er nun wirklich keine Angst hatte oder sie nur verbarg, jedenfalls hatte er es nicht eilig fortzukommen.

»Nachts durch den Todesgürtel?« wiederholte Kelderek, wider Willen erschrocken. »Du lügst!«

»Wie du meinst«, antwortete der andere. »Das ist jetzt unwichtig. Falls du es aber nicht wissen solltest – du bist selbst nur wenige Meter von dem Gürtel entfernt. Wenn der Wind sich dreht, wirst du den Rauch von Ortelga riechen. Rufe laut, und die nächsten Shendrons werden dich hören.«

Das also war der Grund für Shardiks Unruhe und dumpfe Furcht! Er mußte wohl die vor ihnen liegende Stadt gewittert haben. Angenommen, er wanderte vor Tagesanbruch in den Todesgürtel? »Gott wird ihn beschützen«, dachte Kelderek. »Vielleicht kehrt er um, wenn es Tag wird. Wenn nicht, werde ich ihm in den Gürtel folgen.«

Es fiel ihm auch ein, daß der Bär bis zum Morgen dem Verhungern nahe und daher noch wilder und gefährlicher sein würde; aber er verwarf den Gedanken und sprach wieder zu dem Fremden:

»Warum bist du gekommen? Was suchst du?«

»Bist du der Jäger, der Mann, der Shardik, unseren Herrn, als erster sah?«

»Ich heiße Kelderek, manchmal nennt man mich Zenzuata. Ich habe die Nachricht von Shardik, unserem Herrn, zu der Tuginda gebracht.«

»Dann sind wir einander schon begegnet; im Sindrad, an dem Abend, als du nach Quiso fuhrst. Ich bin Ta-Kominion.«

Kelderek erinnerte sich an den hochgewachsenen jungen Baron, der auf dem Tisch gesessen und ihn beim Zechen gehänselt hatte. Damals war er verwirrt und unsicher gewesen, ein einfacher Mann unter Höhergestellten, der dem Konflikt allein die Stirn bot. Aber seither hatten sich die Dinge geändert.

»Bel-ka-Trazet hat dich also geschickt, um mich zu ermorden«, sagte er, »und du fandest mich weniger hilflos, als du erwartet hattest?«

»Nun, insoweit hast du recht«, antwortete Ta-Kominion. »Bel-ka-Trazet wünscht tatsächlich deinen Tod, und es ist richtig, daß dies der Grund ist, weshalb ich hier bin. Aber hör mich jetzt an, Kelderek, du Kinderspielfreund. Wenn du meinst, ich sei durch den Todesgürtel gekommen allein auf die vage Möglichkeit hin, in meilenweiten Wäldern zufällig auf einen bestimmten Mann zu stoßen und ihn zu töten, mußt du mich für einen Zauberer halten. Nein, ich kam dich suchen, weil ich mit dir sprechen will; und ich kam zu Lande und nachts, weil ich nicht wollte, daß Bel-ka-Trazet davon weiß. Ich hatte keine Ahnung, wo du sein mochtest, doch anscheinend hatte ich Glück – wenn man ein halb gebrochenes Genick und einen Schlag auf den Ellbogen als Glück bezeichnen kann. Nun sage mir, ist unser Herr Shardik hier?«

»Er ist keinen Bogenschuß weit. Sprich nicht schlecht von ihm, Ta-Kominion, wenn dir dein Leben lieb ist.«

»Verstehe mich recht, Kelderek. Ich bin hier als Bel-ka-Trazets Feind und als Freund von unserem Herrn Shardik. Laß dir etwas von dem erzählen, was seit deiner Abreise in Ortelga vorgeht.«

»Warte!« Kelderek faßte den anderen am Arm. Sie duckten sich und lauschten und hörten Shardik durch den Wald gehen.

»Sheldra!« rief Kelderek. »Wohin geht er?«

»Zurück, Herr, den gleichen Weg, den er gekommen ist. Soll ich umkehren und die Tuginda warnen?«

»Ja, aber sieh zu, daß du ihn nicht verlierst, wenn er weiter fortgeht.«

»Sie gehorchen dir also«, sagte Ta-Kominion nach einer Weile, »nicht wahr, Kelderek, Herr? Nun, wenn alles wahr ist, was ich höre, verdienst du es. Bel-ka-Trazet hat den Baronen erzählt, du hättest ihn niedergeschlagen.«

»Ich habe einen Stein nach ihm geworfen. Er war im Begriff, unseren Herrn Shardik zu töten, als er hilflos war.«

»Das sagte er. Er sprach zu uns von dem Wahnsinn und der Gefahr, das Volk glauben zu lassen, daß Shardik, unser Herr, zurückgekommen sei. ›Diese Weiber werden uns alle zugrunde richten‹, sagte er, ›mit dem halb verbrannten Bären, den sie aufgelesen haben. Gott weiß, welch abergläubischer Unsinn dabei herauskommt, wenn man sie nicht dorthin verfrachtet, wohin sie gehören. Es wäre das Ende von Gesetz und Ordnung.‹ Er schickte Männer auf die Suche nach dir ans Westende der Insel, aber anscheinend warst du nicht mehr dort. Einer von ihnen verfolgte deine Spur nach Osten fast bis hierher; als er aber zurückkam, sprach er mit mir und nicht mit Bel-ka-Trazet.«

»Warum?«

Ta-Kominion legte seine Hand auf Keldereks Knie.

»Die Leute kennen die Wahrheit«, sagte er. »Eines der Mädchen der Tuginda kam nach Ortelga, aber sogar wenn sie nicht gekommen wäre – die Wahrheit dringt durch die Blätter und tropft zwischen den Steinen durch. Das Volk ist der Härte Bel-ka-Trazets müde. Man spricht insgeheim von Shardik, unserem Herrn, und wartet auf sein Kommen. Nötigenfalls sind die Menschen bereit, für ihn zu sterben. Das weiß Bel-ka-Trazet und hat Angst.«

»Ja«, antwortete Kelderek, »an dem Morgen, als er die Tuginda verließ, sah ich die Furcht bereits in seinen Augen. Ich bedauerte ihn damals und bedaure ihn immer noch, aber er hat sich gegen Shardik, unseren Herrn, gestellt. Wenn ein Mann beschließt, sich einem Feuer entgegenzustellen, kann dann das Feuer Mitleid mit ihm haben?«

»Er glaubt –«

Kelderek unterbrach ihn. »Was also willst du von mir?«

»Das Volk ist nicht Bel-ka-Trazet. Es weiß, daß unser Herr Shardik zu ihm zurückgekehrt ist. Ich habe in Ortelga anständige, schlichte Männer vor Freude und Hoffnung weinen sehen. Sie sind bereit, sich gegen Bel-ka-Trazet zu erheben und mir zu folgen.«

»*Dir* zu folgen? Wohin?«

In der Einsamkeit des Waldes senkte Ta-Kominion seine Stimme noch mehr.

»Nach Bekla, um wiederzuerobern, was unser ist.«

Kelderek atmete tief. »Ihr habt ernstlich die Absicht, Bekla anzugreifen?«

»Mit der Macht Shardiks, unseres Herrn, können wir nicht scheitern. Aber wirst du dich uns anschließen, Kelderek? Man erzählt, daß du keine Furcht vor Shardik hast und ihn wozu immer du willst überreden kannst. Ist das wahr?«

»Nur zum Teil. Gott machte mich zu einem Gefäß, das in Shardiks Brunnen gesenkt wurde, und zu einer an seinem Feuer entzündeten Fackel. Er duldet mich; dennoch, ihm nah zu sein bedeutet immer Gefahr.«

»Kannst du ihn nach Ortelga bringen?«

»Weder ich noch jemand anders kann unseren Herrn Shardik zu etwas bringen. Er ist die göttliche Kraft. Wenn es so bestimmt ist, wird er nach Ortelga kommen. Wie aber kann er den Todesgürtel überschreiten? Und was hast du vor?«

»Meine eigenen Leute sind bereit, sofort zuzuschlagen. Sie werden ihm einen Pfad durch den Gürtel bahnen: am Ufer entlang – dort ist es am leichtesten. Laß unseren Herrn Shardik nur kommen, und jeder Mann wird sich uns anschließen – ja uns, dir und mir, Kelderek! Sobald wir Ortelgas sicher sind, marschieren wir sofort gegen Bekla, noch bevor die Nachricht zu ihnen dringt.«

»Aus deinem Mund klingt es, als wäre es leicht, aber ich sage dir nochmals – ich kann unseren Herrn Shardik nicht wie einen Ochsen dahin und dorthin treiben. Er handelt nach Gottes, nicht nach meinem Willen. Wenn du ihn gesehen, ihm gegenübergestanden hättest, würdest du mich verstehen.«

»Dann stell mich ihm gegenüber. Ich werde vor ihn treten und ihn bitten, uns zu helfen. Ich fürchte mich nicht. Ich sage dir, Kelderek, ganz Ortelga sehnt sich nur danach, ihm zu dienen. Wenn ich ihn bitte, wird er mir ein Zeichen geben.«

»Also gut, komm mit mir. Du sollst mit der Tuginda sprechen und selbst unserem Herrn Shardik gegenübertreten. Aber wenn er dich tötet, Ta-Kominion –«

»Er wird viel geben, wo viel geboten wird. Ich bin gekommen, ihm mein Leben darzubieten. Wenn er es nimmt, werde ich die Enttäuschung nicht erleben. Schenkt er es mir jedoch, so werde ich es in seinem Dienst verbringen.«

Als Antwort erhob sich Kelderek und ging voran durch das Unterholz. Die Nacht war aber immer noch so dunkel, daß er fast unmöglich sagen konnte, in welcher Richtung sich das Lager befand. Sie tasteten sich vorwärts und stolperten wiederholt; einmal stach sich Ta-Kominion an einem spitzen Zweig, der ihn unter dem Unterlid verletzte, fast das Auge aus. Kelderek wußte nicht, wie weit sie gekommen oder ob sie vielleicht im Kreis gegangen waren. Schließlich erblickte er in einiger Entfernung das Leuchten des Feuers. Vorsichtig schlich er darauf zu und erwartete jeden Augenblick, von einem der Mädchen angerufen zu werden oder auf Shardik selbst zu treffen, der in seinem zornigen Hunger umherstreifte. Doch sie trafen niemanden, und schließlich merkte er, als er sich umsah, daß sie schon die Umgebung des Lagers erreicht hatten. Sie gingen nebeneinander über das offene Gelände, auf dem abgeschnittene Zweige und Kleider verstreut lagen, wo die Frauen geschlafen hatten, und erreichten die unbewachten Reste des Feuers.

Keldereks Unruhe wurde zu Bestürzung. Das Lager war verlassen; es war sichtlich niemand mehr dort. Er rief: »Rantzay! Sheldra!« Da er keine Antwort erhielt, rief er: »Wo seid ihr?«

Das Echo verklang, und eine Zeitlang waren nur die Frösche zu hören und das Rascheln der Blätter. Dann kam eine Antwort.

»Kelderek, Herr!« Es war Rantzays rauhe Stimme aus der Richtung des Ufers. »Komm schnell, Herr!«

Er hatte sie noch nie so aufgeregt sprechen hören. Er begann zu laufen, und dabei merkte er, daß es hell wurde – hell genug jedenfalls, um den Weg zum Fluß sehen zu können. Als sie näher kamen, konnte er die Kanus erkennen und davor die bekleideten Gestalten der Frauen dicht beieinander, von denen einige anscheinend bis zu den Knien im Wasser standen. Alle drängten vorwärts, zeigten auf etwas, bewegten die Köpfe hin und her und starrten durch das Schilf. Neben Rantzays hoher Gestalt erkannte er die Tuginda und lief auf sie zu.

»Was gibt es, Saiyett? Was ist geschehen?«

Wortlos faßte sie ihn am Arm und führte ihn hinunter in das seichte Wasser, zu dem Schilf, das höher war als er. Dazwischen hatte irgend etwas sich einen Weg gebahnt, und durch diesen schmalen Pfad starrte er auf den dahinter fließenden Telthearna. Über ihm wurde das Licht heller, ein windstilles Dämmergrau ohne Schatten. Die Bäume in der Entfernung regten sich nicht, das Wasser floß ruhig dahin. Die Tuginda watete noch weiter, und er folgte ihr, verwundert über ihre Hast. Sie standen bis zur Taille im Wasser und kamen mit tastenden Füßen zum äußeren Rand des Schilfgürtels, wo der Fluß rechts und links vor ihnen lag. Die Tuginda legte die Hand auf Keldereks Schulter und wies stromabwärts, wo eine breite Kräuselung wie eine Pfeilspitze die ruhige Wasserfläche brach. An der Spitze schwamm das einzige lebende Wesen, das in der ganzen Weite von Wasser und Bäumen zu sehen war, Shardik, dessen Schnauze aufwärts zum Himmel wies, während ihn die Strömung nach Ortelga trug.

16. Das Kap und der Dammweg

Ohne einen Moment zu zögern, warf sich Kelderek in das tiefe Wasser. Sofort – fast noch ehe seine Schultern die Oberfläche berührt hatten – spürte er, wie die Strömung ihn erfaßte und stromabwärts trug. Erst sträubte er sich einen Augenblick, erschrocken über seine Hilflosigkeit, dann begann er, unbeholfen zu schwimmen, bog den Hals nach hinten, um den Kopf über Wasser zu halten, und schlug mit den Armen spritzend um sich. Vor sich konnte er mit seinen vom Wasser getrübten Augen noch immer die Gestalt des Bären erkennen, der wie ein Heuballen bei einer Überschwemmung fortgespült wurde.

Bald merkte Kelderek, daß eine Laune des Flusses ihn zur Mitte trug, wo die Strömung noch reißender war. Selbst wenn er zufällig auf eine unerwartete Landspitze oder eine Sandbank unter Wasser stoßen sollte, wie sie sich immer wieder in der Flußenge formten und auflösten, würde er nicht imstande sein, gegen eine so starke Strömung anzukommen. Schon jetzt wurde er müde. Er versuchte, sich nach einem schwimmenden Ast oder etwas anderem umzusehen, woran er sich festhalten könnte, sah aber nichts. Seine tief hinabhängenden Füße stießen gegen ein geflochtenes, biegsames, rahmenartiges Ding mit Zwischenräumen, und als er sich mit einem Ruck freimachte, zuckte blitzartig ein Schmerz durch sein Bein. Gleich darauf wurde er in einem Strudel herumgedreht, schluckte Wasser, ging unter und fand, aufgetaucht, daß er stromaufwärts blickte und weitertrieb. Die Frauen im Schilf waren nun weit entfernt, kaum erkennbare Gestalten, die mit dem Auf und Nieder seiner Augen erschienen und verschwanden. Er versuchte, kehrtzumachen und stromabwärts zu blicken, dabei hörte er über dem Wasser einen hastigen Ruf: »Kelderek! Ans Land!«

Ta-Kominion schwamm hinter ihm, ungefähr in der Mitte zwischen ihm und dem Ufer, das sie verlassen hatten. Obwohl er sich offenbar leichter tat als Kelderek, war es doch klar, daß er wenig Atem zum Sprechen hatte. Er hob einen Arm und winkte heftig in Richtung zum Schilf, dann schwamm er weiter. Kelderek sah, daß er ihn zu überholen versuchte, was ihm aber nicht gelang, weil die Strömung in Ufernähe langsamer war. Tatsächlich vergrößerte sich der Abstand zwischen ihnen. Ta-Kominion hob den Kopf und schien wieder etwas zu rufen, aber Kelderek konnte nichts hören außer seinem eigenen schweren Atem und dem Plätschern und Gurgeln des Wassers. Als er dann für einen Augenblick hochkam, vernahm er die leisen Worte: »– Land vor dem Kap!«

Als er begriff, was der Baron meinte, erschrak er. Er wurde am Südostufer von Ortelga so schnell vorbeigeschwemmt, wie ein Mann gehen konnte. Solange er mitten im Strom blieb, durfte er nicht damit rechnen, gegen den überschwemmten Dammweg getrieben zu werden, der von der Ostspitze der Insel zum Festland führte. Wahrscheinlich würde er darüber hinweg- oder hindurchgetragen, stromabwärts getrieben von derselben Strömung, gegen die er nun um sein Leben kämpfte. Und wenn er über Ortelga hinausgeschwemmt wurde, konnte er nicht hoffen, lebend ans Ufer zu gelangen.

Er schlug mit den Beinen aus, bemühte sich keuchend, an der Oberfläche zu bleiben, wobei er noch mehr ermüdete. Wie weit war es nun bis zum Kap? Das rechte, das Festlandufer, schien ihm eigentlich näher als das Ufer von Ortelga: aber wie war das möglich? Dann erkannte er die Stelle. Das Schilf war zurückgeschnitten worden, so daß eine offene Wasserfläche entstanden war, hinter der ein Zoanbaum am Inselufer wuchs. Er sah hoch und weit entfernt aus – viel weiter als das letztemal bei seiner Rückkehr nach Ortelga auf seinem Floß. Er dachte an den Shendron, der vielleicht eben jetzt durch die silbrigen Farnwedel herauslugte. Aber der Shendron würde ihn trotz aller Wachsamkeit nicht erblicken, denn er war nur ein Stück Treibgut, ein in dem grauen Licht und dem grauen Wasser des frühen Morgens sich bewegender Punkt.

Doch bei Gott, es gab noch etwas, das der Shendron unbedingt sehen mußte! Ein wenig hinter Kelderek, aber genau zwischen ihm und dem Zoanbaum trieb Shardik dahin wie eine Wolke in einem fahlen Himmel. Das Wasser rund um ihn bewegte sich nicht, und seine lange, keilförmige Schnauze lag halb unter Wasser, nur die Nüstern standen heraus wie bei einem Alligator. Als der Jäger zu ihm blickte, wandte der Bär für einen Moment den Kopf und schien ihn anzustarren.

Jetzt verspürte Kelderek bei aller Verzweiflung wieder den tapferen Impuls, der ihn getrieben hatte, sich hinter Shardik in den Fluß zu stürzen. Shardik hatte ihn für die eigenen Zwecke gerufen; Shardik besaß die Macht, die Menschen zu schützen und zu begeistern, die ihm alles hingaben und die nichts bezweifelten. Wenn er nur Shardik erreichen könnte, der würde ihn retten, er würde ihn nicht ertrinken lassen. Als der Zoanbaum aus seiner Sicht verschwand, begann er mit letzter Kraft, quer durch die Strömung landwärts zu schwimmen. Langsam, sehr langsam näherte er sich dem Bären. Als er allmählich in trägeres Wasser kam, verringerte sich die Entfernung zwischen ihnen, bis sie schließlich, nur durch wenige Meter getrennt, nebeneinander schwammen.

Mehr konnte er nicht tun. Er war erschöpft, sein Bewußtsein beschränkte sich auf das tiefe Wasser unter ihm, die Angst vor dem Ertrinken und irgendwo, weit entfernt, auf Shardiks Anwesenheit. Er konnte weder den Himmel noch das Ufer sehen. »Nimm mein Leben hin, Shardik, mein Herr. Ich bereue nichts, was ich für dich getan habe.« Ihm schwanden die Sinne, er sank unter, atmete nicht mehr; seine Arme waren hochgestreckt in das dunkle, undeutlich werdende Schwarz; und nun, angesichts des Todes, spürte er wieder das zottige Haar, die Flanke Shardiks, wie damals, als er bei Einbruch der Nacht neben ihm in den Wald gegangen war und im Schutz seiner Gegenwart geschlafen hatte.

Das Dunkel spaltete sich. Er holte Atem und sog die Luft ein. Sonnenlicht glitzerte auf dem Wasser und funkelte vor seinen Augen. Er klammerte sich an Shardiks Flanke, hing mit zusammengepreßten Händen daran, wurde auf und ab bewegt, während neben ihm das große linke Hinterbein so schnell wie Mühlenräderschlag Wasser trat. Zuerst konnte er kaum fassen, was geschehen war, er wußte nur, daß er lebte und noch ans Ufer kommen konnte, bevor sie an der Stadt vorbeigetrieben wurden.

Der Bär hatte den Kopf nicht gewandt oder Kelderek abzuschütteln versucht, er schien ihn gar nicht zu bemerken. Kelderek wunderte sich über seine Gleichgültigkeit. Als dann seine Sinne klarer wurden, merkte er, daß der Bär auf etwas anderes bedacht war, daß er eine bestimmte Absicht hatte. Er wandte sich nach links zum Ufer und schwamm nun kräftiger. Kelderek konnte nicht über seinen Rücken hinwegsehen, aber als er sich weiter umdrehte, erschien jenseits seiner Schulter Land. Kurz darauf begann der Bär zu waten. Kelderek ließ seine Füße nach unten sinken, berührte den Grund und fand, fast bis zu den Schultern im Wasser, feste Steine, auf denen er stehen konnte.

Der Bär und der Mann kamen zusammen ans Ufer, nahe von den nun kalten Kochstellen, bei den Vorratshütten und Dienerquartieren, die am Ufer in der Nähe des Sindrads lagen. Shardik hieb eifrig das Wasser zur Seite, als er, wie zur Verfolgung einer Beute, spritzend durch die seichten Stellen planschte. Plötzlich erkannte Kelderek die Sachlage. Der Bär war hungrig – verlangte verzweifelt und um jeden Preis nach Nahrung. Etwas hatte ihn vom Todesgürtel abgelenkt, er mußte aber doch, als er im Wald lag, Nahrung gewittert haben und war deshalb in den Fluß gesprungen. Kelderek erinnerte sich an Bel-ka-Trazets Worte, bevor er die Tuginda verlassen hatte: »Wenn er Ortelga heimsucht, verspreche ich dir, ihn töten zu lassen.«

Stolpernd und halb erstickt begann er, Shardik die Uferböschung empor zu folgen, strauchelte aber und fiel der Länge nach hin. Eine Weile blieb er regungslos liegen, dann erhob er sich auf einen Ellbogen. Da sah er, wie zwei Männer, die miteinander einen Eisenkessel trugen, hinter der nächsten Hütte hervorkamen und zum Wasser gingen. Ihre Augen nahmen noch gar nicht richtig wahr, und sie waren zerzaust, offenbar Aufwäscher, die man für die ersten Hausarbeiten des Tages aus dem Bett gejagt hatte. Der Bär war, fast noch bevor sie hochblickten und ihn sahen, über ihnen. Der Kessel fiel mit einem Krach auf die Steine, und einen Augenblick lang starrten sie Shardik in groteskem Entsetzen an. Dann machten sie laut schreiend kehrt und rannten davon. Der eine verschwand auf dem Weg, den sie gekommen waren. Der andere lief, blind vor Angst, gegen die Hüttenwand, stieß sich den Kopf und blieb betäubt und schwankend stehen. Shardik war ihm gefolgt, richtete sich auf und schlug ihn nieder. Der Hieb schleuderte den armen Teufel durch das mit Lehm beworfene Flechtwerk der Hüttenwand, in die er eine zackige Öffnung riß. Shardik schlug ein zweitesmal zu, die Wand brach zusammen, und ein Teil des Daches stürzte ein. Die Luft war von Staub und von dem Rauch des unter den Trümmern begrabenen frisch entzündeten Herdfeuers erfüllt. Frauen kreischten, Männer liefen schreiend umher. Plötzlich tauchte ein untersetzter Mann in einer Lederschürze mit einem Hammer in der Hand durch den Dunst auf, starrte einen Augenblick wie versteinert und verschwand wieder. Über dem ganzen Tumult erhob sich das dumpfe Knurren Shardiks, es klang, wie wenn schweres Gestein über einen Abhang rollt.

Kelderek beobachtete die Szene von der Stelle aus, wo er hingefallen war, und sah den Bären in Rauch und Verwirrung davontrotten. Plötzlich spürte er Hände unter seinen Achseln, und eine Stimme rief ihm ins Ohr:

»Auf, Kelderek, steh auf, Mann! Es ist keine Zeit zu verlieren! Folge mir!«

Ta-Kominion stand neben ihm, Wasser floß aus seinem langen Haar, als er Kelderek auf die Knie half. In der linken Hand hielt er einen langen, spitzen Dolch.

»Los, Mann! Hast du eine Waffe?«

»Nur das.« Er zog Sheldras Messer.

»Das wird genügen! Du kannst dir bald etwas Besseres verschaffen.«

Sie stürzten vorwärts, rund um die brennenden Trümmer. Auf der anderen Seite lag die Leiche eines Mannes, sein Rückgrat sah aus wie ein zerbrochener Bogen. Dahinter zog der Bär unter den Trümmern einer zweiten Hütte den Rumpf eines geschlachteten Schafs hervor. In einiger Entfernung standen vier oder fünf Männer, die fliehen wollten; sie starrten über ihre Schultern zurück.

Ta-Kominion sprang auf einen Holzstoß und schrie: »Shardik! Shardik, unser Herr, ist gekommen!« Rund um ihn breitete sich der Tumult weiter aus, die ganze Stadt erwachte durch den Alarm. Es war klar, daß es Menschen gab, die auf seine Wiederkehr gewartet hatten. Schon sammelten sich Männer um ihn, manche bereits bewaffnet, andere kamen noch halb nackt aus ihren Betten, mit Spießen, Äxten, Keulen, was immer ihnen in die Hände gefallen war.

Ta-Kominion, der das Ende einer brennenden Dachsparre hinter sich hergezogen hatte, schwang es über dem Kopf. Die zweite Hütte hatte Feuer gefangen, und der Rauch begann das Sonnenlicht zu verdunkeln. Als die Hitze und der Lärm zunahmen, wurde Shardik von dem Schafsrumpf aufgestört und wurde unruhig. Während er seinen Hunger stillte, sah er sich zuerst geringschätzig in der fremden Umgebung um und kauerte sich dann wie eine Katze nieder, riß Stücke des blutigen Fleisches ab und kaute daran. Als die schwärzliche Luft allmählich wich und Asche in Richtung zum Fluß geweht wurde, erschrak er und knurrte und schlug nach einem Funken, der auf sein Ohr fiel. Als dann der Mittelpfosten der zweiten Hütte mit einem Krach wie ein gefällter Baum der Länge nach umfiel, setzte er sich, ohne die Schafskeule aus dem Maul zu lassen, uferwärts in Bewegung.

Ta-Kominion war jetzt von der schreienden Menge umringt, er zeigte mit seinem Dolch hinüber und erhob seine Stimme über das Getöse: »Nun habt ihr es selbst gesehen! Shardik, unser Herr, ist zu seinem Volk zurückgekehrt! Folgt mir zum Kampf für Shardik!«

»Er geht fort!« rief eine Stimme.

»Fort? Natürlich geht er fort!« schrie Ta-Kominion. »Er geht dorthin, wohin wir ihm folgen werden – nach Bekla! Er weiß, daß Ortelga für ihn schon so gut wie erobert ist! Er versucht, euch zu erklären, daß es keine Zeit zu verlieren gilt! Folgt mir!«

»Shardik! Shardik!« schrie die Menge. Ta-Kominion führte sie im Laufschritt zum Sindrad. Kelderek hörte, wie das Schreien zum Gebrüll wurde. Neuer Rauch stieg hoch, gefolgt von unverkennbarem Kampflärm – Befehle, Aufeinanderschlagen von Waffen, Flüche und Schreie von Verwundeten. Kelderek ergriff ein kräftiges, an einem Holzstoß lehnendes Geflecht und begann, es als Schild an seinem linken Arm zu befestigen; das war eine schwierige, unangenehme Arbeit, zu der er sich hinkniete und an dem Weidengeflecht zerrte und zog.

Aufblickend sah er plötzlich die Tuginda neben sich stehen. Ihre Kleidung war trocken, aber die schwarze, pulverige Asche, die durch die Luft geweht wurde, hatte auf ihr Gesicht und ihre Arme Streifen gezeichnet und lag als Staubschicht auf ihrem Haar. Obwohl sie einen gespannten Bogen und einen Köcher mit Pfeilen trug, schien das Kämpfen, dessen Lärm nun die ganze Stadt erfüllte, sie gleichgültig zu lassen. Sie stand wortlos neben ihm und blickte auf ihn nieder.

»Ich muß mich den anderen zum Kampf anschließen, Saiyett«, sagte er. »Der junge Baron wird mich für einen Feigling halten. Vielleicht ist er in Not – ich weiß es nicht.«

Sie sagte noch immer nichts, er brach ab, blickte zu ihr auf und versuchte zugleich, seinen linken Arm weiter durch den Spalt zu stecken, den er in das Geflecht gerissen hatte.

»Shardik, unser Herr, verläßt Ortelga«, sagte die Tuginda endlich.

»Saiyett, die Kämpfe –«

»Sein Werk hier ist getan – was immer es gewesen sein mag.«

»Du hörst doch, daß es nicht so ist! Halte mich nicht auf, Saiyett, ich bitte dich!«

»Das mag die Aufgabe anderer sein. Unsere Aufgabe ist es nicht.«

Er starrte sie an.

»Aber was ist denn unsere Aufgabe, wenn nicht der Kampf für Shardik, unseren Herrn?«

»Dem zu folgen, den Gott gesandt hat.«

Sie drehte sich um und begann, zurück zum Fluß zu gehen. Er zögerte noch und sah, wie sie sich bückte und etwas aus der Asche der abgebrannten Hütte aufhob. Sie blieb einen Augenblick stehen, wog es in ihrer Hand, und als sie sich bewegte, sah er, daß es ein hölzerner Schöpflöffel war. Dann verschwand sie durch den Rauch über die steile Böschung nach unten. Kelderek ließ sein Geflecht fallen, steckte das Messer in seinen Gürtel und folgte ihr.

Am Ufer warteten Rantzay und Sheldra neben einem auf die Uferkiesel gezogenen Kanu. Sie starrten auf das Wasser hinaus, ohne ihn zu beachten. Ihrem Blick folgend sah er, wie Shardik mit planschenden Schritten über den unterbrochenen Dammweg dem Festland zustrebte. Dicht neben Kelderek stand die Tuginda, ihre Augen gegen die Sonnenstrahlen abschirmend, auf einem viereckigen Steinblock im seichten Wasser. Er faßte sie am Arm, und zusammen begannen sie, Shardik quer über die Durchfahrt zu folgen.

17. Die Straße nach Gelt

An jenem Abend begann die ortelganische Armee unter der Führung von Ta-Kominion, die Durchfahrt zu überqueren: eine schmutzige, schreiende, einige Tausend Mann starke Horde, von der manche mit Speer, Schwert oder Bogen bewaffnet waren, manche aber nur Breithacken oder zugespitzte Pfähle trugen; einige – es waren zumeist Diener – gingen in Gruppen unter ihren zu Offizieren gewordenen Herren, andere waren bloß Saufbrüder oder Raufbolde, die mit Keule und Flasche Gesellschaft suchten, alle aber waren begierig zu marschieren und kampfbereit, alle überzeugt, daß Bekla der offenbarten Macht Gottes zum Opfer fallen müsse, durch dessen Willen sie volle Bäuche haben und sich nie wieder plagen sollten. Einige trugen improvisierte Rüstungen – ausgehöhlte Hauben aus feuergehärtetem Holz oder grobrandige, an der Brust befestigte Eisenplatten –, und fast alle hatten irgendwo an sich ein Zeichen aufgemalt oder eingekratzt, das eine entfernte Ähnlichkeit mit einem Bärenkopf aufwies.

An den gefährlichen Stellen des Dammwegs hatte Ta-Kominion zwischen eingeschlagenen Pfählen oder verankerten Flößen Seile spannen lassen, an denen die Leute sich drängten und Unfug trieben, bis ein Mann stromabwärts getrieben wurde und ertrank. Als es dunkel wurde, begannen die noch am Inselufer gebliebenen Männer zu trinken und zu singen, während sie auf das Aufgehen des Mondes warteten; Ta-Kominions Gefolgsleute durchsuchten ein letztes Mal die Stadt, um noch all diejenigen zu sammeln, die sich nicht entschließen konnten oder meinten, sie könnten, wenn sie fortgingen, mehr verlieren als gewinnen.

Am Festlandufer sammelten sich andere Gruppen aus den umliegenden Gebieten: eine Gruppe Forst- und Holzarbeiter mit ihren Äxten, Zuschlaghämmern und Brecheisen; ein Baron namens Gedla-Dan, dessen Vermögen von dem farbigen Quarz – Topas und Aquamarin – stammte, nach dem seine Leute in Felsbuchten stromabwärts tauchten; und ein Händler mit seinen Trägern, die

eben mit einer Ladung Eisenerz von ihrer Handelsniederlassung in Gelt zurückkehrten und die so tüchtig waren, sich bei den Meistbietenden unter den Anführern als Pfadfinder zu verdingen.

Auch Frauen überschritten den Fluß, beladen mit Waffen, Kleidern, Pfeilen oder Proviant, die sie in letzter Minute durch Bitten, Ausleihen oder Stehlen zusammengebracht hatten. Manche wanderten, durch die Menschenmassen verwirrt, in dem von Fackeln erleuchteten Zwielicht umher, riefen die Namen ihrer Männer und wehrten sich, so gut sie konnten, gegen Zudringliche und Diebe.

Nachdem Ta-Kominion Fassel-Hasta ersucht hatte, die Leute zu zählen und nach Möglichkeit die Kräfte in Abteilungen zu organisieren, ging er wieder über den Dammweg, ohne sich weiter um das mürrische Winken und Brummen zu kümmern, mit dem ihn der ältere Baron verließ. Er war seit mehreren Stunden völlig durchnäßt; zuerst hatte er bis zum Gürtel mitten im Fluß gestanden und dafür gesorgt, daß die Seile befestigt wurden, dann blieb er bei den Breschen, weniger um den Pöbel zu ermutigen, von dem die meisten betrunken waren, als um seine Autorität durchzusetzen und dafür zu sorgen, daß sie ihn kennenlernten und wiedererkennen würden. Er war schon durch die Arbeit der vorigen Nacht und des Tages ermüdet und sollte nun eine zweite schlaflose Nacht verbringen. Er watete ans Ufer von Ortelga zurück, nahm die nächste Hütte in Beschlag, verschlang das Essen, das man ihm brachte, und schlief dann zwei Stunden lang. Als sein Diener, Numiss, ihn weckte, war der Mond längst aufgegangen, und die Nachzügler wurden zum Überschreiten des Dammwegs überredet. Er saß ungeduldig dort, während Numiss den schmutzigen Verband um die tiefe, schwere Wunde in seinem Unterarm wechselte; dann machte er sich auf den Weg stromaufwärts an der Stadt entlang, bis er zu dem Shendronstand unter dem Zoanbaum gelangte.

Dort war im Augenblick kein Shendron, nicht einmal eine Frau oder ein alter Mann, denn Ta-Kominion war nicht bestrebt, rund um Ortelga Wachen aufzustellen. Er fand aber unter dem Blätterzelt, wie verabredet, zwei Mädchen der Tuginda, die in einem Kanu warteten. Numiss war mit einem anderen Mädchen am Morgen, sobald die Kämpfe aufgehört hatten, über das Wasser zur Tuginda geschickt worden, um sie zu ersuchen, nach Mondaufgang Führer zum Zoanbaum zu senden.

Als das Kanu quer über die Strommitte ins träge Wasser des gegenüberliegenden Ufers fuhr, konnte Ta-Kominion, der im Heck saß, zu seiner Linken das schwache Blinken von Waffen, die über das Wasser gehalten wurden, ein gelegentliches Plätschern – das Geräusch erreichte ihn einen Augenblick nach dem kurzen Aufglänzen im Mondlicht – und die sich vorwärts bewegende Reihe dunkler Gestalten erkennen, seiner letzten Gefolgsleute, die den Dammweg überschritten. Ans Ufer gelangt, stolperte er, stieß mit dem Arm gegen einen Baum und blieb stehen; er biß sich auf die Lippe, während der Schmerz langsam nachließ. Er hatte den ganzen Tag die Wunde nicht ernstgenommen, als aber jetzt eines der Mädchen die Lederschlinge ihres Köchers abnahm, um ihm eine Armschlaufe zu machen, neigte er bereitwillig auf ihr Ersuchen den Kopf, um sich den Knoten im Nacken binden zu lassen.

Die Mädchen hatten gelernt, sich geschickt im Dunkel zu bewegen. Ob sie einem Pfad folgten, oder wie sie ihren Weg fanden, konnte er nicht sagen, und er hatte allmählich zu hohes Fieber, um sich darum zu kümmern. In seinem Arm pulsierte es, und sein Gehör schien sich dauernd zu ändern, einmal war es verstärkt, dann wieder gedämpft. Er ging schweigend hinter ihnen her und überdachte, was noch zu tun war. Endlich erblickte er weit entfernt ein loderndes Feuer. Er ging darauf zu und blieb stehen, als seine Führerinnen angerufen wurden und mit einem Losungswort antworteten. Darauf trat er ins Licht des Feuers, und Kelderek kam ihm entgegen.

Sie blickten einander eine Zeitlang an, und jeder dachte, wie merkwürdig es doch war, daß er trotz allem, was vorgefallen war, mit dem Gesicht des anderen noch nicht vertraut war. Dann senkte Kelderek den Blick zum Feuer, beugte sich nieder, warf ein Holzscheit darauf und sagte dabei unsicher:

»Crendro, Ta-Kominion. Ich freue mich, daß du Ortelga erobert hast, aber es tut mir leid, daß du verwundet bist. Du hast hoffentlich die Mädchen vorgefunden, die dich erwarten sollten?«

Ta-Kominion nickte und setzte sich auf einen mit Kletterpflanzen bedeckten Baumstamm. Kelderek blieb stehen, auf eine lange Stange gelehnt, die die Mädchen zum Schüren des Feuers verwendet hatten.

»Ist die Verwundung schwer?«

»Das ist nicht wichtig. Andere hatten mehr Glück – andere, die keine Angst haben werden, wieder zu kämpfen.«

»Wie lange hat der Kampf gedauert?«

»Ich weiß nicht. Länger als du brauchtest, um über den Dammweg zu kommen, möchte ich sagen.«

Er zog einen Splitter aus dem Stamm. Ein Windstoß blies ihm den Rauch ins Gesicht, aber er kümmerte sich nicht darum. Kelderek stocherte im Feuer und trat von einem Fuß auf den anderen. Endlich sagte er: »Die meisten Sachen der Tuginda sind noch auf der anderen Seite. Die Frauen ließen sie heute dort liegen, als sie uns über den Fluß folgten.«

Wieder herrschte Schweigen.

»Es wundert mich«, sagte Kelderek, »daß Shardik, unser Herr, gestern nacht trotz seines Hungers nicht durch den Wald gehen wollte. Er muß die Witterung von Futter aus Ortelga bekommen haben, dennoch wandte er sich vom Todesgürtel ab und ging in den Fluß.«

Ta-Kominion schüttelte den Kopf, als interessiere ihn das wenig.

»Was geschah mit Bel-ka-Trazet?« fragte Kelderek.

»Ach, der ist ins Wasser gegangen wie du; nicht ganz so rasch.«

Kelderek holte tief Atem und ballte die Faust um die Stange. Nach einer Weile fragte er:

»Wohin hat er sich gewandt?«

»Stromabwärts.«

»Hast du die Absicht, ihn zu verfolgen?«

»Das ist unnötig. Er jedenfalls ist kein Feigling, aber für uns kann er jetzt nicht gefährlicher werden, als wenn er einer wäre.« Er blickte auf. »Wo ist Shardik, unser Herr?«

»Dort drüben, nicht weit von der Straße. Er kam heute nachmittag zu der Straße, ging aber dann zurück in den Wald. Ich blieb bis zum Mondaufgang bei ihm, kehrte aber dann zurück, um dich zu treffen.«

»Welche Straße?«

»Die Straße nach Gelt. Wir sind hier nicht weit von ihr entfernt.«

Ta-Kominion erhob sich, stellte sich breitbeinig vor Kelderek und blickte ihm ins Gesicht. Er stand mit dem Rücken zum Feuer und sah mit seinem langen, in sein Gesicht fallenden Haar aus, als trüge er eine Maske mit starken Schatten, aus der seine Augen kalt und scharf hervorglühten. Ohne den Kopf zu drehen, sagte er: »Du darfst uns allein lassen, Numiss.«

»Aber wohin sollen wir gehen, Herr?«

Ta-Kominion antwortete nicht, und nach einiger Zeit verschwand der rothaarige Bursche mit seinem Gefährten zwischen den Bäumen. Bevor Ta-Kominion etwas sagen konnte, platzte Kelderek heraus:

»Mein Platz ist bei Shardik, unserem Herrn, um ihm zu folgen und zu dienen! Das ist meine Aufgabe! Ich bin kein Feigling!«

»Ich habe nicht gesagt, daß du einer bist.«

»Ich ging neben Shardik, unserem Herrn, schlief neben ihm, hielt meine Hände über ihm. Tut das ein Feigling?«

Ta-Kominion schloß die Augen und strich mehrmals mit der Hand über seine Stirn.

»Ich bin nicht hierhergekommen, Kelderek, um dich zu beschuldigen oder mit dir zu streiten. Ich habe wichtigere Dinge zu besprechen.«

»Du hältst mich für einen Feigling. Das hast du beinahe gesagt!«

»Was mir entschlüpft sein mag, hat nichts mit unseren jetzigen Angelegenheiten zu tun. Schlag dir solche privaten Gedanken aus dem Kopf. Jeder Mann in Ortelga, der eine Waffe zu führen versteht, hat den Telthearna überschritten und ist bereit, gegen Bekla zu marschieren. Sie werden bald losziehen – noch vor Tagesanbruch. Ich werde mich ihnen von hier aus anschließen – ich brauche nicht ins Lager zurückzugehen. In fünf Tagen – vielleicht früher – werden wir in Bekla sein. Wir brauchen nicht bloß das Überraschungsmoment. Wir haben nur für drei Tage Proviant, aber auch das ist noch nicht alles. Unsere Männer müssen Bekla einnehmen, bevor sie die Kraft verlieren, die in ihren Herzen glüht. Was glaubst du, wessen Kraft das ist?«

»O Herr?« entfuhr es Kelderek, bevor er sich zurückhalten konnte.

»Ortelga wurde heute durch Shardiks Macht genommen. Wir hatten Glück – es gab viele Männer, die ihn sahen, bevor er den Dammweg überschritt. Bel-ka-Trazet wurde verjagt, weil er als Shardiks Feind bekannt war. Die Leute haben selbst gesehen, daß Shardik zurückgekehrt ist. Sie glauben, es gibt nichts, was er ihnen nicht geben wird – nichts, das sie in seinem Namen nicht schaffen können.«

Er machte ein paar unsichere Schritte zurück zu dem Baumstamm, setzte sich steif hin und zog die Stirn in Falten, um einen plötzlichen Schwindelanfall abzuwehren. Einen Augenblick lang klapperte er mit den Zähnen und drückte sein Kinn gegen die offene Hand.

»Shardik wurde gesandt, um uns, Bauern und Barone, wieder in Bekla einzusetzen. Mehr als das brauchen die Bauern nicht zu wissen. Aber ich – ich muß den richtigen Weg finden, den Weg, um durch Shardik zu siegen. Und dies ist der Weg – so scheint es mir zumindest. Entweder wir erobern Bekla in sieben Tagen oder gar nicht.«

»Warum?«

Ta-Kominion schwieg noch, als suchte er nach Worten.

»Einfache Menschen können nur dann ein Lied singen, wenn sie tanzen, trinken oder mit etwas beschäftigt sind – dann kommt ihnen das Lied auf die Lippen, ohne daß sie überlegen. Sag ihnen, sie sollen es dich lehren, und schon wissen sie es nicht mehr. Solange ihre Herzen von Shardik erfüllt sind, werden sie das Unmögliche tun – marschieren ohne Schlaf, durch die Luft fliegen, die Mauern von Bekla niederreißen. Aber solche Macht ist im Herzen einfacher Männer wie Nebel. Der Wind oder die Sonne – jedes unerwartete Mißgeschick kann sie in einer Stunde vernichten. Man muß deshalb jede derartige Möglichkeit ausschließen.« Nach einer Pause sagte er entschieden: »Aber das ist noch nicht alles. Aus den Augen, aus dem Sinn. Es heißt, du verstehst die Kinder. Dann weißt du, daß Kinder vergessen, was ihnen nicht vor Augen gehalten wird.«

Kelderek starrte ihn an, wollte erraten, was gemeint war.

»Wenn wir in den Kampf gehen, muß Shardik bei uns sein«, sagte Ta-Kominion. »Es ist von entscheidender Wichtigkeit, daß die Männer ihn dort sehen.«

»In Bekla – in fünf Tagen? Wie denn das?«

»Das mußt du mir sagen.«

»Man kann Shardik, unseren Herrn, keine hundert Schritt weit treiben, und du sprichst von einer fünftägigen Reise!«

»Kelderek, Bekla ist reicher und wunderbarer als ein Berg aus Edelsteinen. Die Stadt ist rechtlich von alters her unser, und Shardik ist zurückgekehrt, um sie uns zurückzugeben. Er kann sie uns aber nur durch uns selbst zurückgeben. Er brauchte meine Hilfe, um heute Ortelga zu erobern. Nun braucht er deine Hilfe, um ihn nach Bekla zu bringen.«

»Aber das ist unmöglich! Ortelga zu nehmen war nicht unmöglich!«

»Nein, nein, natürlich nicht – eine leichte Sache, würde ich sagen, für jemanden, der zufällig nicht dort war. Lassen wir das. Kelderek, willst du aufhören, ein Einfaltspinsel zu sein, der mit vaterlosen Kindern am Ufer spielt? Willst du sehen, daß Shardik in Bekla an die Macht kommt? Das Werk zu seinem richtigen Ende bringen, das du in jener Nacht begannst, als du im Sindrad dem glühenden Messer Bel-ka-Trazets trotztest? Es *muß* einen Weg geben! Entweder du findest ihn, oder wir sitzen auf einer jäh abfallenden Klippe fest. Du und ich und unser Herr Shardik – wir drei klettern nach oben, und es gibt keinen Weg zurück. Wenn wir Bekla nicht erobern, glaubst du, daß uns die Beherrscher von Bekla in Ruhe lassen? Nein – sie werden uns nachjagen. Sie werden mit dir und deinem Bären kurzen Prozeß machen.«

»*Meinem* Bären?«

»Deinem Bären. Denn das wird er werden, Shardik von den Terrassen, unser Herr, der in diesem Augenblick bereit ist, uns eine große Stadt mit all ihrem Reichtum und ihrer Macht zu schenken, wenn wir nur den Weg finden. Er wird zu einem Geschöpf des Aberglaubens zusammenschrumpfen, aufgrund dessen einige Rauhbeine in Ortelga einen Aufruhr verursacht und ihren Großbaron verjagt haben. Das wird sein – und dein – Ende sein.«

Eine große Fledermaus kam aus dem Dunkel geflattert, schwebte geräuschlos am Rand des Feuers vorbei, wandte sich von der knisternden Hitze ab und verschwand, wie sie gekommen war.

»Du meinst, Kelderek, ich hielte dich für einen Feigling. Ist das meine Ansicht oder deine? Es ist nicht zu spät, um das gutzumachen, Kelderek, du Kinderspielfreund: um dich als Mann zu erweisen. Finde einen Weg, um unseren Herrn Shardik in die Ebene von Bekla zu bringen – kämpfe dort für ihn mit eigener Hand. Denke an den Lohn – einen unschätzbaren Lohn! Tu das, und keiner wird dich je wieder einen Feigling heißen.«

»Ich war nie ein Feigling. Aber die Tuginda –«

Zum erstenmal lächelte ihm Ta-Kominion zu.

»Ich weiß, daß du keiner bist. Was, glaubst du, wird es für den Mann, dem Shardik als erstem erschien, für den, der die Nachricht nach Quiso brachte, als Belohnung geben, wenn wir Bekla erobert haben? Wahrhaftig, es gibt keinen Mann in Ortelga, der deinen Namen nicht kennt und ihn nicht schon ehrt.«

Kelderek runzelte die Stirn, er zögerte.

»Wie bald sollen wir beginnen?«

»Gleich – sofort. Es ist kein Augenblick zu verlieren. Zwei

Dinge, Kelderek, braucht ein Rebellenführer vor allem. Erstens müssen seine Anhänger von glühendem Eifer erfüllt sein – bloßer Gehorsam genügt da nicht –, und zweitens muß er selbst blitzschnell und entschlossen handeln. Für das zweite stehe ich ein. Für das erste kannst nur du sorgen.«

»Vielleicht ist es möglich, aber dazu brauche ich alle Schmiede, Wagner und Zimmerleute von Ortelga. Komm, gehen wir zur Tuginda und sprechen wir mit ihr!«

Als Ta-Kominion sich erhob, bot ihm Kelderek seinen Arm als Stütze an, doch der Baron winkte ab, stolperte ein paar Schritte, zögerte, dann legte er seinen gesunden Arm auf den Keldereks und richtete sich auf, wobei er sich kräftig stützte, bis er sein Gleichgewicht fand.

»Bist du krank?«

»Es ist nichts – nur ein wenig Fieber. Es wird vorübergehen.«

»Du mußt todmüde sein. Du solltest dich ausruhen.«

»Später.«

Kelderek führte ihn vom Feuer fort. In dem tiefen Dunkel unter den Bäumen hielten sie an, ihre Augen mußten sich erst daran gewöhnen. Eine Hand zupfte Kelderek am Ärmel, er wandte sich um.

»Soll ich dich führen, Herr? Gehst du zu unserem Herrn Shardik zurück?«

»Hast du Wache, Neelith?«

»Meine Wache ist zu Ende, Herr. Ich kam, um Sheldra zu wecken, aber nicht, wenn du mich brauchst.«

»Nein, geh schlafen. Wer bewacht unseren Herrn Shardik?«

»Zilthe, Herr.«

»Wo ist die Tuginda?«

»Dort unten, bei den Farnen.« Sie zeigte hin.

»Schläft sie?«

»Noch nicht, Herr; sie betet, schon seit mehr als einer Stunde.«

Sie verließen das Mädchen, ihre Augen gewöhnten sich an die Dunkelheit, und sie kamen leichter vorwärts. Bald wuchsen die Bäume spärlicher, und das dichte Blätterdach über ihnen öffnete sich da und dort, so daß man Wolken und Mondschein sehen konnte. Die Strahlen verschwanden und tauchten wieder zwischen den Ästen auf, wenn die Wolken ostwärts über den Mond schwebten. Die schwüle Waldeshitze, ein einziger, über ihnen liegender dichter Luftblock, schien nun allmählich von Böen und vorübergehenden kühleren Strömungen beeinflußt, gestört, aufgerissen und zerstreut zu werden, die kamen und gingen wie die ersten leichten Wellen der Flut, die an eine trockene Sandbank schlagen. Als die Blätter und das Mondlicht durch Bewegung auf die Brise von außen reagierten, regte sich die heiße, dunkle Masse auf dem Boden langsam und schwerfällig, wie ein Gewächsbett unter Wasser. Noch war es nicht durchdrungen worden, doch es spürte schon an seinen Rändern die erste Regung jener bestimmten, der Jahreszeit gemäßen Kraft, die bald soweit sein würde, es mit Blitz und Sturm zu zerreißen.

Ta-Kominion blieb stehen, hob den Kopf und schnüffelte die frischere Luft.

»Es kann nicht mehr lange dauern, bis die Regenzeit kommt.«

»Einen oder zwei Tage«, antwortete Kelderek.

»Das ist von allen Gründen der entscheidendste, daß wir uns beeilen müssen. Es heißt jetzt oder nie. In der Nässe können wir nicht marschieren oder den Kampf fortführen, und sie können es auch nicht. Sogar Bekla verhält sich zur Regenzeit still. Auf irgendeinen Angriff um diese Jahreszeit sind sie keinesfalls gefaßt. Falls sie nicht gewarnt werden, und wenn wir hinkommen, bevor der Regen einsetzt, werden wir sie völlig überraschen.«

»Haben sie keine Spione?«

»Gegen uns zu spionieren lohnt sich nicht, Mann. Ortelga? Ein Haufen Mistkäfer am Ende einer übergroßen Sandbank.«

»Aber das Risiko! Wenn es zu regnen anfängt, bevor wir kämpfen können, sind wir verloren. Bist du sicher, daß wir noch genug Zeit haben?«

»Shardik, unser Herr, wird uns Zeit schaffen.«

Als er das sagte, kamen sie unversehens zu einer breiten Felsplatte, die wie eine Mauer aus dem Boden aufragte. Sie war flach, beinahe mannsdick und erhob sich unregelmäßig bis zu etwa einer Armlänge über ihre Köpfe. In dem schwachen Licht schienen die zwei Seiten fast glatt zu sein, doch als Kelderek neugierig über eine der Flächen strich, spürte er, daß sie rauher war, als sie aussah, stellenweise brüchig und mit Moos und Flechten bewachsen. Der Felsen saß tief in dem weichen Waldboden, wie ein vor langer Zeit von einem Riesen geschleuderter und eingehämmerter Keil. Etwas weiter sahen sie einen zweiten, gleichfalls flachen, aber größeren, ein wenig geneigten und anders geformten Felsen. Als sie näher kamen, sahen sie, daß dieser auf einer Seite von einer rostroten Flechte, ähnlich wie ein getrockneter Blitzfleck, bedeckt war. Und nun wanderten sie zwischen solchen hohen, seitlich abgeflachten Felsmassen umher und betrachteten sie – manche waren zaunähnlich, langgestreckt und nicht mehr als schulterhoch, andere erhoben sich zu steilen, konischen Blöcken oder waren anscheinend treppenartig geformt, wobei die Stufen oben im Dunkel verschwanden, alle aber waren zu gleichmäßiger Dicke behauen und wiesen jäh abfallende Seitenwände auf wie gigantische Axteisen, die nie am Fuß breiter wurden, um eine Grundfläche oder einen Sockel zu bilden. Dazwischen wuchsen die Farne, von denen das Mädchen gesprochen hatte – manche waren riesig wie Bäume, an denen Moos von der Unterseite der Wedel herabhing, andere klein und zart, mit litzenartigen Wedeln, deren schmale Blättchen wie Espenlaub in der stillen Luft bebten. Aus verborgenen Stellen drangen sogar um diese Jahreszeit dünne Rinnsale aus dem Torfboden, kaum genug, um irgendwo eine Pfütze zu bilden, die mehr als eine Handvoll Wasser enthielt, aber wo das Mondlicht sie traf, glänzten sie zwischen den Steinen und den feuchten, dunklen Farnzweigen. Eine kleine Brise brachte für einen Augenblick ein paar Tropfen mit, die von den seichten Wasserflächen hochgespritzt wurden.

»Bist du noch nie hier gewesen?« fragte Ta-Kominion, als Kelderek auf den Umriß des Felsens starrte, der zwischen seinen Augen und den darüber ziehenden Wolken vornüber zu stürzen schien. »Das sind die Zweiseitigen Felsen.«

»Ich war einmal vor vielen Jahren hier, aber damals war ich zu jung, um mich zu fragen, wie die Felsen hergebracht wurden – oder warum.«

»Die Felsen waren von Anfang an hier, wurde mir gesagt. Aber die Männer, welche auf Quiso die Terrassen anlegten, die bearbeiteten sie – wie andere vielleicht eine Hecke schneiden oder einen Baum formen –, um die Herzen der nach Ortelga kommenden Pilger zu verwundern. Denn hier pflegten sich die Pilger zu versammeln, um über den Dammweg geführt zu werden.«

»Dann ist dieser Ort wie Quiso unserem Herrn Shardik geweiht, und er hat uns deshalb hierhergebracht.«

Die Tuginda stand in einiger Entfernung an einer offenen Stelle zwischen den Farnen. Sie wandte ihnen halb den Rücken zu, ihre Hände hatte sie an der Taille gefaltet und den Kopf geneigt; so blickte sie in die vom Mond beschienene Ferne. Ihre Haltung erinnerte Kelderek an den Augenblick, als sie am Rand der Grube gestanden hatte und wußte, daß kein anderer als Shardik unten zwischen den Trepsisranken lag. Sie war offensichtlich nicht in Betrachtung versunken, sondern schien eher einen Zustand erhöhter Wachsamkeit erreicht zu haben, in dem sie sich mit Entzücken ihrer ganzen Umgebung bewußt war. Doch ebenso deutlich war es, daß ihre Augen durch den Farnhain schweiften, wie sie Wasser abgesucht hätten, um – zumindest teilweise – das Leben darin, die Stille des Weihers wahrzunehmen. Einen Moment lang begriff Kelderek, daß nicht nur jetzt, sondern immer sein Auge von Spiegelungen einer Oberfläche erfüllt war, die ihr Blick unbehindert durchdrang. Sie schien in das schwüle Dunkel zu starren wie auf ein wunderbares Schauspiel, einen Tanz von Licht und Blumen. Doch immer noch hatte sie jenes direkte und kluge Auftreten, das ihn beim Terethstein auf Quiso zugleich enttäuscht und beruhigt hatte. Hätte ihr Gebet aus Worten bestanden, so hätte sie vielleicht von Leder, Holz und Brot gesprochen.

Ta-Kominion blieb stehen, zog seinen Arm aus dem Keldereks und lehnte sich an eine der Felswände, wobei er die Stirn an den kühlen Stein drückte.

»Ist das die Tuginda?«

»Ja.« Er wunderte sich einen Augenblick, dann erinnerte er sich, daß Ta-Kominion sie nie ohne Maske – vielleicht sogar überhaupt nie gesehen hatte.

»Bist du sicher?«

Kelderek antwortete nicht.

»Das Mädchen hat gesagt, sie bete.«

»Jawohl, sie betet.«

Ta-Kominion zog die Schultern hoch und richtete sich auf. Sie gingen weiter. Als sie noch ein kleines Stück von ihr entfernt waren, wandte sich die Tuginda ihnen zu. Im Mondlicht war ihr Gesicht erfüllt von der ruhigen, stillen Freude, die den dunklen Wald und die gefährliche und unsichere Umgebung von Ortelga eher einzuhüllen und zu heiligen schien, als sie übernatürlich erscheinen zu lassen. In Keldereks Augen strömte Gläubigkeit von ihr aus wie Licht von einer Laterne.

»Sie ist es«, dachte er in einem raschen Anfall von Selbsterkenntnis, »sie, nicht ich, durch die Shardiks Macht umgestaltet und in einen Segen für uns alle verwandelt werden wird. Ihre Annahme und ihr Glaube, seine Macht und seine Wildheit – sie sind ein und dasselbe. Er ist schwach wie ein stummes, unwissendes Geschöpf. Sie ist stark wie die Lilienschößlinge, die selbst große Steine nicht daran hindern können, durch die Erde zu brechen.«

Sie standen vor ihr, und Kelderek hob die Hand an seine Stirn. Ihr Lächeln, mit dem sie den Gruß erwiderte, war wie ein übereinstimmender Schritt bei einem fröhlichen Tanz, ein Austausch von Vertrauen und gegenseitiger Achtung.

»Wir haben dich gestört, Saiyett.«

»Nein, wir alle tun das gleiche – was immer es ist. Ich kam hierher, weil es unter den Farnen kühler ist. Aber wir wollen nun zurück zum Feuer gehen, Kelderek, wenn dir das lieber ist.«

»Deine Wünsche, Saiyett, sind die meinen und werden es immer sein.«

Sie lächelte wieder.

»Bist du sicher?«

Er nickte und erwiderte ihr Lächeln.

»Dies ist der Großbaron von Ortelga, Ta-Kominion. Er ist gekommen, um über Shardik, unseren Herrn, zu sprechen.«

»Ich fürchte, du fühlst dich nicht wohl«, sagte sie und streckte die Finger nach seinem Handgelenk aus. »Was ist geschehen?«

»Es ist nichts, Saiyett. Ich habe Kelderek aufmerksam gemacht, daß wir sehr wenig Zeit haben. Shardik, unser Herr, muß kommen –«

In diesem Augenblick ertönte irgendwo in einiger Entfernung ein entsetzlicher Schrei im Wald – ein Schrei voller Angst und Schmerz, der denen, die ihn hörten, ins Herz stach, wie der Blitz die Augen blendet und verwirrt. Einen Augenblick herrschte Stille. Dann folgte ein zweiter Schrei, der plötzlich abbrach, als stürze ein zu Tode erschrockener Mann aus einer Höhe und schlüge auf dem Boden auf.

Kelderek wechselte einen Blick mit Ta-Kominion, und sie hatten wortlos denselben Gedanken: »Das ist der Todesschrei eines Mannes.«

Numiss und sein Gefährte kamen mit gezückten Schwertern durch die Bäume auf sie zugelaufen.

»Gott sei Dank, Herr! Wir dachten –«

»Schon gut«, sagte Ta-Kominion. »Folgt mir, vorwärts!«

Er begann zu laufen, nahm seinen Weg durch die Farne und an

hohen Felsen vorbei. Die beiden Diener folgten ihm, Kelderek aber blieb bei der Tuginda und hielt mit ihr Schritt; er suchte sie zu überreden, sich nicht in Gefahr zu begeben.

»Laß dir raten, Saiyett! Warte hier, ich werde dich wissen lassen, was wir gefunden haben. Du darfst nicht dein Leben aufs Spiel setzen.«

»Jetzt besteht kein Risiko mehr«, antwortete sie. »Was geschehen ist, ist geschehen.«

»Es könnte aber –«

»Reich mir deinen Arm und hilf mir über diese Felsen. Wohin ist der junge Baron gelaufen? Das Dickicht am Waldrand ist dicht, aber wenn wir Glück haben, hat man für uns einen Weg gebahnt.«

Bald holten sie Ta-Kominion und die Diener ein, die sich mit ihren Messern durch einen Gürtel von Schlinggewächsen einen Weg hieben.

»Gibt es keinen leichteren Weg, Herr?« fragte Numiss keuchend und die Trazadadornen aus seinem Unterarm zupfend, aber er dämpfte sein Fluchen beim Anblick der Tuginda.

»Wahrscheinlich schon, aber wir müssen geradeaus dorthin gehen, woher der Schrei kam, sonst verlieren wir die Richtung und finden den Mann nicht bis zum Tagesanbruch.«

Plötzlich vernahm Kelderek einen Ton wie von Weinen und furchtsamem Wimmern. Es war eine Frauenstimme in geringer Entfernung.

»Zilthe!« rief er.

»Herr!« antwortete das Mädchen. »O kommt schnell!«

Numiss schlug sich durch die andere Seite der Schlingpflanzen einen Weg, und Kelderek folgte Ta-Kominion durch die Öffnung. Er trat unter den Bäumen heraus und blickte auf ein offenes Tal. Gegenüber, ungefähr eine halbe Meile entfernt, hing der Waldrand schwarz im Mondlicht wie ein zum Trocknen aufgehängtes Fell. Auf dem Boden konnte er gerade noch den dunklen Spalt eines Baches ausmachen, während weit zur Rechten die Gelter Berge sich undeutlich vom Nachthimmel abhoben.

Unterhalb der Stelle, wo sie standen, verlief die Straße von Ortelga nach Gelt – ein längs des Abhangs zwischen Unterholz und Gebüsch ausgetretener Pfad, gelegentlich unterbrochen von einem vor langer Zeit gefällten Baum und da und dort einem Fleck aus Steinen, die aus dem Bachbett heraufgetragen und aufs Geratewohl ausgelegt worden waren, um schlammige oder ausgebrochene Stellen auszubessern, und die durch Abnutzung mit der Zeit glatt geworden waren.

Unten am Rand der Straße hockte Zilthe, ihren Bogen neben sich, auf einem Knie, über die dunkle Form eines Körpers gebeugt. Kelderek sah, wie sie sich erhob, den Kopf wandte und zu ihm hochblickte, aber sie konnte ihn natürlich zwischen den Bäumen im Dunkel nicht sehen.

Die Tuginda kam durch die Schlingpflanzen. Er zeigte wortlos hinunter, und sie machten sich auf den Weg. Ta-Kominion winkte seinen Dienern, sie sollten ein wenig zurückbleiben, und murmelte: »Ein Toter – wo aber ist der Mörder?«

Die anderen antworteten nicht. Als sie hinkamen, trat Zilthe von der Leiche zurück. Die lag in einer Blutlache, die im Mondschein dickflüssig, still und schwarz glänzte. Eine Kopfseite war eingeschlagen und bildete eine große Wunde, und unter der linken Schulter sickerte noch Blut durch Risse im Mantel. Die Augen starrten weit geöffnet, aber den offenen Mund und die entblößten Zähne verdeckte zum Teil ein Arm, den der Mann, wohl um sich zu schützen, gehoben hatte. Er trug Stiefel mit Absätzen, Botenstiefel, und unter den Absätzen war der Boden aufgescharrt, wahrscheinlich hatte er, als er starb, mit den Füßen um sich geschlagen.

Die Tuginda legte den Arm um Zilthes Schultern, führte sie ein wenig beiseite und setzte sich neben sie. Kelderek folgte ihr. Das Mädchen weinte und war verschreckt, konnte aber sprechen.

»Unser Herr Shardik, Saiyett – er schlief. Dann erwachte er plötzlich und ging zu der Straße zurück, denselben Weg, den er heute nachmittag gekommen war. Man hätte meinen können, daß er einen besonderen Zweck verfolgte. Ich versuchte, ihm nachzugehen, aber bald lief er so schnell, als würde er jemanden verfolgen. Als ich an den Waldrand kam« – sie zeigte zur Höhe des Abhanges –, »war er schon hier unten. Er wartete – hinter die Felsen gekauert. Und dann, nach kurzer Zeit, hörte ich den Mann – ich sah ihn die Straße heraufkommen und lief aus dem Wald, um ihn zu rufen und zu warnen. Da verfing sich mein Fuß – ich strauchelte und stürzte, und als ich aufstand, kam Shardik, unser Herr, hinter den Felsen hervor. Der Mann sah ihn und schrie. Er machte kehrt und lief davon, aber Shardik, unser Herr, folgte ihm und schlug ihn zu Boden. Er – er –« In ihrer lebhaften Erinnerung schlug das Mädchen mit steif ausgestrecktem Arm und geöffneter Hand, deren Finger klauenartig gespreizt waren, in die Luft.

»Ich hätte ihn vielleicht retten können, Saiyett –« Sie begann wieder zu weinen.

Ta-Kominion trat zu ihnen, seine Zunge hing zwischen den Zähnen heraus, und er veränderte die Lage seines verwundeten Arms in der Schlinge.

»Erkennst du diesen Mann, Kelderek?« fragte er.

»Nein. Ist er aus Ortelga?«

»Ja. Er heißt Naron und war ein Diener.«

»Wessen?«

»Er diente bei Fassel-Hasta.«

»Fassel-Hasta? Was will er dann hier?«

Ta-Kominion zögerte, warf einen Blick zurück zu Numiss und seinem Gefährten, die die Leiche auf die andere Seite des Weges trugen und sich bemühten, sie halbwegs zu säubern. Dann nahm er eine blutbespritzte Ledertasche, öffnete sie und zeigte der Tuginda zwei mit Pinselschrift bedeckte Rindenstreifen.

»Kannst du diese Botschaft lesen, Saiyett?« fragte er.

Die Tuginda nahm die steifen, gebogenen Blätter und hielt zuerst das eine, dann das andere auf Armlänge ins Mondlicht. Ta-Kominion und Kelderek konnten nichts aus ihrem Gesichtsausdruck entnehmen. Schließlich erhob sie sich, schob die Blätter zurück in die Tasche und reichte sie dem Baron.

»Hast du sie gelesen, Saiyett?«

Sie nickte einmal, anscheinend zögernd, als wollte sie, wenn sie es könnte, die Kenntnis der Botschaft lieber verleugnen.

»Verrät es uns, was der Mann hier machte?« fragte Ta-Kominion beharrlich.

»Er brachte die Nachricht von den heutigen Vorfällen in Ortelga nach Bekla.« Sie wandte sich ab und blickte in das Tal.

Ta-Kominion stieß einen Ruf aus, und die Diener auf der anderen Straßenseite blickten erschrocken nach oben.

»O Gott! Es ist die Nachricht, daß wir den Dammweg überschritten haben und was wir vorhaben?«

Sie nickte wieder.

»Das hätte ich mir denken können! Warum habe ich nicht meine eigenen Leute zur Bewachung der Straße aufgestellt? Dieser verräterische –«

»Die Straße *wurde* für uns beobachtet«, sagte Kelderek. »Es war gewiß kein Zufall, daß Zilthe strauchelte, bevor sie den Mann warnen konnte. Shardik, unser Herr – *er* wußte, was geschehen mußte!«

Sie starrten einander an, während der lange Schatten des Waldes im Licht des untergehenden Mondes tiefer über den Abhang kroch.

»Aber Fassel-Hasta – warum hat er das getan?« fragte Kelderek schließlich.

»Warum? Aus Gier nach Reichtum und Macht, natürlich. Ich hätte es erraten müssen. Er war es stets, der mit Bekla in Verbindung stand. ›Ja, Herr.‹ ›Ich werde es für Euch schreiben, Herr.‹ Beim Bären! Ich werde heute mit einem glühenden Messer auf sein Gesicht schreiben! Damit fange ich an. Numiss, du kannst die Leiche den Bussarden lassen – wenn sie sie haben wollen.«

Seine lauten Worte hallten wider und schreckten ein paar Tauben aus der Bachrinne unter ihnen auf. Sie flogen geräuschvoll hoch, über die Straße und hinauf in den Wald, und Ta-Kominion, der ihren Flug beobachtete, zeigte plötzlich nach oben.

Vom Waldrand blickte Shardik hinunter ins Tal. Einen Augenblick sahen sie ihn deutlich, seine dunkle Gestalt hob sich gegen die Baumreihe ab wie ein offenes Tor in einer Stadtmauer. Als dann Kelderek die Arme zum Gruß und im Gebet erhob, machte der Bär kehrt und verschwand im Dunkel.

»Gott sei bedankt!« rief Ta-Kominion. »Shardik, unser Herr, hat uns vor dem Teufel gerettet! Hier – hier ist dein Zeichen, Kelderek! Unser Wille ist Shardiks Wille – unser Plan wird gelingen! Keine Kinderspiele am Strand mehr für dich, mein Junge! Du und ich, wir werden in Bekla herrschen! Was brauchst du? Sag es mir, und eine Stunde nach Sonnenaufgang sollst du es haben.«

»Horch!« sagte die Tuginda und legte die Hand auf seinen Arm.

Aus dem Wald kamen leise Rufe. »Saiyett!« – »Kelderek, Herr!«

»Neelith hat wohl Rantzay geweckt, als sie den Mann schreien hörte«, sagte Kelderek. »Sie suchen uns. Zilthe, geh hinauf und bringe sie herunter. Du hast doch keine Angst?«

Das Mädchen lächelte. »Jetzt nicht mehr, Herr.«

Als sie sich auf den Weg nach oben machte, wandte sich die Tuginda an Kelderek.

»Von was für einem Plan spricht er?« fragte sie.

»Ta-Kominion wird unser Volk gegen Bekla führen, Saiyett, um zurückzugewinnen, was von alters her rechtlich uns gehört. Sie haben den Telthearna überschritten –«

»Im Augenblick sind sie schon auf dem Marsch«, sagte Ta-Kominion.

»Und unser beider Rolle ist es, Saiyett«, fuhr Kelderek eifrig fort, »unseren Herrn Shardik dorthin zu bringen. Der Baron wird uns Handwerksleute geben, um einen Käfig auf Rädern zu bauen, und Männer, um ihn zu ziehen –«

Er brach für einen Augenblick ab, als er ihrem ungläubigen Blick begegnete; aber sie sagte nichts, und er fuhr fort:

»Wir werden ihn betäuben, wie in den ersten Tagen, Saiyett. Ich weiß, es wird schwierig sein, auch gefährlich, aber ich habe keine Angst. Dem Volk zuliebe –«

»Ich habe noch nie im Leben solchen Unsinn gehört«, sagte die Tuginda.

»Saiyett!«

»Diesen Versuch werden wir nicht machen. Es ist klar, daß du von Shardik, unserem Herrn, oder von der wahren Natur seiner Macht nichts verstehst. Er ist kein Werkzeug und keine Waffe, die man für die weltliche Habgier der Menschen benutzen kann. Nein« – sie hob abwehrend die Hand, als Ta-Kominion sprechen wollte –, »nicht einmal für den materiellen Nutzen von Ortelga. Was Gott uns durch Shardik zu gewähren geruht, sollten wir mit Demut und Dank zu empfangen bereit sein. Wenn die Menschen an Shardik glauben, ist es ihr Glück. Aber du und ich – wir bestimmen dieses Glück nicht und erweisen es nicht. Ich habe Shardik, unseren Herrn, betäubt, um ihm das Leben zu retten. Er wird nicht betäubt werden, um in einem Käfig nach Bekla gebracht zu werden.«

Ta-Kominion schwieg eine Weile, die Finger seines verwundeten Armes, der in der Schlinge hing, trommelten leise an seine linke Seite. Endlich sagte er: »Und als Shardik vor langer Zeit zu den Terrassen gebracht wurde, Saiyett, wie wurde er hingebracht, wenn ich fragen darf, wenn nicht betäubt und gefesselt?«

»Das Mittel wurde für einen von Gott bestimmten Zweck verwendet, damit seine Diener ihm dienen konnten. *Du* aber beabsichtigst, ihn zu einer Waffe im blutigen Kampf für deine eigenen Zwecke zu machen.«

»Die Zeit drängt, Saiyett. Ich habe keine Zeit für Streitereien.«

»Es gibt keinen Streitpunkt.«

»Keinen«, erwiderte Ta-Kominion leise und scharf.

Er trat vor und faßte die Tuginda mit festem Griff am Handgelenk. »Kelderek, du bekommst in zwei Stunden deine Handwerker; das Eisen und das schwere Material wird vielleicht etwas mehr Zeit erfordern. Vergiß nicht, alles hängt von unserer Entschlossenheit ab. *Wir* werden das Volk nicht enttäuschen, du und ich.«

Einen Moment blickte er Kelderek an, und sein Blick besagte: »Bist du ein Mann, wie du behauptest, oder ein der Fuchtel einer Frau noch nicht entwachsenes Kind?« Dann rief er, ohne das Handgelenk der Tuginda loszulassen, seine Diener, die zögernd aus dem Gebüsch von der anderen Straßenseite herankamen.

»Numiss«, sagte Ta-Kominion, »die Saiyett begleitet uns zu Zelda und dem Heer, die wir auf der Straße treffen werden.«

Er zog den Arm aus der Lederschlinge. »Nimm das und fessele ihr die Hände auf dem Rücken.«

»Herr – mein Herr«, stammelte Numiss, »ich fürchte . . .«

Ohne ein weiteres Wort zog Ta-Kominion mit vor Schmerz zusammengepreßten Zähnen die Hände der Tuginda auf ihren Rücken und band sie fest mit dem Lederriemen zusammen. Dann legte er das freie Ende in Numiss' Hand. Währenddessen hielt er das Messer zwischen den Zähnen, sichtlich bereit, es zu benutzen, aber sie wehrte sich nicht, sondern stand wortlos mit geschlossenen Augen und preßte die Lippen zusammen, als der Riemen sie in die Gelenke schnitt.

»Nun wollen wir gehen«, sagte Ta-Kominion. »Glaube mir, Saiyett, es tut mir leid, daß ich dich so entwürdigend behandeln muß. Zwinge mich bitte nicht durch Hilferufe, dich zu knebeln!«

Die Tuginda wandte sich in der fast völligen Dunkelheit des Mondunterganges um und blickte auf Kelderek. Einen Moment lang trafen sich ihre Augen, dann senkten sie sich, und er blickte nicht auf, als er hörte, wie die Tuginda über den Pfad davonstolperte. Als er es dann endlich tat, war sie mit Ta-Kominion schon eine Strecke weit gegangen. Er lief ihnen nach, und Ta-Kominion wandte sich rasch, mit dem Messer in der Hand, um.

»Ta-Kominion!« keuchte er. »Tu ihr kein Leid an! Sie darf nicht gekränkt oder mißhandelt werden! Sie darf nicht Schaden leiden! Versprich es mir!«

»Ich verspreche es dir, Hoher Priester von Shardik, unserem Herrn, in Bekla.«

Kelderek blieb zögernd stehen, noch hoffte er, sie würde jetzt etwas sagen. Doch sie schwieg, und bald waren sie außer Seh- und Hörweite, verschwunden im Nebel und im Dunkel des Tales. Einmal vernahm er Ta-Kominions Stimme. Dann war er allein in der Einsamkeit.

Er machte kehrt und ging langsam zurück, vorbei an dem in seinen blutigen Mantel gehüllten Toten, vorbei an dem Felsen, wo Shardik wartend gelegen hatte. Links von ihm, über dem düsteren Wald, zeigte sich das erste Licht am Himmel. Noch war kein Streich im Krieg getan worden, und dennoch war er erfüllt von einem Gefühl der Verlassenheit und Gefahr, vom Bewußtsein, schon unwiderruflich beteiligt zu sein an einer verzweifelten Unternehmung, die, wenn sie nicht gelang, nur mit Vernichtung und Tod enden konnte. Er sah sich in dem leeren, im Zwielicht liegenden Tal mit einer Art verwundertem Staunen um, wie es ein bösartiges Kind empfinden mag, wenn es eine brennende Fackel an einen Holzstoß oder an ein Dach hält und merkt, daß es nur langsam Feuer fängt und nicht augenblicklich auflodert, wie es sich das vorgestellt hat. War Verzweiflung denn eine so langsame Angelegenheit?

Er hörte, wie sein Name von der Anhöhe gerufen wurde, drehte sich um und sah Rantzays hohe Gestalt mit sechs oder sieben Mädchen herunterkommen. Sofort verließ ihn seine Sorge, und er ging ihnen mit klarem Sinn und zielbewußt entgegen.

»Zilthe hat uns erzählt, wie Shardik, unser Herr, den Verräter aus Ortelga niedergeschlagen hat. Ist alles in Ordnung? Wo ist die Tuginda und der junge Baron?«

»Sie – sie sind zusammen ins Tal gegangen. Das Heer ist schon losgezogen, und sie haben sich ihm angeschlossen. Es ist Shardiks, unseres Herrn, Wille, an dem Marsch gegen Bekla teilzunehmen. Du und ich, wir müssen diesen Willen ausführen, und wir dürfen keine Zeit verlieren.«

»Was sollen wir tun, Herr?«

»Hast du noch das Schlafmittel im Lager – das Mittel, das für die Heilung unseres Herrn Shardik verwendet wurde?«

»Wir haben es und noch andere Medikamente, aber keine in großen Mengen.«

»Es wird schon ausreichen. Du sollst nun unseren Herrn Shardik suchen und ihn betäuben; wie läßt sich das am besten machen?«

»Er nimmt es vielleicht in der Nahrung zu sich, Herr. Wenn nicht, müssen wir warten, bis er schläft, und es ihm dann einimpfen. Das wäre sehr gefährlich, aber man könnte es versuchen.«

»Du hast Zeit bis zum Sonnenuntergang. Wenn man ihn auf die eine oder andere Weise hier in die Nähe bringen könnte, wäre das ein Vorteil. Er darf nicht im dichten Wald einschlafen, sonst würde alles mißlingen.«

Rantzay runzelte die Stirn und schüttelte über die schwere Aufgabe den Kopf. Sie wollte wieder sprechen, aber Kelderek kam ihr zuvor.

»Wir *müssen* es versuchen, Rantzay. Wenn es Gottes Wille ist – und das ist es, wie ich weiß –, wird es dir gelingen. Shardik, unser Herr, muß um jeden Preis noch vor dem Sonnenuntergang betäubt sein.«

In diesem Augenblick hörten sie von ferne wirre Geräusche, aber noch so leise, daß sie nur zwischen den Windstößen der Morgenbrise zu vernehmen waren. Während sie lauschten, wurde das Getöse lauter, bis sie Metallklänge und Menschenstimmen, einen Befehlsruf und Gesangsfetzen ausmachen konnten. Schließlich sahen sie im zunehmenden Licht weit unter sich eine langsam fortschreitende, staubige Linie, die wie verschüttetes Wasser auf einem gepflasterten Boden vorankroch. Die Vorhut von Ta-Kominions Heer kam das Tal herauf.

»Vergiß deine Zweifel, Rantzay«, sagte Kelderek schnell, »und handle aus wahrem Glauben daran, daß es ausgeführt werden kann, dann wird alles gutgehen. Ich gehe Ta-Kominion entgegen. Später komme ich zurück, und du wirst mich hier finden. Sheldra und Neelith, ihr kommt mit mir.«

Als er zwischen den beiden schweigenden Mädchen den Hügel hinunterging und der Lärm der Marschierenden zu ihnen hochstieg, fühlte er, wie seine stummen Gebete zu ihm zurückkamen. Ob er recht getan hatte oder nicht, konnte sich nur durch den Ausgang erweisen. Aber Ta-Kominion war sicher, daß es Shardiks göttliche Absicht war, das Heer zum Sieg zu führen. »Du und ich, wir werden in Bekla herrschen.« – »Und wenn der Tag kommt«, dachte er, »wird die Tuginda gewiß einsehen, daß alles zum Besten geschah.«

18. Rantzay

Rantzay kniete am Waldrand über den nur undeutlich auf dem harten Boden sichtbaren Spuren. Sie führten nach Westen in das dichte Unterholz, und wo sie verschwanden, war die Rinde eines Kalmetbaumes hoch oben von den Klauen des Bären weißlich aufgerissen worden. Sie wußte, daß es noch keine zwei Stunden her war, seit Shardik vorsätzlich auf der Lauer gelegen und einen Mann erschlagen hatte. In dieser Stimmung konnte er wieder töten – vielleicht lag er auf der Lauer nach jenen, die ihn suchten, oder stahl sich, lautlos und auf Umwegen, durch den Wald, bis er hinter sie gelangte und aus den Verfolgern Verfolgte wurden.

Die Anstrengung des letzten Monats kam bei der Priesterin zunehmend zum Ausdruck. Sie war die älteste der Frauen, die Shardik über Ortelga und quer über den Dammweg des Telthearnas gefolgt waren, und obwohl ihr Glaube an seine göttliche Macht nicht durch den leisesten Zweifel gestört war, hatte sie – je mehr Tage vergingen – die Härte des Lebens und die ständige Todesfurcht immer stärker empfunden. Junge Menschen riskierten ihr Leben unbekümmert – oft geradezu zum Spaß –, aber ältere, die vielleicht demütiger und selbstloser werden, werden auch vorsichtiger und mehr bedacht auf ihr eigenes Leben, jene kurze Zeit, in der sie etwas zu schaffen hoffen, das letzten Endes wert ist, Gott dargeboten zu werden. Rantzay, die Lehrerin der Novizinnen und Hüterin der Terrassen, war durch das plötzliche Kommen Shardiks wie ein Dieb in der Nacht nicht wie Melathys nichtsahnend überrascht worden. Von dem Augenblick an, als die Botschaft der Tuginda nach Quiso gelangt war, hatte sie gewußt, was von ihr erwartet wurde. Seither hatte sie Tag für Tag ihren hageren, alternden Körper über die felsigen Hügel und durch das Dickicht der Insel geschleppt, hatte gegen die eigene Furcht angekämpft, während sie manches halb hysterische Mädchen beruhigte und überredete, wieder an dem Gesang teilzunehmen; oder sie hatte selbst den Platz des Mädchens eingenommen und nochmals gespürt, wie langsam ihre Muskeln sich den wendigen, unvorhersehbaren Bewegungen des Bären anglichen. Die in Quiso unter den Bäumen am Ufer niedergeschlagene und getötete Frau, Anthred, war zuerst ihre Dienerin, dann ihre Schülerin und schließlich ihre beste Freundin gewesen. Einmal, im Traum, hatte sie sie wie ihr eigenes Kind umarmt, und sie hatten gemeinsam jenen

Tag in der Regenzeit aus ihrer Erinnerung gelöscht, an dem Rant-zays enttäuschter Vater, geängstigt durch ihre Wachträume, ihre Ohnmachtsanfälle und die Stimmen, die dann aus ihr sprachen und lallten, zum Großbaron gegangen war, um seine häßliche Tochter, diese heiratsunfähige Bohnenstange, dem Dienst auf den Terrassen zu übergeben. Während sie den traditionellen Ritus des Verbren-nens von Anthreds Köcher, Bogen und Holzringen auf ihrem Grab bei der Telthearna-Durchfahrt ausführte, fiel ihr der Traum wieder ein.

Mit welchen Mitteln sollte Shardik ins Freie gebracht und betäubt werden? Und wenn sie die falschen Mittel wählte, wie viele Men-schenleben würden umsonst geopfert werden? Sie ging zu den Mäd-chen zurück, die in einiger Entfernung beisammen standen und ins Tal hinunterblickten.

»Wann hat er das letztemal gefressen?«

»Niemand hat ihn fressen sehen, Herrin, seit er gestern morgen Ortelga verließ.«

»Dann wird er wahrscheinlich jetzt Nahrung suchen. Die Tuginda und Kelderek, der Herr, sagten, er soll betäubt werden.«

»Könnten wir ihm nicht folgen, Herrin«, sagte Nito, »und Fleisch oder Fisch, mit Tessik präpariert, für ihn auslegen?«

»Kelderek, der Herr, sagt, er darf nicht im dichten Wald ein-schlafen. Er soll, wenn möglich, hierher zurückkommen.«

»Hierher wird er kaum zurückkehren, Herrin«, sagte Nito und wies mit dem Kopf in Richtung der Straße unter ihnen.

Am Fuß des Hügels brannten bereits Feuer, und der Lärm vieler arbeitender Männer drang nach oben: dringende Befehle oder War-nungen, die Schläge eines Hammers auf Eisen, das Knistern einer mit Blasebälgen angefachten Flamme, das Geräusch einer Säge, das Tap-tap-tap von Meißel und Schlegel. Sie sahen, wie Kelderek von einer Gruppe zur anderen ging, Befehle erteilte, erklärte, beim Sprechen nickte. Während sie zusahen, verließ ihn Sheldra und kam schnell zu ihnen heraufgeklettert. Ungerührt wie gewöhnlich trat sie vor Rantzay und hob die Hand an die Stirn.

»Kelderek, der Herr, läßt fragen, ob Shardik sich schon weit ent-fernt hat und was geschehen soll.«

»Er hat gut fragen – und dabei ist er ein Jäger. Hält er es für wahrscheinlich, daß Shardik in der Nähe von diesem stinkenden Rauch und Tumult bleibt?«

»Kelderek, der Herr, hat angeordnet, daß einige Ziegen ins Tal hinübergetrieben und am Waldrand angebunden werden sollen. Er hofft, daß Shardik, unser Herr, wenn man ihn daran hindern kann, anderswo zu jagen oder zu fressen, vielleicht zu ihnen kommt und daß du, Mutter Oberin, eventuell die Möglichkeit findest, ihn dort zu betäuben.«

»Geh zurück und sage Kelderek, dem Herrn, wir werden mit Gottes Hilfe eine Möglichkeit finden, wenn es sich machen läßt. Zilthe, Nito, geht zum Lager zurück und bringt, was ihr an Fleisch finden könnt sowie alles Tessik, das dort ist – die grünen Blätter und auch das getrocknete Pulver. Und ihr müßt auch die andere Droge bringen – das Theltocarna.«

»Aber Theltocarna kann man doch nur in einer Wunde verabreichen, nicht in Speisen, Mutter Oberin: es muß mit dem Blut vermischt werden.«

»Das weiß ich so gut wie du«, schnauzte Rantzay sie an, »und ich habe dir schon gesagt, du sollst es herbringen. Dort sind sechs oder sieben zwischen Moos in einer Holzkiste mit versiegeltem Deckel verpackte Gallenblasen. Behandelt sie vorsichtig – die Blasen dürfen nicht zerreißen. Ich werde, wo immer wir sein werden, eines von den anderen Mädchen hierher schicken, um euch zu treffen und zu uns zu führen.«

Die langwierige und gefährliche Suche nach Shardik westwärts durch den Wald dauerte bis nach Mittag, und als Zilthe endlich durch die Bäume gelaufen kam, um zu melden, daß sie den Bären am Ufer eines nicht weit entfernten Flußlaufs umherstreifen gesehen habe, war Rantzay schon nahe daran, vor Anstrengung und Müdigkeit zusammenzubrechen. Langsam folgte sie dem Mädchen durch einen Myrthenhain auf ein mit hohem, gelbem Gras bewachsenes Gelände, in dem Insekten in der Sonne summten. Dort zeigte Zilthe auf das Flußufer.

Shardik ließ nicht erkennen, daß er sie gesehen hatte. Er fischte – stieg spritzend ins Wasser und wieder heraus und schaufelte dann und wann einen Fisch heraus, den er auf dem steinigen Ufer hüpfen ließ, dann hielt er ihn nieder und fraß ihn in zwei oder drei Bissen. Rantzay beobachtete ihn, ihr Mut schwand. Sie wagte es nicht, sich ihm zu nähern. Sie wußte, die Mädchen würden ihr den Gehorsam nicht verweigern, wenn sie ihnen befahl, es zu tun. Aber wozu sollte das gut sein? Angenommen, es gelang ihnen irgendwie, ihn vom

Ufer zu verjagen, was dann? Wie sollten sie ihn vorwärts treiben oder veranlassen, in die Richtung zurückzukehren, aus der er gekommen war?

Sie ging zurück zu den Bäumen und legte sich nieder, das Kinn auf die Hände gestützt. Die Mädchen sammelten sich um sie und warteten darauf, daß sie etwas sagen würde, doch sie schwieg. Die Schatten bewegten sich vor ihren Augen über den Boden, und die Fliegen setzten sich an ihre Mundwinkel. Die Hitze war drückend, aber Rantzay ließ keinerlei Unbehagen merken, nur dann und wann erhob sie sich, um nach dem Bären zu sehen, dann legte sie sich wieder hin.

Schließlich verließ Shardik das Flußufer und streckte sich unweit der Stelle, wo die Priesterin lag, auf einem Fleck mit großen Schierlingspflanzen aus. Sie hörte das hohle Geräusch der abbrechenden Stengel und sah, wie die weißen Blütendolden fielen, als der Bär sich zwischen ihnen wälzte. Es wurde wieder still, und es bedrückte sie erneut die Last ihrer undurchführbaren Aufgabe und die Qual ihres Entschlusses. In ihrer Bestürzung und Ermattung dachte sie voll Neid an ihre endlich von jeder Last befreite Freundin – für sie gab es nicht mehr die mühselige Hingabe an die Terrassen, nicht die andauernde Erschöpfung und Angst der letzten Wochen. Wenn man die Vergangenheit nur ändern könnte – eine ihrer Lieblingsphantasien, von der sie nie jemandem, auch Anthred nicht, erzählt hatte. Wenn sie die Macht hätte, die Vergangenheit zu verändern, an welchem Punkt würde sie eingreifen? In jener Nacht vor einem Monat am Strand von Quiso? Diesmal würde sie sie nicht ins Inselinnere führen, sie würde die nächtlichen Boten, Shardiks Herolde, zurückweisen.

Es war dunkel. Es war Nacht. Wieder standen sie und Anthred auf dem steinigen Ufer, die flache, grüne Laterne zwischen sich, und schlugen mit ihren Stöcken spritzend auf das seichte Wasser.

»Kehrt um!« rief sie ins Dunkel. »Kehrt um, zurück, woher ihr gekommen seid! Ihr hättet nie kommen dürfen! Ich – ja, ich selbst – bin Gottes Stimme, und das ist die Botschaft, die ich euch mitzuteilen habe!«

Sie spürte, wie Anthred ihren Arm faßte, schob sie aber zur Seite. Die windlose, mondlose Dunkelheit lag dicht um sie, nur der Himmel wies noch eine schwache Spur von Licht auf. Etwas kam langsam platschend und schwerfällig ans Ufer. Eine riesige, schwarze

Gestalt ragte über ihr auf, während der gesenkte Kopf sich von einer Seite zur anderen drehte; das Maul war offen, der Atem stinkend und scharf. Sie stand dem Bären gebieterisch gegenüber. Wenn er und sie erst einmal verschiedene Wege gegangen sein würden, dann – ach, dann würde sie mit Anthred zurückkehren in ihre Mädchenzeit, würde für immer Quiso den Rücken kehren. Sie hob ihren Arm und wollte eben wieder zu sprechen beginnen – aber mit einem weichen, zottigen Platschen nasser Füße wanderte die Erscheinung an ihr vorbei und verschwand in der waldigen Insel.

Das Licht blendete sie, und der Lärm zankender Vögel drang an ihr Ohr. Rantzay sah sich verwundert um. Sie stand knietief in dem trockenen, gelbbraunen Gras. Die Sonne war mit einem dünnen Wolkenvlies bedeckt, und plötzlich lief in der Ferne ein lang anhaltendes Donnerrollen über den Himmelsrand. Ein Insekt hatte sie in den Hals gestochen, und als sie mit den Fingern über die Stelle strich, zog sie sie blutbeschmiert zurück. Sie war allein. Anthred war tot, und sie selbst stand in dem vertrockneten, rauhen Wald südlich des Telthearnas. Tränen flossen über ihr hageres, staubiges Gesicht, als sie sich vorgebeugt auf ihren Stab stützte.

Nach einiger Zeit biß sie sich fest in die Hand, richtete sich auf und sah sich um. Aus einiger Entfernung blickte Nito unter den Bäumen herüber, dann kam sie näher und starrte sie ungläubig an.

»Mutter Oberin – was – der Bär – was hast du getan? Bist du unverletzt? Warte – lehne dich an mich. Ich – oh, ich hatte solche Angst – ich habe solche Angst –«

»Der Bär?« sagte Rantzay. »Wo ist der Bär?«

Als sie sprach, bemerkte sie zum erstenmal einen breiten, neben sich im Gras ausgetretenen Pfad und darauf, breiter als Dachziegel, da und dort Shardiks Spuren. Sie beugte sich nieder. Der Geruch des Bären war deutlich wahrnehmbar; er konnte hier, erst nachdem sie ihn zuletzt zwischen dem Schierling gesehen hatte, gegangen sein. Benommen hob sie die Hände ans Gesicht und wollte Nito gerade fragen, was geschehen sei, als sie sich noch eines weiteren körperlichen Elends bewußt wurde; ihre Tränen rannen wieder – Tränen der Scham und der Erniedrigung.

»Nito, ich – ich gehe hinunter zum Fluß. Sage den Mädchen, sie sollen sofort Shardik, unserem Herrn, folgen. Dann erwarte mich hier. Wir beide werden sie später einholen.«

Im Wasser zog sie sich aus und wusch ihren Körper und ihre beschmutzten Kleider, so gut sie konnte. Auf Quiso hatte sie es leichter gehabt; Anthred hatte es oft zu erkennen vermocht, wenn einer ihrer Anfälle sie überkam, und ihr geholfen, ihre Würde und Autorität zu wahren. Nun gab es keines unter den Mädchen, die sie als Freundin hätte betrachten können. Als sie sich umsah, bemerkte sie Nito, die diskret unter den Bäumen umherschlenderte. Das Mädchen wußte wohl, was geschehen war, und würde es natürlich den anderen erzählen.

Sie durften nicht zu lange warten, wenn sie die anderen einholen wollten. Sich selbst überlassen, würden die Mädchen nicht ihre Fassung bewahren, und wenn Shardik tatsächlich – es wäre ein unglaublicher Glücksfall – dorthin zurückkehren sollte, woher er gekommen war, konnte man sich, ohne daß sie bei ihnen war, nicht darauf verlassen, daß die Mädchen ihr Äußerstes – wenn notwendig, bis zum Tode – täten, um die Weisungen der Tuginda auszuführen.

Sie und Nito waren noch nicht weit gegangen, als ihr klar wurde, daß der Anfall sie geschwächt und abgestumpft hatte. Sie sehnte sich nach Ruhe. Vielleicht, dachte sie, würde Shardik vor dem Abend stehenbleiben oder von der Richtung abweichen, und dann würde Kelderek, der Herr, ihnen noch einen Tag Zeit lassen müssen. Aber jedesmal, wenn sie ein Mädchen trafen, das auf sie wartete, um ihnen die Richtung anzugeben, erfuhren sie, daß der Bär weiter nach Südosten wanderte, in Richtung des Hügellandes unterhalb von Gelt.

Der Abend kam heran. Rantzays Gangart glich nur noch einem Hinken von einem Baumstamm zum anderen, aber auch weiterhin mahnte sie Nito, die Augen offenzuhalten, um sich des richtigen Wegs zu vergewissern, und mitunter zu rufen, in der Hoffnung, von vorne eine Antwort zu erhalten. Sie bemerkte nur vage die Dämmerung, dann und wann Donner in der Ferne und heftige Windstöße. Einmal sah sie Anthred unter den Bäumen stehen und wollte zu ihr sprechen, da lächelte ihre Freundin, legte einen beringten Finger an die Lippen und verschwand.

Schließlich, irgendwann mitten in der Nacht, sah sie sich im hellen Mondschein um und bemerkte, daß sie die Mädchen eingeholt hatte. Sie standen dicht beisammen, eine flüsternde Gruppe; als sie aber, auf Nitos Arm gelehnt, näher kam, wandten sie sich alle ihr zu und verstummten. Ihr erschien das Schweigen wie Abneigung und Groll. Wenn sie am Ende ihres bitteren Marsches auf Kameradschaft oder

Mitgefühl gehofft hatte, wurde sie entschieden enttäuscht. Sie reichte Nito ihren Stab und richtete sich auf, fast hätte sie aufgeschrien, als sie mit dem ganzen Gewicht auf ihren wunden und mit Blasen bedeckten Fußsohlen auftrat.

»Wo ist Shardik, unser Herr?«

»Ganz in der Nähe, Mutter Oberin – keinen Bogenschuß weit. Er schläft, seit der Mond aufgegangen ist.«

»Wer ist das?« fragte Rantzay mit einem Blick auf die Sprecherin. »Sheldra? Ich dachte, du bist bei Kelderek, dem Herrn. Wie kommst du hierher? Wo sind wir?«

»Wir sind ein wenig oberhalb von dem Tal, Mutter Oberin, das du heute morgen verlassen hast, und am Waldrand. Zilthe kam hinunter ins Lager, um Kelderek, dem Herrn, mitzuteilen, daß Shardik zurückgekommen ist, aber sie war todmüde, deshalb schickte er mich an ihrer Stelle hierher. Er sagt, daß Shardik, unser Herr, heute nacht betäubt werden muß.«

»Wurde schon ein Versuch gemacht, ihn zu betäuben?«

Keine Antwort.

»Nun?«

»Wir haben unser möglichstes getan, Mutter Oberin«, sagte ein anderes Mädchen. »Wir haben zwei Lendenstücke mit Tessik präpariert und sie so nahe von ihm, wie wir es wagten, ausgelegt, aber er hat sie nicht angerührt. Wir haben kein Tessik mehr. Wir können nur warten, bis er erwacht.«

»Bevor ich Kelderek, den Herrn, verließ«, sagte Sheldra, »traf ein Bote von Ta-Kominion aus Gelt ein. Er ließ sagen, daß der Kampf voraussichtlich übermorgen stattfinden werde und daß Shardik um jeden Preis hinkommen müsse. Seine Worte waren: ›Die Stunden sind jetzt kostbarer als Sterne.‹«

Von den Höhen bis zum Süden flackerte der Blitz zwischen den Bäumen. Rantzay humpelte die wenigen Meter hinüber zum Waldrand und blickte ins Tal. Das Rauschen des Baches bebte in der Luft. Links in der Ferne konnte sie die Lagerfeuer erkennen, wo die Tuginda und Kelderek wohl jetzt auf Nachricht warteten. Sie dachte an die schwarze Gestalt, die im nächtlichen Dunkel durch das wäßrig seichte Gras an ihr vorbeigeschritten war, und an Anthred, deren Hände mit geflochtenen Ringen, die sie selbst am Strand verbrannt hatte, geschmückt waren und die ihr unter den Bäumen zugelächelt hatte. Diese Zeichen waren klar genug. Die Situation war eigentlich einfach. Erforderlich war nur eine Priesterin, die ihre Pflicht kannte und fähig war, sie entschlossen zu erfüllen.

Sie näherte sich wieder den Mädchen. Die zogen sich vor ihr zurück und starrten stumm ins Dunkel.

»Ihr sagt, daß Shardik, unser Herr, in der Nähe ist. Wo?«

Eines der Mädchen zeigte in die Richtung. »Geh hin und vergewissere dich, ob er noch schläft«, sagte Rantzay. »Ihr hättet ihn nicht unbeobachtet lassen dürfen. Ihr alle verdient Tadel.«

»Mutter Oberin –«

»Schweig!« sagte Rantzay. »Nito, bring mir die Schachtel mit Theltocarna.«

Sie zog ihr Messer und probierte es aus. Die scharfe Klinge durchschnitt glatt ein zwischen Zeigefinger und Daumen gehaltenes Blatt, und bei dem leisesten Druck durchbohrte die Spitze beinahe die Haut an ihrem Handgelenk. Nito stand mit der Holzschachtel vor ihr. Rantzay starrte unbewegt auf die zitternden Finger des Mädchens und dann auf das reglos in ihrer eigenen, ruhigen Hand gehaltene Messer.

»Komm mit mir. Du auch, Sheldra.« Sie griff nach der Schachtel.

Sie gedachte des letzten Mals, da sie und Anthred im Hof des Oberen Tempels durchs Feuer geschritten waren; das war in der Nacht, als sie Kelderek zur Brücke der Bittsteller geführt hatten. Der Erinnerung haftete etwas Unwirkliches an, als wäre es nicht die ihre, sondern die einer anderen. Die Nachtgeräusche um sie schienen ihr verstärkt. Der trockene Wald fand ein Echo in Höhlen voll tropfenden Wassers, und ihr Körper kam ihr vor wie eine heiße Sandmasse. Das waren Symptome, die sie wiedererkannte. Sie mußte schnell handeln. Ihre Angst war irgendwo hinter ihr, suchte sie, kam ihr zwischen den Bäumen nach.

Der Bär lag auf der Seite in einem Gebüsch von Cenchuladaschößlingen, zwei hatte er niedergedrückt und abgebrochen, um sich eine Schlafstelle zu schaffen. Ein paar Meter entfernt lag eines der Fleischstücke. Wer immer sie hingelegt hatte, mußte einigen Mut gehabt haben. Die gewaltige Körpermasse des Bären war vom Mondschein und vom Blätterschatten gesprenkelt. Die zottige, im Schlaf sich hebende und senkende Flanke erschien in dem scheckigen, unsteten Licht wie eine dunkle Grasfläche. Vor dem halb geöffneten, atmenden Maul bewegten sich glitzernd die Blätter an einem der abgebrochenen Äste. Die Klauen einer ausgestreckten

Vordertatze waren aufwärts gebogen. Rantzay blieb eine Zeitlang stehen, als starrte sie auf einen tiefen, reißenden Fluß, in den sie nun springen und ertrinken müßte. Dann winkte sie den Mädchen fortzugehen und trat vor.

Sie stand vor Shardiks Rücken und blickte über seinen Leib hinweg wie hinter einem Erdwall auf den unruhigen, vom Wind bewegten Wald. Der Donner rollte durch die Hügel, und Shardik regte sich, zuckte mit einem Ohr und lag dann wieder still.

Rantzay schob ihre linke Hand tief in den Pelz. Sie konnte die Haut nicht bloßlegen und begann, das fettige, verfilzte und wie ein Schaffell von Parasiten wimmelnde Haar fortzuschneiden. Nun zitterten ihre Hände, und sie arbeitete schneller, hob sorgfältig jedes Büschel hoch, schnitt es ab und zog es dann unter dem scharfen Messer hervor.

Bald hatte sie einen großen, borstigen Fleck an der Schulter zurechtgeschnitten und die graue, salzbefleckte Haut beinahe freigelegt. Zwei oder drei Venen liefen darüber, von denen eine so dick war, daß man den langsamen Pulsschlag wahrnahm.

Rantzay wandte sich um und bückte sich nach der Schachtel an ihrer Seite. Sie nahm zwei von den kleinen öligen Blasen heraus und faßte sie mit den Fingerspitzen ihrer linken Hand. Dann stieß sie die Messerspitze in die Schulter des Bären und machte mit der Klinge einen Schnitt, der halb so lang war wie ihr Unterarm. Sofort und ohne zu zögern schob sie die Blasen in die Wunde, zog deren Ränder darüber, drückte darauf und spürte, wie sie innen zerbarsten.

Shardik warf knurrend den Kopf zurück und erhob sich auf seine Hintertatzen. Rantzay wurde zu Boden geschleudert, richtete sich auf und stand ihm gegenüber. Einen Augenblick schien es, als wolle er sie niederschlagen. Dann schwankte er vorwärts und drückte sie an seinen Leib. Er trug sie einige Schritte weit, sie hing wunderlich in seinem Griff. Dann ließ er sie fallen, schlaff wie ein altes, von der Wäscheleine gefallenes Kleid, und stolperte zu dem offenen Abhang unter den Bäumen hinaus. Er wälzte sich auf dem Boden, Schaum trat ihm aus dem Maul, und er biß und schlug auf das Gras.

Sheldra war als erste bei der Priesterin. Deren linke Hand war durch ihr eigenes Messer verletzt worden, die Zunge hing ihr aus dem Mund, und ihr Kopf lag grotesk auf ihrer Schulter wie der eines Gehängten. Als Sheldra einen Arm unter sie schob, um sie hochzuheben, drang ein furchtbares Knirschen aus dem zermalmten Körper. Das Mädchen legte sie wieder hin, und Rantzay schlug für einen Moment die Augen auf.

»Sag der Tuginda – getan, wie sie befohlen –«

Ein Blutstrom kam aus ihrem Mund, und als er versiegt war, bebte ihr hagerer, knochiger Körper ganz leise, wie die Oberfläche einer Pfütze, in die eine Fliege gefallen ist. Die Bewegung endete, und da Sheldra erkannte, daß Rantzay tot war, zog sie ihr die Holzringe von den Fingern, nahm die Theltocarna-Schachtel und das Messer an sich und begab sich zu dem Abhang, wo Shardik bewußtlos lag.

19. Nächtliche Boten

Es hatte den ganzen Tag gedauert, bis der Käfig fertig war – sofern er tatsächlich fertig war. Als Balthis, der Schmiedemeister, Keldereks Befehle hörte, zog er die Schultern hoch und beachtete sie nicht, denn er hatte gehört, Kelderek sei ein junger Bursche ohne Familie, Reichtum oder Handwerk – in seinen Augen waren Jäger keine Handwerker. Er und seine Leute besaßen vortreffliche, von ihnen selbst verfertigte Waffen und hatten angenommen, sie würden Gelegenheit haben, bei der Plünderung von Bekla – oder zumindest von Gelt – ihre Rolle zu spielen; sie nahmen es nun übel auf, daß sie aus der Kolonne gezogen und zu ihrer gewohnten Arbeit beordert wurden. Kelderek hatte vergeblich versucht, dem großen, schwerfälligen Burschen klarzumachen, welch entscheidende Bedeutung seiner Arbeit zukam, und ging zurück zu Ta-Kominion, den er in dem Augenblick traf, als er sich mit der Vorhut auf den Weg machen wollte. Ta-Kominion fluchte ungeduldig, rief Balthis zu sich unter den Baum, an dem Fassel-Hastas Leiche hing, und versprach ihm, falls der Käfig bei Einbruch der Nacht nicht fertig wäre, würde er hängen wie der Baron. Das waren Worte, die Balthis deutlich genug verstand, und er verlangte sofort doppelt so viele Männer, als er bekommen sollte. Ta-Kominion hatte es zu eilig, um zu streiten, und bewilligte ihm fünfzig Mann, darunter zwei Seiler, drei Wagner und fünf Zimmerleute. Als das Heer sich in der bereits schwülheißen Morgenluft durch das Tal voranbewegte, machten sich Kelderek und Balthis an die Arbeit.

Es wurden Boten nach Ortelga gesandt, und schon vor 12 Uhr war alles auf der Insel vorrätige Brennholz, ein großer Teil des Schnittholzes und alles Schmiedeeisen von Knaben und Frauen zum Lager gebracht worden. Die Eisenstücke waren verschieden lang und dick, viele waren so kurz, daß sie nur zum Schweißen verwendet werden konnten. Balthis ließ von seinen Männern drei Achsen und möglichst viele Eisenstangen von gleicher Länge und Dicke herstellen, die an den Enden zugespitzt und durchbohrt waren. Inzwischen bauten die Zimmerleute und Wagner aus abgelagerten Holzstücken, von denen manche noch bis zum Morgen Teile der Wände, Dächer und Tische in Ortelga gewesen waren, eine starke Plattform aus abgestützten Planken, die sie mühsam hochhebelten und auf sechs speichenlose, bis zu den Felgen volle Räder montierten.

Bis zum Abend hatten Balthis' Männer sechzig Stangen geschmiedet, geschweißt oder geschnitten – ungleiche Dinger mit rohen Kanten, die aber brauchbar genug waren, um mit der Spitze voran durch die rund um die Plattformränder gebohrten Löcher getrieben und dann mit Eisenbolzen befestigt zu werden.

»Auch das Dach muß aus Holz gefertigt werden«, sagte Balthis, der auf die aus den Planken hochragenden Stangen blickte, die wie Schilfrohr dahin und dorthin gerichtet waren. »Es gibt kein Eisen mehr, junger Mann, und es läßt sich keines auftreiben, es ist also zwecklos, sich darüber zu erregen.«

»Ein Holzdach wird auseinanderfallen«, sagte der Zimmermann. »Es wird dem Bären nicht standhalten, wenn der darauf ausgeht, es zu zerschlagen.«

»Das ist keine Arbeit für *einen* Tag«, brummte Balthis. »Nein, nicht einmal für drei Tage. Ein Käfig, der dem Bären widerstehen soll? Gestern früh war ich der erste, der Shardik, unseren Herrn, an Land kommen sah, als er dem armen Teufel Lukon und seinem Kameraden den Weg versperrte!«

»Wie soll der Bär zum Käfig gebracht werden?« unterbrach ihn der Zimmermann.

»Ah, das wissen wir nicht –«

»Ihr seid hier, um Ta-Kominion zu gehorchen«, sagte Kelderek. »Es ist Gottes Wille, daß Shardik, unser Herr, Bekla erobern soll; und das werdet ihr mit euren eigenen Augen sehen. Wenn es sein muß, zimmert das Dach aus Holz und umwindet den ganzen Käfig mit fest gedrehten Seilen.«

Die Arbeit wurde schließlich bei Fackellicht beendet, und als Kelderek die Männer zum Abendessen entlassen hatte, blieb er mit Sheldra und Neelith zurück, untersuchte und prüfte alles, stieß mit dem Fuß gegen die Räder, betastete die Achsnägel und probierte jede der sechs für das Schließen des noch offenen Endes vorbereiteten Stangen.

»Wie soll er aus dem Käfig herausgelassen werden, Herr?« fragte Neelith. »Wird denn keine Tür eingebaut?«

»Die Zeit ist zu kurz, um eine Tür zu machen«, antwortete Kelderek. »Wenn die Stunde seiner Freilassung kommt, wird man uns einen Weg zeigen.«

»Er muß so lange wie möglich in Betäubung gehalten werden, Herr«, sagte Sheldra, »denn weder dieser noch irgendein anderer Käfig würde unseren Herrn Shardik festhalten, wenn er nicht will.«

»Das weiß ich«, sagte Kelderek. »Wir hätten einen Karren herstellen sollen, um ihn daraufzulegen. Wenn wir nur wüßten, wo er ist –«

Er brach ab, als Zilthe in den Fackelschein hinkte, die Hand an die Stirn hob und gleich darauf zu Boden sank.

»Vergib mir, Herr«, sagte sie, zog den Bogen von ihrer Schulter und legte ihn neben sich. »Wir sind unserem Herrn Shardik den ganzen Tag gefolgt, und ich bin erschöpft – mehr noch aus Angst als vor Müdigkeit. Er ging weit – «

»Wo ist er?« unterbrach sie Kelderek.

»Er schläft am Waldrand, Herr, keine Stunde von hier.«

»Gott sei gepriesen!« rief Kelderek und klatschte in die Hände. »Ich wußte, es war Sein Wille!«

»Es war Rantzay, Herr, die ihn zurückbrachte«, sagte das Mädchen und starrte auf Kelderek, als hätte sie sogar jetzt noch Angst. »Wir fanden ihn um die Mittagszeit, er fischte in einem Fluß. Dann legte er sich am Ufer hin, und wir wagten nicht, uns ihm zu nähern. Aber nach langer Zeit, da es schien, als könnten wir nichts ausrichten, stand Rantzay plötzlich auf, ohne uns zu sagen, was sie vorhatte, und ging ins Freie, wo unser Herr Shardik sie sehen konnte. Sie rief ihn. Herr, so wahr ich lebe, sie rief ihn, und er kam zu ihr! Wir alle flohen entsetzt, aber sie sprach in merkwürdigem und schrecklichem Ton mit ihm, tadelte ihn und forderte ihn auf umzukehren, denn er hätte nie so weit kommen dürfen, sagte sie. Und Shardik gehorchte ihr, Herr! Er kehrte auf ihren Befehl um!«

»Tatsächlich Gottes Wille«, sagte Kelderek ehrfürchtig, »und alles, was wir getan haben, ist richtig. Wo ist Rantzay jetzt?«

»Ich weiß nicht, Herr«, sagte Zilthe beinahe weinend. »Nito sagte uns, wir sollten unserem Herrn Shardik folgen, und Rantzay würde uns später einholen. Aber sie kam nicht, und es ist viele Stunden her, seit wir sie zum letztenmal sahen.«

Kelderek wollte Sheldra durch das Tal hinaufschicken, als aus einiger Entfernung von der Straße ein Anruf und eine Antwort herübertönten. Nach einer Pause hörten sie Schritte, und Numiss tauchte auf. Auch er war erschöpft und warf sich, ohne erst Kelderek um Erlaubnis zu bitten, zu Boden.

»Ich komme aus der Gegend jenseits von Gelt«, sagte er. »Wir haben Gelt eingenommen – keine heftigen Kämpfe, wir töteten den Anführer, und darauf waren die übrigen bereit zu tun, was Ta-Kominion, der Herr, ihnen befahl. Er sprach mit einigen von ihnen allein, und ich nehme an, er fragte sie, was sie von Bekla wußten – wie man hinkommt und alles andere. Was immer es war –«

»Wenn er dir eine Botschaft gab, richte sie aus«, sagte Kelderek scharf. »Was du gehört hast oder annimmst, interessiert mich nicht.«

»Die Botschaft, Herr, lautet: ›Voraussichtlich werden wir übermorgen kämpfen. Bis dahin wird wohl der Regen einsetzen, und nun sind die Stunden kostbarer als Sterne. Bringe Shardik, unseren Herrn, was immer es kosten mag.‹«

Kelderek sprang auf und begann, neben dem Käfig auf und ab zu gehen, er biß sich auf die Lippe und schlug mit der geballten Faust in die andere Handfläche. Schließlich faßte er sich, sagte Sheldra, sie solle Rantzay suchen gehen und, falls Shardik betäubt worden sei, ihm das unverzüglich melden. Dann holte er einige Holzscheite, um Feuer zu machen, und setzte sich mit Numiss und den zwei Mädchen neben den Käfig, um auf Nachrichten zu warten. Keiner sprach, aber dann und wann blickte Kelderek hoch, runzelte die Stirn und stellte nach der Sternenbewegung fest, wie langsam die Zeit verging.

Als endlich Zilthe auffuhr und die Hand auf seinen Arm legte, hatte er nichts gehört. Er erwiderte ihren Blick, als sie ihn anstarrte und den Atem anhielt; ihr Gesicht war halb vom Feuer erhellt, halb im Schatten. Auch er lauschte, konnte aber nur die Flammen, die Windstöße und einen Mann hören, der irgendwo hinter ihnen im Lager hustete. Er schüttelte den Kopf, sie aber nickte heftig, erhob sich und winkte ihm, ihr über die Straße zu folgen. Von Neelith und Numiss beobachtet, gingen sie ins Dunkel, waren aber noch nicht weit gekommen, als er stehenblieb, die Hände zum Sprachrohr formte und rief: »Wer ist da?«

Die Antwort »Nito!« war schwach, aber deutlich. Kurz darauf vernahm Kelderek den leichten Schritt des Mädchens und ging ihr entgegen. Es war zu erkennen, daß sie in ihrer Hast und Aufregung hingefallen war – vielleicht mehr als einmal. Sie war besudelt, zerzaust und hatte Abschürfungen an den Knien und an einem Unterarm. Sie wurde von Schluchzen geschüttelt, und Tränen liefen ihr über die Wangen. Er rief Numiss, und sie trugen sie gemeinsam zum Feuer.

Im Lager herrschte Aufregung. Irgendwie hatten die Männer erraten, daß es Neues gab. Einige warteten schon bei dem Käfig, und einer breitete seinen Mantel für das Mädchen auf einem Stoß Planken aus, brachte einen Krug und kniete nieder, um ihre blutigen Abschürfungen zu waschen. Sie zuckte bei der Berührung mit dem kalten Wasser zusammen und begann dann, als käme sie wieder zu sich, zu Kelderek zu sprechen.

»Shardik ist bewußtlos, Herr, er liegt keinen Bogenschuß weit von der Straße. Er wurde mit Theltocarna betäubt – es hätte genügt, um einen starken Mann zu töten. Gott weiß, wann er erwachen wird.«

»Mit Theltocarna?« fragte Neelith ungläubig. »Aber –«

Nito begann wieder zu weinen. »Und Rantzay ist tot – tot! Hast du Kelderek, dem Herrn, erzählt, wie sie beim Fluß mit Shardik sprach?«

Zilthe nickte und starrte sie entgeistert an.

»Als Shardik an ihr vorbei und fort war, blieb sie eine Weile stehen, als habe sie wie ein Baum den Blitz auf sich gezogen. Dann folgten wir beide, sie und ich, allein den anderen, so gut es ging. Ich merkte – ich merkte, daß sie sterben wollte, daß sie dazu entschlossen war. Ich versuchte, sie zu veranlassen, sich auszuruhen, aber sie weigerte sich. Es ist noch keine zwei Stunden her, seit wir endlich zum Waldrand zurückkamen. Alle Mädchen erkannten, daß der Tod über ihr schwebte. Er lag über ihr wie ein Mantel. Aus Mitleid und Angst konnte keine zu ihr sprechen. Nach dem, was wir mittags bei dem Fluß gesehen hatten, wäre jede von uns gern an ihrer Stelle gestorben; aber es war, als treibe es sie fort, als wäre sie auf dem

Wasser und wir am Ufer. Wir standen in ihrer Nähe, und sie sprach zu uns, dennoch waren wir von ihr getrennt. Sie sprach, und wir schwiegen. Als sie es dann befahl, brachte ich ihr die Schachtel Theltocarna, und sie ging auf unseren Herrn Shardik zu, als wäre er ein schlafender Ochse. Sie brachte ihm mit dem Messer einen Schnitt bei und mischte das Theltocarna mit seinem Blut; als er dann zornig erwachte, stand sie wieder vor ihm, so unerschrocken wie zu Mittag. Und er drückte sie an sich, und so starb sie.« Das Mädchen sah sich um. »Wo ist die Tuginda?«

»Befestigt die langen Taue an dem Käfig«, sagte Kelderek zu Balthis, »und laßt ihn von allen Männern ziehen. Ja, und auch von allen Frauen, außer den Fackelträgerinnen. Wir haben keine Zeit zu vergeuden. Sogar jetzt könnte es schon zu spät sein, um Ta-Kominion, den Herrn, zu erreichen.«

Nach knappen drei Stunden war die gewaltige Masse des Bären, dessen Kopf durch eine aus Mänteln grob zusammengenähte Kapuze geschützt war, mit Stricken den Abhang hinunter und über eine hastig aufgeschüttete Rampe aus Erde, Steinen und Planken in den Käfig gezogen worden. Die letzten Stangen wurden eingeschlagen, und der von vorn gezogene, hinten gestoßene Käfig rollte und polterte langsam durch das Tal in Richtung Gelt.

20. Gel-Ethlin

Es konnte gewiß nicht mehr als einen, höchstens zwei Tage dauern, dachte Gel-Ethlin, bis die Regenzeit einsetzte. Seit Stunden waren die Blitze immer bedrückender geworden, während Windstöße den Staub über die Ebene von Bekla wirbelten. Santil-ke-Erketlis, der Befehlshaber der nördlichen Aufklärungsarmee, hatte, durch die Hitze erkrankt, vor zwei Tagen die Kolonne verlassen, war über die direkte südliche Straße in die Hauptstadt zurückgekehrt und hatte seinem Stellvertreter, Gel-Ethlin, die Aufgabe anvertraut, den Marsch des Heeres nach Kabin am Stausee, hinunter nach Tonilda und von dort westwärts bis nach Bekla zu Ende zu führen. Das würde eine leichte Angelegenheit sein: hier eine Befestigung instand setzen, dort ein paar Steuern eintreiben, vielleicht den einen oder anderen Streit schlichten und natürlich die Berichte der lokalen

Spione und Agenten anhören. Keines dieser Dinge war besonders dringend, und da die Armee für ihre Rückkehr nach Bekla schon einen oder zwei Tage Verspätung hatte, sagte Santil-ke-Erketlis zu Gel-Ethlin, er solle, sobald die Regenfälle ernstlich einsetzten, den Marsch abbrechen und, wo immer er gerade wäre, über die direkteste Straße nach Bekla zurückkehren.

»Es ist auch schon höchste Zeit«, dachte Gel-Ethlin, der neben seiner Kommandostandarte mit dem Falkensymbol stand und die vorbeimarschierende Kolonne beobachtete. »Sie sind genug marschiert; die Hälfte ist in schlechter Verfassung. Je eher sie in die Regenzeitquartiere kommen, desto besser. Wenn sie jetzt Sumpffieber bekämen, würden sie unter Flüchen und Streit zugrunde gehen.«

Er blickte nach Norden, wo die Ebene in die Hügel überging, die sich zu den steil abfallenden Bergketten oberhalb von Gelt erhoben. Die dunkle, drohende Kammlinie mit den von Wolken verhüllten Spitzen erschien Gel-Ethlin verheißungsvoll – da lockte baldige Erleichterung. Hätte man Glück, so könnten die Geschäfte in Kabin geziemend abgekürzt werden, und ein Eilmarsch, der angesichts der bevorstehenden Regenzeit und der Aussicht auf Heimkehr beschleunigt würde, könnte sie in zwei Tagen nach Bekla und in Sicherheit bringen.

Die zwei beklanischen Aufklärungsheere – das nördliche und das südliche – blieben gewöhnlich den ganzen Sommer hindurch im Feld, wenn die Gefahr eines Aufstands oder eines nicht auszuschließenden Angriffs aus einem Nachbarland am größten war. Jedes Heer vollführte zweimal einen ungefähr halbkreisförmigen Marsch von etwa dreihundert Kilometern längs der Grenzen. Mitunter hatten manche Abteilungen Scharmützel mit Banditen oder Plünderern zu bestehen, und gelegentlich mochte die Truppe den Befehl zu einer Strafexpedition über die Grenze erhalten, um zu demonstrieren, daß Bekla Zähne hatte und beißen konnte. Zumeist war es jedoch Routinearbeit – Übungen und Manöver, Nachrichtendienst, Steuereintreibung, Geleitschutz für Gesandte oder Handelskarawanen, Straßen- und Brückeninstandhaltung; und als wichtigstes von allem, sich einfach den Leuten zeigen, von denen sie kaum weniger gefürchtet wurden als Invasionen und Anarchie. Beim Einsetzen der Regenzeit kehrte die Nordarmee für den Winter nach Bekla zurück, während die Südarmee in Ikat-Yeldashay, hundert Kilometer weiter südlich, Quartier bezog. Im nächsten Sommer wurden dann die Rollen der beiden Heere vertauscht.

Zweifellos war die Südarmee schon zurück in Ikat, dachte Gel-Ethlin neiderfüllt. Die Südarmee hatte die leichtere Aufgabe von beiden; ihre Marschroute war nicht so erschöpfend, und hundertfünfzig Kilometer weiter im Süden war die trockene Jahreszeit weniger unangenehm. Es war auch nicht nur eine Frage der Arbeit und der Umstände. Obwohl Bekla zweifellos eine unvergleichliche Stadt war, hatte er im vorigen Winter einen ganz besonderen – für einen Soldaten eigentlich altehrwürdigen und reizvollen (wenn auch ein wenig kostspieligen) – Grund gefunden, um Ikat-Yeldashay vorzuziehen.

Nun marschierte die Abteilung aus Tonilda vorbei, sie sah besonders kläglich aus, und Gel-Ethlin rief ihren Hauptmann zu sich, um sich erklären zu lassen, warum die Männer schmutzig und ihre Waffen ungepflegt waren. Der Hauptmann begann seine Erklärung – irgend etwas, wonach er plötzlich vor zwei Tagen das Kommando anstelle eines Offiziers übernommen habe, der Befehl hatte, mit Santil-ke-Erketlis heimzukehren –, und währenddessen blickte ihm Gel-Ethlin, wie es oft seine Art war, streng ins Auge und dachte dabei an etwas völlig anderes.

Diesen Sommer hatten sie wenigstens nicht über die Gelter Berge klettern und in die abgelegenen Wälder marschieren müssen. Er hatte einmal, vor mehreren Jahren, noch als junger Offizier, an einer Expedition zum Südufer des Telthearnas teilgenommen, und das war eine betrübliche, unbequeme Sache gewesen; man kampierte in düsteren Wäldern oder organisierte Quartiere bei halbwilden Inselstämmen, die wie Frösche in den Flußnebeln lebten und wo es von Flöhen wimmelte. Zum Glück war man von der Gewohnheit, beklanische Truppen bis zum Telthearna zu schicken, fast ganz abgekommen, seit die Geheimdienstberichte von der Insel – wie hieß sie nur, zum Teufel? Itilga? Catalga? – so regelmäßig und verläßlich geworden waren. Einer von den weniger affenartigen Baronen wurde insgeheim von Bekla bezahlt, und offenbar verhielt sich auch der Großbaron nicht ablehnend gegenüber kleinen diplomatischen Bestechungen, vorausgesetzt, man wahrte den Schein, daß seine Würde und Stellung – sofern vorhanden – respektiert wurden. Santil-ke-Erketlis hatte in diesem Sommer zwei Berichte von der Insel erhalten. Der erste, der pflichtgemäß an das Hauptquartier nach Bekla weitergeschickt worden war, hatte zur Folge, daß die Armee Weisung erhielt, sie brauche auch diesmal keine Truppen in ein so entferntes, ungastliches Gebiet zu schicken. Eigentlich enthielt er nichts Schlimmeres als die Nachricht von einem außerordentlich weit verzweigten Waldbrand, der das jenseitige Ufer des Telthearnas verwüstet hatte. Im zweiten Bericht war die Rede von einem neuen Stammeskult, von dem befürchtet wurde, er könnte in blinden Fanatismus ausarten, wenn auch der Großbaron überzeugt zu sein schien, daß er ihn unter Kontrolle behalten könne. Die Reaktion aus Bekla auf den zweiten Bericht hatte noch nicht den Weg zur Nordarmee zurückgefunden, aber jetzt war es, gottlob, ohnehin zu spät in der Jahreszeit, um noch daran zu denken, eine Patrouille über die Gelter Berge zu schicken. Jeden Tag – jede Stunde konnte der Regen einsetzen.

Der Offizier hatte zu Ende gesprochen und blickte Gel-Ethlin nun schweigend an. Der runzelte die Stirn, schnaubte verächtlich, zum Zeichen, daß er einen so fadenscheinigen Unsinn noch nie im Leben gehört habe, und versprach, er werde am nächsten Morgen selbst die Abteilung inspizieren. Der Offizier grüßte und ging zu seiner Truppe zurück.

In diesem Augenblick traf ein Bote des Gouverneurs von Kabin ein, das fünfundzwanzig Kilometer weiter südlich lag. Der Gouverneur ließ mitteilen, er befürchte, der Regen könnte beginnen und das Heer sich nach Bekla zurückziehen, bevor es seine Stadt erreichte. In den letzten zehn oder zwölf Tagen sei das Niveau des Stausees von Kabin, von dem aus das Wasser durch einen Kanal in das hundert Kilometer weit entfernte Bekla geschleust wurde, so stark gesunken, daß die unteren Wände freigelegt worden seien und ein Abschnitt in der Hitze Sprünge bekommen habe. Sollte eine Katastrophe vermieden werden, so müsse man die Reparatur unverzüglich ausführen, bevor der Regen den Wasserspiegel wieder anhob; diese Arbeit in einem oder zwei Tagen zu vollenden, ginge jedoch über die lokal verfügbaren Möglichkeiten hinaus.

Gel-Ethlin erkannte, daß es sich da um einen Notstand handelte. Er schickte sofort nach seinem verläßlichsten, rangältesten Offizier und auch nach einem gewissen Hauptmann Han-Glat, einem Ausländer aus Terekenalt, der mehr als irgend jemand sonst in der Armee von Brücken, Dämmen und Erdbewegungen verstand. Als sie erschienen, berichtete er ihnen, was geschehen war, und gab ihnen freie Hand, Leute bis zur Hälfte des Gesamtbestandes auszuwählen, die in der besten Verfassung waren, und noch in der Nacht im Eilmarsch nach Kabin zu ziehen. Dort sollten sie sofort die Reparatur des Stausees in Angriff nehmen. Er selbst würde mit dem Rest der Truppe noch vor dem nächsten Abend in Kabin eintreffen.

Am Spätnachmittag zogen sie ab, die Soldaten murrten, aber meuterten wenigstens nicht. Viele hinkten, und das Marschtempo war langsam. Aber das war weniger bedenklich als ihre voraussichtliche Verfassung bei der Ankunft in Kabin. Vermutlich würde jedoch Han-Glat einige Stunden brauchen, um den Stausee zu besichtigen und zu entscheiden, was getan werden mußte, und schon das allein würde für sie etwas Ruhe bedeuten. Keinesfalls konnte er, Gel-Ethlin, vom Hauptquartier in Bekla wegen der Art, wie er die Sache in Angriff genommen hatte, kritisiert werden. Bei Einbruch der Nacht machte er die Runde bei den Wachen und Biwaks – es ging schneller als sonst, da der Gesamtbestand auf die Hälfte reduziert war –, hörte die Berichte über Personalausfälle und genehmigte den Rücktransport von ein paar wirklich Kranken mit einem Ochsenkarren nach Bekla; er aß zu Abend, spielte mit seinem Stabshauptmann drei Partien Wari (bei denen er fünfzehn Meld verlor) und ging zu Bett.

Am nächsten Morgen war er so früh auf, daß er die Genugtuung hatte, einige seiner Offiziere persönlich zu wecken. Aber die Mißstimmung der Soldaten ärgerte ihn. Es hatte sich das Gerücht verbreitet, daß ihnen nicht nur, ob Regen oder nicht, ein Eilmarsch nach Kabin bevorstand, sondern auch noch eine Menge Arbeit, sobald sie dort ankämen. Sogar die besten Soldaten neigen dazu, es übelzunehmen, wenn sie den Befehl zu einer dringenden Arbeit erhalten, nachdem man sie im Glauben gelassen hat, daß ihre Arbeit praktisch zu Ende ist, und Gel-Ethlin hatte absichtlich nicht die besten Truppen behalten. Er selbst war ein unnachgiebiger, energischer, in der Not verläßlicher Mann, der seinen Unwillen über die Dummheit der Soldaten kaum unterdrücken konnte, wenn sie nicht begreifen wollten, wie ernst die Nachricht aus Kabin war; nur mit Mühe konnten ihn einige seiner rangältesten Offiziere davon überzeugen, daß das kaum von ihnen zu erwarten sei.

»Es ist merkwürdig«, sagte Kapparah – ein lederner Fünfundfünfzigjähriger, der seit seiner Jugend alle Feldzüge überlebt und die gesamte Beute, die ihm in die Finger gekommen war, klug in Acker

land an der Grenze von Sarkid angelegt hatte –, »es ist mir jedenfalls aufgefallen: wenn man von Soldaten eine kleine Extraleistung
verlangt, so hängt es immer von der Motivation ab, was sie tatsächlich zu leisten gewillt sind. Handelt es sich zum Beispiel um die Verteidigung ihrer Häuser oder um den Kampf für Dinge, die sie als ihr
rechtmäßiges Eigentum betrachten, werden sie praktisch alles zu tun
imstande sein. Wenn es sich um irgendeine Art von Kampf handelt,
sind sie eigentlich fast immer imstande, eine gute Leistung zu voll-
bringen. Das können sie begreifen, weißt du, und keiner will, daß ihn
seine Kameraden für einen Feigling oder Drückeberger halten. Solche Gedanken sind wie Schlüssel zu einer Geheimwaffe. Ein Mann
weiß nicht, was in ihm steckt, bis der Schlüssel es öffnet. Um aber
den Stausee in Kabin zu reparieren – nein, daß das wichtig ist, können sie nicht begreifen, deshalb ist es ein Schlüssel, der nicht in das
Schloß paßt. Es handelt sich da nicht um Nicht-Wollen, sondern
um Nicht-Können, verstehst du.«

Das Lager war abgebrochen worden, die Kolonnen waren marsch-
bereit, und die Feldwachen, die auf ihren Posten verpflegt und inspiziert worden waren, wurden als die letzten zurückgezogen, als der
Wachhabende einen hinkenden, blutbefleckten Bergbewohner her-
anbrachte. Er war noch beinahe ein Knabe, starrte mit offenem
Mund und aufgerissenen Augen um sich und hob dauernd eine Hand
zum Mund, um die blutende Wunde an seinen Knöcheln abzulecken.
Zwei Soldaten hatten ihn unter den Achseln gefaßt, sonst wäre er
wohl fortgelaufen.

»Ein Flüchtling«, sagte der Wachhabende und grüßte nach Beklaner Art mit dem Unterarm über der Brust, »aus den Bergen. Er redet von Unruhen in Gelt, soweit ich ihn verstehen kann.«

»Ich habe jetzt keine Zeit für solches Zeug«, sagte Gel-Ethlin.
»Laß den Burschen laufen, und deine Leute sollen antreten.«

Der von den Soldaten losgelassene Gebirgler fiel sofort vor Kapparah auf die Knie, den er wahrscheinlich für den höchsten der anwesenden Offiziere hielt. Er hatte ein paar Worte in gebrochenem
Beklanisch gestottert – etwas von »schlechten Männern« und
»Feuer« –, als Kapparah ihn unterbrach, indem er in dessen Sprache mit ihm redete. Dann folgte ein schnelles, so scharfes und er-
regtes Wechselspiel von Frage und Antwort, daß Gel-Ethlin es nicht
unterbrechen wollte. Endlich wandte sich Kapparah an ihn.

»Ich glaube, wir sollten alles aus dem Mann herausholen, bevor wir nach Kabin abmarschieren«, sagte er. »Er behauptet steif und fest, Gelt sei von einer einfallenden Armee erobert und niederge-brannt worden, und die sei auf dem Weg hierher.«

Gel-Ethlin hob die Hände mit einem fragenden und gespielt nach-sichtigen Blick, und die Offiziere, die Kapparah nicht besonders gern mochten, lächelten kriecherisch.

»Du weißt, Kapparah, was wir in Kabin erledigen müssen. Da ist doch schwerlich Zeit für –« Er brach ab und begann wieder: »einen verschreckten Bauernburschen aus den Bergen, der alles mögliche erzählt –«

»Nun, das ist es eben: er ist kein Bauer. Er ist der Sohn des Ober-hauptes, der offenbar unter Lebensgefahr fortgelaufen ist. Er sagt, sein Vater sei von Fanatikern in einem Religionskrieg, den sie be-gonnen haben, getötet worden.«

»Woher wissen wir, daß er der Sohn des Oberhauptes ist?«

»Aus der Tätowierung an seinem Arm. Er hätte nie gewagt, sie bloß, um die Leute irrezuführen, machen zu lassen.«

»Woher sollen diese Eindringlinge gekommen sein?«

»Aus Ortelga, sagt er.«

»Aus Ortelga?« wiederholte Gel-Ethlin. »Aber dann müßten wir doch schon davon gehört haben –«

Kapparah schwieg, und Gel-Ethlin überdachte schnell das Pro-blem. Es war unangenehm. Obwohl in jüngster Zeit kein Bericht aus Ortelga eingetroffen war, konnte möglicherweise wirklich ein An-griff des dortigen Stammes auf die beklanische Ebene bevorstehen. Wenn es dazu kam, nachdem er nach Kabin marschiert war und die in Gegenwart seiner führenden Offiziere von dem Bergbewohner geäußerte Warnung übergangen hatte – und dabei Menschenleben verlorengingen –. Er unterbrach seinen Gedankengang und über-legte etwas anderes. Wenn das große Wasserreservoir einbrach und in der Regenzeit in Ermangelung von entsprechenden Arbeitskräf-ten zerstört wurde, nachdem er aufgrund eines hysterischen Berich-tes, den ein junger Bauer in Gegenwart der rangältesten Offiziere gemacht hatte, gegen Gelt marschiert war –. Er brach wieder ab. Alle sahen ihn erwartungsvoll an.

»Bringt den Jungen dort hinüber in den Schuppen«, sagte Gel-Ethlin. »Laßt die Männer wegtreten, aber sie sollen im Kompanie-bereich bleiben.«

Eine halbe Stunde später war er zu der Überzeugung gelangt, daß er die Geschichte nicht ignorieren durfte. Nachdem er sich gewaschen und etwas gegessen hatte, faßte sich der Junge und sprach beherrscht und gemessen von seinem Verlust und konsequent von der drohenden Gefahr. Es war ein merkwürdiger und doch überzeugender Bericht. In Ortelga sei ein gewaltiger Bär erschienen, sagte er, wahrscheinlich sei er vor dem Feuer jenseits des Telthearnas geflüchtet. Sein Aussehen veranlaßte die Inselbewohner, an die Erfüllung einer Prophezeiung zu glauben, die besagte, Bekla werde eines Tages einer unbesiegbaren Armee von der Insel als Beute zufallen; geführt von einem jungen Baron, hatten sie einen Aufstand angezettelt, bei dem der frühere Herrscher und einige andere Kämpfer getötet oder vertrieben wurden. Gel-Ethlin erkannte, daß dies, falls es richtig war, das Fehlen der üblichen Geheimberichte an die Beklaner Armee erklärte. Gestern nachmittag, fuhr der Junge fort, seien die Ortelganer plötzlich in Gelt erschienen, hätten die Stadt in Brand gesteckt und das Oberhaupt ermordet, bevor er die Verteidigung der Stadt organisieren konnte. Die fanatischen und undisziplinierten Ortelganer seien über den Ort hergefallen und hätten die Einwohner offenbar überwältigt, von denen manche, da ihre Wohnungen und die Möglichkeit, ihren Lebensunterhalt zu verdienen, vernichtet waren, sich den Ortelganern angeschlossen hatten, um dabei möglichst viel für sich herauszuschlagen. Gewiß habe es noch nie Männer gegeben, sagte der junge Mann, die zielstrebiger auf ihren eigenen Untergang zugesteuert waren als die Ortelganer. Sie glaubten, der Bär sei die Inkarnation der göttlichen Kraft, er marschiere Tag und Nacht unsichtbar mit ihnen, könne nach Belieben erscheinen und verschwinden und werde zur gegebenen Zeit ihre Feinde vernichten, wie das Feuer Stoppeln verbrennt. Sie hatten auf den Befehl ihres jungen Anführers – der offensichtlich mutig und tüchtig war, aber krank zu sein schien – einen Wachtpostenring rund um Gelt aufgestellt, um das Hinaussickern von Nachrichten zu verhindern. Der Junge war aber nachts einen jähen Abhang hinuntergeklettert, war, nur mit einer stark zerkratzten Hand, entkommen und hatte dann, da er die Pässe gut kannte, in sechs Stunden im Dunkeln und im Morgengrauen die Entfernung von über dreißig Kilometern bewältigt.

»Eine verflixte Geschichte!« sagte Gel-Ethlin. »Was glaubt er, wo und wann werden sie kommen?«

Anscheinend war der junge Mann überzeugt, daß sie auf dem direkten Weg und so schnell wie möglich kommen würden. Wahrscheinlich befanden sie sich sogar auf dem Anmarsch. Sie waren zwar voller Kampflust, hatten aber nur wenig Proviant dabei, denn in Gelt hatten sie so gut wie nichts vorgefunden. Sie würden bald kämpfen müssen, sonst müßten sie sich zerstreuen, um sich Nahrung zu besorgen.

Gel-Ethlin nickte. Das stimmte mit seiner Erfahrung mit Aufständischen und irregulären Bauernrebellen überein. Entweder kämpften sie sofort, oder ihre Truppe löste sich auf.

»Es sieht nicht so aus, als würden sie weit kommen«, sagte Balaklesch, der Anführer der Abteilung aus Lapan. »Warum marschieren wir nicht einfach nach Kabin und überlassen es dem Regen, sie zu vertreiben?«

Wie es öfter vorkommt, brachte der unrichtige Rat sofort Klarheit in die Überlegungen Gel-Ethlins und zeigte ihm, was zu tun war.

»Nein, das wäre keine Lösung. Sie würden monatelang umherwandern, Räuberbanden bilden, morden und plündern. Kein Dorf wäre mehr sicher, und schließlich müßte man eine andere Armee herschicken, um sie zu vernichten. Glaubt ihr alle, der Junge erzählt uns die reine Wahrheit?«

Sie nickten.

»Dann müssen wir sie sofort vernichten, sonst würde man in den Dörfern sagen, daß eine beklanische Armee versagt hat. Und wir müssen sie abfangen, bevor sie über die Bergstraße auf die Ebene von Gelt herunterkommen – teils um das Plündern zu verhindern, teils weil sie, wenn sie erst einmal in der Ebene sind, überallhin können. Wir würden vielleicht ihre Spur verlieren, und unsere Leute sind nicht in der Verfassung, Verfolgungsmärsche durchzustehen. Wir dürfen noch weniger Zeit verlieren, als wenn wir nach Kabin marschierten. Kapparah, du behältst den Jungen bei dir; wir werden ihn als Führer brauchen. Ihr anderen geht sofort zu euren Leuten und sagt ihnen, wir müssen heute nachmittag bei den Hügeln sein. Du, Balaklesch, nimmst hundert verläßliche Speerwerfer und ziehst sofort los. Such uns eine gute Verteidigungsstellung im Vorgebirge, schick einen Führer hierher zurück und stoß dann weiter vor, um festzustellen, was die Ortelganer treiben.«

Eine Stunde später hatte sich der Himmel von einem Horizont zum anderen mit Wolken überzogen, und es wehte stetiger Westwind. Der rote Staub drang den Soldaten in Augen, Ohren und Nasen und vermengte sich unter der Kleidung mit ihrem Körperschweiß. Sie marschierten mit Stoff- oder Lederstreifen über Mund und Nase und sperrten dauernd die Augen auf, weil sie die Hügel vor sich nicht erkennen konnten. Jede Kompanie folgte der vorangehenden durch den dicht wirbelnden Staub, der sich wie Schnee an der dem Wind zugekehrten Seite der Felsen, des Ufers und der wenigen Bäume und Hütten am Weg ansammelte – und auf den Menschen. Er drang in die Proviantsäcke und sogar in die Weinschläuche ein. Gel-Ethlin marschierte an der leeseitigen Flanke hinter der Kolonne, von wo er die Nachzügler überwachen und in einer gewissen Ordnung halten konnte. Nach zwei Stunden ließ er anhalten und formierte und staffelte die Kolonne neu, so daß, als man wieder loszog, jede Kompanie auf der Leeseite der unmittelbar hinter ihr kommenden marschierte. Das erleichterte aber die Unannehmlichkeit nur geringfügig, die weniger durch den Staub, der von ihnen selbst aufgewirbelt wurde, als durch den über die ganze Ebene wehenden Sturm verursacht wurde. Ihr Marschtempo wurde langsamer, und erst gute drei Stunden nach Mittag erreichte die an der Spitze marschierende Kompanie den Rand der Ebene und gelangte, nach Aufklärung über je einen Kilometer in beiden Richtungen, zu der Straße nach Gelt, wo sie sich durch die Myrthen- und Zypressenhaine über die unteren Hänge emporschlängelte.

Etwa dreihundert Meter über der Ebene erreichte die Straße eine flache, grüne Stelle, wo ein spärlicher Wasserfall in einen Felsenteich tröpfelte; dort traten die Kompanien, als sie ankamen, aus Reih und Glied, die Soldaten tranken und legten sich ins Gras. Zurückblickend sahen sie den Sandsturm unten in der Ebene, und ihre Stimmung besserte sich bei dem Gedanken, daß wenigstens eine Qual nun hinter ihnen lag. Gel-Ethlin murrte über die Verzögerung und drängte seine Offiziere, die Mannschaft wieder auf die Beine zu bringen. Es war am Nachmittag düster geworden, und der Wind über dem Flachland legte sich. Müde stolperten sie weiter, ihre Schritte, das Klirren ihrer Waffen und die gelegentlich gerufenen Befehle hallten von den sie umgebenden Felsen wider.

Bald gelangten sie zu einer schmalen Schlucht, wo sie von zwei Offizieren der Vorhut erwartet wurden. Diese berichteten, daß Balaklesch eine vortreffliche Verteidigungsstellung, etwa anderthalb Kilometer weiter an der Straße, jenseits des Ausgangs aus der

Schlucht, gefunden habe und daß seine Späher seit über einer Stunde von dort aus weitergegangen seien. Gel-Ethlin ging ihnen entgegen, um sich die Stellung selbst anzusehen. Es war ziemlich genau das, was er sich vorgestellt hatte, ein etwas weniger als einen Kilometer breites Hochplateau mit gewissen vorteilhaften Merkmalen für disziplinierte Truppen, die in Reih und Glied zu bleiben und sich zu behaupten wußten. Vorne, im Norden, führte die Straße rund um einen bewaldeten Hügel in steilen Kurven nach unten. An der rechten Flanke lag dichter Wald und links eine Schlucht. Durch diesen Engpaß mußte der heranrückende Feind zwangsläufig kommen. Am Fuß des Hügels öffnete sich das Gelände und stieg leicht an zwischen verstreuten Felsen und Gebüsch bis zu einem Kamm, über den die Straße führte, bevor sie zur Schlucht kam. Balakleschs Wahl war gut. Mit den Felsen als natürliche Verteidigungslinie und dem Abhang als Vorteil für sie würde es schwierig sein, die Truppen aus ihren Stellungen zu werfen, und der Feind würde sich nur mit äußerster Mühe bis zum Kamm durchkämpfen können. Wenn ihm das aber nicht gelang, durfte er nicht hoffen, seinen Marsch ins Flachland fortzusetzen.

Gel-Ethlin stellte seine Kampflinie auf dem offenen Hang auf, so daß die Straße rechtwinklig dazu durch sein Zentrum lief. So würde es für seine müden Männer unnötig sein, die geschlossene Stellung zu verlassen oder vorzugehen, bevor der Feind an dieser Frontlinie zerbrochen wäre.

Unter den immer dichter werdenden Wolken, deren tiefste Dämpfe in geringer Höhe über ihnen wirbelten, warteten sie weiter im feuchten Zwielicht des Nachmittages. Dann und wann war Donnerrollen zu hören, und einmal schlug der Blitz einen Kilometer entfernt in die Schlucht und ließ auf dem grauen Felsen einen striemenartigen roten Strich zurück. Irgendwie hatten die Soldaten von dem Wunderbären Wind bekommen. Die Speerwerfer aus Yeldashay hatten schon eine Ballade in Knittelversen über seine hemmungslosen (immer dreister werdenden) Heldentaten gedichtet; am anderen Frontende nutzte ein Regimentsspaßmacher die Chance, indem er in einer alten Ochsenhaut, mit Pfeilspitzen als Klauen an den Fingerenden, Unfug trieb und knurrte.

Endlich erblickte Gel-Ethlin von seinem Befehlsstand aus die zwischen den Bäumen über den Hügel zurückkehrenden Kundschafter. Balaklesch kam schnell herangelaufen und berichtete, er sei plötzlich auf die Ortelganer gestoßen, die so schnell vorrückten, daß er mit seinen müden Männern es nur mit Mühe geschafft hätte, vor ihnen zurückzukommen. Während er sprach, konnten Gel-Ethlin und dessen Gefolge aus dem oberhalb liegenden Wald das laute Geschrei und Klirren der herankommenden Haufen vernehmen. Er entließ seine Offiziere mit einem letzten Wort darüber, wie überaus wichtig es wäre, daß die Truppe bis zum Erhalt neuer Befehle in geschlossener Formation bliebe.

Er wartete und hörte, wie Regentropfen an seinen Helm schlugen, konnte aber vorerst noch keine auf seiner ausgestreckten Hand spüren. Dann kam von links über den Rand der Schlucht ein wogender Regenschleier heran, der die ganze Umgebung einhüllte. Kurz darauf wurde die Sicht nach unten getrübt, und von den zu beiden Seiten postierten Soldatenreihen erhob sich eine Art ächzendes Murren. Gel-Ethlin ging ein halbes Dutzend Schritte vor, um besser durch die vorbeiziehenden Regenschwaden zu sehen. Da erblickte er eine Schar zottiger Männer, die aussahen wie Halbwilde und verschiedene Waffen trugen; sie kamen mit schweren Schritten um die untere Biegung der Straße und machten jählings halt angesichts des vor ihnen postierten beklanischen Heeres.

21. Die Gelter Pässe

Es hatte nicht zu Ta-Kominions Absichten gehört, Gelt niederzubrennen. Auch konnte er nicht herausfinden, wer es getan hatte, da die einzelnen Barone jede Kenntnis davon leugneten, wie oder wo das Feuer begonnen hätte. Ta-Kominion war mit seinem persönlichen Gefolge auf den armseligen kleinen Platz in der Stadtmitte gekommen und hatte festgestellt, daß zwei Seiten bereits lichterloh brannten; die Leiche des Stadtoberhauptes lag mit einem Speer im Rücken dort, und ein Haufen Ortelganer befaßte sich mit Plündern und Saufen. Mit Hilfe einer Handvoll besonnenerer Männer stellten er und Zelda mehr oder minder die Ordnung wieder her. Da es kein Wasser in der Stadt gab außer dem, was man aus zwei Brunnen und einer spärlichen Bergquelle schöpfen konnte, dämmte er das Feuer ein, indem er die Hütten in der Windrichtung abbrechen und die Pfosten und das Stroh fortschaffen ließ. Zelda wies darauf hin, daß man um jeden Preis eine Verbreitung der Nachrichten durch die Stadtbewohner in das Flachland verhindern müsse. An allen Straßen und Wegen, die aus der Stadt führten, wurden Wachen aufgestellt, und der junge Jurit, dem Ta-Kominion am Morgen das Kommando über Fassel-Hastas Abteilung übertragen hatte, führte eine Aufklärungsabteilung über die steile Südstraße hinunter, um herauszufinden, was vor ihnen lag.

Ta-Kominion saß in einer der dunklen, von Fliegengesumm erfüllten Hütten auf einer Bank und bemühte sich, ein paar verängstigte, sprachlose Stadtväter davon zu überzeugen, daß er ihnen nichts zuleide tun wollte. Dann und wann brach er ab und suchte stirnrunzelnd nach Worten, wenn die Wände vor seinen Augen verschwammen und der Lärm von außen in seinen Ohren zu- und abnahm, als würde dauernd eine Tür geöffnet und wieder geschlossen. Er bewegte sich unruhig mit einem Gefühl, als wäre sein Körper mit steifen Ochsenhäuten umhüllt. Sein verwundeter Unterarm pulsierte, und unter seiner Achsel schmerzte eine Schwellung. Als er die Augen öffnete, sah er die Gesichter der alten Männer, die ihn wachsam und neugierig anstarrten.

Er sprach von dem göttlichen Shardik, von der offenbarten Bestimmung, für die Ortelga ausersehen war, und von der sicheren Niederlage Beklas; und er sah ihren dumpfen Unglauben, ihre Angst vor Repressalien und Tod, die sie vor seinen Augen nicht zu verbergen vermochten. Schließlich antwortete einer von ihnen, der vielleicht schlauer war als die übrigen und sich die wahrscheinliche Wirkung seiner gezielten Worte ausgerechnet hatte. Er erzählte von der nördlichen Aufklärungsarmee unter General Santil-ke-Erketlis, die, es sei denn, er irre diesbezüglich – was möglich wäre, fügte er hastig hinzu, und sein schlaues Bauerngesicht drückte dabei Demut und Respekt aus –, im Begriff sein müßte, auf ihrem Rundmarsch nach Kabin und darüber hinaus das unterhalb liegende Flachland zu durchqueren. Beabsichtige der junge Herr, gegen die Armee zu kämpfen oder ihr auszuweichen? Jedenfalls scheine es das beste, nicht in Gelt zu bleiben, zumal die Regenzeit kurz bevorstünde, nicht wahr, und – er brach geflissentlich ab, als ein Mann, der sich seiner Stellung bewußt war und sich nicht anmaßen wollte, dem Führer eines so prächtigen Heeres Ratschläge zu erteilen.

Ta-Kominion dankte ihm ernst, als sei er sich nicht bewußt, daß es den anderen wenig ausmachte, ob er vorwärts oder rückwärts zog, wenn er nur Gelt verließe. Wenn der Alte ihn zu schrecken gedachte, hatte er nicht mit dem glühenden Vertrauen zu Shardik gerechnet, das im Herzen jedes einzelnen im Heer der Ortelganer lebte. Wahrscheinlich nahmen die Stadtväter an, er beabsichtige, nur ein oder zwei Dörfer in der Ebene zu überfallen, um dann, durch das Einsetzen der Regenfälle vor Verfolgung geschützt, mit der Beute – Waffen, Vieh und Frauen – über die Hügel zurückzufliehen.

Ta-Kominion hatte jedoch von Anfang an keine andere Absicht verfolgt als das Stellen und die Vernichtung aller feindlichen Streitkräfte, welcher Stärke auch immer, denen er auf dem Weg nach Bekla begegnen mochte. Seine Gefolgsleute, das wußte er, würden sich mit weniger nicht zufriedengeben. Sie waren entschlossen, so bald wie möglich zu kämpfen, da sie wußten, daß sie nicht geschlagen werden konnten. Shardik selbst hatte ihnen bereits gezeigt, was mit seinen Feinden geschah, und für Shardik würde es keinen Unterschied machen, ob seine Feinde verräterische ortelganische Barone oder beklanische Vorpostensoldaten waren.

Der Gedanke an die beklanische Armee, mit dem der schlaue Gelter Stadtvater ihn hatte erschrecken wollen, erfüllte Ta-Kominion nur mit einer grimmigen und ungeduldigen Freude, die ihm die Willenskraft wiedergab, seinen kranken Körper und fiebrigen Sinn vorwärtszutreiben.

Er verneigte sich vor den Alten, verließ die Hütte und ging draußen auf und ab, ohne sich um den stinkenden Abfall und die krätzigen, triefäugigen Kinder zu kümmern, die bei seinen Soldaten bettelten. Er überlegte keinen Augenblick, ob er kämpfen solle oder nicht. Das hatten der göttliche Shardik und er schon beschlossen. Ihm aber, als Shardiks General, fiel die Entscheidung zu, wo und wann. Selbst das beschäftigte ihn nicht lange, denn all seine Gedanken führten zu demselben Schluß – sie mußten geradeaus gegen Bekla ziehen und den Feind überall bekämpfen, wo sie ihn in der freien Ebene trafen. Es gab kaum irgendwelche Nahrungsmittel, die sie in Gelt requirieren konnten, und die Vorfälle am Nachmittag hatten ihm gezeigt, wie wenig wirkliche Kontrolle er über seine Leute besaß. Der Regen konnte jederzeit einsetzen, und die Nachricht von der Eroberung Gelts durch die Ortelganer würde trotz der Absperrung nicht lange geheim bleiben. Unmittelbarer als all das war, weil er sie im eigenen Körper fühlte, die Erkenntnis, daß er vielleicht bald außerstande sein würde, die Armee anzuführen. War die Schlacht erst einmal gewonnen, dann würde seine Krankheit keine große Rolle mehr spielen, aber sein Zusammenbruch vor dem Kampf würde bei seinen Männern böse Ahnungen und abergläubische Furcht hervorrufen. Außerdem mußte er allein den Befehl in der Schlacht führen. Wie sollte er sonst Herr von Bekla werden?

Wo war die beklanische Armee, und wie bald durfte man hoffen, ihr zu begegnen? Die Stadtväter hatten gesagt, das Flachland liege etwa einen Tagesmarsch weit entfernt, und er konnte erwarten, daß die Feinde, sobald sie vom Heranrücken der Ortelganer erfuhren, sie aufs Korn nehmen würden. Sie würden ebenso begierig sein zu kämpfen wie er. Wahrscheinlich durfte man also annehmen, daß es spätestens übermorgen im Flachland zum Kampf kommen würde. Danach mußte er seinen Plan richten. Mehr konnte er nicht tun, er konnte nur seinem Herrn Shardik seine Tapferkeit und seine Hingabe darbieten, die sollte er nach Belieben verwenden. Und Shardik blieb es überlassen, die Regenfälle zu verzögern und die Beklaner Ta-Kominion entgegenzuführen.

Wo war Shardik, und was hatte Kelderek, wenn überhaupt, erreicht, seit er ihn verlassen hatte? Der Bursche war ein Feigling, darüber gab es keinen Zweifel: doch das spielte keine Rolle, wenn er es nur irgendwie schaffte, den Bären zu den Ortelganern zu bringen, bevor sie kämpften. Wenn sie siegten – und sie würden siegen –, wenn sie tatsächlich schließlich Bekla selbst eroberten – welchen Platz würde Kelderek dann einnehmen? Und die Tuginda – diese nutzlose und doch beunruhigende Frau, die er unter Bewachung nach Quiso zurückgeschickt hatte –, was sollte mit ihr geschehen? Es durfte keine Autorität geben, die die seine nicht anerkannte. Vielleicht sollte man beide loswerden und Shardiks Kult dementsprechend ändern? Es würde später Zeit sein, darüber zu entscheiden. Jetzt kam es auf die bevorstehende Schlacht an.

In einem plötzlichen Schwächeanfall setzte er sich auf die Trümmer einer verbrannten Hütte, um sich zu erholen. Sollte er nach dem Ende der Schlacht die Krankheit noch nicht überwunden haben, dann, dachte er, würde er die Tuginda kommen lassen und ihr vorschlagen, sie unter der Bedingung, daß sie ihn heilte, wiedereinzusetzen. Bis dahin mußte er sich darauf verlassen, daß Kelderek in ihrem Namen die Autorität ausübte. Es war aber wichtig, daß der Bursche unter Druck gesetzt wurde, seine Aufgabe auszuführen.

Er erhob sich, stützte sich an den noch stehenden Türpfosten, bis sein Schwindel verging, dann machte er sich auf den Rückweg zu der Hütte. Die Stadtväter waren fort, er rief seinen Diener Numiss und übergab ihm eine kurze Botschaft, die er Kelderek bringen sollte; darin betonte er, daß er in den nächsten zwei Tagen den Kampf erwarte. Sobald er sich vergewissert hatte, daß der Mann seine Worte auswendig wußte, ersuchte er Zelda, ihn durch die Wachtposten führen zu lassen, erteilte Befehl, daß alles zur Fortsetzung des Marsches bei Morgengrauen am nächsten Tag vorbereitet sein solle, und ging schlafen.

Er schlief fest, ohne sich durch die Soldaten stören zu lassen, die bei Einbruch der Nacht wieder zu plündern, zu vergewaltigen und zu saufen begannen und es weitertrieben, da keiner von den Baronen riskieren wollte, sie daran zu hindern. Als Ta-Kominion endlich erwachte, wußte er sofort, daß er nicht nur krank war, sondern in einem schlimmeren Zustand als je zuvor in seinem Leben. Sein Arm war so geschwollen, daß der Verband ins Fleisch schnitt, dennoch war er sich klar, daß er ihn nicht losschneiden durfte. Seine Zähne klapperten, seine Kehle war so geschwollen, daß er kaum schlucken konnte, und als er sich aufsetzte, spürte er einen pochenden Schmerz hinter seinen Augen. Er erhob sich und taumelte zur Tür. Von Westen her kamen warme Windstöße, und der Himmel war mit dichten, niedrig hängenden Wolken bedeckt. Die Sonne war nicht zu sehen, aber er wußte doch, daß es schon lange nach Sonnenaufgang sein mußte. Er lehnte sich an die Wand und versuchte, Kraft zu sammeln, um die Männer zu wecken, die seinen Befehlen gehorchen sollten.

Erst eine Stunde vor Mittag war die Armee endlich soweit, daß sie sich auf den Marsch machen konnte. Ihr Tempo war langsam, mehrere Soldaten hatten sich mit gefundenem Beutegut beladen – Kochtöpfe, Hacken, Schemel, die armseligen und wertlosen Habseligkeiten von Menschen, die noch ärmer waren als sie. Viele marschierten mit Kopf- und Magenschmerzen. Ta-Kominion, der seine Krankheit nicht mehr verbergen konnte, ging in einem wirren und bekümmerten Traum dahin. Er wußte kaum mehr, was am Morgen vorgefallen war und was er getan hatte, um die Männer zum Aufstehen zu bewegen. Er erinnerte sich an Numiss' Rückkehr und an dessen Bericht, daß Shardik betäubt worden sei, was einer Priesterin das Leben gekostet habe. Kelderek, so lautete die Botschaft, hoffte, sie bei Einbruch der Nacht einzuholen. Die letzte Nacht, dachte Ta-

Kominion, vor der Vernichtung des beklanischen Heeres. Wenn das geschafft wäre, würde er sich ausruhen.

Die schmale Straße schlängelte sich neben den steilen, bewaldeten, windgeschützten Schluchten an Felswänden vorbei, wo die braunen Farne nach Regen schmachteten. Das Rauschen eines unsichtbaren Stroms stieg schon lange von unten herauf durch hin und her wirbelnde Nebelschwaden, die sich ebensowenig zerstreuten wie die Wolkendecke am Himmel. Alles war Einsamkeit und Echo, und bald hörten die Männer auf zu singen, zu scherzen oder auch nur mehr als ein paar leise Worte zu sprechen. Ein zerlumpter Bursche schoß einen Pfeil ab und traf einen über ihnen niederstoßenden Bussard; er hängte, stolz auf seine Treffsicherheit, die Beute um seinen Hals, bis er sie, als Ungeziefer aus der erkaltenden Leiche kroch, mit einem Fluch in einen Abgrund warf. Dann und wann konnten sie für einen Moment durch die Baumkronen die Ebene unter sich sehen, auf der kleine Viehherden zwischen vom Wind hochgepeitschten Staubwolken galoppierten. In abergläubischer Furcht vor diesen schroffen Hügeln eilten die Ortelganer weiter, viele sahen sich beunruhigt um und trugen ihre blanken Waffen in der Hand.

Die ungeordnete Horde zog sich über drei Kilometer der Straße hin, und es gab keine Möglichkeit, Befehle durchzugeben, es sei denn von Mund zu Mund. Als sie aber nach Mittag unterhalb der Nebeldecke angelangt waren, machten sie, ohne daß Befehl dazu erteilt worden wäre, zwischen zwei und drei Uhr halt, da mehrere Kompanien und Gruppen auf die Vorhut stießen, die weggetreten war und in einem offenen Wald rastete. Ta-Kominion hinkte zwischen den Soldaten umher, plauderte und scherzte mit ihnen wie in Trance, nicht so sehr, um sie aufzumuntern, als um von ihnen gesehen zu werden und möglichst selbst herauszufinden, in welcher Verfassung sie waren. Da sie nun das einsame Gelände verlassen hatten, das sie beunruhigte und beherrschte, kehrte ihr Mut wieder, und sie schienen so begierig wie eh und je, die Schlacht zu eröffnen. Doch Ta-Kominion, der mit siebzehn Jahren an Bel-ka-Trazets Seite in Clenderzard gekämpft und drei Jahre später die Gardekompanie befehligt hatte, die sein Vater in den Sklavenkriegen zum Kampf nach Yelda geschickt hatte, spürte deutlich, wie unreif und unerfahren ihr Eifer war. Einerseits, das wußte er, konnte es von Vorteil sein, denn in ihrer ersten Schlacht verausgaben Männer etwas, das sie nie wieder zu verschwenden haben, so daß dieser Kampf – sogar für jene, für die er nicht der letzte ist – sehr wohl ihr bester sein kann. Aber die Verluste bei solch unerfahrenem Eifer waren zumeist schwer. Von solchen Truppen konnte man, was diszipliniertes Vorgehen oder Widerstandskraft betraf, nur wenig erwarten. Ihre rohen, ungeschulten Qualitäten ließen sich am besten nutzen, indem man sie einfach schnell zum Flachland führte und sie den Feind in voller Stärke und in offenem Gelände angreifen ließ.

Er wurde von einem Krampf befallen, und die Bäume lösten sich vor seinen Augen in gelbe, grüne und braune Kreise auf. Irgendwo in der Ferne schien der Regen auf die Blätter zu trommeln. Er lauschte, doch dann erkannte er, daß der Lärm in seinem Ohr lag, das so von Schmerzen erfüllt war wie ein Ei vom Dotter. Er hätte es am liebsten aufgebrochen, um zuzusehen, wie der dickflüssige, schmerzende Inhalt sich zu seinen Füßen über den Boden ergoß.

Jemand sprach ihn an. Noch einmal schlug er die Augen auf und hob den Kopf. Es war Kavass, der Pfeilmacher seines Vaters, ein bescheidener, schlichter Mann, der ihm als Junge das Bogenschießen beigebracht hatte. Mit ihm waren vier oder fünf Kameraden, die – so schien es Ta-Kominion – Kavass veranlaßt hatten, mit ihnen zum Anführer zu kommen, um einen Streit zwischen ihnen zu schlichten. Der Pfeilmacher war groß, so groß wie Ta-Kominion, und blickte ihn mit ehrerbietiger Zuneigung und voll Mitleid an. Er reagierte darauf mit einer Grimasse und brachte dann ein verzerrtes Lächeln zustande.

»Fieberanfall, Herr, wie?« sagte Kavass respektvoll. Alles an ihm – seine Haltung, sein Aussehen und der Klang seiner Stimme – sollten Ta-Kominion in seiner Stellung als Anführer bestätigen und zugleich die menschliche Beziehung der beiden betonen.

»Sieht so aus, Kavass«, antwortete er. Seine Worte dröhnten in seinem Kopf, ohne daß er wußte, ob er tatsächlich laut oder leise sprach. »Es wird vorübergehen.« Er biß die Zähne zusammen, damit sie nicht weiterklapperten und ihn daran hinderten zu hören, was Kavass als nächstes sagte. Er wollte sich schon abwenden, als er merkte, daß sie alle auf seine Antwort warteten. Er schwieg, blickte aber Kavass unverwandt an, als erwarte er, daß er noch etwas sage. Kavass schien verwirrt.

»Also, Herr, ich meinte nur – gewiß mit allem Respekt –, als er damals am Morgen an Land kam, und Ihr wart bei ihm, sagte er

Euch da, er werde wiederkommen – er werde dort sein und dafür sorgen, daß wir siegen?« fragte Kavass.

Ta-Kominion starrte ihn weiter an, wollte erraten, was er meinte. Die Männer wurden unruhig.

»Hat nichts mit uns zu tun«, brummte einer. »Ich hab es ja gesagt, mit uns hat das nichts zu tun.«

»Also, es ist nur so, Herr«, fuhr Kavass fort. »Ich war als einer der ersten bei Euch damals am Morgen, und als unser Herr Shardik über das Wasser schwamm, sagtet Ihr uns, er wisse genau, daß Ortelga schon so gut wie erobert sei, und er gehe nun nach Bekla – um uns den Weg zu zeigen. Und nun möchten wir wissen, Herr, ob er dort sein und für uns siegen wird, wenn es zum Kampf kommt.«

»Wir *müssen* doch siegen, nicht wahr, Herr?« warf ein anderer ein. »Es ist Shardiks Wille – Gottes Wille.«

»Woher weißt du das?« meinte ein vierter, ein grober Kerl mit skeptischem Blick und geschwärzten Zähnen. Er spuckte auf den Boden. »Glaubst du denn, ein Bär redet, wie? Ein Bär?«

»Nicht mit dir«, antwortete Kavass verächtlich. »Natürlich redet er nicht mit Leuten wie du – übrigens auch nicht mit mir. Ich habe dir nur erzählt, daß unser Herr Shardik sagte, wir sollen gegen Bekla marschieren und daß er selbst hingeht. Es ist also logisch, daß er erscheinen wird, wenn wir den Kampf ausfechten. Wenn du nicht unserem Herrn Shardik vertraust, warum bist du dann hier?«

»Na ja, je nachdem«, sagte der Mann mit den geschwärzten Zähnen. »Vielleicht wird er dort sein, vielleicht auch nicht. Ich habe nur gesagt, Bekla ist eine Festung. Dort gibt's Soldaten.«

»Schweig!« rief Ta-Kominion. Er ging mit möglichst festem Schritt auf den Mann zu, faßte dessen Kinn mit der Hand, hob seinen Kopf und versuchte, den Blick auf sein Gesicht zu heften. »Du lästernder Narr! Unser Herr Shardik kann dich jetzt hören – und auch sehen! *Du* aber wirst *ihn* erst zur festgesetzten Zeit sehen, denn er will deinen Glauben erproben.«

Der um mindestens zwanzig Jahre ältere Mann starrte Ta-Kominion verdrossen und wortlos an.

»Du kannst dessen sicher sein«, sagte Ta-Kominion so laut, daß alle in der Nähe ihn hören konnten, »Shardik, unser Herr, hat die Absicht, für die zu kämpfen, die an ihn glauben. Und er *wird* erscheinen, wenn sie kämpfen – er wird denen erscheinen, die es verdienen! Nicht aber jenen, die eine Holzlaus als Gott verdienen.«

Im Davonstolpern fragte er sich wieder, wie lange Kelderek wohl brauchen werde, um sie einzuholen. Wenn alles gutging, sollte es, während das Heer das Nachtlager aufschlug, möglich sein, mit Kelderek zu besprechen, wie sie sich Shardik am besten zunutze machen könnten. Shardik mußte, was auch immer später von Balthis und den anderen Männern, die nun bei Kelderek waren, enthüllt werden mochte, dem Feind in ehrfurchtgebietender Kraft erscheinen – er durfte nicht bewußtlos und betäubt zur Schau gestellt werden. Es würde auch besser sein, ihn von den Männern ganz fernzuhalten, bis er ihnen zur gegebenen Zeit, wahrscheinlich knapp vor der Schlacht, gezeigt würde. Doch Ta-Kominion wußte, daß er selbst nicht imstande sein würde, am heutigen Abend auch nur einen Kilometer auf der Straße zurückzugehen. Wenn Kelderek das Heer nicht einholte, würde er Zelda zurückschicken müssen, um ihn zu suchen und mit ihm zu sprechen. Er selbst konnte nicht mehr lange ohne Pause weitermachen. Er mußte sich hinlegen und schlafen. Würde er aber, wenn er das tat, imstande sein, wieder aufzustehen?

Der Marsch wurde wieder aufgenommen, die Armee folgte der Straße durch den Wald und dahinter, talwärts über den Hügel. Im Bewußtsein, den Anschluß zu verlieren, wenn er hinten bliebe, nahm Ta-Kominion einen Platz in der Mitte der Kolonne ein. Eine Zeitlang stützte er sich auf Numiss' Arm, dann merkte er, daß der Arme erschöpft war, und sandte nach Kavass, damit er dessen Platz einnähme.

Sie marschierten in dem dunkler werdenden, düsteren Nachmittag weiter. Ta-Kominion versuchte zu schätzen, wie weit vorne die Vorhut sein mochte. Die Entfernung bis zum Flachland konnte nur wenige Kilometer betragen. Am besten, er ließ ihnen durch einen Läufer sagen, sie sollten bei Erreichen der Ebene haltmachen. Gerade als er den nächsten Mann rufen wollte, glitt er aus, verstauchte sich den Arm und brach vor Schmerz fast zusammen. Kavass half ihm zum Straßenrand.

»Ich werde nicht hinkommen, Kavass«, flüsterte er.

»Keine Sorge, Herr«, antwortete Kavass. »Nach dem, was Ihr den Leuten gesagt habt, werden sie gut kämpfen, sogar wenn Ihr nicht mitmachen könnt. Was Ihr dort drüben gesagt habt, hat sich nämlich herumgesprochen, wißt Ihr, Herr. Die meisten haben unseren Herrn Shardik gar nicht gesehen, als er in Ortelga an Land kam, und sie wollen unbedingt kämpfen, um dabeizusein, wenn er wieder auftaucht. Sie wissen, daß er kommen wird. Also sogar wenn Ihr Euch eine Weile ausruhen müßt –«

Plötzlich drang an Ta-Kominions Ohr ein wirrer Lärm aus der Ferne, der aus dem steilen Waldgelände von unten emporhallte; die wohlbekannten, kehligen Schreie der Ortelganer und, deutlich davon unterschieden, in rhythmischen Intervallen, ein höherer, hellerer Klang von anderen schreienden Stimmen. Unter alldem der stoßende, trampelnde Lärm einer erregten Menge.

Ta-Kominion war nun sicher, daß er phantasierte, da er offenbar die Wirklichkeit nicht mehr von Halluzinationen unterscheiden konnte. Doch Kavass schien ebenfalls zu lauschen.

»Kannst du es hören, Kavass?« fragte er.

»Ja, Herr. Es klingt nach Kampf. Ein Teil des Lärms stammt nicht von unseren Leuten, Herr.«

Die Verwirrung pflanzte sich in der Kolonne fort wie eine Überschwemmung, deren Wasser sich vom Hauptstrom in einen Zufluß ergießt. Einige Männer liefen an ihnen vorbei den Abhang hinunter, blickten zurück, zeigten und schrien den Zurückgebliebenen etwas zu. Ta-Kominion versuchte, sie zu rufen, doch keiner kümmerte sich um ihn. Kavass stürzte sich auf einen vorbeilaufenden Mann und hielt ihn mit Gewalt fest, doch als der stotterte und auf etwas hinwies, stieß er ihn zur Seite und ging zurück zu Ta-Kominion.

»Ich kann es nicht genau sehen, Herr, aber dort unten wird gekämpft, oder zumindest behauptet es der Mann.«

»Gekämpft?« wiederholte Ta-Kominion. Einen Augenblick lang konnte er sich nicht erinnern, was das Wort bedeutete. Seine Sicht war getrübt, und dazu kam das seltsame Gefühl, als wären seine Augen geschmolzen und flössen über sein Gesicht, während er, wenn auch undeutlich, die Sehfähigkeit weiter behielt. Er hob die Hand, um die Flüssigkeit fortzuwischen. Wirklich, er konnte nicht mehr sehen. Kavass schrie neben ihm:

»Der Regen, Herr, der Regen!«

Tatsächlich, es war Regen, was seine Hände bedeckte, seine Sicht trübte und die Wälder mit jenem zischenden Geräusch erfüllte, von dem er angenommen hatte, es käme aus seinem Kopf. Er ging zur Straßenmitte und versuchte selbst zu sehen, was am Fuß des Hügels vorging.

»Hilf mir dort hinunter, Kavass!« schrie er.

»Sachte, Herr, Vorsicht!« sagte der Pfeilmacher und faßte ihn wieder am Arm.

»Zum Henker mit der Vorsicht!« schrie Ta-Kominion. »Dort unten sind Beklaner – Beklaner – und unsere Dummköpfe kämpfen einzeln gegen sie, noch bevor sie ausgeschwärmt sind! Wo ist Kelderek? Der Regen – diese verdammte Priesterin – die hat uns verwünscht, das verfluchte Weib! Hilf mir dort hinunter!«

»Vorsicht, Herr«, wiederholte der Mann und hielt ihn aufrecht. Humpelnd, hüpfend, stolpernd stürzte Ta-Kominion den steilen Pfad hinunter, der Lärm in seinen Ohren wurde lauter, bis er deutlich das Waffenklirren erkennen, die Rufe der Krieger und die Schreie der Verwundeten unterscheiden konnte. Er sah, daß das waldige Gelände am Fuß des Hügels zu Ende war und daß der Kampf, den er immer noch nicht deutlich erkennen konnte, dahinter im freien Feld vor sich ging. Zwischen den Bäumen liefen Männer mit gezogenen Waffen. Er sah einen großen, blonden Burschen, dem Blut aus einer Rückenwunde sickerte, zu Boden stürzen.

Plötzlich tauchte Zelda zwischen den Blättern auf, rief die Männer zusammen und wies mit seinem Schwert zurück auf das offene Gelände. Ta-Kominion schrie auf und versuchte, zu ihm zu laufen. Dabei durchfuhr ein scharfer, krampfhafter Schmerz seinen Körper, gefolgt von einem kalten inneren Strom. Er prallte gegen einen Baumstamm und fiel der Länge nach auf den Weg. Da er sich herumwälzte, wußte er, daß er nicht aufstehen konnte – daß er sich nie wieder erheben würde. Die Schleusentore seines Körpers waren gebrochen, und sehr bald würde die Flut sein Gehör, sein Seh- und Sprechvermögen für immer zudecken.

Zeldas Antlitz erschien über ihm, blickte herab, ließ Regentropfen auf sein Gesicht fallen.

»Was ist geschehen?« fragte Ta-Kominion.

»Beklaner«, antwortete Zelda. »Weniger als wir, aber für sie ist es kein Wagnis. Das Gelände ist günstig, sie stehen einfach dort und blockieren die Straße.«

»Die Schweine – wie sind sie heraufgekommen? Hör zu – alle müssen zugleich angreifen«, flüsterte Ta-Kominion.

»Wenn sie das nur täten! Es fehlt jede Ordnung – sie gehen irgendwie auf den Feind los, gerade nur, wie sie zufällig ankommen. Manche wurden schon erledigt, aber es sind noch andere dort draußen. Es wird in einer Stunde dunkel sein – und nun der Regen –«

»Ruf sie – alle zurück – unter die Bäume – neu formieren – wieder angreifen«, keuchte Ta-Kominion; mit äußerster Anstrengung gelang es ihm, die Worte hervorzustoßen. Sein Denken geriet in einen Nebelschleier. Er wunderte sich nicht, daß Zelda fort war und daß er wieder auf der Straße nach Gelt der Tuginda gegenüberstand. Sie sagte nichts, stand nur untertänig da, ihre Handgelenke waren mit einer nassen, schmutzigen Binde aneinandergefesselt. Ihre Augen starrten an ihm vorbei auf die Hügel, und er glaubte zuerst, sie habe seine Anwesenheit nicht bemerkt. Dann sah sie ihm mit einem abschließenden und skeptischen Blick, wie eine schlaue Bäuerin auf dem Markt, ins Gesicht und zog die Brauen hoch, wie um zu sagen: »Und bist du nun fertig, mein Kind?«

»Du Dreckstück!« schrie Ta-Kominion. »Ich erwürge dich!« Er zerrte an der Binde; und die tiefe, eiternde Wunde an seinem rechten Arm, die seit zwei Tagen Gift in seinen Körper verströmte, barst auf dem von Regentropfen befleckten Straßenstaub, in dem er lag. Er riß für einen Augenblick den Kopf hoch, dann fiel er zurück, schlug die Augen auf und rief: »Zelda!«

Aber es war Kelderek, den er über sich gebeugt sah.

22. Der Käfig

Im letzten Teil der Nacht bis in den grauenden Morgen, der endlich zögernd hinter den im Osten angehäuften Wolken heraufzog, schleppten Balthis und seine Männer langsam den Käfig durch die Wälder des Telthearnas. Hinter und unter ihnen tauchten kilometerweit die Baumwipfel auf – dieses abgeschiedene, schimmernde Versteck der großen Schmetterlinge –, wie Wogen, die man von der Felsspitze aus sieht, leise im Wind davoneilen. In der Ferne schimmerte die Flußlinie im wolkigen Licht wie das matte Blinken eines Schwertes, und das geschwärzte Nordufer hob sich undeutlich aus dem Dunst des Horizontes.

Der Bär lag regungslos, wie tot, da. Seine Augen blieben geschlossen, die trockene Zunge hing ihm aus dem Maul, und im Rütteln der Planken bebte der Kopf, wie ein Steinblock auf dem Grund des Steinbruchs beim Anprall der um ihn fallenden Steinmassen erzittert. Einige der staubbedeckten Mädchen mit wundgelaufenen

Füßen hielten das klapprige Gefährt, um es beim Fahren zu stützen, während andere vorne gingen, Steine aus dem Weg räumten oder Furchen und Löcher ausfüllten, bevor die Räder darüber rollten. Hinter dem Käfig stapfte Sencred, der Wagner, und achtete auf ein beginnendes Spiel in den Rädern oder ein Nachgeben der Radachsen; dann und wann befahl er den Männern, die die Seile zogen, anzuhalten, während er die Bolzen überprüfte.

Kelderek wechselte sich mit den anderen an den Zugseilen ab, als sie aber endlich anhielten, um auszuruhen – die Mädchen schoben schwere Steine zum Blockieren hinter die Räder –, trennte er sich mit Balthis von den Männern und ging nach hinten, wo Sencred und Zilthe an den Käfig gelehnt standen. Zilthe hatte ihren Arm zwischen die Stangen geschoben und streichelte eine der Vordertatzen des Bären, dessen gebogene Klauen länger waren als ihre ganze Hand.

»Erwache, erwache, um Bekla zu zerstören.«

»Erwache, Shardik, unser Herr, *na kora, na ro*«, sang sie leise und rieb ihre schwitzende Stirn an dem kühlen Eisen.

Befallen von plötzlichen Befürchtungen, starrte Kelderek auf die totenähnliche Reglosigkeit des Bären; nicht die leiseste Atembewegung an der Flanke des Bären, und die Fliegen setzten sich ihm auf Ohren und Schnauze.

»Was ist das für eine Droge? Bist du sicher, daß sie ihn nicht getötet hat?«

»Er ist nicht tot, Herr«, sagte Zilthe lächelnd. »Sieh doch!« Sie zog ihr Messer, beugte sich vor und hielt es unter Shardiks Nüstern. Die Klinge beschlug sich ein wenig, wurde klar, beschlug sich und wurde wieder klar; Zilthe zog sie heraus und hielt sie, warm und feucht, an Keldereks Handgelenk.

»Theltocarna wirkt stark, Herr; aber sie, die starb, wußte am besten, wie man es anwenden muß. Er wird nicht sterben.«

»Wann wird er aufwachen?«

»Vielleicht heute abend oder in der Nacht. Ich kann es nicht sagen. Wir kennen die Dosis und ihre Wirkung auf viele Geschöpfe, aber sein Körper ist anders, und da können wir nur raten.«

»Wird er dann fressen? Trinken?«

»Geschöpfe, die aus dem Theltocarnaschlaf erwachen, sind immer gefährlich. Oft sind die Tiere noch wilder als vor der Betäubung, dann greifen sie alles an, was ihnen in den Weg kommt. Ich habe gesehen, wie ein Hirsch ein Seil zerriß, das so dick war wie eine dieser Stangen, und dann zwei Ochsen tötete.«

»Wann?« fragte Kelderek verwundert.

Sie begann, von Quiso und den heiligen Frühjahrsriten der Tagundnachtgleiche zu erzählen, aber Balthis unterbrach sie.

»Wenn, was du sagst, wahr ist, werden ihn diese Stangen nicht zurückhalten.«

»Auch das Dach ist nicht stark genug, um ihm standzuhalten«, sagte Sencred. »Er braucht sich nur aufzurichten und wird es zerschlagen wie eine Pastetenkruste.«

»Wir haben unsere Zeit vergeudet«, sagte Balthis und spie in den Staub. »Er könnte ebensogut gleich außerhalb dieser Stangen sein. Er wird sich erheben und fortgehen, wann er will. Aber ich sage euch eines, vorher haue ich ab.«

»Dann werden wir ihn nochmals betäuben müssen«, sagte Kelderek.

»Das würde ihn sicherlich töten, Herr«, warf Sheldra ein. »Theltocarna ist ein Gift. Man kann es nicht zweimal verwenden – nein, nicht zweimal innerhalb von zehn Tagen.«

Die anderen Mädchen murmelten zustimmend.

»Wo ist die Tuginda?« fragte Nito. »Ist sie bei Herrn Ta-Kominion? Sie wüßte, was zu tun ist.«

Kelderek antwortete nicht, sondern ging über den Weg zurück und forderte die Männer auf, sich wieder zu erheben.

Eine Stunde später wurde die Arbeit leichter, denn die Steigung ließ nach, und die Straße war weniger steil. Soweit er aus dem bedeckten, trüben Himmel schließen konnte, war es ungefähr Mittag, als sie endlich nach Gelt kamen. Der Hauptplatz war mit Abfällen bedeckt wie nach Straßenunruhen. Es war kaum ein lebendes Wesen zu sehen, aber ein qualmiger Geruch hing in der Luft, und es roch nach Müll und Unflat. Ein einzelner, abgerissener Bengel trieb sich herum und beobachtete sie aus sicherer Entfernung.

»Stinkt verdammt nach einer Herde Affen«, brummte Balthis.

»Sag deinen Leuten, sie sollen essen und rasten«, sagte Kelderek. »Ich will versuchen festzustellen, wie lange es her ist, seit das Heer abgezogen ist.«

Er überquerte den Platz und sah sich, verdutzt über die verschlossenen Türen und verlassenen Gäßchen dahinter, um. Plötzlich spürte er einen scharfen, kurzen Schmerz wie einen Insektenstich in seinem Ohrläppchen. Er faßte hin und zog die Hand mit Blut zwischen Daumen und Zeigefinger zurück; im selben Augenblick bemerkte er, daß der Pfeil, der ihn gestreift hatte, im Türpfosten ihm gegenüber steckte. Er drehte sich rasch um, sah aber nur noch eine verlassene Straße und geschlossene Türen und Fensterläden. Ohne den Kopf zu wenden, trat er langsam zurück auf den Platz und hielt zwischen den stillen, versperrten Hütten Ausschau nach einem Zeichen von Bewegung.

»Was ist los?« fragte Balthis, der hinter ihm herankam.

Kelderek berührte wieder sein Ohr und zeigte seine Finger. Balthis stieß einen Pfiff aus.

»Schlimm«, sagte er. »Die werfen wohl mit Steinen, wie?«

»Ein Pfeil«, sagte Kelderek und zeigte auf den Türpfosten.

In diesem Augenblick öffnete sich mit scharrendem Geräusch in der Nähe eine Tür, und eine triefäugige, schmutzige alte Frau erschien. Sie humpelte und stolperte unter dem Gewicht eines Kindes, das sie in den Armen trug. Als sie näher kam, sah Kelderek erschrocken, daß es tot war. Die alte Frau wankte auf ihn zu und legte das Kind vor seinen Füßen auf die Erde. Es war ein etwa achtjähriges Mädchen, mit blutigem und verfilztem Haar und einer gelben Absonderung rund um die offenen Augen. Die alte Frau blieb gebeugt und murmelnd vor ihm stehen.

»Was willst du, Großmutter?« fragte Kelderek. »Was ist geschehen?«

Die alte Frau blickte ihn aus ihren vom jahrelangen Hocken über Holzfeuern geröteten Augen an.

»Die glauben, es sieht keiner. Glauben, niemand sieht es«, flüsterte sie. »Aber Gott sieht. Gott sieht alles.«

»Was ist geschehen?« fragte Kelderek, stieg über die Kindesleiche und faßte das stockdünne Handgelenk unter den Lumpen.

»Ja, so ist's recht, fragt sie doch – fragt sie, was geschehen ist«, sagte die Alte. »Wenn ihr euch beeilt, erreicht ihr sie. Sie sind noch nicht weit – sie sind noch nicht lange fort.«

In diesem Augenblick kamen zwei Männer um die Ecke geschlendert. Sie blickten geradeaus, und ihre Gesichter zeigten die feste Entschlossenheit von Leuten, die sich einer Gefahr bewußt sind. Ohne Kelderek anzusprechen, faßten sie die Alte an den Armen und führten sie gemeinsam fort. Sie wehrte sich einen Augenblick und protestierte schrill.

»Es ist der Statthalter von Bekla! Der Statthalter! Ich sage ihm –«

»Komm nur mit, Mutter«, sagte einer der Männer, »komm mit uns. Du wirst doch nicht hierbleiben wollen. Komm jetzt –«

Sie schlossen hinter sich die Tür, und gleich darauf war zu hören, wie eine schwere Querstange vorgelegt wurde.

Kelderek und Balthis ließen das tote Kind liegen und gingen über den Platz zurück. Die Männer hatten einen Ring um die Mädchen gebildet und blickten nervös um sich.

»Ich glaube, wir sollten nicht hierbleiben«, sagte Sencred und zeigte über den Platz. »Wir sind zu wenige, als daß es ungefährlich wäre.«

Am anderen Ende einer von dem Platz ausgehenden Straße hatten sich Männer gesammelt, die redeten und gestikulierten. Einige waren bewaffnet.

Kelderek nahm seinen Gürtel ab, legte seinen Bogen und Köcher auf die Erde und ging auf sie zu.

»Vorsicht«, rief ihm Balthis nach. Kelderek beachtete ihn nicht und ging bis auf dreißig Schritt auf die Männer zu. Er hob beide Hände hoch und rief:

»Wir wollen euch nichts zuleide tun. Wir sind Freunde.«

Die Antwort war höhnisches Lachen, dann trat ein großer, grauhaariger Mann mit einer gebrochenen Nase vor und antwortete:

»Ihr habt genug getan. Laßt uns in Frieden, oder wir erschlagen euch.«

Kelderek war weniger geängstigt als aufgebracht.

»Dann versucht doch, uns umzubringen, ihr Narren!« schrie er. »Versucht es!«

»Ach, dann bekommen wir seine Freunde auf den Hals«, sagte ein anderer. »Warum geht ihr nicht euren Freunden nach? Sie sind noch keine Stunde fort.«

»Folg doch seinem Rat«, sagte Balthis, der herangekommen war und nun neben Kelderek stand. »Es hat keinen Sinn zu warten, bis sie in Wut geraten und über uns herfallen.«

»Aber unsere Leute sind müde«, sagte Kelderek ärgerlich.

»Es wird ihnen weitaus schlimmer ergehen, wenn wir nicht hier verschwinden, mein Junge«, sagte Balthis. »Komm jetzt – ich bin kein Feigling, und auch meine Burschen sind nicht feige, aber es bringt uns keinen Vorteil hierzubleiben.« Als Kelderek noch immer zögerte, rief er den Männern zu: »Zeigt uns den Weg, dann gehen wir.«

Darauf machten sie alle, wie ein Haufen wilder Hunde, ein paar vorsichtige Schritte vorwärts, dann begannen sie, zu schreien und nach Süden zu zeigen. Sobald Kelderek seines Wegs sicher war, zog er mit dem Fuß einen Strich durch den Staub und warnte die Männer davor, ihn zu überschreiten, bevor die Ortelganer fort wären.

»Ja, wir können Gelt verlassen, ohne daß ihr uns helft«, rief Balthis und ergriff wieder die Seile, um seine müden Leute zu ermuntern.

Langsam schleppten sie sich davon, die Stadtleute starrten ihnen nach, plapperten miteinander und zeigten auf den riesigen, braunen Körper, der hinter den Stangen lag.

Außerhalb der Stadt führte die Straße bergab. Bald wurde sie so steil, daß sie den Käfig nicht mehr zu ziehen brauchten, sondern vielmehr seine Talfahrt bremsen mußten. Als sie zu einem breiten, ebenen Platz über einem langen Abhang kamen, drehten sie ihn um und bremsten den Zug mit den Seilen von hinten. Der trockene und griffige Boden gab ihnen wenigstens einen guten Halt, und sie konnten eine Zeitlang schneller vorankommen als am Vormittag. Zwei oder drei Kilometer weiter unten wurde die Straße jedoch schmal und wand sich an der felsigen Seite einer Schlucht entlang; dort mußten sie den Käfig schrittweise hinunterlassen, indem sie ihn mit den Seilen zurückhielten, während Sencred und ein paar andere seiner Männer da und dort die Vorderräder mit Stangen weiterhebelten. An einer Stelle, wo die Krümmung zu scharf war, mußten sie den Weg breiter machen und Felsbrocken mit Hämmern, Eisenstangen und was immer zur Hand war herausstemmen, bis sie schließlich imstande waren, einen ganzen Felsblock auszugraben und über den Rand zu wuchten, so daß er sekundenlang durch die Luft flog. Weiter unten gerieten zwei Männer ins Gleiten, und die übrigen wurden fluchend und erschrocken vorwärts gerissen, fast wären sie gestürzt.

Bald darauf bemerkte Kelderek, daß sich das Spiel der Räder vergrößert hatte, so daß der ganze Aufbau sich verlagerte und nicht mehr richtig auf dem Rahmen saß. Er wandte sich an Balthis.

»Es lohnt sich nicht zu versuchen, es auszurichten«, antwortete der Schmied. »Noch eine oder zwei Stunden solcher Fahrt werden das verdammte Ding sicher völlig zerschlagen. Der Rahmen wird zwischen der Straße unten und dem Gewicht des Bären oben wie Korn zermahlen, verstehst du. Das könnte nicht einmal ein sorgfältig gebautes Fahrzeug auf die Dauer aushalten, und das hier mußte viel zu schnell fertig werden. Was willst du also, mein Junge – fahren wir weiter?«

»Wie denn nicht?« erwiderte Kelderek. Und tatsächlich, trotz ihrer Anstrengungen und der Erschöpfung, der sie nahe waren, hatte sich keiner der Männer beklagt oder gewehrt weiterzugehen, um das Heer einzuholen. Als sie aber endlich die Abgründe und steilen Steigungen hinter sich gebracht hatten und sich an einer Stelle ausruhten, wo die Straße breiter wurde und in einen offenen Wald führte, fragte er sich zum erstenmal, wie die Sache wohl enden würde. Abgesehen von den Mädchen, die in ein Mysterium eingeführt waren und auch keinesfalls etwas in Frage stellen würden, was er ihnen auftrug, hatte keiner seiner Begleiter eine Ahnung von der Stärke und Wildheit, die Shardik entwickeln konnte. Wie viele würden sterben müssen, wenn er mitten unter der ortelganischen Armee erwachen und zornig aus dem schwachen Käfig ausbrechen sollte? Und um wieviel mehr würden dadurch von seinem Zorn und Unwillen gegen Ortelga überzeugt werden? Wenn aber Balthis und die übrigen im Interesse ihrer eigenen Sicherheit Befehl erhielten, Shardik jetzt zu verlassen, was sollte er dann Ta-Kominion sagen, dessen Befehl gelautet hatte, Shardik müsse um jeden Preis zu ihm gebracht werden?

Er beschloß weiterzueilen, bis sie sich knapp hinter dem Heer befanden. Er würde, wenn Shardik dann noch bewußtlos wäre, zu Ta-Kominion gehen, ihm berichten und sich weitere Weisungen holen.

Nun aber galt es, Männer zu finden, die noch kräftig genug waren, um die Seile zu ziehen. Manche waren nach den letzten zwölf Stunden kaum noch imstande, einen Fuß vor den anderen zu setzen. Doch sogar in dieser höchsten Not trieb sie ihr leidenschaftlicher Glaube an Shardiks Bestimmung dazu weiterzuwanken, zu stolpern, zu hinken. Andere fielen beim Ziehen hin, wälzten sich aus der Räderspur und baten keuchend ihre Gefährten um Hilfe. Manche schoben hinten an dem Käfig, sobald er aber ein wenig rascher rollte, fielen sie der Länge nach hin. Sencred schnitt sich eine Gabelkrücke und hinkte neben den schräg stehenden Rädern weiter. Ihr Tempo glich dem eines über die Straße kriechenden alten Mannes, aber sie kamen doch voran – wie das Tauwetter ein Tal hinaufwandert oder wie die Flut ruckweise steigt, um schließlich die Ufer zu sprengen und sich über das Land zu ergießen. Viele schoben wie Zilthe ihre Arme zwischen den Stangen durch, um ihren Herrn Shardik zu berühren, weil sie glaubten und fühlten, daß seine leibhaftige Stärke ihnen Kraft verleihe.

In diesen bösen Traum fiel der Regen, vermengte sich mit Schweiß, tröpfelte salzig über geschwollene Lippen und brannte in aufgeplatzten Blasen; er bewegte die Blätter und band den Staub in der Luft. Balthis hob den Kopf zum Himmel, trat fehl und stolperte gegen Kelderek.

»Regen«, knurrte er. »Der Regen, mein Junge! Was soll nun geschehen?«

»Was?« murmelte Kelderek zwinkernd, als habe der Schmied ihn geweckt.

»Der Regen, sag ich, der Regen! Was soll nun aus uns werden?«

»Das weiß Gott«, antwortete Kelderek. »Vorwärts – nur weiter.«

»Aber im Regen können sie sich doch nicht bis Bekla durchschlagen. Warum machen wir nicht kehrt, solange es noch geht – und retten unser Leben?«

»Nein!« rief Kelderek leidenschaftlich. »Nein!« Balthis brummte und sagte nichts mehr.

Oftmals mußten sie stehenbleiben, und ebensooft gingen sie wieder weiter. Einmal versuchte Kelderek zu zählen, um wie viele sie schon weniger waren, geriet aber durcheinander und gab es auf. Sencred war nirgends zu sehen. Von den Mädchen fehlten Nito, Muni und zwei oder drei andere. Die übrigen blieben weiter neben dem Käfig, von Kopf bis Fuß beschmiert mit dem regennassen, von den Rädern hochgespritzten Schlamm. Das Licht nahm ab; in einer Stunde würde es dunkel sein. Von dem Heer war nichts zu sehen, und Kelderek wurde zu seiner Verzweiflung klar, daß seine Gruppe erschöpfter Nachzügler höchstwahrscheinlich gezwungen sein würde, die Nacht in der Wildnis dieser Vorberge zu verbringen. Er würde nicht imstande sein, sie zusammenzuhalten. Sie würden noch vor Morgengrauen zu zitternden, kranken, rebellischen Opfern panischer Angst werden. Und wenn Zilthe recht behielt, würde Shardik vor Tagesanbruch erwachen.

Balthis kam wieder an seine Seite.

»Es steht schlimm, weißt du, junger Mann«, brummte er zwischen den Zähnen. »Wir werden bald anhalten müssen: es wird dunkel. Und was soll dann geschehen? Am besten, wir beide gehen allein weiter – suchen den jungen Baron auf und bitten ihn, uns Helfer zu schicken. Aber wenn du mich fragst, wird er selbst den Rückweg antreten müssen, wenn er am Leben bleiben will. Du kennst ja den Regen. Nach zwei Tagen kommt nicht einmal eine Ratte mehr vorwärts, geschweige denn Menschen.«

»Hör doch!« sagte Kelderek. »Was ist das für ein Lärm?«

Sie waren an der höchsten Stelle einer langen Steigung angelangt, wo die Straße sich durch dichten Wald bergab schlängelte. Die Männer an den Seilen standen still, einige sanken in den Schlamm nieder, um auszuruhen. Erst schien es kein Geräusch zu geben außer dem durch die Blätter strömenden Regen rund um sie. Dann drang wieder leise der Lärm an Keldereks Ohr, den er anfänglich gehört hatte – entfernte Rufe, scharf und kurz wie fliegende Funken, wirre, einander wie Wellen auf einem Teich überlagernde Stimmen. Er blickte von einem Mann zum nächsten. Alle erwiderten seinen Blick und warteten darauf, daß er ihren Gedanken bestätigte.

»Das Heer!« rief Kelderek.

»Ja, aber weshalb schreien sie?« fragte Balthis. »Klingt nach einem Tumult.«

Sheldra lief nach vorn und legte die Hand auf Keldereks Arm.

»Herr! Sieh doch!« rief sie, mit dem Finger weisend. »Unser Herr Shardik erwacht!«

Kelderek wandte sich dem Käfig zu. Der Bär kauerte mit noch geschlossenen Augen in einer unnatürlichen, geduckten Stellung auf dem wackligen Fußboden; es sah nicht aus, als würde er schlafen, sondern eher wie die groteske Haltung eines riesenhaften Insektes – mit gewölbtem Rücken und unter dem Körper angezogenen Beinen. Sein Atem ging unregelmäßig und schwer, an seinem Maul hatte sich Schaum gebildet. Während man ihn beobachtete, bewegte er sich ungeschickt und hob unsicher und betäubt tastend eine Tatze an die Schnauze. Einen Augenblick hielt er den Kopf hoch, zog wie zum Knurren die Lippen empor und sank dann wieder zu Boden.

»Wird er jetzt – sofort erwachen?« fragte Kelderek, unwillkürlich zusammenzuckend, als sich der Bär wieder regte.

»Nicht sofort, Herr«, antwortete Sheldra, »aber bald – innerhalb einer Stunde.«

Der Bär wälzte sich auf die Seite, die Stangen klapperten wie Nägel auf einer Bank, und die diesseitigen Räder schwankten und stellten sich unter dem massiven Gewicht schräg. Das Schlachtgetöse war nun deutlich zu vernehmen, und die Ortelganer konnten einen rhythmisch unterbrochenen Ruf erkennen – ein gemeinsamer Ton, scharf und kurz wie ein Geschoß. »Bek-la Maut! Bek-la Maut!«

»Drauflos!« schrie Kelderek, der kaum wußte, was er sagte. »Drauf und dran! Shardik in die Schlacht! Löst hinten die Seile und vorwärts!«

Unbeholfen im Regen umhertappend, machten sie die nassen Seile los, befestigten sie am anderen Ende der wackligen Stangen und schoben den Käfig den Abhang hinunter, wobei sie ihn zurückhielten, als er zu stark in Fahrt kam. Sie waren nur ein kurzes Stück vorangekommen, da erkannte Kelderek, daß sie der Schlacht näher waren, als er angenommen hatte. Das ganze Heer mußte im Kampf stehen, denn das Getöse erscholl weithin nach allen Seiten. Er lief ein kleines Stück voraus, konnte aber im Dunkel zwischen den dicken Stämmen nichts sehen. Plötzlich kam eine kleine Gruppe von fünf oder sechs Mann den Hügel heraufgelaufen; sie blickten über ihre Schultern zurück, nur zwei von ihnen trugen Waffen. Ein rothaariger, grobknochiger Kerl war den anderen voraus. Kelderek erkannte ihn und faßte ihn am Arm; der Mann stieß einen Schmerzensschrei aus, fluchte und holte ungeschickt zu einem Schlag gegen ihn aus. Kelderek ließ den Arm los und wischte seine blutige Hand an seiner Hüfte ab. »Numiss!« schrie er. »Was ist geschehen?«

»Alles verloren – das ist geschehen! Dort unten ist die ganze verfluchte beklanische Armee – Tausende von Mann. Flieht, solange ihr es könnt!«

Kelderek faßte ihn an der Kehle.

»Wo ist Ta-Kominion, der Herr, verdammter Bursche? Wo?« Numiss zeigte nach unten.

»Dort – er liegt auf der Scheißstraße! Es ist aus mit ihm!« Er wand sich los und stürzte fort.

Der Käfig, der den Hügel heruntergerollt wurde, war nun knapp hinter Kelderek. Der rief Balthis zu: »Warte! Haltet ihn fest, bis ich zurückkomme!«

»Unmöglich – es ist zu steil!« schrie Balthis.

»Dann legt Keile unter!« rief Kelderek über die Schulter. »Ta-Kominion ist hier –«

»Zu steil, sag ich dir! Es ist zu steil!«

Kelderek lief den Hügel hinab und sah durch die Bäume einen Hang, offenes, steiniges Gelände, über das viele Ortelganer zu ihm zurückströmten. Aus größerer Entfernung kamen, regelmäßig wie Trommelschläge, die gemeinsamen Schlachtrufe des Feindes. Er war noch kaum einen halben Bogenschuß weit gegangen, da erblickte er den Mann, den er suchte. Ta-Kominion lag mitten auf der Straße auf dem Rücken. Der bergab strömende Regen mit seinem Treibgut an Zweigen und Blättern staute sich an seinem Körper wie an einem Balken. Neben ihm hockte ein großer, grauhaariger Mann, der ihm die Hände warmrieb – Kavass, der Pfeilmacher. Plötzlich rief Ta-Kominion einige unzusammenhängende Worte und zerrte an seinem eigenen Arm. Kelderek lief zu ihm und kniete sich über ihn, der Geruch von Wundbrand und Fäulnis drehte ihm den Magen um.

»Zelda!« rief Ta-Kominion. Sein bleiches Gesicht war entsetzlich verzerrt, es hatte die Form eines Totenschädels und wirkte noch grausiger durch die Lebendigkeit seiner Augen. Er starrte zu Kelderek empor, sagte aber nichts mehr.

»Herr«, sagte Kelderek, »was du verlangt hast, wurde ausgeführt. Unser Herr Shardik ist hier.«

Ta-Kominion stieß einen Laut aus, wie eine Mutter ein reizbares Kind beruhigt, wie der Regen in den Bäumen rauscht. Einen Moment lang glaubte Kelderek, er wolle ihn veranlassen zu schweigen.

»Sh! Sh-Shardik!«

»Shardik ist gekommen, Herr!«

Plötzlich erfüllte ein knurrendes Dröhnen, lauter noch als der Schlachtlärm ringsum, die tunnelartige Straße unter den Bäumen. Ihm folgte ein Klappern und Klirren von Eisen, lautes Krachen von zersplitterndem Holz, Schreckensrufe und ein schleppendes, scharrendes Getöse. Balthis' Stimme rief: »Laßt doch los, ihr Narren!« Dann ertönte wieder das wütende, zornige Knurren. Kelderek sprang auf. Der Käfig hatte sich losgerissen und rollte den Abhang hinunter, schwankend und hüpfend, die groben Räder pflügten Furchen in den Schlamm und stießen gegen herausstehende Steine. Das Dach war zersplittert, und die Stangen hingen heraus, einige schleiften auf der Erde, andere schlugen wie Riesenflügel seitwärts. Shardik stand aufrecht, umgeben von langen, weißen Holzsplittern. Blut floß über die eine Schulter, Schaum stand an seinem Maul, und er schlug auf die Eisenstangen ein, wie Balthis' Hämmer nie darauf

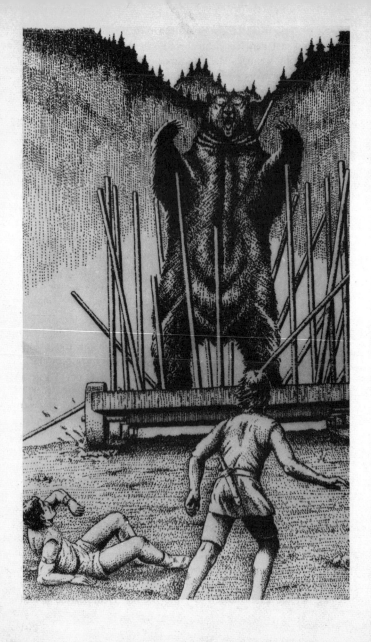

geschlagen hatten. Die Spitze eines scharfen, zersplitterten Pfostens hatte seinen Nacken durchbohrt, und da das Holz in der Wunde auf und nieder schwankte, brüllte er auf vor Schmerz und Zorn. Mit rot unterlaufenen Augen, schäumend und blutend, mit dem Kopf durch die unteren Zweige der über die Straße hängenden Bäume streifend, stieß er hinunter in die Schlacht gleich einem Tiergott aus der Apokalypse. Kelderek warf sich gerade noch rechtzeitig an die Straßenböschung, die schwammig und regendurchtränkt unter seinem Gewicht nachgab, und fiel rücklings in den Schlamm. Der Käfig donnerte an ihm vorbei, durchfurchte die Stelle, auf der er gekniet hatte, und die drei Räder auf dieser Seite, deren jedes armdick war, rollten über Ta-Kominions Körper und gruben einen blutigen Kanal durch Kleidung, Fleisch und Knochen. Er fuhr weiter durch die fliehenden Ortelganer hindurch, wie der Streitwagen eines Dämons, bis er mit dem Vorderteil an einen Baumstamm stieß, vornüber kippte und zerschellte. Auf den Rücken geworfen, schlug Shardik um sich und suchte einen Halt. Dann erhob er sich und raste, mit der Pfahlspitze immer noch im Nacken, durch die Bäume auf das Schlachtfeld zu.

23. Die Schlacht im Vorgebirge

Gel-Ethlin blickte nach rechts und links durch die sinkende Dämmerung und den Regen. Seine Kampflinie war ungebrochen. Seit über einer Stunde hatten die beklanischen Truppen bloß standgehalten und die heftigen Einzelangriffe der Ortelganer zurückgeschlagen. Aus dem ersten Anprall, der rückhaltlos und mit fanatischer Tapferkeit von höchstens zwei- oder dreihundert Mann erfolgt war, hatte er erleichtert gefolgert, daß er keine große Streitmacht vor sich hatte. Als dann immer mehr Ortelganer aus den Wäldern kamen und sich schlecht und recht zu einer Kampflinie zusammenschoben und -drängten, bis sie rechts und links so weit reichte wie seine eigene, sah er, daß der Junge aus Gelt die reine Wahrheit gesagt hatte. Das war nichts weniger als ein ganzer Stamm unter Waffen, und der war für seinen Geschmack viel zu zahlreich. Bald rollte ein Angriff nach dem anderen gegen seine Kampflinie, bis der Abhang von Toten und umherkriechenden, fluchenden Verwundeten bedeckt war. Nach einiger Zeit der Besorgnis zeigte sich aber, daß der Feind, der ebenso planmäßig wie für sie unerwartet auf die beklanische Streitmacht gestoßen war, keine wirkungsvolle zentrale Führung besaß und bloß unter individuellen Anführern gruppenweise, je nach Entscheid der einzelnen Barone angriff. Er erkannte, daß er zwar einer zahlenmäßig etwa um die Hälfte stärkeren Übermacht gegenüberstand, daß dies jedoch, solange es dem Feind an echter Koordinierung und Disziplin mangelte, an sich nicht zur Niederlage der Beklaner führen mußte. Er brauchte nichts anderes zu tun, als sich zu verteidigen und zu warten. Alles in allem war das weiterhin die beste Taktik. Er hatte nur die Hälfte, und zwar die schwächere Hälfte, seines Heeres bei sich; die schlechte Verfassung der Soldaten hatte sich nach mehrtägigen Märschen in der Hitze und durch das Vorwärtshasten in Staub und Wind am Vormittag noch verschlimmert; und der Abhang wurde mit jedem Augenblick schlammiger und glitschiger. Solange die Ortelganer weiter da und dort an der Kampflinie sporadisch angriffen, war es für die zu beiden Seiten nicht ins Gefecht verwickelten beklanischen Kompanien leicht, einzugreifen und die Angreifer zurückzuschlagen. Bei Einbruch der Nacht – also in Kürze – würde seine Truppe es wohl satt haben, was aber dann zu tun sein würde, hing letztlich von der Verfassung ab, in der sich beide Seiten befinden würden. Möglicherweise würde es das klügste sein, sich ins Flachland zurückzuziehen. Es war unwahrscheinlich, daß die Freischärler imstande sein würden, die Beklaner zu verfolgen oder sogar, nun, da der Regen eingesetzt hatte, das Feld zu behaupten. Wahrscheinlich war ihr Proviantnachschub knapp, wogegen er – schlecht und recht – Rationen für zwei Tage hatte und, anders als der Feind, Gelegenheit haben würde, weitere zu requirieren, wenn er sich in befreundetes Gebiet zurückzog.

Standhalten, bis es dunkel war, dachte Gel-Ethlin, das war das richtige. Weshalb sollte er riskieren, die geschlossene Formation aufzugeben, um anzugreifen? Und dann Rückzug – man überläßt es dem Regen, die Sache zu beenden. Als er den Feind beobachtete, wie er sich unten zwischen den Bäumen für einen neuen Angriff unter Führung eines dunkelhaarigen, bärtigen Barons mit goldenem Armring wieder formierte, überdachte er seinen Plan nochmals und konnte keinen Fehler darin finden; und wenn er es nicht konnte, würden vermutlich auch seine Vorgesetzten in Bekla daran nichts auszusetzen haben. Er durfte seine halbe Armee weder gefährden, indem er einen überflüssigen Angriff riskierte, noch indem er in diesen Hügeln im Regen durchhielt. Seine Rolle mußte die eines klugen, verläßlichen Kommandeurs sein; nichts Spektakuläres.

Und doch – er zögerte. Wenn sie nach Bekla zurückkämen, würde Santil-ke-Erketlis, der brillante Opportunist, wahrscheinlich verständnisvoll lächeln und ihm sein wohlwollendes Bedauern ausdrücken, weil er abziehen mußte, ohne den Feind zu vernichten, und dann erklären, wie diese Vernichtung hätte bewerkstelligt werden können und sollen. »Bist du ein Oberkommandierender, Gel-Ethlin?« hatte Santil-ke-Erketlis einmal, als sie zusammen von einem Trinkgelage heimkehrten, gut gelaunt gesagt. »Mann, du bist wie eine alte Frau mit dem Haushaltsgeld. ›Ach, vielleicht hätte ich ihm noch einen Meld abknöpfen können – oder vielleicht hätte ich zu dem anderen Mann um die Ecke gehen sollen –?‹ Eine gute Armee schlägt zu wie die großen Katzen, mein Lieber – schnell und nur einmal. Es ist wie die Arbeit des Wagners – es kommt der Augenblick, da muß man sagen: ›Jetzt schlag drauf!‹ Ein General, der diesen Augenblick nicht erkennt und packt, verdient keinen Sieg.« Santil-ke-Erketlis, der Sieger zahlloser Gefechte, der am Schluß der Sklavenkriege praktisch seine Bedingungen diktierte, konnte es sich leisten, großzügig und warmherzig zu sein. »Und wie packt man diesen Augenblick?« hatte Gel-Ethlin ziemlich betrunken gefragt, als jeder von ihnen etwas anderes packte und sie sich an die Wand stellten. »Indem man sich nicht damit aufhält, an all das zu denken, was schiefgehen kann«, hatte Santil-ke-Erketlis geantwortet.

Wieder wurde ein Angriff über den Abhang herauf gestartet, diesmal geradeaus gegen sein Zentrum. Die Abteilung aus Tonilda, eine zweitklassige Truppe, wenn es je eine gegeben hatte, verließ die geschlossene Formation in einer Art nervöser Vorahnung und ging den Angreifern unsicher entgegen. Gel-Ethlin lief vor und schrie: »Halt! Tonilda, halt!« Man konnte ihm wenigstens nicht nachsagen, er habe keine Kommandostimme. Sie durchstieß das Getöse, wie ein Hammer einen Kiesel zerschlägt. Die Abteilung aus Tonilda ging zurück und formierte ihre Linie neu, der Regen strömte von den Schultern der Männer. Kurz darauf stürmte der Angriff der Ortelganer über die letzten Meter und prallte wie ein Widder gegen eine Mauer. Waffen klirrten, Männer wogten vor und zurück, keuchend und schwer atmend wie Schwimmer, die in bewegtem Wasser um sich schlagen. Ein Schrei ertönte, und ein Mann stolperte aus der Linie, griff krampfhaft an seinen Bauch, stürzte vornüber in den Schlamm und blieb zuckend liegen; er glich in seinem unbeachteten Leiden einem verwundeten, an den Strand geworfenen, sterbenden Fisch. »Halt, Tonilda!« rief Gel-Ethlin wieder. Ein rothaariger, grobknochiger Ortelganer sprang durch eine Lücke in der Linie und lief unsicher ein paar Schritte, blickte um sich und schwang sein Schwert. Ein Offizier stach nach ihm, verfehlte den Körper, der sich unerwartet bewegt hatte, und verwundete ihn am Unterarm. Der Mann drehte sich um und lief schreiend durch die Lücke zurück.

Hinter der Linie lief Gel-Ethlin nach links, gefolgt von seinem Standartenträger, dem Trompeter und dem Diener, bis er sich jenseits der Angriffsstelle befand. Dann drängte er sich durch die vordere Reihe der Deelguy-Söldner, wandte sich um und blickte auf die Kämpfenden zu seiner Rechten. Das Getöse übertönte jedes andere Geräusch – den Regen, seine eigenen Bewegungen, die Stimmen seiner Begleiter und alle Laute aus dem Wald. Die Ortelganer hatten nun offensichtlich gelernt – oder einen Anführer mit genug Verstand gefunden –, die Flanken ihrer Angriffslinie zu decken, und hatten die Tonildafront in einem über fünfzig Meter breiten Keil durchbrochen. Sie kämpften, wie schon den ganzen Abend, mit einer Art trunkener Todesverachtung und Wildheit. Der zertrampelte, schlammige Boden, den sie erobert hatten, war mit Leichen übersät. Auch die beklanischen Verluste – das war nur allzu klar erkennbar – stiegen schnell an. Gel-Ethlin konnte einige der Gefallenen erkennen, darunter den Sohn eines von Kapparahs Pächtern, ein ordentlicher Junge, der im vorigen Winter sein Mittelsmann bei dem Mädchen in Ikat gewesen war. Der Angriff war in ein gefährliches Stadium gelangt, er mußte gestoppt und zurückgeworfen werden, ehe der Feind ihn verstärken konnte. Gel-Ethlin machte sich auf den Weg zu dem nächsten Anführer an der Front – Kreet-Liss, der einsilbige und verschlossene Soldat, Hauptmann der Deelguy-Söldner. Kreet-Liss, der alles andere denn ein Feigling war, konnte recht unangenehm werden, ein Verbündeter, der plötzlich, wenn ihm Befehle nicht paßten, einfach nicht mehr Beklanisch verstand. Er hörte Gel-Ethlin an, der ihm wegen des herrschenden Lärmes fast ins Ohr schreien mußte, um ihm zu sagen, er solle seine

Leute zurücknehmen, sie ins Zentrum führen und einen Gegenangriff gegen die Ortelganer in Gang setzen.

»Jo, jo«, schrie er endlich als Antwort. »Schlecht dort drüben, verläßt dich nur auf uns, wie?« Die drei oder vier schwarzlockigen jungen Barone seines Gefolges grinsten einander zu, klopften ein wenig Regenwasser aus ihrer protzigen, durchnäßten Kleidung und machten sich daran, ihre Leute zu sammeln. Während die Deelguy-Abteilung sich absetzte, war Gel-Ethlin außerstande, im Dämmerlicht die Aufmerksamkeit Shaltnekans, des links von ihnen kämpfenden Anführers, auf sich zu ziehen, um ihn aufzufordern, sich anzuschließen und die Lücke auszufüllen. Er schickte seinen Diener mit dem Befehl hinüber und dachte dabei plötzlich: »Santil-ke-Erketlis hätte die Deelguyer vor die Front geschickt, um die Ortelganer im Rücken anzugreifen und ihnen den Weg abzuschneiden. Ja, aber wenn sie dafür nicht stark genug gewesen und von den Ortelganern aufgerieben worden wären? Das wäre zu riskant gewesen.«

Nun kam der junge Shaltnekan mit seinen Männern heran, sie senkten die Köpfe gegen den ihnen ins Gesicht peitschenden Regen. Gel-Ethlin ging ihnen entgegen, er schlug sich mit den Armen auf die Brust, denn er war bis auf die Haut durchnäßt.

»Können wir nicht ausschwärmen und sie angreifen, Herr?« fragte Shaltnekan, bevor sein Kommandeur etwas sagen konnte. »Meine Jungs haben es satt, gegen die Haufen von verlausten Wilden in Verteidigungsstellung zu bleiben. Ein guter Vorstoß, und sie brechen zusammen.«

»Ausgeschlossen«, sagte Gel-Ethlin. »Wie willst du wissen, wieviel Reserven sie noch dort in den Wäldern haben! Unsere Leute waren müde, als sie hier ankamen, und sobald wir die geschlossene Formation verlassen, könnten sie für jeden Gegner Freiwild sein. Wir müssen nur standhalten. Wir versperren den einzigen Weg zum Flachland, und wenn sie sehen, daß sie uns nicht überwinden können, werden sie resignieren.«

»Wie du meinst, Herr«, antwortete Shaltnekan, »aber es geht einem gegen den Strich stillzustehen, wenn wir das Gesindel wie Ziegen über die Hügel jagen könnten.«

»Wo ist der Bär?« schrie einer der Männer. Es war offensichtlich eines der neu erfundenen Schlagworte, denn fünfzig Stimmen antworteten: »Er ist nicht zur Stell'!«

»Wir gerben sein Fell!« fuhr der Spaßvogel fort.

»Er traut sich nicht her!«

»Der ängstliche Bär!«

»Sie sind noch immer bei guter Laune, siehst du«, sagte Shaltnekan, »aber es wurden immerhin heute ein paar gute Soldaten von diesen Flußfröschen zusammengeschlagen, und die Jungs werden es sehr übel aufnehmen, wenn man ihnen nicht erlaubt, sich zu rächen.«

»Und ich befehle Halt!« schnauzte ihn Gel-Ethlin an. »Zurück in die Linie mit dem Mann dort!« schrie er dem Spaßmacher zu, der die Rolle des Bären spielte. »Frontlinie ausrichten! – Eine Schwertlänge zwischen jedem Mann und dem nächsten!«

»Stehen und Zittern, Scheiße!« brummte eine Stimme.

Gel-Ethlin schritt nach hinten, sein Anzug klebte ihm feucht am Leib. Die Dämmerung vertiefte sich, und er mußte sich eine Weile umsehen, bevor er Kreet-Liss erblickte. Er lief auf ihn zu und kam gerade hin, als die Deelguyer zum Angriff vorgingen. Der rhythmische Ruf »Bek-la Maut! Bek-la Maut!« wurde geschlossen auf der ganzen Front aufgenommen, verstummte aber im Zentrum, als die Deelguyer mit dem Feind handgemein wurden. Es war klar, daß die Ortelganer bereit waren, die von ihnen geschlagene Bresche teuer zu bezahlen. Dreimal schlugen sie die Söldner zurück und hielten schreiend, mit gespreizten Beinen über ihren gefallenen Kameraden stehend, stand. Viele schwangen Schwerter und trugen Schilde, die sie den Toten der dezimierten Abteilung aus Tonilda abgenommen hatten, und jedesmal, wenn ein Feind niedergeschlagen wurde, bückte sich der gegen ihn kämpfende Ortelganer, um die fremden Waffen zu ergattern, die er für besser hielt als die eigenen – obwohl beide sehr wahrscheinlich aus Gelter Eisen geschmiedet waren.

Plötzlich erfolgte ein neuer beklanischer Angriff gegen den rechten Flügel der Ortelganer, und wieder erhob sich der taktmäßige Kriegsruf »Bek-la Maut!« über den Lärm in der Umgebung. Gel-Ethlin, der Kreet-Liss soeben Befehl zu einem erneuten Angriff erteilen wollte, blickte nach links, um zu sehen, was geschehen war, als ihn jemand am Ärmel zupfte. Es war Shaltnekan.

»Das sind meine Jungs, die jetzt drüben angreifen«, sagte er.

»Entgegen meinem Befehl!« schrie Gel-Ethlin. »Was soll das heißen? Zurück –«

»Sie werden im nächsten Augenblick durchbrechen, Herr, wenn ich eine Ahnung von dem Geschäft habe«, sagte Shaltnekan. »Du wirst uns doch nicht verbieten, sie jetzt zu verfolgen?«

»Ich verbiete es ganz entschieden!« sagte Gel-Ethlin.

»Was wird man in Bekla sagen, Herr, wenn wir sie geordnet abziehen lassen?« fragte Shaltnekan. »Das wird man uns nie verzeihen. Sie müssen in die Flucht geschlagen – zermalmt werden. Und jetzt ist der Moment dazu, sonst entkommen sie im Dunkel.«

Die Ortelganer liefen aus der Bresche zurück, als Shaltnekans Angriff sich in ihre rechte Flanke bohrte. Kreet-Liss und seine Leute folgten ihnen und erstachen im Vorgehen die verwundeten Feinde. Wenige Minuten später war die ursprüngliche Front der Beklaner wiederhergestellt, und als Gel-Ethlin nach links blickte, sah er die Lücke, wo Shaltnekans Kompanie ihren Platz verlassen hatte. Es ließ sich nicht leugnen, daß die Initiative ein geschickter Zug gewesen war – und ebensowenig, daß der Behauptung, die Flucht des Feindes werde nach der von ihm erlittenen schweren Schlappe in Bekla wahrscheinlich übel aufgenommen werden, beträchtliches Gewicht zukam. Andererseits würde die Vernichtung des Feindes seinen Ruf stärken und jede mögliche Kritik von seiten Santil-ke-Erketlis' zum Schweigen bringen.

Die beklanischen Offiziere hatten befehlsgemäß ihre Truppe an der ursprünglichen Verteidigungslinie gestoppt, und die Ortelganer strömten, ohne verfolgt zu werden, über den Abhang hinunter, einige stützten ihre Verwundeten oder trugen erbeutete beklanische Waffen. Als Gel-Ethlin sie beobachtete, sprach eine Stimme vom Boden zu seinen Füßen. Es war der Pächtersohn von Kappalahs Bauernhof bei Ikat. Er hatte sich auf einen Ellbogen erhoben und bemühte sich, mit seinem Mantel eine große blutende Wunde an seinem Nacken und an der Schulter zu stillen.

»Weiter, Herr, weiter!« keuchte der Junge. »Macht sie fertig! Morgen trage ich einen Brief nach Ikat, nicht wahr, genau wie früher? Gott segne die Dame, sie wird mir einen Sack voll Gold schenken!«

Er stürzte vornüber auf das Gesicht, und zwei von Shaltnekans Männern schleppten ihn zurück hinter die Front. Gel-Ethlin hatte einen Entschluß gefaßt und wandte sich an den Trompeter.

»Nun, Wolf«, er sprach den Mann bei seinem Spitznamen an, »es hat keinen Sinn, hier müßig zu stehen! Vorwärts – alle Mann auf zur Verfolgung! Und blase laut, so daß dich alle hören!«

Kaum erscholl die Trompete, da liefen die verschiedenen beklanischen Kompanien auch schon bergab, die an den Flügeln schwärmten weit aus und versuchten, nach innen zur Straße zu gelangen. Jeder Mann hoffte, seine Kameraden zu überholen, um, soweit das möglich wäre, zum Plündern zu kommen. Dafür waren sie durch den Wind marschiert, hatten dem Angriff standgehalten und gehorsam im Regen gezittert. Allerdings würde es wenig genug oder nichts geben, was sie diesen Barbaren würden abnehmen können – außer ihren Flöhen, aber ein paar Sklaven würden in Bekla einen guten Preis erzielen, und es bestand immerhin eine vage Aussicht auf einen Baron mit Goldschmuck oder sogar auf eine Frau hinten beim Troß.

Auch Gel-Ethlin lief als einer der Vordersten, neben ihm sein Standartenträger und auf der anderen Seite Shaltnekan. Als sie an den Fuß des Hügels und zum Waldrand kamen, sah er, daß die Ortelganer sich wieder zu einer Angriffsfront formierten. Offensichtlich beabsichtigten sie nicht, kampflos unterzugehen. Zum erstenmal zog er sein Schwert. Er mochte, bevor die Sache zu Ende war, gut und gern auch noch ein paar eigene Streiche tun.

Da erscholl aus dem nahen Wald ein lautes Schleifen und Rattern, das näher kam und zu einem Krachen und Splittern von Holz und zu Eisengeklirr wurde. Gleich darauf übertönte den Tumult ein wildes Brüllen wie von einem riesigen, gepeinigten Tier. Dann brachen die Äste vor ihm auseinander, und Gel-Ethlin stand starr vor Entsetzen da, bar jeden anderen Gefühls als panischer Angst. Der gewöhnliche Lauf der sichtbaren und verständlichen Dinge, die Sinne, dieser fünffache Rahmen der Welt, des Menschen überlegungslose Gewißheit dessen, was vernünftigerweise geschehen kann und was nicht, worauf jedes vernünftige Leben basiert – all das zerschmolz in einem Augenblick. Wenn ein in Laken gehülltes Skelett aus den Bäumen auf nackten Knochenfüßen hervorgestapft wäre, unsichtbar für alle außer für ihn, und mit wackelndem Kopf und grinsendem Rachen auf ihn zugeschritten wäre, hätte er nicht tiefer in Entsetzen und geistigen Wirrwarr gestürzt werden können. Vor ihm, nur wenige Meter entfernt, stand eine Bestie, doppelt so groß wie ein Mann, die keinen Platz in der sterblichen Welt haben konnte. Sie sah aus wie ein Bär, aber wie ein von der Hölle geschaffener Bär, um die Verdammten durch seine bloße Gegenwart zu quälen. Die Ohren lagen flach wie bei einer wütenden Katze, die Augen funkelten rötlich im abnehmenden Licht, und zwischen Deelguydolchen ähnlichen Zähnen quoll ockergelber Schaum hervor. Über einer Schulter – und das machte ihn fast irrsinnig vor Angst, denn es bewies, daß dies keine irdische Kreatur war – trug der Bär einen großen, spitzen Pfahl, von dem Blut tropfte. Auch die gebogenen Klauen der wie in einem greulichen Todesgruß über seinen Kopf gehobenen Tatze waren mit Blut bedeckt. Seine Augen – die Augen einer rasenden Kreatur in einer Welt voll Grausamkeit und Pein – blickten auf Gel-Ethlin nieder mit einer für ihren alleinigen Zweck nur allzu ausreichenden trüben Intelligenz. Er erwiderte diesen Blick und ließ dabei sein Schwert aus der Hand fallen; und da traf ihn das Tier mit einem Hieb, der seinen Schädel zertrümmerte und ihm den Kopf zwischen die Schultern schlug.

Kurz darauf stürzte Shaltnekan über die Leiche; seine Brust war eingedrückt wie eine zerschmetterte Trommel. Kreet-Liss stolperte über den nassen Hang und führte einen Schwertstreich, bevor sein Hals aufgerissen wurde und ein Blutstrom herausquoll. Und dieser Schwertstreich, der das Geschöpf verwundete, trieb es zu so rasend mörderischer Vernichtungswut, daß alle Männer schreiend davonstürzten, als es über den von Kriegern wimmelnden Abhang hinaufstieg, um alle niederzuschlagen und zu vernichten. Die Männer an den Flügeln hielten an und fragten, was geschehen sei, und die Angst krampfte ihre Gedärme zusammen, als sie erfuhren, daß der Bärengott, entsetzlicher als irgendein Phantasiegeschöpf aus den tiefen Einöden von Fieber und Alptraum, tatsächlich aufgetaucht war und den General und zwei Anführer erkannt und mit voller Absicht erschlagen hatte.

Aus der wankenden Front der Ortelganer erscholl ein Triumphgeschrei. Vor Erschöpfung hinkend und stolpernd, tauchte Kelderek als erster zwischen den Bäumen auf und rief: »Shardik! Shardik, die göttliche Kraft!« Dann strömten die Ortelganer mit den Rufen »Shardik! Shardik!«, dem letzten Laut, der in Ta-Kominions Ohren erklang, den Hang hinauf, sie hieben und stießen sich einen neuen Weg durch das eingedrückte Zentrum der Beklaner. Wenige Minuten nach Kelderek erreichten Balthis und viele andere den Eingang der Schlucht jenseits des Kammes und sahen sich, ohne Rücksicht auf ihre Isoliertheit, in der Gegend um, fest entschlossen, jedem standzuhalten, der sich einen Fluchtweg ertrotzen wollte. Shardik war im sinkenden Dunkel spurlos verschwunden.

Als eine halbe Stunde später die Nacht dem Blutvergießen ein Ende machte, war jeder Widerstand der Beklaner erloschen. Die

Ortelganer, dem schrecklichen Beispiel folgend, das sie vor der Niederlage bewahrt hatte, gaben keinen Pardon, töteten ihre Feinde und raubten den Leichen Waffen, Schilde und Rüstung, bis sie eine so gut ausgerüstete Streitmacht waren, wie sie nur je über die Ebene von Bekla hergefallen war. Einigen von Gel-Ethlins Leuten gelang es, in Richtung Gelt zu entkommen. Keiner kam an Kelderek vorbei zurück ins Flachland über die Straße, auf der sie am Nachmittag anmarschiert waren.

Beim Aufgang des regenumwölkten Mondes stieg der weiße Rauch von Feuern hoch, die von den Siegern entfacht wurden, um die erbeuteten Vorräte des Feindes zu kochen. Doch noch vor Mitternacht hinkte die von Zelda und Kelderek so eifrig vorwärtsgetriebene Armee, daß sie nicht einmal Zeit fand, ihre Toten zu begraben, weiter in Richtung Bekla; es galt, den Nachrichten von ihrem Sieg und der völligen Vernichtung von Gel-Ethlins Streitmacht zuvorzukommen.

Zwei Tage später erschienen die durch Müdigkeit und Entbehrungen bei ihrem Eilmarsch zu zwei Dritteln ihrer Stärke zusammengeschmolzenen Ortelganer, die über die gepflasterte Straße durch die Ebene herankamen, vor den Mauern von Bekla; sie zertrümmerten das geschnitzte und vergoldete Tamarriktor – jenes einzigartige Meisterwerk, das der Künstler Fleitil ein Jahrhundert zuvor geschaffen hatte –, nachdem sie es vier Stunden lang mit einem improvisierten Sturmbock berannt und fünfhundert Mann dabei verloren hatten, überwältigten die Besatzung und die Bürger trotz der tapferen Führung des kranken Santil-ke-Erketlis, plünderten und besetzten die Stadt und begannen sofort, die Befestigungen gegen die Gefahr eines Gegenangriffes zu verstärken, der nach Ende der Regenzeit zu erwarten war.

So fiel Bekla, die Hauptstadt eines 50 000 Quadratkilometer großen Reiches aus unterworfenen Provinzen, in einem der gewiß ungewöhnlichsten und unerwartetsten Feldzüge, die je durchgeführt wurden. Die von der Stadt am weitesten entfernten Provinzen sagten sich von Bekla los und wurden zu Feinden der neuen Herrscher. Die näher gelegenen stellten sich, um nicht der Plünderung und dem Blutvergießen des Widerstands anheimzufallen, lieber unter den Schutz der Ortelganer, ihrer Generäle Zelda und Ged-la-Dan sowie ihres geheimnisvollen Priesterkönigs Kelderek, genannt Crendrik – das göttliche Auge.

24. Elleroth

Bekla, Stadt voll Mythos und Rätsel, geheimnisvoll verborgen in der Zeit wie Tiahuanaco in der Festung der Anden, wie Petra in den Hügeln Edoms, wie Atlantis unter den Wogen der See! Bekla, Rätsel und Geheimnis, tiefer umhüllt von religiösen Mysterien als Eleusis mit seinem reifen Korn, als die Steinriesen des Pazifik oder die Keraitländer des Priesterkönigs Johannes. Seine grauen, abgebrochenen Mauern – über deren Brustwehren nur die Wolken ziehen, in deren Höhlungen der Wind pfeift und erlischt, wie der Krakauer Trompeter oder die Memnonsäule auf dem Sand –, die in seinen Gewässern sich spiegelnden Sterne, die in seinen Gärten duftenden Blumen wurden zu Wörtern, die man in einem vergessenen Traum gehört hat. Sogar seine Geschichte liegt begraben, ungelöst – Münzen, Perlen und Spielbretter, Straßen über Straßen, Scherben über Scherben, Herde über Herden, Asche über Asche. Von Troja und Mykenä wurde die Erde abgetragen, von den Ruinen Simbabwes der Dschungel gerodet, und festgehalten in Landkarten und Verzierungen sind die schrecklichen Meilen rund um Urumtschi und Ulan-Bator. Wer aber wird das mondmatte Dunkel zerstreuen, das Bekla umgibt, oder es aus einsameren und entfernteren Tiefen als jene, wo Bassogigas und Ethusa in dunklem Schweigen schwimmen, zum Licht hervorziehen? Nur gelegentlich mag man sie durch Erzählungen erraten, jene Zeichen, rätselhaft wie die vor Jahrhunderten an Portugals und Spaniens Küsten getriebenen Holzschnitzereien aus dem amerikanischen Kontinent; oder vielleicht entdeckt man es in Träumen – vom Deck jener Flotte von Göttern und Bildern, die nachts unverändert vorbeisegelt und ihre Passagiere noch immer auf keinen anderen Boden bringt als den, der einstmals des Pilatus' Weib, Joseph von Kanaan und die weise Penelope von Ithaka mit ihren zwanzig Gänsen trug. Bekla, die Unvergleichliche, die Lilie der Ebene, der Garten aus gehauenem und tanzendem Stein, taucht empor aus ihrem Dunst und Nebel, undeutlich wie die Fährte Shardiks in längst verschwundenen Wäldern.

Fast zehn Kilometer lang war die Stadtmauer, die im Süden zum Crandorberg und rund um die Zitadelle emporführte, die über dem steilen Abhang der darunterliegenden Steinbrüche hochragte. Über diesen Hang führte eine halsbrecherische Treppe nach oben, die in fünfundzwanzig Meter Höhe im Eingang eines Tunnels verschwand, der durch den Felsen hinaufführte und im Halbdunkel des riesigen Kornkellers endete. Der einzige andere Zugang zur Zitadelle war das sogenannte Rote Tor in der Südmauer, durch das ein eisenhaltiger Bach von seiner Quelle zu mehreren Wasserfällen – den sogenannten Weißen Mädchen – floß, die ihn über den langsam abfallenden Südhang des Crandor nach unten führten. Unter dem Roten Tor hatten Männer vor langer Zeit das Bachbett verbreitert und vertieft, aber einen halben Meter unter der Wasserfläche einen schmalen, gewundenen Dammweg aus rohem Felsgestein stehenlassen. Wer die Windungen dieses Unterwasserpfades kannte, vermochte ungefährdet durch den tiefen Teich zu waten und dann – wenn man es ihm gestattete – die Zitadelle über die als »der Kamin« bekannte Treppe zu betreten.

Was aber den Blick des Neuankömmlings in Bekla anzog, war nicht der Crandor, sondern der Kamm des unterhalb davon gelegenen Leopardenhügels mit seinen Reben-, Blumen- und Zitrus-Tendriona-Terrassen. Über diesen ihn umgebenden Gärten, auf der Spitze, stand der Palast der Barone, an dessen Türmen sich das Licht in dem polierten rosafarbenen Marmor der Balkone spiegelte. Es waren alles in allem zwanzig Türme, je acht an den Längs- und vier an den Schmalseiten; die sich verjüngenden, kreisrunden Mauern waren so glatt und regelmäßig, daß im Sonnenschein kein einziger Stein einen Schatten auf den darunter liegenden warf und die einzigen dunklen Stellen von den angerundeten und schlüssellochartig eingeschnittenen Fensteröffnungen gebildet wurden, welche die Wendeltreppe erleuchteten. Hoch oben, in Wipfelhöhe großer Bäume, sprangen Balkone vor wie Säulenkapitäle, deren Wandelgänge breit genug waren, daß zwei Männer nebeneinander gehen konnten. Die Marmorbrüstungen waren in Höhe und Form gleich, jedoch verschieden, beidseitig in Basrelief behauen, mit Leoparden, Lilien, Vögeln oder Fischen verziert. So konnte ein Baron zu seinem Freunde sagen: »Heute abend will ich mit dir auf dem Bramaturm trinken«, oder ein Liebhaber zu seiner Dame: »Wir wollen uns heute abend auf dem Trepsisturm treffen und vor dem Abendessen den

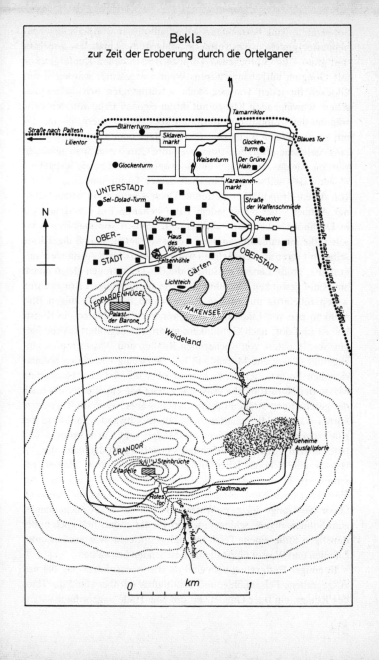

Bekla
zur Zeit der Eroberung durch die Ortelganer

Straße nach Paltesh

Lilientor

Blätterturm

Sklavenmarkt

Tamarriktor

Glockenturm

Der Grüne Hain

Blaues Tor

Glockenturm

UNTERSTADT

Sel-Dolad-Turm

Waisenturm

Karawanenmarkt

Straße der Waffenschmiede

N

Mauer

Pfauentor

OBER-STADT

Haus des Königs

Felsenhöhle

Gärten

OBERSTADT

Lichtteich

HAKENSEE

LEOPARDENHÜGEL

Palast der Barone

Weideland

Karawanenstraße nach Ikat und in den Süden

CRANDOR

Steinbrüche

Zitadelle

Rotes Tor

Weißer Mädchen

Geheime Ausfallpforte

Stadtmauer

0   km   1

Sonnenuntergang betrachten.« Oberhalb dieser wundervollen Krähennester gipfelten die Türme in schlanken, bemalten – rot, blau und grün –, durchbrochenen Turmspitzen, in denen Kupferglocken mit Gongton aufgehängt waren. Wenn sie geläutet wurden – vier Glocken für jeden Ton der Skala –, vermengten sich die metallischen, schwingenden Klänge mit ihrem eigenen Echo von den Felswänden des Crandor und vibrierten über den Dächern, bis die damit zu den Freuden eines Festes, Feiertags oder königlichen Empfangs geladenen Bürger lachten, weil ihre Ohren zum Spaß getäuscht wurden, wie das Auge durch einander gegenüberstehende Spiegel.

Der Palast selbst stand innerhalb seiner Türme und einige Meter von deren Grundflächen getrennt. Doch – es war ein wunderschöner Anblick – der hinter jedem Turm stehende Teil der Mauer war in Dachhöhe nach außen abgeschrägt, gestützt von massiven Konsolen, die ihn umfaßten und ein wenig vorragten, so daß die Türme selbst mit ihren spitzen Helmen wie in regelmäßigen Abständen aufgestellte, große Lanzen aussahen, die das Dach trugen gleich einem am Rand gestützten Thronhimmel. Die spiralförmigen Brustwehren waren reliefartig mit runden Blättern und flammenförmigen Blumenknospen von Lilien und Lotos verziert; dazu hatten die Künstler, da und dort nach Gutdünken, mehrfach vergrößerte Abbildungen von Insekten, von wuchernden Ranken und Wassertropfen hinzugefügt. Das grelle Mittagslicht hob nur wenig von diesen phantasievollen Formen hervor, es betonte eher die einfache, beschattete Masse der Nordfront, die ernst und streng wie ein Richter oberhalb der geschäftigen Straßen thronte. Abends aber, wenn die Tageshitze vorbei war und die scharfen Schatten verschwanden, milderte das rote, schräg einfallende Licht die Mauer- und Turmkonturen und betonte statt dessen ihre prächtige Verzierung, so daß dann der Palast an eine schöne, lebenslustige, mit Juwelen und Blumen geschmückte Frau erinnerte, die für eine fröhliche Begegnung oder Heimkehr festlich zurechtgemacht war. Und beim ersten Tageslicht, bevor die Gongs der zwei Wasseruhren in der Stadt nacheinander zum Sonnenaufgang schlugen, war es wieder anders und glich in der dunstigen Stille einem Teich mit halbgeöffneten Wasserlilien unter Libellen und Wasser nippenden, platschenden Schwalben.

In einiger Entfernung vom Fuß des Leopardenhügels lag die neu ausgegrabene Felsenhöhle, und unmittelbar darüber stand das Haus des Königs, ein öder Quader mit um eine Halle angeordneten Räumen und Korridoren – ehemalige Soldatenquartiere, nun aber einem anderen Zweck und einem anderen Bewohner vorbehalten. Unweit davon, um die Nordseite der Zypressengärten und den sogenannten Hakensee gruppiert, standen Steinhäuser, ähnlich wie die in Quiso, aber größer und zahlreicher. Manche wurden von den ortelganischen Anführern als Wohnungen verwendet, während andere für Geiseln und für Abordnungen von den verschiedenen Provinzvölkern bereitgehalten wurden, deren Kommen und Gehen ebenso wie Gesandtschaften für den König oder Bittschriften, die den Generälen vorgelegt werden mußten, in diesem Reich, das an seiner umstrittenen Grenze Krieg führte, an der Tagesordnung waren. Jenseits der Zypressengärten führte eine von Mauern umsäumte Straße zum Pfauentor, das war der einzige Weg durch den befestigten Wall, der die Ober- von der Unterstadt trennte.

Die Unterstadt – die eigentliche Stadt, ihre gepflasterten Straßen und staubigen Gäßchen, ihre Gerüche und ihr Lärm bei Tag, ihr Mondschein und Jasminduft bei Nacht, ihre Krüppel und Bettler, ihre Tiere und Waren, ihre überall sichtbaren Kriegs- und Plünderungsspuren, zerschlagene Türen und brandgeschwärzte Mauern – kehrt auch die Stadt aus dem Dunkel wieder? Hier war die Straße der Geldwechsler, und dahinter standen zu beiden Seiten der schmalen Stechpalmenallee die Häuser der Juwelenhändler mit ihren hohen, vergitterten Fenstern und zwei kräftigen Wächtern am Eingang, die den Fremden nach seinem Begehr fragten. Die trägen Fliegen an den offenen Zuckerwerkständen, der Geruch von Leder und Dünger, von Gewürzen, Schweiß und Kräutern, die auffallenden Korbreihen des Obstmarktes, die Plattformen, Sklavenbaracken und Versteigerungssockel des Sklavenmarktes mit seinen hübschen Kindern, den ausländischen Schwindlern und fremdländischen Sprachen, die Schuster, die inmitten des Tumultes saßen und eifrig klopften und nähten, die ziellos klappernd umherschlendernden Straßenmädchen mit ihrem konventionellen Gang und ihren Seitenblicken, die farbigen Blumen im Wasser, die Information über die Straße von einem neuen Verkauf oder Angebot, in geheimen Worten, die nur demjenigen, für den sie bestimmt waren, verständlich waren; die Streitigkeiten, Lügen, Versprechungen, die Diebe, die langgezogenen Rufe der Händler, welche die Jahre zu Gesängen gemacht haben, die Straßen der Steinmetze, Zimmerleute, Weber, der Astrologen, Ärzte und Wahrsager. Die dahinhuschenden Eidechsen, die Ratten und Hunde, das Geflügel in den Verschlägen und die hübschen Vögel in den Käfigen. Der Viehmarkt war bei den Kämpfen niedergebrannt worden, und auf eine der heraushängenden, offenen Türen des Crantempels hatte jemand einen Bärenkopf geschmiert – zwei Augen und ein zwischen runden Ohren bleckendes Maul. Das Tamarriktor, jenes Wunder, das nur vom Palast übertroffen wurde, war für immer vernichtet – dahin die konzentrischen Filigrankugeln, die Sonnenuhr mit ihrem phallischen Zeiger und der verspielten Stundenspirale, den unglaublichen, durch die grünen Sykomorenblätter lugenden Gesichtern, den großen Farnen und den blauzüngigen Flechten, der Äolsharfe und der Silbertrommel, die von selbst schlug, wenn die heiligen Tauben sich zur abendlichen Mahlzeit niederließen. Die Bruchstücke von Fleitils Meisterwerk, in einer Zeit gebaut, als niemand es für möglich hielt, daß der Krieg auf Bekla übergreifen könnte, waren insgeheim und unter bitteren Tränen in der Nacht, bevor Ged-la-Dan und seine Leute die Errichtung einer neuen Mauer durch Sklavendienst beaufsichtigten, um die Lücke zu schließen, aus den Trümmern gelesen worden. Die zwei anderen Tore, das Blaue und das Lilientor, waren sehr fest und durchaus geeignet für Beklas nunmehrige und gefährlichere Rolle einer Stadt, die Freund und Feind kaum zu unterscheiden vermochte.

An diesem wolkigen Frühjahrsmorgen glänzte die Oberfläche des vom Südwind gewellten Hakensees mit dem stumpfen, gebrochenen Schein einer gravierten Glasur. An dem einsameren Südostufer, von dem sich das von der Stadtmauer umschlossene Weideland hinauf über die Hänge des Crandor erstreckte, suchte eine Schar Kraniche ihre Nahrung; sie stelzten streitend durch das seichte Wasser und bogen ihre langen Hälse zu den Wasserpflanzen nieder. In den schützenden Zypressengärten auf der gegenüberliegenden Seite schlenderten Menschen zu zweit oder zu dritt oder saßen an windgeschützten Stellen in immergrünen Laubengängen. Manche waren von Dienern begleitet, die mit Mänteln, Papier und Schreibmaterial hinter ihnen gingen, während andere, mit heiseren Stimmen und verwildert wie Banditen, dann und wann in lautes Lachen ausbrachen oder einander auf die Schultern klopften; sie verrieten trotz ihrer Bemühungen, es zu verbergen, ihre innere Unsicherheit in dieser gepflegten und ungewohnten Umgebung. Andere wieder wollten deutlich als Soldaten erkannt werden und hatten, obgleich selbst unbewaffnet, mit Rücksicht auf den Ort und die Gelegenheit ihre Diener angewiesen, ihre leeren Schwertscheiden auffallend zu tragen. Mehrere dieser Männer schienen einander fremd zu sein, denn sie grüßten beim Vorbeigehen nur formell – eine Verneigung, ein ernstes Nicken oder einige Worte: doch ihre gleichzeitige Anwesenheit verriet, daß sie etwas miteinander gemein haben mußten. Nach einer Weile entstand unter ihnen eine gewisse Unruhe – sogar Ungeduld. Offensichtlich warteten sie auf etwas, das verspätet war.

Endlich näherte sich eine Frauengestalt in scharlachrotem Mantel, die einen silbernen Stab trug, vom Haus des Königs kommend, dem Garten. Es entstand eine allgemeine Bewegung in Richtung des Tores, das in die ummauerte Straße führte, so daß, als die Frau dort ankam, bereits vierzig oder fünfzig Männer auf sie warteten. Als sie eintrat, drängten sich einige um sie; andere blieben müßig oder vorgeblich müßig, scheinbar gleichgültig in Hörweite stehen. Die strenge, phlegmatische Frau sah sich unter ihnen um, hob grüßend die Hand mit den karminroten Holzringen und begann zu sprechen. Sie sprach zwar beklanisch, doch war klar, daß es nicht ihre Muttersprache war. Ihre Stimme hatte den schleppenden, langweiligen Rhythmus der Provinz Telthearna, und sie war, wie alle wußten, eine Priesterin der Eroberer, eine Ortelganerin.

»Meine Herren, der König grüßt euch und heißt euch in Bekla willkommen. Er dankt jedem von euch, denn er weiß, daß euch allen die Stärke und Sicherheit des Reiches am Herzen liegen. Wie ihr alle wißt, war es –«

In diesem Augenblick wurde sie durch das aufgeregte Stammeln eines untersetzten, glatthaarigen Mannes unterbrochen, der mit dem westlichen Akzent eines Bewohners von Paltesh sprach.

»Mutter Sheldra – Saiyett – sag uns – der König – Crendrik, der Herr – es ist ihm doch nichts zugestoßen?«

Sheldra wandte sich ihm ernst zu und starrte ihn Schweigen heischend an. Dann fuhr sie fort:

»Wie ihr alle wißt, hatte er die Absicht, euch heute morgen in Audienz im Palast zu empfangen und heute nachmittag die erste Ratssitzung abzuhalten. Nun ist er gezwungen, diese Absicht zu ändern.«

Sie machte eine Pause, wurde aber kein zweites Mal unterbrochen. Alle hörten aufmerksam zu. Die entfernter Stehenden kamen näher und blickten einander mit hochgezogenen Brauen an.

»General Ged-la-Dan sollte gestern abend zusammen mit den Abgesandten aus Ost-Lapan eintreffen. Sie wurden jedoch unerwartet aufgehalten. Bei Morgengrauen brachte ein Bote dem König die Nachricht, daß sie erst heute abend ankommen werden. Daher ersucht euch der König um einen Tag Geduld. Die Audienz wird morgen um diese Zeit stattfinden, und die Ratssitzung wird am Nachmittag beginnen. Bis dahin seid ihr Gäste der Stadt, und dem König sind alle willkommen, die eine Stunde nach Sonnenuntergang mit ihm das Abendessen einzunehmen wünschen.«

Ein großer bartloser Mann, der einen Fuchspelzmantel über einem weißen Faltenrock und einer purpurfarbenen, mit einem Wappen von drei Krongarben verzierten Waffenjacke trug, kam elegant über die Terrasse geschlendert und richtete seinen Blick auf die Menge, als bemerke er sie soeben zum erstenmal. Er blieb einen Moment stehen, dann sagte er zu Sheldra über die Köpfe hinweg in dem höflichen, fast um Entschuldigung bittenden Ton eines Herrn, der den Diener eines anderen befragt.

»Was könnte wohl den General aufgehalten haben? Willst du vielleicht so freundlich sein, mir das zu sagen?«

Sheldra antwortete nicht sofort, und ihre Selbstbeherrschung schien der Frage oder dem Frager nicht ganz gewachsen zu sein. Anscheinend dachte sie nicht so sehr über die Frage nach, als daß sie hoffte, sie würde verschwinden wie ein lästiges Insekt. Die Frau zeigte keine wirkliche Verwirrung, aber nach einiger Zeit wandte sie sich um, den Blick auf den Boden gesenkt und den Augen des großen Mannes ausweichend, wie eine Gouvernante oder Dueña in einem reichen Hause aus der Fassung gerät, weil sie auf die unerwünschte Aufmerksamkeit von Freunden der Familie antworten soll. Sie wollte sich schon entfernen, als der Neuankömmling seinen schönen Kopf neigte und mit unverändert freundlich herablassender Art durch die Menge ging und neben Sheldra trat.

»Ich bin nämlich höchst begierig, es zu erfahren, denn wenn ich nicht irre, ist die Armee des Generals derzeit in der Provinz Lapan, und jegliches Mißgeschick, das sie trifft, wäre gewiß auch das meine. Unter diesen Umständen wirst du bestimmt meine Aufdringlichkeit entschuldigen.«

Sheldras gemurmelte Antwort schien weniger zu einer königlichen Botin als zu einer linkischen, mißgelaunten Aufwartefrau in einer Bauernküche zu passen.

»Ich glaube, das heißt, ich habe gehört, daß er bei der Armee geblieben ist. Er kommt bald.«

»Danke«, sagte der große Mann. »Er hatte zweifellos einen Grund, oder? Ich weiß, du hilfst mir gern, wenn du kannst.«

Sheldra schüttelte den Kopf wie eine von Fliegen geplagte Stute.

»Der Feind in Ikat – General Erketlis – General Ged-la-Dan wollte alles in völliger Sicherheit zurücklassen, bevor er nach Bekla aufbrach. Und nun, meine Herren, muß ich euch verlassen –«

Sie drängte sich beinahe gewaltsam an ihnen vorbei und verließ den Garten mit linkischer und geradezu unschicklicher Hast.

Der Mann mit dem Korngarben-Waffenrock schlenderte weiter zu dem Gebüsch am See, blickte hinüber zu den pickenden Kranichen und spielte mit einer mittels einer zarten Goldkette an seinem Gürtel befestigten silbernen Parfumdose. Er fröstelte im Wind, zog seinen Mantel enger um sich und hob den Saum mit Eleganz und Grazie, fast wie ein Mädchen auf einem Tanzboden, über das feuchte Gras. Er war stehengeblieben, um das violett getüpfelte, frostige Glitzern an den Blütenblättern einer früh blühenden Saldis zu bewundern, da zupfte ihn jemand von hinten am Ärmel. Er warf einen Blick über die Schulter. Der Mann, der seine Aufmerksamkeit auf sich gezogen hatte, stand dort und erwiderte grinsend seinen Blick. Er wirkte derb, irgendwie mitgenommen und hatte das skeptische Aussehen eines Mannes, der viel erlebt hat, in einer harten Schule zu Erfolg und Wohlstand gelangt ist und beides mit einer gewissen Gleichgültigkeit betrachtet.

»Mollo!« rief der große Mann und breitete die Arme zu einer Willkommensgeste aus. »Mein lieber Freund, ist das aber eine hübsche Überraschung! Ich dachte, du seist in Terekenalt – jenseits des Vrakos – in den Wolken – überall, nur nicht hier. Wenn ich in dieser scheußlichen Stadt nicht halb erfroren wäre, könnte ich dir die ganze Freude zeigen, die ich empfinde, nicht nur die halbe.«

Darauf umarmte er Mollo, der ein wenig verlegen schien, es aber doch gut aufnahm; dann hielt er Mollos Hand in Armlänge, als tanzten sie in einem höfischen Zeitmaß, blickte ihn von oben bis unten an, schüttelte langsam den Kopf und fuhr, wie er begonnen hatte, auf Yeldashay fort, der Sprache Ikats und des Südens:

»Heruntergekommen, heruntergekommen! Offensichtlich voll abgebrochener Pfeilspitzen von Stammesangehörigen und miesem Fusel aus den Baracken dort drüben. Man fragt sich, warum die

Pfeillöcher nicht etwas von dem Schnaps abfließen lassen. Aber komm doch, erzähle mir, wieso du hier bist – und wie es Kabin geht und all den fidelen Jungs dort am Wasser.«

»Ich bin jetzt Kommandant von Kabin«, antwortete Mollo grinsend, »die Stadt hat demnach an Ansehen in der Welt verloren.«

»Mein Lieber, ich gratuliere dir! So haben sich also die Wasserratten die Dienste eines Wolfes gesichert? Sehr vernünftig, sehr vernünftig.« Er summte ein paar Zeilen:

»Zu seinem Weibe sprach der nette alte Viehdieb eben
(Schrumm, summ, dideldumm)
Von nun an will ich nur mehr sorglos leben –«

»Genau«, sagte Mollo grinsend. »Nach der kleinen Angelegenheit in den Sklavenkriegen, in die wir verwickelt waren –«

»Als du mir das Leben rettetest –«

»Als ich dir das Leben rettete (Gott steh mir bei, ich muß verrückt gewesen sein), konnte ich nicht in Kabin bleiben. Was gab es dort für mich? Mein Vater saß schwachsinnig im Kaminwinkel, und mein älterer Bruder sorgte gründlich dafür, daß Shrain und ich nichts aus dem Besitz erhielten. Shrain stellte vierzig Mann zusammen und schloß sich mit ihnen der beklanischen Armee an, aber mir paßte das nicht, und ich beschloß, weiter fortzugehen. Pfeilspitzen und Fusel – ja, du hast recht, so ungefähr war das.«

»Sozusagen Raub, Gewalt und Beute?«

»Wenn du's nicht stehlen kannst, mußt du darum kämpfen, so ist das. Ich machte mich nützlich. Ich brachte es zum Provinzstatthalter von Deelguy – zur Abwechslung ehrliche Arbeit –«

»In Deelguy, Mollo? Ach, hör mal –«

»Also, jedenfalls ziemlich ehrlich. Viel Kopfschmerzen und Sorgen – zuviel Verantwortung –«

»Ich kann mir lebhaft vorstellen, wie du dir nördlich des Telthearnas vorgekommen sein mußt, als Oberkommandant von Festung Schauerlich –«

»Eigentlich war es die Provinz Klamsid. Nun ja, man kann auch auf diese Weise sein Schäfchen ins trockne bringen, wenn es einem gelingt, am Leben zu bleiben. Dort war ich, als ich von Shrains Tod hörte – er wurde von den Ortelganern vor fünf Jahren in der Schlacht im Vorgebirge getötet, als Gel-Ethlin sein Heer einbüßte.

Armer Junge! Nun, vor ungefähr sechs Monaten kommt ein Deelguyer Kaufmann zu mir und verlangt eine Reisegenehmigung – ein
ekelhafter, mieser Rohling namens Lalloc. Als wir allein sind, sagt
er: ›Bist du Herr Mollo aus Kabin beim Stausee?‹ ›Ich bin Kommandant Mollo‹, sage ich, ›und geneigt, schmierige Schmeichler kräftig herunterzuputzen.‹ ›Nein, Herr‹, sagt er, ›das ist keine Schmeichelei; ich habe eben die Regenzeit in Kabin verbracht und habe
Nachrichten für dich. Dein älterer Bruder ist tot, und der Besitz ist
dein, aber niemand weiß, wo man dich finden kann. Du hast gesetz-
lich noch drei Monate Zeit, um ihn zu beanspruchen.‹ ›Was soll mir
das?‹ dachte ich mir; aber später dachte ich darüber nach und stellte
fest, daß ich heimkehren wollte. Also ernannte ich meinen Stellvertreter aus eigener Machtbefugnis zum Kommandanten und schickte
dem König eine Botschaft, in der ich ihm mitteilte, was ich getan
hatte – dann ging ich fort.«

»Das brach den Einwohnern das Herz? Die Schweine weinten
echte Tränen in ihren Schlafzimmern?«

»Möglich – ich habe es nicht bemerkt. Man kann sie ohnehin
nicht von den Einwohnern unterscheiden. Zu dieser Jahreszeit war
es eine unangenehme Reise. Bei der nächtlichen Überquerung des
Telthearnas wäre ich beinahe ertrunken.«

»Mußte es denn nachts geschehen?«

»Nun, ich hatte es eilig, weißt du.«

»Um nicht bemerkt zu werden?«

»So ist es. Ich überschritt die Hügel auf der Gelter Straße – ich
wollte sehen, wo Shrain gestorben war, ein paar Gebete für ihn sprechen und ein Opfer bringen, weißt du. Mein Gott, ist das ein gräßlicher Ort! Ich möchte nicht darüber sprechen – es muß dort mehr
Geister geben als Frösche in einem Sumpf. Ich würde nicht für alles
Gold von Bekla die Nacht dort verbringen. Shrain ruht dort jedenfalls in Frieden – ich habe alles getan, wie es sich gehört. Nun, als
ich über den Paß ins Flachland kam – am Südende mußte ich Weg-
zoll bezahlen, das war mir neu –, war es schon Spätnachmittag und
ich dachte: ›Bis Kabin komme ich heute abend nicht mehr – ich
gehe zu dem alten S'marr Torruin, der zu Lebzeiten meines Vaters
preisgekrönte Stiere züchtete, ja, das tue ich.‹ Als ich hinkam –
nur ich und noch zwei Burschen –, ja, du hast noch nie gesehen, daß
sich ein Ort so verändert hat: Diener in Scharen, alles aus Silber,
alle Frauen in Seide und Juwelen. S'marr war aber immer noch der

gleiche und erinnerte sich meiner. Als wir nach dem Abendessen zusammen tranken, sagte ich: ›Stiere scheinen ein gutes Geschäft zu sein.‹ ›Ach‹, sagt er, ›hast du nicht davon gehört? Ich bin Statthalter des Vorgebirges und Hüter des Gelter Passes geworden.‹ ›Wie ist denn das zugegangen?‹ fragte ich. ›Nun‹, sagt er, ›du mußt nur aufpassen und dich in unruhigen Zeiten auf die richtige Seite schlagen – da kann man alles gewinnen oder alles verlieren. Nachdem ich gehört hatte, was in der Schlacht im Vorgebirge geschehen war, wußte ich, daß diese Ortelganer Bekla erobern mußten: es war klar – es war ihnen bestimmt zu siegen. Mir war es völlig klar, sonst aber keinem. Ich ging selbst geradewegs zu ihren Generälen – ich traf sie auf dem Marsch nach Süden durch die Ebene nach Bekla – und versprach ihnen jede Hilfe, zu der ich fähig war. Verstehst du, in der Nacht vor der Schlacht war die bessere Hälfte von Gel-Ethlins Armee nach Kabin geschickt worden, um den Damm zu reparieren – und was war das, wenn nicht der Finger Gottes? Die Regenfälle hatten eben begonnen, aber dessen ungeachtet standen diese Beklaner in Kabin im Rücken der Ortelganer, die nach Süden marschierten. Das ist kein Risiko, über das sich ein General freuen kann. Ich machte ihnen jede Bewegung unmöglich – führte meine Leute hinaus und zerstörte drei Brücken, schickte falsche Nachrichten nach Kabin, fing ihre Boten ab –‹ ›Mein Gott‹, sage ich zu S'marr, ›das war vielleicht waghalsig, auf die Ortelganer zu setzen!‹ ›Keineswegs‹, sagt S'marr, ›ich merke doch, wenn der Blitz einschlagen wird, und brauche nicht genau zu wissen, wo. Ich sage dir, den Ortelganern war es bestimmt zu siegen. Diese Hälfte von Gel-Ethlins Armee löste sich einfach auf – sie kämpfte nie mehr. Sie marschierten im Regen aus Kabin hinaus, kehrten wieder zurück, stellten sich auf halbe Rationen um – dann kam es zu Meuterei, zu Massendesertion. Als dann ein Bote von Santil-ke-Erketlis durchkam, hatte bereits eine Abordnung der Meuterer das Kommando, und die hätten den armen Kerl beinahe aufgehängt. Vieles davon war mir zu verdanken, und das habe ich diesem Burschen König Crendrik auch nicht verschwiegen, verstehst du? So kam es, daß mich die Ortelganer zum Statthalter des Vorgebirges und Hüter des Gelter Passes machten, mein Junge, und das ist recht einträglich.‹ Plötzlich blickt S'marr zu mir auf. ›Kommst du etwa heim, um den Familienbesitz zu beanspruchen?‹ fragt er. ›Richtig‹, sage ich. ›Also, deinen Bruder mochte ich nie‹, sagt er. ›Ein ewig meckernder, knauseriger Geizhals – aber du bist mir recht. In Kabin brauchen sie einen Kommandanten. Bis vor kurzem war ein Ausländer dort – er hieß Orcad, früher stand er in beklanischen Diensten. Er verstand sich auf den Stausee, weißt du, und davon verstehen die Ortelganer nichts – aber er ist vor kurzem ermordet worden. Nun bist du aber ein Einheimischer, also wird man dich nicht ermorden, auch haben die Ortelganer eine Vorliebe für Einheimische, solange sie meinen, ihnen vertrauen zu können. Nach dem, was geschehen ist, vertrauen sie mir natürlich, und wenn ich bei General Zelda ein Wort für dich einlege, wirst du wahrscheinlich ernannt werden.‹ Um es kurz zu machen, ich erklärte mich einverstanden, mich S'marr erkenntlich zu zeigen, wenn er sich für mich verwendete, und so wurde ich Kommandant von Kabin.«

»Aha. Und du verstehst dich wohl auf den Stausee dank deiner tiefgründigen Kenntnis der Eigenschaften des Wassers?«

»Ich habe keine blasse Ahnung, wie man einen Stausee betreut, werde aber bei meinem hiesigen Besuch jemand Geeignetes finden und mit mir nehmen, so steht die Sache.«

»Und ist dein reizender, stierezüchtender alter Kumpel zur Ratssitzung hierhergekommen?«

»S'marr? Fällt ihm nicht ein – er hat seinen Stellvertreter geschickt. Er ist kein Dummkopf.«

»Seit wann bist du Kommandant von Kabin?«

»Seit ungefähr drei Tagen. Ich sagte dir ja, das alles geschah in jüngster Zeit. Zufällig war General Zelda auf einer Rekrutierungsreise in der Gelter Gegend, und S'marr sprach am nächsten Tag mit ihm. Ich war erst eine Nacht daheim, als er mir einen Offizier mit der Nachricht sandte. Ich war zum Kommandanten ernannt worden und sollte persönlich nach Bekla kommen. Und so bin ich hier, siehst du, Elleroth, und der erste, den ich treffe, bist du!«

»Statthalter Elleroth – verneige dich dreimal, bevor du mich ansprichst.«

»Also, wir beide haben es wirklich zu etwas gebracht! Statthalter von Sarkid? Seit wann bist du Statthalter, Elleroth?«

»Ach, schon einige Jahre. Mein armer Vater starb vor einiger Zeit. Aber sage mir, was weißt du von dem neuen, modernen Bekla und seinen menschenfreundlichen und aufgeklärten Herrschern?«

In diesem Augenblick wurden sie von zwei anderen Delegierten überholt, die sich ernstlich in katrianischem Shistol, dem Dialekt von Ost-Terekenalt, unterhielten. Als sie vorbeigingen, wandte einer den Kopf und starrte, ohne zu lächeln, über seine Schulter, ehe er weitersprach.

»Du mußt vorsichtiger sein«, sagte Mollo. »Derartige Bemerkungen darf man an einem solchen Ort nicht machen, und schon gar nicht so, daß sie ein Dritter hört.«

»Was glaubst du, mein Lieber, wieviel Yeldashay verstehen schon diese gebildeten Kürbisköpfe? Bei denen verdeckt der Körper kaum die geistige Unzulänglichkeit. Ihre Einfalt ist unanständig entblößt.«

»Das kann man nie wissen. Vorsicht – die habe ich gelernt. Beweis dafür: ich bin am Leben.«

»Also gut, wir wollen deinem Wunsch nach Ungestörtheit entgegenkommen, auch wenn wir dabei frieren müssen. Dort drüben ist ein Junge mit einem Boot, und zweifellos hat er seinen Preis, wie alles in der Welt.«

Elleroth sprach mit dem Bootsmann, wie zuvor mit Sheldra, in ausgezeichnetem Beklanisch mit kaum einer Spur eines Yeldashay-Akzents und gab ihm ein Zehnmeldstück, schloß seinen Fuchspelzmantel am Hals, stellte den dicken Kragen rund um seinen Hinterkopf hoch und stieg, gefolgt von Mollo, ins Boot.

Der Mann ruderte sie zur Seemitte, die kurzen Wellen schlugen regelmäßig und dumpf unter dem Bug an die Außenwand, und Elleroth starrte schweigend hinüber auf das Weideland, das sich von der Südseite des königlichen Hauses rund um das Westufer des Sees und bis an die Nordhänge des Crandor in der Ferne erstreckte.

»Einsam, nicht?« sagte er, jetzt wieder in Yeldashay.

»Einsam?« fragte Mollo. »Das kann man kaum sagen.«

»Nun, sagen wir also, verhältnismäßig wenig belebt – und dieses Gelände ist hübsch und eben – keine Hindernisse. Gut.« Er brach ab und lächelte, da Mollo verständnislos die Stirn runzelte. »Um aber dort anzuknüpfen, wo wir so unangenehm unterbrochen wurden: Was weißt du von Bekla und diesen bärennärrischen Flußjungen vom Telthearna?«

»Ich sage dir – so gut wie nichts. Ich hatte noch kaum Zeit, mich richtig zu erkundigen.«

»Wußtest du zum Beispiel, daß sie nach der Schlacht im Vorgebirge vor fünfeinhalb Jahren die Toten nicht begruben – die eigenen nicht und die Gel-Ethlins nicht? Sie überließen sie den Wölfen und Raubvögeln.«

»Das überrascht mich nicht. Ich war, wie ich dir sagte, auf dem Schlachtfeld, und ich bin noch nirgends so gern wieder fortgegangen. Meine zwei Burschen waren fast toll vor Angst – und das bei Tageslicht. Ich erledigte, was um Shrains willen nötig war, und entfernte mich schleunigst.«

»Hast du etwas *gesehen?*«

»Nein, wir spürten es nur alle instinktiv. Ach, du meinst die Überreste der Toten? Nein, wir haben die Straße selbst nicht verlassen, verstehst du, und die wurde bald nach der Schlacht, angeblich von Männern, die deshalb von Gelt herunterkamen, gesäubert.«

»Ja. Die Ortelganer kümmerten sich ja nicht um sie. Aber das war von ihnen auch gar nicht zu erwarten, oder?«

»Als die Schlacht gewonnen war, hatten die Regenfälle ja schon eingesetzt, und es wurde Nacht. Sie hatten es verzweifelt eilig, nach Bekla zu kommen.«

»Ja, aber auch nach dem Fall von Bekla unternahm kein Ortelganer etwas, obwohl es zwischen Bekla und ihrer Insel im Telthearna ein dauerndes Kommen und Gehen gab. Zur Betrachtung ist das, finde ich, ein schrecklich uninteressantes Thema, nicht? Mich langweilt es grenzenlos.«

»Ich hatte es noch nicht von dieser Seite aus betrachtet.«

»Dann fang jetzt damit an.«

Das Boot war zuerst am Süd- und dann am Ostufer des Hakensees entlanggefahren, und als es sich den Kranichen näherte, flogen sie, laut mit den weißen Flügeln schlagend, auf. Elleroth neigte den Kopf über den Bug und ließ müßig einen Finger am Rand seines eigenen Schattens durch das Wasser gleiten, während sie dahinfuhren. Nach einiger Zeit sagte Mollo: »Ich habe nie verstanden, wieso die Stadt gefallen ist. Sie eroberten sie in einem Handstreich und schlugen das Tamarriktor ein. Schön – das Tamarriktor war ein militärischer Unsinn. Aber was trieb Santil-ke-Erketlis? Warum versuchte er nicht, die Zitadelle zu halten? Die hätte man ewig halten können.«

Er wies rückwärts auf die einen Kilometer entfernte, jäh abstürzende Wand des Steinbruchs und die darüberliegende Spitze des Crandor.

»Er *hat* sie gehalten«, antwortete Elleroth, »die ganze Regenzeit und nachher – im ganzen fast vier Monate lang. Er erwartete einen Entsatz aus Ikat oder sogar von den Truppen in Kabin – mit denen sich dein vertrauenswürdiger Freund, der Stierzüchter, befaßte. Die Ortelganer ließen ihn lange in Frieden – sie hatten einen gesunden Respekt vor ihm bekommen, würde ich sagen –, als aber die Regenzeit vorbei und er immer noch nicht fort war, wurden sie unruhig. Sie mußten ein Heer gegen Ikat aufstellen, verstehst du, und sie hatten niemanden übrig, um Santil in der Zitadelle festzuhalten. Also schafften sie sich ihn vom Hals.«

»Vom Hals – einfach so? Was meinst du? Wie?«

Elleroth schlug mit der Handkante leicht auf die Wasserfläche, so daß ein dünner, plätschernder Halbmond aus Wassertropfen an der Bordwand entlang rückwärts flog.

»Also, wirklich, Mollo, du scheinst auf deinen Reisen nicht viel über Militärmethoden gelernt zu haben. Es gab viele Kinder in Bekla, wenn sie auch nicht alle Kinder der Zitadellengarnison waren. Die Ortelganer hängten jeden Morgen zwei Kinder angesichts der Zitadelle. Und es gab natürlich auch genug Mütter, die zur Zitadelle hinaufgehen und Erketlis anflehen konnten nachzugeben, bevor die Ortelganer sich noch weiteres einfallen ließen. Nach einigen Tagen erbot er sich zum Abzug, unter der Voraussetzung, daß man ihm gestatte, mit voller Bewaffnung abzumarschieren und unbehelligt nach Ikat zu ziehen. Die Ortelganer nahmen diese Bedingungen an. Drei Tage später versuchten sie, ihn auf dem Marsch anzugreifen, aber er war darauf vorbereitet gewesen, und es gelang ihm, sie recht wirkungsvoll zurückzuschlagen. Das ereignete sich nahe meinem Wohnsitz in Sarkid.«

Mollo wollte schon antworten, da sprach Elleroth, der im Rücken des Bootsmannes saß, wieder, ohne seinen Tonfall zu ändern.

»Wir laufen auf einen großen schwimmenden Baumstamm zu, der wahrscheinlich den Bug durchstoßen wird.«

Der Bootsmann hielt sogleich im Rudern inne und drehte sich um.

»Wo, Herr?« fragte er auf beklanisch. »Ich kann nichts feststellen.«

»Nun, *ich* stelle jedenfalls fest, daß du *mich* verstehst, wenn ich Yeldashay spreche«, antwortete Elleroth, »aber das ist kein Verbrechen. Es scheint noch kühler geworden zu sein, und der Wind ist frischer als zuvor. Ich glaube, du solltest uns zurückbringen, bevor wir uns das Telthearnafieber holen. Du hast brav gerudert – da sind noch zehn Meld für dich. Ich bin sicher, du tratschst niemals.«

»Gott segne Euch, Herr«, sagte der Bootsmann und wendete mit dem rechten Ruder.

»Wohin nun?« fragte Mollo, als sie in dem Garten an Land stiegen. »In dein Zimmer – oder in meines? Dort können wir weiterplaudern.«

»Aber, aber, Mollo – die Abhörvorrichtungen sind schon vor Tagen eingebaut worden. Du liebe Zeit, was sind das für Dilettanten, die ihr als Ausbilder in Deelguy habt! Wir wollen einen Spaziergang durch die Stadt machen – ein Blatt im Wald verstecken, verstehst du. Nun, diese Priesterin, die heute morgen zu uns sprach – die mit dem Gesicht wie ein Nachttopf –, glaubst du eigentlich, daß sie –«

Sie schritten bergab über die Straße zwischen den Mauern zum Pfauentor und wurden dort in die kleine Kammer, den sogenannten Mondraum, eingeschlossen, während der Torwächter, ungesehen, das Gegengewicht betätigte, welches die geheime Pforte öffnete. Es gab keinen Weg zwischen der Ober- und der Unterstadt außer durch diese Pforte, und die Pförtner, wachsam und unzugänglich wie Wachhunde, öffneten keinem, den zu erkennen sie nicht Weisung erhalten hatten. Als Elleroth Mollo in die Unterstadt folgte, schloß sich hinter ihnen das schwere, glatte und flache Tor, dessen vorspringende Eisenränder die Mauern auf beiden Seiten überlappten. Sie blieben eine Zeitlang über dem Stadtlärm stehen und lächelten einander zu, wie zwei Jungen, die zusammen in einen Teich springen wollen.

Die Straße der Waffenschmiede führte bergab zu dem mit Kolonnaden versehenen Platz, dem sogenannten Karawanenmarkt, wo alle in die Stadt kommenden Waren von den Zollbeamten gewogen und kontrolliert wurden. Auf der einen Seite standen die städtischen Lagerhäuser mit ihren Lade- und Abladerampen und Fleitils Bronzewaagen, auf denen man ebenso leicht einen Karren mit zwei Ochsen wie einen Sack Mehl wiegen konnte. Mollo sah zu, wie vierzig Barren Gelter Eisen gewogen wurden, als ein zerlumpter Junge mit schmutzigem Gesicht, auf einer Krücke humpelnd, an ihn stieß, sich mit einer ungeschickten Verbeugung seitlich von ihm verneigte und ihn dann anbettelte.

»Keine Mutter, Herr, keinen Vater – für einen Herrn wie Ihr sind zwei Meld gar nichts – großmütiges Gesicht – man merkt gleich, Ihr habt Glück – wollt Ihr ein nettes Mädchen kennenlernen

– hütet Euch vor den Gaunern hier – in Bekla gibt es viele Verbrecher – viele Diebe – vielleicht ein Meld – braucht Ihr einen Wahrsager – wollt vielleicht spielen – Ihr könnt mich heute abend hier treffen – helft einem armen Jungen – heute noch nichts gegessen –«

Sein linkes Bein war über dem Knöchel abgetrennt worden, und der in ein schmutziges Tuch gehüllte Stumpf hing einen Fuß hoch über dem Boden. Als er sich umdrehte, pendelte das Bein schlaff, als habe es keine Kraft unterhalb des Oberschenkels. Ein Vorderzahn fehlte ihm, und als er seine eintönigen, ausdruckslosen Angebote und Bitten lispelte, floß ihm ein vom Betelkauen rötlich gefärbter Speichel über Unterlippe und Kinn. Er hatte einen ausweichenden, wachsamen Blick und hielt seinen rechten Arm leicht abgebogen, mit offener Hand und klauenartigen Daumen und Fingern an seiner Seite.

Plötzlich machte Elleroth einen Schritt vorwärts, faßte mit der Hand das Kinn des Jungen und zog dessen Gesicht nach oben, um ihm in die Augen zu sehen. Der Junge stieß einen schrillen Schrei aus und versuchte, sich loszumachen; seine ausgestoßenen Worte wurden nun durch Elleroths Griff an sein Kinn verzerrt.

»Armer Junge, Herr, nichts Böses, der Herr wird einem armen Jungen nicht weh tun, keine Arbeit, sehr harte Zeiten, stehe zu Diensten –«

»Wie lange führst du schon dieses Leben?« fragte Elleroth streng.

Der Junge stotterte mit abgewandtem Blick.

»Weiß nicht, Herr, vier Jahre, fünf Jahre, nichts Böses getan, Herr, vielleicht sechs Jahre, was immer Ihr sagt, Herr –«

Elleroth zog mit seiner freien Hand den Ärmel des Jungen nach oben. Um den Unterarm war ein breites Lederband gewunden, und darunter steckte ein schönes Messer mit Silbergriff. Elleroth zog es heraus und reichte es Mollo.

»Du hast nicht gemerkt, wie er es herauszog, wie? Das ist der Nachteil, wenn man sein Messer in einer Scheide an der Hüfte trägt. Nun hör auf zu heulen, mein Junge, sonst lasse ich dich von dem Marktwächter geißeln –«

»Ich lasse ihn geißeln, ob er heult oder nicht«, unterbrach Mollo. »Ich –«

»Einen Augenblick, mein Lieber.« Elleroth hielt das Kinn des Jungen noch immer fest, drehte dessen Kopf zur Seite und schob mit der freien Hand das schmutzige Haar zurück. Das Ohrläppchen war durchbohrt, das Loch hatte die Größe eines Orangenkerns. Elleroth berührte es mit dem Finger, und der Junge begann still zu weinen.

»*Genshed u arkonlaut tha?*« fragte Elleroth auf Terekenalt, einer Mollo unbekannten Sprache.

Den Jungen hinderten seine Tränen – er konnte nicht antworten und nickte nur jämmerlich.

»*Genshed varon, shu varon il pekeronta?*« Der Junge nickte wieder.

»Hör zu«, sagte Elleroth wieder auf beklanisch. »Ich werde dir etwas Geld geben. Dabei werde ich fluchen und vorgeben, dich zu schlagen, sonst kommen hundert andere arme Teufel aus allen Löchern des Marktes. Sag nichts, steck es ein und verschwinde, verstanden? Hol dich der Geier!« schrie er, faßte den Jungen an der Schulter und stieß ihn fort. »Haut ab, packt euch! Dreckige Bettler –« Er wandte sich um und ging mit Mollo seines Wegs.

»Also, was zum Henker –« begann Mollo. Er brach ab. »Was ist denn los, Elleroth? Du wirst doch sicher nicht – nicht *weinen*, oder?«

»Mein lieber Mollo, du merkst doch nicht einmal, wenn ein Messer aus der Scheide an deiner Hüfte verschwindet, wie willst du da genau den Ausdruck auf einem so verrückten Gesicht wie dem meinen deuten? Laß uns irgendwo einkehren und etwas trinken – ich könnte einen Schluck gebrauchen, das spüre ich, und die Sonne wird jetzt wärmer. Es wird angenehm sein, sich hinzusetzen.«

25. Der »Grüne Hain«

Die nächste Kneipe in der Kolonnade, deren Schild die Aufschrift »Der Grüne Hain« trug, war zwar windgeschützt, wurde aber dennoch zu Jahresbeginn durch ein Kohlenbecken geheizt, das tief genug stand, um zu verhindern, daß man von der Zugluft am Boden kalte Füße bekam. Die Tische waren noch feucht vom morgendlichen Abschrubben, und über die dem Platz zugewandte Sitzbank waren bunte Teppiche gelegt, die einigermaßen abgenutzt, aber sauber und gut gebürstet waren. Das Lokal schien hauptsächlich von besser gestellten Männern besucht zu werden, die auf dem Markt arbeiteten oder handelten – Einkäufer, Hausverwalter, Karawanenführer, Kaufleute und einige Marktbeamte mit ihren grünen Uniformmänteln und runden Lederhüten. An den Wänden hingen Kürbisse und getrocknete Tendrionas in Netzen, und es standen Teller mit eingelegten Eierfrüchten, Käse, Nüssen und Rosinen bereit. Durch eine Tür in der Hinterwand sah man auf einen Hof mit weißen Tauben und einem Brunnen. Elleroth und Mollo nahmen auf dem einen Ende der Sitzbank Platz und warteten geduldig.

»Nun, Gevatter Tod, komm nicht gerade jetzt daher«, rief ein langhaariger junger Karawanenführer. Er warf seinen Mantel zurück, um seinen Arm beim Trinken freizumachen, und blickte über seine Lederkanne, als erwarte er fast, daß der unerwünschte Besucher plötzlich um die Ecke auftauchte. »Ich muß noch im Süden ein wenig mehr verdienen und hier noch ein paar Krüge leeren – nicht wahr, Tarys?« sagte er zu dem hübschen Mädchen mit dem langen schwarzen Zopf und einem Halsband aus Silbermünzen, das einen Teller mit Eiern in Sauerrahm vor ihn hinstellte.

»Ja, wahrscheinlich«, antwortete sie, »außer du kommst bei einer deiner Reisen in den Süden ums Leben. Profit, Profit – vielleicht gehst du einmal nach Zeray, nur des Profits wegen.«

»Ja – vielleicht!« machte er ihr nach, um sie zu necken, und legte eine Reihe ausländischer Münzen, eine unter jedem Finger, auf den Tisch, damit sie sich nähme, was er schuldig war. »Bediene dich. Warum nimmst du jetzt nicht *mich* anstelle des Geldes?«

»So schlecht geht es mir noch nicht«, erwiderte das Mädchen, nahm drei von den Münzen und kam zu der Sitzbank. Ihre Augenlider waren mit Indigoblau gefärbt, und sie hatte ein Sträußchen rot blühender Tectrons an ihr Leibchen gesteckt. Sie lächelte Mollo und Elleroth zu, ein wenig unsicher, denn wie sollte sie sie ansprechen – einerseits waren sie Fremde und offenbar Herren, andererseits hatten sie aber ihren kleinen Flirt mit dem Karawanenführer mit angesehen.

»Guten Morgen, mein liebes Kind«, sagte Elleroth, als wäre er ihr Großvater; aber zugleich blickte er sie von oben bis unten mit sichtlicher Bewunderung an, was sie noch verlegener machte. »Ich möchte wissen, ob ihr *richtigen* Wein habt, vielleicht aus Yeldashay oder wenigstens aus Lapan? Was man an einem solchen Morgen trinken muß, ist Sonnenschein.«

»So etwas haben wir schon lange nicht mehr gehabt, Herr, leider«, antwortete das Mädchen. »Das macht der Krieg, wißt Ihr. Wir können ihn nicht bekommen.«

»Ich bin sicher, du unterschätzt die Bestände dieses prächtigen Lokals«, bemerkte Elleroth und legte unauffällig zwei Zwanzigmeldstücke in ihre Hand. »Und du kannst ihn ja in einen Krug gießen, so daß kein anderer weiß, was darin ist. Frag deinen Vater. Bring uns einfach den besten, den ihr habt, er muß nur – äh – aus der Vorbärenzeit sein, verstehst du, aus der Vorbärenzeit. Wir werden schon erkennen, ob er aus dem Süden stammt.«

Zwei Männer kamen durch den Kettenvorhang im Eingang und riefen dem Mädchen lächelnd etwas auf Shistol zu.

»Du mußt wohl viele Sprachen lernen, wenn du so viele Bewunderer hast?« fragte Mollo.

»Nee, die müssen meine lernen, sonst bin ich fertig mit ihnen«, meinte sie lächelnd und nickte Elleroth zu zum Zeichen, daß sie tun werde, was er verlangt hatte.

»Nun, ich sehe, die Welt braucht noch ziemlich viel zu trinken«, sagte Elleroth; er lehnte sich auf der Sitzbank zurück, ergriff eine eingelegte Eierfrucht und steckte die Hälfte in den Mund. »Wie schade, daß so viele ungestüme Jungen hartnäckig darauf bestehen! Paßt es dir übrigens, wenn wir weiter Yeldashay sprechen? Ich bin des Beklanischen überdrüssig, und bei Deelguy komme ich leider nicht mit. Ein Vorteil dieses Lokals ist, daß es keinem besonders auffallen würde, nehme ich an, wenn wir uns unterhielten, indem wir einander niederhusteten oder mit großen Zahnstochern auf den Tisch schlügen. Für die wird ein wenig Yeldashay nicht aus dem alltäglichen Rahmen fallen.«

»Dieser Junge«, sagte Mollo, »du hast ihm Geld gegeben, nachdem er mein Messer gestohlen hatte. Und was war das für ein Loch in seinem Ohr? Du schienst genau zu wissen, wonach du suchtest.«

»Hast du keine Ahnung, Provinzstatthalter?«

»Keine.«

»Möge sie dir noch lange erspart bleiben. Du hast in Deelguy diesen Lalloc kennengelernt, sagtest du mir. Jetzt möchte ich wissen, hast du je von einem gewissen Genshed gehört?«

»Nein.«

»Verflucht sei der Krieg!« schrie ein Mann, der soeben hereingekommen war, offensichtlich als Antwort auf eine Bemerkung des

Wirts, der mit zusammengepreßten Lippen, hochgezogenen Schultern und beiderseits ausgestreckten Händen vor ihm stand. »Bring uns irgendwas, nur beeile dich. In einer halben Stunde muß ich wieder fort nach Süden.«

»Was gibt es Neues vom Krieg?« rief Elleroth quer durch den Raum.

»Ach, jetzt ist Frühling, da wird es wieder harte Zeiten geben, Herr«, antwortete der Mann. »Vom Süden wird jetzt nichts mehr heraufkommen – nein, nicht in den nächsten Monaten, glaube ich. General Erketlis ist auf dem Marsch – wie ich höre, wird er wahrscheinlich östlich von Lapan vorstoßen.«

Elleroth nickte. Das Mädchen kam wieder mit einem einfachen irdenen Krug, Lederbechern und einem Teller mit frischen Rettichen und Wasserkresse. Elleroth füllte beide Becher, nahm einen kräftigen Schluck und blickte dann mit einer übertrieben erstaunten und entzückten Miene mit offenem Mund zu ihr auf. Das Mädchen kicherte und entfernte sich.

»Besser als wir erwarten konnten«, sagte Elleroth. »Nun, kümmere dich nicht weiter um den armen Jungen, Mollo. Schreibe es meiner Überspanntheit zu. Ich werde es dir eines Tages erzählen. Jedenfalls hat es nichts mit dem zu tun, worüber wir auf dem See sprachen.«

»Wie haben sie ihren Bären zurückbekommen?« fragte Mollo, biß ein Stück von einem Rettich ab und streckte seine Beine gegen das Kohlenbecken aus. »Ich habe gehört – wenn es wahr ist, macht es mir Angst, und noch hat mir keiner gesagt, es sei nicht wahr –, daß der Bär die beklanische Front durchbrach und Gel-Ethlin tötete, als hätte er gewußt, wer der war. Das können dir alle aus Deelguy erzählen, denn in der beklanischen Armee kämpfte eine Abteilung aus Deelguy, und der Bär tötete kurz nach Gel-Ethlin auch ihren Anführer – er zerfetzte ihm den Hals. Du mußt zugeben, all das ist sehr seltsam.«

»Und?«

»Nun, als die Nacht hereinbrach, verschwand der Bär. Aber du weißt ja, wo er jetzt ist – dort oben, auf dem Hügel.« Er wies mit dem Daumen über seine Schulter.

»Dieser Crendrik – der König – suchte den ganzen folgenden Sommer die Spur des Bären«, antwortete Elleroth. »Sobald die Regenfälle aufhörten, zog er mit seinen Priesterinnen, oder wie immer man sie nennt, los und durchkämmte das ganze Land von Kabin bis Terekenalt und von Gelt bis zum Telthearna. Er war früher ein Jäger, glaube ich. Nun, ob er es war oder nicht, schließlich fand er den Bären in einem sehr schwer zugänglichen Teil der Hügel; und er setzte den ganzen Hügel, auch zwei arme Dörfer, in Brand, um ihn zu zwingen, ins Flachland zu kommen. Dann betäubte er ihn mit irgendeiner Droge, fesselte ihn mit Ketten –«

»*Fesselte* ihn?« unterbrach Mollo. »Wie in aller Welt fesselt man einen Bären?«

»Sie hatten festgestellt, daß er sich durch keinen Käfig festhalten ließ, wurde mir erzählt, also banden sie, während er betäubt war, seine Beine mit einer Würgekette an seinen Hals, so daß er sich um so mehr die Luft abschnitt, je mehr er strampelte. Dann wurde er auf einer offenen Plattform mit Rädern in knappen zwei Tagen hundert Kilometer weit nach Bekla geschleppt. Die Männer wechselten einander ab und hielten nicht an. Dennoch wäre er fast gestorben – die Ketten waren ihm nicht besonders angenehm, verstehst du. Das zeigt aber nur, wie wichtig der Bär für die Ortelganer ist und was sie alles zu tun bereit sind, wenn es ihn betrifft. Möglich, daß sie bloß Telthearnataucher sind, aber sie werden offenbar durch dieses Tier zu großen Taten inspiriert.«

»Sie nennen es die göttliche Kraft«, sagte Mollo. »Bist du sicher, daß es das nicht ist?«

»Mein lieber Mollo, was kannst du nur damit meinen? – Laß mich den Lederbecher, den du dort hast, anfüllen. Ich möchte wissen, ob sie noch mehr von diesem Wein haben.«

»Also, ich kann mir das, was geschehen ist, auf keine andere Weise erklären. Das ist auch die Ansicht des alten S'marr – er sagte, sie seien dazu bestimmt gewesen zu siegen. Zuerst erhalten die Beklaner keinerlei Nachricht über das Vorgefallene, dann trennen sie ihr Heer in zwei Teile, dann setzen die Regenfälle ein, dann tötet der Bär Gel-Ethlin in eben dem Moment, als er siegreich ist, und keiner in Bekla erhält die geringste Warnung, bis die Ortelganer die Stadt überfallen – willst du wirklich behaupten, das alles sei bloßer Zufall?«

»Ja, das will ich«, erwiderte Elleroth, gab sein absonderliches Benehmen auf, beugte sich vor und blickte Mollo ins Gesicht. »Ein überzivilisiertes Volk wird selbstgefällig und sorglos und läßt die Tür geöffnet für einen Stamm fanatischer Wilder, die durch ein Gemisch von Glück, Verrat und gemeinster Unmenschlichkeit für ein paar Jahre seinen Platz an sich reißen.«

»Ein paar Jahre? Es sind schon fünf.«

»Fünf Jahre *sind* ein paar Jahre. Sind sie nun sicher? Du weißt, daß sie es nicht sind. Es steht ihnen ein brillanter General gegenüber, dessen Ausgangsbasis so nahe liegt wie Ikat. Das beklanische Reich ist auf die Hälfte zusammengeschmolzen. Die Südprovinzen sind abgefallen – Yelda, Belishba, möglicherweise Lapan. Paltesh würde sich gern lossagen, wagt es aber nicht. Deelguy und Terekenalt sind beide Feinde, insoweit ihre eigenen Unruhen ihnen Zeit lassen. Die Ortelganer können noch in diesem Sommer verjagt werden. Dieser Crendrik – der endet in Zeray, du wirst noch an meine Worte denken.«

»Es geht ihnen recht gut – es werden noch genug Geschäfte in Bekla gemacht.«

»Geschäfte? Ja, ich möchte wissen, was für Geschäfte! Und du brauchst dich nur umzusehen, um zu merken, wie stark sogar ein Lokal wie dieses beeinträchtigt wird. Was brachte in erster Linie den Wohlstand nach Bekla? Bauen, Steinmetzarbeit, Bildhauerei – diese Art von handwerklichem Können. Die Gewerbe sind zugrunde gerichtet. Es gibt keine Arbeitskräfte, die Künstler sind in aller Stille anderswohin gegangen, und diese Barbaren verstehen von solcher Arbeit nichts. Was die äußeren Provinzen und benachbarten Königreiche betrifft, kommt es nur noch selten vor, daß ein Händler etwas nach Bekla schickt. Viele Geschäfte? Welche Art von Geschäften, Mollo?«

»Nun, das Eisen kommt aus Gelt und das Vieh –«

»Welche Art von Geschäften, Mollo?«

»Sklavenhandel, darauf willst du doch hinaus? Aber Sklavenhandel gibt es überall. Leute, die Kriege verlieren, werden zu Gefangenen gemacht.«

»Wir beide, du und ich, haben einmal gemeinsam dafür gekämpft, daß es sich darauf beschränkt. Diese Leute brauchen dringend Geschäfte, um ihren Krieg zu bezahlen und die unterworfenen Völker zu ernähren, die sie niederhalten – sie brauchen verzweifelt jede Art von Handel. Also bleibt es nicht bei dem allein. Welche Art von Handel, Mollo?«

»Die Kinder, meinst du das? Also, wenn du meine Ansicht hören willst –«

»Die Herren entschuldigen, ich weiß nicht, ob es Sie interessiert, aber wie ich höre, wird der König bald kommen. Binnen kurzem wird er den Markt überqueren. Da die Herren anscheinend Gäste in der Stadt sind –«

Der Wirt stand neben ihnen, lächelte unterwürfig und wies durch den Eingang hinaus.

»Danke«, sagte Elleroth, »sehr nett von dir. Vielleicht« – er steckte dem Wirt noch ein Goldstück zu –, »wenn du noch ein wenig von diesem ausgezeichneten Getränk finden könntest – ein reizendes Mädchen, deine Tochter – ach, deine Nichte? Bezaubernd – wir kommen in wenigen Minuten wieder.«

Sie traten hinaus auf die Kolonnade. Auf dem Platz war es heißer und belebter geworden, und die Marktdiener gingen mit Wasserkrügen und langen Sprengwedeln aus zusammengebundenen Zweigen umher und befeuchteten den sandig glänzenden Staub. Oben, in einiger Entfernung, stand die Nordfront des Baronspalastes im Schatten, dahinter schien die Sonne da und dort auf die Marmorbrustwehren der Türme und die Bäume der darunterliegenden Terrassen. Wieder starrte Mollo bewundernd darauf, da schlugen die Gongs der städtischen Uhren die Stunde. Kurz darauf hörten sie, wie über die Straße, auf der er am Morgen mit Elleroth gekommen war, ein anderer, sanfter und mit einem tieferen, mehr vibrierenden Ton geschlagener Gong heruntergebracht wurde. Die Menschen wichen zur Seite, manche verließen den Platz oder schlüpften in die verschiedenen Türeingänge rund um die Kolonnade. Andere jedoch blieben, während der Gong näher kam, erwartungsvoll stehen. Mollo drängte sich durch die ihm zunächst Stehenden, streckte den Hals vor und lugte über den Balken der Großen Waage.

Vom Hügel kamen zwei Reihen Soldaten in langsamem Schritt zu beiden Seiten der Straße im Gänsemarsch herunter. Obwohl sie nach beklanischer Art mit Helm, Schild und Kurzschwert bewaffnet waren, ließen ihre dunklen Augen, ihr schwarzes Haar und ihr grobes, ungepflegtes Aussehen sie als Ortelganer erkennen. Ihre Schwerter waren gezückt, und sie blickten wachsam um sich und auf die Menge. Der Mann mit dem Gong, der an der Spitze und zwischen den beiden Reihen ging, trug einen grauen Mantel mit Goldrand und ein blaues Gewand, auf dem der Bärenkopf rot aufgestickt war. Der schwere Gong hing an dem ausgestreckten linken Arm, die rechte Hand schlug mit dem Schlegel die leisen, regelmäßigen

Schläge, welche die Ankunft des Königs ankündigten und zugleich den Soldaten das Schrittempo gaben. Aber es war kein Marschtempo, sondern eher das einer feierlichen Prozession oder eines auf einer Festungsmauer auf und ab schreitenden Wachtpostens.

Hinter dem Mann mit dem Gong kamen sechs Priesterinnen des Bären in scharlachroten Mänteln, geschmückt mit schwerem, barbarischem Geschmeide – Halsbänder aus Ziltat und Penapa, eingelegte Bronzegürtel und massenhaft geschnitzte Holzringe, die so dick waren, daß die Finger ihrer gefalteten Hände auseinandergedrückt wurden. Sie hatten die ernsten Gesichter von Bauernmädchen, die nichts von vornehmer Haltung wußten und an das beengte Leben mühseliger Tagesarbeit gewöhnt waren, dennoch benahmen sie sich mit ernster Würde, in sich gekehrt und gleichgültig gegen die starrende Menge zu beiden Seiten. In ihrer Mitte schritt die einsame Gestalt des Priesterkönigs.

Mollo hatte erwartet, daß der König – entweder in einer Sänfte oder auf einem Sessel – getragen oder in einem Wagen, vielleicht von Ochsen mit Schabracken und vergoldeten Hörnern, gezogen werden würde. Dieser Mangel an Aufwand, dieser König, der durch den Staub des Marktplatzes schritt, der zur Seite trat, um einem auf seinem Weg liegenden zusammengerollten Seil auszuweichen, und gleich darauf, durch einen von einem Wassereimer gespiegelten Lichtstrahl geblendet, den Kopf abwandte, kam für ihn überraschend. In seiner Neugier stieg er unsicher auf den Sockel der nächsten Säule und starrte über die Köpfe der vorbeiziehenden Soldaten.

Die Schleppe des langen blauen und grünen Mantels wurde hinter dem König von zwei Priesterinnen getragen. Auf jedem blauen Teil war der Bärenkopf in Gold und auf jedem grünen das Symbol der Sonne als Auge mit Lid und Strahlen – das Auge Gottes – abgebildet. Sein langer Stab aus poliertem Zoanholz war mit Goldfiligran umwunden, und von den Fingern seiner Panzerhandschuhe hingen gebogene Silberklauen herab. Seine Haltung, weder die eines Herrschers noch eines Kriegers, besaß dennoch eine mysteriöse und rätselhafte Autorität, stark und asketisch, die Macht des Wüstenbewohners und Einsiedlers. Das dunkle, abgezehrte und in sich gekehrte Antlitz war das eines Mannes, der in Einsamkeit wirkt, das Gesicht eines Jägers, Dichters oder Grüblers. Er war jung, doch älter als seine Jahre, vorzeitig ergraut, mit einer Steifheit in der Bewegung eines Armes, die auf eine schlecht verheilte alte Wunde schließen ließ. Seine Augen schienen auf einen inneren Vorgang gerichtet zu sein, was ihm wenig Frieden brachte, so daß er, sogar wenn er sich umsah, dann und wann die Hand hob und die Menge ernst grüßte, gedankenverloren und fast beunruhigt wirkte, als müßten seine Gedanken in Besorgnis mit einer einsamen Angst ringen, die außerhalb der üblichen Dinge lag, mit denen sich seine Untertanen befaßten – außerhalb von Reichtum und Armut, Krankheit und Gesundheit, Appetit, Begierde und Befriedigung. Er ging wie andere Menschen im Vormittagslicht über den staubigen Marktplatz, ihn trennte jedoch von ihnen mehr als bloß die Soldaten an seiner Seite und die schweigenden Mädchen, nämlich die geheimnisvolle Berufung zu einer unnennbaren Aufgabe. Mollo betrachtete ihn, und dabei fielen ihm die Worte eines alten Liedes ein:

> Was rief der Stein dem Meißel zu?
> »Schlag zu, denn ich habe Angst!«
> Was sprach die Erde zum Landmann?
> »Wie glänzt sie doch, die Pflugschar!«

Die letzten Soldaten verschwanden am anderen Ende des Platzes, und als der Gongschlag verklang, kam das Geschäft auf dem Markt wieder in Gang. Mollo kehrte zu Elleroth zurück, und gemeinsam gingen sie wieder zum »Grünen Hain« und nahmen ihren Platz auf der Sitzbank ein. Es war nun nur noch eine Stunde bis Mittag, und die Kneipe war schon stärker besetzt, aber wie es oft der Fall ist, steigerte es noch die Absonderung der beiden von den anderen.

»Nun, was hältst du von dem königlichen Jungen?« fragte Elleroth.

»Nicht das, was ich erwartet habe«, antwortete Mollo. »Er wirkte nicht wie der Herrscher eines kriegführenden Landes, meine ich.«

»Mein lieber Freund, das kommt nur daher, daß du die dynamischen Ideen nicht verstehst, die unten am Fluß herrschen, wo alles Schilf zittert. Dort werden die Dinge dadurch bestimmt, daß man auf Hokuspokus, Schreckgespenster und, soviel ich weiß, sogar ausgesprochenen Humbug zurückgreift – die Unterscheidungsnuancen sind da recht fein, verstehst du. Manche Barbaren schlitzen Tieren den Bauch auf und beobachten Vorzeichen, die in den rauchenden Eingeweiden, yam-yam, enthüllt werden. Andere suchen den Himmel nach Vögeln oder Gewitterstürmen ab. Ebenholzwolken, mein lieber Schwan! Das sind, gewissermaßen, die Blut-und-Blitz-Methoden. Die Jungs vom Telthearna nun verwenden einen Bären. Letzten Endes bleibt es sich gleich – es erspart den Leuten das Denken, verstehst du, das sie tatsächlich nicht besonders gut beherrschen. Bären, liebe Geschöpfe – und viele Bären gehören zu meinen besten Freunden –, müssen ebenso interpretiert werden wie Eingeweide und Vögel, und man muß eine magische Persönlichkeit finden, die es besorgt. Dieser Crendrik – du hast recht, er könnte weder ein Heer im Feld befehligen noch Recht sprechen. Er ist ein Bauer – oder jedenfalls nicht von adeliger Geburt. Er ist der wunderbare Herr Dingsda, der aus dem Regenbogen kam – eine wohlbekannte Gestalt, mein Gott, ja! Seine Monarchie ist eine magische: er hat es übernommen, dem Volk die Kraft des Bären zu übermitteln – die göttliche Kraft, wie sie glauben.«

»Und was tut er also?«

»Ah, das ist eine kluge Frage; ich bin froh, daß du sie stellst. Was nun wirklich? Alles andere denn denken, das ist sicher. Ich habe keine Ahnung, welche Methoden er verwendet – vielleicht pinkelt der Bär auf den Boden, und er beobachtet geheime Zeichen in dem dampfenden Etwas. Wie sollte ich das wissen? Aber irgendeine Art Kristallkugel muß es bestimmt geben. Eines weiß ich von dem Mann – und das ist tatsächlich wahr, was es auch wert sein mag. Er besitzt eine bestimmte, seltsame Fähigkeit, sich dem Bären zu nähern, ohne angegriffen zu werden; offenbar hat man sogar gesehen, wie er ihn berührte und sich neben ihn hinlegte. Solange er das weiter zustande bringt, wird sein Volk an seine Macht glauben und damit an seine eigene. Und darum, mein lieber Mollo, macht er ganz allgemein den Eindruck eines Mannes, der sich in einem lecken Kanu befindet und weiß, daß er nicht schwimmen kann.«

»Wieso?«

»Nun, eines Tages, früher oder später, wird der Bär ziemlich sicher in schlechter Laune aufwachen, nicht wahr? Knurr, knurr. Tschinn, bumm! O weh! Bewerbungen für den interessanten Posten werden entgegengenommen. Das ist, in der einen oder anderen Form, das unvermeidliche Ende der Laufbahn für einen Priesterkönig. Und warum nicht? Er braucht nicht zu arbeiten, nicht zu kämpfen; nun, irgendwie muß er doch offensichtlich dafür bezahlen.«

»Warum geht er, wenn er der König ist, auf seinen zwei Füßen durch die Straßen?«

»Ich gestehe, ich bin nicht sicher, aber ich stelle mir vor, es mag etwas damit zu tun haben, daß er sich in einer Hinsicht von anderen seiner Art unterscheidet. In der Regel ist unter diesen rauhen Gesellen der Priester selbst die Offenbarung Gottes. Dann und wann töten sie ihn, weißt du, nur zur Erinnerung daran. Hier aber ist der Bär das göttliche Geschöpf, und der Herr, den wir da eben bewundert haben, stellt, solange er sich dem Bären weiter nähern kann, den Beweis dar, daß der Bär ihm, und damit seinem Volk, nicht übel gesinnt ist. Die Wildheit des Bären wirkt auf ihrer Seite und gegen ihre Feinde. Sie haben ihn in die Ecke getrieben, bis der Bär gewissermaßen den Priester in die Ecke treibt. Möglicherweise ist das entscheidende, daß er durchaus verwundbar ist und doch unverwundet bleibt – ein Zaubertrick. Deshalb bemüht er sich zu zeigen, daß er tatsächlich ein wirklicher und gewöhnlicher Mensch ist, indem er jeden Tag durch die Stadt wandert.«

Mollo trank und überlegte schweigend. Endlich sagte er: »Du bist genauso wie viele Männer aus Ikat –«

»Ich komme aus Lapan, genaugenommen aus Sarkid, mein Lieber, nicht aus Ikat.«

»Nun denn, wie viele aus dem Süden. Ihr überlegt euch alles, vertraut nur auf eure Köpfe und sonst nichts. Aber die Menschen hier im Norden sind anders. Die Ortelganer haben in Bekla ihre Herrschaft errichtet –«

»Das haben sie nicht.«

»Doch, und hauptsächlich aus einem Grund. Es handelt sich nicht darum, daß sie gut gekämpft haben, und nicht darum, daß schon viele von ihnen Beklanerinnen geheiratet haben – das sind bloß Folgen der eigentlichen Ursache, und die heißt Shardik. Wie kommt es, daß sie gegen jede Wahrscheinlichkeit Erfolg hatten, es sei denn, Shardik ist wirklich die göttliche Kraft? Sieh doch, was er für sie erreicht hat! Sieh doch, was sie in seinem Namen erreicht haben! Jeder, der weiß, was geschehen ist –«

»Es hat beim Erzählen nichts eingebüßt –«

»Jeder spürt jetzt, was S'marr von Anfang an gespürt hat – sie sind ausersehen zu siegen. Wir durchdenken es nicht so wie ihr; wir sehen, was vor unseren Augen steht, und was vor unseren Augen steht, ist eben Shardik, so ist das.«

Elleroth lehnte sich, die Ellbogen auf den Tisch gestützt, vor und neigte den Kopf, als er ernst und leise sagte:

»Dann laß mich dir etwas sagen, Mollo, was du offensichtlich nicht weißt. Bist du dir darüber klar, daß die ganze Anbetung Shardiks, wie sie hier in Bekla vor sich geht, in bewußtem Gegensatz zu dem traditionellen und orthodoxen Kult der Ortelganer steht, dessen rechtmäßiges Oberhaupt dieser Mann, den sie Crendrik nennen, nicht ist und niemals war?«

Mollo starrte ihn an. » *Was?* «

»Du glaubst mir nicht, oder?«

»Ich werde mit dir nicht streiten, Elleroth, nach allem, was wir zusammen durchgemacht haben, aber ich genieße Autorität bei diesen Leuten – sagen wir, ich verdanke ihnen meine Stellung, so ist es –, und du willst nun, ich soll glauben, daß sie –«

»Hör mich an.« Elleroth sah sich rasch um, dann fuhr er fort: »Es ist nicht das erstemal, daß diese Leute in Bekla herrschen. Es war vor langer Zeit schon einmal der Fall; und auch damals verehrten sie einen Bären. Aber der wurde nicht hier gehalten, sondern auf einer Insel im Telthearna, Quiso. Der Kult wurde von Frauen geleitet – es gab keinen Priesterkönig, kein Auge Gottes. Als sie aber schließlich Bekla verloren und der Macht verlustig gingen, sorgten ihre Feinde dafür, daß sie keinen Bären mehr hatten. Die Oberpriesterin und die anderen Frauen durften auf der Insel bleiben, aber ohne einen Bären.«

»Nun ist der Bär aber endlich zurückgekehrt. Ist das kein sicheres Zeichen?«

»Ach, warte nur, mein guter, rechtschaffener Mollo. Noch ist nicht alles erzählt. Als der Bär wiederkam, wie du es nennst – als sie dieses neue Exemplar erhielten, gab es eine Oberpriesterin auf der Insel, eine Frau, die den Ruf hatte, sehr klug zu sein. Sie weiß mehr über Krankheit und Heilung als irgendein Arzt südlich des Telthearnas – oder auch nördlich davon, glaube ich. Sie hat zweifellos viele bemerkenswerte Heilungen vollbracht.«

»Ich glaube, ich habe schon von ihr gehört, da du sie jetzt erwähnst, aber nicht im Zusammenhang mit Shardik.«

»Als dieser Bär vor fünf oder sechs Jahren zum erstenmal auftauchte, war sie das anerkannte und unbestrittene Oberhaupt des Kultes, ihre Stellung war seit undenklichen Zeiten vererbt worden. Und diese Frau wollte mit dem Angriff gegen Bekla nichts zu tun haben. Sie verfocht konsequent die Ansicht, daß der Angriff nicht Gottes Wille war, sondern ein Mißbrauch des Bärenkultes; und deshalb wurde sie, zusammen mit einigen ihrer Priesterinnen, auf jener Insel im Telthearna praktisch gefangengehalten, obwohl der Bär – ihr Bär – in Bekla gehalten wird.«

»Warum hat man sie nicht ermordet?«

»Ach, mein lieber Mollo, du scharfsinniger Realist – immer geradeaus zum entscheidenden Punkt. Warum wurde sie wirklich nicht ermordet? Ich weiß es nicht, wage aber zu behaupten, daß man sie als Zauberin fürchtet. Was sie sich bewahrt hat, ist zweifellos ihr Ruf als Heilkundige. Darum entschloß sich mein Schwager im vergangenen Spätsommer zu der zweihundertfünfzig Kilometer weiten Reise, um sich von ihr behandeln zu lassen.«

»Dein Schwager? So ist denn Ammar-Tiltheh verheiratet?«

»Ja, sie ist verheiratet. Ach, Mollo, erkenne ich einen leisen Schatten, der, gleichsam aus alten Erinnerungen aufsteigend, über dein Gesicht streicht? Auch sie erinnert sich deiner in freundlichster Weise und hat nicht vergessen, wie sie dich nach der Verwundung pflegte, die du dir zuzogst, als du so leichtsinnig warst, mich zu retten. Nun, Sildain ist ein sehr kluger, vernünftiger Mann – ich schätze ihn. Vor ungefähr einem Jahr bekam er eine Infektion am Arm. Sie heilte nicht, und niemand in Lapan konnte etwas dagegen tun, so setzte er es sich schließlich in den Kopf, diese Frau aufzusuchen. Er hatte große Mühe, auf die Insel zu gelangen – die Frau wird, scheint es, so ziemlich abgeschlossen von der Außenwelt gehalten. Schließlich ließen sie ihn aber durch, teils weil er sie bestach, teils weil sie sahen, daß er wahrscheinlich sterben würde, wenn sie ihn nicht auf die Insel ließen. Damals ging es ihm schon recht schlecht. Sie heilte ihn tatsächlich – anscheinend ganz einfach, indem sie irgendwelche Schimmelpilze auflegte; das ist der Ärger mit den Ärzten, sie befehlen einem immer etwas Widerwärtiges, zum Beispiel, Fledermausblut zu trinken – noch einen Schluck Wein? Aber bei seinem dortigen Aufenthalt erfuhr er ein wenig – nicht viel – darüber, wie sehr die Ortelganer den Bärenkult mißbraucht haben. Ich sagte, nicht viel, denn anscheinend befürchten sie, daß die bloße Existenz der Priesterin Unruhen gegen sie bewirken könnte, und man bewacht sie unaufhörlich und spioniert ihr nach. Aber Sildain erzählte mir mehr oder minder, was ich dir gesagt habe – daß sie eine weise, ehrenhafte und mutige Frau ist; daß sie das rechtmäßige Oberhaupt des Bärenkultes ist; daß es, ihrer Auslegung der Mysterien nach, kein Anzeichen dafür gab, daß sie von Gott zu ihrem Angriff auf Bekla gelenkt wurden; daß dieser Crendrik und der andere Bursche – Minion, Pinion oder wie immer er heißt – den Bären mit Gewalt für ihre eigenen Zwecke benutzten und daß alles, was seither getan wurde, nichts als Gotteslästerung ist, wenn man es so nennen darf.«

»Dann wundert es mich um so mehr, daß man sie nicht ermordet hat.«

»Offenbar ist es umgekehrt – sie spüren, daß sie ihnen fehlt, und haben die Hoffnung noch nicht aufgegeben, sie zu überreden, nach Bekla zu kommen. Trotz allem, was geschehen ist, empfindet dieser Crendrik großen Respekt für sie, aber obwohl er mehrmals Boten zu ihr sandte, um sie zu sich einzuladen, weigert sie sich ausdauernd. Sie will, im Gegensatz zu dir, Mollo, keinen Teil haben an dem Rauben und Blutvergießen der Ortelganer.«

»Dennoch ändert es nichts an ihrem ungewöhnlichen Erfolg und an der Zuversicht, mit der sie kämpfen. Ich habe allen Grund, sie zu unterstützen. Sie haben mich zum Kommandanten von Kabin gemacht, und wenn sie fallen, falle auch ich.«

»Nun, was das betrifft – sie haben mich als Statthalter von Sarkid auf meinem Posten belassen. Nichtsdestoweniger gebe ich für sie keine zwei Pfifferlinge. Glaubst du, ich würde die Ehre von Sarkid verkaufen um ein paar Meld von diesen dreckigen, mörderischen –«

Mollo legte ihm die Hand auf den Arm und schielte rasch, ohne den Kopf zu wenden, seitwärts. Der Wirt stand unmittelbar hinter der Sitzbank, anscheinend mit dem Stutzen des Dochtes der Wandlampe beschäftigt.

»Könnten wir noch Brot und Käse bekommen?« fragte Elleroth auf Yeldashay.

Der Wirt gab nicht zu erkennen, daß er verstanden hätte.

»Wir müssen jetzt gehen, Wirt«, sagte Elleroth auf beklanisch. »Sind wir dir noch etwas schuldig?«

»Nichts, werte Herren, gar nichts«, sagte der Wirt strahlend und reichte jedem der beiden ein kleines eisernes Modell der Großen Waage. »Gestattet mir – eine kleine Erinnerung an euren Besuch im ›Grünen Hain‹. Ein Nachbar fertigt sie an, wir bewahren sie für besondere Gäste – bin sehr geehrt – hoffentlich haben wir wieder einmal das Vergnügen – mein bescheidenes Haus – stets glücklich –«

»Sag Tarys, sie soll sich etwas Hübsches kaufen«, sagte Elleroth und legte zehn Meld auf den Tisch.

»O Herr, wie freundlich, überaus freigebig – sie wird entzückt sein – ein reizendes Mädchen, nicht wahr? Sie würde bestimmt, wenn Ihr es wünscht –«

»Guten Morgen«, sagte Elleroth. Sie traten hinaus auf die Kolonnade. »Glaubst du, daß er es sich zum Prinzip macht, seine Sprachkenntnisse vor dem Tageslicht zu verbergen?« fragte er, als sie wieder quer über den Marktplatz schlenderten.

»Das wüßte ich auch gern«, sagte Mollo. »Ich kann mir nicht denken, warum er zu Mittag die Lampendochte stutzt. Oder warum er sie überhaupt stutzt, denn das ist Frauenarbeit, und er hat das Mädchen als Hilfskraft.«

Elleroth drehte das häßliche kleine Modell in seinen Händen.

»Das habe ich befürchtet – ja, befürchtet. Er muß uns für völlige Dummköpfe halten. Glaubt er, wir können die Eisenmarke von Gelt nicht erkennen? Was seinen Nachbarn, der sie herstellt, betrifft – auf der Großen Waage gewogen und als nicht vorhanden befunden.«

Er stellte das Modell auf ein Fensterbrett über der Straße, dann kaufte er, einem nachträglichen Einfall folgend, ein paar Weintrauben an einem Stand nebenan. Nachdem er sorgfältig eine Beere in jede Waagschale gelegt hatte, reichte er Mollo die Hälfte der übrigen, und sie gingen weiter, aßen Trauben und spien die Kerne aus.

»Aber spielt es eigentlich eine Rolle, ob dich der Bursche verstanden hat oder nicht?« fragte Mollo. »Ich weiß, ich habe dich gewarnt, als ich ihn dort stehen sah, aber nach all den Jahren wurde mir das zur zweiten Natur. Ich glaube kaum, daß du auf seine Aussage hin angeklagt werden, und schon gar nicht, daß du wegen einer ernsten Verfehlung verurteilt werden könntest. Jedenfalls stünde dann seine Aussage gegen meine, und *ich* kann mich natürlich nicht erinnern, daß ich dich irgend etwas gegen sie habe sagen hören.«

»Nein, ich befürchte nicht, wegen einer solchen Sache verhaftet zu werden«, sagte Elleroth, »aber ich habe dennoch gute Gründe, nicht zu wollen, daß diese Leute meine wahren Ansichten erfahren.«

»Dann solltest du vorsichtiger sein.«

»Ja, tatsächlich. Aber du weißt ja, ich bin vorschnell – ein ungestümer Bursche!«

»Das weiß ich«, meinte Mollo grinsend. »Du hast dich nicht geändert, oder?«

»Kaum. Ah, jetzt erinnere ich mich, wo wir sind. Dieser Bach ist der Abfluß des Hakensees, der zu dem früheren Tamarriktor hinunterfließt. Wenn wir ihm über diesen recht angenehmen Pfad stromaufwärts folgen, führt er uns zurück zum Pfauentor, wo uns der mürrische Geselle heute morgen hinausließ. Später möchte ich jenseits des Hakensees bis zu den Mauern am Ostabhang des Crandor wandern.«

»Wozu in aller Welt?«

»Das sage ich dir später. Sprechen wir noch ein wenig von den alten Zeiten. Ammar-Tiltheh wird sich freuen, wenn sie hört, daß wir beide wieder zusammengetroffen sind. Weißt du: solltest du jemals Kabin verlassen müssen, bist du jederzeit in Sarkid willkommen, so lange du dort bleiben willst.«

»Kabin verlassen? Das werde ich zumindest in den nächsten ein, zwei Jahren nicht können, aber ich danke dir für deine freundliche Einladung.«

»Wer weiß, wer weiß. Es hängt alles nur davon ab, was man – äh – gewissermaßen ertragen kann. Wie gerade der Rauch hochsteigt; und auch die Mauersegler fliegen hoch. Vielleicht werden wir bei unserem Aufenthalt besseres Wetter haben, als ich zu hoffen wagte.«

26. Der König von Bekla

Die nackte Halle, als Speiseraum für die gewöhnlichen Soldaten gebaut, war düster und schlecht gelüftet, denn die einzigen Fenster befanden sich, da der Raum hauptsächlich zum Gebrauch abends und nach Einbruch der Nacht bestimmt gewesen war, knapp unter dem Dach. Er war rechtwinklig und bildete den Mittelteil des Kasernengebäudes; rund um seine vier Arkaden führte ein Wandelgang, von dem die Lagerräume und Waffenkammern, Haftträume, Waschräume, das Hospital, Unterkünfte und so fort abzweigten. Fast alle Arkadenöffnungen waren von den Ortelganern vor beinahe vier Jahren durch Ziegelwände verschlossen worden, und die rohen, unbeworfenen Ziegel zwischen den Steinsäulen erhöhten nicht nur die Häßlichkeit der Halle, sondern vermittelten auch jene Atmosphäre des Widersinns, wenn nicht gar des Mißbrauchs, die ein Ge-

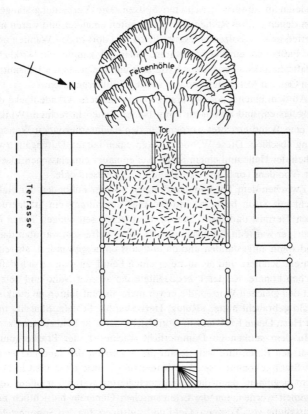

Haus des Königs

Felsenhöhle

N

Tor

Terrasse

Stangen	+++	Ziegelwände zwischen Arkaden	===
mit Stroh belegt			
Säulen	o o	Stufen	

bäude erfüllt, das ungeschickt für einen ursprünglich nicht beabsichtigten Zweck umgestaltet wurde. Quer durch die Mitte der Halle war jede zweite Fliese aus dem Boden gestemmt und durch Mörtel ersetzt worden, in den man eine Reihe schwerer Eisenstangen, mit einem schmalen Eingang an einem Ende, eingesetzt hatte. Die Stangen waren lang – doppelt mannshoch – und oben gebogen, sie endeten in abwärts gerichteten Spitzen. Die Verbindungsstangen, von denen es drei Reihen gab, überlappten einander und waren mit Ketten an Ringbolzen befestigt, die da und dort in den Wänden und im Fußboden eingelassen waren. Niemand kannte die wirkliche Kraft Shardiks, aber Balthis hatte Zeit und die gesamten Hilfsmittel von Gelt zur Verfügung und war somit gründlich gewesen.

An dem einen Ende der Halle war die mittlere Arkadenlücke offengelassen, und es war zu ihren beiden Seiten in rechtem Winkel je eine Wand errichtet worden, die den dahinterliegenden Wandelgang abschloß. Diese Wände bildeten einen kurzen Durchgang zwischen der Halle und einem in die Außenmauer eingelassenen Eisentor. Von dem Tor führte eine Rampe in die Felsenhöhle.

Zwischen dem Tor und den Stangen war der Fußboden der Halle dicht mit Stroh bedeckt, und die Luft durchdrang ein Stallgeruch nach Tiermist und -urin. Shardik blieb schon seit einigen Tagen im Haus; er war teilnahmslos und hatte wenig gefressen, war aber dann und wann aufgestanden und da und dort umhergewandert, als reize ihn ein Schmerz und als suche er einen Feind, an dem er sich dafür rächen könnte. Kelderek beobachtete ihn aus der Nähe und betete mit den gleichen Worten, die er vor mehr als fünf Jahren im dunklen Wald gebraucht hatte: »Ruhig, Herr Shardik. Schlafe, Shardik, unser Herr. Deine Kraft ist von Gott. Nichts kann dir Leid zufügen.«

In dem stinkenden Dämmerlicht wachte er, der Priesterkönig, über den Bären und wartete auf die Nachricht, daß Ged-la-Dan in die Stadt gekommen sei. Die Ratssitzung würde ohne Ged-la-Dan nicht beginnen, denn die Provinzdelegierten waren vor allem versammelt worden, um die ortelganischen Generäle hinsichtlich der Beistellung von Truppen, Geld und sonstigen, für den Sommerfeldzug erforderlichen Versorgungsgütern zu befriedigen, und dann, um ihnen über die ortelganischen Pläne für die Niederwerfung des Feindes soviel mitzuteilen, wie für sie als richtig befunden wurde. Von diesen Plänen wußte Kelderek selbst noch nichts, obgleich sie zweifellos von Zelda und Ged-la-Dan mit Hilfe einiger Unteranführer bereits ausgearbeitet worden waren. Jedenfalls würden die Generäle vor Beginn der Ratssitzung und sicherlich bevor irgendein Schritt zur Ausführung der Pläne unternommen würde, sein Einverständnis in Shardiks, ihres Herrn, Namen suchen; und er könnte, wenn er es wünschte, für alles, was ihm in seinem Gebet und seiner Überlegung vielleicht mißfiel oder Zweifel hervorrief, in Shardiks Namen eine Änderung verlangen.

Seit dem Tag, an dem Shardik die beklanischen Kommandeure niedergeschlagen hatte und in den nächtlichen Regen der Vorberge verschwunden war, hatte sich Keldereks Autorität und Einfluß in einem Maß gesteigert, das Ta-Kominion niemals erreicht hätte. In den Augen des Heeres war eindeutig er es, der das Wunder des Sieges vollbracht, er, der als erster Shardiks Willen erraten und ihn dann gehorsam befolgt hatte. Balthis und seine Leute erzählten überall von seiner scheinbaren Tollheit, da er auf dem Bau des Käfigs bestanden hatte, und von der Zielstrebigkeit, mit der er den verzweifelten Marsch über die Berge angeführt hatte, den weniger als die Hälfte der Männer, die ihn begannen, beendet hatten. Die Zerstörung des Tamarriktores hätte gegen einen Anführer wie Santil-ke-Erketlis kaum ausgeführt werden können ohne den fanatischen Glauben jedes einzelnen Ortelganers, daß Shardik, in mystischer Verbindung mit Kelderek, unsichtbar anwesend sei, den Angriff führe und ungesehen die Herzen und Waffen Beklas treffe. Kelderek selbst wußte und zweifelte nicht daran, daß er und kein anderer Shardiks Auserwählter war, dessen Bestimmung es war, ihn in die Stadt seines Volkes zu bringen. Er hatte aus eigenem Ermessen Sheldra und den anderen Mädchen befohlen, mit ihm auszuziehen, sobald der Frühling käme, um Shardik zu suchen, bis sie ihn fänden. Die ortelganischen Barone, die seine Autorität nicht in Frage stellten, widersetzten sich heftig dem Gedanken an einen Abgang seiner magischen Gegenwart aus der Stadt, solange Santil-ke-Erketlis unbesiegt in der Zitadelle auf dem Crandor verblieb; und Kelderek überwand, ungeduldig über die Verzögerung bei Wiederkehr des warmen Wetters, seinen persönlichen Abscheu vor den Methoden, mit denen Zelda und Ged-la-Dan den beklanischen General zum Verlassen seiner Hochburg zwangen. Ein solcher Abscheu mochte zwar, wie er meinte, bei dem schlichten Mann ganz natürlich sein, der er einstmals gewesen war, aber völlig unpassend war er für einen König, dessen Mißachtung und Erbarmungslosigkeit gegenüber dem Feind eine Notwendigkeit für sein eigenes Volk darstellte, denn wie sonst sollten Kriege gewonnen werden? Jedenfalls lag die Sache unterhalb der Sphäre seiner Autorität, denn er war ein magischer und religiöser König, der sich mit der Wahrnehmung und Interpretation des göttlichen Willens befaßte; und mit Ged-la-Dans Entscheidung, gegenüber der Zitadelle einen Galgen aufzustellen und täglich zwei Kinder zu hängen, bis Santil-ke-Erketlis sich entschlösse abzuziehen, hatte gewiß keine religiöse Frage etwas zu schaffen. Erst als Ged-la-Dan ihn aufforderte, er solle jeder Hinrichtung in Shardiks Namen beiwohnen, hatte er seinem eigenen Willen in der Sache Ausdruck gegeben, indem er kurz antwortete, er, nicht aber Ged-la-Dan, sei von Gott bestimmt worden, um zu entscheiden, wo und bei welchen Gelegenheiten seine Gegenwart und die Offenbarung der ihm durch Shardik übertragenen Macht erforderlich sei. Ged-la-Dan, der diese Macht insgeheim fürchtete, sagte nichts weiter, und Kelderek seinerseits machte sich das, was geschehen war, ohne daß er dabeisein mußte, zunutze. Nach einigen Tagen war der beklanische General bereit, nach Süden abzuziehen, wodurch Kelderek freie Hand bekam, Shardik in den Bergen westlich von Gelt zu suchen.

Von dieser langen und anstrengenden Suche war weder der Bär noch der König unverändert zurückgekehrt. Shardik wurde brummend und sich gegen seine Ketten sträubend, bis er erschöpft und halb erdrosselt dort lag, nachts bei allgemeinem Ausgehverbot in die Stadt gezogen, sonst hätte das Volk etwas gesehen, was ihm als Erniedrigung der göttlichen Kraft erschienen wäre. Die Ketten hatten ihm auf einer Halsseite und unter dem Gelenk des linken Vorderbeins Wunden verursacht; nach langsamer Heilung verblieb ein Hinken sowie eine unbeholfene, unnatürliche Haltung seines großen Kopfes, den er nun beim Schreiten langsam auf- und abwärts bewegte, als fühle er noch den Druck der Ketten, die nicht mehr da waren. In den ersten Monaten wurde er oft gewalttätig, schlug mit kräftigen Hieben, die wie Schmiedehammerschläge durch das Gebäude hallten, gegen die Stangen und Wände. Einmal brach die frische Ziegelwand, die eine der Öffnungen verschloß, und fiel unter seinem Zorn zusammen, und er wanderte eine Zeitlang durch den Wandelgang dahinter und schlug gegen die Außenmauer, bis er müde wurde. Kelderek hatte das als günstiges Vorzeichen für einen erfolgreichen Angriff gegen Ikat gedeutet; und tatsächlich folgten die Ortelganer seiner Prophezeiung und zwangen Santil-ke-Erketlis zum Rückzug südwärts durch Lapan, mußten jedoch ihren Vormarsch wieder an der Grenze nach Yelda zum Halten bringen.

In kaum einem Jahr war Shardik aber mürrisch und lethargisch geworden, er litt unter Würmern und an einem Geschwür, das ihn veranlaßte, sich mißmutig an einem Ohr zu kratzen, bis es ausgezackt und unförmig wurde. Kelderek, ohne Rantzay und die Tuginda und behindert durch den begrenzten Raum und die ständige düstere Wildheit des Bären, gab die Hoffnung auf, die er einst gehegt hatte, den Gesangsritus wiederaufzunehmen. Obwohl alle Mädchen Shardik fleißig fütterten, für seine Bedürfnisse sorgten und das Haus säuberten und pflegten, das seine Wohnung geworden war, fürchteten sie sich jetzt so sehr vor ihm, daß es allmählich allgemein anerkannt wurde, es gehöre nicht mehr zu ihrem Dienst, sich ihm zu nähern, es sei denn im Schutz der Eisenstangen. Von ihnen allen wußte nur noch Kelderek in seinem Herzen, daß er vor Shardik stehen und ihm, ohne irgendwelche Belohnung, sein Leben anbieten und immer wieder dabei sein Hingebungsgebet murmeln mußte: »*Senandril*, mein Herr Shardik. Nimm mein Leben hin. Ich bin dein und verlange nichts dafür.« Doch sogar im Gebet antwortete er sich selbst: »Nichts – nur deine Freiheit und meine Macht.«

In den langen Monaten der Suche, in denen zwei Mädchen gestorben waren, hatte er sich ein Malariafieber zugezogen, das ihn immer wieder befiel, so daß er zitternd und schwitzend, außerstande zu essen, auf seinem Bett lag und – besonders wenn der Regen oben auf das Holzdach trommelte – in wirren Träumen glaubte, er folge Shardik aus dem Wald, um die entsetzten und angeschlagenen Feinde aus Bekla zu vernichten; oder er suchte Melathys, stürzte im Sternenlicht über die Terrassen zu einem Feuer, das vor ihm zurückwich, während aus den Bäumen die Stimme der Tuginda erscholl: »Begehe nur keinen Frevel, vor allem jetzt nicht!«

Er bekam ein Gespür für jene Tage, an denen er sicher sein konnte, daß Shardik sich nicht rühren würde – die Tage, an denen er neben ihm stehen, dem brütenden Bären von der Stadt, von den ihr drohenden Gefahren und davon erzählen konnte, wie sehr sie göttlicher Hilfe bedurfte. Zeitweilig, unvorhergesehen, empfand er wieder das Gefühl, auf eine höhere Ebene jenseits des menschlichen Lebens erhoben zu werden. Nun aber, statt daß er jenen Höhepunkt ruhiger, glänzender Stille erreichte, von dem er einst auf die Umgebung des ortelganischen Waldes hinabgeblickt hatte, nun schien er zu Herrn Shardik auf die Spitze eines schrecklichen, wolkenumzogenen Berges zu gelangen, zu einem leblosen Ort, einsam und fern wie der Mond. Durch Dunkelheit und eisige Dämpfe, wo auf schwarzem Himmel Sterne flimmerten, ertönten Donnergrollen, Vogelschreie, undeutliche Stimmen – unverständliche Warn- oder wilde Triumphschreie. Sie erreichten ihn, der geduckt am Rande eines phantastischen und schrecklichen Abgrunds stand und diese Leidenswelt ohne Zuflucht ertrug. Von Pol zu Pol war niemand mehr übrig, um in dieser Welt zu leiden, nur er; und stets war er in seiner Trance unfähig, sich zu regen – vielleicht kein Mensch mehr, sondern verwandelt in einen unter Schnee begrabenen oder durch Blitz gespaltenen Felsen, ein von einer kalten Macht in für menschliches Leben unerträglichen Gebieten geschmiedeter Amboß. Gewöhnlich wurde sein Sinn für diese grauenhafte Umgebung gnädig abgeschwächt – gewissermaßen überlagert auf eine fortgesetzte Erinnerung an Fragmente seines wachen Ichs wie Spiegelungen auf einem sichtbaren Flußbett: daß er König von Bekla war, daß spitze Strohhalme in seine Beinmuskeln stachen, daß das geöffnete Tor zur Felsenhöhle am Ende der dunklen Halle ein hell erleuchtetes Viereck bildete. Einigemal jedoch war er völlig eingeschlossen und wie ein Fisch in Eis festgefroren gewesen in den Klüften der Zeit, wo die Berge ihr Leben verbrachten und zerfielen, wo die Sterne in Jahrmillionen sich zu Finsternis verzehrten; dann stürzte er zu Boden und lag, blind gegen alles, neben Shardiks zottigem Leib, bis er endlich Stunden danach mit tiefem Schmerz und trostlos im Inneren erwachte und aus der Halle stolperte, bis er mit der erschöpften, wunschlosen Erleichterung eines vom Schiffbruch Erretteten in der Sonne stand.

Unfähig zu begreifen, welche Wahrheit in diesem schrecklichen Ort verborgen sein mochte, zu dem er, wie durch eine Kompaßnadel, durch seine unveränderte Ergebenheit für Shardik geführt wurde, versuchte er doch, unbeholfen und gewissenhaft, in seiner Not eine Bedeutung, eine göttliche Botschaft abzuleiten, die sich auf das Geschick des Volkes und der Stadt anwenden ließ. Manchmal wußte er selbst, daß diese Prophezeiungen ausgedacht, nahezu erlogen, das Werk eines Betrügers waren. Oft aber erwies es sich, daß jene, von denen er mit Sicherheit wußte, daß sie aus Unbegreifen, Selbstvorwurf und einem bloßen Pflichtgefühl zusammengepfuscht

waren, sich später erfüllten, tatsächlich Früchte trugen oder jedenfalls von seinen Anhängern als offenkundige Wahrheit aufgenommen wurden, während sein nebelhaftes, ehrliches Streben, in Worte
zu fassen, was wie ein halb vergessener Traum seine Erinnerungs-
oder Ausdrucksfähigkeit überstieg, nur Kopfschütteln und hochge-
zogene Schultern brachte. Am schlimmsten wirkte auf andere sein
ehrliches, demütiges Schweigen.

Shardik nahm ihn Tag und Nacht in Anspruch. Die Beute in
Bekla – ein für die Barone, die Soldaten und sogar für Sheldra und
ihre Gefährtinnen an sich so kostbares und erfreuliches Ziel –
hatte für ihn keinen Reiz. Er nahm die dem König zustehende Ehre
und Stellung an und erfüllte die Rolle, die den Baronen und dem
Volk Mut und Sicherheit gab, mit einem gründlichen Verständnis
für ihr Bedürfnis danach und im Gefühl seiner Eignung, weil Gott
ihn auserwählt hatte. Dennoch war er, wenn er den Bären in dem
öden, hallenden Saal bei seinen Wut- und seinen Stumpfheitsan-
fällen beobachtete, überzeugt, daß im Vergleich zu dem, was noch
zu enthüllen blieb, all das, was er erreicht hatte – was nach mensch-
lichem Ermessen übernatürlich, ja beinahe von Gott ausgehend erschien –, völlig unbedeutend war. Früher, als er keine anderen Sorgen hatte, als seinen Unterhalt als Jäger zu verdienen, hatte er nur
an die Erfordernisse für dieses begrenzte Ziel gedacht, wie ein
Bauer sich, außer um sein Stück Land, um die ganze Welt nicht
kümmert. Dann hatte ihn Shardiks Macht berührt, und er hatte, in
den eigenen wie in anderer Menschen Augen, als göttlicher Emissär
die Welt betreten und klar und deutlich dank dem von Gott enthüll-
ten Wissen das Wesen seiner Aufgabe erkannt und was für ihre Ausführung nötig war; ihm, als einem Werkzeug Shardiks, war einzig-
artiges, nicht auf fremde Hilfe angewiesenes und jeder Unwissenheit
und Ungewißheit bares Wahrnehmungsvermögen verliehen worden.
Im Lichte dieser Wahrnehmung wurde allem von den anderen Menschen der Wert beigemessen, den er ihm zuschrieb; und alles wurde
an den Platz gestellt, den er bestimmte. Der Großbaron von Ortelga
hatte sich als ziemlich belanglos erwiesen; höchst bedeutungsvoll
jedoch war anscheinend seine eigene selbstmörderische Entschlossenheit gewesen, die Nachricht von Shardiks Ankunft nach Quiso
zu bringen. Nun aber schien ihm, obwohl Shardik Herr in Bekla
war, diese Wahrnehmung nicht mehr hinreichend. Dauernd quälte
ihn das intuitive Gefühl, daß alles bisher Geschehene kaum den

Rand von Gottes Wahrheit berührte, daß er selbst noch blind war und daß noch eine große Offenbarung gesucht und gefunden, erfleht und gewährt werden müsse – eine Enthüllung der Welt, angesichts derer seine Stellung als Monarch für ihn so wenig bedeuten würde wie für das zusammengekauerte Geschöpf im Käfig mit seinem zottigen Fell und übelriechenden Kot. Er hatte einmal geträumt, daß er mit Prunkgewand und Krone zur alljährlichen Siegesfeier, die zu Beginn der Regenzeit stattfand, auf seinem Jägerfloß am Südufer von Ortelga entlangfuhr. »Wer ist Shardik?« rief die zwischen den Bäumen wandelnde schöne Melathys. »Das weiß ich nicht«, rief er zurück. »Ich bin nur ein unwissender, einfacher Mann.« Darauf lachte sie, nahm ihr großes Goldhalsband ab und warf es ihm über das Schilf zu; er wollte es auffangen, wußte aber, daß es wertlos war, und ließ es ins Wasser fallen. Er erwachte und sah, wie Shardik jenseits des Gitters auf und ab ging; er erhob sich, und als die Dämmerung heraufkam, stand er lange dort und betete. »Shardik, unser Herr, nimm alles übrige wieder zurück, wenn du willst, meine Macht und mein Königtum. Aber schenke mir frische Augen, um deine Wahrheit zu erkennen – die Wahrheit, zu der ich noch keinen Zutritt habe. *Senandril,* mein Herr Shardik. Nimm mein Leben hin, wenn du willst, aber gewähre mir, um welchen Preis auch immer, daß ich finde, was ich noch immer suche.«

Es war dieses klare, zielbewußte Streben, das mehr noch als seine Bereitschaft, dem Bären gegenüberzutreten, mehr als seine Prophezeiungen oder sonstigen Eigenschaften seine Macht und Autorität über die Stadt aufrechterhielt und nicht nur beim Volk, sondern auch bei den Baronen, die nicht vergessen konnten, daß er einmal ein einfacher ortelganischer Jäger gewesen war, den Respekt durchsetzte. Es gab keinen, dem nicht klar war, daß Kelderek in Wahrheit der Gefangene seiner eigenen, alles verzehrenden Integrität war, daß er kein Vergnügen an Schmuck und Wein, an den Mädchen und Blumen und Schwelgereien in Bekla hatte. »Ah, er spricht mit unserem Herrn Shardik«, sagte man, wenn man ihn zu den leisen Gongschlägen über die Straßen und Plätze gehen sah. »Wir leben im Sonnenschein, denn er nimmt die Dunkelheit der Stadt auf sich.« »Mir verursacht er kalte Schauer, wirklich«, sagte die Kurtisane Hydraste zu ihrer hübschen Freundin, als sie sich an einem heißen Nachmittag aus ihrem Fenster beugten. »Du könntest ihm nicht einmal das tun«, antwortete ihre Freundin und schnellte eine reife

Kirsche hinunter auf einen jungen Mann, der vorbeiging, und lehnte sich noch etwas weiter über das Fensterbrett.

Für ihn selbst war seine Integrität ungezwungen, verwurzelt im Drang, eine Wahrheit zu suchen, zu entdecken, von der er fühlte, daß sie weit über seinen in Ortelga erzielten Erfolg, weit über seine Rolle als Priesterkönig hinausging. In seinen Prophezeiungen und Interpretationen verriet er weniger diese Integrität als den Versuch, angesichts seiner Zeitnot, wenn er sein erstrebtes Ziel erreichen wollte, sich der Notwendigkeit anzupassen; ebenso wie ein Arzt, der endlich kurz vor Entdeckung der wahren Krankheitsursache zu stehen glaubt, sie vielleicht weiter mit konservativen Methoden behandelt, nicht aus irgendwelcher Täuschungs- oder Ausbeutungsabsicht, sondern weil es, solange er sein großes Ziel nicht erreicht, nichts Besseres gibt. Kelderek hätte Shardik, um an bestimmten Tagen ungefährdet vor dem Volk neben ihm stehen zu können, betäuben, er hätte Menschenopfer oder sorgfältig durchdachte Formen eines Zwangszeremoniells einführen können, so groß war die Verehrung, die man ihm darbrachte, dennoch ging er statt dessen eine Lebensgefahr ein und ertrug die Einsamkeit im Halbdunkel der Halle, wo er dauernd über ein unverstandenes Mysterium betete und meditierte. Es gab etwas zu entdecken, etwas, das sich nur unter großen Opfern erreichen ließ, das einzige, was zu erreichen sich lohnte, neben dem alle älteren Religionen wie klägliche Fragmente des Aberglaubens, wie eine Geheimlehre wirken würden, so seicht wie zwischen Kindern geflüsterte Geheimnisse. Das würde Shardiks höchstes Geschenk für die Menschen darstellen. Und darum wußte Kelderek, daß sein Priestertum, das anderen Menschen einer noch weiteren Verherrlichung unfähig und damit als Verfahren und in seinem Charakter unwandelbar erschien, nämlich als eine Angelegenheit des zur vorgeschriebenen Zeit ausgeführten Gottesdienstes und Zeremoniells, in Wahrheit eine alles fordernde Suche war, bei der stets Zeit verging und seine Schritte nie zweimal denselben Boden berührten. Und eben das würde durch seine Dimension alles früher begangene Unrecht, jede Verletzung der Wahrheit überschreiten – sogar rechtfertigen – ja sogar – und da versagte sein Gedankenflug und wich dem Bild der Gelter Straße bei Monduntergang, wie er selbst stumm dort stand, während Ta-Kominion seine Gefangene talwärts davonführte. Dann stöhnte Kelderek und begann, außerhalb der Stangen auf und ab zu schreiten, schlug die Fäuste gegeneinander, um seine Gedankenkette zu unterbrechen, und drehte den Kopf hin und her, als ahmte er den geplagten Shardik nach.

Denn die Erinnerung an die Tuginda ließ ihm keine Ruhe, obwohl das Ergebnis klar erkennen ließ, daß Ta-Kominion recht gehabt haben mußte und daß sie das wunderbare Geschenk des Sieges durchkreuzt und die Eroberung von Bekla vereitelt hätte. Nachdem Shardik in die Stadt gebracht worden war und alle außer den südlichen Provinzen rund um Ikat die Herrschaft der Eroberer anerkannt hatten, beschlossen die Barone mit Keldereks vollem Einverständnis, daß es großmütig und auch klug wäre, Boten zu der Tuginda zu schicken, um ihr zu versichern, daß ihr irrtümliches Urteil nun vergessen und es für sie an der Zeit sei, ihren Platz neben ihnen einzunehmen; denn ungeachtet all dessen, was Kelderek nun bedeutete, konnte sich kein Ortelganer von jener schicksalschweren Scheu vor Quiso freimachen, die ihm schon mit der Muttermilch eingeflößt worden war, und nicht wenige machte es unruhig, daß ihre Anführer offensichtlich in der Zeit ihres neu gewonnenen Wohlstands die Tuginda fallengelassen hatten. Es war bekannt, daß zwischen Shardiks Ankunft und der Schlacht im Vorgebirge zwei Priesterinnen getötet worden waren, und solange die Eroberung von Bekla noch durch die Unterwerfung der Provinzen gefestigt werden mußte, konnten die Barone ihren Gefolgsleuten sagen, daß sie die Tuginda gebeten hätten, im Interesse ihrer eigenen Sicherheit in Quiso zu bleiben. Viele hatten erwartet, daß Shardik, sobald er sich erholt hätte, wie vor langer Zeit nach Quiso gebracht werden sollte. Das war aber, seit Kelderek von Bekla ausgezogen war, um den Bären zu suchen, nie seine Absicht gewesen; denn wenn er mit Shardik zur Insel der Tuginda ging, mußte er auf seine Vorherrschaft als Priesterkönig verzichten und konnte auch ohne Shardiks persönliche Anwesenheit in Bekla nicht erwarten, dort zu herrschen. Als Shardik in Bekla war und die Nordprovinzen unterworfen waren, gab es keinen plausiblen Grund mehr für die Abwesenheit der Tuginda, es sei denn, sie weigere sich zu kommen; die Botinnen – von denen eine Neelith gewesen war – hatten Weisung erhalten, ihr gegenüber hervorzuheben, wie sehr das Vertrauen des Volkes und die Kampfkraft der Armee beeinträchtigt werden konnten, wenn sie Kelderek weiter seine hervorragende Fähigkeit, Shardiks Willen zu erraten, mißgönne und kleinlichen Groll zeige, indem sie in Quiso schmolle und dadurch dem Volk all das vorenthalte, was sie ihm bedeute.

»Und das können wir ihr jetzt mit Entschiedenheit erklären«, sagte Ged-la-Dan zu den anderen Mitgliedern des Baronrates, »denn, irren wir uns nicht, sie ist nicht mehr die Gestalt, die wir einst zur Zeit Bel-ka-Trazets fürchteten. Sie hatte unrecht hinsichtlich unseres Herrn Shardiks Willen, im Gegensatz zu Ta-Kominion und Kelderek, die recht hatten. Ihr Ansehen ist so groß und nicht größer, als wir bereit sind, ihr zuzuerkennen, und es wird der Nützlichkeit entsprechen, die sie für uns darstellt. Da aber viele aus unserem Volk ihr immer noch Ansehen zubilligen, wird es klug sein, unsere eigene Sicherheit zu erhöhen, indem wir sie hierherbringen. Ja, wenn sie nicht kommen will, werde ich sie selbst holen.«

Kelderek hatte nicht widersprochen, denn er war sicher, daß die Tuginda die ihr angebotene Wiedereinsetzung mit Freuden annehmen werde und daß er, wenn sie in Bekla war, ihr helfen könnte, ihre frühere Stellung in den Augen der Barone wiederzuerringen.

Die Boten kamen ohne Neelith zurück. Angeblich hatte sie auf Quiso ihre vorbereitete Rede plötzlich abgebrochen, war weinend zu Füßen der Tuginda auf die Knie gefallen, hatte um Verzeihung gefleht und leidenschaftlich versichert, sie werde sie nie wieder verlassen, solange sie lebe. Nachdem die Tuginda angehört hatte, was die übrigen ihr zu sagen hatten, erinnerte sie sie nur daran, daß sie als Gefangene nach Quiso zurückgeschickt worden war. Sie habe, sagte sie, nicht mehr Freiheit, als Shardik eingeräumt werde, um selbst darüber zu entscheiden, ob sie dahin oder dorthin gehen wolle oder nicht.

»Ihr könnt aber denen in Bekla sagen«, fügte sie hinzu, »wenn unser Herr Shardik wieder diese Freiheit bekommt, werde auch ich die meine ergreifen. Und ihr könnt auch Kelderek sagen, daß ich, wie immer er es beurteilen mag, ebenso gebunden bin wie er. Und daß er das eines Tages entdecken wird.«

Mit dieser Antwort hatte sie die Boten zurückgeschickt.

»So ein Miststück!« sagte Ged-la-Dan. »Glaubt sie denn, ihre Stellung erlaube ihr, ihren Trotz unter kecken Reden zu verbergen – wo sie unrecht hat und wir im Recht sind? Ich werde mein Wort halten und dazu nicht erst lange brauchen.«

Ged-la-Dan blieb einen Monat fort, und das kostete der Armee einen ernsten taktischen Rückschlag in Lapan. Er kam ohne die Tuginda zurück und sagte kein Wort über den Grund, bis ihn der von seinen Dienern auf Befragung der anderen Barone abgegebene

Bericht hinter seinem Rücken allmählich zum Gespött aller machte. Es stellte sich heraus, daß er zweimal, beide Male ohne Erfolg, auf Quiso zu landen versucht hatte. Jedesmal waren er und seine Begleiter einer Betäubung zum Opfer gefallen, und sein Kanu war an der Insel vorbei stromabwärts getrieben worden. Das zweitemal war es gegen einen Felsen gestoßen und gesunken, und er und seine Begleiter waren knapp mit dem Leben davongekommen. Ged-la-Dan mangelte es nicht an Stolz oder Mut, aber bei seinem zweiten Versuch hatte er eine neue Mannschaft verwenden müssen, denn die Ruderer vom ersten Mal hatten sich geweigert, ein zweites Mal zu fahren. Kelderek, der sich nur mit Schaudern an seine nächtliche Reise nach Quiso erinnerte, konnte sich über die Hartnäckigkeit des Barons nur wundern. Es war klar, daß sie ihn teuer zu stehen kam. Noch viele Monate danach richtete er es sogar im Feld so ein, daß er nicht allein schlief, und er wollte auch nie mehr eine Bootsreise unternehmen.

War es also als Sühne für die Tuginda gedacht, daß Kelderek sich wenig darum kümmerte, was er aß und trank, keusch blieb und es anderen überließ, von dem Reichtum zu verbrauchen, wie er für die Größe des Königs schicklich erachtet wurde? Oft glaubte er, das sei tatsächlich der Grund, obwohl er sich zum tausendstenmal fragte, was er hätte tun können, um ihr zu helfen. Wenn er zu ihren Gunsten eingeschritten wäre, hätte er sich damit gegen Ta-Kominion erklärt. Er hatte aber, trotz seiner Ergebenheit für die Tuginda, leidenschaftlich Ta-Kominions Partei ergriffen und war bereit gewesen, ihm unter Einsatz seines Lebens zu folgen. Er hatte die Auffassung der Tuginda von Shardiks Macht nie begriffen, während ihm die Ta-Kominions klar war. Dennoch wußte er, daß er im Grunde nur, um seine eigene Tapferkeit in Ta-Kominions Augen zu rechtfertigen, mit ihm gemeinsame Sache in dem bestimmt verzweifeltsten Feldzug gemacht hatte, der sich je als erfolgreich erwiesen hatte. Nun war er Priesterkönig von Bekla, und er, nicht die Tuginda, war Shardiks Dolmetscher. Wieviel Verständnis besaß er aber wirklich, und wieviel von dem Sieg über die Ortelganer war tatsächlich ihm als Shardiks Auserwähltem zu verdanken?

Der Gedanke an die Tuginda war seinem Sinn niemals fern. Ebenso wie eine kinderlose Frau nach einigen Ehejahren ihre Enttäuschung nicht los wird, wenn sie denkt: »Was ist das heute für ein schöner Tag – aber ich habe kein Kind« oder: »Morgen gehen wir zu dem festlichen Gelage – aber ich habe kein Kind«, so wurden Keldereks Gedanken dauernd durch die Erinnerung daran gestört, wie er geschwiegen hatte, als die Tuginda gefesselt und fortgeführt wurde. Sie hatte ihre eigenen Überzeugungen gehabt, er dagegen nicht; und er hatte sich der Täuschung hingegeben, als könnte sie sich jemals mit Shardiks Gefangenschaft in Bekla einverstanden erklären. Manchmal wäre er bereit gewesen, auf seine Krone zu verzichten und nach Quiso zurückzukehren, um sie wie Neelith um Verzeihung zu bitten. Dann hätte er aber auf seine Macht und auch auf die Suche nach der großen Enthüllung verzichten müssen, von deren nahem Bevorstehen er manchmal so gut wie überzeugt war. Außerdem befürchtete er, die Barone würden, wenn er die Reise versuchte, jemand ihnen so Ungetreues nicht am Leben lassen.

Seine Zuflucht aus diesem Dilemma hieß Shardik. Da gab es keinen unverdienten Lohn in Form von Luxus, Schmeichelei oder Klage, nächtlich flüsternder Lust, keinen Reichtum oder Lobhudelei – nur Einsamkeit, Unwissenheit und Gefahr. Wenn er seinem Herrn Shardik in geistiger und körperlicher Angst und Qual gedient hatte, konnte er sich wenigstens nicht vorwerfen, daß er die Tuginda zu seinem eigenen Vorteil verraten habe. In den vergangenen Jahren hatte er oft halb gehofft, daß Shardik seiner Verlegenheit ein Ende machen werde, indem er das Leben nähme, das er ihm so ausdauernd anbot. Aber Shardik hatte ihn nur ein einziges Mal angegriffen, indem er ihn plötzlich, als er durch die in die Stangen eingelassene Pforte eintrat, schlug und ihm den linken Arm brach wie ein trockenes Stück Holz. Er hatte vor Schmerz die Besinnung verloren, aber Sheldra und Nito, die hinter ihm gestanden hatten, retteten ihm das Leben, indem sie ihn sofort hinausschleppten. Der Arm war krumm zusammengewachsen, aber er konnte ihn weiter benutzen. Dennoch war er, sich über die Bitten der Mädchen und die Warnungen der Barone hinwegsetzend, sobald er dazu imstande war, dann und wann wieder vor Shardik getreten, und der Bär hatte sich ihm gegenüber nie wieder gewalttätig verhalten. Er schien tatsächlich Keldereks Annäherung gegenüber gleichgültig zu sein; oftmals hob er den Kopf, gleichsam um sich zu überzeugen, daß er es war und kein anderer, dann lag er weiter apathisch im Stroh. In solchen Fällen stellte sich Kelderek neben ihn und fand beim Beten Trost im Bewußtsein, daß trotz allem, was vorgefallen war, er und er allein Shardiks menschlicher Gefährte und Mittelsmann blieb. Und so ent-

standen aus seiner schwer erklärlichen Sicherheit seine schrecklichen Visionen von Trostlosigkeit, seine Überzeugung, daß er noch
weit entfernt vom Ziel war, und sein Glaube, daß Shardik ein großes
Geheimnis zu enthüllen habe.

Trotz seiner Stunden der Einsamkeit und Kasteiung war er aber
doch kein bloßer Einsiedler, der immer über dem Unsagbaren brü-
tete. In den vier Jahren seit seiner Rückkehr nach Bekla mit Shardik
hatte er in den Ratssitzungen der Ortelganer durchaus seine Rolle
gespielt und nicht nur eine Anzahl von Geheimagenten, sondern
auch eine eigene Ratgebergruppe mit besonderer Kenntnis der einzelnen Provinzen, ihrer Eigenschaften und Hilfsmittel unterhalten.
Vieles von den Informationen, die er erhielt, war militärisch wichtig.
Vor einem Jahr hatte er die Nachricht von einem kühnen Plan zur
Beschädigung der Gelter Eisenwerke erhalten, so daß Ged-la-Dan
imstande gewesen war, die Agenten aus Yeldashay, die als Kaufleute aus Lapan verkleidet waren, auf ihrem Weg über Thettit nach
Norden zu verhaften. Und jüngst, vor kaum drei Monaten, war aus
Dari Paltesh die beunruhigende Nachricht gekommen, daß eine
Streitmacht von über zweitausend Aufständischen aus Deelguy, deren Anführer offenbar die Unmöglichkeit einer Überquerung der
Berge über den stark bewachten Gelter Paß erkannt hatte, am Nordufer des Telthearnas marschiert und in Terekenalt eingedrungen war
(dessen König, vermutlich aufgrund reichlicher Bestechung, nichts
getan hatte, um sie aufzuhalten) und dann im Eilmarsch durch
Katria und Paltesh die aufständische Provinz Belishba erreicht hatte;
dort gab es keine lokale Streitmacht, die stark genug gewesen wäre,
um den Durchmarsch der Rebellen zu verhindern, ehe sie die Provinz wieder verlassen hatten. Über diesen Rückschlag hatten die
ortelganischen Anführer den Kopf geschüttelt, da sie darin den langen und tüchtigen Arm Santil-ke-Erketlis' am Werk sahen und darüber nachdachten, wie er wohl diese geschickt erworbene Verstär-
kung verwenden würde.

Auf den mit Handel, Zoll und Steuern zusammenhängenden Gebieten bekam jedoch Kelderek bald den Eindruck, daß seine, wenn
auch fehlerhafte und unerfahrene Einsicht im Wesen sicherer war
als die der Barone. Vielleicht war es gerade aus dem Grund, weil er
nie ein Baron oder ein Söldner gewesen war, der von Mietzinsen
oder Kriegsbeute lebte, sondern sich als Jäger mühselig durchgeschlagen hatte und wußte, was es hieß, für die Werkzeuge seines

Gewerbes auf Eisen, Leder, Holz und Garn zu vertrauen, daß er klarer als sie die lebenswichtige Bedeutung der Handelswelt erkannte. Er hatte monatelang gegenüber der Gleichgültigkeit Zeldas und Ged-la-Dans die Ansicht vertreten, daß weder das städtische Leben noch der Krieg gegen die Südprovinzen einzig durch Kriegsbeute aufrechterhalten werden könne und daß es unumgänglich sei, die anerkannten Handelswege offenzuhalten und nicht jeden körperlich leistungsfähigen jungen Handwerker, Kaufmann und Karawanenführer innerhalb der Reichsgrenzen zum Militärdienst zu pressen. Er hatte ihnen bewiesen, daß in einem Jahr zwei wohlhabende Viehzüchter und ihre Leute, dreißig Gerber oder zwanzig Schuster nicht nur ihren eigenen Lebensunterhalt verdienen, sondern auch genug Steuern zahlen könnten, um doppelt so viele Söldner im Feld zu unterhalten.

Dennoch war der Handel zurückgegangen. Santil-ke-Erketlis, ein schlauerer und erfahrenerer Gegner als irgendeiner der ortelganischen Anführer, hatte dafür gesorgt, daß es so kam. Brücken wurden zerstört und Karawanen von bezahlten Räubern überfallen. Lagerhäuser und deren Inhalt wurden auf rätselhafte Weise durch Feuer vernichtet. Die besten Handwerker – Baumeister, Steinmetze, Juweliere, Waffenschmiede, sogar Weinhändler – wurden durch geheime Abgesandte, manchmal zu Preisen, die dem Jahreslohn von zehn Speerträgern gleichkamen, überzeugt, daß es in ihrem Interesse läge, nach Süden zu ziehen. Der Königssohn von Deelguy wurde nach Ikat eingeladen, dort aufgenommen, wie es einem Prinzen zukommt, und verliebte sich, vielleicht nicht ganz zufällig, in eine adelige Dame der Stadt, die er heiratete. Die aufständischen Provinzen verfügten nicht über so große Mittel wie Bekla, aber Santil-ke-Erketlis besaß die natürliche Begabung zu erkennen, wo eine besondere kleine Ausgabe sich lohnen würde. Im Laufe der Zeit waren Kaufleute und Händler immer weniger dazu bereit, ihren Reichtum in einem den Ungewißheiten und Schwankungen des Krieges so unterworfenen Reich aufs Spiel zu setzen. Es wurde immer schwieriger, Steuern von einem Volk einzutreiben, das sich in die Enge getrieben fühlte, und Kelderek hatte alle Mühe, die Lieferanten und Handwerker zu bezahlen, welche die Armee versorgten.

In dieser schwierigen Lage half er sich durch eine beträchtliche Erweiterung des Sklavenhandels. Ein gewisser Sklavenhandel hatte im beklanischen Reich stets bestanden, er war aber zehn Jahre vor der Eroberung durch die Ortelganer eingeschränkt worden, da er so sehr außer Kontrolle geraten war, daß es in allen Provinzen zu Reaktionen kam. Es wurde üblicherweise hingenommen, daß Kriegsgefangene, wenn sie kein Lösegeld zahlen konnten, als Sklaven verkauft werden durften. Manchmal gelang es diesen Männern, ihre Freiheit wiederzugewinnen und entweder nach Hause zurückzukehren oder in dem Land, in das man sie gebracht hatte, ein neues Leben zu beginnen. Trotz der damit verbundenen Härten und Leiden wurde diese Praxis in einer bösen Welt zwischen kriegführenden Völkern als gerecht angesehen. In der letzten Zeit und bei dem hervorragenden Wohlstand in Bekla hatte jedoch die Zahl der großen Landgüter, Haushalte und Handelshäuser zugenommen, und die Nachfrage nach Sklaven war infolgedessen gestiegen, bis es sich lohnte, daß sich berufsmäßige Sklavenhändler und Lieferanten etablierten. Entführungen und sogar Züchtung waren weit verbreitet, bis einige Provinzgouverneure sich gezwungen sahen, im Namen von Städten und Dörfern zu protestieren, welche in ständiger Furcht lebten – nicht nur vor Überfällen durch Sklavenhändler, sondern auch durch entflohene Sklaven, die zu Räubern geworden waren –, und auch von angesehenen Bürgern, die mißhandelt worden waren. Doch auch die Sklavenhändler hatten Anhänger, denn nicht nur konnte der Handel es sich leisten, hohe Steuern zu zahlen, sondern er beschaffte auch Arbeit für Handwerker wie Kleidermacher und Schmiede, und die nach Bekla kommenden Käufer brachten Geld zu den Gastwirten. Der Streit hatte sich zu dem Bürgerkrieg zugespitzt, der unter dem Namen »Sklavenkriege« bekannt wurde; es gab damals ein halbes Dutzend voneinander unabhängige Feldzüge in ebenso vielen Provinzen, die mit und ohne die Hilfe von Verbündeten und Söldnern ausgetragen wurden. Aus dieser Verwirrung war Santil-ke-Erketlis, ein ehemaliger, jedoch nicht sehr reicher Grundbesitzer aus einer alten Familie in Yeldashay, als der fähigste Anführer hervorgegangen. Nachdem er die Anhänger der Sklavenhändler in Yelda und Lapan besiegt hatte, schickte er Hilfe in die anderen Provinzen, und es gelang ihm schließlich, die Dinge in Bekla selbst zur vollen Zufriedenheit der »Heldril« (»Altmodischen«), wie seine Partei genannt wurde, zu regeln. Die Kosten, die für die Auslieferung der Händler und die Befreiung aller Sklaven entstanden, die beweisen konnten, daß sie im beklanischen Reich geboren waren, wurden zum Teil durch frische Unterstützung des

Baumeister-, Steinmetz- und Bildhauerhandwerks, für die Bekla immer berühmt gewesen war, und zum Teil durch Maßnahmen (eine davon war der Bau des großen Stausees in Kabin) zur Vergrößerung des Wohlstands der Bauern und kleinen Landwirte gedeckt.

Dessenungeachtet gab es nicht nur in Bekla selbst, sondern auch in mehreren Städten in den Westprovinzen einflußreiche Männer, die den Sieg der Heldril bedauerten. Diese hatte Kelderek ausgeforscht und mit der lokalen Macht betraut; sie sollten laut Abmachung den Krieg unterstützen und durften dafür wieder unbeschränkt ihren Sklavenhandel betreiben. Seinen eigenen Baronen gegenüber verteidigte er diese Politik – manche von ihnen konnten sich an Überfälle der Sklavenhändler auf das Festland bei Ortelga vor fünfzehn und zwanzig Jahren erinnern –, teils als »unbedingte Notwendigkeit« und teils indem er betonte, man dürfe das Land nicht einem völlig unkontrollierten Sklavenhandel aussetzen. Es wurden einer bestimmten Anzahl von Händlern jedes Jahr Lizenzen gewährt, nicht mehr als die ihnen gestatteten Kontingente an Frauen und Kindern in bestimmten Provinzbezirken »auszuheben«. Wo einem Händler ein Kontingent an körperlich leistungsfähigen Männern zuerkannt wurde, mußte ein Fünftel der Armee zur Verfügung gestellt werden. Es gab natürlich keine entbehrlichen Truppen, die darüber wachen konnten, daß diese Genehmigungen nicht mißbraucht wurden, und man mußte die Aufsicht den Provinzgouverneuren überlassen. Für alle, die sich über seine Handlungsweise beklagten, hatte Kelderek nur eine Antwort: »Wir werden den Sklavenhandel wieder einschränken, sobald der Krieg zu Ende ist; helft uns also, ihn zu beenden.«

»Viele von denen, die als Sklaven erworben werden, sind Tunichtgute und Verbrecher, welche die Händler in den einzelnen Orten aus den Gefängnissen kaufen«, hatte er den Baronen versichert, »und sogar von den Kindern wären viele sonst von ihren Müttern, die sie nicht wollten, vernachlässigt und mißhandelt worden. Ein Sklave dagegen hat immer die Möglichkeit, mit etwas Glück und Geschicklichkeit zu Wohlstand zu gelangen.« Han-Glat, ein ehemaliger Sklave von weiß-Gott-woher, der jetzt die Pionier- und Bautruppe der Armee befehligte, unterstützte Keldereks Erklärung kraftvoll, indem er bekanntgab, daß jeder Sklave unter seinem Befehl ebenso gute Aussicht auf Beförderung habe wie ein freier Mann.

Der Profit aus dem Handel war hoch, besonders als es bekannt wurde, daß Bekla wieder einen staatlich geschützten Sklavenmarkt mit reichem Angebot besaß, und Agenten aus anderen Ländern es lohnend fanden hinzureisen, die Marktgebühren zu bezahlen und ihr Geld auszugeben. Kelderek hielt sich trotz seiner Argumente für die Verteidigung seines Vorgehens – das beste Argument waren die öffentlichen Abrechnungen – nicht nur dem Markt fern, sondern auch den Straßen, durch die für gewöhnlich die Sklavenkontingente kamen und gingen. Dafür verachtete er sich selbst; doch abgesehen von seinem ungewollten Mitleid, von dem er wußte, daß es bei einem Herrscher eine Schwäche war, hatte er auch das unangenehme Gefühl, es könnte in seiner Politik eine schwache Stelle geben, die zu entdecken er sich nicht allzuviel Mühe gab. »Die Art zersetzende, kurzsichtige Ausflucht, wie man sie bei einem Nichtadeligen und Barbaren wohl erwarten muß«, hatte der vormalige Heldril-Gouverneur von Paltesh, bevor er nach Yelda desertierte, in einem Brief geschrieben, in dem er seinen Rücktritt bekanntgab. »Glaubt er, ich weiß nicht ebensogut wie er, daß es eine Ausflucht ist?« bemerkte Kelderek zu Zelda. »Wir können uns nicht leisten, wohlwollend und großzügig zu sein, ehe wir Ikat erobert und Erketlis besiegt haben.« Zelda stimmte ihm zu, sagte aber dann: »Und wir können uns natürlich auch nicht leisten, zu viele von unserem eigenen Volk, sogar wenn sie nicht Ortelganer sind, zu verstimmen. Gib acht, daß das deiner Kontrolle nicht entgleitet.« Kelderek fühlte sich wie ein Mann in schweren Geldnöten, der sich bemüht, die trügerischen Versicherungen eines umgänglichen Geldverleihers nicht allzu genau zu überprüfen. Obgleich er als Herrscher unerfahren war, hatte es ihm nie an gesundem Menschenverstand gemangelt, und er hatte frühzeitig gelernt, blendendem Schein und zu leicht errungenen Erfolgen zu mißtrauen. »Wenn wir aber Ikat eingenommen haben«, sagte er sich, »dann werden wir diese Auswege und unsicheren Methoden fallenlassen. O Shardik, unser Herr, gib uns noch einen Sieg! *Dann* machen wir mit dem Sklavenhandel Schluß, und ich werde die Möglichkeit haben, nichts als deine Wahrheit zu suchen.« Manchmal stiegen ihm bei dem Gedanken an diesen großen Tag die Tränen so leicht in die Augen wie einem versklavten Kind bei der Erinnerung an sein Elternhaus.

27. Zeldas Rat

Kelderek blickte sich in der düsteren, höhlenartigen Halle um –
einem so finsteren und barbarischen Bluttempel, wie er nur je die
Trophäen der Tyrannei beherbergt hatte. Da nur wenig Licht von
oben eindrang, brannten dauernd Fackeln, die in Eisenhaltern steckten und die Ziegelmauern und Steinsäulen mit unregelmäßigen,
kegelförmigen schwarzen Streifen färbten. Die dicken, gelben Flammen loderten in der reglosen Luft träge wie große, in der winterlich
aufgewühlten Erde aufgestörte Regenwürmer hierhin und dorthin.
Dann und wann flammte eine Spur Harz seitlich auf, oder ein Holzknoten explodierte krachend. Der zum Dach steigende Rauch, dessen Kiefernduft sich mit dem Bärengeruch vermengte, wirkte wie
sichtbar gemachtes Strohknistern. Zwischen den Fackelhaltern waren Rüstungsteile an den Mauern aufgehängt – Kurzschwerter und
Helme mit Ohrenschutz aus Belishba, die runden Lederschilde der
Söldner aus Deelguy und die Speere mit Spitze und Kugel, die Santil-ke-Erketlis als erster aus Yelda nach Norden gebracht hatte. Hier
hing auch das zerfetzte und blutige Banner des Kelchs von Deparioth, das Ged-la-Dan vor zwei Jahren in der Schlacht von Sarkid
selbst erbeutet hatte, als er sich an der Spitze von zwölf Gefolgsleuten, von denen keiner am Ende der Schlacht unverwundet geblieben war, einen Weg durch den feindlichen Palisadenzaun hieb.
Das Canathron aus Lapan mit seinem Schlangenkopf und den zum
Niederstoßen gewölbten Kondorflügeln stand dort bekränzt mit
Rebenranken und roten Blüten, denn es war als erzwungene (obgleich zweifelhafte) Sicherheit für die Loyalität Lapans von Prister-
geiseln nach Bekla gebracht worden, denen gestattet wurde, ihre
Riten in gemilderter Form fortzusetzen. An der anderen Wand hingen die vom Fackellicht beleuchteten gelben und gewölbten Schädel von Shardiks Feinden. Sie unterschieden sich nur wenig voneinander, außer in der Form der grinsenden Zähne; einige waren
allerdings gesprungen wie alter Mörtel, und einer hatte kein Gesicht, nur Splitter rund um ein gähnendes Loch von der Stirn zum
Kinn. Die Schatten ihrer Augenhöhlen bewegten sich im Fackelschein, doch Kelderek achtete schon längst nicht mehr auf diese
unbestatteten Überreste. Auf ihn wirkte die Schaustellung langweilig – sie war nicht mehr als ein Beschwichtigungsmittel für die Eitelkeit untergeordneter Anführer im Feld, von denen der eine oder

andere dann und wann behauptete, sie hätten Feinde von Rang getötet und verdienten daher die Ehre, Shardik die Schädel darzubringen. Die Mädchen pflegten sie eifrig, ölten und befestigten sie mit Draht, wie sie es früher mit den Hacken auf den Terrassen in Quiso gemacht hatten. Doch trotz aller angesammelten Erinnerungen an diesen und jenen Sieg (dachte Kelderek, langsam durch die Halle schreitend, als er sich beim Geräusch eines plötzlichen Falls hinter den Stangen umwandte) war der Saal noch immer so wie früher – unordentlich, provisorisch, eher ein Speicher als eine geheiligte Stätte; vielleicht weil das Leben der Stadt das eines Stützpunktes hinter einer Armee, einer Gesellschaft mit zu wenig jungen Männern und zu vielen einsamen Frauen geworden war. War Shardik nicht zwischen den scharlachroten Trepsisblüten bei dem Teich und im trockenen, dämmerlichtigen Wald, wo er selbst zum erstenmal vor ihn hingetreten war, um ihm sein Leben darzubieten, besser gehuldigt worden?

»Wenn ein Fisch gefangen ist und im Netz liegt«, dachte er, »sieht man, wie der Glanz langsam aus seinen Schuppen schwindet. Und doch – wie denn sollte man den Fisch essen?«

Er wandte sich nochmals um, diesmal, weil sich Schritte im Korridor näherten. Der Gong beim Pfauentor hatte vor kurzem die zehnte Stunde geschlagen, und er hatte Ged-la-Dans Ankunft nicht so früh erwartet. Zilthe kam in die Halle – sie war älter geworden, aber noch schlank – mit schnellem, leichtem Schritt. Sie hob die Hand an die Stirn mit freundlichem Lächeln. Von allen Mädchen, die aus Quiso gekommen waren oder seither in Shardiks Dienst getreten waren, besaß Zilthe allein Grazie und ein frohes Gemüt, und Keldereks düstere Stimmung besserte sich, als er ihr Lächeln erwiderte.

»Ist Ged-la-Dan, der Herr, so früh gekommen?«

»Nein, Herr«, antwortete das Mädchen. »Es ist General Zelda, der Euch zu sprechen wünscht. Er hoffe, die Zeit sei Euch genehm, sagt er, denn er müsse bald mit Euch sprechen. Ich glaube, er will Euch sehen, bevor General Ged-la-Dan eintrifft.«

»Ich werde zu ihm hinausgehen«, sagte Kelderek. »Wache bei unserem Herrn Shardik – du oder jemand anders. Er soll nicht allein bleiben.«

»Ich werde ihn füttern, Herr – es ist an der Zeit.«

»Dann leg das Futter in die Felsenhöhle. Wenn er für eine Weile dort hinausgeht, desto besser.«

Zelda wartete, zum Schutz gegen die kühle Brise eng in seinen dunkelroten Mantel gehüllt, auf der Sonnenterrasse, welche an der Südseite der Halle entlanglief. Kelderek trat zu ihm, und sie gingen zusammen durch die Gärten auf die zwischen dem Hakensee und dem Leopardenhügel liegenden Felder.

»Du hast bei unserem Herrn Shardik gewacht?« fragte Zelda.

»Mehrere Stunden. Er ist unruhig und reizbar.«

»Du sprichst von ihm wie von einem kranken Kind.«

»Zu solchen Zeiten behandeln wir ihn auch so. Vielleicht ist es nichts – aber ich wäre gern sicher, daß er nicht krank ist.«

»Vielleicht – wäre es möglich –« Zelda brach ab und sagte dann nur noch: »Viele Krankheiten verschwinden, wenn der Sommer kommt. Er wird sich bald besser fühlen.«

Sie bogen um das Westufer des Hakensees und überquerten den dahinterliegenden Weidehang. Vor ihnen lag, etwa einen Kilometer entfernt, der Teil der Stadtmauer, der bergauf führte und die Ost-spitze des Crandor umgab.

»Wer ist der Mann, der dort auf uns zukommt?« fragte Zelda, auf ihn weisend.

Kelderek blickte hin. »Ein Adeliger – ein Fremder. Muß einer von den Provinzabgesandten sein.«

»Er sieht aus, als käme er aus dem Süden – zu stutzerhaft für eine Nord- oder Westprovinz. Ich möchte wissen, warum er allein hier umhergeht.«

»Das darf er, wenn er es wünscht, nehme ich an. Viele Stadt-besucher sagen gern nachher, daß sie rund um die ganze Stadtmauer gegangen sind.«

Der Fremde kam näher, verneigte sich höflich mit einem etwas gezierten Schwenken seines Pelzmantels und ging vorbei.

»Kennst du ihn?« fragte Zelda.

»Elleroth, der Statthalter von Sarkid – ein Mann, über den ich ziemlich viel in Erfahrung gebracht habe.«

»Warum? Ist er nicht zuverlässig?«

»Vielleicht – vielleicht auch nicht. Merkwürdig, daß er selbst als Delegierter gekommen ist. Er nahm mit Erketlis an den Sklaven-kriegen teil – seinerzeit war er ein bekannter Heldro. Es besteht kein besonderer Grund, weshalb er seine Ansichten geändert haben sollte, aber mir wurde doch geraten, ihn lieber in Ruhe zu lassen, als zu versuchen, ihn loszuwerden. Er genießt bei seinen Leuten viel Einfluß und Ansehen und hat uns, soviel ich weiß, nie irgendwie geschadet.«

»Aber hat er uns geholfen?«

»Lapan ist so heftig umkämpft worden, daß sich das schwer sagen läßt. Wenn ein lokaler Herrscher dafür sorgt, mit beiden Seiten gut zu stehen – wer kann ihm das übelnehmen? Es ist nichts Nachteiliges bekannt, es sei denn aus seiner Vergangenheit, der Zeit, bevor wir kamen.«

»Nun, wir werden ja sehen, was er uns bei der Ratssitzung zu bieten hat.«

Zelda schien immer noch zu zögern, ehe er von dem sprach, was ihn veranlaßt hatte, Kelderek aufzusuchen, und nach einer Weile sagte Kelderek:

»Da wir von den Delegierten sprechen, sollte ich noch einen anderen erwähnen – den Mann, den du vor kurzem zum Gouverneur von Kabin ernannt hast.«

»Mollo? Was ist mit ihm? Übrigens, der Mann starrt uns nach – ich möchte wissen, warum.«

»Es ist nicht ungewöhnlich, daß Fremde mir nachblicken«, antwortete Kelderek leicht lächelnd. »Daran bin ich schon gewöhnt.«

»Ja, sicher wird es das sein. Nun, was ist mit Mollo? S'marr Torruin von den Vorbergen hat ihn mir empfohlen – er sagte, er kenne ihn seit Jahren. Er scheint ein vortrefflicher Mann zu sein.«

»Ich habe erfahren, daß er bis vor kurzem ein Provinzgouverneur in Deelguy war.«

»In Deelguy? Warum ging er fort?«

»Eben. Um sein Erbe, einen kleinen Grundbesitz in Kabin, zu übernehmen? Das möchte ich fast bezweifeln. Unsere derzeitigen Beziehungen zu Deelguy sind gespannt und schwierig – wir wissen nicht, was sie vielleicht vorhaben. Ich frage mich, ob wir die Ernennung Mollos riskieren sollen – vielleicht gehen wir da in eine Falle. Ein Messer im Rücken aus Kabin wäre im Augenblick nicht günstig.«

»Ich glaube, du hast recht, Kelderek. Davon habe ich nichts gewußt. Morgen werde ich selbst mit Mollo sprechen. Wir dürfen in Kabin nichts riskieren. Ich werde ihm sagen, wir hätten beschlossen, daß wir eigentlich doch einen Mann mit besonderen Kenntnissen des Stausees brauchen.«

Er schwieg wieder. Kelderek bog ein wenig nach links bergab, da er annahm, er könnte dem Baron die Zunge lösen, wenn er vorgab, wieder umzukehren.

»Was hältst du im Augenblick vom Krieg?« fragte Zelda plötzlich.

»Frag die Falken und Krähen, sie wissen es«, antwortete Kelderek mit einem Soldatensprichwort.

»Im Ernst, Kelderek – und es bleibt ganz unter uns.«

Kelderek zog die Schultern hoch. »Du meinst seine Erfolgsaussichten? Darüber weißt du mehr als ich.«

»Du sagst, unser Herr Shardik scheint unruhig?«

»Nicht jede Laune oder Unpäßlichkeit unseres Herrn Shardik ist ein Vorzeichen für den Krieg. Wenn es so wäre, könnte das ein Kind verstehen.«

»Glaub mir, Kelderek, ich bezweifle deinen Scharfblick als Shardiks Priester nicht – und du hoffentlich nicht meine Eigenschaft als General?«

»Warum sagst du das?«

Zelda blieb stehen und sah sich auf der offenen, unbekannten Weide um. Dann setzte er sich auf die Erde. Nach kurzem Zögern setzte sich Kelderek zu ihm.

»Vielleicht entspricht es nicht unserer Würde, hier zu sitzen«, sagte Zelda, »aber ich rede lieber da, wo uns niemand zuhören kann. Und ich mache dich darauf aufmerksam, Kelderek, nötigenfalls werde ich leugnen, je gesprochen zu haben.«

Kelderek antwortete nicht.

»Vor über fünf Jahren haben wir diese Stadt erobert, und es gibt keinen Mitkämpfer in diesem Feldzug, der nicht wüßte, daß wir es durch Shardiks Willen erreichten. Aber, was ist sein Wille jetzt? Ob ich wohl der erste bin, der diesbezüglich in Verwirrung gerät?«

»Das glaube ich nicht.«

»Weißt du, was meine Leute sangen, nachdem wir Bekla eingenommen hatten? ›Die Schlacht für Shardik, unsren Herrn, ist nun gewonnen; jetzt bumsen wir die Mädchen und liegen in der Sonnen.‹ Das singen sie nicht mehr. Vier Jahre kreuz und quer durch die Südprovinzen haben es ihnen ausgetrieben.«

Auf dem einen Kilometer entfernten Schlangenturm – dem südöstlichen Turm des Baronspalastes – sah Kelderek einen Soldaten, der sich über die Brüstung beugte. Wahrscheinlich hatte er Befehl erhalten, nach der Ankunft Ged-la-Dans Ausschau zu halten, aber aus seiner Haltung war zu erkennen, daß er noch nichts gesehen hatte.

»Was war Shardiks Wille, als er uns Bekla zurückgab? War es, was die Männer glaubten: uns für den Rest unseres Lebens stark und wohlhabend zu machen? Wenn ja, warum führt dann Erketlis immer noch gegen uns Krieg? Was haben wir getan, um unserem Herrn Shardik zu mißfallen?«

»Nichts, wovon ich wüßte.«

»Shardik tötete Gel-Ethlin – er führte den Schlag selbst –, und nachdem wir Bekla erobert hatten, nahmen wir alle, auch du, an, daß wir kraft seines Willens bald Erketlis besiegen und Ikat erobern würden. Dann würde es Frieden geben. Aber das geschah nicht.«

»Es wird geschehen.«

»Kelderek, wenn du ein anderer wärest als der König von Bekla und der Priester Shardiks – wenn du ein Provinzgouverneur oder ein Unterführer wärst, der mir etwas verspricht –, würde ich dir antworten: ›Dann sollte es aber verdammt schnell geschehen.‹ Ich will mich deutlich ausdrücken: Seit mehreren Jahren schon kämpfen und sterben meine Leute. Sie bereiten sich nun vor, es wieder einen Sommer lang zu tun – und in keiner sehr guten Gemütsverfassung. Die Wahrheit ist, daß ich, abgesehen von Shardiks Willen und nur von meinem Standpunkt als General aus, keinen militärischen Grund erkennen kann, warum wir diesen Krieg je gewinnen sollten.«

Der Mann auf dem Turm schien von jemandem unterhalb gerufen zu werden. Er beugte sich über die Brustwehr, blickte eine Weile nach unten und nahm dann seine Wache wieder auf.

»Shardik schenkte uns den Sieg über Gel-Ethlin«, fuhr Zelda fort. »Hätte er nicht eingegriffen, so hätten wir – nichts als eine Gruppe Aufständischer – niemals eine beklanische Armee besiegt.«

»Das leugnet niemand. Ta-Kominion selbst wußte es schon vor der Schlacht. Und doch haben wir gesiegt und Bekla erobert.«

»Jetzt müssen wir schon froh sein, Erketlis aufhalten zu können; besiegen können wir ihn nicht – oder doch sicherlich nicht entscheidend. Dafür gibt es mehrere Gründe. Ich nehme an, du hast als Jüngling gerungen, bist um die Wette gelaufen und dergleichen. Erinnerst du dich an die Fälle, da du wußtest, daß der andere stärker war als du? Erketlis ist ein ungewöhnlich guter General, und die meisten seiner Leute haben in der früheren südlichen Aufklärungs-

armee gedient. Viele glauben, daß sie für Heim und Familie kämpfen, und nehmen willig sehr harte Bedingungen dafür in Kauf. Sie
sind nicht wie wir, Eindringlinge, die sich in ihren Hoffnungen
auf schnellen Profit enttäuscht sehen. Unsere Männer merken nun
schon seit langem, daß ihnen etwas durch die Lappen gegangen ist.
Im Süden ist irgendwelcher Proviant immer leicht aufzutreiben. Wir
können Erketlis' Armee nicht der Verpflegung berauben, und viel
mehr als das sucht sie nicht. Aber ihre Gegenwart bedeutet für uns
Schwierigkeiten. Solange sie unbesiegt bleiben, sind sie ein Brenn-
punkt der Unzufriedenheit für das ganze Reich von Gelt bis Lapan
– ich denke an die alten Heldril-Sympathisanten und andere. Erketlis braucht sich nur im Feld zu halten, wir aber müssen mehr tun:
wir müssen ihn besiegen, bevor wir dem beklanischen Volk Frieden
und Wohlstand wiedergeben können, die wir ihm genommen haben.
Und die schlichte Wahrheit ist, Kelderek, daß ich keine Gründe –
keine militärischen Gründe – für die Annahme habe, daß wir dazu
imstande sind.«

Der Mann auf dem Schlangenturm begann plötzlich zu winken
und zeigte nach Süden. Dann formte er die Hände zum Sprachrohr,
rief etwas nach unten und verschwand vom Balkon.

»Ged-la-Dan wird vor Ablauf einer Stunde hier sein«, sagte Kelderek. »Hast du ihm von alldem etwas gesagt?«

»Nein, aber ich habe keinen Grund zu glauben, daß er über unsere
militärischen Aussichten glücklicher ist als ich.«

»Wie steht es mit der Hilfe, die wir morgen von den Ratsdelegier-
ten erwarten?«

»Sie wird, wie immer sie ausfallen mag, nicht ausreichen. Sie hat
bis jetzt noch nie genügt. Du mußt verstehen, daß wir uns augenblicklich in Lapan gerade noch halten, so gut es geht. Nicht wir, sondern Erketlis beabsichtigt anzugreifen.«

»Kann er das?«

»Er hat, wie du weißt, vor kurzem eine Streitmacht aus Deelguy
erhalten, die von einem Baron geführt wird, von dessen Unternehmungen der König nichts zu wissen vorgibt. Gerüchtweise verlautet,
daß Erketlis sich jetzt für stark genug hält, um Ikat zu decken und
uns zugleich anzugreifen, und daß er weiter nach Norden vorzudrin-
gen plant als je vorher.«

»Bis Bekla?«

»Das würde, meine ich, von seinem Erfolg abhängen, sobald er den Angriff begonnen hat. Ich persönlich glaube, daß er Bekla seitlich liegen lassen und versuchen könnte, in dem Gebiet nordöstlich davon seine Stärke zu zeigen. Angenommen, zum Beispiel, er hat den Leuten aus Deelguy gesagt, er werde sie auf ihrem Marsch nach Hause durch den Norden führen, wobei sie möglichst viel Schaden anrichten sollen? Angenommen, sie würden darauf ausgehen, den Stausee in Kabin zu zerstören?«

»Könntest du sie nicht daran hindern?«

»Ich weiß es nicht. Aber ich möchte dir vorschlagen, Kelderek – und wenn du es übel aufnimmst, habe ich es nie vorgeschlagen –, daß du dich für einen von zwei Wegen entscheidest. Der erste wäre, daß wir unverzüglich einen Frieden mit Erketlis aushandeln. Unsere Bedingungen wären, daß wir Bekla behalten, zusammen mit den Nordprovinzen und so vielen Gebieten im Süden, wie wir bekommen können. Das würde sicher bedeuten, daß wir Yelda, Belishba und wahrscheinlich Lapan aufgeben müßten, und natürlich auch Sarkid. Aber wir hätten Frieden.«

»Und der zweite?«

Zum erstenmal wandte sich Zelda um und blickte Kelderek voll ins Gesicht; seine dunklen Augen und der Bart waren von dem roten Mantelkragen umrahmt. Langsam zog er sein Messer heraus und hielt es einen Augenblick zwischen Finger und Daumen; dann ließ er es mit der Spitze nach unten fallen, so daß es zitternd in der Erde steckenblieb. Er rümpfte die Nase und schnüffelte, als spüre er Brandgeruch, zog das Messer heraus und schob es in die Scheide zurück. Kelderek verstand die Anspielung.

»Ich wußte von Anbeginn – ja, in jener Nacht –, daß du irgendwie Ortelgas Geschick in Händen hattest. Noch ehe du mit Bel-ka-Trazet nach Quiso fuhrst, war ich sicher, daß du gesandt wurdest, uns Glück und Macht zu bringen. Als später die ersten Gerüchte nach Ortelga drangen, glaubte ich an Shardiks Rückkehr, weil ich gesehen hatte, wie du Bel-ka-Trazets Zorn widerstandest, und es wurde mir klar, daß nur die Wahrheit dich dazu befähigen konnte. Ich war es, der Ta-Kominion riet, unter Lebensgefahr nachts den Todesgürtel zu durchqueren, um dich zu finden; und ich war der erste Baron, der sich am nächsten Morgen auf seine Seite schlug, als er hinter unserem Herrn Shardik an Land kam. Bei der Schlacht im Vorgebirge führte ich, schon bevor Ta-Kominion auf das Schlachtfeld kam, den ersten Angriff gegen Gel-Ethlins Heer. Ich habe an unserem Herrn Shardik nie gezweifelt – und zweifle auch jetzt nicht an ihm.«

»Was also nun?«

»*Befreie* unseren Herrn Shardik! Laß ihn frei und warte auf das, was sich dann ereignet. Vielleicht ist es nicht sein Wille, daß wir den Krieg fortführen. Vielleicht hat er eine andere, völlig davon abweichende Absicht. Wir sollten bereit sein, ihm zu vertrauen, sogar zuzugeben, daß wir seinen Willen vielleicht mißverstanden haben. Wenn wir ihn freilassen, könnte er etwas Unbekanntes enthüllen. Bist du sicher, Kelderek, daß wir nicht vielleicht seine Absicht vereiteln, indem wir ihn hier in Bekla festhalten? Ich bin zu der Ansicht gelangt, daß diese Absicht nicht die Fortsetzung des Krieges sein kann, denn sonst müßten wir jetzt schon zumindest ein Ende absehen können. Irgendwo haben wir den Faden unseres Schicksals verloren. Laß ihn frei und bete, daß er ihn uns in der Dunkelheit, durch die wir wandern, wieder in die Hand gibt.«

»Unseren Herrn Shardik *freilassen*?« wiederholte Kelderek. Er konnte sich nichts denken, das für die Fortsetzung seiner Herrschaft oder für das immer noch von ihm zu entdeckende göttliche Geheimnis weniger vorteilhaft wäre. Er mußte Zelda um jeden Preis von diesem übereilten, abergläubischen Gedanken abbringen, dessen Folgen unabsehbar wären. »Unseren Herrn Shardik *freilassen*?«

»Und ihm dann folgen, einfach im Vertrauen auf das, was sich ereignen wird. Denn wenn wir ihn wirklich enttäuscht haben, so kann es nicht am Mangel an Tapferkeit oder Entschlossenheit im Feld gelegen haben, sondern nur an zu wenig Vertrauen.«

Kelderek lag die Antwort auf der Zunge, daß die Tuginda einst so zu ihm gesprochen habe und daß Ta-Kominion gewußt habe, wie man damit fertig werden konnte. Als er zögerte und überlegte, wie er am besten mit der heiklen Aufgabe des Abratens beginnen solle, sahen beide, daß ein Diener über die Weide auf sie zugelaufen kam.

»Morgen abend ist das Frühjahrsfest der Sonnwendfeuer«, sagte Kelderek.

»Das hatte ich nicht vergessen.«

»Ich werde niemandem etwas von unserem Gespräch sagen, und wir reden nach dem Fest nochmals darüber. Ich brauche Zeit zum Nachdenken.«

Der Diener kam heran, hob die Hand an seine vorgeneigte Stirn, wartete und suchte wieder zu Atem zu kommen.

»Sprich«, sagte Kelderek.

»O Herr, General Ged-la-Dan wird bald hier sein. Er wurde auf der Straße gesichtet und wird in einer halben Stunde beim Blauen Tor eintreffen.«

Unten in der Stadt schlugen die Gongs wieder die Stunde; wie ein Echo folgte einer dem anderen. Kelderek erkannte, daß er dem Gespräch vorläufig ein Ende bereiten konnte, wenn er den Diener bei sich behielt.

»Begleite uns«, sagte er, und als der Mann hinter sie trat, wandte er sich an Zelda: »Ich werde Ged-la-Dan mit der Priesterin Sheldra auf der Straße entgegengehen. Willst du nicht mitkommen?«

28. Elleroth deckt seine Karten auf

»Und alles, was ich besaß, in Deelguy zu lassen –«

»Nimm dich zusammen, Mollo.«

»Innerhalb ihrer verdammten Grenzen will ich nicht leben – nicht einmal zehn Tagesreisen weit von ihnen – dieser verfluchte Bärenpriester – wie heißt er nur – richtig, Kildrik . . .«

»Sei vernünftig, Mollo. Beruhige dich. Beim Verlassen von Deelguy hast du nicht im geringsten geahnt, daß du Gouverneur von Kabin werden könntest, und schon gar nicht mit einem Versprechen von Bekla. Du bist fortgegangen, weil du dein Familienerbe übernehmen wolltest, das hast du mir zumindest erzählt. Das hat dir keiner vorenthalten, und es geht dir um nichts schlechter als an dem Abend, an dem du mit deinem stierezüchtenden Freund bei Tisch saßest.«

»Mach dich nicht lächerlich. In Kabin weiß jedermann, daß mich General Zelda auf Empfehlung S'marrs ernannt hat. Ich hatte, bevor ich abreiste, eine lange Besprechung mit den Stadtvätern über den Anteil Kabins am Sommerfeldzug. Es war auch wenig genug, was sie beizutragen bereit waren – wir sind keine reiche Provinz, das waren wir nie. ›Keine Sorge‹, sagte ich, ›ich werde die in Bekla überzeugen – ich werde erreichen, daß euch die Zahlungen für den Krieg nicht ruinieren.‹ Was, meinst du, werden sie jetzt sagen? Daß ich hinausgeworfen wurde, weil ich nicht genug aus der Provinz herauspressen konnte –«

»Vielleicht ist das richtig.«

»Aber zum Henker, hier hat mich noch keiner gefragt, wieviel wir beitragen werden, wie soll das also möglich sein? Aber was immer der Grund ist, die Gutsbesitzer in Kabin werden überzeugt sein, daß ich sie auf die eine oder andere Weise im Stich gelassen habe – daß ich mich falsch verhalten habe, so ist es –, und nun soll ich durch jemanden ersetzt werden, der nicht einmal ein Einheimischer ist und der sie skrupellos rupfen wird. Wer wird mir glauben, wenn ich erzähle, daß ich keine Ahnung habe, warum die Ernennung nicht bestätigt wurde? Ich kann noch von Glück sagen, wenn mir niemand nach dem Leben trachtet. Nicht daß mich das besonders stören würde. Kennst du einen besseren Weg, um jemanden wirklich zornig zu machen, als ihm etwas zu versprechen und es ihm dann fortzunehmen?«

»Auf Anhieb nicht. Aber mein lieber Mollo, was hast du erwartet, als du dich mit dieser Bande, den Bärenjungs, einließest? Es wundert mich, daß du nicht von Anfang an mit dieser Möglichkeit gerechnet hast.«

»Aber hast nicht auch *du* dich mit ihnen eingelassen?«

»Keineswegs – eher das Gegenteil. Damals, als sie plötzlich über eine verblüffte Welt hereinbrachen, war ich schon Statthalter von Sarkid, und als sie kamen, unterzogen sie mich einer gründlichen Prüfung und beschlossen daraufhin, mich auf meinem Posten zu belassen; ob das klug war, bleibt allerdings noch abzuwarten. Aber zu ihnen zu gehen, wie du es tatest, mit der Mütze in der Hand und sie geradezu um eine nette, einträgliche Anstellung zu bitten, ihnen praktisch deine Hilfe für die Niederwerfung Santils und die Förderung des Sklavenhandels anzubieten . . . Und überdies sind sie so entsetzlich langweilig. Weißt du, gestern abend habe ich mich in der Stadt nach dem Schauspiel erkundigt. ›Ah nein‹, sagt mir der alte Knabe, den ich fragte, ›das alles wurde jetzt für die Kriegsdauer abgestellt. Man sagt uns, es wäre dafür kein Geld vorhanden, aber wir sind sicher, es ist, weil die Ortelganer das Schauspiel nicht verstehen und weil es zum Crankult gehörte.‹ Als er mir das sagte, war ich wirklich höchst verdrossen.«

»Tatsache ist aber doch, Elleroth, daß deine Stellung als Statthalter von Sarkid in Shardiks Namen bestätigt wurde. Das kannst du nicht leugnen.«

»Das leugne ich auch nicht, lieber Freund.«

»Ist denn der Sklavenhandel unter Shardik besser als vor zehn Jahren, zur Zeit, als wir beide an Santils Seite kämpften?«

»Sollte das eine ernstgemeinte Frage sein, so verdient sie doch bestimmt keine ernste Antwort. Aber weißt du, ich bin kein Menschenbeglücker – bloß ein Gutsbesitzer, der ein leidlich friedliches Leben führen und genug verdienen will, um davon zu leben. Es ist furchtbar schwierig, die Leute dazu zu bringen, ihre Befriedigung in ordentlicher Arbeit zu finden, wenn sie glauben, daß sie oder ihre Kinder vielleicht in ein Sklavenkontingent gepreßt werden könnten. Es scheint sie erstaunlicherweise zu beunruhigen. Das schlimme an der Sklaverei ist, daß sie eine so kurzsichtige Politik darstellt – ein schlechtes Geschäft. Aber man kann doch schwerlich so weit gehen, seinen angestammten Besitz aufzugeben, nur weil ein zweifelhafter Bär sich um die Ecke eingemietet hat.«

»Aber warum bist du wirklich persönlich für die Angelegenheiten des Bären hierhergekommen?«

»Vielleicht ebenso wie du, um für meine Provinz ein möglichst gutes Abkommen zu erzielen.«

»Kabin liegt im Norden; es muß bei Bekla bleiben. Lapan aber ist eine Südprovinz – eine umstrittene Provinz. Du könntest dich offen für Erketlis erklären – abfallen und halb Lapan mitnehmen.«

»Mein Gott, ja, das könnte ich. Warum habe ich daran noch nie gedacht?«

»Gut, du machst dich über die Sache lustig, aber ich finde sie nicht so amüsant, kann ich dir sagen. Was mich stört, ist nicht der Verlust des Gouverneurpostens, aber ich kann es nur schwer vertragen, daß man mich vor allen, die ich seit meiner Jugend kenne, als Narren hingestellt hat. Kannst du dir das nicht vorstellen? ›Da kommt er, seht doch; hat gemeint, er wird Gouverneur und wird über uns alle befehlen. Jetzt kommt er heim mit eingezogenem Schwanz, so ist das. Oh, guten Morgen, Herr Mollo, schönes Wetter, nicht wahr?‹ Wie kann ich jetzt auf mein Gut zurückkehren? Ich sage dir, ich würde alles tun, um diesen verdammten Ortelganern zu schaden. Und was immer ich tue, sie verdienen es, wenn sie ein Reich nicht besser zu regieren verstehen. Ich bin wie du – gegen üble Geschäftsmethoden.«

»Meinst du, was du da sagst, im Ernst, Mollo?«

»Ja, darauf kannst du Gift nehmen. Ich würde alles mögliche riskieren, um ihnen zu schaden.«

»In diesem Fall – ach, wir wollen hinausgehen und einen netten, einsamen Ort aufsuchen, ohne Wände oder Büsche – was für ein schöner Morgen! Weißt du, jedesmal, wenn ich den Palast der Barone sehe, scheint er mir etwas Frisches, Ursprüngliches und herrlich Unortelganisches auszudrücken – wo war ich? – ach ja: in diesem Fall könnte ich dich vielleicht Schritt für Schritt zum Gipfel bebender Erregung emporführen – oder so ähnlich.«

»Was meinst du damit?«

»Ja weißt du, leider bin ich nicht der brave, schlichte Bursche, für den du mich hältst. Unter diesem sauberen Äußeren schlägt ein Herz, so schwarz wie ein Kakerlak und zumindest halb so tapfer.«

»Du möchtest mir offensichtlich etwas anvertrauen. Sag es mir offen – ich werde so verschwiegen sein, wie du es wünschst.«

»Vielleicht tu ich es. Nun denn, du mußt wissen, daß ich einmal, vor etwa fünf Jahren, als Santil auf seinem Marsch von Bekla nach Ikat durch Sarkid kam, von dem närrischen Wunsch erfaßt wurde, mich ihm mit einigen meiner Leute anzuschließen.«

»Ich staune, daß du es nicht getan hast. Wahrscheinlich widerstrebte dir die Vorstellung, dein Gut und alles übrige zu verlieren.«

»Ach ja, es widerstrebte mir, es irritierte mich eigentlich dauernd. Ich war schon fast soweit, daß ich fort wollte, als Santil mich aufsuchte. Ja – zu Beginn eines verzweifelten Feldzugs, bei dem alles organisiert werden und Ikat in eine militärische Versorgungsbasis umgewandelt werden mußte, fand dieser hervorragende Mann Zeit, dreißig Kilometer weit zu mir zu kommen, um mit mir zu sprechen, und dann nachts zurückzukehren. Er wußte wohl, daß ich keinem anderen gehorcht hätte.«

»Du hast ihm *gehorcht*? Was hatte er zu sagen?«

»Er wünschte, ich solle auf meinem Posten bleiben und eine überzeugende Darstellung wohlwollender Neutralität gegenüber Bekla geben. Er glaubte, wenn das geschickt durchgeführt würde, wäre ich für ihn nützlicher, als wenn Sarkid der Kontrolle eines vom Feind ernannten Gouverneurs unterstellt würde. Er hatte natürlich durchaus recht. Mir gefiel es gar nicht, daß die Leute glaubten, ich hätte mich entschlossen, nicht zu kämpfen, aber die Vorteile für Santil waren größer als irgend etwas, das er erwarten konnte, wenn ich mich mit Kampfgeschrei auf einen Ortelganer Speerträger stürzte. Santil erfährt eine Menge über die Bewegungen von Herrn Ged-la-Dan und dem anderen Mann, Zelda; und die erleben allerlei Unbill, sooft sie in der Nähe von Sarkid operieren. Weißt du – es verschwinden Kuriere, merkwürdige Unfälle ereignen sich, requirierter Proviant scheint der Mannschaft nicht zuträglich zu sein und dergleichen. Alle möglichen kleinen Streiche. Ich glaube wirklich, ohne Sarkid wäre Santils Westflanke längst umgangen worden, und er hätte Ikat nie halten können. Aber die Sache erfordert wirklich eine sehr behutsame Behandlung. Ged-la-Dan ist ein harter, schwieriger Gegner, und ich hatte große Mühe, ihn zu überzeugen, daß er mir lieber ist als die andere Seite. Seit Jahren lasse ich ihn bei der Überzeugung, daß es für ihn alles in allem und wegen meines lokalen Einflusses und meiner Kenntnisse besser ist, mich zu behalten, als jemand anders an meine Stelle zu setzen. Er ahnt nicht, daß ich aus Hang zu Unfug dann und wann seine Treppe mit Fett beschmiere.«

»Ich verstehe; und ich hätte es eigentlich erraten können.«

»Das nächste ist nun erst richtig sensationell. Dein Pulsschlag wird auf tausend – nun, sagen wir auf fünfhundert steigen. Vor ungefähr einem Monat machte mir Santil wieder einen nächtlichen Besuch, als Weinhändler verkleidet übrigens. Und er sagte mir, daß er in diesem Frühjahr zum erstenmal stark genug sei, um Ikat zu halten und zugleich einen mächtigen Angriff nach Norden auszuführen. Tatsächlich hat er vielleicht bereits einen Marsch begonnen, der ihn bis in das Gebiet nördlich von Bekla führen wird.«

»Nicht *nach* Bekla?«

»Das hängt von der Unterstützung ab, die ihm zuteil wird. Anfänglich wird er wahrscheinlich keinen Angriff gegen Bekla versuchen, sondern nur nach Norden marschieren und abwarten, ob es Provinzen gibt, die sich für ihn erheben. Er könnte natürlich auf eine gute Gelegenheit stoßen, um eine ortelganische Armee zu besiegen, und in dem Fall würde er sich das nicht entgehen lassen.«

»Und welche Rolle spielst du dabei? Denn offenbar spielst du eine.«

»Nun, ehrlich gestanden, stelle ich die verächtliche Figur eines Geheimagenten dar.«

»Was du nicht sagst!«

»Ich könnte es jedenfalls zur gegebenen Zeit sein. Es läßt sich zum Beispiel denken, daß diese abergläubischen Kerle in höchste Verwirrung geraten würden, wenn gerade zu Beginn von Santils Angriff etwas wirklich Schlimmes vorfiele. Das glaubt jedenfalls Santil. Deshalb kam ich als Delegierter zur Ratssitzung.«

»Aber was hast du vor? Und wann?«

»Ich glaube, etwas Verwegenes wäre das richtige. Ich hatte an die Möglichkeit gedacht, den König oder einen der Generäle auszuschalten, aber ich glaube, das ist undurchführbar. Gestern nachmittag ließ ich mir, da ich unbewaffnet war, eine recht gute Chance entgehen, und ich bezweifle, daß sich noch eine andere bieten wird. Aber ich habe mir etwas überlegt. Die Zerstörung des Königlichen Hauses und der Tod des Bären selbst – *das* würde eine katastrophale Wirkung haben. Es könnte tatsächlich, wenn die Nachricht bei der Armee eintrifft, schwer ins Gewicht fallen.«

»Aber das ist undurchführbar, Elleroth. Das würde uns nie gelingen.«

»Mit deiner Hilfe vielleicht doch, glaube ich. Ich habe vor, das Dach über dem Haus des Königs in Brand zu stecken.«

»Aber das Haus ist doch aus Stein!«

»Die Dächer, mein lieber Mollo? Dächer sind aus Holz. Du kannst eine Halle von dieser Größe nicht mit Stein überdecken. Es muß Balken und Sparren geben, welche die Ziegel tragen. Sieh doch selbst: dort am anderen Ende ist sogar Dachstroh – du kannst es von hier aus sehen. Ein Feuer müßte da gute Arbeit leisten, wenn es nur ein wenig Zeit hätte, sich zu entwickeln.«

»Es würde sofort entdeckt werden – und übrigens wird das Haus bewacht sein. Wie willst du mit einer Fackel oder was du sonst brauchst auf das Dach klettern? Man würde dich aufhalten, bevor du auch nur in die Nähe kommst.«

»Ach, da eben wirst *du* so unschätzbar wertvoll sein. Hör zu. Zufällig findet heute abend das Frühjahrsfest der Sonnwendfeuer statt. Hast du es noch nie gesehen? Bei Einbruch der Nacht werden sämtliche Lichter in der Stadt gelöscht, bis völlige Dunkelheit herrscht. Dann wird das neue Feuer entzündet, und jeder Bewohner entzündet daran eine Fackel. Daraufhin gerät die ganze Stadt außer sich. Auf jedem erreichbaren Dach wird es ein loderndes Feuer oder zumindest eine brennende Fackel geben. Auf dem Hakensee findet eine Prozession statt, beleuchtete Boote, die aussehen wie feurige Drachen – sie spiegeln sich im Wasser, weißt du. Sehr hübsch. Und in der Stadt wird ein Fackelzug abgehalten – der Rauch steigt den Leuten in die Nase und blendet sie. Wenn überhaupt, wird heute abend ein Feuer auf dem Dach des Königlichen Hauses erst bemerkt werden, wenn es zu spät ist.«

»Aber sie lassen doch den Bären nicht unbewacht.«

»Natürlich nicht. Doch damit können wir fertig werden, wenn du so böse und rachedurstig bist, wie du sagst. Ich habe mir schon eine Stelle gemerkt, wo ich glaube, auf das Dach klettern zu können; und um sicherzugehen, habe ich mir für alle Fälle ein Seil und einen Enterhaken gekauft. Nach Einbruch der Dunkelheit zünden wir beide Fackeln an und begeben uns zum Fest – natürlich mit Waffen unter unseren Mänteln und ziemlich spät. Wir gehen zum Haus des Königs, und dort erledigen wir in aller Stille etwaige Wachen, die wir vorfinden. Dann klettere ich auf das Dach und stecke es in Brand. In der Halle wird höchstwahrscheinlich eine Priesterin zurückbleiben, um den Bären zu betreuen – vielleicht auch mehr als eine. Wenn die nicht zum Schweigen gebracht werden, bemerken sie das Feuer von unten. Du mußt also eindringen und wen immer du in der Halle vorfindest – beseitigen.«

»Warum gehen wir nicht einfach hinein und töten den Bären?«

»Hast du ihn schon mal gesehen? Er ist riesig, unglaublich groß. Mit dem könnte man nur mit mehreren schweren Pfeilen fertig werden. Wir haben keinen Bogen und dürfen nicht riskieren aufzufallen, indem wir versuchen, uns einen zu besorgen.«

»Wird der Bär nicht einfach, sobald das Feuer ausbricht, in die Felsenhöhle gehen?«

»Wenn er bei Einbruch der Nacht schon in der Halle ist, wird das Tor zwischen der Halle und der Höhle heruntergelassen, und er bleibt drin.«

»Mir mißfällt der Gedanke, ein Schwert gegen eine Frau zu gebrauchen – auch wenn es eine ortelganische Priesterin ist.«

»Mir auch, aber mein lieber Mollo, wir sind im Krieg. Du brauchst sie nicht unbedingt zu töten, sondern nur zu verhindern, daß sie Alarm schlägt.«

»Also angenommen, es gelingt mir. Das Dach brennt, es wird bald auf den Bären stürzen, du bist herabgeklettert und zu mir gekommen. Was tun wir dann?«

»Verschwinden wie Geister beim Hahnenschrei.«

»Aber wohin? Der einzige Zugang zur Unterstadt führt durch das Pfauentor. Wir können nicht entkommen.«

»Eigentlich haben wir eine ganz gute Chance. Santil riet mir, ich solle sie untersuchen, und das habe ich gestern nachmittag getan. Wie du weißt, führt die Stadtmauer nach Süden und umgibt den

Crandor völlig; aber hoch oben bei der Südostecke gibt es eine unbenutzte Ausfallpforte in der Mauer. Santil erzählte mir, sie sei vor langer Zeit von einem König, wahrscheinlich für einen geheimen, privaten Zweck, eingebaut worden. Gestern ging ich, wie Santil vorschlug, hinauf und sah mir die Sache an. Alles war mit Unkraut und Brombeersträuchern überwuchert, aber die Pforte war nur von innen verriegelt. Ich glaube, die hat seit Jahren niemand berührt; ich ölte die Riegel und sorgte dafür, daß sie sich öffnen läßt. Sollte inzwischen jemand hingekommen sein und gesehen haben, was ich getan habe, so wäre das Pech, aber ich bezweifle es. Beim Rückweg hatte ich eine unangenehme Begegnung, als ich den sogenannten König und General Zelda traf, aber sie kehrten bald, nachdem ich an ihnen vorbeigekommen war, wieder um. Jedenfalls ist das unsere beste Chance, und wir können nichts Besseres tun, als sie wahrnehmen. Wenn wir, ohne erwischt zu werden, bis zu den oberen Hängen jenseits des Hakensees gelangen, können wir durch diese Pforte gehen und in zwei oder drei Tagen Santils Armee erreichen. Es wird kein Verfolger schneller sein als ich, das verspreche ich dir.«

»Es ist eine schlechte Chance. Das Ganze ist äußerst riskant. Und wenn man uns gefangennimmt –«

»Nun, wenn du lieber nicht mitmachen willst, mein lieber Mollo, so sag es mir bitte. Aber du hast doch erklärt, du würdest alles wagen, um ihnen zu schaden. Was mich anlangt, so habe ich mich nicht in den letzten Jahren vor Unheil bewahrt, um dann herzukommen und nichts zu wagen. Santil wünscht einen aufsehenerregenden Schlag – ich muß versuchen, ihn zu führen.«

»Angenommen, ich hätte die Frau getötet, könnten wir dann nicht einfach in der Menge untertauchen und vorgeben, von nichts zu wissen? Es könnte uns niemand identifizieren, und das Feuer könnte durch Zufall entstanden sein – vom Wind herangeweht.«

»Wenn es dir lieber ist, kannst du es gern versuchen, aber sie finden bestimmt heraus, daß das Feuer nicht zufällig entstanden ist – ich werde ja das Dach aufreißen müssen, damit es richtig Feuer fängt. Der Verdacht wird sicher auf mich fallen – glaubst du, auf dich nicht, nach dem Motiv, das dir heute gegeben wurde? Traust du dir zu, tagelang überzeugend der Verdächtigung und den Verhören standzuhalten? Außerdem werden die Ortelganer, wenn der Bär stirbt, völlig außer sich geraten. Sie sind durchaus imstande, jeden Delegierten in der Stadt zu foltern, um ein Geständnis zu erpressen. Nein, alles in allem ist mir, glaube ich, die Ausfallpforte lieber.«

»Vielleicht hast du recht. Nun, wenn wir Erfolg haben und es uns dann gelingt, zu Erketlis zu kommen —«

»Wirst du ihn gewiß, darüber bist du dir wohl klar, nicht undankbar finden. Du wirst viel, viel mehr erreichen, als du als Gouverneur von Kabin erzielt hättest.«

»Sicher, das glaube ich. Also, wenn ich nicht zum Feigling werde oder vor Einbruch der Nacht über etwas anderes stolpere, bin ich dein Mann. Zum Glück dauert es nicht mehr lange bis dahin.«

29. Das Feuerfest

Als sich die Dämmerung über die Terrassen des Leopardenhügels senkte, begann im Westen die schon den ganzen Nachmittag sichtbar gewesene Mondsichel in einem grünen, gelb gestreiften Himmel, in dessen letztem Licht die Fledermäuse flatterten, heller zu strahlen; sie schien gegen den Hintergrund, auf dem sie sich bewegte, so zerbrechlich und schlank, daß sie fast substanzlos war, bloß eine Welle der umgebenden Luft, auf die das Licht fiel, wie Wasser über einem überschwemmten Felsen Wellen bildet. Sie wirkte klein und einsam trotz der nahen Sterne, zart und fein wie ein Grünling im Frühjahr, aufreizend wie die Unschuld eines Kindes, das allein unter Gänseblümchen auf einer sommerlichen Wiese wandert. Darunter lag die Stadt in Stille und sternenerleuchtetem Dunkel, ruhiger als um Mitternacht, alle Feuer waren gelöscht, alle Stimmen schwiegen, nicht ein Licht, das schimmerte, nicht ein Mädchen, das sang, nicht eine Flamme, die brannte, nicht ein Bettler, der um Almosen jammerte. Es war die Stunde des Löschens. Die Straßen lagen verlassen, die sandigen, bei Tagesende glattgeharkten Plätze leer, gerippt und öde wie im Wind gefrorene Teiche. Einmal brach das Heulen eines Hundes in der Ferne jäh ab, als wäre er plötzlich geängstigt worden. Endlich wurde die Nacht im matten Mondschein so still, daß das Weinen eines Knaben in einer Baracke auf dem Sklavenmarkt bis zum Pfauentor hörbar war, wo eine einzelne Wache mit verschränkten Armen im Dunkel stand, der Speer lehnte hinter ihm an der Mauer. Über dieser erwartungsvollen Stille bewegte sich, lautlos wie

die Frühlingsfelder vor der Stadt, die fahle Lichtsichel langsam weiter. Gleich einem, der zu einer dunklen Bestimmung reisen muß und
nur weiß, daß sie seiner Jugend ein Ende setzen und sein Leben un-
vorhersehbar verändern wird.

Hoch oben auf dem Schlangenturm stand Sheldra, zum Schutz
gegen die Nachtluft in einen Mantel gehüllt, starrte nach Westen
und wartete, bis das untere Ende der Mondsichel mit der Spitze des
Brambaturmes gegenüber in eine Linie kam. Als es endlich soweit
war, wurde die meilenweite Stille durch ihren langgezogenen, heu-
lenden Schrei unterbrochen: »Shardik! Unseres Herrn Shardiks
Feuer!« Gleich darauf sprang eine streifige, trübe Feuerzunge die
zehn Meter des mit Pech bestrichenen, auf dem Palastdach aufge-
stellten Fichtenstammes empor und erschien unten in der Stadt als
Feuersäule am südlichen Himmel. Von den Mauern, welche die
obere von der Unterstadt trennten, wurde der Bereitschaftsruf der
Priesterin beantwortet und wiederholt, als fünf ähnliche, doch kleinere Flammen hintereinander von den Dächern der in gleichem Abstand stehenden Wachttürme emporstiegen wie Schlangen aus ihren
Körben auf die Pfeifentöne ihres Beschwörers. Dann folgten aus der
Unterstadt in bestimmter Ordnung die verschiedenen Flammen der
Tore und Türme – das Blaue Tor, das Lilientor, die großen Uhren-
türme, der Sel-Dolad-Turm, der Waisenturm und der Blätterturm.
Jede Flamme zischte so schnell, wie ein Turner am Seil hochklettert,
in die Nacht empor, und die Baumstämme brannten in langen, lodernden Flammen, das Feuer an ihren Seiten wogte wie Wasser. So
zeigten sie eine Weile allein die Länge und Breite der Stadt an,
die auf der Ebene lag wie ein großes, unter dem steilen Abhang des
Crandor verankertes Floß. Und während sie brannten und nur ihr
Knistern die nach dem Verklingen der Rufe aus den Türmen wieder-
gekehrte Stille störte, begannen sich die Straßen mit immer mehr
Menschen zu füllen, die aus ihren Häusern kamen; manche standen
bloß im Dunkel wie die Wachen, andere nahmen langsam, aber zielbewußt ihren Weg zum Karawanenmarkt. Bald waren dort viele
versammelt, alle schwiegen, alle warteten geduldig in dem von Flammen durchzogenen Dämmerlicht des untergehenden Mondes, das
beinahe zu schwach war, als daß man seinen Nachbarn hätte erkennen können.

Dann erschien weit entfernt, in der Richtung des Leopardenhügels, die Flamme einer einzelnen Fackel. Sie bewegte sich rasch,

hüpfte auf und nieder, strich bergab über die Terrassen zum Hakensee, durch die Gärten und zum Pfauentor, das offenstand für den
Läufer, der in die Straße der Waffenschmiede und von dort hinunter
zum Markt und auf die ehrfurchtsvoll wartende Menge zukam. Wie
viele waren dort versammelt? Hunderte, Tausende. Sehr viele Männer und auch einige Frauen, alles Haushaltsvorstände; Richter und
Zivilbeamte, fremde Kaufleute, Warenkontrolleure, Baumeister
und Zimmerleute, die angesehene Witwe neben der Tante vom
Freudenhaus, grobhändige Schuster, Sattler und Weber, die Wirte
der Herbergen für Wanderarbeiter, der Wirt des »Grünen Hains«,
der Herbergswächter der Provinzkuriere und viele, viele andere
standen Schulter an Schulter schweigend dort; ihr einziges Licht war
der ferne Schein der hohen Flammen, von denen sie aus ihren Häusern getrieben worden waren. Jeder trug eine nicht entzündete Fak-
kel, die sollte als Gottesgeschenk den Segen des erneuerten Feuers
holen. Der Läufer, ein junger Offizier von Ged-la-Dans Garde, der
in Anerkennung seines tapferen Verhaltens in Lapan diese ehren-
volle Aufgabe erhalten hatte, trug seine an dem neuen Feuer auf
dem Palastdach entzündete Fackel zum Sockel der Großen Waage,
blieb schließlich dort stumm und lächelnd stehen, wartete ein wenig,
um sich zu sammeln und sich seiner Wirkung zu vergewissern, dann
hielt er die Flamme dem ihm am nächsten stehenden Bittsteller entgegen, einem alten, auf einen Stock gestützten Mann in geflicktem,
grünem Mantel.

»Gelobt sei das Feuer!« rief der Offizier mit über den Platz hal-
lender Stimme.

»Gelobt sei unser Herr Shardik!« antwortete der alte Mann bebend und entzündete dabei seine Fackel an der anderen.

Nun trat eine gutaussehende Frau mittleren Alters vor, die in
einer Hand ihre Fackel und in der anderen einen gelb gefärbten Stab
trug, zum Zeichen, daß sie in Vertretung ihres Mannes kam, der an
der Front war. Es gab viele solcher Frauen in der Menge.

»Gelobt sei das Feuer!« rief der junge Offizier wieder, und »Gelobt sei unser Herr Shardik!« antwortete sie, ihm lächelnd ins Auge
blickend, als wollte sie sagen: »Und gelobt seist du, prächtiger junger Mann!« Sie hielt ihre entzündete Fackel hoch und machte sich
auf den Heimweg, während ein grober, schwerfällig gebauter Mann,
der wie ein Viehtreiber gekleidet war, an ihre Stelle vor den Sockel
trat.

Es gab kein Drängen und kein Hasten, sondern es wurde eine Fackel nach der anderen ruhig und mit heiterer Feierlichkeit entzündet. Niemand durfte sprechen, ehe ihm das geschenkte Feuer zuteil geworden war. Nicht alle warteten ab, bis sie das Feuer von der Fackel selbst erhielten, die vom Palast gebracht worden war. Viele nahmen es ungeduldig von denen, die sich über den Platz entfernten, bis von allen Seiten die frohen Rufe »Gelobt sei das Feuer!« und »Gelobt sei unser Herr Shardik!« ertönten. Allmählich erstrahlte der Stadtplatz an immer mehr Stellen im Licht, das sich wie Funken an der Rückseite eines Herdes oder an der Oberfläche eines glimmenden Stammes ausbreitete. Bald strömten die lodernden, tanzenden Flammen in alle Richtungen durch die Straßen, gelöste Zungen plapperten wie Vögel beim ersten Tageslicht, und die neu entzündeten Lampen leuchteten der Reihe nach in den Fenstern wieder auf. Dann begannen auf den Dächern allenthalben in der Stadt kleinere Feuer zu brennen. Manche waren Pfosten wie die, die an den Toren und Türmen bereits angezündet worden waren, andere Becken mit Holz oder hellere Feuer von duftendem Gummi und mit Weihrauch bestreuter Kohle. Man begann zu schmausen und zu musizieren, in den Tavernen wurde getrunken, auf den Plätzen getanzt. Überall offenbarte das nächtliche Geschenk von Licht und Wärme die Macht über Kälte und Dunkelheit, die dem Menschen, und nur ihm allein, von Gott geschenkt wurde.

Neben dem Hakensee, in der Oberstadt über dem Pfauentor, war ein anderer, ernsterer Bote mit seiner Fackel eingetroffen – kein anderer als General Zelda in voller Rüstung, auf der sich das rauchige Licht matt spiegelte, als er zu den ans Ufer schlagenden Wellen schritt. Auch hier warteten Bittsteller, aber weniger zahlreich und weniger inbrünstig, deren Gefühle durch jene Gleichgültigkeit und befangene Zurückhaltung verändert wurden, welche die Adeligen, Reichen oder Mächtigen kennzeichnet, wenn sie an volkstümlichen Bräuchen teilnehmen. Zeldas beschwörendes »Gelobt sei das Feuer!« wurde zwar mit erhobener Stimme, aber in förmlichem, gemessenem Ton gesprochen, während das antwortende »Gelobt sei unser Herr Shardik!«, obgleich aufrichtig hervorgebracht, den herzlichen Ton der Blumenmädchen und Marktträger in der Unterstadt vermissen ließ, mit dem zwei Stunden der Dunkelheit und des Schweigens durch die Worte beendet wurden, die eine der großen Lustbarkeiten des Jahres einleiteten.

Auf der obersten Terrasse des Leopardenhügels stand erwartungsvoll, in Safrangelb und Scharlachrot gekleidet, Kelderek, umgeben von Shardiks Priesterinnen, und blickte auf die Stadt hinunter; die Fackeln verteilten sich durch die Straßen wie Wasser, das aus einer Schleuse in trockene Bewässerungskanäle fließt; die vielgestaltigen Türen und Fenster tauchten aus dem Dunkel ins Licht, wie zum Leben erweckt durch die neuen, in ihnen entzündeten Feuer; und in der Nähe wurden die Flammenlinien länger, streckten sich weiter entlang der Ufer des Hakensees. So kann man manchmal beobachten, wie eine Nachricht sich durch eine Menschenmenge, Wind über eine staubige Ebene oder die Strahlen der aufgehenden Sonne sich auf dem Westhang über einem Tal verbreiten. Rund um Kelderek brannten in prächtig geheimnisvollen Flammen die für das Feuerfest vorbereiteten Salze, Gummis und Öle – eisvogelblau, zinnoberrot, violett, zitronengelb und matt meergrün –, jedes durchscheinende, lohende Feuer wurde in einer Bronzeschüssel auf Stangen zwischen den Schultern zweier Frauen getragen. Die gongartigen Glocken der Palasttürme läuteten, und ihre schwingenden Harmonien erzitterten über der Stadt, entschwanden und kehrten wieder wie Wellen an eine Küste. Er sah, wie die schmale Sichel des zunehmenden Mondes endlich unter dem westlichen Horizont verschwand und auf dem See die gleitende Gestalt eines großen Drachen erschien, ein ganz aus Feuer bestehendes grinsendes Ungeheuer mit grünen Augen und Klauen, dessen Maul eine weiße Rauchfahne entströmte, die hinter ihm herzog, während er voranglitt. Es ertönten bewundernde, erregte Rufe, Schlachtrufe junger Leute und die konventionellen Jagdrufe. Als dann der Drache die Seemitte erreicht hatte, erhob sich am gegenüberliegenden Ufer eine andere feurige Gestalt auf die Hinterbeine; sie war an die zehn Meter hoch, hatte runde Ohren, eine lange Schnauze und erhob knurrend eine klauenbewehrte Vordertatze. Als die Rufe »Shardik! Unseres Herrn Shardiks Feuer!« immer lauter wurden und von den Gartenmauern widerhallten, erschien im Maul des Bären die Gestalt eines nackten Mannes mit einer Fackel in jeder Hand. Er zögerte einen Augenblick auf der hohen, erleuchteten Plattform, dann sprang er hinaus ins Wasser. An seinen Schultern war ein langer, geteerter Leinwandstreifen befestigt, der sich brennend hinter ihm entrollte, so daß es schien, als würde der Bär Feuer speien. Als der Springer unten ins Wasser tauchte, glitt er aus seinem Schultergurt und schwamm an Land. Ein zweiter folgte ihm, und nun war es die Form eines feurigen Pfeiles, die aus dem Bärenmaul ins Wasser fiel. Immer schneller kamen die Springer, so daß die flammenden Formen von Schwertern, Speeren und Äxten zwischen den Bärenzähnen hervorströmten und in den See hinunterstürzten. Als dann der rauchspeiende Drache unter der turmhohen Gestalt Shardiks heranglitt, fiel eine brennende Schlinge hinunter, welche sich um den die Drachenkehle bildenden Bug legte. Die Lichter seiner flammenden Augen erloschen, und unter Triumphgeschrei erstarb sein rauchender Atem, während er gefangen zu den Füßen des Bären schwamm.

Kelderek und sein Gefolge hatten inzwischen in langsamem Zug den Abstieg über die Terrassen begonnen. Der Gesang der Priesterinnen erhob sich um ihn, und der Klang bedrückte sein Herz, denn es war jener Wechselgesang, den er zuerst in den Wäldern des westlichen Ortelga gehört hatte. Damals hatten Rantzays und der Tuginda Stimmen einen Teil der Tonmauer gebildet, die einen hoch über der sterblichen Welt von Angst und Unwissen schwebenden geistigen Gipfel umgab. Doch sein ernstes, mageres Antlitz ließ kein äußeres Zeichen dieser Erinnerung erkennen. Seine gefalteten Hände zitterten nicht, und sein Körper bewegte sich sicher unter der schweren Kleidung dem vorbestimmten Ziel zu. Die nächtlichen, in der Luft des beginnenden Frühjahrs schwachen und vergänglichen Pflanzengerüche vermengten sich mit den Harzdüften der farbenfrohen Feuer und dem in der Brise dahintreibenden Fackelrauch; dadurch vielleicht und durch sein Fasten seit Sonnenaufgang, durch seine Erinnerungen und den Gesang benebelt, wähnte er, daß zuerst eine und dann eine zweite Begleiterin neben ihm zu dem von Fackeln erleuchteten Garten und dem See mit dem widergespiegelten Drachen gingen: ein dunkles Mädchen mit einem breiten goldenen Halsband, das lachte und die Spitze eines Pfeiles in ihren weißen Arm stach, bevor sie ihm ihr vor Angst bleiches Gesicht zuwandte; eine große, hagere, erschöpft an einem Stock hinkende Frau, deren verschwitzte Hände eine Schachtel hielten mit in Moos gepackten Blasen – und eine alte, rotäugige Hexe, die in dreckigen Lumpen neben ihm wankte, in den Armen ein totes Kind trug und mit Worten, die er nicht verstand, um Hilfe flehte. So wirklich schien sie ihm, daß Grauen und böse Ahnung ihn überfielen, als er weitereilte. »Shardik«, betete er, »*senandril,* Shardik, mein Herr. Nimm mein Leben hin. Erlöse die Welt und beginne mit mir!«

Und nun ist er zum Garten gelangt, wo die Herren und Damen vor ihm zurückweichen und die Barone zur Begrüßung der von Gott dem Priesterkönig anvertrauten Macht ihre Schwerter heben. Der Gesang der Priesterinnen verstummt, die Kupferglocken schweigen, der feurige Bär und der Drache haben ihren Streit beendet und brennen nur mehr schwach, ohne daß jemand zusieht. Die Menge an den Ufern schreit und jubelt nicht mehr, so daß der ferne Lärm des Tumultes aus der Unterstadt über die Mauern heraufdringt. Der Priesterkönig schreitet allein vor den Augen bewaffneter Barone und der Abgesandten seiner Vasallenprovinzen zum Rand eines tiefen Küstenteichs – des Lichtteichs. Dort muß er, ohne irgendwelche Hilfe, sich seiner schweren Kleider und der Krone entledigen und, nackt in der scharfen Nachtluft stehend, seine Füße in Bleisandalen schieben, die für ihn vorbereitet am Rande stehen. Unter ihm brennt, tief unten im Teich, umgeben von Dunkel und Wasser, ein einzelnes Licht – ein in einer hohlen Kristallkugel, die an einem Felsen befestigt ist, verschlossenes Licht, das von Luft umfächelt wird und seine Wärme und den Rauch durch verborgene Öffnungen abgibt. Das ist Fleitils Feuer, vor langer Zeit zur Verehrung Crans erdacht, nun aber ein Teil von Shardiks Feuerfest. Der König muß über die Stufen in das Wasser hinuntersteigen, seine bleibeschwerten Füße tragen ihn zum Boden des Teiches, und von dort löst er sich und steigt mit der lichten Wunderkugel nach oben. Er ist schon vorgetreten, mit beschwerten Füßen nach jeder Stufe tastend und langsam niedersteigend in einer Stille, die nur von den an seine Knie, seine Hüften, seinen Hals schlagenden Wellen unterbrochen wird.

Doch horch! Ein grauenvoller Ton, der die ehrfürchtige Stille der ortelganischen Krieger und der beklanischen Barone zerreißt, der wie ein Schwert den überfüllten Garten und den leeren See durchschneidet! Man dreht sich um, Stimmen werden laut. Einen Augenblick herrscht Stille, dann ertönt es wieder – das Brüllen eines großen Tieres in Wut, Angst und Schmerz: so laut, so heftig und wild, daß die Frauen sich in die Arme ihrer Männer verkrallen, wie beim Getöse von Donner oder Kampf; Knaben heucheln Gleichgültigkeit, ohne ihre unwillkürliche Angst ganz verbergen zu können. Die nächst dem König bei den Stufen wartende Sheldra dreht sich um und steht gespannt, hebt zum Schutz gegen den Fackelschein eine Hand an die Augen und versucht, über den Garten zum dunklen Umriß des dahinterliegenden Königshauses zu blicken. Das Brüllen verstummt, ihm folgen schwere, dumpf vibrierende Schläge, als ob ein weicher, aber massiver Gegenstand gegen die Mauer dieses höhlenartigen, hallenden Gebäudes schlüge.

Kelderek, der schon Luft geholt hatte, um unterzutauchen und von der untersten Stufe zum Teichboden zu schwimmen, stieß einen unartikulierten Schrei aus und entledigte sich seiner beschwerten Sandalen. Er öffnete die Schnallen, stieg aus dem Wasser und stand triefend auf dem gepflasterten Rand. Das Murmeln rund um ihn wurde lauter, unfreundlich und angstvoll. »Was ist geschehen?« »Was hat er vor?« »Abbrechen – das bringt Unglück!« »Eine verhängnisvolle Handlung – die bringt nichts Gutes!« »Frevel!« In der Menge weinte eine Frau mit nervösem, ängstlichem Schluchzen.

Kelderek kümmerte sich nicht darum. Er bückte sich, als wollte er die zu seinen Füßen liegenden steifen, schweren Gewänder wieder anlegen. In seiner Hast verhaspelten sich seine Hände mit den Verschlüssen, das Gewand fiel zu Boden, er ließ es liegen und drängte sich, nackt wie er war, durch die ihn umgebende Gruppe der Priesterinnen. Sheldra legte die Hand auf seinen Arm:

»Herr –«

»Aus dem Weg!« rief Kelderek und stieß sie zur Seite.

»Was gibt es, Kelderek?« fragte Zelda, trat heran und sagte schnell und leise an seiner Schulter: »Mach keinen Unsinn, Mann! Was hast du vor?«

»Shardik! Shardik!« schrie Kelderek. »Folgt mir, um Himmels willen!«

Er lief los, Zweige und Steine stachen in seine bloßen Füße. Blutend schob und zwängte er seinen nackten Körper zwischen Männern in Rüstung und quietschenden, entrüsteten Frauen hindurch, deren Broschen und Gürtelschnallen ihm die Haut zerkratzten. Ein Mann versuchte, ihm den Weg zu verstellen, und er schlug ihn mit einem Fausthieb nieder. Er schrie wieder: »Shardik! Aus dem Weg!«

»Halt! Komm zurück!« rief Zelda, der ihm nachlief und ihn festzuhalten versuchte. »Der Bär hat nur Angst vor dem Feuer, Kelderek! Der Lärm und der Rauchgeruch bringen ihn außer sich! Hör auf mit diesem Frevel! Haltet ihn auf!« schrie er einer Gruppe von Offizieren etwas weiter vorne zu.

Sie starrten unentschlossen, und Kelderek drängte sich durch sie hindurch, stolperte und stürzte, erhob sich und rannte wieder vorwärts; sein nasser Körper war von oben bis unten mit Schmutz, Blut und Blättern aus dem Garten beschmiert. Er rannte weiter, grotesk anzusehen, so schmutzig und würdelos wie ein armer Tropf, der in der Kaserne Zielscheibe des Spotts ist, von seinen flegelhaften Kameraden zu ihrem gemeinen Spaß entkleidet, geschlagen und gejagt; er achtete auf nichts anderes mehr als auf den Lärm aus der Halle, die nun vor ihm lag. Als er die Terrasse erreichte, auf die er am Vortag zu Zelda gekommen war, blieb er stehen und wandte sich an die hinter ihm Kommenden.

»Das Dach! Das Dach brennt! Steigt hinauf und löscht das Feuer!«

»Er ist nicht bei Trost!« rief Zelda. »Kelderek, du Narr, heute nacht brennt doch auf jedem Dach in Bekla ein Feuer, weißt du das nicht? Um Himmels willen –«

»Nicht dort oben! Glaubst du, ich weiß das nicht? Wo sind die Wachen? Schick sie hinauf – laß die Rückseite absuchen!«

Allein stürzte er durch den Südeingang, den Wandelgang entlang und in die Halle. Der Saal war schwach, nur von fünf oder sechs Fackeln beleuchtet, die an den verrauchten Wänden hingen. Neben den Käfigstangen in der Saalmitte lag Zilthe auf dem Bauch, ihr Kopf in einer Blutlache, die über die Steine sickerte. Vom Dach kam ein knisterndes Geräusch von brennendem Holz, und etwas Schweres bewegte sich und fiel mit berstendem Krachen um. Ein plötzlicher Flammenstoß kam und ging, Funken regneten nieder und erloschen.

Von einer Seite zur anderen schwankend wie eine Tanne, die von Holzfällern, um die Wurzeln zu lösen, geschüttelt wird, stand Shardik aufrecht am anderen Hallenende, schlug mit seinen riesigen Tatzen auf das verschlossene Tor und brüllte vor Wut und Angst, als das Feuer über ihm stärker brannte. In seinem Rücken klaffte eine Wunde von der Länge eines menschlichen Unterarms, und neben ihm lag ein blutiger Speer, der offensichtlich von einer der Rüstungen an der Wand losgerissen worden war und aus der Wunde gefallen sein mußte, als sich der Bär auf den Hinterbeinen aufrichtete.

Vor den Stangen, mit dem Rücken zu Kelderek, stand ein mit einem Bogen bewaffneter Mann. Er mußte auch den Bogen von der Wand genommen haben, denn an dessen beiden Enden hingen noch die Lederschlingen, mit denen er befestigt gewesen war. An der Bogensehne lag ein Pfeil mit schwerer Spitze, und der zweifellos mit der Waffe nicht vertraute Mann versuchte ungeschickt, sie zu spannen. Nackt und unbewaffnet wie er war, stürzte Kelderek vor. Der Mann drehte sich um, duckte schnell ab, zog seinen Dolch und stach Kelderek in die linke Schulter. Im nächsten Augenblick warf sich Kelderek auf ihn, biß, stieß und kratzte und warf ihn zu Boden. Er spürte die Wunden nicht, die ihm zugefügt wurden, auch nicht den Schmerz in seinen Daumen, die er, fast bis zum Zerbrechen, in die Kehle des Mannes bohrte, und schlug dessen Hinterkopf gegen den Fußboden. Er versenkte seine Zähne in ihn wie ein wildes Tier, ließ ihn einen Augenblick los, um ihn zu schlagen, faßte ihn wieder und schüttelte ihn, wie ein wilder Wachhund einen Räuber schüttelt, den er im Haus seines Herrn ertappt hat.

Als Zelda und seine Begleiter in die Halle kamen, trugen sie die Leiche eines Wachtpostens und brachten als Gefangenen Elleroth, den Statthalter von Sarkid und Abgesandten von Lapan, den sie überwältigt hatten, als er vom Dach herabgeklettert kam; sie fanden den König, von Kopf bis Fuß mit Blut und Schmutz bedeckt; er blutete aus mehreren Stichwunden und weinte, über die auf dem Boden liegende junge Priesterin gebeugt. Neben ihm lag die zerfetzte Leiche Mollos, des Abgesandten von Kabin, den der König mit bloßen Händen zerrissen und totgeschlagen hatte.

30. Elleroth wird verurteilt

Erleichtert wie ein Kind, wenn Licht in das dunkle Zimmer gebracht wird, wo es angstvoll gelegen hat, erkannte Kelderek, daß er geträumt hatte. Der Knabe ängstigt sich nicht länger mit der Einbildung, daß die Eichentruhe ein geducktes Tier sei, und sieht ein, daß das groteske Gesicht, das auf ihn herunterblickt, nur ein Linienmuster im Dachsparrenwerk ist; und sofort werden andere, richtige Proportionen klar, die nicht wirklich enthüllt, aber doch eine Konsequenz des hereingebrachten Lichtes sind. Die undeutlichen Töne draußen vor dem Fenster haben sich zwar nicht geändert, sind aber nicht, wie es vorhin erschien, ein leises, böses Gelächter, sondern deutlich das Quaken von Fröschen; und ebenso wandelt sich der Geruch von frisch gesägtem Holz, von Vieh im Stall oder trocknenden Häuten, der vor kurzem noch so bedrohlich, der schiere Geruch der Angst war, in seiner Wirkung, sobald er sich mit vertrauten Menschen und taghellen Dingen verbindet. Aber mit diesen Dingen kehren sehr bald die Schatten wieder, die sie werfen. Wird der Knabe gescholten werden, weil er aus Furcht schrie? Oder hat vielleicht jemand entdeckt, daß er gestern etwas Verbotenes getan hat? Er hat nur die eine Furcht gegen eine andere eingetauscht.

In Keldereks erwachendem Bewußtsein schienen sich seine nebelhaften Gedankengänge um eine Achse zu drehen; Traum und Wirklichkeit kamen an ihren richtigen Platz, und er erkannte den wahren Aspekt und die Merkmale der Lage. Er wurde sich klar, daß er nicht zu Bel-ka-Trazet gerufen worden war – das war ein Traum –, und deshalb brauchte er gottlob nicht länger darüber nachzudenken, wie er sich am besten verteidigen sollte. Der quälende Schmerz in seinem Körper war sicher wirklich, aber nicht die Folge von Schlägen, die er von den Leuten des Großbarons erhalten hatte, sondern ein Ergebnis seines Kampfes mit dem Eindringling in der Halle. Er war schließlich nicht in Lebensgefahr, doch nun fiel ihm alles wieder ein, was er im Schlaf vergessen hatte – die Verwundung Shardiks, die brennende Halle, die auf den Steinen liegende Zilthe und seine eigenen Verletzungen. Wie lange hatte er geschlafen? Plötzlich wurde das schlaftrunkene, unkritische Fortschreiten seines Erwachens, wie eine Mauer an dem Punkt zusammenbricht, wo sie am wenigsten geschützt ist, durch das Bewußtwerden unterbrochen, daß er keine Ahnung hatte, was aus Shardik geworden war. Sofort rief er laut: »Shardik!«, schlug die Augen auf und versuchte aufzustehen.

Es war Tag, und er lag in seinem eigenen Bett. Durch das Südfenster mit der Aussicht auf den Hakensee schien eine fahle Sonne. Es war offenbar eine oder zwei Stunden nach Sonnenaufgang. Seine linke Hand war verbunden – seine Schulter auch, das spürte er, und der andere Oberschenkel. Er biß sich vor Schmerz auf die Lippe, setzte sich auf und stellte die Füße auf den Boden. In diesem Augenblick trat Sheldra ins Zimmer. »Herr –«

»Shardik, was ist aus unserem Herrn Shardik geworden?«

»General Zelda ist hier und will mit dir sprechen, Herr. Er ist in Eile, er sagt, es sei wichtig.«

Sie lief hinaus, während er noch schwach rief: »Shardik! Shardik!« Sie kam mit Zelda zurück, der in Mantel und Stiefeln reisefertig aussah.

»Shardik!« rief Kelderek und versuchte, sich zu erheben, taumelte jedoch zurück. »Ist er am Leben? Wird er am Leben bleiben?«

»Wie der Herr, so der Knecht«, antwortete Zelda lächelnd. »Shardik lebt, aber die Wunde ist tief, und er braucht jetzt unbedingt Ruhe und Pflege.«

»Wie lange habe ich geschlafen?«

»Heute ist der zweite Tag, seit du verwundet wurdest.«

»Wir haben dir ein Betäubungsmittel gegeben, Herr«, sagte Sheldra. »Die Messerklinge war in deinem Oberschenkel abgebrochen, aber wir konnten sie herausziehen.«

»Zilthe? Was geschah mit Zilthe?«

»Sie lebt, aber ihr Gehirn ist beschädigt. Sie versucht zu sprechen, findet aber keine Worte. Es wird lange dauern, bis sie, falls überhaupt, wieder unserem Herrn Shardik dienen kann.«

Kelderek stützte den Kopf auf seine Hände und dachte schmerzerfüllt an das quecksilbrige Mädchen, das ihn einmal irrtümlich für das Wild gehalten und ihm einen Pfeil zwischen Arm und Leib gejagt hatte; das Mädchen, das allein im schwindenden Mondlicht gestanden und gesehen hatte, wie Shardik auf der Gelter Straße den verräterischen Boten niederschlug.

»Kelderek«, sagte Zelda, seine Gedanken unterbrechend, »du brauchst zweifellos Ruhe, aber du mußt mich doch anhören, denn die Zeit drängt, und ich muß fort. Es gibt Dinge zu erledigen, aber ich muß dir die Sorge überlassen, sie anzuordnen. Es wird alles leicht gehen, denn die ganze Stadt ist begierig, nur dir zu dienen und dir zu gehorchen. Man weiß, daß du allein unseres Herrn Shardiks Leben vor den Bösewichtern gerettet hast.«

Kelderek hob den Kopf und blickte ihn schweigend an.

»Gestern bei Morgengrauen«, fuhr Zelda fort, »traf ein Bote von der Armee aus Lapan in Bekla ein. Seine Nachricht lautete, daß Santil-ke-Erketlis, nachdem er eine Streitmacht aussandte, um unsere Aufmerksamkeit durch einen vorgeblichen Angriff westlich von Ikat abzulenken, uns selbst an der Ostflanke passiert hat und durch Tonilda nach Norden marschiert.«

»Was hat er vor?«

»Das wissen wir nicht – vielleicht hat er noch keinen Plan, es sei denn, Unterstützung in den Ostprovinzen zu suchen. Wahrscheinlich wird er aber, je nach der Unterstützung, die er erhält, sein Ziel einrichten. Wir müssen ihm folgen und versuchen, ihn aufzuhalten, das ist sicher. Ein General wie Erketlis wird keinen Marsch beginnen, wenn er nicht sicher ist, etwas damit erreichen zu können. Gedla-Dan hat gestern früh Bekla verlassen. Ich blieb hier, um noch drei Kompanien aufzustellen und zusätzlichen Nachschub zu besorgen – der Stadtgouverneur wird dir die Einzelheiten mitteilen. Ich muß nun fort und nehme jeden Mann mit, den ich noch gewaltsam anwerben konnte; sie erwarten mich auf dem Karawanenmarkt, und leider ist es ein armseliger Haufen.«

»Wohin marschiert ihr?«

»Durch Tonilda nach Thettit. Unsere Armee verfolgt Erketlis nach Norden, ich muß also irgendwo zwischen hier und Thettit auf ihre Marschlinie treffen. Leider ist Erketlis ein so überraschender Zug gelungen – er muß ihnen fast zwei Tagesmärsche voraus sein.«

»Ich wünschte, ich könnte mit dir kommen.«

»Ich wünschte es auch. Walte Gott, daß unser Herr Shardik für eine neue Schlacht zu uns stoßen könnte! Ich sehe alles vor mir – Dunkelheit bricht ein, und Erketlis fällt unter einem Hieb seiner Tatze. Heile ihn, Kelderek, mach ihn wieder gesund, uns allen zuliebe! Ich werde dafür sorgen, daß du Nachricht erhältst – möglichst täglich.«

»Aber eines muß ich sofort erfahren. Was ist vor zwei Nächten vorgefallen? Es war doch Mollo von Kabin, nicht wahr, der unseren Herrn Shardik verwundete? Wer aber hat das Hallendach in Brand gesteckt? Und warum?«

»Das werde ich dir sagen«, antwortete Zelda, »und wir waren Narren, es nicht vorauszusehen. Es war Elleroth, der Statthalter von Sarkid; der Mann, der an uns vorbeikam, als wir damals oberhalb des Hakensees spazierengingen. Hättest du nicht so gehandelt und wärst aus dem Teich gesprungen, so wäre unser Herr Shardik durch die Hände dieses feinen Paares gestorben. Das Dach wäre auf ihn gestürzt und auf Zilthe, und beide Verräter wären entkommen.«

»Und Elleroth – ist auch er tot?«

»Nein – er wurde lebend gefangen, als er vom Dach herunterkam. Es wird deine Aufgabe sein, ihn hinrichten zu lassen.«

»Ihn hinrichten zu lassen? Ich?«

»Wer sonst? Du bist der König und Shardiks Priester.«

»Dafür habe ich nicht viel übrig, selbst wenn ich an das denke, was er zu tun versucht hat. Im Kampf zu töten und eine Hinrichtung, das sind zwei ganz verschiedene Dinge.«

»Hör mal, Kelderek, du Kinderspielfreund, wir können es uns nicht leisten, daß du zimperlich wirst. Der Mann hat einen ortelganischen Wachtposten ermordet und ein frevlerisches, unerhört sündhaftes Verbrechen versucht. Er muß natürlich vor deinen Augen und in Anwesenheit sämtlicher Barone und Provinzdelegierten in Bekla hingerichtet werden. Du mußt sogar verlangen, daß alle Ortelganer von Rang und Ansehen daran teilnehmen – es sind nur wenige in der Stadt geblieben, und die Ortelganer sollten mindestens dreimal so viele sein wie die Provinzdelegierten.«

Kelderek schwieg, blickte nach unten und zupfte an seiner Decke. Endlich fragte er, über seine Schwäche verlegen, zögernd: »Muß – muß er gefoltert werden? Verbrannt?«

Zelda wandte sich zum Fenster und blickte hinaus auf den Hakensee. Nach einer Weile sagte er: »Hier handelt es sich nicht darum, Gnade zu üben oder Rache zu nehmen, sondern bloß darum, aus politischen Gründen eine Wirkung zu erzielen. Die Menschen müssen den Mann sterben sehen und durch das, was geschieht, überzeugt werden, daß wir im Recht sind und er im Unrecht. Wenn ein Mann – sagen wir ein Räuber – hingerichtet werden soll, um die Armen und Unwissenden zu beeindrucken und vor Gesetzesbruch abzuschrecken, ist es am besten, wenn er einen grausamen Tod erleidet, denn solche Menschen haben keine Phantasie und führen selbst ein hartes, rauhes Leben. Ihnen erscheint ein schneller Tod nicht als Härte. Der Mann muß gedemütigt und seiner Würde beraubt werden, dann erst können ihre armseligen Gemüter eine Lektion begreifen. Bei Menschen der besseren Klasse liegt die Sache anders. Wenn wir einen Mann wie Elleroth von Sarkid foltern, wird sein Mut wahrscheinlich Bewunderung und Mitleid erregen, und viele der Delegierten, Männer von Rang, könnten sogar letzten Endes Verachtung für uns empfinden. Obgleich es nicht mehr als gerecht ist, daß er sterben muß, töten wir einen solchen Mann mit Bedauern – das müssen wir bekanntmachen. Es ist deine Sache, Kelderek, aber da du mich fragst, würde ich dir raten, ihn mit einem Schwert köpfen zu lassen. Bei einem Mann von Elleroths Ansehen wird es genügen, daß wir ihn überhaupt hinrichten.«

»Gut. Er wird in der Halle, in Gegenwart unseres Herrn Shardik, hingerichtet werden.«

»Noch etwas muß ich dir sagen. Das Feuer hat großen Schaden angerichtet, bevor wir es löschen konnten. Balthis sagt, das Dach ist schlimm zugerichtet, und es wird einige Zeit erfordern, es zu reparieren.«

»Kann er das am besten beurteilen? Ist kein anderer hinaufgestiegen, um es sich anzusehen?«

»Das weiß ich nicht, Kelderek. Du vergißt die Nachricht vom Krieg, die ich dir brachte. Alles geht drunter und drüber, und um diese Angelegenheit mußt du dich nun selbst kümmern. Unser Herr Shardik ist dein Geheimnis, und du hast bewiesen, daß du es verstehst. Über das Dach kann ich dir nur sagen, was mir der Mann berichtete. Ordne die Sache, wie du es für richtig hältst, nur laß Elleroth vor allen Delegierten hinrichten. Und nun leb wohl. Und behüte die Stadt so gut, wie du unseren Herrn Shardik behütet hast, dann wird vielleicht noch alles gut werden. Bete um die Niederlage von Erketlis und warte auf Nachricht.«

Er ging, und Kelderek, von Schmerzen gequält und völlig erschöpft, konnte kaum lange genug wach bleiben, bis seine Wunden frisch verbunden waren, dann schlief er wieder ein.

Am nächsten Tag machte er sich aber schon Sorgen, daß er seine Aufgabe verzögerte, die er gern bald hinter sich gehabt hätte; er schickte nach dem Stadtgouverneur und dem Kommandeur der Garnison und machte sich daran, seine Weisungen zu erteilen. Er war entschlossen, die Hinrichtung in der Halle und in Shardiks Gegenwart stattfinden zu lassen, denn er empfand es als gerecht und richtig, daß Elleroth am Schauplatz seines Verbrechens sterben sollte. Auch würde er selbst, meinte er, dort mehr als irgendwo als Shardiks Vertreter wirken, versehen mit der unerbittlichen und göttlichen Autorität, die dem Mann zukommt, der einen Adeligen und den erblichen Statthalter einer Provinz, die doppelt so groß wie Ortelga war, hinrichten ließ.

Das Hallendach war zwar, wie ihm mitgeteilt wurde, stark beschädigt und könnte erst repariert werden, wenn einige mächtige Holzbalken gebracht würden, um die beiden mittleren Dachbalken auszutauschen, aber es war doch so weit verläßlich, daß eine Versammlung ohne Gefahr abgehalten werden konnte.

»Meiner Ansicht nach, Herr«, sagte Balthis und wandte sich dabei halb dem neben ihm stehenden beklanischen Baumeister zu, dessen Einverständnis er suchte, »ist es stark genug, außer es käme zu wirklich heftiger Beanspruchung – durch Tumult, Kämpfe oder dergleichen. Das Dach ruht auf den Mauern, versteht Ihr, aber die

Dachsparren – das heißt die Querhölzer – sind durch den Brand so beschädigt, daß manche davon vielleicht starken Erschütterungen nicht standhalten könnten.«

»Wäre ein Schreien vielleicht gefährlich«, fragte Kelderek, »oder das Sträuben eines Mannes?«

»Ach nein, Herr, da müßte schon viel mehr geschehen, damit sie nachgeben. Sie würden höchstwahrscheinlich noch monatelang halten, selbst wenn die Balken nicht repariert werden; allerdings würde es durch die Löcher regnen.«

»Also gut«, sagte Kelderek, »du kannst gehen.« Er wandte sich dann an den Gouverneur und sagte: »Die Hinrichtung findet morgen früh in der Halle des Königlichen Hauses statt. Du wirst dafür sorgen, daß nicht weniger als hundertfünfzig ortelganische und beklanische Herren und Bürger anwesend sind – wenn möglich mehr. Keiner darf Waffen tragen, und die Provinzdelegierten müssen voneinander getrennt und in der Halle verteilt sein – nicht mehr als zwei Delegierte dürfen nebeneinander sitzen. Alles übrige überlasse ich dir. Sheldra wird für unseren Herrn Shardik sorgen, du triffst morgen früh mit ihr zusammen und kümmerst dich darum, daß ihre Wünsche erfüllt werden. Wenn alles zu deiner Zufriedenheit bereit ist, soll sie hierherkommen und mich rufen.«

31. Die glühende Kohle

Die Nacht war kalt, fast gab es Frost, und bald nach Mitternacht verbreitete sich ein weißlicher Nebel in der ganzen Unterstadt, der langsam höher kroch, schließlich die stillen Wasser des Hakensees bedeckte und sich um den Palast und die Oberstadt verdichtete, bis man von einem Gebäude nicht bis zum nächsten sehen konnte. Der Nebel dämpfte das Husten der Wachen und das Stampfen ihrer Füße, wenn sie sich erwärmen wollten – oder schlugen sie sich und stampften, um die dumpfe, einsame Stille zu durchbrechen, dachte Kelderek, der, in seinen Mantel gehüllt, im kalten Luftzug am Fenster seines Zimmers stand. Der Nebel zog in den Raum und erschwerte ihm das Atmen; seine Ärmel, sein Bart fühlten sich kalt und feucht an. Einmal hörte er das Flügelschlagen eines über dem Nebel schwebenden Schwanes; der rhythmische, ungehinderte

Klang erinnerte ihn an den entlegenen Telthearna. Er entschwand in der Ferne, ergreifend wie das Pfeifen eines Hirtenjungen in den Ohren eines Gefangenen. Er dachte an Elleroth, der sicher ebenso wach war wie er, und fragte sich, ob auch er die Schwäne gehört habe. Wer waren seine Wächter? Hatten sie ihm erlaubt, eine Botschaft nach Sarkid zu schicken, seine Angelegenheiten zu ordnen, einen Freund zu bestimmen, der in seinem Namen handeln sollte? Hätte er selbst sich nicht danach erkundigen – mit Elleroth sprechen sollen? Er ging zur Tür und rief: »Sheldra!« Als niemand antwortete, ging er auf den Korridor und rief nochmals.

»Ja, Herr!« antwortete das Mädchen schläfrig und kam nach einiger Zeit mit einem Licht zu ihm; ihre schlaftrunkenen Augen starrten ihn unter der Kapuze ihres Mantels an.

»Hör mich an!« sagte er. »Ich gehe zu Elleroth. Du sollst –«

Er sah den erschrockenen Blick der aus dem Schlaf Gerissenen. Sie trat einen Schritt zurück und hielt die Lampe höher. Er erkannte an ihrem Gesicht, daß er etwas Unmögliches gesagt hatte, ahnte das Kopfschütteln hinter seinem Rücken, die Vermutungen der Soldaten, die späteren Fragen Zeldas und Ged-la-Dans; die eisige Gleichgültigkeit Elleroths gegenüber der unangebrachten Fürsorge des ortelganischen Medizinmannes; das Entstehen und die Verbreitung einer auf Mißverständnis beruhenden Darstellung beim einfachen Volk.

»Nein«, sagte er, »es spielt keine Rolle. Ich wollte das gar nicht sagen – es war der Rest eines Traums. Ich wollte dich fragen, ob du unseren Herrn Shardik seit Sonnenuntergang gesehen hast.«

»Ich nicht, Herr, aber zwei von den Mädchen sind bei ihm. Soll ich hinuntergehen?«

»Nein«, sagte er. »Nein, geh wieder zu Bett. Es ist nichts. Nur der Nebel, der mich beunruhigt – ich bildete mir ein, unserem Herrn Shardik sei etwas zugestoßen.«

Sie blieb noch stehen, ihr stumpfes Gesicht zeigte ihre Verwirrung. Er wandte sich um, verließ sie und ging wieder in sein Zimmer. Die Flamme der Lampe verbreitete einen freudlosen Strahlenkranz auf dem in der Luft hängenden Nebel. Er streckte sich auf dem Bett aus und stützte den Kopf auf seinen angewinkelten Arm.

Er dachte an das viele vergossene Blut – an die Schlacht im Vorgebirge und die Schreie der Verwundeten, als die siegreichen Ortelganer sich bei Einbruch der Dunkelheit sammelten; an das Einschlagen des Tamarriktores und die darauffolgenden Stunden in Lärm und Rauch; an den Galgen auf dem Crandor und an die Schädel unten in der Halle. Es war Elleroth, einem Adeligen von fragloser Tapferkeit und Ehre, indem er all sein Streben der Aufgabe widmete, beinahe gelungen, den verwundeten Shardik zu verbrennen. Und bald, wenn er wie ein Schwein über eine Bank gelegt würde und das Blut aus seinem Hals spritzte, würden nur wenige der Anwesenden das Entsetzen und den Kummer fühlen, der für das Herz jedes Bauernkindes natürlich wäre.

Er wurde in einer Vorahnung, so vage und unbestimmt, daß er sie sich nicht zu erklären vermochte, von einer seltsamen Befürchtung erfaßt. Nein, dachte er, es konnte sich dabei nicht um eine bloße Ahnung handeln. Die schlichte Wahrheit war, daß er, bei allem Abscheu gegen Elleroths Tat, für diese kaltblütige Angelegenheit nichts übrig hatte. »Sie hätten ihn töten sollen, als er vom Dach herabkam«, sagte er laut und erschauerte in der Kälte.

Er döste zeitweise, erwachte, schlief ein und erwachte wieder. Gedanken zerflossen in Phantasien, und zwischen Träumen und Wachen stellte er sich vor, wie er durch seine Fensteröffnung wie aus der rissigen Öffnung einer Höhle trat; und als er hinausstieg, sah er wieder im Sternenlicht die zwischen den Bäumen auf Quiso bergab führenden Terrassen. Er wollte schon den steilen Abhang hinabeilen, da blieb er auf ein Geräusch hinter ihm stehen, wandte sich um und stand vor der murmelnden alten Vettel von Gelt, die sich bückte und ihm zu Füßen –

Er schrie auf und fuhr hoch. Der Nebel erfüllte noch den Raum, doch es herrschte düsteres Tageslicht, und im Korridor hörte er die Stimmen der Dienerinnen. Seine verbundenen Wunden pulsierten und schmerzten. Er rief nach Wasser, und dann kleidete er sich ohne Hilfe an, legte seine Krone und das Zepter auf dem Bett bereit und nahm Platz, um auf Sheldra zu warten.

Bald ertönten von der Terrasse Schritte und leise Stimmen. Offenbar versammelten sich Besucher der bevorstehenden Hinrichtung in der Halle. Er ging nicht hinaus, sondern blieb auf dem Bettrand sitzen und starrte vor sich hin, sein dunkles Gewand bedeckte ihn von den Schultern bis zum Fußboden. Auch Elleroth, dachte er, wartete wohl; er wußte nicht, wo, vielleicht nicht weit von ihm, vielleicht nahe genug, um die Schritte und Stimmen zu hören, die leiser wurden und der Stille wichen – einer erwartungsvollen Stille.

Als er Sheldras Schritte im Korridor hörte, erhob er sich sofort und ging zur Tür, ehe sie sie erreichen konnte. Er war sich klar, daß er vermeiden wollte, ihre Stimme hören zu müssen, diese Stimme, die nicht anders klänge, wenn sie gekommen wäre, um ihm zu berichten, daß unser Herr Shardik die Toten zum Leben erweckt und Frieden von Ikat bis zum Telthearna hergestellt habe. Als er über die Schwelle trat, wartete sie und blickte ihn ruhig an, ihr Gesicht ließ weder Furcht noch Erregung erkennen. Er nickte ernst, und sie machte wortlos kehrt, um ihm vorauszugehen. Hinter ihr warteten die anderen Frauen, deren steife Kleider den schmalen Korridor von einer Wand zur anderen ausfüllten. Er hob die Hand, um ihr Flüstern zum Schweigen zu bringen, und fragte:

»Unser Herr Shardik – wie ist seine Laune? Stört ihn die Menge?«

»Er ist unruhig, Herr, und blickt zornig um sich«, sagte eines der Mädchen.

»Er wartet ungeduldig darauf, daß sein Feind vor ihn gebracht wird«, sagte eine andere. Sie lachte kurz, verstummte aber sofort und biß sich auf die Lippe, als Kelderek den Kopf wandte und sie kühl anstarrte.

Auf sein Wort begannen sie langsam, angeführt von der Gongschlägerin, durch den Korridor zu gehen. Auf dem oberen Treppenabsatz angekommen, blickte er nach unten und sah, wie der Nebel durch die offene Tür strömte und der junge Soldat mit dem Auge auf ihn am Eingang von einem Fuß auf den anderen trat. Eines der Mädchen strauchelte und fand ihr Gleichgewicht wieder, indem sie sich mit einer Hand an der Wand abstützte. Ein Offizier erschien, blickte zu Sheldra empor, nickte und ging durch die Tür hinaus. Sie wandte den Kopf und flüsterte: »Er geht den Gefangenen holen, Herr.«

Nun betraten sie die Halle. Er hätte sie kaum wiedererkannt, so viel enger und kleiner schien sie ihm geworden zu sein. Das war nicht mehr der hallende, von Flammen erleuchtete halbdunkle Raum, wo er so viele Nächte einsam gewacht hatte und wo er sich mit bloßen Händen auf den Abgesandten aus Kabin stürzte, um ihn an seiner bösen Tat zu hindern. Die Männer standen dicht gedrängt von einer Wand zur anderen, nur ein schmaler Durchgang zwischen zwei gespannten Seilen blieb vor ihm frei. Das Gewirr von Köpfen, Kleidern, Mänteln, Rüstungen und Gesichtern wandte sich ihm zu, hin und her schwankend, da jeder über und neben seinem Nachbarn einen Blick auf den König erhaschen wollte. Über ihnen hing der Nebel in der kalten Luft wie der Rauch von Freudenfeuern. Die verkohlten, unregelmäßigen Lücken im Dach wirkten nur wie hellere Nebelflecken. Obgleich die Kleider der Zuschauer alle möglichen Farben hatten – manche waren auffallend und barbarisch wie Nomaden- oder Räubertracht –, schien ihre Lebhaftigkeit und Buntheit gleichsam verwischt wie die Farben nasser Blätter im Herbst.

Der Fußboden war mit einer Mischung aus Sand und Sägespänen bedeckt worden, so daß seine Schritte und die der hinter ihm gehenden Frauen nicht zu hören waren. In der Hallenmitte war vor den Stäben ein Platz freigelassen worden, und dort hatte man, um die Luft zu klären und zu erwärmen, ein Kohlenbecken aufgestellt. Der leichte Rauch und Dunst zog dahin und dorthin. Die Männer husteten, und die angehäufte Kohle glühte heller, wo der Luftzug sie anfachte. Neben dem Kohlenbecken stand eine schwere Bank, auf welche die drei Soldaten, die die Hinrichtung ausführen sollten, ihr Gerät gelegt hatten – ein langes Schwert mit zweihändigem Griff, einen Sack Kleie, um das Blut aufzusaugen, und drei ordentlich gefaltete Mäntel, mit denen der Kopf und der Leib bedeckt werden sollten, sobald der Schlag geführt worden war.

In der Mitte des Raumes war eine Bronzescheibe auf den Boden gelegt worden, und auf diese trat Kelderek, der Bank und den wartenden Soldaten zugewandt, mit je einer Frau zu seinen beiden Seiten. Einen Augenblick klapperten seine Zähne. Er biß sie fest aufeinander und hob den Kopf: da blickte er geradeaus in Shardiks Augen.

Der Bär erschien unwirklich, ungeheuerlich, schattenhaft in dem rauchigen, nebligen Dunkel, wie ein aus dem Feuer auftauchender und im Halbdunkel darüber düster brütender Dämon. Er war dicht an die Stangen herangekommen, stand auf den Hinterbeinen und starrte, mit den Vordertatzen auf eine der Eisenverbindungen gestützt, nach unten. Durch die Hitze und den Rauch des Kohlenbeckens gesehen, flimmerten seine Konturen geisterhaft und undeutlich. Kelderek blickte zu ihm hinauf und war einen Augenblick lang verwirrt, übermannt von jenem traumartigen Zustand, den man manchmal im Fieber erlebt, wenn die Sinne von der Größe und der Entfernung der Gegenstände getäuscht werden, so daß der Umriß einer Fliege auf einem Fensterbrett gegen das Licht wie der eines Hauses gegen den Horizont erscheint oder ein Wasserfall in der Ferne für das Rascheln von Wandbehängen oder Gardinen gehalten wird. In großer Entfernung neigte Shardik, Bär und zugleich Bergkuppe, sein göttliches Haupt, um seinen Priester wahrzunehmen, den er auf der Ebene unten als winzige Gestalt stehen sah. In dem verlorenen Blick der riesigen Augen konnte Kelderek – und er allein, so schien es, denn kein anderer regte sich oder sprach – Unruhe, Gefahr, bevorstehende Katastrophen erkennen, grimmig und unheilkündend, wie das Grollen eines lange untätig gewesenen Vulkans. Auch Mitleid sah er, mit ihm, als wäre er und nicht Elleroth das zum Knien auf der Bank verurteilte Opfer und Shardik sein ernster Richter und Henker.

»Nimm mein Leben hin, mein Herr Shardik«, sagte er laut, und als er die vertrauten Worte aussprach, erwachte er aus seiner Trance. Die Köpfe der Frauen zu beiden Seiten wandten sich ihm zu, die Illusion schwand, die Entfernung verringerte sich bis auf wenige Meter, und der Bär, doppelt so hoch wie er, ließ sich auf alle viere fallen und wanderte wieder unruhig hinter den Stangen auf und ab. Kelderek sah die noch feuchte Kruste der halb geheilten Speerwunde in seinem Rücken und hörte, wie seine Füße durch das dicke, trockene Stroh stolperten.

»Es geht ihm nicht gut«, dachte er, vergaß alles andere und wäre sogar zu ihm hingegangen, hätte nicht Sheldra eine Hand auf seinen Arm gelegt und mit den Augen nach rechts zum Eingang des Wandelganges gewiesen.

Unter regelmäßigen, leisen Trommelschlägen betraten in zwei Reihen ortelganische Soldaten die Halle, ihre Schritte auf dem Sand waren ebenso lautlos, wie es die seinen gewesen waren. Zwischen ihnen ging Elleroth, der Statthalter von Sarkid. Er war sehr bleich, seine Stirn schwitzte in der Kälte, seine Züge waren angespannt und durch Schlaflosigkeit gefurcht, aber sein Schritt war fest; und als er den Blick dahin und dorthin wandte, wußte er so zu wirken, als betrachte er die Szene in der Halle mit gleichgültiger und herablassender Miene. Hinter ihm streifte Shardik heftiger umher, mit einer rastlosen, dominierenden Wildheit, die keinem in der Halle verborgen bleiben konnte; Elleroth aber ignorierte ihn und schien sich nur für die dichtgedrängte Masse der Zuschauer zu seiner Linken zu interessieren. »Er hat sich schon überlegt, wie er seine

Würde am besten bewahren kann, und sich seine Rolle entsprechend zurechtgelegt«, dachte Kelderek. Er erinnerte sich, wie er einmal selbst, von seinem unmittelbar bevorstehenden Tod überzeugt, darauf gewartet hatte, daß der Leopard von der Böschung auf ihn heruntersprang, und dachte: »Er hat solche Angst, daß ihm Sicht und Gehör benebelt sind. Er wußte aber, daß es so sein würde, und hat für diesen Augenblick geprobt.« Er dachte an den Anschlag, dessen Elleroth sich schuldig gemacht hatte, und bemühte sich, den Zorn und Haß wiederzufinden, der ihn in der Nacht des Feuerfestes erfüllt hatte; doch er spürte nur ein steigendes Gefühl von Grauen und Vorahnung, als wäre ein wackliger Turm aus übereinandergehäuften Übeltaten im Begriff zu kippen und umzufallen. Er schloß die Augen, fühlte aber sofort, daß er selbst schwankte, und öffnete die Augen wieder, als die Trommel verstummte, die Soldaten zur Seite traten und Elleroth hervorkam.

Er war einfach, aber elegant im traditionellen Stil eines Adeligen aus Sarkid gekleidet – ganz ähnlich, wie er, nahm Kelderek an, gekleidet gewesen wäre, um seine Pächter daheim oder Freunde bei einem Abendessen zu bewirten. Sein safrangelb und weiß gefälteltes Veltron war aus neuem, mit Seide besticktem Tuch, und die geschlitzten Streifen seiner Kniehosen waren mit einem komplizierten Rautenmuster aus Silberfiligran bestickt, an dem zwei Frauen einen Monat lang gearbeitet haben mußten. Die lange Schmucknadel an seiner Schulter war auch aus Silber, ganz einfach, wie sie jeder wohlhabende Mann besitzen mochte. Kelderek fragte sich, ob sie ein Andenken von einem Kameraden aus den Sklavenkriegen war – vielleicht von Mollo selbst? Er trug keine Juwelen, keine Halskette, Armband oder Ring; als er aber nun zwischen den Soldaten vortrat, zog er aus seinem Ärmel einen Goldanhänger mit Kette, die er über den Kopf streifte und sich um den Hals legte. Als man den Anhänger erkannte, ging ein Murmeln durch die Zuschauer; er stellte einen mit erhobenem Kopf liegenden Hirsch dar, das persönliche Emblem von Santil-ke-Erketlis und seiner Begleitung.

Elleroth trat zu der Bank und blickte auf die darauf liegenden Gegenstände. Die zunächst Stehenden sahen, wie er sich gegen ein kurzes Erschauern wehrte. Dann bückte er sich und befühlte mit einem Finger die Schneide der Klinge. Als er sich aufrichtete, begegnete sein Blick dem des Scharfrichters mit einem gespannten, gezwungenen Lächeln, und er sprach zum erstenmal:

»Zweifellos verstehst du, dieses Ding zu gebrauchen, sonst wärst du nicht hier. Ich werde dir keine Schwierigkeiten bereiten, und ich hoffe, du mir auch nicht.«

Der Mann nickte verlegen, sichtlich wußte er nicht, ob er antworten sollte. Als Elleroth ihm aber einen kleinen Lederbeutel reichte und murmelte: »Verteilt das unter euch«, zog er die Schnüre auf und sah hinein, riß die Augen auf und stammelte seinen Dank in so banalen und unpassenden Worten, daß es anstößig und zugleich gruselig wirkte. Elleroth hieß ihn mit einer Geste schweigen, trat Kelderek gegenüber und neigte den Kopf mit einer kalten Andeutung einer förmlichen Begrüßung.

Kelderek hatte dem Gouverneur bereits Weisung erteilt, daß ein Herold das von Elleroth und Mollo begangene Verbrechen beschreiben und zum Schluß das Todesurteil verkünden solle. Als das nun geschah, kam es zu keiner Unterbrechung, die einzigen Töne, die außer der Stimme des Herolds zu vernehmen waren, waren das gelegentliche Brummen des Bären und dessen heftige, krampfartige Bewegungen auf dem trockenen Stroh. »Er hat noch Fieber«, dachte Kelderek. »Das Durcheinander und die Menge haben ihn aufgeregt und werden seine Genesung verzögern.« Sooft er hinsah, begegnete er dem kalten, verächtlichen Blick des Verurteilten, dessen eine Gesichtshälfte im Schatten des vom Kohlenbecken ausgehenden Lichtscheins lag. Die Gleichgültigkeit dieses Mannes, ob sie nun angenommen oder echt war, konnte er nicht mit seinem Blick aus der Fassung bringen; schließlich senkte er den Kopf und heuchelte Zerstreutheit, als der Herold das brennende Dach, die Verwundung Shardiks und seinen rasenden Angriff auf Mollo in der Halle beschrieb. Ein Geflüster von Prophezeiungen schien ihn zu umgeben, das immer wieder aussetzte und nicht faßbar war, so wenig wie die bitterkalte Zugluft aus dem Wandelgang und die dünnen Nebelstreifen, die spinnwebartig über die Mauern zogen.

Endlich verstummte der Herold, und es entstand Stille. Sheldra berührte seine Hand; er faßte sich und sprach zu Elleroth in mangelhaftem Beklanisch die Worte, die er vorbereitet hatte.

»Elleroth, vormals Statthalter von Sarkid, du hast die Schilderung deines Verbrechens und das gegen dich ausgesprochene Urteil vernommen. Dieses Urteil, das nun vollstreckt werden muß, ist barmherzig, wie es Beklas Macht und unseres Herrn Shardiks göttlicher Majestät zusteht. Doch als weiteren Beweis dieser Barmherzigkeit und der Macht Shardiks, unseres Herrn, der seine Feinde nicht zu fürchten braucht, ermächtige ich dich jetzt zu sprechen, wenn dich danach verlangt. Danach wünschen wir dir einen tapferen, würdevollen und schmerzlosen Tod und rufen alle zu Zeugen an, daß unsere Gerechtigkeit nichts mit Grausamkeit zu schaffen hat.«

Elleroth schwieg so lange, daß Kelderek schließlich aufblickte, doch wieder begegnete er nur dem starren Blick des Verurteilten und erkannte, daß er wohl nur darauf gewartet hatte. Dennoch empfand er keinen Zorn, auch nicht, als er den Blick wieder senkte und Elleroth auf beklanisch zu sprechen anhub.

Seine ersten Worte klangen hoch und dünn, von Atempausen unterbrochen, aber er faßte sich bald und fuhr in einem angestrengten, jedoch festeren Ton fort, der immer kräftiger wurde:

»Beklaner, Provinzdelegierte und Ortelganer. Euch allen, die ihr hier versammelt seid in Nebel und nördlicher Kälte, um mich sterben zu sehen, danke ich, daß ihr meinen Worten zuhört. Doch wenn ein Toter spricht, müßt ihr euch darauf gefaßt machen, nur einfache Worte zu hören.«

In diesem Augenblick kam Shardik wieder zu den Stangen, erhob sich unmittelbar hinter Elleroth auf seine Hinterbeine und blickte aufmerksam in die Halle. Die Glut des Kohlenbeckens warf ein gelbes Licht auf seinen zottigen Pelz, so daß Elleroth vor einer hohen, vom Feuer beleuchteten, überlebensgroßen Tür zu stehen schien, die die Form eines Bären hatte. Einige Soldaten blickten, zurückschreckend, über ihre Schultern und wurden durch einen leisen Befehl ihres Offiziers zurechtgewiesen. Elleroth wandte den Kopf nicht und achtete nicht darauf.

»Ich weiß, daß manche hier stehen, die ihre Freundschaft zu mir vorbehaltlos eingestehen würden, wüßten sie nicht, daß mir das nichts nützen würde; ich befürchte aber, daß manche von euch insgeheim enttäuscht und vielleicht – einige wenige – sogar beschämt sind, weil sie sehen, wie ich, der Statthalter von Sarkid, hier als Verbrecher und Verschwörer zum Tode geführt werde. Euch sage ich, daß mein so schändlich erscheinender Tod von mir nicht als solcher empfunden wird. Weder Mollo, der Tote, noch ich, der ich nun sterben werde, haben einen Eid gebrochen, den wir unseren Feinden geleistet hätten. Wir haben nicht gelogen und keinen Verrat begangen. Der Mann, den ich getötet habe, war ein Soldat, bewaffnet und im Dienst. Das Schlimmste, was man von uns sagen kann, ist, daß ein armes Mädchen, das in dieser Halle Wachdienst machte, niedergeschlagen und schwer verwundet wurde; und das bedaure ich, obwohl nicht ich den Schlag führte, aufrichtig. Ich muß euch aber sagen und sage es ganz offen: was Mollo und ich unternahmen, war eine kriegerische Handlung gegen Rebellen und Räuber und gegen einen abergläubischen, grausamen und barbarischen Kult, in dessen Namen böse Taten begangen wurden.«

»Ruhe!« rief Kelderek, seine Stimme übertönte das Flüstern und Murmeln hinter ihm. »Kein Wort mehr davon, Graf Elleroth, sonst zwingst du mich, deiner Rede ein Ende zu machen.«

»Ich bin bald am Ende«, erwiderte Elleroth. »Wenn du es bezweifelst, Bärenzauberer, frag doch die Einwohner von Gelt oder jene, die sich an den anständigen, ehrlichen Gel-Ethlin und seine Leute erinnern können – frag sie. Du kannst auch in deiner Nähe suchen und jene fragen, welche auf den Hängen des Crandor Galgen für Kinder aufstellten. Sie werden dir sagen, wie rasch deine Ortelganer einem Mann – oder einem Kind – die Luft rauben können, die er zum Atmen braucht. Nichtsdestoweniger *will* ich darüber nichts mehr sagen, denn ich habe gesagt, was ich wollte, meine Worte wurden vernommen, und ich muß noch etwas anderes erwähnen, bevor ich sterbe. Es ist etwas, das nur mein eigenes Haus und meine Familie betrifft und das Haus in Sarkid, dessen Oberhaupt ich bald nicht mehr sein werde. Deshalb werde ich in meiner Sprache sprechen – wenn auch nur kurz. Ich bitte alle jene, die mich nicht verstehen werden, um Geduld. Die mich verstehen, bitte ich um Hilfe nach meinem Tod. Denn obgleich es durchaus unwahrscheinlich ist, wäre es doch möglich, daß irgendwo, irgendwie sich für einen von euch die Chance ergibt, mir zu helfen, wenn ich tot bin, und einen so bitteren Kummer zu lindern, wie er nur je ein Vaterherz verdüsterte und einem alten und angesehenen Hause Leid brachte. Viele von euch haben gewiß die Klage gehört, die man ›Tränen von Sarkid‹ nennt. Hört also zu und beurteilt, ob sie nicht, wie vor langer Zeit für Herrn Deparioth, auch für mich vergossen werden sollen.«

Als Elleroth auf Yeldashay zu sprechen begann, fragte sich Kelderek, wie viele von den in der Halle Anwesenden seine Worte verstanden. Es war ein Fehler gewesen, ihm zu gestatten, zu ihnen zu sprechen. In Bekla war jedoch dieses Vorrecht immer jedem zum Tode verurteilten Adeligen zugestanden worden, und die Wirkung des ihm gewährten barmherzigen Todes wäre, wenn man ihm das verweigert hätte, stark beeinträchtigt gewesen. Wie immer er die Sache auch durchgeführt hätte, überlegte er bitter, es wäre einem Mann wie Elleroth mit seiner Geistesgegenwart und aristokratischen Selbstsicherheit dennoch gelungen, sein Ziel zu erreichen und die Ortelganer als grob und unzivilisiert hinzustellen.

Plötzlich wurde seine Aufmerksamkeit durch einen Tonwechsel erregt. Er blickte auf und staunte über die Veränderung der stolzen, hageren Gestalt vor ihm. Elleroth beugte sich mit innig bittendem Ausdruck vor, sprach in leidenschaftlich lebhaftem Ton und sah einem nach dem anderen der in der Halle Anwesenden ins Antlitz. Kelderek, der ihn erstaunt betrachtete, sah Tränen in seinen Augen. Der Statthalter von Sarkid weinte, aber offensichtlich nicht über sein eigenes Mißgeschick, und Kelderek konnte hinter sich Murmeln der Teilnahme und Ermutigung hören. Mit gerunzelter Stirn sammelte er seine spärlichen Kenntnisse von Yeldashay, um zu verstehen, was Elleroth sagte.

»– Elend nicht anders, als es viele einfache Leute erlitten«, verstand er, verlor jedoch den Faden und konnte die nächsten Worte nicht erfassen. Dann: »Grausamkeit gegen Unschuldige und Hilflose« – »langes, erfolgloses Suchen.« – Nach einer Pause verstand er: »– der Erbe eines großen Hauses –« und dann, mit einem Schluchzen: »– der gemeine, schändliche ortelganische Sklavenhandel.«

Kelderek sah zu seiner Rechten Maltrit, den Hauptmann der Garde, der die Hand auf seinen Schwertgriff legte und sich schnell in der Runde umsah, als das Gemurmel in der ganzen Halle lauter wurde. Er nickte ihm zu und winkte zweimal mit der Handfläche nach oben. Maltrit ergriff einen Speer, schlug mit dem Ende auf den Boden und rief: »Ruhe! Ruhe!« Wieder zwang sich Kelderek, Elleroth in die Augen zu sehen. »Du mußt nun schon Schluß machen, Graf«, sagte er. »Wir waren großmütig zu dir, nun fordere ich dich auf, uns das mit Zurückhaltung und Mut zu vergelten.«

Elleroth machte eine Pause, als sammle er sich nach seiner leidenschaftlichen Rede, und Kelderek sah, wie sein graues Gesicht wieder den Ausdruck eines Mannes annahm, der seine Furcht zu meistern versucht. Dann sagte Elleroth in einem Ton, in dem sich hysterische Angst seltsam mit beißender Verachtung vermengte, auf beklanisch: »Zurückhaltung und Mut? Mein lieber Medizinmann vom Flußufer, ich fürchte, mir fehlt es an beidem – fast so sehr wie dir. Aber ich genieße wenigstens einen Vorteil – *ich* brauche nicht weiterzumachen. Für dich, verstehst du, wird es noch ein schrecklich langer Weg sein. Du bist dir gar nicht klar, wie lang. Erinnerst du dich, wie ihr vom Telthearna herüberkamt und euch auf einen vergnügten Abend freutet? Ihr kamt nach Gelt – die erinnern sich noch gut daran, wie ich höre –, und dann gingt ihr weiter. Ihr kamt zum Vorgebirge und schlugt um euch im Dämmerlicht und Regen. Und dann zerschlugen deine markigen Jungs das Tamarriktor – erinnerst du dich daran, oder hast du vielleicht nicht bemerkt, wie es aussah? Und dann gerietet ihr in einen Krieg mit Leuten, die unerklärlicherweise fanden, daß sie euch nicht mochten. Was war das nur für ein langer, langer Weg! Ich werde mich, gottlob, nun ausruhen können. Aber du nicht, mein lieber Uferzauberer. Nein, nein – der Himmel wird sich verdunkeln, kalter Regen wird fallen, und jede Spur des richtigen Weges wird gelöscht sein. Dann bist du allein. Und dennoch mußt du weitermachen. Es wird Geister im Dunkel und Stimmen in der Luft geben, gräßliche Weissagungen werden wahr, das würde mich nicht wundern, und überall werden Gesichter lauern, wie der Prophet sagte. Und du mußt noch immer weitermachen. Die letzte Brücke wird hinter dir einstürzen, und die letzten Lichter werden verlöschen, gefolgt von Sonne, Mond und Sternen; und noch immer mußt du weitermachen. Du wirst in Gegenden kommen, wüster und entsetzlicher, als du es je geträumt hast, Orte des Jammers, ganz und gar erschaffen durch den gemeinen Aberglauben, den du so lange schon verbreitest. Aber du wirst weitermachen müssen.«

Kelderek erwiderte seinen Blick, starr über die Heftigkeit und Überzeugungskraft seiner Worte. Seine eigene Vorahnung hatte ihn nun wieder erfaßt, sie war stärker, deutlicher geworden – ein Gefühl von Einsamkeit, Gefahr und nahendem Unheil.

»Bei dem Gedanken wird mir eiskalt«, sagte Elleroth und meisterte sein Zittern durch eine Anstrengung. »Vielleicht sollte ich mich für einen kurzen Augenblick erwärmen, ehe der Mann mit dem Hackmesser diese fröhlichen, sorglosen Sekunden beendet.«

Er drehte sich schnell um. Mit zwei Schritten war er bei dem Kohlenbecken. Maltrit trat vor, ohne zu wissen, was der andere vorhatte, jedoch bereit, jede ungehörige oder verzweifelte Handlung zu verhindern; doch Elleroth lächelte ihm bloß zu, schüttelte leichthin und herablassend den Kopf, als lehne er die Annäherungsversuche der schönen Hydraste ab. Als Maltrit dann, instinktiv auf seine elegante und autoritäre Art reagierend, zurücktrat, schob Elleroth mit zielbewußter Miene entschlossen seine linke Hand in das Kohlenbecken und zog ein glühendes Stück Kohle heraus. Er hielt es mit den Fingern hoch, als wolle er den bewundernden Blicken von Freunden ein wertvolles Juwel oder einen künstlerisch geschnittenen Kristall zeigen, und blickte wieder auf Kelderek. Der entsetzliche Schmerz hatte sein Gesicht zu einer abscheulichen Parodie entspannter guter Laune verzerrt, und als er sprach, waren seine Worte entstellt – groteskes Gesichterschneiden, etwas Sprachenähnliches, noch klar genug, um verstanden zu werden. Der Schweiß floß von seiner Stirn, und er bebte vor Schmerz, aber er hielt die glühende Kohle und äffte gräßlich das Benehmen eines Mannes nach, der ungezwungen mit seinen Kameraden plaudert.

»Siehst du – Bärenkönig – man hält glühende Kohle –.« (Kelderek roch brennendes Fleisch, sah die sich schwärzenden Finger und nahm an, daß sie bis zum Knochen brennen müßten; dennoch blieb er, von den sich in sein Gesicht bohrenden, weißglühenden Blicken festgehalten, auf seinem Platz stehen.) »Wie lange kann man da weitermachen? Es verbrennt einen, der alberne Schmerz, das Feuer in der Hand.«

»Stell das ab!« schrie Kelderek Maltrit zu. Elleroth verneigte sich.

»Unnötig – mir ein Vergnügen. Bitte, geringer Schmerz« – er taumelte einen Augenblick, faßte sich wieder –, »nur wenig – kein Vergleich mit dem, was die Ortelganer einem antun, versichere euch. Beeilen wir uns!«

Mit geheuchelter Sorglosigkeit und ohne sich umzublicken, warf er die Kohle über seine Schulter, winkte der Menge in der Halle mit der Hand zu und schritt schnell zu der Bank und kniete daneben hin. Die durch ihre Luftreise frisch angefachte Kohle flog steil über die Stangen hinweg und fiel nahe der Stelle, wo Shardik in seinem rastlosen Marsch einen Augenblick stehengeblieben war, in das Stroh. In wenigen Sekunden zeigte sich ein kleines feuriges Nest, die hellen Flämmchen zwischen den Strohhalmen schienen zuerst so ruhig wie das zwischen den Ästen von Bäumen in einem Sumpf wachsende Laubmoos. Dann begannen sie hochzuklettern, frischer Rauch gesellte sich zu dem bereits in der nebligen Luft schwebenden, und ein Knistern war zu hören, als sich das Feuer auf dem Boden ausbreitete.

Mit einem unnatürlichen, hellen Angstschrei sprang Shardik rückwärts und wölbte den gewaltigen Rücken wie eine Katze vor einem Feind. Dann floh er in Panik quer durch die Halle. Mit vollem Schwung rannte er blindlings gegen eine der Säulen auf der anderen Seite, und als er halb betäubt zurückprallte, schwankte die Mauer wie unter dem Stoß eines Rammbocks.

Der Bär erhob sich, benommen taumelnd, blickte um sich und lief dann wieder Hals über Kopf vor dem Feuer, das sich nun schnell ausbreitete, davon. Er stieß mit seinem vollen Gewicht gegen die Stangen und mühte sich damit ab wie mit den Maschen eines Netzes. Als er sich wieder auf die Hinterbeine erhob, wurde eine der Verbindungsstangen, die zur Wand lief, an seine Brust gedrückt, und er schlug in seiner Aufregung immer wieder dagegen. Das in der Wand versenkte Stangenende wurde herausgerissen und zog die zwei Steine mit heraus, in denen es befestigt war.

In diesem Augenblick hörte Kelderek oben ein starkes reibendes Geräusch und sah, als er hinaufblickte, wie sich ein Lichtfleck im Dach langsam vor seinen Augen verengte. Als er darauf starrte, wurde ihm plötzlich klar, daß sich der große Pfosten über ihm bewegte und, sich langsam wie ein Schlüssel in einem Schloß drehend, umkippte. Noch einen Augenblick, und das eine, nicht mehr von der Wand gestützte Ende kratzte und splitterte wie ein Riesenfinger an der Mauer nach unten.

Als der Pfosten stürzte, warf sich Kelderek möglichst weit von den Stangen zu Boden. Der Pfosten fiel schräg über die Eisenstangen und schlug sie zu einem Viertel ihrer Länge zusammen, so daß sie kaum mehr als einen Meter hoch waren. Dann blieb er so liegen, ein Ende hing in dem Eisengewirr, und das andere lag schräg an der gegenüberliegenden Wand. Die Stangen aber waren darunter verbogen und geknickt wie Grashalme. Langsam senkte sich die ganze zertrümmerte Masse weiter. Dahinter breitete sich das Feuer immer mehr durch das Stroh aus, und die Luft wurde immer rauchiger.

Im Saal hallte Geschrei und Tumult. Viele sahen sich nach dem nächsten Ausgang um, andere versuchten, Ordnung zu halten oder ihre Freunde um sich zu sammeln. An den Türen standen zögernde Soldaten und warteten auf die Befehle ihrer Offiziere, die sich in dem Getöse nicht verständlich machen konnten.

Nur Shardik – Shardik und ein anderer bewegten sich mit bedenkenloser Sicherheit. Der Bär kam aus dem brennenden Stroh über die zerbrochenen Stangen, indem er mit einem Lärm wie beim Erstürmen einer Bresche an dem Eisen riß.

Wie wenn ein Damm in einem Hochtal im Gebirge zusammenbricht und das Wasser in donnernden Massen durch eine Öffnung stürzt und weiterströmt, nicht aus eigenem Trieb, sondern bloß einem seelenlosen, einem Naturgesetz folgend – so bahnte sich Shardik, in seiner wilden Angst um sich schlagend und die zerbrochenen Stangen überkletternd, seinen Weg.

Wie Menschen unter dem Damm, die am Wasserweg wohnen oder arbeiten, mit Schrecken erkennen, daß eine ungeahnte Katastrophe über sie hereinbricht, die unabwendbar ist und keinen anderen Ausweg läßt als sofortige, überstürzte Flucht – so wurde den Menschen in der Halle klar, daß Shardik ausgebrochen war und unter ihnen weilte.

Und wie die vom Damm weiter Entfernten, wo immer sie sein mögen, sobald sie das Getöse der einstürzenden Mauer, das Brausen des Wassers und den plötzlichen Tumult hören, stehenbleiben und einander mit weit geöffneten Augen anstarren, das Dröhnen einer Katastrophe erkennen, aber noch nicht wissen, daß dadurch die Arbeit von Jahren vernichtet, ihr Wohlstand dahin ist und ihr Name in Mißkredit gerät – so hörten die Leute in der Oberstadt, die aufmerksamen Wachen auf der Mauer, die hustenden und fröstelnden Gärtner und Viehtreiber bei ihrer Arbeit an den Ufern des Hakensees, die an den Türen ihrer Herren umherlungernden Diener der Delegierten, die jungen Leute, die für den Vormittag das Bogenschießtraining unterbrachen, die Hofdamen, die, eingemummt gegen die Kälte, vom Dach des Palastes der Barone südwärts blickten in Erwartung der Sonne, welche über den Crandorkamm hochsteigen und den Nebel zerstreuen würde – sie alle hörten das Fallen des Pfostens, das Klirren der Stäbe und den darauffolgenden Tumult. Jedem wurde auf seine Weise klar, daß ein Unglück geschehen sein mußte, und alle setzten sich, geängstigt, aber ohne noch die Wahrheit zu ahnen, zum Haus des Königs in Bewegung und befragten jeden, den sie auf dem Weg trafen.

Als Shardik über den Trümmerhaufen geklettert kam, lösten sich Eisen- und Holzfragmente, und der Haufen verlagerte sich unter seinem Gewicht und sank ein. Er stieg auf eine Verbindungsstange, hockte dort einen Moment und blickte hinunter in die Halle, unheildrohend wie ein Kater auf dem Dachboden auf die quietschend davonlaufenden Mäuse. Als dann die Stange unter ihm nachgab, sprang er unbeholfen hinunter und landete auf den Steinen zwischen dem Kohlenbecken und der Hinrichtungsbank. Rund um ihn schrien und stießen, schlugen und rissen die Menschen aneinander in ihrem Bestreben zu entfliehen. Vorerst ging er aber nicht weiter, sondern blieb, von einer Seite zur anderen schwankend, auf der Stelle – eine erschreckend ausdrucksvolle Bewegung, die Wut und Gewalttätigkeit ankündigte. Dann erhob er sich auf die Hinterbeine und spähte über die Köpfe der Fliehenden nach einem Ausweg ins Freie.

In diesem schrecklichen Moment, als erst wenige sich durch die Türen hinausgekämpft hatten und Shardik noch wie ein menschenfressender Riese die Menge überragte, sprang Elleroth auf die Füße. Mit einem Griff erfaßte er das Schwert des Scharfrichters von der Bank vor sich und lief quer über den leeren, verlassenen Raum um den Bären, keinen Meter von ihm entfernt. Ein Dutzend zusammengedrängte, stoßende Menschen blockierten den Nordeingang zum Wandelgang, und durch sie bahnte er sich, schlagend und schiebend, den Weg. Kelderek lag noch an der Stelle, wo er sich, um dem stürzenden Pfosten zu entrinnen, hingeworfen hatte, und sah den schlagenden Schwertarm und die an Elleroths Seite hängende verbrannte Hand. Dann war der Verurteilte durch den Torbogen verschwunden, und die Menge schloß sich hinter ihm zusammen.

Kelderek erhob sich auf die Knie und wurde gleich darauf zu Boden geworfen. Sein Kopf schlug auf dem Stein auf, und er wälzte sich, von dem Hieb betäubt, herum. Als er hochblickte, sah er Shardik, der sich mit Klauenhieben und Stößen den Weg zu der Tür bahnte, durch die Kelderek vor einer halben Stunde mit den Frauen in die Halle gekommen war. Schon lagen mehrere Menschen hinter dem Bären auf dem Boden, andere, zu beiden Seiten, kreischten hysterisch und traten einander mit Füßen, einige schlugen mit den Händen auf die Säulen oder versuchten, über die Ziegelwand zu klettern, die die Arkaden umgab.

Shardik gelangte zum Ausgang und blickte hinaus, er glich auf groteske Weise einem zögernden Wandersmann, im Begriff, sich in einer stürmischen Nacht hinauszuwagen. In diesem Augenblick tauchte Elleroth kurz auf und rannte von links nach rechts am Eingang vorbei. Dann versperrte Shardiks mächtige Gestalt die gesamte Türöffnung, und als er hindurchging, ertönte dahinter ein einziger Schreckensschrei.

Als Kelderek zur Tür kam, fiel ihm als erstes die Leiche des jungen Soldaten ins Auge, der am Morgen, als er die Treppe hinunterkam, zu ihm emporgestarrt hatte. Er lag auf dem Bauch, und aus seinem beinahe durchtrennten Hals floß ein Blutstrom über den Fußboden. Der Bär war durch die Blutlache geschritten, und seine blutigen Fußspuren führten zur Terrasse und über das Gras. Kelderek folgte ihnen in die Gärten, bis er Shardik, der aus dem dichten Nebel am Ufer auftauchte, fast unmittelbar gegenüberstand. Der Bär lief in schwerfälligem Galopp rund um das Westende des Hakensees, an Kelderek vorbei und verschwand über den dahinter emporführenden Hang.

32. Die Ausfallpforte

Man erzählt – ach, man erzählt vieles über Shardiks Verschwinden aus Bekla und darüber, wie er sich auf die dunkle Reise zu dem von Gott bestimmten, unerforschlichen Ziel machte. Vieles? Wie lange war er denn innerhalb von Beklas Mauern, unter dem Gipfel des Crandor, in Freiheit? Vielleicht so lange, wie eine Wolke in den Augen des Zuschauers braucht, um über den Himmel zu ziehen? Eine Wolke fliegt am Himmel, und einer sieht einen Drachen, ein anderer einen Löwen, wieder ein anderer eine Zitadelle mit Türmen oder ein blaues Vorgebirge mit Bäumen. Manche erzählen, was sie gesehen haben, und dann erzählen andere, was man ihnen erzählt hat – vieles. Sie erzählen, daß die Sonne finster wurde, als unser Herr Shardik entschwand, daß sich die Mauern Beklas von selbst öffneten, um ihn durchzulassen, daß die einstmals weiße Trepsis rot blüht seit dem Tage, da seine Fußabdrücke die Blüten blutig färbten. Man sagt, daß er Tränen vergossen habe, daß ein von den Toten auferstandener Krieger mit gezogenem Schwert vor ihm ging, daß er für alle außer für den König unsichtbar wurde. Man erzählt viel Glanzvolles. Und welchen Wert hat das Sandkorn im Herzen einer Perle?

Shardik kämpfte sich durch den Nebel und zerstreute das erschrockene Vieh, wie ein seewärts eilender Bramba die kleineren Fische beim Durchqueren eines Teiches aufscheucht, verließ das Südufer des Hakensees und begann den Aufstieg über den stoppeligen Weidehang dahinter. Kelderek folgte ihm, dabei hörte er den hinter ihm sich über die ganze Stadt verbreitenden Tumult. Rechts von ihm ragte, undeutlich und zackig, der Palast der Barone empor, wie eine Insel mit hohen Felsen bei Einbruch der Nacht; und als er, der nicht wußte, welche Richtung Shardik eingeschlagen hatte, stehenblieb, begann von einem der Türme eine einzelne Glocke hell und schnell zu läuten. Er stieß auf einem weichen Bodenstück auf die Spuren des Bären und sah daneben zu seiner Verwunderung frisches Blut, obwohl die Spuren selbst nicht mehr blutig waren. Durch einen zufälligen Riß im Nebel erblickte er bald darauf Shardik wieder, fast einen Bogenschuß weit vor sich auf dem Hang, und bemerkte zwischen dessen Schultern den roten Riß der wieder aufgebrochenen Wunde.

Das war wirklich Pech, es würde seine Aufgabe erschweren, und er überlegte dies, während er vorsichtig weiterging. Shardiks Wiederergreifung konnte nur mehr eine Zeitfrage sein, denn das Pfauentor und das Rote Tor der Zitadelle waren die einzigen Ausgänge aus der Oberstadt. Es war auch unwahrscheinlich, daß Elleroth, wo immer er sein mochte, imstande sein würde, die Mauern zu überklettern, da er nur eine Hand gebrauchen konnte. Nun wäre es wohl am besten, wenn er gefunden und, ohne gefangengenommen zu werden, getötet würde. Seine Schuld war so klar wie nur irgend möglich erwiesen. Hatte er nicht selbst von einer vorsätzlichen kriegerischen Handlung gesprochen? Als Flüchtling innerhalb der Mauern konnte er nicht lange in Freiheit bleiben. Zweifellos wurde er bereits von dem tüchtigen und verläßlichen Offizier Maltrit gesucht. Kelderek blickte um sich, um zu sehen, ob jemand in Rufweite war. Den ersten, den er zufällig traf, würde er zu Maltrit schicken mit dem Befehl, Elleroth, sobald er gefunden würde, sofort zu töten. Wenn aber die ihn suchende Mannschaft im Nebel Shardik fände? In seinem Zustand, geängstigt, verwirrt und erzürnt über die schmerzende Wunde, die ihm Mollo zugefügt hatte, würde der Bär lebensgefährlich sein – viel zu gefährlich für einen sofortigen Versuch, ihn wieder einzufangen. Die einzige Möglichkeit bestünde darin, das Vieh völlig aus der Oberstadt zu entfernen, ebenso alles andere, was ihm Nahrung bieten könnte, dann die Felsenhöhle offen und mit Köder versehen zu lassen und zu warten, bis der Hunger Shardik zur Rückkehr zwingen würde. Doch man konnte die göttliche Kraft nicht allein, unbewacht und unversorgt umherwandern lassen, während sich sein ganzes Volk vor ihm versteckte. Es mußte sichtbar werden, daß der Priesterkönig die Sache in der Hand hatte. Auch konnte sich Shardiks Zustand sehr wohl verschlimmern, ehe er in die Höhle zurückkam. In dieser ungewohnten Kälte könnte er sogar, verwundet und ohne Nahrung, auf den einsamen östlichen Höhen des Crandor, denen er zuzustreben schien, sterben. Man müßte ihn – Tag und Nacht – beobachten, eine Aufgabe, die kaum irgend jemandem, der noch in der Stadt geblieben war, verläßlich anvertraut werden konnte. Wenn sie durchgeführt werden sollte, würde der König ein Beispiel geben müssen. Und gerade seine Kenntnis von Shardik, von dessen Schlauheit und Wildheit, von dem Auf und Ab seines wütenden Zorns, machten ihm klar, wie groß die damit verbundene Gefahr war.

Höher oben auf dem Abhang, wo das Weideland in das rauhe, felsige Gebirge überging, wurde die Luft etwas klarer, und als Kelderek sich umwandte, sah er unter sich den dichten Nebel, der die Stadt, außer den da und dort heraufragenden Türmen, verdeckte. Darunter verbreiteten sich, ohne daß man eine Menschenseele gesehen hätte, die Alarmgeräusche nah und fern, und als er lauschte, erkannte er, daß der Bär nach oben stieg, um diesem beängstigenden Tumult zu entgehen.

Fast dreihundert Meter oberhalb von Bekla zog sich von der Spitze des Crandor ein Kamm nach Osten. Die Kontur der Stadtmauer lief die Felsspitzen und höchsten Stellen an der Bergflanke entlang und überragte den Osthang des Kammes, bevor sie nach Westen zum Roten Tor der Zitadelle kam. Es war ein wilder, überwachsener Ort, der dem Auge eines von unten Heraufkommenden wenig enthüllte. Kelderek schwitzte in der kalten Luft und schlug das schwere Gewand zurück, das ihn behinderte; er blieb unter dem Kamm stehen, lauschte und beobachtete das Dickicht, wo Shardik zwischen den Bäumen verschwunden war. Links verlief unweit von ihm die sechs Meter hohe Mauer, durch deren schmale Sehschlitze, welche die Aussicht auf den außen liegenden Abhang boten, da und dort der bewölkte Himmel weiß durchblinkte. Zu seiner Rechten plätscherte ein Bach aus einem Dickicht über eine Felsrinne hinunter. Es war gewiß kein Ort, wohin ein vernünftiger Mensch einem verwundeten Bären folgen würde.

Außer den natürlichen Geräuschen in der Berglandschaft konnte Kelderek nichts hören. Ein seitlich über ihm schwebender Bussard stieß seinen rauhen Schrei, eine Art Miauen, aus und verschwand. Eine Brise rauschte durch die Blätter und legte sich wieder. Schließlich wurde das Wasserrauschen zum einzigen Ton in der Stille – das und der immer noch vernehmbare Lärm aus der Stadt. Wo war Shardik? Weit konnte er nicht sein, denn er war ja in der Mauerkurve gefangen. Entweder er war schon auf der anderen Seite des Kammes und wanderte westwärts zum Roten Tor, oder er hatte sich, was wohl wahrscheinlicher war, zwischen die Bäume geflüchtet. Wenn er jetzt dort war, konnte er sich schwerlich entfernen, ohne gehört zu werden. Es blieb nichts übrig, als zu warten. Früher oder später würde einer der suchenden Soldaten in Hörweite kommen und konnte mit einer Botschaft zurückgeschickt werden.

Plötzlich ertönten von den obenstehenden Bäumen Geräusche von splitterndem Holz und das Knirschen und Aufschlagen fallender Steine. Kelderek fuhr hoch. Während er lauschte, erklang der gleiche Schrei, den er nachts in den Zypressengärten gehört hatte – ein lautes, schmerzliches Knurren, das nur von Shardik stammen konnte. Daraufhin stolperte er, zitternd vor Angst und wie in Trance, über den Weg hinauf, den der Bär bereits durch die Büsche und Schlingpflanzen gebahnt hatte, und lugte zwischen die Bäume in das Halbdunkel.

Das Gehölz war leer. Am Ostende, wo die Bäume und Büsche bis nahe an die glatte Mauer heran wuchsen, gab es eine zackige, unregelmäßige, vom Tageslicht erhellte Öffnung. Er näherte sich vorsichtig und sah zu seiner Überraschung, daß es ein aufgebrochener Durchgang war. Zu beiden Seiten waren mehrere Steine aus der Einfassung gerissen worden und lagen umher. Die schwere Holztür, die nach außen aufging, war wohl von jemandem, der hindurchgegangen war, offengelassen worden, denn es schien keine Klinke vorhanden zu sein, und die Riegel waren offen. Die obere Angel war aus der Einfassung gerissen worden, und die zersplitterte Tür hing herunter, ihre untere Ecke steckte draußen in der Erde. Der steinerne Torbogen war beschädigt, aber noch an seinem Platz, doch die abwärts gerichtete Spitze in der Mitte war mit Blut bedeckt, wie eine aus einer Wunde gezogene Waffe.

Auf der Innenseite des Durchgangs, an der Stelle, wo ein Mann gestanden haben mochte, als er die Riegel öffnete, erblickte Kelderek etwas Glänzendes, das halb in den Boden getreten war. Er bückte sich und hob es auf. Es war das goldene Hirschemblem von Santil-ke-Erketlis, der noch immer an der feinen, gerissenen Kette befestigte Anhänger.

Er trat durch den Türbogen. Unter ihm stieg der Nebel von der großen beklanischen Ebene hoch – ein verwildertes, ungepflegtes Land mit vereinzelten Rauchfahnen über den Dörfern –, die sich südwärts bis Lapan, ostwärts bis Tonilda und nordwärts bis Kabin und zu den Gelter Bergen erstreckte. Anderthalb Kilometer entfernt, am Fuß des Abhangs, deutlich sichtbar in der klaren Luft, verlief die Karawanenstraße von Bekla nach Ikat. Shardik, dessen Rücken und Schultern von der nun wieder durch die Torbogenspitze aufgerissenen Wunde blutig waren, stieg sechzig Meter unter Kelderek über den Berghang hinunter.

Kelderek folgte ihm wieder vorsichtig. Als er über die Felsen vorwärts tastete, merkte er bald, wie unfähig er für ein solches längeres oder anstrengendes Unternehmen war. Mollo hatte ihn, bevor er starb, an mehreren Stellen gestochen oder geschnitten, und diese halbgeheilten Wunden, die noch erträglich waren, solange er zu Hause geblieben war, begannen nun zu pulsieren und heftig stechende Schmerzen durch seine Muskeln zu jagen. Er stolperte mehrmals und verlor beinahe das Gleichgewicht. Aber sogar wenn seine unsicheren Füße Steine loslösten, die lärmend über den Hang nach unten kollerten, blickte Shardik kein einziges Mal hinauf oder schenkte ihm irgendwelche Aufmerksamkeit, sondern setzte seinen Weg, als er den Fuß des Crandor erreicht hatte, in der gleichen Richtung fort. Aus Angst vor Räubern war der Busch zu beiden Seiten der Karawanenstraße fast auf Bogenschußweite grob gestutzt worden. Der Bär überquerte ohne Zögern diese freie Stelle und betrat dann die Wildnis des Flachlands.

Kelderek kam zur Straße, blieb stehen und blickte auf den Osthang zurück, über den er nach unten gekommen war. Es wunderte ihn, daß er, obwohl so viele Leute diese Straße benutzten, noch nie von der Ausfallpforte am Ostkamm gehört hatte. Nun sah er, daß die Mauer keineswegs gerade verlief und daß sie vor dem Blick von unten stellenweise durch Felsen verborgen wurde. Die Ausfallpforte lag wohl an einem schrägen Winkel der Mauer – wo sie zweifellos mit Absicht angebracht worden war –, denn er konnte sie auch jetzt nicht sehen, obgleich er nun wußte, wo er sie zu suchen hatte. Im Weitergehen fragte er sich, zu welchem ungewöhnlichen Zweck sie angelegt worden sein mochte, und verfluchte die schlimme Schicksalswende, die sie herbeigeführt hatte, da erblickte er einen Mann, der von Süden her die Straße heraufkam. Er wartete; der Mann kam näher, und Kelderek sah, daß er bewaffnet war und den roten Stab des Heereskuriers trug. Da war endlich die Gelegenheit, eine Nachricht zurück in die Stadt zu schicken.

Nun erkannte er in dem Mann einen Ortelganer, der beträchtlich älter war als er selbst, ein Pfeilmachermeister, der früher im Dienst von Ta-Kominions Familie gestanden hatte. Es war erstaunlich, daß er bei seinem Alter aktiv im Kriegsdienst stand, aber wahrscheinlich tat er das freiwillig. Früher hatten die ortelganischen Jungen seinen

Namen, Kavass, in »Alter Arschlecker« umgeändert wegen der besonderen Ehrerbietung und Hochachtung, mit der er stets seine Vorgesetzten behandelte. Er war ein hervorragender Handwerker und ein aufreizend kindischer, schlichter und ehrlicher Mann, der mit richtiger Freude darauf bestand, daß seine Vorgesetzten (woher sie auch stammen mochten) alles besser wissen mußten als er und daß Vertrauen und Treue eines Mannes erste Pflichten waren. Als er nun den König erkannte, der zerzaust und allein auf der Straße stand, hob er sofort die Hand an die Stirn und ließ sich ohne das geringste Anzeichen von Überraschung auf ein Knie sinken. Zweifellos hätte er das auch getan, wenn er ihn mit Trepsis bekränzt und auf dem Kopf stehend angetroffen hätte.

Kelderek ergriff seine Hand und zog ihn empor. »Du bist recht alt für einen Kurier, Kavass«, sagte er. »Konnte man keinen jüngeren Mann schicken?«

»Ach, ich habe mich freiwillig gemeldet, Herr«, antwortete Kavass. »Diese jungen Burschen heutzutage sind nicht so verläßlich, und als ich fortging, war es ungewiß, ob ein Kurier überhaupt nach Bekla durchkommen könnte.«

»Woher kommst du denn?«

»Aus Lapan, Herr. Unsere Abteilung wurde am rechten Flügel von General Ged-la-Dans Armee abkommandiert, aber er mußte anscheinend in Eilmärschen vorgehen und nahm sich nicht die Zeit, uns mitzuteilen, wohin. Da sagt also der Hauptmann zu mir: ›Kavass‹, sagt er, ›da wir die Fühlung mit General Ged-la-Dan verloren und sichtlich eine offene linke Flanke haben, soweit ich es sehen kann, gehst du am besten los und bringst uns Befehle aus Bekla. Frag, ob wir hierbleiben, zurückgehen oder was wir tun sollen.‹«

»Richte ihm von mir aus, er soll gegen Thettit-Tonilda marschieren. Er soll sofort einen anderen Kurier dorthin schicken, um herauszufinden, wo General Ged-la-Dan sich befindet, und neue Befehle anfordern. Möglicherweise braucht ihn General Ged-la-Dan dringend.«

»Nach Thettit-Tonilda? Sehr wohl, Herr.«

»Nun höre, Kavass.« Kelderek erklärte ihm möglichst einfach, daß Shardik sowie ein aus Bekla entflohener Feind im Flachland in Freiheit seien und daß sofort ein Suchtrupp losziehen müsse, um den Flüchtigen zu suchen und ihn selbst bei seiner Aufgabe der Verfolgung des Bären abzulösen.

»Sehr wohl, Herr«, sagte Kavass wieder. »Wohin sollen sie kommen?«

»Ich werde unserem Herrn Shardik, so gut ich kann, folgen, bis sie mich finden. Ich glaube nicht, daß er schnell oder weit gehen wird. Ich werde gewiß aus einem Dorf eine weitere Nachricht schicken können.«

»Sehr wohl, Herr.«

»Noch etwas, Kavass. Ich muß mir leider dein Schwert und was du an Geld bei dir hast ausborgen. Sehr wahrscheinlich werde ich es brauchen. Ich muß auch die Kleidung mit dir tauschen, wie es im Märchen heißt, und dein Wams und die Kniehose anziehen. Diese Gewänder sind für die Verfolgung ungeeignet.«

»Ich trage sie in die Stadt zurück, Herr. Meine Güte, werden die sich wundern, bis ich ihnen erzähle, was geschehen ist! Aber keine Sorge – du wirst unserem Herrn Shardik auf der Spur bleiben. Wenn es nur mehr solche gäbe, die ihm einfach vertrauen wie du und ich, Herr, und keine Fragen stellen, dann wäre es um die Welt besser bestellt.«

»Ja, natürlich. Nun, sage ihnen also, sie sollen sich beeilen«, schloß Kelderek und machte sich sofort auf den Weg ins Flachland. Er meinte, er habe sich schon zu lange aufgehalten und werde Shardik nicht leicht wiederfinden. Doch dachte er unbewußt an die Geländebedingungen des Waldes, in dem er sein Handwerk gelernt hatte, und vergaß, daß dieses Land völlig anders beschaffen war. Er erblickte den Bären nach kurzer Zeit, etwa einen Kilometer weit nordöstlich, wie er mit dem regelmäßigen Gang eines Fußreisenden auf der Straße wanderte. Abgesehen von den Hütten eines in der Ferne rechts liegenden Dorfes war die Ebene, so weit das Auge reichte, leer.

Kelderek zweifelte keinen Augenblick, daß er die Verfolgung fortsetzen mußte. Bei Shardik lag Ortelgas ganze Macht. Wenn man ihn allein und unversorgt wandern ließe, würde es in den Augen der Bauern – von denen viele wahrscheinlich insgeheim ihren ortelganischen Beherrschern noch feindlich gesinnt waren – klar sein, daß da etwas nicht stimmte. Die Berichte über seinen Aufenthalt mochten gefälscht oder verheimlicht werden. Man konnte ihn wieder verwunden oder vielleicht sogar im Schlaf töten. Es war vor fünf Jahren schwer genug gewesen, nach Beklas Fall und Santil-ke-Erketlis' Rückzug seine Spur wiederzufinden. Es würde trotz der eigenen

Schmerzen und Müdigkeit und der mit der Verfolgung verbundenen Gefahr auf lange Sicht leichter sein, jetzt auf seiner Spur zu bleiben. Außerdem war Kavass verläßlich, und der Suchtrupp würde beide unfehlbar noch vor Einbruch der Nacht finden. So schwach er auch war, das sollte er doch noch bewältigen können.

33. Das Dorf

Den ganzen Tag, während die Sonne in seinem Rücken über den Himmel wanderte, folgte Kelderek dem mühsam dahintrottenden Shardik. Das Marschtempo des Bären änderte sich kaum. Manchmal verfiel er in einen schwerfälligen Trab, aber bald stockte er und warf wiederholt den Kopf hoch, wie um sich von einem quälenden Schmerz zu befreien. Obwohl die Wunde zwischen seinen Schultern nicht mehr blutete, war es aus seinem unruhigen, stolpernden Gang und erkennbaren Unbehagen ersichtlich, daß sie ihn quälte. Oft erhob er sich auf die Hinterbeine und blickte auf die Ebene hinaus; und Kelderek, dem in dem freien Gelände ohne Deckung unheimlich zumute war, blieb entweder still stehen oder sank schnell auf die Knie und duckte sich. Es war aber wenigstens leicht, Shardik aus der Entfernung im Auge zu behalten; und Kelderek wanderte viele Stunden lautlos über Gras und Buschwerk, wobei er sich in Bogenschußweite und bereithielt zu laufen, falls der Bär kehrtmachen und auf ihn losgehen sollte. Shardik schien jedoch nicht zu merken, daß er verfolgt wurde. Einmal kam er zu einem Teich und hielt an, um zu trinken und sich im Wasser zu wälzen; und einmal legte er sich für eine Weile in einen Hain aus Myrthenbüschen, die als Landmarke rund um einen der einsamen Brunnen gepflanzt worden waren, welche vor undenklichen Zeiten von wandernden Hirten benutzt wurden. Doch beide Aufenthalte endeten, als er plötzlich hochschreckte und, als wolle er keine Zeit mehr verlieren, sich neuerdings auf den Weg quer durch die Ebene machte.

Ein paarmal kamen sie in Sichtweite von grasendem Vieh. Obwohl sie weit genug entfernt waren, konnte Kelderek erkennen, wie alle Tiere kehrtmachten, die Köpfe hoben und unruhig und mißtrauisch auf das herankommende unbekannte Geschöpf blickten. Er hoffte auf die Möglichkeit, einen der Hirten anzurufen und ihm eine

Botschaft mitzugeben, aber Shardik ging jedesmal in großer Entfernung an den Herden vorbei, und Kelderek beschloß, eine bessere Gelegenheit abzuwarten.

Am Spätnachmittag erkannte er am Sonnenstand, daß Shardik nicht mehr nach Nordwest, sondern nach Norden wanderte. Sie waren weit in die Ebene hinaus gegangen – wie weit, wußte er nicht –, vielleicht fünfzehn Kilometer östlich von der Straße, die von Bekla zu den Gelter Vorbergen führte. Der Bär ließ durch kein Zeichen erkennen, daß er anhalten oder umkehren wolle. Kelderek hatte gemeint, er werde wandern, bis er Nahrung fände, und dann schlafen; einen so andauernden Marsch ohne Freß- oder Ruhepause hatte er bei einem vor kurzem verwundeten und vorher so lange eingeschlossen gewesenen Geschöpf nicht erwartet. Nun wurde ihm klar, daß Shardik von der überwältigenden Entschlossenheit getrieben wurde, aus Bekla zu entkommen – sich durch nichts aufhalten zu lassen, bis er es weit genug hinter sich gelassen hatte, und auf seinem Weg allen menschlichen Behausungen auszuweichen. Sein Instinkt hatte ihn zu den Bergen gelenkt, die er, wenn das seine Absicht war, in zwei oder drei Tagen wohl erreichen mochte. Einmal in dem Gelände angelangt, würde es schwierig sein, ihn wieder einzufangen – das letztemal hatte es Menschenleben und das Niederbrennen eines teilweise bewohnten Landstrichs erfordert. Wenn aber nur rechtzeitig genügend Leute aufgetrieben werden konnten, würde er vielleicht kehrtmachen, und man könnte ihn, wenn wohl auch unter großer Gefahr, mit Hilfe von Lärm und Fackeln in ein Gehege oder einen anderen sicheren Platz treiben. Es würde tatsächlich eine verwegene Aufgabe sein, aber wie immer es ausgehen würde, vorerst hieß es, seinen Weitermarsch zu verhindern. Man mußte eine Botschaft abschicken, und es mußten Helfer kommen.

Als die Sonne zu sinken begann, verwandelte sich das Grün und Braun der langgestreckten, sanften Hügel zuerst in Blaßlila, dann in Violett und Grau. Aus Gras und Büschen stieg ein kühler, feuchter Duft auf. Die Eidechsen verschwanden, und kleine, fellbedeckte Tiere – Kaninchen, Mäuse und eine Art langschwänzige Springratte – kamen allmählich aus ihren Löchern. Die scharfen Schatten wurden weich, und ein fahles, leichtes Dämmerlicht stieg gleichsam aus dem Boden im unteren Teil der flachen Talmulden. Kelderek war nun sehr müde, und die schmerzende Stichwunde in seiner Hüfte quälte ihn. Da er sich darauf konzentrierte, weiter auf Shardik achtzugeben, vernahm er nur allmählich, wie ein Mann im Erwachen, Menschenstimmen in der Ferne und das Muhen von Vieh. Er blickte sich um und sah, weit entfernt zu seiner Linken in einem Tal, ein Dorf – Hütten, Bäume und den grau schimmernden Fleck eines Teiches. Er hätte es leicht völlig übersehen können, denn die niedrigen, unauffälligen Wohnstätten mit ihren unregelmäßigen und willkürlichen baum- und felsenähnlichen Konturen erschienen mit ihrem Gemisch schwärzlicher, grauer und erdbrauner Farben fast wie ein natürlicher Landschaftsteil. Was sein müdes Seh- und Hörvermögen in dieser Wildnis wahrnahm, war nur ein wenig Rauch, das Trappen des Viehs und die Rufe der Kinder in der Ferne, die es herumtrieben.

In diesem Augenblick blieb Shardik, einige hundert Meter vor Kelderek, stehen und legte sich, offenbar zu müde, um weiterzugehen, auf seinem Weg hin. Kelderek wartete und beobachtete den schwachen Schatten eines Grashalms neben einem Kieselstein. Der Schatten erreichte den Stein und wanderte darüber, ohne daß Shardik aufgestanden wäre. Schließlich machte sich Kelderek auf den Weg zum Dorf, dabei blickte er immer wieder hinter sich, um sich des Rückwegs zu vergewissern.

Bald kam er zu einem Pfad, der ihn zu den Viehhürden am Dorfrand führte. Dort gab es allgemeinen Aufruhr, die Hirtenjungen plapperten erregt, stritten, schrien plötzlich auf, schlugen, stießen und liefen dahin und dorthin, als wäre, seit Anbeginn der Welt, noch nie Vieh in ein Gehege getrieben worden. Die mageren Tiere rollten die Augen, sabberten, muhten, pufften und stießen einander die Köpfe über die Rücken, als sie sich in die Gehege drängten. Es ertönten klatschende Geräusche, und der Geruch von frischem Mist und ein Staubschleier schwebten schimmernd im Licht der untergehenden Sonne. Niemand bemerkte Kelderek, der eine Weile still zusah und aus der uralten, wohlbekannten Szene Trost und Ermutigung schöpfte.

Plötzlich erblickte ihn einer der Knaben, schrie laut auf, wies auf ihn, brach in Tränen aus und begann, mit angstverzerrter Stimme zu plappern. Die anderen folgten seinem Blick und starrten mit aufgerissenen Augen, einige wichen mit an den offenen Mund gepreßten Fingerknöcheln zurück. Das sich selbst überlassene Vieh setzte seinen Einzug in die Gehege fort. Kelderek lächelte und ging mit vorgestreckten Händen vorwärts.

»Hab keine Angst«, sagte er zu dem nächsten Jungen, »ich bin ein Reisender und ich –«

Der Junge wandte sich um und lief fort; daraufhin floh die ganze Gruppe zwischen die Hütten davon, bis keiner mehr zu sehen war. Kelderek ging verwundert weiter, bis er selbst zwischen den staubigen Häusern stand. Es war noch immer niemand zu sehen. Er blieb stehen und rief laut: »Ich komme aus Bekla. Ich muß den Dorfältesten sprechen. Wo ist sein Haus?« Es antwortete niemand, und er ging zur nächsten Tür und klopfte mit der flachen Hand auf die Holzbalken. Ein finster blickender Mann mit einer schweren Keule in der Hand öffnete die Tür.

»Ich bin Ortelganer und ein Hauptmann aus Bekla«, sagte Kelderek schnell. »Wenn du mich verwundest, wird dieses Dorf niedergebrannt.«

Im Inneren begann eine Frau zu weinen. Der Mann sagte: »Das Kontingent wurde schon abgeliefert. Was willst du?«

»Wo ist der Dorfälteste?«

Wortlos wies der Mann auf ein in einiger Entfernung stehendes größeres Haus, nickte und schloß die Tür wieder.

Der Dorfälteste war ein grauhaariger, kluger und würdevoller Mann, der sich Zeit ließ, der Sitte und Anstand benutzte, um sein Gegenüber einzuschätzen und Gelegenheit zur Überlegung zu finden. Er begrüßte den Fremden mit unergründlicher Höflichkeit, erteilte seinen Frauen Weisungen, und während sie zuerst Wasser und ein dünnes Handtuch brachten, dann Speise und Trank (die Kelderek auch nicht abgelehnt hätte, wenn sie doppelt so sauer geschmeckt hätten), sprach er zurückhaltend von den Aussichten für die Sommerweide, den Viehpreisen, der Klugheit und unüberwindlichen Stärke der derzeitigen Beherrscher von Bekla und dem Wohlstand, den sie dem Land zweifellos gebracht hatten. Dabei entging seinen Augen nichts vom Aussehen des fremden Ortelganers, seiner Kleidung, seinem Hunger, den verbundenen Wunden an seinem Bein und Unterarm. Als er schließlich fand, daß er, so viel er konnte, über ihn erfahren hatte und kein Vorteil mehr im Vermeiden vom Gegenstand (was immer der sein mochte) des Besuchs zu erwarten war, brach er ab, blickte auf seine gefalteten Hände nieder und wartete.

»Könntest du zwei Jungen entbehren und sie nach Bekla schikken?« fragte Kelderek. »Ich werde gut bezahlen.«

Der Dorfälteste schwieg noch eine Weile und überlegte, was er sagen sollte. Endlich antwortete er: »Ich habe einen Kerbstock, Herr, den mir der Provinzgouverneur im vorigen Herbst gab, als wir ihm unser Kontingent lieferten. Ich werde ihn dir zeigen.«

»Das verstehe ich nicht. Was meinst du?«

»Wir sind kein großes Dorf. Das Kontingent beträgt zwei Mädchen und vier Jungen, alle drei Jahre. Wir geben dem Gouverneur natürlich Vieh als Geschenk, um unsere Dankbarkeit dafür zu beweisen, daß er uns kein höheres Kontingent auferlegt. Wir müssen erst in zweieinhalb Jahren ein neues abliefern. Hast du eine Vollmacht?«

»Vollmacht? Das muß ein Irrtum sein.«

Der Älteste warf ihm einen raschen Blick zu, schöpfte Verdacht und ging dem sofort nach.

»Darf ich fragen, ob du eine Handelsgenehmigung hast? Wenn ja, mußt du doch sicher wissen, welche Abmachungen für unser Dorf getroffen wurden?«

»Ich bin überhaupt kein Händler. Ich –«

»Verzeih mir, Herr«, sagte der Älteste steif, wobei sein Benehmen etwas weniger untertänig wurde. »Das kann ich kaum glauben. Du bist jung, dennoch trittst du mit Autorität auf. Du trägst die schlecht sitzende und daher wahrscheinlich – äh – irgendwie erworbene Kleidung eines Soldaten. Offensichtlich bist du weit gewandert, wahrscheinlich auf einem einsamen Weg, denn du warst sehr hungrig; du wurdest vor kurzem mehrfach verwundet – die Wunden lassen mich eher auf eine Balgerei als auf ein Gefecht schließen –, und wenn ich nicht irre, bist du Ortelganer. Du verlangst von mir zwei Jungen, angeblich für einen Ausflug nach Bekla, und sagst, du würdest mich gut bezahlen. Vielleicht würden manche Ältesten daraufhin fragen: ›Wieviel?‹ Was mich betrifft, so hoffe ich, mir das Ansehen meiner Leute zu erhalten und im Bett zu sterben, aber abgesehen davon habe ich für deine Art Geschäft nichts übrig. Wir sind hier alle arm, nichtsdestoweniger sind diese Leute mein Volk. Wir sind gezwungen, den Gesetzen der Ortelganer zu gehorchen, aber wie gesagt, bis zum übernächsten Herbst haben wir unsere Pflichten erfüllt. Du kannst mich nicht zwingen, mit dir Geschäfte zu machen.«

Kelderek sprang auf.

»Ich sage dir, ich bin kein Sklavenhändler! Du hast mich völlig mißverstanden! Wenn ich ein unrechtmäßiger Sklavenhändler wäre, wo ist dann meine Bande?«

»Das eben möchte ich gern wissen – wo und wie viele es sind. Aber ich warne dich, meine Männer sind auf der Hut, und wir werden uns bis zum äußersten zur Wehr setzen.«

Kelderek nahm wieder Platz.

»Du mußt es mir glauben – ich bin kein Sklavenhändler – ich bin ein Herr aus Bekla. Wenn wir –«

Plötzlich erhob sich draußen im dunklen Zwielicht ein Getöse – Männer schrien, Hufgetrampel und das Brüllen von geängstigtem Vieh. Frauen begannen zu kreischen, Türen wurden zugeschlagen, und Füße liefen über den Weg. Der Älteste erhob sich, da stürzte ein Mann herein.

»Eine Bestie, Herr! So etwas hat man noch nie gesehen – eine gigantische Bestie, die aufrecht steht – dreimal so hoch wie ein Mann – es hat die Stangen der großen Viehhürde wie Stäbchen zerschlagen – das Vieh ist toll geworden – auf die Ebene hinaus in panischer Flucht! O Herr, der Teufel – der Teufel ist über uns!«

Wortlos und ohne zu zögern ging der Dorfälteste an ihm vorbei und durch die Tür hinaus. Kelderek hörte, wie er seine Leute beim Namen rief, seine Stimme wurde leiser, da er sich zu den Viehhürden am Dorfrand begab.

34. Die Streels in Urtah

Aus der dunklen Ebene hinter dem Dorf beobachtete Kelderek den Tumult, wie ein Mann in einem Baum einen Kampf von oben aus betrachtet. Das Beispiel des Dorfältesten hatte wenig Wirkung auf seine Bauern, und es war keine gemeinsame Aktion gegen Shardik organisiert worden. Manche hatten ihre Türen verrammelt und beabsichtigten offensichtlich nicht herauszukommen. Andere waren ausgezogen – oder hatten zumindest laut verkündet, sie würden ausziehen –, um möglichst viel von dem verfluchten Vieh bei Mondschein zurückzuholen. Eine Männergruppe mit Fackeln stand in der Dorfmitte rund um den Brunnen und quasselte, machte aber keine Miene, sich zu entfernen. Ein paar Männer hatten den Ältesten zu den Gehegen begleitet und bemühten sich, die Stangen zu reparieren und das zurückgebliebene Vieh am Durchbrechen der Gehege zu hindern. Ein- oder zweimal hatte Kelderek, als er am Dorfrand umherwanderte, kurz den gewaltigen Umriß Shardiks im flackernden Fackellicht gesehen. Offensichtlich fürchtete sich das Tier kaum vor diesen Flammen, so ähnlich denen, an die er sich in seiner langen Gefangenschaft gewöhnt hatte. Ein Angriff der Dorfbewohner auf ihn erschien durchaus unwahrscheinlich.

Als schließlich der Halbmond hinter den Wolken auftauchte und ihm weniger Sicht auf Entfernung gewährte, als daß er ihm die Weite der nebligen Ebene wieder ins Bewußtsein rief, merkte Kelderek, daß Shardik fort war. Er zog Kavass' Kurzschwert und hinkte bis zu einem leeren, zertrümmerten Gehege, bei dem er das Tier fand, das der Bär zerrissen hatte, und dann ein zitterndes, verlassenes Kalb, das sich mit einem Fuß in einem zersplitterten Pfosten verfangen hatte. In der letzten Stunde war dieses hilflose Geschöpfchen Shardik näher gewesen als irgendein anderes Lebewesen, Mensch oder Tier. Kelderek befreite den Huf, trug das Kalb zum nächsten Gehege und setzte es in der Nähe eines Mannes auf den Boden, der ihm, auf das Geländer gestützt, den Rücken zuwandte. Niemand nahm von ihm Notiz, und er stand eine Weile mit einem Arm um das Kalb, das ihm die Hand leckte, als er ihm auf die Beine half. Dann lief es fort, und auch Kelderek verließ das Gehege.

In einiger Entfernung erschollen wirre Rufe, er ging auf die Leute zu. Wo es Angst und Lärm gab, würde wahrscheinlich Shardik nicht weit sein. Bald liefen drei oder vier Männer an ihm vorbei zurück zum Dorf. Einer wimmerte vor Angst, und keiner blieb stehen oder sprach mit ihm. Kaum waren sie fort, erblickte er im Mondschein Shardiks dunklen, zottigen Pelz. Vielleicht hatte er sie verfolgt – möglicherweise hatten sie ihn überrascht –, aber Kelderek, der Shardiks Stimmung und Gemüt aus langjähriger Vertrautheit kannte, wußte, ohne sagen zu können, woher, daß der Bär von diesen Bauern nicht in Zorn versetzt, sondern eher aufgeschreckt worden war. Trotz der Gefahr lehnte sich sein Stolz dagegen auf, sich ihrer Flucht anzuschließen. War er nicht der Herr von Bekla, Gottes Auge, der Priesterkönig Shardiks? Als der Bär im schwachen Mondlicht sich deutlicher abzuzeichnen begann, legte sich Kelderek mit geschlossenen Augen, den Kopf in den Armen verborgen, der Länge nach auf den Bauch und wartete.

Shardik kam über ihn wie ein Ochsengespann über einen auf der

Straße schlafenden Hund. Eine Tatze berührte ihn; er spürte die Klauen und hörte sie klappern. Er spürte den feuchten Atem des Bären auf Nacken und Schultern. Wieder empfand er, wie einst, gehobene Stimmung und schreckliche Angst, eine schwindelnde Erregung wie jemand, der auf einer Bergspitze über einem gewaltigen Absturz balanciert. Das war das Mysterium des Priesterkönigs. Nicht Zelda, nicht Ged-la-Dan, auch nicht Elleroth, der Statthalter von Sarkid, hätten dort liegen und ihr Leben Shardiks Gewalt überlassen können. Aber nun war keiner da, der es sehen, und keiner, der es erfahren würde. Es war ein Akt der Hingabe, noch ehrlicher zwischen ihm und Shardik, als er ihn je in Ortelga oder im Hause des Königs in Bekla vollzogen hatte. »Nimm mein Leben hin, mein Herr Shardik«, betete er lautlos. »Nimm mein Leben, denn es ist dein.« Dann plötzlich fiel ihm etwas ein: »Wie wäre es, wenn jetzt die große Enthüllung käme, die ich in Bekla so lange suchte, unseres Herrn Shardiks Enthüllung der Wahrheit?« Mochte es nicht jetzt dazu kommen, da er und Shardik allein waren, wie nie mehr seit jenem Tag, als er hilflos vor dem Leoparden gelegen hatte?

Wie aber sollte er das Geheimnis erkennen, und was sollte er erwarten? Wie würde es kundgetan werden – als Inspiration für seinen Geist oder durch ein äußeres Zeichen? Und würde er dann sterben oder verschont werden, um es der Menschheit mitzuteilen? Wenn der Preis dafür sein Leben wäre, dachte er – es sollte ihm recht sein.

Der mächtige Kopf wurde gesenkt, schnüffelte an ihm, die Brise war unterbrochen, die Luft still wie unter einer windgeschützten Hausmauer. »Laß mich sterben, wenn es denn sein muß«, betete er. »Laß mich sterben – der Schmerz ist nichts – ich werde hinaustreten in alles Wissen, in alle Wahrheit.«

Dann entfernte sich Shardik. Verzweifelt betete Kelderek weiter: »Ein Zeichen, Shardik, mein Herr – o mein Herr, laß dich wenigstens herab zu einem Zeichen, einer Andeutung deiner heiligen Wahrheit!« Der leise knurrende Atem verstummte, bevor noch der Boden aufhörte, unter dem Schritt des Bären zu zittern. Als er dann, noch halb versunken in seiner Trance, in Anbetung und Gebet lag, drang das Weinen eines Kindes an sein Ohr.

Er erhob sich. Unweit von ihm stand ein vielleicht sieben oder acht Jahre alter Knabe, offensichtlich verirrt und außer sich vor Angst. Vielleicht war er bei den Männern gewesen, bevor sie vor

Shardik davonliefen und ihn verließen – mochte er sich retten, so gut er konnte. Kelderek, nach Abflauen seines ekstatischen Anfalls zitternd und verwirrt, stolperte auf den Knaben zu. Er beugte sich nieder, legte den Arm um die Schultern des Kindes und wies auf die Fackeln rund um die Viehgehege. Der Knabe konnte vor Weinen kaum sprechen, aber schließlich verstand Kelderek die Worte: »Das Teufelsgeschöpf!«

»Es ist fort – fort«, sagte Kelderek. »Komm doch, hab keine Angst, du bist in Sicherheit! Lauf heim, so schnell du kannst! Das ist der Weg, dort drüben!«

Dann machte er sich, wie einer, der seine schwere Last wieder aufnimmt, auf den Weg, um Shardik auf seinem nächtlichen Marsch durch die Ebene zu folgen.

Der Bär ging weiter nach Norden – nach Norden und ein wenig westlich, wie Kelderek an den Sternen erkennen konnte. Die wanderten die ganze Nacht über den Himmel, aber nichts anderes regte oder änderte sich in der Einsamkeit. Da war nur das Licht, ein ständiger Wind, das Trip-trip der trockenen Halme an seinen Knöcheln und da und dort ein leicht schimmernder Teich, bei dem er hinkniete, um zu trinken. Beim ersten Licht, das am Himmel emporkroch, so allmählich und unbeirrt, wie sich Krankheit in den Körper schleicht, war er müde bis zur Erschöpfung. Als er einen langsam fließenden Bach durchquerte und merkte, daß seine Füße auf glatte, ebene Steine traten, durchdrang die Bedeutung nicht gleich seine Ermüdung. Er blieb stehen und sah sich um. Die Reihen der flachen Steine zogen sich rechts und links von ihm fort. Er hatte soeben die Wasserleitung durchwatet, die von dem Stausee in Kabin nach Bekla führte, und stand nun auf der gepflasterten Straße zum Gelter Vorgebirge.

Trotz der frühen Morgenstunde blickte er in die Ferne mit der schwachen Hoffnung, einen Reisenden zu sehen – einen Händler vielleicht, der zum Karawanenmarkt und zu Fleitils Waage zöge, einen Armeelieferanten aus einer Provinz oder einen aus dem Land jenseits von Gelt zurückkehrenden ortelganischen Boten – irgend jemanden, der eine Nachricht nach Bekla bringen würde. Aber es war in beiden Richtungen niemand zu sehen, auch keine Hütte und kein Rauch vom fernen Lagerfeuer eines Wanderers. Er wußte, daß die Straße vielfach durch belebtes Land führte; war er vielleicht in der Nähe eines der Lagerplätze für Viehtreiber und Karawanen –

ein paar Hütten, ein Brunnen und ein verfallener Unterstand für Vieh? Nein, er sah nichts dergleichen. Es war Pech, zu dieser Stunde und an einer so einsamen Stelle die Straße zu kreuzen. Pech – oder war es Shardiks Schlauheit, daß er sich von der Straße ferngehalten hatte, bis er wußte, daß er sie ungesehen überschreiten konnte? Schon war er ein Stück weiter und bestieg den gegenüberliegenden Hang. Bald würde er den Kamm überschreiten und außer Sicht sein. Dennoch zögerte Kelderek, humpelte und lugte enttäuscht und unzufrieden dahin und dorthin. Obwohl er erkannt hatte, daß er, sogar wenn in diesem Augenblick jemand in der Ferne auftauchte, nicht hoffen könnte, mit ihm zu sprechen und die Spur des Bären wiederzufinden, blieb er noch lange auf der Straße, als spürte er irgendwie, daß er nie wieder dieses große Werk des Reiches sehen würde, das er erobert und beherrscht hatte. Endlich brach er mit einem langen, seufzenden Stöhnen wie einer, der sich vergeblich nach Hilfe umgesehen hat und nicht weiß, was ihm nun zustoßen wird, zu der Stelle auf, wo Shardik über den Kamm verschwunden war.

Nachdem er mühselig zu einem weiteren Kamm hinaufgehinkt war, stand er eine Stunde später fast drei Kilometer weiter nordwestlich und blickte auf ein auffallend abwechslungsreiches Land hinunter. Das war keine einsame Ebene mit spärlichen Weideplätzen, sondern eine große natürliche, gepflegte und frequentierte Anlage. Runde Hügelchen in der Ferne bezeichneten ihren jenseitigen Rand, und dazwischen lag ein mehrere Kilometer breites, fruchtbares grünes Tal. Das war, wie er erkannte, eine riesige Wiese oder ein Weideplatz, auf dem in einiger Entfernung voneinander schon bei Sonnenaufgang drei oder vier Herden weideten. Er sah zwei Dörfer, und am Horizont ließen Rauchsäulen darauf schließen, daß es noch andere gab, die ihren Unterhalt aus dieser grünenden Landschaft zogen.

Unweit von ihm, in einer Mulde, war der Boden auf höchst merkwürdige Weise aufgebrochen – eigentlich gespalten –, so daß er ihn verwundert anstarrte, wie man eine steile Klippe oder Wasserfälle anstarren mag oder auch vielleicht einen Felsen, dem der Zufall und jahrhundertelanger Wettereinfluß eine unheimliche Ähnlichkeit, etwa mit einem hockenden Tier oder einem Schädel, verliehen hat. Es war, als hätte vor undenklichen Zeiten ein Riese die Oberfläche der Ebene mit den Zinken einer Gabel aufgeritzt und -gekratzt. Drei ungefähr parallele, fast gleich lange Spalten oder

Rinnen verliefen nebeneinander auf einem etwa drei Viertel Kilometer breiten Raum. Diese seltsamen Schluchten waren so schroff und eng, daß in jeder die Äste der Bäume von den beiden abschüssigen Hängen einander beinahe berührten und die Öffnung verschlossen. Der derart überdachte Boden der Schlucht konnte nicht eingesehen werden. Die Strahlen der hinter dem Kamm stehenden Sonne verstärkten die Schatten, die, wie er meinte, dauernd über diesen gleichsam unterirdischen Baumgruppen liegen mußten. An den Rändern wuchs überall das Gras höher, und es schien aus keiner Richtung ein Pfad hinzuführen. Während er dort stand und hinblickte, wurde die Brise vorübergehend steifer, die Wolkenschatten glitten in langgezogenen Wellen über die Ebene, und die Blätter der obersten Äste in den Schluchten, die kaum über das sie umgebende Gras hinausragten, wurden kurz geschüttelt, dann waren sie wieder still.

Darauf erschauerte Kelderek, in der schlimmen Ahnung einer Bedrohung, die er nicht definieren konnte. Es war, als wäre etwas – ein diese Plätze bewohnender Geist – erwacht, hätte ihn beobachtet und sich dabei erregt. Doch es war nichts zu sehen – außer, tatsächlich, Shardiks mächtiger Gestalt, die der nahegelegensten der drei Schluchten zustrebte. Er trottete langsam durch das hohe Gras, blieb am Rand stehen, wandte den Kopf von einer Seite zur anderen und blickte hinunter. Dann glitt er gewandt wie ein Otter über den Rand eines Flußufers in den Abgrund und war verschwunden.

Nun würde er schlafen, dachte Kelderek; seit seiner Flucht war ein Tag und eine Nacht vergangen, und sogar Shardik konnte nicht von Bekla bis zu den Gelter Bergen wandern, ohne sich auszuruhen. Wenn die Ebene die geringste Deckung oder Zuflucht geboten hätte, hätte er zweifellos schon früher Rast gemacht. Shardik, einem Geschöpf der Hügel und Wälder, mußte die Ebene gewiß als eine üble Gegend und seine neugewonnene Freiheit so unbequem erscheinen wie die Gefangenschaft, aus der er entkommen war. Die Schluchten waren sichtlich einsam, wurden vielleicht sogar von den Hirten gemieden, denn für Vieh waren sie zweifellos gefährlich, und wahrscheinlich weckte ihre Fremdartigkeit abergläubische Furcht. Das weder nach Tier noch Mensch riechende, dicht durchwachsene Dämmerlicht würde Shardik eine willkommene Abgeschiedenheit bieten. Vielleicht würde er es sogar, wenn er nicht Nahrung suchen müßte, ungern verlassen.

Je mehr Kelderek überlegte, desto mehr schien ihm die Schlucht eine ausgezeichnete Möglichkeit für das Wiedereinfangen Shardiks zu bieten, bevor er noch die Berge erreichte. Seine verdrießliche Stimmung besserte sich, als er zu planen begann, was nun am besten zu tun wäre. Diesmal mußte er die Einheimischen um jeden Preis von seiner Rechtschaffenheit überzeugen. Er wollte ihnen beträchtliche Belohnungen versprechen – tatsächlich alles, was sie verlangen würden: Befreiung von Marktzöllen, von Sklavenkontingenten, vom Militärdienst –, vorausgesetzt, daß sie Shardik in der Schlucht festhalten könnten, bis er wieder eingefangen wäre. Vielleicht würde sich das nicht als allzu schwierig erweisen. Ein paar Ziegen, einige Kühe – Wasser war vielleicht vorhanden. Ein Bote könnte Bekla vor Sonnenuntergang erreichen, und noch vor dem morgigen Abend müßten Helfer eintreffen können. Sheldra mußte beauftragt werden, die erforderlichen Betäubungsmittel mitzubringen.

Wenn nur er selbst nicht so erschöpft wäre! Auch er würde schlafen müssen, wollte er nicht zusammenbrechen. Sollte er sich einfach an Ort und Stelle hinlegen und darauf vertrauen, daß Shardik noch in der Schlucht sein würde, wenn er selbst wieder aufwachte? Aber die Nachricht mußte, noch bevor er sich schlafen legte, nach Bekla geschickt werden. Er würde in eines der Dörfer gehen müssen; vorher mußte er aber einen Hirten finden und ihn überreden, die Schlucht zu überwachen, bis er zurückkäme.

Plötzlich hörte er Stimmen in einiger Entfernung und wandte sich schnell um. Zwei Männer waren offenbar, bevor er sie hörte, über den Hang heraufgekommen und entfernten sich nun langsam von ihm über den Kamm. Es schien merkwürdig, daß sie ihn anscheinend nicht gesehen oder nicht mit ihm gesprochen hatten. Er rief laut und lief ihnen nach. Der eine war ein etwa siebzehnjähriger Junge, der andere ein hochgewachsener älterer Mann von feierlichem und gebieterischem Aussehen, der einen mannshohen Stab trug und mit einem blauen Mantel bekleidet war. Er sah durchaus nicht wie ein Bauer aus, und als Kelderek vor ihm stehenblieb, fühlte er, daß das Glück sich nun endlich zu seinen Gunsten wandelte und daß er jemanden getroffen hatte, der begreifen konnte, was er brauchte, und dafür sorgen würde, daß er es erhielt.

»Ich bitte dich, Herr«, sagte Kelderek, »beurteile mich nicht nach meinem Äußeren. Ich bin völlig erschöpft, denn ich wandere schon einen Tag und eine Nacht lang durch die Ebene und brauche dringend deine Hilfe. Willst du dich mit mir hinsetzen – ich glaube, ich kann nicht länger stehen – und mir gestatten, dir zu erzählen, wieso ich hierherkam?«

Der Alte legte die Hand auf Keldereks Schulter.

»Sag mir vorher«, sprach er ernst, mit seinem Stab zu den Schluchten weisend, »ob du weißt, wie diese Orte bei uns genannt werden.«

»Das weiß ich nicht. Ich war noch nie im Leben hier. Warum fragst du mich?«

»Setzen wir uns hin. Es tut mir leid für dich, da du aber nun hier bist, brauchst du nicht weiterzuwandern.«

Kelderek war so erschöpft, daß er seine Worte nicht länger abzuwägen vermochte, und sagte zuerst, er sei der König von Bekla. Der Alte ließ weder Überraschung noch Zweifel erkennen, sondern nickte nur. Sein Blick, den er nicht von Kelderek abwandte, drückte eine Art ernstes, unvoreingenommenes Mitleid aus, wie das eines Scharfrichters oder eines Priesters am Opferaltar. Das war so beunruhigend, daß Kelderek nach einer Weile die Augen abwandte und beim Sprechen auf das grüne Tal und die seltsamen Schluchten hinausblickte. Er sagte nichts von Elleroth und Mollo oder von Santil-ke-Erketlis' Marsch nach Norden, sondern erzählte nur von dem Dacheinsturz in der Halle, von Shardiks Flucht und wie er selbst ihm gefolgt war, seine Gefährten im Nebel verloren und einen zufällig getroffenen Boten mit Befehlen nach Bekla geschickt hatte, seine Soldaten sollten folgen und ihn suchen. Er erzählte von seinem Marsch durch das Flachland und daß Shardik – der unbedingt wieder eingefangen werden müsse – in der Schlucht unten Deckung gefunden habe, wo er zweifellos nun schlief.

»Und eines kann ich dir versichern«, schloß er, begegnete dem unverwandten Blick seines Gegenübers und erwiderte ihn. »Sollte unserem Herrn Shardik oder mir das geringste Leid zugefügt werden, es würde, sobald man es entdeckt hätte – und es würde bestimmt entdeckt werden –, furchtbar gerächt werden. Wir werden uns aber für die Hilfe deiner Leute – denn ich nehme an, du bist hier ein angesehener Mann – bei der Wiedergewinnung unseres Herrn Shardik für Bekla mit höchster Freigebigkeit dankbar erweisen. Wenn die Aufgabe vollendet ist, dürft ihr jede annehmbare Belohnung nennen, und sie wird euch gewährt werden.«

Der Alte verharrte in Schweigen. Dem erstaunten Kelderek schien es, als habe er zwar aufmerksam zugehört, sei aber weder durch die Rachedrohung noch von der Hoffnung auf Belohnung beeindruckt. Ein kurzer Blick auf den Jungen zeigte nur, daß er auf die Wünsche seines Herrn wartete.

Der Alte erhob sich und half Kelderek auf die Füße.

»Und nun brauchst du Schlaf«, sagte er freundlich, aber entschieden wie ein Vater zu einem Kind, nachdem er sich die Schilderung von dessen Abenteuern angehört hat. »Ich werde dich begleiten —«

Kelderek wurde ungeduldig und war zugleich verblüfft, daß seinen Worten offenbar so wenig Bedeutung beigemessen wurde.

»Ich brauche etwas zu essen«, sagte er. »Und es muß ein Bote nach Bekla geschickt werden. Die Straße ist nicht weit von hier — bis zum Abend kann ein Mann in Bekla sein, übrigens versichere ich dir, daß er lange vorher einen meiner Soldaten auf der Straße treffen müßte!«

Ohne ein weiteres Wort winkte der Alte dem Jungen, der sich erhob, seinen Ranzen öffnete und ihn Kelderek reichte. Er enthielt Schwarzbrot, Ziegenkäse und ein halbes Dutzend getrocknete Tendrionas — wahrscheinlich der Rest des Wintervorrats. Kelderek nickte zum Dank, entschlossen, seine Würde zu wahren, und legte ihn neben sich auf den Boden.

»Die Botschaft —« begann er wieder. Der Alte sagte noch immer nichts, und der Junge hinter ihm antwortete: »Ich werde deine Botschaft überbringen, Herr. Ich mache mich sofort auf den Weg.«

Kelderek ließ ihn die Botschaft und seine Weisungen mehrmals wiederholen; der Alte stand, auf seinen Stab gelehnt, dabei und blickte zu Boden. Er wirkte nicht so sehr geistesabwesend wie gleichgültig, beherrscht und geduldig, wie ein Herr oder Baron auf Reisen, der wartet, während sein Diener sich nach dem Weg erkundigt oder einen Gastwirt befragt. Als Kelderek dem Jungen Geld gab und hinzufügte, wieviel er noch bekommen werde, zuerst bei Ablieferung der Botschaft und dann, sobald er die Soldaten zurückgebracht hätte, warf der Junge keinen Blick auf das Geld, dankte nur mit einer Verbeugung und entfernte sich dann sogleich in Richtung zur Straße. Kelderek blickte ihm mißtrauisch eine Weile nach, schließlich wandte er sich an den Alten, der sich nicht gerührt hatte.

»Ich danke dir für deine Hilfe«, sagte er. »Ich versichere dir, ich werde sie nie vergessen. Wie du sagtest, brauche ich Schlaf, darf mich aber nicht weit von unserem Herrn Shardik entfernen, denn sollte er sich wieder auf den Weg machen, dann ist es meine heilige Pflicht, ihm zu folgen. Hast du jemanden, der bei mir wachen und mich wecken kann, wenn es nötig sein sollte?«

»Wir gehen zu der Ostschlucht«, antwortete der Alte. »Dort kannst du einen schattigen Platz finden, und ich werde dir jemanden schicken, der bei dir wacht, während du schläfst.«

Kelderek preßte die Hand gegen seine schmerzenden Augen und machte einen letzten Versuch, die ernste Zurückhaltung des Alten zu durchbrechen. »Meine Soldaten – hohe Belohnung – deine Leute werden es dir danken – ich vertraue dir –« Er verlor den Faden und verfiel in Ortelganisch: »Ein Glück, daß ich hierherkam –«

»Gott schickte dich. Wir müssen tun, was Er wünscht«, antwortete der Alte. Dies, nahm Kelderek an, mußte eine stereotype Antwort auf den Dank eines Gastes oder Reisenden sein. Er nahm den Ranzen und lehnte sich auf den gebotenen Arm seines Begleiters. Schweigend stiegen sie den Hang bergab, zwischen den kleinen Ameisenhaufen, den Grasbüscheln und Kaninchenbauten, bis sie endlich zu dem hohen Gras kamen, das rund um die Schlucht wuchs. Dort blieb der Mann wortlos stehen, verneigte sich und schritt bereits fort, ehe noch Kelderek begriffen hatte, daß er sich entfernte.

»Treffen wir einander wieder?« rief er ihm nach, doch der andere gab durch kein Zeichen zu erkennen, daß er ihn gehört hatte. Kelderek zog die Schultern hoch, griff nach dem Ranzen und setzte sich, um zu essen.

Das Brot war hart und das Obst völlig ausgetrocknet. Als er alles verzehrt hatte, war er durstig. Es gab kein Wasser – außer vielleicht einen Teich oder eine Quelle in einer der drei Schluchten, aber er war zu müde, um alle drei zu durchsuchen. Er beschloß, einen Blick in die nächstgelegene zu werfen – daß Shardik wach wäre oder ihn angreifen würde, war unwahrscheinlich –, und wenn er kein Wasser sehen oder hören könnte, würde er bis nach seinem Schlaf ohne Getränk auskommen.

Das mit den Gewächsen verflochtene Gras reichte ihm fast bis zur Taille. Im Sommer mußte das ein beinahe unpassierbarer Ort sein, dachte er, ein wahres Dickicht. Er war nur wenige Meter weit gekommen, als er über etwas Hartes stolperte, sich bückte und es aufhob. Es war verrostetes, schon beinahe in Stücke zerfallenes Schwert, dessen Griff mit Blumen- und Blattmustern aus längst geschwärztem Silber eingelegt war – das Schwert eines Adeligen. Er schlug es, verwundert, wie es dorthin gekommen sein mochte, ohne bestimmtes Ziel auf das Gras, und dabei zerbrach die Klinge wie eine alte Kruste und flog in die Nesseln. Er warf den Griff hinterher und wandte sich um.

Aus der Nähe gesehen, wirkte der Schluchtrand sogar noch schärfer und steiler als aus der Entfernung. Tatsächlich hatte der Ort, so unbebaut und unergiebig inmitten der fruchtbaren Umgebung, etwas Unheimliches. Es lag auch etwas Merkwürdiges in dem Rauschen der Brise in den Blättern – ein tiefes Seufzen mit Unterbrechungen, wie vom Winterwind in einem riesigen Kamin, dabei leise, als wäre es weit entfernt. Und nun schien es seiner nach Schlaf lechzenden Phantasie, als klafften die Seitenwände der Schlucht wie eine offene, tiefe Wunde. Er trat zum Rand und blickte darüber.

Unter ihm breiteten sich die Kronen der niedrigeren Bäume aus. Insekten summten und huschten umher, und die Blätter schimmerten. Zwei große Schmetterlinge, nach dem Winter neu erwacht, fächelten mit ihren blutroten Flügeln einen Meter weit unter seinen Augen. Langsam wanderte sein Blick über die unebene Laubfläche und zurück zu dem steilen Hang zu seinen Füßen. Der Wind blies, die Äste bewegten sich, und plötzlich – wie ein Mann, der merkt, daß der lächelnde Fremde, der mit ihm plauderte, in Wahrheit ein Irrsinniger ist, der ihn angreifen und ermorden will – schreckte Kelderek zurück und klammerte sich ängstlich an den Büschen fest.

Unter den Bäumen gab es nichts als Finsternis – das Dunkel einer Höhle, ein Dunkel voll stagnierender Luft und leiser, dumpfer Geräusche. Jenseits der untersten Baumstämme entschwand der nackte und steinige Boden im Dämmerlicht und dann in Schwärze. Die Töne, die er hören konnte, waren Widerhall, wie in einem Schacht, jedoch beim Hochsteigen aus einer größeren, unvorstellbaren Tiefe verstärkt. Die kalte Luft an seinem Gesicht hatte einen schwachen, gräßlichen Geruch – nicht nach Verwesung, sondern eher nach einem Ort, der niemals Leben oder Tod gekannt hat, ein bodenloser Abgrund, seit Anbeginn der Zeiten ohne Licht und ohne Besucher. Fasziniert von Entsetzen, das sich auf seinen Magen schlug, tastete er hinter sich nach einem Stein und schleuderte ihn hinunter zwischen die Äste. Dabei kam ihm eine vage Erinnerung zu Bewußtsein – Nacht, Furcht und der Überbringer eines unbekannten Schicksals im Dunkel; aber seine augenblickliche Angst war zu heftig, und die Erinnerung verließ ihn wie ein Traum. Der Stein fiel durch die Blätter, schlug gegen einen Ast und war fort. Kein Ton mehr. Weicher Boden – tote Blätter? Er warf noch einen, zielte weit hinaus in die Mitte der konkaven Blätterwand. Ein Aufschlag war nicht zu hören.

Shardik – wo war er? Keldereks Hände schwitzten, seine Fußsohlen kribbelten, er lag entsetzt vor der Schlucht und starrte ins Dunkel nach einem winzigen Zeichen eines vorstehenden Randes oder Simses. Es gab keines.

Plötzlich schrie er, halb verzweifelt, halb betend, laut aus: »Shardik! Shardik!« Da schien es, als ob alle bösen Geister und nachtwandelnden Phantome in dieser Finsternis sich nach oben auf ihn stürzten. Ihre furchtbaren Schreie waren kein Widerhall mehr, sie waren nicht durch seine Stimme entstanden. Es waren Fieber-, Irrsinns-, Höllenstimmen. Tief und zugleich unerträglich schrill, weit entfernt und in seine Gehörnerven kreischend, an seine Augen hackend und wie schmutziger Staub sich in seiner Lunge ballend, ihn erstickend sprachen sie zu ihm mit der abstoßenden Schadenfreude ewiger Verdammnis, wo ihr bloßer Anblick im Dunkel eine unerträgliche Qual wäre. Schluchzend, die Arme um den Kopf geschlungen, kroch er zurück, kauerte sich nieder und hielt sich die Ohren zu. Allmählich verstummten die Töne, seine normalen Wahrnehmungen kehrten wieder, und als er ruhiger wurde, versank er in tiefen Schlaf.

Er schlief viele Stunden lang und spürte weder die Frühjahrssonne noch die Fliegen, die sich auf seine Glieder setzten. Die im Schlaf aktiven amorphen Kräfte, die tief und unbeschreiblich weit unter jener höheren Dämmerebene sitzen, wo ihre aufwärts schwebenden Fragmente irdische Bilder an sich ziehen und in Blasen, Träume genannt, frei werden, verursachten in ihm nicht die geringste Körperbewegung, da sie ohne Substanz, Form oder Masse ihre Wege nur innerhalb des Kopfes fortsetzten. Als er endlich erwachte, wurde er sich als erstes des Tageslichtes bewußt – des Lichtes des Spätnachmittags – und dann eines wirren Lärms, menschliche Rufe, die den schrecklichen Stimmen vom Morgen entfernt ähnlich waren. Aber weil er nicht mehr über der Schlucht lag oder vielleicht weil er nicht selbst gerufen hatte, fehlte diesen Stimmen das Grauen jener anderen. Er wußte, dies waren Rufe von lebenden Menschen mit ihrem natürlichen Echo. Er erhob sich vorsichtig und blickte um sich. Zu seiner Linken, am Südende der Schlucht, wo Shardik am Morgen verschwunden war, kletterten einige Männer heraus und liefen davon. Es waren kleine, struppige Menschen mit Speeren – einer warf beim Laufen seinen Speer fort –, und sie waren offensichtlich geängstigt. Während er ihnen nachblickte, strauchelte einer, fiel hin und erhob sich wieder auf die Knie. Dann wurden die Büsche am Rand der Schlucht auseinandergerissen, und Shardik erschien.

Wie wenn Bauern einer kräftigen Kuh ihr Kalb fortnehmen und sie vor Zorn brüllt, die Stangen des Geheges durchbricht und durch das Dorf trampelt, furchtlos, nur erfüllt von Schmerz und Wut über das erlittene Unrecht: die Bauern flüchten vor ihr, und sie durchbricht in ihrer Raserei die Lehmwand, so daß ihr Kopf und die Schultern plötzlich den Insassen wie eine groteske Quelle von Vernichtung und Furcht erscheinen – so brach Shardik durch das hohe Gras und die Büsche am Rande der Schlucht und blieb einen Augenblick zornig brummend stehen, dann fiel er über den knienden, aufschreienden Mann her und tötete ihn. Danach wandte er sich sofort um und schritt auf dem Weg den Schluchtrand entlang auf die Stelle zu, wo Kelderek lag. Kelderek lag ausgestreckt im hohen Gras, hielt den Atem an, und der Bär ging, keine drei Meter entfernt, an ihm vorbei. Er hörte ihn atmen – ein unstetes, ersticktes Geräusch wie von einem Verwundeten, der nach Luft ringt. Sobald er es wagte, blickte er hoch. Shardik trottete davon. Im Nacken hatte er eine frische, tiefe Wunde, ein klaffendes, leicht blutendes Loch.

Kelderek lief zurück zu dem Schluchtrand, wo die Männer bei der Leiche ihres Kameraden standen. Als er näher kam, griffen sie nach ihren Speeren und erwarteten ihn drohend, wobei sie in einem groben beklanischen Dialekt miteinander sprachen.

»Was habt ihr getan?« schrie Kelderek. »Bei Gott, dafür lasse ich euch bei lebendigem Leib verbrennen!« Mit geschwungenem Schwert bedrohte er den nächsten Mann, der mit vorgestrecktem Speer zurückwich.

»Zurück, Herr!« schrie der Mann. »Sonst zwingst du uns –«

»Ach, erschlag ihn doch gleich!« sagte ein anderer.

»Nee«, warf der dritte schnell ein. »Er war gar nicht im Streel. Und nach dem, was vorgefallen ist –«

»Wo ist euer verdammter Häuptling, Priester oder wie er sich nennen mag?« schrie Kelderek. »Der Alte in dem blauen Mantel? Er hat euch hierzu veranlaßt. Und ich habe ihm, dem verräterischen

Lügner, vertraut! Ich sage euch, jedes Dorf auf dieser verfluchten Ebene wird niedergebrannt. – Wo ist er?«

Er brach erstaunt ab, als der erste Mann plötzlich seinen Speer fallen ließ, zum Rand der Schlucht schritt und mit einem Blick auf Kelderek nach unten wies.

»Dann geh fort«, sagte Kelderek. »Nein – dort hinüber. Ich habe kein Vertrauen zu euch dreckigen Mördern!«

Er kniete wieder am Rand des Abgrunds. Dort aber waren die ersten Meter des Abhangs unter ihm sanft geneigt. Unweit, halb unter den Bäumen verborgen, gab es eine ebene Stelle mit einem kleinen Teich. Dort hatte Shardik gelegen und das Gras abgeflacht und zerdrückt. Halb in dem Teich versenkt lag ein Toter, bedeckt mit einem blauen Mantel, auf dem Bauch. Sein Hinterkopf war aufgerissen, das Gehirn lag frei, und daneben lag eine blutige Speerspitze. Der Schaft war nirgends zu sehen; vielleicht war er in den Abgrund gefallen.

Kelderek vernahm eine Bewegung hinter sich und fuhr herum. Doch der Mann, der zu ihm getreten war, war noch immer unbewaffnet.

»Du mußt jetzt gehen, Herr«, flüsterte er Kelderek zu und zitterte wie vor etwas Übernatürlichem. »Ich habe so etwas noch nie erlebt, aber ich weiß, was geschehen muß, wenn die vom Streel herauskommen. Du hast es jetzt selbst gesehen und weißt, daß das Geschöpf uns und unserer Kraft überlegen ist. Es ist Gottes Wille. Verschone uns bitte, Herr, in Seinem Namen und geh!«

Darauf fielen alle drei auf die Knie, falteten die Hände und blickten in so offensichtlicher Furcht und demütig bittend zu ihm auf, daß er sich das gar nicht erklären konnte.

»Es wird dich jetzt keiner anrühren, Herr«, sagte endlich der erste Mann, »weder wir noch die anderen. Wenn du es wünschst, gehe ich mit dir, wohin du willst, bis zur Grenze von Urtah. Nur geh fort!«

»Also gut«, sagte Kelderek, »du *wirst* mit mir kommen, und wenn noch einer von euch kotfressenden Schweinen mich zu verraten versucht, bist du der erste, der stirbt. Nein, laß deinen Speer liegen und komm!«

Doch nach fünf Kilometern ließ er seine jämmerliche, verzweifelte Geisel frei, die sich vor ihm wie vor einem Gespenst zu fürchten schien, und ging wieder allein weiter, Shardiks Gestalt folgend, die in der Ferne das Tal in nördlicher Richtung durchquerte.

35. Shardiks Gefangener

Nach und nach wurde Kelderek klar, daß er sich ohne Freunde, fern von Hilfe, von Not bedrängt und auf gefährlichen Pfaden in fremdem Land umhertrieb. Erst später merkte er auch, daß er Shardiks Gefangener geworden war.

Der Bär war sichtlich durch seine letzte Wunde weiter geschwächt worden. Sein Tempo war langsamer, und obwohl er den Hügeln – die nun am nördlichen Horizont deutlich sichtbar wurden – mit unverminderter Entschlossenheit zustrebte, blieb er häufiger stehen und ließ sich sein Leiden dann und wann durch ein plötzliches Zusammenzucken und unnatürliche, jähe Bewegungen anmerken. Kelderek, der nun weniger Angst vor einem seiner plötzlichen Angriffe hatte, denen man nicht entrinnen konnte, folgte ihm in kürzerer Entfernung und rief ihm mitunter zu: »Mut, mein Herr Shardik!« oder: »Ruhig, mein Herr Shardik, deine Stärke kommt von Gott!« Ein paarmal schien es ihm, daß Shardik seine Stimme erkannte und sie sogar als tröstlich empfand.

Die Nacht brach jäh herein, und obwohl Shardik sich mehrere Stunden ausruhte, weithin sichtbar im Freien liegend, fand Kelderek keinen Frieden, sondern wanderte umher und beobachtete ihn aus einiger Entfernung, bis der Bär plötzlich, als die Nacht fast vorbei war, aufstand, jämmerlich hustete und sich wieder in Bewegung setzte; in der Stille war sein mühsamer Atem deutlich zu hören.

Kelderek wurde schrecklich hungrig, und als er später am Vormittag in einiger Entfernung zwei Hirten erblickte, die Schafhürden aufstellten, lief er fast einen Kilometer weit zu ihnen, um sie um etwas Eßbares zu bitten – ein Stück Brot, einen Knochen; dabei behielt er Shardik im Auge. Zu seiner Überraschung erwiesen sie sich als freundlich – einfache Männer, denen er in seiner Not und Müdigkeit leid tat und die willig waren, ihm zu helfen, als er ihnen erzählte, er müsse zwar aufgrund eines frommen Eides dem riesigen Geschöpf folgen, das sie in der Ferne sahen, brauche jedoch dringend jemanden, um eine Botschaft nach Bekla zu schicken. Durch ihre gute Aufnahme ermutigt, erzählte er ihnen vom Erlebnis des Vortags. Als er zu Ende gesprochen hatte, sah er, daß sie einander in Angst und Bestürzung anstarrten. »Die Streels! Gnade uns Gott!« murmelte der eine. Der andere legte einen halben Brotlaib und ein wenig Käse auf den Boden, trat zurück und sagte: »Hier ist Essen!«

Dann sagte er wie der Mann mit dem Speer: »Tu uns nichts zuleide, Herr – nur geh fort!« Doch diese beiden handelten schneller als Kelderek, denn sie rannten daraufhin fort und ließen ihre Zurichtemesser und Schlegel bei den Hürden liegen.

An jenem Abend wanderte Shardik zu einem Dorf, das Kelderek durchquerte, ohne von jemandem angesprochen oder gesehen zu werden, als wäre er ein Geist oder eine verwünschte Seele aus einer Legende, verurteilt, für irdische Augen unsichtbar umherzuwandern. Am Dorfrand tötete Shardik zwei Ziegen, doch die armen Tiere machten wenig Lärm, und es wurde nicht Alarm geschlagen. Als er gefressen hatte und forthinkte, aß auch Kelderek im Dunkel hockend, indem er mit Fingern und Zähnen an dem noch warmen, rohen Fleisch riß. Später schlief er, zu müde, um sich zu fragen, ob Shardik fort sein würde, wenn er aufwachte.

Bevor er die Augen aufschlug, drang Vogelgesang an sein Ohr, und das erschien ihm zuerst natürlich und erwartungsgemäß, bis er sich mit plötzlichem Erschrecken erinnerte, daß er nicht mehr ein Junge in Ortelga war, sondern ein armer Teufel, der allein im beklanischen Flachland lag. Dort gab es aber kaum Bäume, das wußte er genau, daher auch keine Vögel außer Bussarden und Lerchen. Da hörte er Menschenstimmen in der Nähe und schlug, ohne sich zu regen, die Augen auf.

Er lag bei der Straße, auf der er Shardik in der Nacht gefolgt war. Neben ihm krochen schon die Fliegen über die Ziegenkeule, die er abgerissen und mitgenommen hatte. Das Land war nicht mehr flach, sondern eine wilde, von kleinen Feldern und Obstgärten unterbrochene Waldlandschaft. In der Nähe ließ das Holzgeländer einer Brücke erkennen, wo der Weg über einen Fluß führte, und jenseits lag ein dichter, von Gestrüpp durchwachsener Wald.

Keine zehn Meter weit standen ein paar Männer, die leise miteinander sprachen und finster zu ihm herüberblickten. Einer trug eine Keule, und die anderen hatten grobe, hauenartige Hacken, das einzige Werkzeug des Ackerbauers. In ihren zornigen Blicken lag auch etwas Unsicherheit, und als Kelderek einfiel, daß dies wahrscheinlich der Besitzer der Ziegen und dessen Nachbarn waren, wurde ihm klar, daß er wohl eine furchteinflößende Gestalt geworden war – bewaffnet, hager, zerlumpt und schmutzig, Hände und Gesicht mit getrocknetem Blut beschmiert, und neben ihm lag ein Stück rohes Fleisch.

Als er plötzlich aufsprang, schreckten die Männer zurück. Doch obwohl es Bauern waren, mußte er mit ihnen rechnen. Nach kurzem Zögern kamen sie auf ihn zu und blieben erst stehen, als er Kavass' Schwert zog, sich an einen Baum lehnte und ihnen, indem er sich mit seiner eigenen Stimme Mut machte, auf ortelganisch drohte, ohne sich darum zu kümmern, ob sie ihn verstanden.

»Du legst jetzt das Schwert hin und kommst mit uns!« sagte einer der Männer barsch.

»Ortelganer – Bekla!« rief Kelderek und wies auf sich.

»Ein Dieb bist du«, sagte ein anderer, älterer Mann. »Und Bekla ist weit entfernt, die werden dir nicht helfen, sie haben ohnehin selbst genug Verdruß. Wer immer du bist, du hast ein Unrecht begangen. Du kommst jetzt mit uns!«

Kelderek schwieg und wartete, ob sie ihn angreifen würden, aber sie zögerten und zogen sich nach einer Weile vorsichtig auf die Straße zurück. Sie folgten ihm und riefen ihm dabei Drohungen in ihrem Dialekt zu, den er kaum verstand. Er schrie zornig zurück, und als er, mit der linken Hand rückwärts tastend, das Brückengeländer hinter sich spürte, wollte er sich schon umdrehen und fortlaufen, da plötzlich deuteten sie an ihm vorbei und lachten triumphierend. Er blickte rasch nach hinten und sah, daß sich zwei Männer von der anderen Seite der Brücke näherten. Sichtlich hatte man sich allgemein auf die Jagd nach dem Ziegenräuber gemacht.

Die Brücke war nicht hoch, und Kelderek wollte schon über das Geländer springen – obwohl das die Jagd nur ein wenig verlängert hätte –, als die Männer vor und hinter ihm plötzlich laut schrien und in alle Richtungen davonrannten. Unangreifbar und endgültig wie der Einbruch der Nacht auf einem Schlachtfeld war Shardik aus dem Wald gekommen und stand nun am Straßenrand, starrte in die Sonne und betastete betrübt mit seiner riesigen Tatze den verwundeten Nacken. Langsam, wie ein Leidender, wanderte er zum Flußufer und trank, nur wenige Schritte vom anderen Brückenende über das Wasser gebeugt. Dann hinkte er mit trübem Blick, trockenem Maul und gesträubtem Fell davon in den Schutz des Dickichts.

Kelderek stand noch auf der Brücke, ohne weiter daran zu denken, ob die Bauern wiederkommen würden oder nicht. Am Beginn dieses vierten Tages, seit er Bekla verlassen hatte, fühlte er sich beinahe erschöpft, nicht nur körperlich. Es war ein Verzagen an der Zukunft, eine Sehnsucht, wie sie die schwer bedrängten Soldaten eines Heeres befällt, das eine Schlacht zwar noch nicht verloren hat, sie aber verlieren wird. Es drängt sie, um jeden Preis im Augenblick von jedem weiteren Ringen abzulassen, sich auszuruhen, mag kommen, was da wolle, obwohl sie wissen, daß dann der Kampf nur mit noch größerem Nachteil wiederaufgenommen werden könnte. Der Oberschenkelmuskel seines rechten Beines war gezerrt und schmerzte. Zwei von den Stichwunden in der Schulter und in der Hüfte, die ihm Mollo zugefügt hatte, pulsierten unaufhörlich. Noch bedrückender aber war das Bewußtsein, daß er bei der Aufgabe, die er sich selbst gestellt hatte, versagt hatte, da es nun nicht mehr möglich sein würde, Shardik wieder einzufangen, bevor er die Hügel erreicht hätte. Er blickte nordwärts über die Bäume und konnte deutlich die nächsten im Morgenlicht grün und braun leuchtenden Hänge und die purpurfarbenen Schatten erkennen. Sie mochten ungefähr zehn Kilometer weit entfernt sein. Auch Shardik mußte sie erblickt haben. Am Abend würde er dort angekommen sein. Nun würde man Wochen – vielleicht Monate – brauchen, um ihn in diesem Gelände aufzuspüren – einen alten, durch die Erfahrung früherer Gefangenschaft schlau und verzweifelt gewordenen Bären. Es gab keine Hilfe, die Ortelganer würden die mühseligste aller Aufgaben auf sich nehmen müssen – die Aufgabe, die ausgeführt werden mußte, um Dinge, die nie hätten mißlingen dürfen, wieder in Ordnung zu bringen.

Er war an diesem Morgen einer sicheren Verwundung, vielleicht sogar dem Tod entgangen, denn es war unwahrscheinlich, daß die rauhe Rechtspflege der Bauern einen Ortelganer geschont hätte: und wer würde jetzt glauben, daß er der König von Bekla war? Ein bewaffneter Halsabschneider, der betteln oder rauben mußte, um zu essen, konnte nur, wenn er Leben und Glieder riskierte, seinen Weg machen. Was nützte es ihm, wenn er nun Shardik weiter folgte? Die gepflasterte Straße konnte nicht mehr als eine halbe Tagereise weiter östlich liegen – vielleicht weniger. Es war Zeit zurückzukehren, seine Untertanen um sich zu versammeln und den nächsten Schritt von Bekla aus zu planen. War Elleroth gefangengenommen worden? Und welche Nachricht war von dem Heer in Tonilda gekommen?

Er machte sich auf den Weg nach Süden, entschlossen, eine Zeitlang dem Strom zu folgen und erst dann nach Osten abzubiegen, wenn er weit genug von dem Dorf entfernt wäre. Bald wurde sein Schritt langsamer und zögernder. Er war vielleicht einen knappen

Kilometer weit gekommen, da blieb er stirnrunzelnd stehen und schlug in seiner Verwirrung auf die Büsche ein. Da er nun Shardik tatsächlich verlassen hatte, sah er die Lage in einem anderen und beunruhigenden Licht. Die Folgen seiner Rückkehr ließen sich nicht abschätzen. Seine Monarchie und seine Macht waren von Shardik nicht zu trennen. Zwar hatte er Shardik zur Schlacht im Vorgebirge gebracht, aber Shardik hatte ihn auf den Thron von Bekla gesetzt und dort gehalten. Mehr noch, Schicksal und Macht der Ortelganer beruhten auf Shardik und auf dem Weiterbestand seiner eigenen seltsamen Fähigkeit, dem Bären gegenüberzutreten, ohne Schaden zu erleiden. Konnte er gefahrlos nach Bekla zurückkehren mit der Nachricht, daß er den verwundeten Shardik im Stich gelassen hatte und nicht mehr wußte, wo er war, ja, nicht einmal, ob er noch lebte oder tot war? Welche Wirkung würde das beim jetzigen Stand des Krieges auf das Volk haben? Und was würde man mit ihm tun?

Kaum eine Stunde nach Verlassen der Brücke war Kelderek dahin zurückgekehrt und ging nun stromaufwärts zum Nordende des Waldes. Dort gab es keine Spuren, und er versteckte sich und wartete. Doch erst am Nachmittag erschien Shardik wieder und setzte seine langsame Wanderung fort – möglicherweise ermutigt durch den vom Nordwestwind herangetragenen Geruch der Hügel.

36. Shardik ist fort

Am Nachmittag des nächsten Tages war Kelderek dem Zusammenbruch nahe. Hunger, Müdigkeit und Schlafmangel hatten an seinem Körper gezehrt wie Würmer an einem Dach, wie Rost an einer Zisterne oder Furcht in einem Soldatenherzen – immer etwas mehr fortgenommen, etwas weniger zurückgelassen, was der Schwerkraft, dem Wetter, der Gefahr und der Furcht widerstehen konnte. Wie kommt das Ende? Vielleicht entdeckt ein Techniker, der endlich zur Inspektion und Prüfung kommt, daß er mit dem Finger die ausgehöhlten, papierdünnen Eisenplatten durchbohren kann. Vielleicht bringt der Scherz eines Kameraden oder ein nur knapp sein Ziel verfehlendes Geschoß den einstmals tapferen Soldaten dazu, daß er den Kopf in den Händen verbirgt, weint und stammelt; ebenso wie morsche Sparren schließlich nur noch aus Splittern, Wurmlöchern und Staub bestehen. Manchmal geschieht nichts, was die Katastrophe und den langsamen Zerfall beschleunigt, der von außen – durch den Wassertank in der windstillen Wüste oder den Kommandeur der einsamen, gefährdeten Garnison – unbeeinflußt ununterbrochen fortschreitet, bis nichts mehr übrig ist, was man wiederherstellen könnte. Schon gab es den König von Bekla nicht mehr, doch das hatte der ortelganische Jäger noch nicht erkannt.

Shardik hatte den Rand des Vorgebirges bald nach Einbruch der Dämmerung erreicht. Es war eine wilde und einsame Gegend, das Gelände wurde immer schwieriger. Kelderek kletterte durch dichten Baumbestand oder zwischen umgestürzten Felsen, wo er oft keine zehn Meter weit sehen konnte. Manchmal folgte er dem intuitiven Gefühl, daß der Bär diesen Weg genommen haben mußte, und kam zu einem freien Platz, wo er sich verstecken mußte, weil Shardik hinter ihm aus dem Wald getrottet kam. Er war dauernd in Lebensgefahr. Aber mit dem Bären war eine Veränderung vorgegangen – eine Veränderung, die Kelderek im Laufe der Zeit immer klarer wurde, so daß sich seinem eigenen Leiden Mitgefühl beimengte und schließlich auch Angst vor weiteren Geschehnissen.

Wie in dem prächtigen Haus einer großen Familie, wo früher abends in vielen Fenstern Licht brannte, wo Kutschen Verwandte und Freunde brachten, wo Neuigkeiten kamen und gingen, Beweis und Mittel der Größe und der Autorität über die ganze Umgebung, wo aber jetzt der verwitwete Hausherr, dessen Erbe im Krieg gefallen ist, den Lebensmut verliert und sich allmählich aufgibt, wie in einem solchen Haus ein paar Kerzen brennen, die ein alter Diener bei Sonnenuntergang angezündet hat, der sein Bestes tut und gezwungenermaßen manches sein läßt, so flackerten Bruchteile von Shardiks Kraft und Wildheit auf, ein naher Schatten ließ ahnen, was er einst gewesen war. Er wanderte weiter, vor Angriffen sicher – denn wer würde wagen, ihn anzugreifen? –, doch fast, so schien es zumindest, ohne Kraft zur Selbstverteidigung. Als er an der Leiche eines vor kurzem verendeten Wolfes vorbeikam, schickte er sich kraftlos an, ihn zu verzehren. Kelderek hatte den Eindruck, daß die Sehkraft des Bären nachgelassen hatte, und das machte er sich nach einiger Zeit zunutze, indem er ihm in größerer Nähe folgte, als er oder das behendeste von den Mädchen es seinerzeit auf Ortelga gewagt hätten; so vermochte er seine Ausdauer sogar zu verlängern, obwohl seine Hoffnung, in dieser Wildnis jemanden zu finden, der ihm helfen oder Nachricht von ihm nach Bekla bringen könnte, immer geringer wurde.

Am Nachmittag stiegen sie aus dem Tal eine steile Anhöhe empor und kamen zu einem über den Wäldern ostwärts führenden Kamm, über den sie ihre langsame und geheimnisvolle Wanderung fortsetzten. Einmal erblickte Kelderek, aus seinem Wachtraum munter geworden, in dem seine Leiden ihm wie träge an seinem Körper hängende Fliegen erschienen, den Bären hoch vor sich auf einem Felsen; er hob sich klar gegen den Himmel ab und blickte auf die beklanische Ebene hinunter. Er schien nicht weitergehen zu können, sein Körper war unnatürlich gekrümmt, und als er sich schließlich bewegte, hing die eine Schulter nach unten, und er hinkte wie ein Krüppel. Als er aber selbst zu dem Felsen kam, sah er, wie Shardik in gleicher Entfernung von ihm wie zuvor unten den Felsvorsprung überquerte.

Als Kelderek zum Fuß der Hügelkette kam, befand er sich am oberen Ende einer kahlen Wüste, die weithin von einem ähnlichen Wald eingesäumt wurde, wie sie ihn am Vortag durchwandert hatten. Von Shardik keine Spur.

Als es nun zu dämmern begann, verlor Kelderek endlich sein klares Bewußtsein. Kräfte und Denken versagten ihm den Dienst. Er suchte nach den Spuren des Bären, vergaß aber, wo er schon gesucht hatte, und dann sogar, was er eigentlich suchte. Er kam zu einem Teich, trank und steckte dann die Füße, um sich zu entspannen, ins Wasser, schrie jedoch auf bei dem heftigen, stechenden Schmerz. Er fand einen schmalen Pfad – nicht mehr als ein Kaninchenweg – zwischen den Grasbüscheln, kroch dort auf Händen und Knien und murmelte: »Nimm mein Leben hin, mein Herr Shardik«, obwohl er sich nicht erinnern konnte, was die Worte bedeuteten. Er versuchte, sich zu erheben, sah jedoch nichts als Nebel und hörte Rauschen wie von Wasser, was, wie er wußte, unmöglich war.

Der Weg führte zu einer trockenen Schlucht, dort saß er lange mit dem Rücken an einen Baum gelehnt und starrte mit leerem Blick auf die schwarze Spur eines Blitzschlages, der auf dem Felsen gegenüber die Form eines gebrochenen Speers eingebrannt hatte.

Es war schon dunkel, als er auf der anderen Seite emporkroch. Sein körperlicher Zusammenbruch – denn er konnte nicht gehen – brachte das Gefühl mit sich, daß er eine willenlose Kreatur geworden sei, passiv wie ein Baum im Wind oder eine Pflanze in einem Strom. Seine letzte Empfindung war, daß er auf dem Boden lag und zitternd versuchte, sich vorwärts zu ziehen, indem er die faserigen Gräser mit den Fingern umklammerte.

Als er erwachte, war es Nacht, der Mond war umwölkt, und rund um ihn erstreckte sich weit und unbegrenzt die Einsamkeit. Er setzte sich hustend auf und dämpfte sofort das Geräusch, indem er die Hand auf den Mund legte. Er hatte Angst, teils davor, ein Raubtier anzulocken, aber noch mehr vor der öden Nacht und seiner neuen und schrecklichen Einsamkeit. Bei der Verfolgung Shardiks hatte er sich vor Shardik und nur vor ihm gefürchtet. Nun war Shardik fort; und wie wenn der Verlust eines strengen und anspruchsvollen Anführers, den seine Leute achteten und zugleich fürchteten, bekannt wird, und sie schweigend herumlungern und einander mit vorgetäuschtem Eifer zu belanglosen oder unnötigen Pflichten auffordern, um nicht daran zu denken, daß sie ihn nun nicht mehr haben, ihn, auf den sie vertrauten, weil er zwischen ihnen und dem Feind stehen würde – so rieb Kelderek seine kalten Glieder und hustete in seine Ellbogenbeuge, als könne er sich, wenn er sich auf seine körperlichen Leiden konzentrierte, für das Schweigen, die lustlose Finsternis und das Gefühl, daß etwas, das er erblickt hatte, ihn bedrohe, unempfänglich machen.

Plötzlich fuhr er hoch, hielt den Atem an und wandte, ungläubig lauschend, den Kopf. Hatte er wirklich aus der Ferne Stimmen gehört oder es sich nur eingebildet? Nein, da war nichts. Er erhob sich und stellte fest, daß er nun, wenn auch langsam und unter Schmerzen, gehen konnte. Wohin aber sollte er gehen und wozu? Südwärts, nach Bekla? Oder sollte er einen Zufluchtsort suchen und dort bis zum Tagesanbruch bleiben in der Hoffnung, Shardik wiederzufinden?

Und dann hörte er unzweifelhaft, nur einen Augenblick lang, entfernte Stimmen in der Nacht. Es kam und ging, aber das war kein Wunder, denn es kam von weit her, und was sein Ohr erreicht hatte, mochte ein einzelner, lauterer Ruf gewesen sein. Wenn ihn die Entfernung oder seine Schwäche nicht getäuscht hatte, waren es viele Stimmen gewesen. Konnte der Lärm aus einem Dorf stammen, wo eine Versammlung abgehalten wurde? Es war kein Licht zu sehen. Er wußte nicht einmal sicher, aus welcher Richtung der Lärm gekommen war. Dennoch begann er bei dem Gedanken an Unterkunft und Nahrung, an eine sichere Ruhestätte unter Mitmenschen und an ein Ende seiner Einsamkeit und Gefährdung, vorwärts zu hasten – oder vielmehr zu taumeln –, wobei er irgendeine Richtung einschlug, bis er merkte, wie unsinnig es war, sich hinsetzte und wieder lauschte.

Schließlich – nach wie langer Zeit, wußte er nicht – drang der Lärm wieder an sein Ohr, verlor sich dann wie eine Welle zwischen hohem Schilf, die nie die Küste selbst erreicht. Er wirkte so, als wäre in der Ferne eine Tür für einen Augenblick geöffnet und dann plötzlich auf einen im Inneren entstandenen Anstoß hin geschlossen worden. Es klang aber nicht wie eine Anrufung oder wie ein Fest, sondern eher wie ein unordentlicher Tumult, wie Aufruhr oder Verwirrung. Für ihn spielte das kaum eine Rolle: eine Stadt im Aufruhr würde dennoch eine Stadt sein – aber was für eine Stadt in dieser Gegend? Wo war er, und konnte er, wenn bekannt wurde, wer er war, auf Hilfe rechnen?

Er merkte, daß er sich wieder in der Richtung vorwärts tastete, aus der ihm die Klänge zu kommen schienen. Der noch immer von Wolken verdunkelte Mond gab wenig Licht, dennoch konnte er sehen und spüren, daß er zwischen Felsen und Gebüsch sanft bergab ging und sich in der fast völligen Dunkelheit einer noch dunkleren Masse näherte – es mochte ein Wald oder ein gegenüberliegender Hügel sein.

Sein Mantel blieb an einem Dornbusch hängen, und er wandte sich um, um ihn loszumachen. In diesem Augenblick kam von irgendwoher, keinen Steinwurf weit, ein Schmerzensschrei wie von jemandem, dem eine schreckliche Wunde zugefügt wurde. Er erschrak, als hätte der Blitz nebenan eingeschlagen, und verlor völlig die Fassung. Als er zitternd ins Dunkel starrte, hörte er ein schnelles, lautes Keuchen, gefolgt von einigen gestotterten Worten auf beklanisch, die jäh abbrachen, wie ein durchgeschnittener Faden.

»Sie wird mir einen Sack voll Gold geben!«

Gleich darauf war es wieder still, von Kampf oder von Flucht war nichts zu hören.

»Wer ist da?« rief Kelderek.

Keine Antwort, kein Ton. Der Mann, wer immer er sein mochte, war entweder tot oder bewußtlos. Wer – was – hatte ihn niedergeschlagen? Kelderek ließ sich auf ein Knie sinken, zog sein Schwert und wartete. Er bemühte sich, seinen Atem und die Angst in seinen

Eingeweiden zu beherrschen, und kauerte sich noch tiefer, als der Mond einen Augenblick lang schien und dann wieder verschwand. Seine Furcht machte ihn hilflos, und er wußte, daß er zu schwach war, um einen Schlag zu führen.

War es Shardik, der den Mann getötet hatte? Warum gab es keine Geräusche? Er blickte zu der schwach leuchtenden Wolkenbank empor und sah dahinter ein Stück freien Himmels. Das nächstemal, wenn der Mond aus den Wolken kam, mußte er bereit sein, sich augenblicklich umzusehen und zu handeln.

Am Fuß des Hangs bewegten sich die Bäume. Der Wind würde bald zu ihm heraufkommen. Er wartete. Es kam kein Wind, aber das Geräusch in den Bäumen wurde stärker. Es war kein Blätterrauschen, nicht die Zweige, die sich bewegten. Zwischen den Bäumen bewegten sich *Menschen*! Ja, ihre Stimmen – gewiß – aber sie waren fort – nein, da waren sie wieder – die Stimmen, die er gehört hatte – kein Zweifel, menschliche Stimmen! Es waren die Stimmen von Ortelganern: er konnte sogar das eine oder andere Wort verstehen – Ortelganer, und sie kamen näher!

Nach all den bestandenen Gefahren und Leiden, was für ein unglaublicher Glücksfall! Was war geschehen, und wo lag dieser Ort, zu dem er gelangt war? Entweder war er auf unerklärliche Weise auf Soldaten von Zeldas und Ged-la-Dans Armee gestoßen – die ja schließlich in den letzten sieben Tagen überallhin marschiert sein konnte –, oder es waren, was plausibler schien, Männer seiner eigenen Garde aus Bekla, die ihn und Shardik suchten, wie es ihnen aufgetragen worden war. Tränen der Erleichterung traten ihm in die Augen, und sein Blut wallte wie bei einer Liebesbegegnung. Als er sich erhob, sah er, daß das Licht stärker wurde: der Mond näherte sich dem Wolkenrand. Mit einem Aufschrei stolperte er den Hang bergab und schrie: »Ich bin Crendrik! Ich bin Crendrik!«

Er stand auf der Straße, einem zum Wald führenden, ausgetretenen Weg. Auch die auf dem Nachtmarsch befindlichen Soldaten benutzten offensichtlich diese Straße. Er würde bald ihre Lichter sehen, denn sie mußten ja Lichter tragen. Er strauchelte und fiel hin, rappelte sich aber sofort hoch und hastete, immer noch rufend, weiter. Er kam an den Fuß des Abhanges, blieb stehen und blickte in die eine und andere Richtung zwischen den Bäumen hoch.

Es herrschte Stille; keine Stimmen, keine Lichter. Er hielt den Atem an und horchte, doch von der Straße oben war kein Laut zu hören. Er rief laut: »Geht nicht fort! Wartet! Wartet!« Das Echo verhallte und erstarb.

Von dem freien Hang hinter ihm schallten angstvoll und zornig schreiende Stimmen herüber. Sie klangen merkwürdig entfernt, änderten sich ständig, verstummten und kehrten wieder, wie die Stimmen von Kranken, die von lang vergangenen Dingen zu erzählen versuchen. Im gleichen Augenblick wanderte der letzte Wolkenschleier vom Mond ab, das Gelände wurde in dunstiges Licht getaucht, und er erkannte den Ort, wo er war.

In einem Alptraum kann es vorkommen, daß man eine Berührung an der Schulter spürt, sich umdreht und dem starren, aber haßerfüllten Blick seines Todfeindes begegnet, von dem man weiß, daß er tot ist; oder daß man die Tür seines eigenen, vertrauten Zimmers öffnet und ein von Würmern wimmelndes Grab betritt; auch daß man das lächelnde Antlitz der Geliebten vor seinen Augen verfallen und verfaulen sieht, bis nur noch ihre grinsenden Zähne aus dem nackten, gelben Schädel starren. Was aber, wenn all diese Dinge – so unmögliche, so grausige Vorfälle, daß sie nur durch ein Höllenfenster erspäht werden konnten – sich nicht als Träume erwiesen? Dort im Mondschein führte die Gelter Straße vorbei, zwischen verstreuten Felsen und Büschen über das geneigte Plateau zu dem Kamm, über dem die Felsen der dahinterliegenden Schlucht undeutlich zu sehen waren. Rechts im Dunkel verlief die Linie der Senke, die Gel-Ethlins Flanke geschützt hatte, und dahinter lagen die Wälder, aus denen vor fünf Jahren Shardik sich wie ein Dämon auf die beklanischen Führer gestürzt hatte.

Auf dem Hang verstreut lagen mehrere niedrige Erdhügel, während etwas weiter entfernt die dunkle Masse eines größeren Hügels hochragte, auf dem einige frisch gesprossene Bäume standen. Am Straßenrand lag ein flacher, viereckiger Stein, auf dem ein grobes Falkenemblem und einige Schriftzeichen eingraviert waren. Eines davon, das bei Inschriften von Straßen und Plätzen in Bekla üblich war, bedeutete: »An dieser Stelle –«. Ohne daß ein Mensch zu sehen war, erhob sich leiser Schlachtenlärm, der wellenartig anschwoll und zurücktrat und den alltäglichen Geräuschen des Lebens so unähnlich war wie ein nebliger Tagesanbruch dem hellen Mittag. Zornes- und Todesrufe, verzweifelte Befehle, Schluchzen, Bitten um Gnade, Waffengeklirr, Füßestampfen – alles leicht und undeutlich wie die fadenartigen Beine eines Schwarmes widerlicher Insek-

ten auf dem Gesicht eines hilflos in seinem Blut liegenden Verwundeten. Kelderek schwankte, die Arme krampfhaft um den Kopf geschlagen, und stieß Schreie aus ähnlich dem Plärren eines Schwachsinnigen – als Sprache ausreichend zum Verkehr mit den übelwollenden Toten, als Worte ausreichend, um Raserei und Verzweiflung auszudrücken. Wie ein Blatt, das den ganzen Sommer am Zweig geblieben ist und im Herbst abgerissen und durch die stürmische, tosende Luft zu der regennassen Dunkelheit hinuntergewirbelt wird, so losgetrennt, so niedergeschlagen, so verbraucht und unbrauchbar war er.

Er fiel lallend zu Boden und spürte, wie unter seinem Gewicht ein unbestatteter Brustkorb zerbrach. Er wankte in dem weißen Licht über Gräber, über rostige, zerbrochene Waffen, über ein Rad, das die Überreste eines Unglücklichen bedecken mochte, der einst, vor Jahren, vergeblich darunter Schutz gesucht hatte. Das Farnkraut, das seinen Mund füllte, hatte sich in Würmer, der Sand in seinen Augen in stinkenden Verwesungsstaub verwandelt. Unendlich wurde seine Fähigkeit zu leiden, als er, mit den Gefallenen verwesend, sich in unzählige Teilchen auflöste, die, zwischen den Stimmwogen schwebend herbeigezogen und vorwärts geschwemmt, sich immer wieder am Rand des wüsten Schlachtfeldes brachen, wo die hingemetzelten Toten auf ihn schrecklicher als auf irgend jemanden, der jemals ungewarnt dort umhergestreift war, ihre heidnische Not und Bosheit entluden.

Wer kann den Verlauf des Leidens bis zu dem Ende beschreiben, wo sich nichts mehr erdulden läßt? Wer kann die untragbare Vision einer nur für Grauen und Qual geschaffenen Welt ausdrücken – das Ringen des halb zerdrückten, durch seine Eingeweide am Boden festgeklebten Käfers, des um sich schlagenden, verletzten, auf dem Sand von Möwen zu Tode gepickten Fisches, des von Würmern zerfressenen, sterbenden Affen, des jungen Soldaten, der mit aufgeschlitztem Bauch in den Armen seiner Kameraden schreit, des allein weinenden Kindes, das, von den selbstsüchtig ihrer Wege gegangenen Eltern verlassen, für sein ganzes Leben verwundet ist? Rette uns, o Gott, schenke uns nur einen Ort, wo wir die Sonne sehen und, bis es Zeit für uns ist zu sterben, ein wenig Brot zu essen haben, mehr verlangen wir nicht. Und wenn die Schlange vor unseren Augen den aus dem Nest gefallenen Grünschnabel frißt, dann ist unsere Gleichgültigkeit Deine Gnade.

Im ersten grauen Licht erhob sich Kelderek, im Leid neugeboren – jeder Erinnerung bar, ohne Ziel, unfähig, die Nacht vom Morgen, den Freund vom Feind zu unterscheiden. Vor ihm stand am Kamm entlang, durchscheinend wie ein Regenbogen, die beklanische Gefechtsformation, Schwert, Schild und Axt, die Falkenstandarte, die langen Speere von Yelda, der protzige Glanz von Deelguy – und er lächelte ihnen zu, wie ein Baby vielleicht lacht und kräht, wenn es beim Erwachen Rebellen und Aufständische bei seinem Bettchen sieht, die es ermorden wollen wie die übrigen. Als er sie aber anstarrte, verblichen sie wie Bilder im Feuer, ihre Rüstungen verwandelten sich in den ersten Morgenglanz auf Felsen und Büschen. So wanderte er denn fort, um die Soldaten zu suchen, pflückte die farbigen Blumen, die ihm ins Auge fielen, aß ·Blätter und Gras und stillte mit einem von seiner zerlumpten Kleidung gerissenen Stück Stoff eine lange Wunde an seinem Unterarm. Er folgte der Straße bis zur Ebene, ohne zu wissen, wo er war, und rastete oft, denn obwohl ihm nun Schmerz und Müdigkeit als der natürliche menschliche Zustand erschienen, suchte er sie doch möglichst zu lindern. Eine Wandergruppe, die ihn überholte, warf ihm, als sie erleichtert erkannten, daß er harmlos war, einen alten Brotlaib zu; er merkte sich, nachdem er ihn gekostet hatte, daß er gut schmeckte. Er schnitt sich einen Stab zurecht, der klapperte, als er beim Gehen auf die Steine stieß, denn er litt noch den ganzen Tag unter dem Schauer des schweren Schocks. Er schlief nur mit Unterbrechungen, denn er träumte immer wieder von Dingen, an die er sich dann nicht erinnern konnte – von Feuer und einem großen Fluß, von versklavten, weinenden Kindern und von einer zottigen, klauenbewehrten Bestie, so hoch wie ein Dachbalken.

Wie lange wanderte er, und wer gab ihm Obdach und half ihm? Auch darüber werden Geschichten erzählt – von Vögeln, die ihm Nahrung brachten, von Fledermäusen, die ihm im Dunkel den Weg wiesen, und von Raubtieren, die ihm nichts zuleide taten, wenn er ihr Lager teilte. Das sind Legenden, aber vielleicht entstellen sie kaum die Wahrheit, nämlich, daß er, zu nichts fähig, durch unverlangte Gaben am Leben erhalten wurde. Mitleid in der Not findet man am ehesten, wenn der Leidende sichtlich kein Mensch ist, den man zu fürchten braucht; und obzwar er noch bewaffnet war, konnte niemand einen Mann fürchten, der auf einen Stock gestützt einherhinkte, um sich starrte und der Sonne zulächelte. Manche hielten ihn seiner Kleidung wegen für einen Deserteur, andere sagten, nein, er müsse wohl ein Vagabund sein, der nicht ganz normal war und eine Soldatenausrüstung gestohlen oder vielleicht, aus Not, einen Toten beraubt hatte. Doch keiner tat ihm etwas zuleide oder verjagte ihn – wahrscheinlich weil seine Gebrechlichkeit so augenfällig war und niemand das Gefühl haben wollte, vielleicht durch Abweisung den Tod eines Menschen beschleunigt zu haben. Einige von denen, die ihm in Schuppen oder Nebengebäuden zu schlafen gestatteten – wie die Pförtnersfrau der Festung von S'marr Torruin, des Wächters der Vorberge –, versuchten ihn sogar zu längerem Bleiben zu überreden, um für ihn Arbeit zu finden, denn der Krieg hatte viele Männer fortgerafft. Aber obwohl er lächelte oder eine Weile mit den Kindern im Sand spielte, schien er nur wenig zu begreifen, und seine Gönner schüttelten schließlich den Kopf, wenn er seinen Stock nahm und sich zögernd auf den Weg machte. Er ging wie früher ostwärts, aber nur einige Kilometer täglich, denn er saß viel an einsamen Plätzen in der Sonne und hielt sich zumeist in weniger besuchten Gegenden am Rand der Hügel auf; er hatte das Gefühl, dort könnte er, wenn überhaupt, vielleicht zufällig das mächtige Geschöpf treffen, dessen er sich nur halb entsann, das er, wie ihm schien, verloren hatte und mit dessen Leben das seine auf irgendwie schattenhafte, aber lebenswichtige Weise verbunden war. Er fürchtete sich sehr vor dem Klang von Stimmen in der Ferne und näherte sich selten einem Dorf, ließ sich aber einmal von einem betrunkenen Hirten nach Hause führen, bewirten und sein Schwert rauben oder als Bezahlung abnehmen.

Er wanderte fünf oder vielleicht sechs Tage lang. Es konnte kaum länger gewesen sein, als er eines Abends langsam über den Kamm der niederen Hügel kam und unter sich die Dächer von Kabin – Kabin mit dem Stausee – erblickte, der hübschen, von Mauern umgebenen Stadt mit den Obstgärten im Südwesten und dem näher gelegenen Staubecken im Norden, das sich zwischen zwei grünen Außenwällen hindurchwand; die vom Wind gekräuselte und gewellte Oberfläche erweckte die Vorstellung eines hinter dem Mündungsdamm mit seinem Gatter- und Schleusenkomplex im Käfig gehaltenen, wendigen Tieres. Der Ort war belebt – er konnte inner- und außerhalb der Mauern geschäftige Bewegung sehen; und als er sich am Hügelhang hinsetzte und auf eine Hüttengruppe und auf Rauch blickte, der über den Wiesen vor der Stadt schwebte, bemerkte er einen Trupp Soldaten – etwa acht oder neun Mann –, der durch die Bäume herankam.

Er sprang sofort auf die Beine, lief auf sie zu, hob die Hand zum Gruß und rief: »Wartet! Wartet!« Sie blieben stehen und staunten über das Zutrauen des abgerissenen Landstreichers und wandten sich fragend an ihren Treisatt, einen väterlichen Veteranen mit dummem, gutmütigem Gesicht, der, da er den höchsten Rang erreicht hatte, den er wahrscheinlich beim Militär erwarten konnte, aussah, als wolle er sich das Leben nicht schwer machen.

Als Kelderek mit verschränkten Armen vor ihnen stehenblieb und sie von oben bis unten musterte, fragte einer: »Was will der Mann, Treis?«

Der Treisatt schob den Lederhelm in den Nacken und rieb sich die Stirn.

»Keine Ahnung«, war die Antwort. »Wahrscheinlich irgend so 'n Bettlertrick. Hör mal«, sagte er und legte eine Hand auf Keldereks Schulter, »hier kriegst du nichts, also sei vernünftig und hau ab!«

Kelderek schüttelte die Hand ab und blickte ihn entschlossen an.

»Soldaten«, sagte er bestimmt. »Eine Botschaft – Bekla –« Er machte eine Pause, zog die Stirn in Falten, als sie ihn umringten, und fuhr dann fort:

»Soldaten – *Senandril*, unser Herr Shardik – Bekla, Botschaft –« Er verstummte wieder.

»Der nimmt uns auf 'n Arm, oder?« fragte ein anderer Soldat.

»Scheint mir eigentlich nicht so«, sagte der Treisatt. »Er scheint genau zu wissen, was er will. Er merkt offenbar, daß wir seine Sprache nicht verstehen.«

»Welche Sprache ist es denn?« fragte der Soldat.

»Ortelganisch«, sagte der erste Soldat und spuckte in den Staub. »Irgendwas von seinem Leben und einer Botschaft.«

»Dann ist es vielleicht wichtig«, sagte der Treisatt. »Wäre möglich, wenn er Ortelganer ist und mit einer Botschaft zu uns kommt. Kannst du uns sagen, wer du bist?« fragte er Kelderek, der ihm ins Auge blickte, aber nicht antwortete.

»Ich glaube, er kommt aus Bekla, aber irgend etwas hat ihm das Gedächtnis gestört, vielleicht – ein Schock oder dergleichen«, sagte der erste Soldat.

»Das wird es sein«, sagte der Unteroffizier. »Er ist Ortelganer – vielleicht hat er im geheimen für Graf Elleroth Einhand gearbeitet;

und entweder haben ihn diese Schweine in Bekla gefoltert – denk nur, was sie mit dem Statthalter getan haben, ihm die Hand verbrannt –, oder er hat auf dem langen Weg nach Norden, um uns zu finden, den Verstand verloren.«

»Der Arme sieht völlig erschöpft aus«, sagte ein dunkelhaariger Mann mit einem breiten Gürtel aus Sarkider Leder mit dem Korngarbenemblem. »Er muß gewandert sein bis zum Umfallen. Wir könnten schließlich nicht viel weiter nördlich gekommen sein, sogar wenn wir es versucht hätten, oder?«

»Also, wie immer die Sache steht«, sagte der Treisatt, »wir nehmen ihn am besten mit. Ich muß vor Sonnenuntergang einen Rapport machen, dann kann ihn der Hauptmann ausfragen. Hör mal«, sagte er, lauter und sehr langsam sprechend, damit der einen halben Meter vor ihm stehende Fremde die Sprache, die er nicht kannte, verstand: »Du – kommst – mit – uns. Du – gibst – Botschaft – Hauptmann, verstanden?«

»Botschaft«, wiederholte Kelderek sofort auf Yeldashay. »Botschaft – Shardik.« Er begann zu husten und stützte sich auf seinen Stock.

»Schon gut, mach dir keine Sorgen«, sagte der Treisatt beruhigend und schnallte seinen Gürtel zu, den er beim Sprechen gelockert hatte. »Wir« – er wies mit den Händen auf seine Leute – »bringen – dich – Stadt – Hauptmann – ja? Am besten, ihr helft ihm«, sagte er den zwei neben ihm stehenden Soldaten. »Sonst brauchen wir da noch die halbe Scheißnacht.«

Kelderek stützte seine Arme auf die Schultern der beiden Soldaten und ging mit ihnen bergab. Er freute sich über ihre Hilfe, die ihm respektvoll geleistet wurde – man wußte ja nicht, welchen Rang er haben mochte. Er verstand kaum ein Wort von ihren Reden und war im übrigen damit beschäftigt, in seiner Erinnerung die Botschaft zu suchen, die er zu übermitteln hatte, da er nun endlich die Soldaten gefunden hatte, die so rätselhaft in der Dämmerung verschwunden waren. Vielleicht, dachte er, könnten sie etwas für ihn zu essen erübrigen.

Die Hauptmacht der Armee lagerte auf den Wiesen vor den Mauern von Kabin, denn die Stadt und deren Einwohner wurden schonungsvoll behandelt, und in den requirierten Wohnungen gab es nur Platz für die ranghöchsten Offiziere, ihre Adjutanten und Diener sowie die Spezialtruppen wie Späher und Pioniere, die unmittelbar unter dem Befehl des Oberkommandierenden standen. Der Treisatt und seine Leute, die dazu gehörten, kamen in die Stadt, als die Tore eben für die Nacht geschlossen wurden, und führten Kelderek, ohne die Fragen von Kameraden und Gaffern zu beachten, zu einem Haus unter der Südmauer. Dort befragte ihn ein junger Offizier, der die Rangabzeichen von Ikat trug, zuerst auf Yeldashay und dann, als er sah, daß er kaum verstanden wurde, auf beklanisch. Darauf antwortete Kelderek, er habe eine Botschaft. Als der Offizier weiterfragte, brachte er nur mehr das Wort »Bekla« heraus, und der junge Offizier, der ihn nicht einschüchtern wollte, da der hungrige und unsaubere Mann ihm leid tat, erteilte Befehl, man solle ihn sich waschen, essen und schlafen lassen.

Als am nächsten Morgen einer der Köche, ein freundlicher Mann, Keldereks verwundeten Arm erneut wusch, kam ein zweiter, älterer Offizier, begleitet von zwei Soldaten, in den Raum und begrüßte ihn mit direkten, höflichen Worten:

»Ich heiße Tan-Rion«, sagte er auf beklanisch. »Du mußt unsere Eile und Neugier entschuldigen, aber für eine Armee im Feld ist die Zeit immer kostbar. Wir müssen wissen, wer du bist. Der Treisatt, der dich gefunden hat, sagt, du seist aus freiem Willen mitgekommen und hättest ihm erzählt, daß du eine Botschaft aus Bekla bringst. Vielleicht kannst du mir sagen, um welche Botschaft es sich handelt.«

Zwei volle Mahlzeiten, eine ruhig durchschlafene Nacht und die gute Behandlung des Kochs hatten Kelderek beruhigt und einigermaßen wiederhergestellt.

»Die Botschaft – sollte nach Bekla gehen«, antwortete Kelderek stockend, »aber jetzt – ist die beste Chance vertan.«

Der Offizier blickte ihn verwundert an. »*Nach* Bekla? Dann bringst du also gar keine Botschaft an uns?«

»Ich muß eine Botschaft abschicken.«

»Hat deine Botschaft mit den Kämpfen in Bekla zu tun?«

»Kämpfe?« fragte Kelderek.

»Du weißt doch, daß es in Bekla einen Aufstand gegeben hat? Er begann vor etwa neun Tagen. Soviel uns bekannt ist, wird immer noch gekämpft. Bist du von Deelguy gekommen oder woher?«

Keldereks Sinn verwirrte sich wieder. Er schwieg, und der Offizier zog die Schultern hoch.

»Tut mir leid – ich sehe, du bist nicht ganz auf der Höhe – aber vielleicht ist große Eile geboten. Wir müssen dich durchsuchen – vor allem anderen.«

Kelderek, dem Demütigung nicht mehr fremd war, wehrte sich nicht, während die Soldaten, nicht unfreundlich und mit einer Art grober Höflichkeit, ihrer Aufgabe nachkamen. Sie legten, was sie fanden, auf das Fensterbrett – eine alte Brotkruste, ein Stück Schusterleder, den Wetzstein eines Schnitters, den er vor zwei Tagen in einem Graben gefunden hatte, eine Handvoll getrocknete, aromatische Kräuter, welche ihm die Pförtnersfrau gegen Läuse und Infektionen geschenkt hatte, und einen rotgeäderten Stein, ein Talisman, der früher Kavass gehört haben mußte.

»Schon gut, mein Freund«, sagte einer der Soldaten und gab ihm das Wams zurück. »Nur die Ruhe, gleich sind wir fertig, keine Sorge.«

Plötzlich stieß der andere Soldat einen Pfiff aus, fluchte leise und hielt dann auf seiner geöffneten Hand wortlos dem Offizier einen kleinen, glänzenden Gegenstand entgegen, der in der Sonne glitzerte. Es war das Hirschemblem von Santil-ke-Erketlis.

37. Graf Einhand

Verwundert nahm der Offizier das Emblem und betrachtete es, zog die Kette durch den Ring und befestigte sorgfältig den Verschluß, als wolle er sich Zeit zum Überlegen lassen. Schließlich sprach er, nicht so bestimmt wie zuvor: »Willst du mir freundlichst sagen – du verstehst sicher, warum ich es wissen muß –, ob das dir gehört?«

Kelderek streckte wortlos die Hand aus, aber der Offizier schüttelte nach kurzer Überlegung den Kopf.

»Bist du hierhergekommen, um mit dem Oberkommandierenden selbst zu sprechen? Vielleicht gehörst du zu seiner Garde? Wenn du es mir sagen kannst, wird das meine Aufgabe erleichtern.«

Kelderek, dessen Erinnerung an vieles, was er seit dem Verlassen Beklas erlebt hatte, allmählich wieder zurückkehrte, setzte sich auf das Bett und vergrub sein Gesicht in den Händen. Der Offizier wartete geduldig, bis er sprach. Endlich sagte Kelderek: »Wo ist General Zelda? Wenn er hier ist, muß ich ihn sofort sprechen.«

»General Zelda?« erwiderte der Offizier verblüfft.

Einer der Soldaten sprach leise zu ihm, dann gingen sie zusammen an das andere Zimmerende.

»Dieser Mann ist ein Ortelganer«, sagte der Soldat, »oder ich bin selbst einer.«

»Das weiß ich«, sagte Tan-Rion. »Und wenn schon? Er ist ein Agent von Graf Elleroth und hat den Verstand verloren.«

»Das bezweifle ich, Herr. Wenn er Ortelganer ist, so offensichtlich kein Gardeoffizier des Oberkommandierenden. Ihr habt gehört, wie er nach General Zelda fragte. Ich gebe zu, daß er durch einen Schock verwirrt sein mag, aber ich glaube, er ist mitten in die falsche Armee geraten, ohne es zu bemerken. Wenn man es überlegt – er konnte doch kaum erwarten, uns hier in Kabin zu finden.«

Tan-Rion überlegte.

»Er könnte dennoch auf ehrliche Weise zu dem Emblem gekommen sein. Dann wäre es nur ein Zeichen, um zu beweisen, für wen er arbeitet. Niemand weiß, was für seltsame Leute unmittelbar an General Erketlis Berichte bringen oder in den letzten Monaten seine Botschaften befördert haben. Nehmen wir zum Beispiel an, daß Graf Elleroth diesen Mann bei seinem Aufenthalt in Bekla verwendete. Wann wird General Erketlis zurückerwartet, hast du es gehört?«

»Nicht vor übermorgen. Er wurde informiert, daß eine große Sklavenkolonne von Thettit-Tonilda nach Westen in Richtung Bekla unterwegs ist; es erfordert sehr scharfe Märsche, um sie noch rechtzeitig zu erreichen, deshalb nahm der General hundert Mann vom Falaronregiment und sagte, er werde die Sache selbst erledigen.«

»Das sieht ihm ganz ähnlich. Ich fürchte nur, daß ihm so etwas einmal mißglückt. Nun, unter diesen Umständen müssen wir den Mann wohl hierbehalten, bis der General zurückkommt.«

»Vielleicht könnten wir Graf Einhand – Graf Elleroth – bitten, sich ihn anzusehen, Herr. Wenn er ihn erkennt, was Ihr, wie ich annehme, für möglich haltet, dann wissen wir wenigstens, woran wir sind, selbst wenn sich der Mann nicht so weit erholt, daß er uns etwas erzählt.«

Nach einigen weiteren fruchtlosen Fragen an Kelderek führte Tan-Rion ihn zusammen mit seinen zwei Soldaten aus dem Haus und auf die Stadtmauer. Dort gingen sie im Sonnenschein weiter und blickten auf der einen Seite auf die Stadt, auf der anderen auf die Hütten und Biwaks des Lagers auf den Feldern vor der Stadt hinunter. Die Brise trug den Rauch von Feuern mit, und auf dem Marktplatz sammelte sich auf die langgezogenen, konventionellen Aufforderungen eines Ausrufers in rotem Mantel hin eine Menschenmenge an.

»Der muß ein Vermögen verdient haben, seit wir herkamen, wie?« sagte ein Wachtposten auf der Mauer zu einem von Tan-Rions Soldaten und wies mit dem Daumen zu dem Ausrufer hinunter, der schon auf seine Plattform kletterte.

»Das glaube ich«, antwortete der Soldat. »Jedenfalls habe *ich* ganz hübsch an *ihm* verdient. Er treibt sich bei uns herum und bietet Bezahlung für alles an, was wir ihm erzählen können.«

»Nun, dann gib nur acht, wieviel du ihm erzählst«, schnauzte ihn Tan-Rion an.

»Bestimmt, Herr. Wir alle wollen am Leben bleiben.«

Bei dem Tor, durch das Kelderek am Abend zuvor in die Stadt gekommen war, stiegen sie über eine Treppe von der Mauer nach unten, überquerten einen Platz und kamen zu einem großen Steingebäude, vor dem ein Posten Wache hielt. Kelderek und seine Eskorte wurden in einen Raum geführt, der früher dem Hausverwalter gehört hatte, während Tan-Rion nach einigen Worten zu dem Gardehauptmann ihn durch das Haus in den Garten begleitete.

Der grüne, regelmäßig angelegte Garten wurde von Zierbäumen und -sträuchern beschattet – Lexis, purpurne Cresset und scharf duftende Planella, deren kleine, violett gesprenkelte Blüten sich schon in der frühen Sonne öffneten. Durch die Gartenmitte floß, in seinem Kiesbett murmelnd, ein vom Stausee abgeleiteter Bach, an dessen Rand Elleroth im Gespräch mit einem Offizier aus Yeldashay, einem Baron aus Deelguy und dem Stadtgouverneur spazierenging. Er war hager und bleich, sein Gesicht war vom Schmerz und den Entbehrungen der letzten Zeit ausgemergelt. Seine linke Hand, die er in der Schlinge trug, steckte bis zum Handgelenk in einem großen, gepolsterten Handschuh aus Birkenrinde, der die darunterliegenden Verbände bedeckte und schützte. Sein himmelblaues Gewand, ein Geschenk aus Santil-ke-Erketlis' Garderobe (denn er war in Lumpen zur Armee gekommen), war über der Brust mit den Kornähren von Sarkid bestickt, die Silberschnalle seines Gürtels hatte die Form des Hirschemblems. Er stützte sich beim Gehen auf einen Stock, und seine Begleiter paßten sich seinem Schritt an. Er nickte Tan-Rion und dem Gardekommandanten höflich zu, die ehrerbietig abseits stehenblieben und warteten, bis er bereit wäre, sie anzuhören.

»Ich kann dir natürlich nicht sagen«, bemerkte Elleroth zum Stadtgouverneur, »was der Oberkommandierende beschließen wird. Ob aber die Armee hierbleibt und wie lange, hängt nicht nur von den Bewegungen des Feindes ab, sondern auch vom Stand unserer Versorgung. Wir sind ziemlich weit von Ikat entfernt« – er lächelte –, »und wir werden nicht viel länger hier gern gesehen werden, wenn wir jedes Haus und jeden Hof arm essen. Das ortelganische Heer steht mitten in seinem eigenen Land – oder was sie als solches bezeichnen. Ich könnte mir vorstellen, daß wir beschließen, sie bald aufzuspüren und zu bekämpfen, ehe sich die Waage zu unseren Ungunsten neigt. Ich kann dir versichern, daß General Erketlis all das sehr wohl überlegt. Zugleich gibt es zwei triftige Gründe, warum wir gern etwas länger hierbleiben würden, vorausgesetzt, ihr könnt uns dulden – und ich versichere dir, es würde auf lange Sicht euer Schaden nicht sein. Erstens tun wir, was wir beabsichtigen – was der Feind glaubte, das wir nie tun könnten, und was wir ohne Hilfe aus Deelguy nicht geschafft hätten.« Er verbeugte sich leicht gegen den Baron, einen schweren, dunkelhäutigen Mann, prächtig wie ein Papagei. »Wir glauben, wenn wir den Stausee weiter halten können, wird sich der Feind vielleicht veranlaßt fühlen, uns in einer für ihn ungünstigen Position anzugreifen. Er wartet wahrscheinlich ab, ob wir hierbleiben. Deshalb wollen wir den Eindruck erwecken, als würden wir bleiben.«

»Ihr werdet doch den Stausee nicht zerstören?« fragte der Gouverneur besorgt.

»Nur als letzten Ausweg«, antwortete Elleroth heiter. »Ich bin aber sicher, daß es mit eurer Hilfe nie dazu kommen wird, oder?« Der Gouverneur antwortete mit einem unfrohen Lächeln, und bald darauf sprach Elleroth weiter.

»Der zweite Grund ist, daß wir bei unserem Aufenthalt hier möglichst viele Sklavenhändler zur Strecke bringen wollen. Schon haben wir nicht nur mehrere festgenommen, die Vollmachten von dem sogenannten König von Bekla besitzen, sondern auch einige, die keine haben. Aber wie ihr wißt, ist das Land jenseits des Vrakos bis hinüber nach Zeray und hinauf bis zum Durchbruch bei Linsho wild und unzugänglich. Hier sind wir an seiner Schwelle: Kabin ist der ideale Ausgangspunkt, um es zu durchsuchen. Wenn wir bloß Zeit gewinnen können, werden unsere Spähtrupps das ganze Gebiet zu durchkämmen imstande sein. Und wir haben, ob du es glaubst oder nicht, aus Zeray selbst ein vertrauenswürdiges Hilfsangebot erhalten.«

»Aus Zeray, Herr Graf?« fragte der Gouverneur ungläubig.

»Ja, aus Zeray«, antwortete Elleroth. »Und du hast mir doch gesagt, nicht wahr«, fuhr er lächelnd zu Tan-Rion gewandt fort, der noch in der Nähe wartete, »daß du über zumindest einen unrechtmäßigen Sklavenhändler Informationen hast, der im Augenblick jenseits des Vrakos oder von dort nach Tonilda auf dem Weg sein soll.«

»Ja, Herr Graf«, antwortete Tan-Rion. »Genshed, der Kinderhändler – ein sehr grausamer, böser Mann aus Terekenalt. Aber das Land jenseits des Vrakos wird sich nur schwer durchsuchen lassen, und es wäre sehr wohl möglich, daß er uns auch jetzt entschlüpft.«

»Nun, wir werden unser Bestes versuchen. Siehst du –«

»Habt Ihr Nachricht über Eure persönlichen Sorgen, Herr Graf?« unterbrach ihn der Offizier aus Yeldashay impulsiv.

Elleroth biß sich auf die Lippe und sagte erst nach einer kleinen Weile:

»Leider nicht – vorläufig. Du siehst also«, fuhr er schnell, zu dem Gouverneur gewandt, fort, »wir werden jede Hilfe brauchen, die du uns bieten kannst; und ich möchte auch von dir erfahren, wie wir unser Heer am besten verpflegen und versorgen können, wenn wir etwas länger hierbleiben. Würdest du bitte darüber nachdenken, und wir werden uns wieder darüber unterhalten, sobald der Oberkommandierende zurückkommt. Wir wollen in jedem Fall vermeiden, daß dein Volk leidet, und werden, wie gesagt, für deine Hilfe anständig bezahlen.«

Der Gouverneur wollte sich zurückziehen, da sagte Elleroth plötzlich noch: »Übrigens, hast du der Priesterin von der Telthearnainsel – der weisen Frau – freies Geleit gegeben, wie ich dich bat?«

»Ja, Herr Graf«, antwortete der Gouverneur, »gestern mittag. Sie ist nun schon seit zwanzig Stunden fort.«

»Ich danke dir.«

Der Gouverneur verneigte sich und entfernte sich zwischen den Bäumen. Elleroth blieb stehen, er beobachtete eine Forelle, die, außer dem Zucken ihres Schwanzes, regungslos am Ufer stand. Nun

schwamm sie stromaufwärts davon, und er setzte sich auf eine Stein-
bank, zog seine Hand aus der Schlinge und schüttelte den Kopf wie
über einen Gedanken, der ihm Sorgen und Kummer machte.
Schließlich erinnerte er sich wieder an Tan-Rion und blickte ihn
fragend und lächelnd an.

»Verzeiht, Herr, daß ich Euch störe«, sagte Tan-Rion lebhaft.
»Gestern abend brachte eine unserer Patrouillen einen ortelganischen Wandersmann ins Lager, der dauernd von einer Botschaft
nach oder von Bekla redete. Heute morgen fanden wir das hier bei
ihm, und ich hielt es für richtig, es Euch sofort zu zeigen.«

Elleroth ergriff das Hirschemblem, betrachtete es stirnrunzelnd,
dann untersuchte er es genauer.

»Wie sieht dieser Mann aus?« fragte er schließlich.

»Wie ein Ortelganer, Herr Graf«, antwortete Tan-Rion, »mager
und dunkelhaarig. Mehr läßt sich schwer sagen – er ist ziemlich
erschöpft, halb verhungert und entkräftet. Es muß ihm recht
schlecht gegangen sein.«

»Ich möchte den Mann sofort sehen«, sagte Elleroth.

38. Die Straßen von Kabin

Beim Anblick Elleroths klärte sich Keldereks bereits zur Hälfte
wiederhergestelltes Gedächtnis so plötzlich wie die beschlagene Fläche eines Spiegels, der von ungeduldiger Hand blankgewischt wird.
Die Stimmen der Offiziere aus Yeldashay, das auf den Mauern über
dem Garten flatternde Sternenbanner, die Kennzeichen der ihn um-
stehenden Soldaten – all das erhielt im Augenblick eine einzige,
erschreckende Bedeutung. So mag ein alter, kranker Mann, der seiner über sein Bett gebeugten Schwiegertochter zulächelt, in einem
Moment die schreckliche Bedeutung ihres Blicks und des über seinem Gesicht schwebenden Kissens erfassen. Kelderek stieß einen
kurzen, keuchenden Schrei aus, taumelte und wäre hingefallen,
wenn die Soldaten ihm nicht unter die Arme gegriffen hätten. Er
wehrte sich kurz, dann faßte er sich und starrte, verkrampft und mit
aufgerissenen Augen wie ein Vogel, den ein Mann in der Hand hält,
auf den Grafen.

»Wieso bist du hier, Crendrik?« fragte Elleroth.

Kelderek antwortete nicht.

»Suchst du Zuflucht vor deinem eigenen Volk?«

Er schüttelte stumm den Kopf und schien einer Ohnmacht nahe.

»Laßt ihn sich hinsetzen«, sagte Elleroth.

Es gab keine zweite Bank, und einer der Soldaten lief ins Haus, um einen Schemel zu holen. Als er zurückkam, folgten ihm einige dienstfreie Wachen und blieben unter den Bäumen stehen, bis ihr Treisatt sie scharf ins Haus zurückbeorderte.

»Crendrik«, sagte Elleroth, sich zu ihm, der zusammengesunken auf dem Schemel saß, vorbeugend. »Ich frage dich nochmals: bist du hier als ein Flüchtling aus Bekla?«

»Ich – ich bin kein Flüchtling«, antwortete Kelderek leise.

»Wir wissen, daß es in Bekla einen Aufstand gegeben hat. Du behauptest, das habe nichts damit zu tun, daß du allein und erschöpft hierherkommst?«

»Davon weiß ich nichts. Ich verließ Bekla kaum eine Stunde nach dir – und durch dasselbe Tor.«

»Hast du mich verfolgt?«

»Nein.«

Keldereks Gesicht war ausdruckslos. Der Gardekommandant schien ihn schlagen zu wollen, doch Elleroth hob die Hand, blickte Kelderek eindringlich an und wartete.

»Ich folgte unserem Herrn Shardik. Das ist die mir von Gott anvertraute Aufgabe«, rief Kelderek mit plötzlicher Heftigkeit und blickte zum erstenmal hoch. »Ich folgte ihm von Bekla bis zu den Gelter Bergen.«

»Und dann –?«

»Dann verlor ich ihn; und später traf ich deine Soldaten.«

Der Schweiß stand ihm auf der Stirn, und er keuchte.

»Du glaubtest, es seien deine eigenen.«

»Was ich dachte, spielt keine Rolle.«

Elleroth suchte eine Weile in einem Bündel von Rollen und Briefen, die neben ihm auf der Bank lagen.

»Ist das dein Siegel?« fragte er und zeigte auf ein Blatt Papier.

Kelderek blickte darauf. »Ja.«

»Was für ein Papier ist das?«

Keine Antwort.

»Ich werde dir sagen, was es ist«, sagte Elleroth. »Es ist eine von dir in Bekla ausgestellte Vollmacht für einen Mann namens Nigon, die ihn ermächtigt, nach Lapan zu reisen und ein Kontingent Kinder als Sklaven auszuheben. Ich habe hier mehrere ähnliche Papiere.«

Der Haß und die Verachtung der in der Nähe stehenden Männer war drohend wie der Druck von noch nicht gefallenem Schnee am Winterhimmel. Kelderek saß zusammengesackt auf dem Stuhl und zitterte, als wäre es bitter kalt. Der Planelladuft kam und ging, vergänglich wie Fledermausquietschen in der Dämmerung.

»Nun«, sagte Elleroth brüsk und erhob sich von der Bank, »ich habe diesen Schmuck zurückerhalten, Crendrik, und du hast uns anscheinend nichts zu sagen; ich kann also meine Arbeit fortsetzen, und du machst dich am besten wieder an deine Aufgabe: die Suche nach dem Bären.«

Tan-Rion holte hörbar Luft. Der junge Offizier aus Yeldashay trat vor. »Herr Graf –«

Wieder hob Elleroth die Hand.

»Ich habe meine Gründe, Dethrin. Wenn jemand das Recht hat, diesen Mann zu schonen, dann bin das doch wohl ich, nicht wahr?«

»Aber, Herr«, widersprach Tan-Rion, »dieser böse Mensch – Shardiks Priesterkönig selbst – ihn hat uns die Vorsehung in die Hände geliefert – das Volk –«

»Ich gebe dir mein Wort, weder er noch der Bär können uns jetzt etwas zuleide tun. Und wenn es sich nur um Vergeltung handelt, wirst du das Volk vielleicht überreden, mir zuliebe darauf zu verzichten. Ich habe gewisse Informationen erhalten, die mich zu dem Entschluß veranlassen, das Leben dieses Mannes zu schonen.«

Seine milden Worte waren mit einer Entschlossenheit gesprochen, die keine weitere Widerrede zuließ. Seine Offiziere schwiegen.

»Du gehst nach Osten, Crendrik«, sagte Elleroth. »Das kommt uns beiden gelegen, denn es ist nicht nur die entgegengesetzte Richtung von Bekla, sondern auch zufällig die Richtung, die dein Bär eingeschlagen hat.«

Von dem Platz draußen war jetzt ein wachsender Lärm zu hören – Gemurmel, unterbrochen durch zornige Rufe, rauhes, unverständliches Schreien und die schärferen Stimmen der Soldaten, welche die Menge zu beruhigen trachteten.

»Wir werden dir Vorräte und neue Schuhe geben«, sagte Elleroth, »mehr kann ich für dich nicht tun. Ich sehe wohl, daß du in schlechter Verfassung bist, aber wenn du hierbleibst, wird man dich in Stücke reißen. Du hast doch wohl nicht vergessen, daß Mollo aus

Kabin kam? Nun merke dir folgendes: solltest du je wieder in die Hände dieser Armee fallen, so wirst du hingerichtet. Ich wiederhole: dann ist dein Leben verwirkt. Ich werde nicht mehr imstande sein, dich nochmals zu retten.« Er wandte sich an den Gardekommandanten. »Sieh zu, daß er bis zur Furt über den Vrako gebracht wird, und sag dem Ausrufer, er soll meinen persönlichen Wunsch bekanntgeben, daß niemand ihn anrühren darf.«

Er nickte den Soldaten zu, die Kelderek wieder an den Armen faßten. Sie hatten schon begonnen, ihn fortzuführen, als er sich plötzlich losriß.

»Wo ist unser Herr Shardik?« schrie er. »Was meinst du damit – er kann euch jetzt nichts zuleide tun?«

Einer der Soldaten riß ihn bei den Haaren zurück, aber Elleroth bedeutete ihm, ihn loszulassen, und wandte sich nochmals an Kelderek.

»Wir haben deinen Bären nicht verwundet, Crendrik«, sagte er. »Das war nicht mehr nötig.«

Kelderek starrte ihn zitternd an. Nun hallte der Garten vom Lärm der Menge wider; die zwei wartenden Soldaten wechselten Blicke.

»Dein Bär wird bald sterben, Crendrik«, sagte Elleroth bedächtig. »Einer unserer Spähtrupps traf ihn vor drei Tagen auf den Hügeln und folgte ihm nach Osten, bis er über den Oberlauf des Vrakos watete. Es gab für sie keinen Zweifel. Ich habe auch noch andere Nachrichten erhalten – kümmere dich nicht darum, wie –, wonach du und der Bär lebend aus den Streels in Urtah entkommen seid. Du weißt besser als ich, was bei den Streels vorgefallen ist, aber das ist auch der Grund, weshalb dein Leben verschont wird. Ich habe keinen Anteil an dem Blut, das von Gott gefordert wird. Nun kannst du gehen.«

Im Raum des Verwalters spuckte einer der Soldaten Kelderek ins Gesicht.

»Du dreckiges Schwein«, sagte er, »seine verflixte Hand hast du ihm verbrannt, nicht wahr?«

»Und jetzt befiehlt er, daß wir dich laufenlassen«, sagte der andere Soldat. »Du verfluchter ortelganischer Sklavenhändler! Wo ist sein Sohn, ha? *Du* hast dafür gesorgt, nicht wahr? *Du* hast Genshed gesagt, was er tun soll?«

»Wo ist sein Sohn?« wiederholte der erste Soldat, als Kelderek nicht antwortete, sondern mit gesenktem Kopf zu Boden blickte.

»Hast du nicht gehört?« Er faßte Keldereks Kinn, zog seinen Kopf empor und starrte ihm verächtlich in die Augen.

»Ich habe dich gehört«, sagte Kelderek, dessen Worte durch den Griff des Soldaten entstellt wurden, »ich weiß nicht, was du meinst.«

Beide Soldaten lachten kurz und höhnisch auf.

»Ach nein«, sagte der zweite Soldat, »du bist wohl nicht der Mann, der den Sklavenhandel in Bekla wiedereingeführt hat, oder?«

Kelderek nickte stumm.

»Ach, das gibst du also zu? Und du weißt natürlich nicht, daß Graf Elleroths ältester Sohn vor über einem Monat verschwunden ist und daß unsere Spähtrupps von Lapan bis Kabin nach ihm suchen? Nein, du weißt nichts, nicht wahr?«

Er hob die geöffnete Hand und grinste höhnisch, als Kelderek zurückfuhr.

»Davon weiß ich nichts«, antwortete Kelderek. »Aber warum gibst du einem Sklavenhändler die Schuld am Verschwinden des Jungen? Ein Fluß, ein wildes Tier –«

Der Soldat starrte ihn einen Augenblick an, dann antwortete er, anscheinend überzeugt, daß Kelderek nicht mehr wußte, als er gesagt hatte: »Wir wissen, in wessen Händen der Junge ist. Es ist Genshed aus Terekenalt.«

»Ich habe noch nie von ihm gehört. Kein Mann dieses Namens ist berechtigt, in den Provinzen von Bekla Handel zu treiben.«

»Du könntest die Sterne wütend machen«, sagte der Soldat. »Den kennt jeder, den dreckigen Schweinehund. Nein, es ist wohl möglich, daß er keine Vollmacht besitzt – nicht einmal du würdest ihm eine geben, nehme ich an. Aber er arbeitet für andere, die bevollmächtigt sind – wenn man das Arbeit nennen kann.«

»Und du sagst, dieser Mann hat den Sohn des Statthalters von Sarkid gefangengenommen?«

»Vor einem halben Monat nahmen wir in Ost-Lapan einen Sklavenhändler namens Nigon zusammen mit drei Aufsehern fest, die vierzig Sklaven bei sich hatten. Jetzt wirst du uns wohl sagen, daß du auch Nigon nicht kennst?«

»Nein, an Nigon erinnere ich mich.«

»Er erzählte General Erketlis, daß Genshed den Jungen habe und durch Tonilda auf dem Weg nach Norden sei. Seither haben die Spähtrupps Tonilda bis nach Thettit durchforscht. Wenn Genshed jemals dort war, jetzt ist es nicht der Fall.«

»Aber wie konntet ihr annehmen, daß ich das weiß?« rief Kelderek. »Wenn das wahr ist, was du sagst, weiß ich ebensowenig wie du, weshalb Elleroth mein Leben geschont hat.«

»*Er* hat dich vielleicht verschont«, sagte der erste Soldat. »*Er* ist ein feiner Herr, nicht wahr? Wir aber nicht, du Schweinehund, du Sklavenhändler! Ich glaube, wenn jemand weiß, wo Genshed ist, bist du es. Was suchtest du in dieser Gegend, und wie konnte er so glatt verschwinden?«

Er ergriff einen schweren Stock, der auf dem Tisch des Verwalters lag, und lachte, als Kelderek zum Schutz den Arm hob.

»Schluß damit!« schimpfte der in der Türöffnung erscheinende Gardekommandant. »Du hast gehört, was Graf Einhand sagte. Du sollst ihn in Ruhe lassen!«

»Wenn *die* ihn in Ruhe lassen«, antwortete der Soldat. »Hör sie doch an!« Er schob einen Schemel zu dem hohen Fenster, stieg darauf und blickte hinaus. Der Lärm der Menge hatte sich womöglich noch verstärkt, wenn auch die Worte unverständlich waren. »Wenn sie ihn in Frieden lassen, ist Einhand der einzige, für den sie es täten.«

Kelderek setzte sich abseits, schloß die Augen und versuchte, seine Gedanken zu sammeln. Wie ein Schachspieler, der zu verlieren nicht ertragen kann und der immer noch auf der Suche nach der Stellung für die geringste Rettungschance ist, so saß er dort und wälzte Elleroths Worte in seinem Gehirn. Wenn Shardik sterben sollte – aber Shardik konnte nicht sterben. Wenn Shardik sterben sollte – wenn Shardik stürbe, was blieb denn ihm noch auf der Welt zu tun? Warum schien noch die Sonne? Was war nun Gottes Absicht? Er saß so versunken und reglos dort, daß die Aufmerksamkeit seiner Wächter schließlich von ihm abließ und sie ihn nicht mehr beobachteten; er betrachtete die blanke Wand, als sähe er dort eine Ähnlichkeit zu einer größeren, unverständlichen Leere, die sich von Pol zu Pol erstreckte.

Elleroths Sohn – sein Erbe – war einem Sklavenhändler ohne Konzession in die Hände gefallen? Er wußte selbst – wer konnte es besser wissen? –, wie sehr das möglich war. Er hatte von diesen Männern gehört, hatte viele Beschwerden über ihr Vorgehen in den entfernteren Teilen der beklanischen Provinzen bekommen. Er wußte, daß innerhalb der ortelganischen Ländereien Sklaven illegal gefangen wurden, die nie den Markt in Bekla erreichten, sondern über Tonilda und Kabin nach Norden oder über Paltesh nach Westen verschleppt und in Katria oder Terekenalt verkauft wurden. Trotz der schweren dafür ausgesetzten Strafen war die Wahrscheinlichkeit, einen unrechtmäßigen Sklavenhändler festzunehmen, gering, solange der Krieg dauerte. Aber dieser Genshed, wer immer er sein mochte, sollte den Sohn und Erben des Statthalters von Sarkid geraubt haben? Zweifellos beabsichtigte er, ein Lösegeld zu fordern, falls er ihn wohlbehalten nach Terekenalt brachte. Welcher denkbare Grund aber hatte Elleroth, wenn er solchen Kummer im Herzen trug und dem verhaßten Priesterkönig von Bekla die Schuld für ein solches Unrecht geben konnte, dazu veranlaßt, darauf zu bestehen, daß dessen Leben geschont würde? Eine Weile dachte er über dieses Rätsel nach, konnte aber keine Antwort finden. Seine Gedanken kehrten zurück zu Shardik, doch schließlich ließ er das Denken ganz sein, döste im Sitzen und hörte trotz des Lärms der Menge das Fallen von Wassertropfen in ein vor dem Fenster stehendes Faß.

Der Gardekommandant kam mit einem untersetzten, schwarzbärtigen Offizier in Rüstung und mit Helm zurück, der Kelderek anstarrte und mit nervöser Ungeduld seine Schwertscheide an sein Bein schlug.

»Ist das der Mann?«

Der Gardekommandant nickte.

»Dann komm, du, in Gottes Namen, solange wir noch halbwegs die Kontrolle haben. Vielleicht liegt dir nichts daran, aber *ich* will am Leben bleiben. Nimm diesen Packen – Schuhe und für zwei Tage Proviant, so lautet der Befehl des Statthalters. Die Schuhe kannst du später anziehen.«

Kelderek folgte ihm durch den Gang und über den Hof zum Pförtnerhaus. Unter dem Torbogen waren hinter dem geschlossenen Tor zwei Reihen Soldaten aufgestellt. Der Offizier führte Kelderek in die Mitte zwischen sie, trat unmittelbar hinter ihn, faßte ihn an der Schulter und sagte ihm ins Ohr:

»Nun tust du, was ich dir sage, verstehst du, sonst bleibt dir keine Zeit für Reue. Du wirst durch diese verdammte Stadt zum Osttor gehen, denn wenn nicht, gehe ich auch nicht, und deshalb wirst du gehen. Jetzt sind sie ruhig, weil man ihnen gesagt hat, daß es der persönliche Wunsch des Statthalters ist, aber wenn sie durch irgend etwas provoziert werden, sind wir so gut wie tot. Sie mögen keine Sklavenhändler und Kindermörder, verstehst du? Sprich kein Wort, wink nicht mit deinen verdammten Armen, tu gar nichts; und vor allem, bleib nicht stehen, verstehst du? In Ordnung!« rief er dem Treisatt vorne zu. »Vorwärts marsch, und Gott steh uns bei!«

Das Tor wurde geöffnet, die Soldaten marschierten los, und Kelderek trat unmittelbar in das blendende Sonnenlicht, das ihm direkt in die Augen schien. Geblendet stolperte er, und schon lag die Hand des Hauptmanns unter seiner Achsel und stieß ihn vorwärts.

»Wenn du stehenbleibst, durchbohre ich dich.«

Vor Keldereks Augen schwebten farbige Schleier, die sich langsam auflösten und verschwanden, so daß er die Straße zu seinen Füßen sah. Er merkte, daß er gebückt, mit vorgeneigtem Kopf ging und zu Boden blickte, wie ein Bettler an einem Stock. Er streckte die Schultern, warf den Kopf zurück und sah sich um.

Der unerwartete Schock war so groß, daß er stehenblieb und wie zur Abwehr eines Schlags eine Hand ans Gesicht hob.

»Geh weiter, verdammt noch mal!«

Der Platz war voller Menschen – Männer, Frauen und Kinder, die zu beiden Seiten der Straße standen, sich an den Fenstern drängten, an den Dächern festklammerten. Keiner sprach ein Wort, kein Murmeln war zu hören. Alle starrten ihn schweigend an, jedes Augenpaar folgte nur ihm, als die Soldaten quer über den Platz marschierten. Manche Männer blickten ihm zornig nach und schüttelten die Fäuste, doch keiner sagte ein Wort. Ein junges, wie eine Witwe gekleidetes Mädchen stand mit gefalteten Händen und tränenüberströmten Wangen dort, während neben ihr eine alte Frau zitternd den Hals vorstreckte; ihr eingefallener Mund zuckte krampfhaft. Seine Augen begegneten eine Sekunde lang den feierlich starrenden, aufgerissenen Augen eines kleinen Knaben. Die Menschen wogten wie Gras, ohne das Wogen zu bemerken, das ihre Köpfe verursachten, da sie den Blick nicht von ihm wandten. Es herrschte so völlige Stille, daß er einen Moment lang den Eindruck hatte, diese Leute wären weit entfernt, zu weit, um sie auf dem einsamen Platz zu hören, wo er zwischen den Soldaten ging; das einzige Geräusch in seinen Ohren war ihr regelmäßiger Tritt, der auf dem Sand knirschte.

Sie verließen den Platz und kamen in eine schmale, gepflasterte Straße, wo ihre Schritte zwischen den Mauern hallten. Er versuchte mit seiner ganzen Willenskraft, nur vor sich zu blicken, dennoch empfand er die Stille und das Starren des Volks wie eine Waffe, die über ihm geschwungen wurde. Er begegnete den Augen einer Frau, die ihren Arm hob und das Zeichen gegen Unheil machte, und senkte wieder den Kopf wie ein geduckter Sklave, der einen Schlag erwartet. Er merkte, daß er schwer atmete, daß seine Schritte nun schneller waren als die der Soldaten, daß er beinahe lief, um seinen Platz unter ihnen zu behalten. Er sah sich, wie er der Menge erscheinen mußte – abgezehrt, verschüchtert, verächtlich, vor dem Hauptmann dahineilend wie ein über einen Weg getriebenes Tier.

Die Straße führte zum Marktplatz, und auch dort waren die unzähligen Gesichter und die entsetzliche Stille. Keine keifende Frau, kein Händler, der seine Waren ausrief; als sie zu dem Brunnenbecken kamen – in Kabin gab es viele Brunnen –, wurde der Wasserstrahl schwächer und versiegte. Kelderek hätte gern gewußt, wer das zeitlich so gut abgestimmt hatte und ob er den Befehl dazu erhalten oder aus eigenem Antrieb gehandelt hatte; dann versuchte er zu erraten, wie weit es noch bis zum Osttor sein mochte, wie es aus der Nähe aussehen würde und welche Befehle der Hauptmann erteilen würde. Der Soldat neben ihm hatte eine lange weiße Narbe an der Wange, und Kelderek dachte: »Wenn mein rechter Fuß als nächster einen Stein loslöst, hat er die Wunde in der Schlacht davongetragen. Ist es mein linker, so geschah es bei einer Schlägerei.«

Nicht daß diese Gedanken auch nur einen Augenblick seinen Horror gegen die Stille und gegen die Augen, denen er nicht zu begegnen wagte, abgewehrt hätten. Wenn es nicht eine Fieberphantasie seiner Furcht und Qual war, gab es in der Menge eine steigende Spannung wie vor dem Ausbruch der Regenperiode. »Wir müssen hinkommen«, murmelte er. »Um jeden Preis müssen wir hinkommen, mein Herr Shardik, bevor die Regenzeit beginnt.«

Vor seinem Gesicht flog, von einem auf der Straße liegenden Stück Aas aufgeschreckt, ein Fliegenschwarm. Er dachte an die an den schilfbewachsenen Ufern des Telthearnas schwirrenden Gylonfliegen mit ihrem durchsichtigen Leib. »Ich bin eine Gylonfliege geworden – ihre Blicke durchdringen mich – durch und durch – sie begegnen jenen Blicken, die mich von der anderen Seite durchdringen. Meine Knochen werden zu Wasser. Ich werde fallen.

> Er kam, er kam des Nachts,
> überall um uns war Stille.
> Ein Schwert durchdrang mich, für immer bin ich verändert.
> *Senandril na kora, senandril na ro.*«

Seine Gedanken kehrten, wie die eines verlassenen Kindes zur Erinnerung an Verlust und Kummer, zu Elleroths Worten im Garten zurück.

»Dein Bär wird bald sterben, Crendrik —«

»Schweig und geh weiter!« sagte der Offizier zwischen zusammengepreßten Zähnen.

Er wußte nicht, daß er laut gesprochen hatte. Bei einem plötzlichen Windstoß wirbelte der Staub hoch, doch keines der Augen um ihn schien sich zum Schutz zu schließen. Die Straße war nun steiler, es ging bergauf. Er beugte sich vor und senkte den Kopf wie ein Ochse, der eine Last bergan zieht, blickte auf den Boden und schleppte sich weiter. Sie verließen den Marktplatz, doch die Stille zog ihn zurück, die Stille war ein Zauber, der ihn festhielt. Das Gewicht von Tausenden von Augen war eine Last, die er nie zum Osttor hinaufschleppen könnte. Er schwankte, dann stolperte er rückwärts gegen den Hauptmann, drehte sich um und flüsterte: »Ich kann nicht weiter.«

Er spürte die Spitze des Dolches, den ihm der Hauptmann knapp über dem Gürtel an den Rücken drückte.

»Statthalter von Sarkid oder nicht, ich töte dich, ehe meinen Leuten etwas zustößt. Vorwärts!«

Plötzlich wurde die Stille durch den Schrei eines Kindes unterbrochen. Der Ton war wie das Aufleuchten einer Flamme im Dunkel. Die Soldaten, die unsicher stehengeblieben waren, als er stolperte, sammelten sich um ihn, der Hauptmann fuhr zusammen wie bei einem Trompetenstoß, und alle Köpfe wandten sich mit einem Ruck in die Richtung, aus welcher der Schrei gekommen war. Ein etwa fünf- oder sechsjähriges Mädchen, das die Straße überqueren wollte, bevor die Soldaten kamen, war im Lauf gestolpert, der Länge nach hingefallen und lag nun weinend im Staub, vielleicht weniger aus Schmerz als aus Furcht vor dem grimmigen Aussehen der Soldaten, zu deren Füßen die Kleine lag. Eine Frau trat aus der Menge und hob sie auf; ihre beruhigende und tröstende Stimme war deutlich an der Straße zu hören, als sie das Kind forttrug.

Kelderek hob den Kopf und holte tief Atem. Der Schall hatte das unsichtbare, jedoch schreckliche Spinnennetz zerrissen, in dem er wie eine in einen klebrigen Faden verwickelte Fliege fast die Kraft, sich zu wehren, verloren hatte. Wie wenn Männer endlich einen trockengelegten Graben am Fluß aufbrechen, in dem sie ein

Kanu ausgebessert haben, so daß das Wasser hereinströmt und das Fahrzeug wieder in sein wahres Element bringt und hochhebt, bis es schwimmt, so gab der Klang der Kinderstimme Kelderek die einfache Willenskraft und Entschlossenheit des gewöhnlichen Menschen wieder, auszuharren und zu überleben, komme, was da wolle. Sein Leben war, gleichgültig weshalb, verschont worden; je eher er aus der Stadt fortkam, desto besser. Wenn das Volk ihn haßte, dann wußte er die Antwort darauf – er würde verschwinden.

Ohne ein weiteres Wort an den Hauptmann nahm er seinen Marsch wieder auf und schleuderte beim Bergansteigen den weichen Sand mit seinen Absätzen nach hinten. Die Menschen drängten sich nun näher heran, die Soldaten wehrten sie mit ihren Speerschäften ab, und der Hauptmann rief: »Zurück! Zurücktreten!«

Er beachtete sie nicht, sondern bog um eine Ecke und stand nun vor dem Wachtturm am offenen Tor; das Geländer war ausgeschwenkt und zu beiden Seiten hochgezogen, um zu verhindern, daß ihnen jemand aus der Stadt ins Freie folgte. Sie durchschritten den hallenden Torbogen. Ohne sich umzudrehen, hörte er, wie das Tor knirschend zufiel und die Riegel vorgelegt wurden.

»Nicht stehenbleiben!« sagte der immer noch dicht hinter ihm gehende Hauptmann.

Sie stiegen zwischen Bäumen einen Hügel bergab und kamen zu einer steinigen Furt über einen Strom, der von den bewaldeten Hügeln links hinabfloß. Dort traten die Soldaten auseinander, ohne auf Befehle zu warten, knieten hin, um zu trinken, oder warfen sich ins Gras. Der Offizier faßte Kelderek wieder an der Schulter und drehte ihn um, so daß sie einander gegenüberstanden.

»Das ist der Vrako – die Grenze der Provinz Kabin, wie du wohl weißt. Auf Befehl des Statthalters bleibt das Osttor von Kabin für eine Stunde geschlossen, und ich werde ebenso lange diese Furt geschlossen halten. Du darfst den Fluß durch die Furt überqueren, und dann kannst du gehen, wohin du willst.« Er machte eine Pause. »Noch etwas. Wenn die Armee Befehl erhält, das Gebiet östlich des Vrakos zu durchstreifen, werden wir nach dir Ausschau halten; und du wirst uns kein zweitesmal entkommen.«

Er nickte zum Zeichen, daß er nichts mehr zu sagen hatte, und Kelderek, der die Flüche der Soldaten hinter sich hörte – einer warf ihm einen Stein nach, der neben seinem Knie auf einen Felsen traf –, stolperte voran durch die Furt und ließ sie dort zurück.

39. Jenseits des Vrakos

In Bekla hatte er von dem Land östlich von Kabin gehört – »die Müllgrube des Reiches« hatte es einer seiner Provinzgouverneure genannt –, eine Provinz ohne Landgüter und ohne Regierung, ohne Einkommen und ohne eine einzige Stadt. Sechzig Kilometer unterhalb von Ortelga machte der Telthearna einen großen Bogen und floß dann am äußersten Rand der Gelter Berge entlang nach Süden. Südlich dieser Berge und westlich des Telthearnas lag eine unzugängliche Wildnis, bewaldete Kämme, Sümpfe, Bäche und Wälder, ohne Straßen und ohne Siedlungen außer einigen elenden Dörfern, wo die Einwohner von Fischen, halbwilden Schweinen und dem lebten, was sie aus dem Boden kratzen konnten. In solchen Gegenden einen Mann zu suchen und zu finden, war so gut wie unmöglich. So mancher Flüchtling und Verbrecher war in dieser Wildnis verschwunden. Es gab in Bekla ein Sprichwort: »Ich würde den Soundso töten, wenn sich die Reise nach Zeray lohnte.« Unartigen, unfolgsamen Knaben sagten ihre Mütter: »Du wirst in Zeray enden.« Es ging das Gerücht, man könne sich von diesem abgelegenen Ort – eine Stadt konnte man ihn nicht nennen –, wo der Telthearna sich zu einer Breite von weniger als vierhundert Meter verengte, wenn man bezahlen konnte, zum Ostufer übersetzen lassen, ohne daß Fragen gestellt wurden. In alten Zeiten hatte sogar die nördliche Vorpostenarmee Kabin als äußersten Punkt im Osten festgelegt, bis zu dem sie marschierte, und Steuereinnehmer oder -einschätzer überquerten, aus Angst um ihr Leben, den Vrako nie. Dieses Land hatte Kelderek nun betreten, dort durfte er dank Elleroths Barmherzigkeit leben, so lange er konnte.

Nachdem er die neuen Schuhe aus dem Packen genommen hatte, ging er eine Weile in schnellem Tempo auf dem schmalen, überwucherten Weg. Höchstwahrscheinlich, meinte er, würden ihn nach Öffnung des Tors und der Furt einige verfolgen, in der Hoffnung, ihn einzuholen und zu töten. Er wußte zwar nur zu gut, daß er wahrscheinlich in diesem Land sterben müßte, und verspürte wenig Lust, sein Leben zu retten, war aber entschlossen, es nicht durch Leute aus Yeldashay oder andere Feinde Shardiks zu verlieren. Nach einer Stunde kam er zu einer Stelle, wo ein sogar noch wilderer Pfad links nach Norden abzweigte; diesem folgte er und arbeitete sich eine Zeitlang mühsam durch das Unterholz, um auf dem Pfad selbst keine Spuren zu hinterlassen.

Schließlich setzte er sich gegen Mittag, da er seit der Überquerung des Vrakos niemanden gehört oder gesehen hatte, an das Ufer eines Baches und überlegte, nachdem er gegessen hatte, was er nun tun sollte. Unter all seinen Gedanken lag, gleich einem überschwemmten Fels in einem brodelnden Teich, die Überzeugung, daß er eine geheimnisvolle, aber dennoch wirkliche seelische Grenze überschritten hatte, über die er nie wieder zurückkehren konnte. Was bedeutete das Abenteuer bei den Streels von Urtah, bei dessen Erwähnung die Schäfer von solcher Scheu und Furcht erfaßt wurden? Was war ihm in seiner Ahnungslosigkeit auf dem Schlachtfeld zugestoßen, als er, der Gnade ungerächter Toter ausgeliefert, dort gelegen hatte? Und warum hatte Elleroth das Leben eines Mannes geschont, dessen Regierung den Verlust seines Sohnes verschuldet hatte? Als er über diese unerklärlichen Vorfälle nachdachte, erkannte er, daß sie Kraft und Glauben, die im Herzen des Priesterkönigs von Bekla glühten, ausgelöscht hatten. Er fühlte nun, daß er kaum mehr war als ein Geist, etwas völlig Verbrauchtes in einem durch Entbehrung zerrütteten Körper.

Am tiefsten getroffen hatte ihn Elleroths Nachricht über Shardik. Shardik hatte den Vrako überschritten, und man glaubte, er sei dem Tode nahe – daran konnte es keinen Zweifel geben. Und wenn ihm, Kelderek, sein Leben noch im geringsten lieb war, wäre es am besten, das hinzunehmen. Shardik in einem solchen Land zu suchen, würde so schlimme Gefahren und Entbehrungen mit sich bringen, daß er ihnen weder geistig noch körperlich gewachsen sein konnte. Entweder würde er ermordet werden oder in den Wäldern auf den Hügeln sterben. Shardik lebend oder tot wiederzuerlangen, war unmöglich; und er selbst mußte, um die geringste Aussicht auf Überleben zu haben, nach Süden gehen, sich irgendwie ins nördliche Tonilda durchschlagen und dann die ortelganische Armee erreichen.

Doch eine Stunde später stieg er wieder nordwärts und hielt sich, ohne den Versuch, sich zu verbergen oder zu schützen, an den Pfad, der sich zu den unteren Hügeln schlängelte. Elleroth hatte ihn nur zu richtig eingeschätzt, dachte er bitter. »Ich gebe dir mein Wort, weder er noch der Bär können uns jetzt etwas zuleide tun.« Nein, tatsächlich, denn er war Shardiks Priester und sonst nichts. Aus Furcht vor Ta-Kominions Verachtung und von ihm beeinflußt, hatte er geglaubt, es müsse Gottes Wille sein, daß Shardik Bekla erobere, hatte dabeigestanden, als die Tuginda gefesselt und wie eine Verbrecherin fortgeführt wurde, und hatte sich dann selbst als Vermittler von Shardiks Gunst für sein Volk eingesetzt. Ohne Shardik wäre er nichts – ein in der Trockenheit murmelnder Regenmacher, ein Zauberer, dessen Zauber versagt hatte. Zu Zelda und Ged-la-Dan mit der Nachricht zurückzukehren (wenn sie nicht schon davon wußten), daß Elleroth bei der Armee von Yeldashay und Shardik für immer verloren war, hieße für ihn, das eigene Todesurteil zu unterschreiben. Sie würden kaum einen Tag verlieren, um ein solches Symbol der Niederlage loszuwerden. Das wußte Elleroth. Er wußte aber noch mehr. Er hatte begriffen – was so mancher Feind nicht konnte –, wie leidenschaftlich Keldereks Treue zu Shardik und wie rein sein Glaube an ihn war. Wie ein erfahrener, wenngleich privat für die persönlichen Werte und Ansichten eines Dieners nur Verachtung empfindender Herr dennoch erkennen kann, daß dieser Diener echtes Gefühl besitzt und vielleicht der Tapferkeit und Selbstverleugnung fähig ist, so hatte Elleroth, der Shardik haßte, gewußt, daß Kelderek, auch wenn ihn das Schicksal mit Hoffnungsstrahlen verlockte, außerstande wäre, sein Los von dem des Bären zu trennen. Und da er auch wußte – oder zu wissen glaubte, meinte Kelderek mit einer plötzlichen Anwandlung verzweifelten Trotzes –, daß Shardik sterben müsse, hatte er deshalb nichts Gefährliches darin gesehen, das Leben des Priesterkönigs zu schonen. Warum aber war er so weit gegangen, seinen diesbezüglichen Willen seiner Umgebung aufzuzwingen? War es möglich, fragte sich Kelderek, daß er selbst durch ein Leuten wie Elleroth wahrnehmbares Zeichen kenntlich gemacht war, daß er verdammt, daß er durch verdiente Leiden zu einer letzten Unverletzbarkeit gelangt war, in der er nun bleiben und Gottes Strafe erwarten mußte? Bei diesem Gedanken seufzte er, als er sich langsam durch die Einsamkeit weiterschleppte, und murrte unter der Last seines Elends gegen die ganze Welt wie eine irre alte Frau in einer verlassenen Stadt mit einem toten Kind in den Armen.

Er hatte sogar in diesem notorischen Niemandsland keine so völlige Leere erwartet. Den ganzen Tag war er keiner Seele begegnet, hatte keine Stimme gehört, keinen Rauch gesehen. Als der Nachmittag in den Abend überging, wurde ihm klar, daß er die Nacht obdachlos verbringen müßte. In früherer Zeit, als Jäger, hatte er manchmal im Wald übernachtet, doch selten allein und niemals ohne Feuer oder Waffen. Ihn ohne auch nur ein Messer über den Vrako zu schicken und ohne die Möglichkeit, ein Feuer zu machen – war das vielleicht letzten Endes bloß als eine besonders grausame Art gedacht, ihn zu töten? Und Shardik – den er nie finden würde –, war Shardik schon tot? Er saß mit dem Kopf in den Händen dort und geriet in einen Zustand wachen Vergessens; es war kein Schlaf, sondern die Erschöpfung eines Bewußtseins, das keine Gedanken mehr zu fassen vermochte, das davonglitt und schlitterte wie Räder im regennassen Schlamm.

Als er endlich den Kopf hob, erblickte er unter den Büschen sogleich einen so vertrauten Gegenstand, daß er, obwohl er sorgfältig versteckt war, sich wunderte, daß er ihn nicht schon vorher bemerkt hatte. Es war eine Falle – eine hölzerne Prügelfalle, wie er sie selbst in früherer Zeit öfter ausgelegt hatte. Sie war mit Aas und trockenen Früchten als Köder versehen, aber die waren unberührt, und der Prügel ruhte noch auf dem Auslösepflock.

Es fehlten nur noch zwei Stunden bis zum Einbruch der Nacht, und wenn man Fallen über Nacht unbesichtigt läßt, das wußte er genau, findet man sie am nächsten Tag oft von Aasfressern heimgesucht. Er beseitigte seine Fußspuren mit einem abgebrochenen Zweig, kletterte auf einen Baum und wartete.

Es war noch keine Stunde vergangen, da hörte er herankommende Schritte; der Mann wurde sichtbar, er war dunkelhaarig, untersetzt und struppig, seine Kleidung bestand teils aus Fellen, teils aus alten, abgerissenen Klamotten. In seinem Gürtel steckten ein Messer und einige Pfeile, und er trug einen Bogen. Er bückte sich, betrachtete die Falle unter dem Gebüsch und wollte sich schon wieder abwenden, als Kelderek ihn anrief. Er fuhr zusammen, zog blitzschnell sein Messer und verschwand im Unterholz. Kelderek erkannte, daß er, wenn er ihn nicht verlieren wollte, etwas riskieren mußte. Er kletterte zum Boden hinunter und rief: »Bitte geh nicht fort! Ich brauche Hilfe.«

»Was brauchst du also?« fragte der Mann, der zwischen den Bäumen unsichtbar blieb.

»Unterkunft – und auch Rat. Ich bin ein Flüchtling, verbannt – was du willst. Ich bin in Nöten.«

»Wer ist das nicht? Schließlich befindest du dich diesseits des Vrakos, nicht wahr?«

»Ich bin unbewaffnet. Sieh doch selbst.« Er warf das Bündel hin, hob die Arme und drehte sich nach allen Seiten.

»Unbewaffnet? Dann bist du wahnsinnig.« Der Mann trat unter den Büschen hervor und kam auf ihn zu. Er war wirklich ein roher Bursche von furchterregendem Aussehen, dunkelhäutig, mit finsterem Blick, gelblich triefenden Augen und einer Narbe vom Mund bis zum Hals, die Kelderek an Bel-ka-Trazet erinnerte.

»Ich bin nicht in der Verfassung, Streiche zu spielen oder mit dir zu feilschen«, sagte Kelderek. »Das Bündel enthält Proviant, sonst nichts. Nimm es und laß mich heute nacht bei dir schlafen.«

Der Mann nahm das Bündel, öffnete und untersuchte es, gab es Kelderek zurück und nickte. Dann machte er kehrt und entfernte sich in die Richtung, aus der er gekommen war. Nach einer Weile sagte er: »Ist niemand hinter dir her?«

»Seit dem Vrako nicht.«

Sie gingen schweigend weiter. Kelderek wunderte sich über den völligen Mangel freundlicher Neugier, die gewöhnlich bei Begegnungen Fremder zu spüren ist. Wenn der Mann gern wissen wollte, wer er war, woher und warum er gekommen war, so hatte er doch offenbar nicht die Absicht, danach zu fragen; und er hatte etwas an sich, das Kelderek hemmte, seinerseits Fragen zu stellen. Das mußte wohl die übliche Art sein, wie man in diesem Land der Scham für die Vergangenheit und der Hoffnungslosigkeit für die Zukunft Bekanntschaften schloß – die Höflichkeit der Straf- und der Irrenanstalt. Dennoch waren gewisse Fragen offenbar gestattet, denn nach einiger Zeit brummte der Mann: »Schon darüber nachgedacht, was du tun willst?«

»Noch nicht – wahrscheinlich sterben.«

Der Mann blickte ihn scharf an, und Kelderek merkte, daß er nicht richtig geantwortet hatte. Hier waren die Menschen wie Tiere, die sich zur Wehr setzten – trotzig, bis sie zerrissen wurden. Das ganze Land war, wie eine Räuberhöhle, in Schinder und Opfer geteilt – kein Ort, in dem man von Tod sprechen durfte, nicht im Spaß und auch nicht resigniert. Verwirrt und zu müde, um es zu verbergen, sagte er:

»Es war ein Scherz. Ich habe etwas vor, nehme aber an, es wird dir merkwürdig erscheinen. Ich suche einen Bären, der angeblich in dieser Gegend sein soll. Wenn ich ihn finden könnte –«

Er hielt inne, denn der Mann starrte ihn mit vorgeschobenem Mund und Kinn und mit einer Mischung aus Angst und Zorn aus seinen triefenden Augen an – dem Zorn des Mannes, der alles attackiert, was er nicht versteht. Er sagte aber nichts, und nach einer Weile stotterte Kelderek: »Es – es ist wahr. Ich will dich nicht zum Narren halten –«

»Das würde ich dir auch nicht raten«, sagte der Mann. »Dann bist du also nicht allein?«

»So allein wie noch nie.«

Der Mann zog sein Messer, faßte ihn am Handgelenk und zwang ihn mit vor Wut verzerrtem Gesicht auf die Knie.

»Also, was soll's mit dem Bären? Was hast du vor – was weißt du von der anderen – von der Frau, ha?«

»Welche andere? Bei Gott, ich weiß nicht, was du meinst!«

»Weißt nicht, was ich meine?«

Kelderek schüttelte keuchend den Kopf, und nach einer Weile ließ ihn der Mann los.

»Dann komm mit und sieh selbst; ja, komm nur mit. Und hüte dich, keine Tricks!«

Sie gingen weiter, der Mann hielt das Messer in der Faust, und Kelderek überlegte, ob er nicht vor ihm in den Wald flüchten sollte. Nur seine Erschöpfung hinderte ihn daran, denn der Mann würde ihn wahrscheinlich verfolgen, einholen und vielleicht töten. Sie überschritten einen Kamm und stiegen steil bergab zu einem öden Tümpel. Rauch hing in den Bäumen. Eine einigermaßen gerodete Stelle am Ufer war übersät mit Knochen, Federn und anderem Abfall. Auf der einen Seite stand, auch am Wasser, ein schiefer Schuppen ohne Rauchfang aus Pfosten, Zweigen und Lehm. Es gab ganze Wolken von Fliegen. Ein paar Häute waren zum Trocknen über Pflöcke gespannt, und in einem Holzpferch auf dem sumpfigen Boden saßen einige schwarze Vögel – Raben oder Krähen – zusammengedrängt. Die Stätte wirkte, wie ein Lied auf verstimmten Instrumenten, als eine Beleidigung gegen die Welt, für die es nur eine Abhilfe gab: Zerstörung.

Der Mann faßte wieder Keldereks Handgelenk und führte ihn halb, halb zog er ihn zu der Hütte. Über dem Eingang hing ein Vorhang aus staubigen Fellen. Der Mann drehte den Kopf mit einem Ruck und machte eine Bewegung mit dem Messer, aber Kelderek, benommen von Müdigkeit, Angst und Widerwillen, begriff nicht, daß er als erster eintreten sollte. Der Mann faßte ihn an der Schulter und versetzte ihm einen Stoß, so daß er gegen den Vorhang taumelte. Er schob ihn zur Seite, senkte den Kopf und trat ein.

Die Wände umschlossen einen einzigen, übelriechenden Raum, an dessen anderem Ende ein Feuer schwelte. Es gab wenig Licht, denn außer dem Eingang mit dem Vorhang und einem Loch im Dach, durch das ein Teil des Rauchs entwich, gab es keine Öffnung; er erkannte aber am anderen Ende eine menschliche Gestalt in einem Mantel, die mit dem Rücken zu ihm auf einer groben Bank neben dem Feuer saß. Als er sich vorneigte und dem Messer in seinem Rücken auswich, erhob sich die Gestalt und wandte sich ihm zu. Es war die Tuginda.

40. Ruvit

Plötzlich konfrontiert zu werden mit einer schändlichen Tat aus der Vergangenheit, einer Tat, die noch nicht gesühnt ist; unerwartet über eine Anklage stolpern, der keine gespielte Tapferkeit zu trotzen und die keine gewandte Zunge abzuwenden vermag; eine Beschuldigung, die nicht laut vor den Ohren aller Welt, sondern leise, vielleicht sogar wortlos gegen jemanden erhoben wird, der auf das Aufwallen seiner eigenen Verwirrung, seines Schuldgefühls und seiner Reue nicht vorbereitet ist. Die Harfe von Binnorie nannte ihre Mörderin, und die beiden hübschen Mädchen in der Ballade antworteten der grausamen Mutter an der Schloßmauer ihres Vaters. Man weiß von Steinen, die sich bewegt, von Bäumen, die geredet haben. Doch Banquos Geist sprach kein Wort. Wenn auch nur wenige eines Ermordeten Leiche berührt und die Wunden aufbrechen und bluten sahen, gibt es doch viele, die beim Wiederlesen alter Briefe, die sie in Schubladen fanden, weinend um Vergebung flehten. Schwer Geschädigte brauchen, wie Geister, nicht zu ihren Bedrückern zu sprechen oder sie vor der Menge anzuklagen. Viel schrecklicher ist ihr unerwartetes und stummes Wiederauftauchen an einem einsamen Ort zu ungeschützter Stunde.

Die Tuginda stand neben der Bank und hielt die Augen vor dem Rauch halb geschlossen. Zuerst erkannte sie ihn eine Zeitlang nicht. Dann fuhr sie zusammen und hob den Kopf. Im selben Augenblick stieß sich Kelderek mit einem plötzlichen lauten Aufschluchzen die Hand zwischen die Zähne, machte kehrt und war schon auf halbem Weg durch den Eingang, als er heftig zurückgestoßen wurde und zu Boden stürzte. Der Mann starrte, mit dem Messer in der Hand, auf ihn nieder, biß sich auf die Lippe und keuchte in einer Art wilder Erregung. Das war ein Mann, wie Kelderek in dem furchtbaren Augenblick erkannte, für den der Mord einst Geschäft und Sport zugleich gewesen sein mußte. In seinem umnebelten Geist hing Gewalt stets, gefährlich wie ein Schwert, an einem Haar; sie wurde durch Angst oder Flucht eines anderen so unkontrollierbar erregt wie eine Katze durch eine vorbeitrippelnde Maus. Dies war wohl ein am Leben gebliebener Bandit, auf dessen Kopf ein Preis ausgesetzt war, oder ein gedungener Mörder, der für seinen Auftraggeber nicht mehr nützlich war und über den Vrako flüchtete, bevor ihn ein Denunziant anzeigen konnte. Wie viele einsame Wanderer hatte er schon in diesem Haus umgebracht?

Der Mann beugte sich über ihn und atmete in langsamen, rhythmischen Stößen. Kelderek stützte sich auf einen Ellbogen und versuchte vergeblich, das irre Starren mit einem kühnen Blick zu erwidern. Als er die Augen senkte, sagte die Tuginda hinter ihm:

»Beruhige dich, Ruvit! Ich kenne diesen Mann – er ist harmlos. Du darfst ihm nichts zuleide tun.«

»Er hat sich im Wald versteckt und von dem Bären geredet. ›Der will sicher etwas anstellen‹, dachte ich, ›ich bring ihn hierher, ich sag ihm nichts, ja, so mach ich es. Dann find ich heraus, was er vorhat, find heraus, was er vorhat –«

»Er wird dir nichts tun, Ruvit. Komm, fach das Feuer an, und nach dem Abendessen werde ich dir wieder die Augen waschen. Leg dein Messer weg.«

Sie führte den Mann freundlich zum Feuer und sprach zu ihm wie zu einem Kind. Kelderek folgte ihnen, da er nicht wußte, was er sonst tun sollte. Beim Klang ihrer Stimme hatten sich seine Augen mit Tränen gefüllt, aber er wischte sie wortlos weg. Der Mann beachtete ihn nicht weiter, und er nahm auf einem wackligen Schemel Platz und sah der Tuginda zu, die beim Feuer hinkniete, um es anzufachen, einen Topf darauf stellte und mit einem zerbrochenen

Spieß darin umrührte. Einmal sah sie zu ihm hinüber, doch er senkte den Blick; als er wieder hochblickte, befaßte sie sich mit einer Tonlampe, die sie zurechtstutzte und dann mit einem brennenden Zweig anzündete. Die schwache einzelne Flamme warf Schatten über den Boden und schien, als es dunkel wurde, weniger die verwahrloste Hütte zu beleuchten, als mit ihrem Rauchen und Flackern in dem durch die schlecht gebauten Wände dringenden Luftzug an die Wehrlosigkeit aller zu erinnern, welche, wie sie selbst, das Unglück hatten, allein und auffallend in diesem traurigen Landstrich zu sein.

Sie war gealtert, fand er, und sah aus wie jemand, der unter Verlust und Enttäuschung gelitten hatte. Und doch war sie nicht ausgelöscht – ein niedergebranntes Feuer, ein vom Wintersturm entlaubter Baum. In diesem gräßlichen Raum, fern von Hilfe oder Schutz, allein mit einem Mann, der sie verraten hatte, und einem anderen, der halb irr und wahrscheinlich ein Mörder war, setzte sie ihre Autorität ruhig und sicher durch; zum Teil so erdnah wie ein schlauer, ehrlicher Bauer, wenn er mit Leuten spricht, denen er zu verstehen gibt, daß sie ihn lieber nicht betrügen sollen. Doch jenseits des klar erkennbaren geistigen Vordergrunds merkte er, was er schon längst gemerkt hatte: das tiefere, geheimnisvollere Feld ihrer Kraft – wie er auch wußte, daß sogar der arme mörderische Ruvit es spürte, so wie ein Hund das Vorhandensein von Freude oder Schmerz in einem Haus spürt. Sie war nicht nur beherrscht von dem Privileg als Priesterin, Pilgerin und Ärztin, sondern auch von dem, was ihr das Mysterium, dessen Dienerin sie war, verliehen hatte – durch die Macht, die er schon gefühlt hatte, bevor er sie noch getroffen, als er zusammengesunken im Dunkel in dem nach Quiso treibenden Kanu gesessen hatte. Kein Wunder, dachte er, daß Ta-Kominion gestorben war. Kein Wunder, daß der wilde, leidenschaftliche Ehrgeiz, der ihn für die ihr innewohnende Kraft blind machte, ihn auch unheilbar vergiftete.

Er begann darüber nachzudenken, wie er wohl sterben würde. Er hatte gehört, daß manche ihr Leben jenseits des Vrakos so lange hinausgezogen hatten, bis der auf ihren Kopf ausgesetzte Preis und sogar die Art ihrer Verbrechen in Vergessenheit geraten waren, und nur ihre eigene Verzweiflung und ihr verwirrter Verstand verhinderten ihre Rückkehr in Städte, wo es niemanden mehr gab, der sich dessen erinnern konnte, was sie verbrochen hatten. Ein solches Überleben war nichts für ihn. Wenn er nur Shardik finden könnte, würde der endlich sein ihm so oft angebotenes Leben annehmen, ehe ihn der nichtswürdige Wunsch, um jeden Preis zu überleben, in eine Kreatur wie Ruvit verwandeln konnte.

Verloren in diesen Gedanken, hörte er wenig oder nichts von dem, was zwischen Ruvit und der Tuginda vorging, während sie die Mahlzeit fertigkochte. Er merkte undeutlich, daß Ruvit, obgleich er still geworden war, doch noch Angst vor der einbrechenden Dunkelheit hatte und daß die Tuginda ihn beruhigte. Er fragte sich, wie lange der Mann wohl schon hier lebte, allein dem Einbruch der Nacht Trotz bieten mußte, und was ihn veranlaßt haben mochte, dieses Leben – ein gewiß sogar für einen Flüchtling jenseits des Vrakos hartes Leben – als einziges zu wählen, das er zu führen wagte.

Nach einiger Zeit brachte ihm die Tuginda das Essen, und als sie es ihm gab, legte sie einen Augenblick ihre Hand auf seine Schulter. Er sagte noch immer nichts, nickte nur unglücklich, unfähig, ihrem Blick zu begegnen. Doch als er gegessen hatte, faßte er, wie es eben so geht, unwillkürlich wieder ein wenig Mut. Er setzte sich näher zum Feuer, betrachtete die Tuginda, wie sie Ruvits Augenausfluß abtupfte und seine Augen mit einem Kräuterabsud badete. Mit ihr war er still und zugänglich und glich zeitweilig fast dem, was er vielleicht gewesen wäre, wenn das Böse ihn nicht verzehrt hätte – vielleicht ein anständiger, dummer Viehtreiber oder ein geplagter Schankkellner in einer Kneipe.

Sie schliefen gezwungenermaßen in ihren Kleidern auf dem Fußboden, die Tuginda beklagte sich nicht über den Schmutz und die Unbequemlichkeit, nicht einmal über das Ungeziefer, das ihnen keine Ruhe ließ. Kelderek schlief nur wenig, er mißtraute Ruvit, seiner selbst und der Tuginda wegen, aber der arme Tropf schien eher zufrieden mit der Aussicht, eine Nacht frei von seinen abergläubischen Befürchtungen schlafen zu können, denn er regte sich nicht bis zum Morgen.

Bald nach Sonnenaufgang blies Kelderek das Feuer an, fand einen Holzeimer und machte sich, froh, in die frische Luft zu kommen, auf den Weg zum Ufer, wusch sich und kehrte mit Wasser für die Tuginda zurück. Er konnte sich nicht entschließen, sie zu wecken, sondern ging wieder hinaus in die erste Sonne. Sein Entschluß war unverändert. Er sah nun in sich eine Kluft, wie jene, in die er von der Ebene in Urtah gestarrt hatte. Das lästerliche, von Ta-Kominion an der Tuginda begangene Unrecht, an dem er teilgenommen hatte, war nur ein Teil des umfassenden, weiterreichenden, von ihm begangenen Frevels – die Sünde gegen Shardik selbst und alles, was darauf gefolgt war. Rantzay, Mollo, Elleroth, die in Bekla in die Sklaverei verkauften Kinder, die toten Soldaten, deren Stimmen im Dunkel um ihn erschollen waren – sie kamen ihm drängend, rauh und schrill wieder ins Gedächtnis, während er am Fluß stand. Es fiel ihm wieder ein, wie im Tamarriktor, als es schließlich einstürzte, in der Mitte eine große Bresche entstanden war, von der strahlenartig splitternde Sprünge und Spalten ausgingen und Bruchstücke von kunstvoll geschnitztem Holz, zerschlagene, bis zur Unkenntlichkeit vernichtete Silberfetzen nach innen ragten. Die Ortelganer schrien hurra und erkämpften sich mit den Rufen »Shardik! Shardik!« den Weg in die Stadt.

Er weinte lautlos. »Nimm mein Leben hin, mein Herr Shardik! O Gott, nimm doch mein Leben!«

Er hörte einen Schritt hinter sich, wandte sich um und sah, daß sein Gebet erhört wurde. Wenige Meter hinter ihm stand Ruvit mit dem Messer in der Hand und blickte ihn an. Kelderek kniete nieder, bot ihm seinen Hals und sein Herz dar und breitete die Arme aus.

»Stoß rasch zu, Ruvit, bevor ich Zeit habe, mich zu fürchten!«

Ruvit starrte ihn einen Augenblick überrascht an, dann steckte er das Messer ein, trat mit einem verlegenen, unsicheren Grinsen vor, faßte Keldereks Hand und half ihm auf die Füße.

»Aber, aber, mein Guter, du darfst das nicht so auffassen, weißt du. Am Anfang ist es schwer, die Aale sind's gewöhnt, daß man ihnen die Haut abzieht, du weißt ja, man sagt, man soll nie über den Vrako zurückschauen, das macht einen verrückt. Bin grade dabei, einen Vogel umzubringen. Manche drehen ihnen den Hals um, ich schneid ihnen immer den Kopf ab.« Er blickte über seine Schulter zurück zur Tür und flüsterte: »Weißt du was? Die ist eine Priesterin, ja, das ist sie. Wenn sie je zurückkommt, wird sie 'n gutes Wort für mich einlegen. Gestern dachte ich, sie will dich tot sehen, ist aber nicht wahr. Ja – sie wird ein gutes Wort für mich einlegen, sagt sie. Das ist die Wahrheit, glaubst du es auch?«

»Es ist wahr«, sagte Kelderek. »Dich kann sie in jeder Stadt von Ikat bis Deelguy freikriegen. Nur mich nicht.«

»Das mußt du hier vergessen, Kumpel, vergiß es, das ist das richtige. Fünf Jahre, zehn Jahre, weißt du, dann, nach zehn Jahren, nennst du die Läuse deine Freunde.«

Er tötete den Vogel, rupfte ihn und nahm ihn aus, ließ die Eingeweide auf dem Boden liegen, und sie gingen zusammen zurück zu dem Schuppen.

Zwei Stunden später machte sich Kelderek, nachdem er Ruvit den restlichen aus Kabin mitgebrachten Proviant geschenkt hatte, mit der Tuginda am Flußufer entlang auf den Weg.

41. Die Legende von den Streels

Er konnte sich noch immer nicht dazu entschließen, von der Vergangenheit zu reden.

»Wohin gehst du, Saiyett?«

Sie antwortete nicht gleich, sondern fragte nach einer Weile:

»Kelderek, suchst du unseren Herrn Shardik?«

»Ja.«

»In welcher Absicht?«

Er fuhr zusammen, denn er erinnerte sich ihrer seltsamen Fähigkeit, mehr zu erkennen, als gesagt wurde. Wenn sie seine Absicht erfaßt hatte, würde sie wahrscheinlich versuchen, ihn davon abzubringen, obwohl gerade sie wenig Ursache hatte, sein Leben verlängern zu wollen. Dann wurde ihm klar, woran sie wohl dachte.

»Unser Herr Shardik wird nie nach Bekla zurückkehren«, sagte er. »Das ist ganz sicher – und ich auch nicht.«

»Bist du nicht der König von Bekla?«

»Nicht mehr.«

Sie verließen den Flußlauf und schlugen einen Weg ein, der über den nächsten Hügel nach Osten führte. Die Tuginda stieg langsam und blieb mehrmals stehen, um sich auszuruhen. »Sie hat jetzt keine Kraft mehr für dieses Leben«, dachte er. »Selbst wenn es keine Gefahr gäbe, sollte sie nicht hier sein.« Er dachte nach, wie er sie überreden könnte, nach Quiso zurückzukehren.

»Saiyett, warum bist du hierhergekommen? Suchst du auch Shardik?«

»Ich erhielt in Quiso die Nachricht, daß unser Herr Shardik Bekla verlassen hat, und dann, daß er über die Ebene zu den Bergen westlich von Gelt gegangen ist; natürlich machte ich mich auf die Suche nach ihm.«

»Aber warum, Saiyett? Du hättest eine solche Reise nicht unternehmen sollen. Die Strapazen –«

»Du vergißt etwas, Kelderek.« Ihre Stimme klang hart. »Als Tuginda von Quiso ist es meine Pflicht, unserem Herrn Shardik zu folgen, solange es möglich ist – das heißt, solange Gottes Stärke nicht der Gewalt von Menschen untersteht.«

Er schwieg beschämt; als sie aber später bergab vor ihm ging, fragte er: »Und deine Frauen – die anderen Priesterinnen – du hast doch Quiso nicht allein verlassen?«

»Nein, ich wurde auch von Santil-ke-Erketlis' Vormarsch nach Norden benachrichtigt. Ich wußte bereits, daß er im Frühjahr abzumarschieren und Kabin zu nehmen beabsichtigte. Neelith und drei andere Mädchen brachen mit mir auf nach Kabin. Von dort aus wollten wir unseren Herrn Shardik suchen.«

»Hast du mit Erketlis gesprochen?«

»Ich sprach mit Elleroth aus Sarkid, der mir erzählte, wie es ihm gelang, aus Bekla zu entfliehen. Er war mir gut gesinnt, weil ich vor einiger Zeit den Mann seiner Schwester, der eine Blutvergiftung am Arm hatte, kurierte. Er erzählte mir auch, daß unser Herr Shardik im Vorgebirge nördlich von Kabin zwei Tage zuvor den Vrako überquert hatte.«

»Du sagst, Elleroth habe dich als Freundin behandelt – und dennoch ließ er dich allein, ohne Begleitung über den Vrako gehen?«

»Er weiß nicht, daß ich den Vrako überquert habe. Elleroth war freundlich zu mir, aber in einem Punkt konnte ich bei ihm nichts erreichen. Er wollte mir keine Hilfe geben, um unseren Herrn Shardik zu finden oder ihm das Leben zu retten. Für ihn und seine Soldaten ist Shardik nichts anderes als der Gott ihrer Feinde und all dessen, wogegen sie kämpfen.« Sie brach ab, dann fügte sie mit leicht zitternder Stimme hinzu: »Er sagte – der Gott der Sklavenhändler.«

Kelderek war schlimmer betroffen, als er es je für möglich gehalten hätte.

»Er erzählte mir von seinem Sohn«, fuhr die Tuginda fort, »und danach bat ich ihn um nichts mehr. Er sagte mir auch, einige seiner Soldaten hätten unseren Herrn Shardik im Gebirge getroffen und seien überzeugt, daß er sterben werde. Ich fragte ihn, warum sie ihn nicht getötet hätten, und er antwortete, sie hätten den Versuch nicht gewagt. Deshalb glaube ich nicht, daß unser Herr Shardik im Sterben liegt.«

Darauf wollte er etwas sagen, aber sie fuhr fort:

»Ich hatte gehofft, Elleroth würde mir einige Soldaten geben, um uns über den Vrako zu begleiten, als ich aber sah, daß es zwecklos wäre, ihn darum zu ersuchen, ließ ich ihn im Glauben, wir wollten nach Quiso zurückkehren, denn er hätte mich gewiß den Vrako nicht allein überqueren lassen.«

»Aber wollte denn keines der Mädchen mit dir kommen, Saiyett?«

»Glaubst du, ich würde sie in dieses Land mitnehmen – in die Teufelsküche der Welt? Sie flehten mich an, sie mitzunehmen. Ich trug ihnen auf, nach Quiso zurückzukehren, und das taten sie, da sie eidlich verpflichtet sind, mir zu gehorchen. Dann bestach ich die Wächter an der Furt und machte mich nach Überquerung des Flusses auf den Weg nach Norden, wie du.«

»Wohin willst du nun gehen, Saiyett?«

»Ich glaube, daß Shardik versucht, in seine Heimat zurückzukehren. Er ist auf dem Weg zum Telthearna und wird ihn überqueren, wenn er kann. Deshalb gehe ich nach Zeray, um Helfer zu holen, die mich bei der Suche nach ihm am Westufer unterstützen sollen. Oder falls er schon über den Telthearna geschwommen sein sollte, erfahren wir es vielleicht in Zeray.«

»Vielleicht hatte Elleroth recht. Es wäre möglich, daß Shardik tatsächlich im Sterben liegt, denn er wurde, nachdem er Bekla verlassen hatte, noch einmal bösartig und grausam verwundet.«

Sie verstummte, wandte sich um und starrte zu ihm hoch. »Hat Elleroth dir das gesagt?«

Er schüttelte den Kopf.

Sie setzte sich, sagte aber nichts mehr, sondern blickte ihn nur unsicher und fragend an. Nach Worten suchend rief er aus:

»Saiyett, die Streels von Urtah – was ist ihr Geheimnis und ihre Bedeutung?«

Da stöhnte sie kurz und leise, wie vor Schrecken und Niedergeschlagenheit; doch dann faßte sie sich und entgegnete: »Sag mir lieber, was du selbst weißt.«

Er erzählte ihr, wie er Shardik aus Bekla gefolgt war und von der Durchquerung der Ebene. Sie lauschte schweigend, bis er zu dem Abenteuer in Urtah kam, aber als er von seinem Erwachen sprach und schilderte, wie der verwundete Shardik aus dem Streel kletterte und seine Angreifer zerstreute, begann sie bitterlich zu weinen und schluchzte laut, wie Frauen, die um Tote trauern. Erschrocken über den leidenschaftlichen Schmerz einer Frau, von der er sich bisher nur vorgestellt hatte, daß sie ihr Zepter über alle Übel hielt, welche die Herzen der Menschen befallen, wartete er mit hoffnungsloser, bleierner Geduld. Er wollte sich nicht erdreisten, sie in ihrem Schmerz zu stören, denn er merkte, daß der aus einem bitteren Wissen entsprang, an dem nun auch er teilhaben sollte.

Endlich wurde sie ruhiger und begann zu sprechen; ihre Stimme klang wie die einer Frau, die von einem schrecklichen Verlust erfahren hat und begreift, daß ihr Leben von nun an nur ein Warten auf den Tod sein wird.

»Du hast mich nach den Streels von Urtah gefragt, Kelderek. Ich werde dir sagen, was ich weiß, obgleich es wenig genug ist, denn der Kult ist ein strenges Geheimnis, das von einer Generation zur nächsten vererbt wird, und die Furcht davor ist so groß, daß ich noch von niemandem gehört habe, der gewagt hätte, in diese Mysterien einzudringen. Obzwar ich aber, gottlob, die Streels nie gesehen habe, weiß ich ein wenig darüber – das wenige, das mir gesagt wurde, weil ich die Tuginda von Quiso bin.

Wie tief die Streels sind, weiß niemand, denn noch keiner ist jemals in ihre Tiefen hinabgestiegen und wieder zurückgekehrt. Manche sagen, es seien die Zugänge zur Hölle, durch welche die Seelen der Gottlosen sie betreten. Man sagt auch, daß es genüge, hinunterzublicken und laut zu rufen, um Qualen auszulösen, die einen Menschen zum Wahnsinn treiben.«

Kelderek nickte, sein Blick war auf sie geheftet. »Es ist wahr.«

»Und niemand weiß, wie alt der Kult ist oder was angebetet wird. Eines aber kann ich dir sagen: immer schon, seit Jahrhunderten, war es ihr Mysterium von Urtah, das Strafe über die Gottlosen brachte – das heißt über die, für welche eine solche Vergeltung von Gott bestimmt worden war. Viele sind böse, das weißt du ja, aber nicht alle Bösen finden den Weg zu den Streels. Darum handelt es sich bei diesem schrecklichen Vorgang – so habe ich ihn zumindest stets verstanden. Der Übeltäter ist ein Mensch, dessen Verbrechen zum Himmel schreit, für den es keine Gutmachung, kein Vergessen gibt, ein Mensch, dessen weiteres Leben die Erde entweiht. Und er scheint immer durch irgendeinen Zufall nach Urtah zu gelangen: er weiß nicht, in was für einen Ort ihn seine Reise geführt hat. Ob er in Begleitung oder allein kommt, immer glaubt er, es sei ein Zufall oder eine eigene Angelegenheit, was ihn nach seinem freien Willen nach Urtah geführt hat. Doch jene, die dort wachen – die ihn kommen sehen –, sie erkennen ihn als das, was er ist, und wissen, was sie zu tun haben.

Sie sprechen freundlich mit ihm und behandeln ihn höflich, denn wie abscheulich sein Verbrechen auch sein mag, es ist nicht ihre Pflicht, ihn zu hassen, so wenig wie der Blitz den Baum haßt. Sie sind nur Gottes Bevollmächtigte. Und sie werden ihn auch nicht überlisten. Der Ort muß ihm gezeigt und er muß gefragt werden, ob er dessen Namen kennt. Nur wenn er ›Nein‹ antwortet, überreden sie ihn, zu den Streels zu kommen. Sogar dann muß er –«

Plötzlich brach sie ab und blickte zu Kelderek hin.

»Warst du in dem Streel?«

»Nein, Saiyett. Wie ich dir sagte, ich –«

»Was du mir gesagt hast, weiß ich. Ich frage dich – bist du sicher, daß du nicht im Streel warst?«

Er starrte sie stirnrunzelnd an, dann nickte er. »Ich bin dessen sicher, Saiyett.«

»Er muß aus eigenem Antrieb den Streel betreten. Sobald er das getan hat, vermag ihn nichts mehr zu retten. Es ist dann ihre Aufgabe, ihn zu töten und seine Leiche in die Tiefen des Streels zu werfen.

Manche von denen, die dort starben, waren Männer von Rang und Macht, aber alle waren einer Tat schuldig, deren Schlechtigkeit und Grausamkeit bis ins Tiefste das Gemüt der Menschen bewegt, die davon hören. Du hast gewiß von Hypsas gehört, denn er kam aus Ortelga.«

Kelderek schloß die Augen und schlug mit einer Hand auf sein Knie. »Ich erinnere mich. Walte Gott, ich täte es nicht.«

»Wußtest du, daß er in den Streels starb? Er wollte nach Bekla oder vielleicht nach Paltesh fliehen, aber er kam nach Urtah.«

»Das wußte ich nicht. Man erzählt nur, er sei verschwunden.«

»Was ich dir gesagt habe, wissen nur sehr wenige – zumeist Priester und Herrscher. Es gab einen König Manvarizon in Terekenalt, er war der Großvater von König Karnat dem Großen. Er verbrannte lebendigen Leibes die Frau seines toten Bruders, zusammen mit ihrem kleinen Sohn, seinem Neffen, dem rechtmäßigen König, dessen Leben und Thron er zu verteidigen geschworen hatte. Fünf Jahre später war er an der Spitze seines Heeres in der Ebene von

Bekla und kam mit einigen Begleitern nach Urtah, in der Absicht, wie er glaubte, dieses Land für sich auszuspionieren. Er lief schreiend in den Streel, nur vor einem Hirtenknaben fliehend, der Schafe trieb – oder vielleicht vor einem anderen Knaben, den niemand anders sehen konnte. Sie sahen, wie er sein Schwert zog, aber er warf es beim Laufen zu Boden, und dort liegt es vermutlich noch heute, denn es wird nichts, was einem Opfer gehört, je genommen, begraben oder vernichtet.«

»Du sagst, daß alle, die die Streels betreten, sterben müssen?«

»Ja, von dem Augenblick an ist ihr Tod gewiß. Es kann höchstens einen Aufschub geben, aber der ist sehr selten – so gut wie unbekannt. Es mag vielleicht einmal in hundert Jahren vorkommen, daß das Opfer lebend aus den Streels kommt: dann rühren sie es nicht an, denn das ist ein Zeichen, daß Gott es geweiht hat und seinen Tod für einen besonderen, gesegneten und geheimnisvollen Zweck benutzen will. Vor langer, langer Zeit flüchtete ein Mädchen mit seinem Geliebten über die beklanische Ebene. Ihre zwei Brüder – harte, grausame Männer – folgten ihnen, sie wollten beide töten, und sie sah, daß ihr Geliebter Angst hatte. Sie war entschlossen, ihn zu retten, stahl sich nachts davon, überraschte ihre Brüder im Schlaf, und um ihres Geliebten willen blendete sie beide, da sie nicht wagte, sie zu töten. Später kam sie – wie, weiß ich nicht – allein nach Urtah, und dort wurde sie erstochen und in den Streel geworfen. In der Nacht kletterte sie, obwohl schwer verletzt, lebend heraus. Man ließ sie fort, und sie starb bei der Geburt eines Sohnes. Dieser Knabe war der Held U-Deparioth, der Befreier von Yelda und der erste Statthalter von Sarkid.«

»Und deshalb weiß Elleroth das, was du mir erzählt hast?«

»Er muß es wissen und auch noch anderes mehr, denn das Haus von Sarkid wurde seit damals bis heute von den Priestern Urtahs ausgezeichnet. Er hat sicher Nachricht von allem erhalten, was sich mit unserem Herrn Shardik und mit dir in Urtah zugetragen hat.«

»Wie kommt es, daß ich in Bekla nie etwas von den Streels gehört habe? Ich wußte vieles, denn es wurden Männer dafür bezahlt, mir alles zu berichten; doch davon erfuhr ich nie etwas.«

»Nur wenige wissen davon, und keiner von ihnen würde es dir sagen.«

»Du hast es mir aber gesagt!«

Sie begann wieder zu weinen. »Nun glaube ich, was Elleroth mir in Kabin gesagt hat. Ich weiß, warum seine Leute unserem Herrn Shardik nichts antaten und warum er auch dich verschonte. Zweifellos wurde ihm nicht berichtet, daß du selbst nicht im Streel warst. Er bestand darauf, daß dein Leben geschont werden müsse, denn wenn er wußte, daß unser Herr Shardik – und du, wie er annahm – lebend aus den Streels gekommen war, wußte er auch, daß keinem von euch beiden etwas getan werden durfte. Das wäre gotteslästerlich. Shardiks Tod ist von Gott bestimmt, und er kommt gewiß – gewiß!« Sie schien vor Gram erschöpft.

Kelderek faßte ihre Hand.

»Aber, Saiyett, unser Herr Shardik hat sich keiner Missetat schuldig gemacht.«

Sie hob den Kopf und starrte über die trostlosen Wälder hinaus.

»Shardik hat nichts Böses getan.« Sie wandte sich um und blickte ihm in die Augen. »Shardik – nein: *Shardik* hat nichts Böses getan!«

42. Der Weg nach Zeray

Wohin der Weg führte, wußte er nicht, nicht einmal, ob er noch ostwärts verlief, denn nun waren die Bäume dicht belaubt, und sie folgten dem Weg im Halbdunkel unter einem geschlossenen Dach von Zweigen. Mehrmals war er versucht, den kaum erkennbaren Pfad zu verlassen und einfach bergab zu gehen, einen Wasserlauf zu suchen und ihm zu folgen – ein alter Jägertrick, der einen, wie er wußte, oft zu einer Siedlung oder einem Dorf führt, wenn auch manchmal unter Schwierigkeiten. Er merkte aber, daß die Tuginda einem solchen Marsch nicht gewachsen wäre. Seit sie aufgebrochen waren, hatte sie wenig gesprochen und war, so schien es ihm, gegangen, als strebe sie ihrem Ziel nur widerwillig zu. Noch nie war sie ihm so bedrückt erschienen. Er erinnerte sich, wie sie sogar auf der Gelter Straße fest und entschlossen den Hügel hinabgestiegen war, offenbar unberührt von ihrer schändlichen Verhaftung durch Ta-Kominion. Damals, meinte er, vertraute sie auf Gott. Sie wußte, daß Gott sich leisten konnte zu warten, und deshalb konnte sie es auch. Sogar noch bevor er Shardik auf Kosten von Rantzays Leben in den Käfig gesperrt hatte, wußte die Tuginda, daß die Zeit kommen würde, da sie von neuem berufen würde, der Kraft Gottes zu folgen. Sie hatte, als er kam, den Tag von Shardiks Befreiung aus der Gefangenschaft erkannt. Was sie nicht vorhersah, war Urtah – die verhängte Strafe für den blutigen Tiergott der Ortelganer, in dessen Namen seine Anhänger –.

Diese Gedanken waren für ihn unerträglich, er riß den Kopf hoch, schlug sich mit einer Hand an die Stirn und peitschte die Büsche mit seinem Stock. Die Tuginda schien seinen jähen Wutausbruch nicht zu bemerken, sie ging langsam mit zu Boden gerichtetem Blick weiter.

»In Bekla«, sagte er, das Schweigen brechend, »hatte ich oft den Eindruck, ich sei einem großen Geheimnis nahe, das mir durch unseren Herrn Shardik enthüllt werden sollte – einem Geheimnis, das den Menschen endlich den Sinn ihres Lebens auf Erden zeigen würde; wie man die Zukunft schützen, wie man sicher sein könnte. Wir würden nicht mehr blind und unwissend, sondern Gottes Diener sein und begreifen, wie wir seinem Wunsch gemäß leben sollten. Aber obwohl ich im Wachen und im Schlaf viel erduldete, erfuhr ich das Geheimnis nie.«

»Die Tür war verschlossen«, antwortete sie kraftlos.

»Ich war es, der sie geschlossen hatte«, sagte er und verfiel wieder in Schweigen.

Am Spätnachmittag kamen sie endlich aus dem Wald zu einem jämmerlichen, aus wenigen Hütten bestehenden Weiler an einem Flußlauf. Zwei Männer, die ihn nicht verstanden und miteinander in einer Sprache murmelten, die er nie gehört hatte, durchsuchten ihn von Kopf bis Fuß, fanden aber nichts Stehlenswertes. Sie hätten die Tuginda ebenso behandelt und sie durchsucht, hätte er nicht den einen am Handgelenk gefaßt und zur Seite geschleudert. Sie waren offensichtlich der Ansicht, daß da nichts zu gewinnen war, was einen Kampf gelohnt hätte, denn sie traten fluchend – so schien es zumindest – zurück und bedeuteten ihm durch Gebärden, er möge verschwinden. Bevor er aber mit der Tuginda einen Steinwurf weit war, kam ihnen eine hagere, zerlumpte Frau nachgelaufen, reichte ihnen ein Stück hartes Brot und zeigte, mit ihren geschwärzten Zähnen lächelnd, hinter sich zu den Hütten. Die Tuginda erwiderte ihr Lächeln und nahm die Einladung ohne Anzeichen von Furcht an, und er erhob keinen Einwand, da er fand, es spiele keine Rolle, was ihm nun zustoßen würde. Die Frau schalt gellend mit den zwei in einiger Entfernung stehenden Männern, ließ ihre Gäste auf einer Bank vor den Hütten Platz nehmen und brachte ihnen Schalen einer dünnen Suppe mit geschmacklosen, grauen Wurzeln, die sich im Mund in faserige Stückchen auflösten. Es kamen noch zwei andere Frauen und einige rachitische, dickbäuchige Kinder, die sie wortlos anstarrten und denen anscheinend die Energie fehlte für Geschrei und Balgerei. Die Tuginda dankte der Frau ernst auf ortelganisch, küßte ihre schmutzigen Hände und lächelte jedem einzelnen zu. Kelderek saß gedankenverloren wie tags zuvor und merkte kaum, daß die Kinder begonnen hatten, sie ein Spiel mit Steinen im Staub zu lehren. Einige Male lachte sie, und die Kinder lachten auch, dann kam einer von den groben Männern, bot ihm eine Tonschale mit schwachem, saurem Wein an und trank erst selbst davon, um zu zeigen, daß er unschädlich war. Kelderek trank seinem Gastgeber ernst zu; dann betrachtete er den aufgehenden Mond, wurde in eine der Hütten eingeladen und legte sich wieder zum Schlafen auf den nackten Boden.

In der Nacht erwachte er, ging hinaus und sah einen anderen Mann, der mit gekreuzten Beinen an einem niedrigen Feuer saß. Er saß eine Weile neben ihm, ohne zu sprechen, als aber der Mann sich schließlich vorneigte, um einen frischen Ast in die Glut zu werfen, wies er auf den vorbeifließenden Wasserlauf und sagte: »Zeray?« Der Mann nickte, zeigte auf ihn und wiederholte fragend: »Zeray?« Als nun auch er nickte, lachte der Mann kurz und ahmte einen Flüchtling nach, der sich nach seinen Verfolgern umdreht. Kelderek zog die Schultern hoch, dann sprachen sie nicht mehr und blieben bis zum Tagesanbruch bei dem Feuer sitzen.

Es gab keinen Weg neben dem Fluß, und die Tuginda und er folgten ihm unter Schwierigkeiten durch ein weiteres Waldstück und dann bergab über einen felsigen Abhang, wo er einige Wasserfälle bildete. Kelderek trat an den Rand und blickte zur Ebene hinunter. Einige Meilen weiter links erstreckten sich die Berge gen Osten. Sein Blick folgte der Kette und erfaßte weit drüben im Osten ein schmales Silberband, das im Sonnenlicht stumpf und beständig aussah. Er wies darauf hin. »Das muß der Telthearna sein, Saiyett.«

Sie nickte, und er sagte nach einer Weile: »Ich bezweifle, daß unser Herr Shardik ihn je erreichen wird. Und falls wir ihn, wenn wir hinkommen, nicht finden können, werden wir wohl nie erfahren, was aus ihm geworden ist.«

»Entweder du oder ich«, sagte sie, »werden unseren Herrn Shardik wiederfinden. Ich habe es im Traum gesehen.«

Nachdem sie eine Weile angelegentlich nach Südwesten geblickt hatte, begann sie, zwischen den umgestürzten Steinblöcken bergab zu gehen.

»Was hast du gesehen, Saiyett?« fragte er, als sie wieder rasteten.

»Ich suche eine Spur von Zeray«, antwortete sie, »aber aus so großer Entfernung ist natürlich nichts zu sehen.« Und er ließ das Mißverständnis gelten – ob es nun ihrerseits absichtlich war oder nicht – und stellte ihr keine Fragen mehr über Shardik.

Am Fuß des Hügels begann eine breite Sumpflandschaft, die sie bis zu den Knien besudelte, während sie dem Strom zwischen Teichen und Schilfgruppen weiter folgten. Kelderek befaßte sich mit einer Art phantastischem Gedanken, daß er, wie in einem alten Märchen, verhext sei und sich nicht plötzlich, sondern langsam, täglich etwas mehr, aus einem Menschen in ein Tier verwandle. Die Veränderung hatte am Vrako begonnen und fast unmerklich bis jetzt fortgedauert, da er wie ein Tier über ein Feld wanderte, in einem Land eingeschlossen, das er sich nicht ausgesucht hatte und wo Orte und Menschen keine Namen hatten. Auch die Fähigkeit zu sprechen kam ihm allmählich abhanden, so daß er schon imstande war, lange Stunden des Wachseins hindurch nicht nur zu schweigen, sondern tatsächlich nichts zu denken, so daß sein menschliches Bewußtsein sich auf die kleinsten Punkte zusammenzog wie die Pupille eines Katzenauges im Sonnenlicht; dabei war sein Leben, von den anderen Menschen toleriert, eine sinnlose Daseinsspanne vor dem Tode geworden. Und für ihn unmittelbarer als menschliches Bedauern oder Schamgefühl waren die Wunden oder andere schmerzende Stellen unter dem steifgeschwitzten Balg seiner Kleidung.

Nach einigen Stunden hatten sie den Sumpf durchquert und gelangten schließlich auf einen Weg und dann zu einem Dorf, dem einzigen, das er östlich des Vrakos gesehen hatte, und dem ärmsten und jämmerlichsten, an das er sich erinnern konnte. Sie rasteten in geringer Entfernung davon, als ein Mann mit einem Reisigbündel an ihnen vorbeiging; Kelderek ließ die Tuginda am Wegrand sitzend zurück, lief ihm nach und fragte wieder nach dem Weg nach Zeray. Der Mann wies südostwärts und antwortete auf beklanisch: »Etwa ein halber Tagesmarsch; ihr werdet nicht vor Einbruch der Dunkelheit hinkommen.« Dann sagte er leise, mit einem Seitenblick auf

die Tuginda: »Arme alte Frau – daß eine wie sie nach Zeray geht!«
Kelderek mußte ihn scharf angeblickt haben, denn er fügte schnell
hinzu: »Geht mich ja nichts an – sie sieht nur nicht gesund aus, das
ist alles. Vielleicht ein Fieberanfall«, dann ging er sofort seines Wegs
mit seinem Bündel, als befürchte er, vielleicht zuviel gesagt zu haben
in diesem Land, wo die Vergangenheit wie scharfe Splitter im Gedächtnis der Menschen war und ein unbedachtes Wort ein Fehltritt
im Dunkel.

Kaum hatten sie die ersten Hütten erreicht – die Tuginda stützte
sich schwer auf Keldereks Arm –, als ihnen ein Mann den Weg ver-
trat. Er war schmutzig und zeigte kein Lächeln, seine Wangen waren
blau tätowiert, und in einem Ohrläppchen steckte eine fingerlange
Knochennadel. Er ähnelte keinem Angehörigen der verschiedenen
Stämme, die Kelderek bei Geschäften in Bekla gesehen zu haben
sich erinnerte. Doch er sprach in schwerfälligem, gebrochenem Beklanisch, die richtigen Worte suchend.

»Du kommst von?«

Kelderek wies nach Nordwesten, wo die Sonne allmählich unterging.

»Berge mit Bäume? Durchgegangen?«

»Ja, von jenseits des Vrakos. Wir sind auf dem Weg nach Zeray.
Spar dir die Mühe«, sagte Kelderek. »Wir haben nichts, was dir nützen könnte; und die Frau, das siehst du ja, ist nicht mehr jung. Sie
ist erschöpft.«

»Krank. Berge mit Bäume viel krank. Nicht setzen hier. Fortgehen.«

»Sie ist nicht krank, nur müde. Ich bitte dich –«

»Nicht setzen«, schrie der Mann wütend. »Fortgehen!«

Die Tuginda wollte zu ihm sprechen, da wandte er plötzlich den
Kopf und stieß einen lauten Schrei aus, worauf andere Männer zwischen den Hütten auftauchten. Der Tätowierte schrie: »Frau
krank!« auf beklanisch und ging dann auf eine andere Sprache
über; sie nickten und sagten: »Ay! Ay!« Nach einer Weile ließ die
Tuginda Keldereks Arm los, machte kehrt und ging langsam zurück,
den Weg hinauf. Er folgte ihr. Als er sie erreichte, traf ein Stein sie
an der Schulter, so daß sie stolperte und gegen ihn fiel. Ein zweiter
Stein schlug zu ihren Füßen in den Staub, und der nächste traf ihn
an der Ferse. Hinter ihnen war Geschrei ausgebrochen. Ohne sich
umzusehen, senkte er den Kopf zum Schutz gegen die fliegenden

Steine, legte den Arm um die Schultern der Tuginda und zog sie halb, halb trug er sie zurück in die Richtung, aus der sie gekommen waren.

Er half ihr zu einer grasbewachsenen Stelle und setzte sich neben sie. Sie zitterte, ihr Atem ging stoßweise, aber nach einer Weile schlug sie die Augen auf, erhob sich halb und blickte über die Straße zurück.

»Diese verdammten Dreckschweine!« flüsterte die Tuginda. Dann sah sie, wie er sie anstarrte, und lachte. »Wußtest du nicht, Kelderek, daß jeder manchmal flucht? Und ich hatte einst Brüder, vor langer Zeit.« Sie legte einen Augenblick die Hand über ihre Augen und schwankte ein wenig. »Aber das Scheusal hatte recht – ich fühle mich nicht wohl.«

»Du hast den ganzen Tag nichts gegessen, Saiyett –«

»Macht nichts. Wenn wir uns irgendwo hinlegen und schlafen können, kommen wir morgen bis Zeray. Und dort, glaube ich, werden wir vielleicht Hilfe finden.«

Er wanderte in der Umgebung umher und fand einen Haufen Torfballen, aus denen er eine Art Unterstand baute, in den sie sich nebeneinanderlegten, um sich zu erwärmen. Die Tuginda war unruhig und fieberte, sie redete im Schlaf von Rantzay und Sheldra und von Herbstblättern, die man von den Terrassen fegen müsse. Kelderek lag wach, gequält von Hunger und von Schmerzen in seiner Ferse. Nun würde die Verwandlung bald vollendet sein, dachte er, und als Tier würde er weniger leiden. Die Sterne wanderten weiter, und schließlich schlief auch er, während er sie betrachtete, ein.

Aus Furcht vor den Dorfbewohnern weckte er die Tuginda bald nach Tagesanbruch und führte sie durch einen Bodennebel fort, so weiß und kalt wie der, bei dem Elleroth zur Hinrichtung gebracht worden war. Es brach ihm das Herz zu sehen, wie schwach sie war, wie sie nach Atem rang, wenn sie sich an ihn lehnte, und sich nach jeder kurzen Strecke, die sie im Tempo eines blinden Bettlers zurückgelegt hatte, ausruhen mußte, dabei wurde ihm aber auch bange – wie einem, der ein Zeichen am Himmel beobachtet und dessen Vorbedeutung fürchtet. Die Tuginda war, wie jede andere Frau aus Fleisch und Blut, den Härten und Gefahren dieses Landes nicht gewachsen, sie konnte wie jede andere Frau erkranken und vielleicht sterben. Bei dieser Überlegung wurde ihm klar, daß er immer, sogar in Bekla, gespürt hatte, daß sie, mitfühlend und undurchdringlich, zwischen ihm und Gottes verzehrender Wahrheit gestanden hatte. Er, der Betrüger, hatte ihr alles von Shardik gestohlen – seine körperliche Anwesenheit, sein Zeremoniell, die Macht und die Anbetung –, alles, was den Menschen gehörte: alles außer der unsichtbaren, von Shardiks rechtmäßigem Mittler getragenen Bürde der Verantwortung, der inneren Erkenntnis, daß es, wenn sie versagte, niemand anders gab. Sie war es, und nicht er, die fünf Jahre lang eine geistige Last getragen hatte, doppelt schwer durch den Mißbrauch, den er mit Shardik getrieben hatte. Sollte sie nun sterben, so daß niemand zwischen ihm und Gottes Wahrheit blieb, dann würde er, dem die erforderliche Weisheit und Demut fehlte, nicht geeignet sein, an ihren Platz zu treten. Er würde in seiner Anmaßung bloßgestellt, und die letzte Handlung des betrügerischen Priesterkönigs sollte nicht darin bestehen, den Tod durch Shardik, dessen er unwürdig war, zu suchen, nein, er sollte, wie ein Kakerlak vor dem Licht, in eine Spalte dieses Landes der Verderbnis kriechen und dort auf den Tod warten, den er durch Krankheit oder Gewalt erleiden mochte. Inzwischen würde Shardiks Schicksal unbekannt bleiben; er würde unbewacht und unversorgt verschwinden wie ein großer, von einer Bergwand stürzender Felsen, der bergab donnert und schließlich weit unten in weglosen Wäldern zur Ruhe kommt.

Später entsann er sich, auf die Ereignisse jenes Tages zurückblickend, nur an einen Vorfall. Wenige Kilometer hinter dem Dorf trafen sie auf eine Gruppe von Männern und Frauen, die auf einem Feld arbeiteten. Unweit von ihnen saßen zwei junge Frauen. Die eine hatte ein Baby an der Brust, und während sie lachten und plauderten, aßen beide aus einem Weidenkorb. Einige hundert Meter weiter überredete er die Tuginda, sich hinzulegen und auszuruhen, sagte ihr, er werde bald wieder bei ihr sein, und eilte zurück zu dem Feld. Er näherte sich unbemerkt den Frauen, schlich heran, sprang plötzlich auf sie los, ergriff hastig den Korb und rannte fort. Sie schrien, aber ihre Freunde kamen, womit er gerechnet hatte, zu langsam zu Hilfe und verfolgten ihn nicht. Er war außer Sicht, hatte die Hälfte des Essens verschlungen, den Korb fortgeworfen und war schon wieder bei der Tuginda, ehe die Leute beschlossen hatten, daß etwas Brot und Trockenfrüchte einer dummen Frau den Verlust einer Arbeitsstunde nicht lohnten. Als er mit seiner geprellten Ferse davonhinkte und die Tuginda überredete, das Brot und die Rosinen zu essen, die er gebracht hatte, überlegte er, daß Hunger und Not einen zum gelehrigen Schüler machten. Ruvit selbst hätte es nicht klüger anstellen können, es sei denn, daß er auch noch die Frauen mit einem Messer zum Schweigen gebracht hätte.

Es wurde wieder Abend, als er sich bewußt wurde, daß sie endlich in der Nähe von Zeray sein mußten. Sie hatten den ganzen Tag wenig Menschen getroffen, und niemand hatte mit ihnen gesprochen oder sie belästigt; wahrscheinlich zum Teil wegen ihrer Armut, die deutlich genug zeigte, daß es sich nicht lohnte, sie zu berauben, und zum Teil auch wegen der offensichtlichen Krankheit der Tuginda. Es gab keinen Wald mehr, und Kelderek war einfach in südöstlicher Richtung der Sonne nach durch eine freiliegende Wildnis gegangen, die stellenweise durch armselige Weiden und kleine gepflügte Felder unterbrochen war. Schließlich waren sie wieder zu Schilf und Riedgras gekommen und damit ans Ufer eines Flusses, den sie für einen Seitenarm des Telthearnas hielten. Sie folgten ihm eine kleine Strecke landeinwärts, über die Landspitze, und kamen so ans Südufer, das sie nun entlanggingen. Als es breiter wurde, sah er jenseits der Flußmündung den Telthearna selbst, der hier schmäler war als bei Ortelga und sehr starke Strömung hatte; das Ostufer in der Ferne jenseits des Wassers war felsig. Es überkam ihn trotz seiner Verzweiflung ein dumpfer, unwillkürlicher Widerhall von Freude, ein gedämpftes Aufleuchten der Stimmung, schwach wie Mondschein hinter weißen Wolken. Dieses Wasser war am Schilf von Ortelga vorbeigeflossen, es hatte über Ortelgas zerbrochenem Dammweg Wellen gebildet. Er versuchte, die Tuginda darauf aufmerksam zu machen, doch sie schüttelte nur müde den Kopf, kaum mehr imstande, auch nur der Richtung seines ausgestreckten Armes zu folgen. Wenn sie in Zeray sterben sollte, dachte er, wäre es seine letzte Pflicht, dafür zu sorgen, daß die Nachricht irgendwie stromaufwärts nach Quiso gebracht würde. Es schien entgegen ihrer Annahme nur geringe Hoffnung zu bestehen, daß sie in jener entlegenen, verwahrlosten Siedlung Hilfe finden würden, deren Bewohner (er hatte es jedenfalls immer so verstanden) fast ausschließlich Leute waren, die sich durch Flucht der Gerichtsbarkeit von einem halben Dutzend Ländern entzogen hatten. Er konnte nun die Vorstadt erkennen, die sehr an die von Ortelga erinnerte – Hütten und Holzfeuerrauch, kreisende Vögel und in der Abendluft, aus der das Sonnenlicht langsam entschwand, das Schimmern des Telthearnas.

»Wo sind wir, Kelderek?« fragte die Tuginda. Sie lag fast mit ihrem ganzen Gewicht auf seinem Arm, ihr Gesicht war grau und schwitzte. Er half ihr beim Trinken aus einem klaren Becken, dann stützte er sie auf dem Weg zu einem nahe gelegenen Grashügel.

»Ich nehme an, wir sind in Zeray, Saiyett.«

»Aber hier – diese Stelle?«

Er sah sich um. Sie waren in einer Art wildem, ungepflegtem Garten, wo Frühlingsblumen wuchsen und Bäume in Blüte standen. Über dem Wasser hing ein Melikon, den die Bauern »Falsche Liebste« nennen, voller Blüten, aus denen später goldene Beeren werden, die in der windstillen Sommerluft abfallen. Überall gab es niedrige Böschungen und Erdhügel wie der, auf dem sie saßen; und nun sah er, daß mehrere mit Steinen oder in den Boden gesteckten Holzstücken markiert waren. Manche sahen neu, andere alt und verfallen aus. In geringem Abstand voneinander gab es mehrere Hügel mit frisch umgegrabener Erde ohne Gras, auf die einige Blumen und schwarze Beeren gestreut waren.

»Das ist ein Friedhof, Saiyett. Es muß die Begräbnisstätte von Zeray sein.«

Sie nickte. »Manchmal gibt es an diesen Orten einen Wächter, der nachts die Tiere verscheucht. Er könnte –« Sie brach hustend ab, fuhr jedoch unter großer Anstrengung fort: »Er könnte uns etwas über Zeray sagen.«

»Ruh dich hier aus, Saiyett, ich werde nachsehen.«

Er ging zwischen den Gräbern hindurch und war noch nicht weit gekommen, als er in der Nähe eine betende Frau erblickte. Sie kehrte ihm den Rücken zu, und ihr Umriß und der des Grabhügels, neben dem sie stand, hoben sich deutlich vom Himmel ab. Das Grab war mit geschnitzten und bemalten Platten umgeben, wodurch es aussah wie eine große, dekorierte Truhe, und es hatte im Gegensatz zu den vernachlässigten Hügeln rundum eine Art vornehme Würde. An einem Ende war ein Lanzenfähnchen senkrecht in den Boden gesteckt worden, aber der Wimpel hing schlaff nach unten, denn es gab nicht den geringsten Wind, und Kelderek konnte das Wappen nicht erkennen. Die Frau war schwarz gekleidet und barhäuptig, wie eine Trauernde, und schien jung zu sein. Er fragte sich, ob es das Grab ihres Mannes war, zu dem sie da allein gekommen war, und ob er eines natürlichen oder eines gewaltsamen Todes gestorben war. Sie stand, schlank und anmutig gegen den blassen Himmel, mit ausgestreckten Armen und vorwärts erhobenen Händen, als stellte die

Schönheit und Würde dieser traditionellen Haltung an sich für sie ein so frommes Gebet dar wie alle Worte oder Gedanken, die von ihrem Herzen ausgehen könnten.

»Das ist eine Frau«, dachte er, »für die es ganz natürlich ist, ihren Gefühlen – sogar dem Kummer – sowohl durch ihren Körper wie durch ihre Lippen Ausdruck zu verleihen. Wenn es in Zeray auch nur eine Frau von solcher Anmut gibt, so kann der Ort nicht durch und durch schlecht sein.«

Er wollte schon auf sie zugehen, da zögerte er bei dem plötzlichen Gedanken an den Eindruck, den er machen mußte. Er hatte seit dem Verlassen Beklas kein einziges Mal sein Spiegelbild gesehen, erinnerte sich aber an Ruvit, den watschelnden, viehischen Menschen mit seinen roten Augen, und an die zerlumpten, stinkenden Männer, die ihn zuerst durchsucht und sich dann mit ihm angefreundet hatten. Warum diese Frau hier allein war, wußte er nicht. Vielleicht gingen junge Frauen in Zeray allgemein ohne Begleitung aus, was ihm allerdings nach allem, was er von dem Ort gehört hatte, unwahrscheinlich erschien. Sollte sie vielleicht eine Kurtisane sein, die einen bevorzugten Liebhaber betrauerte? Jedenfalls würde sein Anblick sie wahrscheinlich in Schrecken versetzen, möglicherweise sogar in die Flucht jagen. Vor der Tuginda aber würde sie keine Angst, sondern vielleicht mit ihr Mitleid haben.

Er ging zurück zum Wasser.

»Saiyett, nicht weit von hier betet eine Frau – eine junge Frau. Wenn ich mich ihr näherte, würde sie das nur erschrecken. Könntest du mit mir kommen, wenn ich dir helfe und wir langsam gehen?«

Sie nickte, leckte ihre trockenen Lippen und streckte ihm beide Hände entgegen. Er half ihr auf die Füße und stützte sie bei ihrem unsicheren Gang zwischen den Gräbern. Die junge Frau stand immer noch reglos mit erhobenen Armen dort, als wolle sie Frieden und Segen auf den toten Freund oder Liebhaber, der zu ihren Füßen in Erde gehüllt lag, herabholen. Die Haltung, das wußte er, wurde schon nach kurzer Zeit unbequem, dennoch schien sie, versunken in ihren verhaltenen, stummen Schmerz, sich um die Beschwerden, die quälenden Fliegen und die Einsamkeit nicht zu kümmern.

»Sie braucht nicht zu weinen und nicht zu sprechen«, dachte er. »Vielleicht ist ihr Leben erfüllt von Verlust und Reue, so wie das meine jetzt, und sie kann nichts dazu tun, als zur Stelle sein. Wahrscheinlich gibt es viele solche in Zeray.«

Als sie sich dem Grab näherten, hustete die Tuginda wieder, und die Frau wandte sich erschrocken um. Ihr Gesicht war jung und, obgleich noch schön, vor Entbehrung mager und, wie er annahm, durch die von einem steten Kummer stammenden Falten entstellt. Er sah, wie sich ihre Augen weiteten vor Überraschung und Furcht, und flüsterte drängend: »Sprich, Saiyett, sonst läuft sie davon.«

Die Frau starrte, als seien ihr Geister erschienen, die Knöchel ihrer zusammengepreßten Hände waren an ihren offenen Mund gedrückt, und plötzlich drang durch ihre raschen Atemzüge ein leiser Schrei. Doch sie lief nicht fort und wandte sich nicht einmal zur Flucht, sondern starrte nur dauernd ungläubig auf die beiden Ankömmlinge. Auch Kelderek stand still, scheute jede Bewegung und versuchte, sich zu entsinnen, woran ihn ihre Bestürzung erinnerte. Dann sah er, wie ihre Tränen zu fließen begannen, sie sank in die Knie und starrte immer noch gebannt auf die Tuginda; ihr Blick glich dem eines Kindes, das unerwartet von seiner nach ihm suchenden Mutter gefunden wird und noch unsicher ist, ob die Mutter sich liebevoll oder aufgebracht zeigen wird. Plötzlich warf sie sich leidenschaftlich weinend zu Boden, faßte die Knöchel der Tuginda und küßte ihr die Füße.

»Saiyett«, rief sie unter Tränen, »oh, verzeih mir! Verzeih mir nur, Saiyett, und ich werde in Frieden sterben!«

Sie hob den Kopf und blickte die beiden an; ihr Gesicht war gequält und im Weinen verzerrt. Doch nun erkannte Kelderek sie, und er wußte auch, wo er früher schon diesen gleichen ängstlichen Blick gesehen hatte. Denn es war Melathys, die vor ihnen auf dem Boden lag und die Füße der Tuginda umklammert hielt.

Ein kurzer Windstoß fegte vom Fluß her durch die Bäume und war fort, nachdem er den Wimpel hochgeblasen und entfaltet hatte wie ein müßig Vorbeigehender, um ihn dann wieder fallen zu lassen. Einen Augenblick war das Emblem, eine goldene Schlange, die sich wand wie ein lebendes Geschöpf, deutlich zu sehen, dann erschlaffte sie und verschwand wieder in den Falten des dunklen, hängenden Stoffes.

43. Die Erzählung der Priesterin

»Als er kam«, sagte Melathys, »als er kam und Ankray mit ihm, war ich schon lange genug hier, um zu glauben, daß es nur eine Frage der Zeit sein könnte, bis ich durch den einen oder anderen Zufall sterben müßte. Auf der Reise stromabwärts, bevor ich nach Zeray kam, hatte ich bereits erfahren, was ich von den Männern zu erwarten hatte, wenn ich um Nahrung oder Unterkunft bat. Aber die Reise – sie war erst ein leichter Anfang, wenn ich das auch noch nicht wußte. Ich war noch auf dem Posten und selbstsicher. Ich hatte ein Messer und wußte mich dessen zu bedienen, und da war auch noch immer der Fluß, der mich weiter stromabwärts bringen konnte.« Sie brach ab und warf einen schnellen Blick auf Kelderek, der zum erstenmal, seit er Kabin verlassen hatte, satt beim Feuer saß und seine müden Füße in einer Schüssel mit warmem Wasser und Kräutern badete. »Hat sie gerufen?«

»Nein, Saiyett«, sagte Ankray, dessen mächtige Gestalt im Lampenlicht erschien. Er war eingetreten, während sie erzählte. »Die Tuginda schläft jetzt. Ich werde eine Weile bei ihr wachen, wenn du nichts mehr brauchst.«

»Ja, bleibe eine Stunde bei ihr. Dann werde ich selbst in ihrem Zimmer schlafen. Des Herrn Keldereks Bedürfnisse überlasse ich dir. Und denk daran, Ankray, was immer dem Großbaron in Ortelga zustieß – Kelderek, der Herr, ist nach Zeray gekommen. Diese Reise gleicht alles aus.«

»Du weißt, Saiyett, was man sagt. In Zeray hat die Erinnerung einen scharfen Stachel, und die Klugen gehen ihr aus dem Weg.«

»Davon habe ich auch gehört. Dann geh jetzt!«

Der Mann bückte sich im Türrahmen und ging hinaus, und Melathys setzte ihre Erzählung fort, nachdem sie ein wenig herben Wein in Keldereks Holzbecher gegossen hatte.

»Aber von Zeray geht es nicht weiter; alle Reisen sind hier zu Ende. Viele Leute glauben, wenn sie ankommen, daß sie den Telthearna überqueren werden, aber soviel ich weiß, hat es noch keiner geschafft. Die Strömung ist in der Flußmitte unheimlich stark, und anderthalb Kilometer flußabwärts liegt die Bereeler Klamm, wo kein Schiff zwischen den Stromschnellen und Felsblöcken flottzubleiben vermag.«

»Hat noch niemand den Landweg versucht?«

»Wenn jemand, von dem man weiß, daß er den Vrako vom Osten her überquert hat, in der Provinz Kabin angetroffen wird, wird er getötet oder zur Rückkehr gezwungen.«

»Das kann ich wohl glauben.«

»Nördlich von hier, fünfzig oder sechzig Kilometer stromaufwärts, treten die Berge fast bis zum Ufer an den Fluß heran. Dort gibt es einen Durchlaß, der keinen Kilometer breit ist – er heißt Linsho. Alle Reisenden müssen dort den Einheimischen einen Zoll bezahlen, um durchgelassen zu werden. Viele haben schon alles bezahlt, was sie besaßen, um nach Süden zu gelangen; aber wer kann bezahlen, um nach Norden zu kommen?«

»Könnte das keiner?«

»Ich sehe, Kelderek, daß du von Zeray nichts weißt. Zeray ist ein Felsen, an den sich Menschen für kurze Zeit anklammern, bis der Tod sie fortschwemmt. Sie haben kein Heim, keine Vergangenheit, keine Zukunft, keine Hoffnung, keine Ehre und kein Geld. Wir sind reich an Schande und an sonst nichts. Einmal verkaufte ich meinen Körper für drei Eier und ein Glas Wein. Es hätten nur zwei Eier sein sollen, aber ich feilschte unnachgiebig. Ich kannte einmal einen Mann, der wegen eines Silberstücks ermordet wurde, das sich als wertlos erwies, weil der Mörder es nicht essen, tragen oder als Waffe verwenden konnte. In Zeray gibt es keinen Markt, keinen Priester, keinen Bäcker und keinen Schuhmacher. Die Menschen fangen Krähen und züchten sie als Nahrung. Als ich kam, gab es keinen Handel. Auch jetzt noch ist er denkbar gering, ich werde dir das schildern. Wenn jemand nachts schreit, kümmert sich keiner darum, und was man besitzt, trägt man bei sich und legt es nie fort.«

»Aber dieses Haus? Du hast Speisen und Wein; und die Tuginda liegt, gottlob, in einem bequemen Bett.«

»Die Türen und Fenster sind kräftig vergittert – hast du das bemerkt? Aber es stimmt, du hast recht. Hier haben wir ein wenig Bequemlichkeit; für wie lange, ist eine andere Frage, wie du verstehen wirst, wenn ich mit meiner Erzählung zu Ende bin.«

Sie goß heißes Wasser in Keldereks Fußschüssel nach, trank von ihrem Wein und schwieg eine Weile, beugte sich zum Feuer nieder und streckte ihre schönen Arme und den Körper dahin und dorthin, als bade sie in der Wärme und dem Licht der Flammen. Endlich sprach sie weiter.

»Angeblich freut es die Frauen, wenn sie begehrt werden; mag sein, daß es für manche zutrifft – anderswo. Ich habe geschrien vor Angst, während zwei Männer, die ich haßte, mit Messern kämpften, um zu entscheiden, welcher von ihnen mich bekommen sollte. Ich wurde von dem Mann, der meinen Bettgenossen nachts im Schlaf ermordet hatte, aus einer brennenden Hütte geschleppt. In kaum drei Monaten gehörte ich fünf Männern, von denen zwei ermordet wurden; der dritte verließ Zeray, nachdem er versucht hatte, mich zu erstechen. Wie alle, die fortgehen, tat er das nicht, weil er anderswohin ziehen wollte, sondern weil er Angst hatte hierzubleiben.

Ich rühme mich nicht, Kelderek, glaube mir. Das sind keine Dinge, deren man sich rühmt. Mein Leben war ein Alptraum. Es gab keinen Zufluchtsort – ich konnte mich nirgends verstecken. Es gab, alles in allem, keine vierzig Frauen in Zeray – alte Hexen, Schlampen, Mädchen, die in Angst lebten, weil sie von einem gemeinen Verbrechen zuviel wußten. Und ich kam hierher als jungfräuliche Priesterin aus Quiso, noch nicht einundzwanzig Jahre alt.« Sie machte eine kurze Pause, dann sagte sie: »Als wir früher in Quiso Brambas fischten, verwendeten wir lebendigen Köder. Gott verzeihe mir, das könnte ich nie wieder tun. Einmal wollte ich mein Gesicht im Feuer verbrennen, doch ich fand dafür ebenso wenig Mut, wie ich für die Begegnung mit unserem Herrn Shardik hatte.

Eines Nachts war ich mit einem Mann namens Glabron zusammen, einem Tonildaner, der sogar in Zeray gefürchtet war. Wenn es einem Mann gelang, die Leute genug einzuschüchtern, sammelte sich eine Bande um ihn, die mordete und raubte, die sich den Bauch vollschlug, um ein wenig länger am Leben zu bleiben. Sie verscheuchten andere von den Fischgründen, lauerten Neuankömmlingen auf und dergleichen mehr. Manchmal überfielen sie Dörfer außerhalb von Zeray, obwohl sie gewöhnlich wenig genug für ihre Mühe ergatterten. Hier gibt es nur sehr wenig zu stehlen. Die Männer kämpften und raubten für den bloßen Lebensunterhalt. Wenn ein Mann nicht kämpfen oder stehlen konnte, betrug seine Lebenserwartung vielleicht drei Monate. Drei Jahre ist eine gute Lebenszeit für die widerstandsfähigsten Männer in Zeray.

Es gibt da eine Art Kneipe beim Ufer auf dieser Seite der Stadt. Sie heißt ›Der Grüne Hain‹ – nach einem Lokal in Ikat, glaube ich, oder ist es Bekla?«

»Bekla.«

»Ikat oder Bekla – ich habe noch nie gehört, daß die Männer dort von den Getränken blind wurden oder daß der Wirt Ratten und Eidechsen als Speise verkaufte. Glabron erpreßte einen schäbigen Hungerlohn dafür, daß er das Lokal nicht zerschlug und es vor anderen seinesgleichen schützte. Er war eitel – ja, in Zeray war er eitel – und wollte die Freude nicht missen, daß andere ihn beneideten, daß sie ihn essen sahen, wenn sie hungrig waren, und hörten, wie er die Männer beschimpfte, die sie fürchteten; ja, und er mußte ihre Begierde anfachen mit dem Anblick der Frau, die er für sich behielt. ›Du hast mich schon zu oft dorthin mitgenommen‹, sagte ich ihm. ›Um Gottes willen, genügt es denn nicht, daß ich dein Eigentum bin und daß Keriols Leiche den Telthearna stromabwärts schwimmt? Welches Vergnügen macht es, hungrigen Hunden mit einem Knochen zu winken?‹ Glabron diskutierte mit niemandem, am wenigsten mit mir. Ich war nicht zum Sprechen da, und er selbst war ungefähr so gesprächig wie ein Schwein.

Sie hatten an jenem Abend einen Erfolg gehabt. Einige Tage zuvor war eine Leiche mit ein wenig Geld an Land geschwemmt worden, und zwei von Glabrons Leuten waren landeinwärts gegangen und mit einem Schaf zurückgekehrt. Den größten Teil aßen sie selbst, aber ein Stück tauschten sie gegen Getränke ein. Glabron wurde so betrunken, daß ich mehr Angst hatte denn je zuvor. In Zeray ist das Leben eines Mannes nie mehr in Gefahr, als wenn er betrunken ist. Ich kannte seine Feinde und erwartete jeden Augenblick, einen oder mehrere von ihnen eintreten zu sehen. Es war dunkel genug im Raum – Lampenlicht ist hier ein seltener Luxus –, aber plötzlich bemerkte ich, daß zwei Fremde eintraten. Der eine hatte sein Gesicht fast völlig im Kragen eines großen Pelzmantels vergraben, und der andere, ein riesiger Mann, blickte mich an und flüsterte ihm etwas zu. Sie waren nur zwei gegen Glabrons sechs oder sieben, aber ich wußte, was in dem Lokal passieren konnte, und wollte unbedingt fort.

Glabron sang ein gemeines Lied – oder er glaubte es zu singen –, und ich zupfte ihn am Ärmel und unterbrach ihn. Er sah sich kurz um, dann schlug er mich mit dem Handrücken ins Gesicht. Er wollte weiterschlagen, als der vermummte Fremde zu dem Tisch kam. Er hielt sich noch immer den Mantel vors Gesicht, und nur eines seiner Augen war über dem Rand sichtbar. Er stieß mit dem Fuß an den Tisch; der wackelte, so daß alle zu ihm hochblickten.

›Mir gefällt dein Lied nicht‹, sagte er auf beklanisch zu Glabron. ›Mir gefällt nicht, wie du dieses Mädchen behandelst; und du gefällst mir auch nicht.‹

Sobald er sprach, wußte ich, wer er war. Ich dachte: ›Ich kann es nicht ertragen.‹ Ich wollte ihn warnen, brachte aber kein Wort heraus. Glabron antwortete eine Zeitlang nichts, aber nicht, weil er besonders erschrocken war, sondern weil er beim Töten eines Menschen immer langsam und ruhig vorzugehen pflegte. Er liebte es, Eindruck zu machen – das gehörte zu der Angst, die er den anderen einflößte –, um den Leuten zu zeigen, daß er überlegt tötete und nicht in einem Wutanfall.

›Ach, wirklich, was du nicht sagst‹, meinte er schließlich, als er sicher war, daß alle im Raum zuhörten. ›Ich möchte wissen, mit wem zu sprechen ich die Ehre habe, weißt du?‹

›Ich bin der Teufel‹, sagte der Mann, ›ich komme deine Seele holen, und zwar keinen Augenblick zu früh.‹ Damit senkte er seinen Arm. Sie hatten ihn natürlich noch nie gesehen, und in dem trüben Licht war das Gesicht, das er entblößte, kein menschliches Antlitz. Es waren lauter abergläubische Männer – unwissend, mit schlechtem Gewissen, ohne Religion, und sie hatten große Angst vor dem Unbekannten. Sie sprangen fluchend und übereinander stürzend von ihm fort. Der Baron hatte schon das Schwert unter seinem Mantel gezogen und stieß es nun Glabron in die Kehle, faßte mich am Arm, schlug einen anderen Mann, der ihm im Weg war, mit einem Hieb zu Boden und war auch schon mit mir und Ankray draußen im Dunkel, ehe noch einer Zeit hatte, sein Messer zu ziehen.

Ich werde dir nicht die ganze Geschichte erzählen – zumindest nicht heute. Dazu wird noch später Zeit sein. Aber du kannst mir glauben, daß hier noch nie ein Mann wie Bel-ka-Trazet gesehen worden war. Drei Monate lang schliefen er, ich und Ankray nie zur selben Zeit. Nach sechs Monaten war er der Herr von Zeray, und hinter ihm standen Männer, auf die er sich verlassen konnte.

Ich lebte mit ihm zusammen in diesem Haus, und die Leute nannten mich seine Königin – halb im Scherz und halb im Ernst. Keiner wagte, mir den Respekt zu verweigern. Ich glaube nicht, daß sie die Wahrheit geglaubt hätten – daß Bel-ka-Trazet mich nie berührt hatte. ›Ich bezweifle, daß du eine sehr gute Meinung von Männern hast‹, sagte er mir einmal, ›und was mich anlangt, bleibt mir nur wenig Selbstachtung. Ich kann zumindest noch, solange ich lebe, eine Priesterin aus Quiso ehren, und das wird für uns beide besser sein.‹ Dieses Geheimnis kennt nur Ankray. Alle anderen in Zeray glauben sicher, daß es uns bestimmt war, kinderlos zu bleiben, oder daß seine Verletzungen –

Aber obwohl ich ihn nie liebte und ihm dankbar war für seine Zurückhaltung, schätzte und bewunderte ich ihn und wäre, wenn er es gewünscht hätte, bereit gewesen, seine Gemahlin zu werden. Er war zumeist mürrisch und versonnen. Es gibt hier wenig genug Vergnügungen, aber er hatte für derlei nichts übrig – es war, als wolle er sich für den Verlust von Ortelga bestrafen. Er hatte eine scharfe, bissige Zunge und keine Illusionen.«

»Ich habe es nicht vergessen.«

»›Verlangt von mir nicht, daß ich mit euch trinken gehe‹, sagte er einmal zu seinen Leuten. ›Ich könnte von einem Bären stromabwärts gejagt werden.‹ Sie wußten, was er meinte, denn obwohl er ihnen die Geschichte nie erzählt hatte, war die Nachricht von der Schlacht im Vorgebirge und der Eroberung Beklas durch die Ortelganer bis nach Zeray gelangt. Wenn etwas schiefging, pflegte er zu sagen: ›Ihr solltet euch lieber einen Bär verschaffen – dann habt ihr mehr Erfolg.‹ Aber wenn sie ihn auch fürchteten, vertrauten sie ihm und achteten ihn und folgten ihm bedenkenlos. Wie gesagt, es gab hier niemanden, der ihm im geringsten gewachsen gewesen wäre. Er war zu gut für Zeray. Ich nehme an, jeder andere Baron, der wie er hätte fliehen müssen, würde sich nach Deelguy, nach Ikat oder sogar nach Terekenalt durchgeschlagen haben. Er aber – er haßte Mitleid wie eine Katze das Wasser. Es war sein Stolz und die Bitterkeit in ihm, die ihn nach Zeray trieben wie einen Mörder auf der Flucht. Es freute ihn geradezu, sich mit dem Elend und der Gefahr dieses Ortes zu messen. ›Man könnte hier eine Menge tun‹, sagte er mir eines Abends, als wir am Ufer fischten. ›Es gibt auf diesem Stück Land rund um Zeray ganz brauchbaren Boden und genug Holz in den Wäldern. Es könnte nie eine reiche Provinz werden, aber doch halbwegs wohlhabend, wenn die Bauern sich nicht zu Tode fürchteten und wenn es Straßen nach Kabin und Linsho gäbe. Gesetz und Ordnung und ein wenig Handel – das wäre alles, was man brauchte. Wenn ich nicht irre, kommt der Telthearna nirgends so nah an Bekla heran wie hier bei Zeray. Bald werden wir zwei gute, kräftige Seile über diese enge Stelle gespannt haben und eine Floßfähre daran entlang fahren lassen. Ich bin nicht umsonst ein Ortelganer –

ich weiß, was man mit Seilen tun kann, und auch, wie man sie macht. Glaub mir, es ist leichter, als den Todesgürtel zu planen! Denk nur, wenn wir eine Handelsstraße nach dem Osten eröffnen – Bekla würde jeden Preis zahlen, um sie zu benutzen.‹

›Sie würden herkommen und die Provinz annektieren‹, sagte ich.

›Das könnten sie versuchen‹, erwiderte er, ›aber Zeray ist sicherer, als Ortelga es jemals war. Sechzig Kilometer vom Vrako bis Zeray, davon dreißig Kilometer dichter Wald und Berge, ein schwieriger Marsch, wenn man keine Straße baut – die wir jederzeit zerstören könnten. Ich sage dir, meine Liebe, wir werden doch noch zuletzt über den Bären lachen.‹

In Wirklichkeit vermochte nicht einmal Bel-ka-Trazet einen Ort wie Zeray zu Wohlstand zu bringen, weil er über keine Barone oder fähige Männer verfügte und nicht überall selbst sein konnte. Was getan werden konnte, tat er. Er bestrafte Mord und Raub, er setzte den Raubzügen ins Inland ein Ende und veranlaßte durch Überredung oder Bestechung einige Bauern, Holz und Wolle in die Stadt zu bringen und die Einwohner im Zimmerhandwerk und in der Töpferei zu unterrichten, so daß die Stadt beginnen könnte, die hergestellten Produkte zu verkaufen. Wir trieben auch Tauschhandel mit getrocknetem Fisch und Binsen für Dächer- und Mattenherstellung – alles, was wir nur konnten. Aber sogar mit Ortelga verglichen, waren es nur kleine, unsichere Geschäfte, einfach wegen der Menschen, die hierher kamen – Verbrecher können nicht arbeiten, weißt du –, und weil es keine einzige Straße gab. Das wurde Bel-ka-Trazet klar, und vor kaum einem Jahr entschloß er sich zu einem neuen Plan.

Wir wußten, was in Ikat und Bekla vorgegangen war – es gab hier Flüchtlinge aus beiden Städten. Bel-ka-Trazet war beeindruckt von den Berichten über Santil-ke-Erketlis und beschloß nach einiger Zeit, mit ihm eine Abmachung zu treffen. Die Schwierigkeit war, daß wir so schrecklich wenig zu bieten hatten. Wir waren, wie der Baron sagte, einem Mann zu vergleichen, der einen lahmen Ochsen oder einen zerbeulten Topf verkaufen will. Wer sollte nach Zeray kommen, um es zu erobern? Sogar für einen General, der keiner feindlichen Armee im Feld gegenübersteht, würde der Marsch von Kabin kaum der Mühe wert sein. Wir diskutierten immer wieder darüber, und schließlich arbeitete Bel-ka-Trazet ein Angebot aus, von dem er glaubte, es könnte Santil und auch unsere Anhänger locken. Sein Plan war, Santil zu sagen, er werde, wann immer er nach Norden marschierte, ob er nun Bekla eroberte oder nicht, bei der Annexion Zerays willkommen sein. Wir würden ihm in jeder von ihm gewünschten Weise behilflich sein. Insbesondere würden wir ihm helfen, den Durchlaß bei Linsho im Norden zu schließen und dann alle Sklavenhändler zu fangen, die auf der Flucht vor ihm östlich über den Vrako kämen. Wir würden ihm auch sagen, man könne unserer Ansicht nach mit geschickten Seilern und Zimmerleuten und den Arbeitskräften seiner Pioniere unter deren Führung eine Floßfähre über die Engstelle des Telthearnas bauen. Wenn dann alles klappte, könnte er eine Straße von Kabin nach Zeray anlegen, und wir würden auch diese Unternehmungen, falls sie ihm zusagten, auf jede uns mögliche Weise unterstützen. Schließlich würden wir ihm, wenn er keine Angst davor hätte, Leute aus Zeray zu verwenden, so viele wie möglich schicken, vorausgesetzt, er würde ihnen Straffreiheit zusichern.

Die fünf oder sechs Männer, die der Baron seine Ratgeber nannte, erkannten, daß dieses Angebot unsere größte Hoffnung auf Überleben in oder außerhalb von Zeray darstellte, wenn nur die Männer aus Yeldashay bereit wären zu kommen. Es würde aber schwierig sein, Santil eine Botschaft zu schicken. Es gibt nur zwei Wege aus dem Land östlich des Vrakos. Der eine im Norden über den Durchlaß von Linsho, der andere im Westen über den Vrako bei Kabin. Unterhalb von Kabin ist der Vrako längs der Grenze von Tonilda bis zur Mündung in den Telthearna unpassierbar. Hoffnungslose Menschen finden den Weg nach Zeray, aber sogar völlig Verzweifelte wissen nicht weiter.

Vermutlich würde es sich als unmöglich erweisen, nach Ikat-Yeldashay zu gelangen, dachten wir, aber wir hatten wenigstens einen Mann, der zu dem Versuch bereit war. Er hieß Elstrit, ein Junge von etwa siebzehn Jahren, der seinen Vater nicht verlassen wollte und mit ihm aus Terekenalt geflohen war. Was sein Vater verbrochen hatte, weiß ich nicht, denn er starb, bevor ich nach Zeray kam, und Elstrit schlug sich seither schlecht und recht durch, bis er so klug war, sich mit Bel-ka-Trazet auf Gedeih und Verderb zu verbinden. Er war nicht nur kräftig und schlau, sondern genoß auch den Vorteil, kein bekannter Verbrecher zu sein oder von den Gerichten gesucht zu werden. Ob schlau oder nicht, er mußte doch erst versuchen, den Vrako bei Kabin zu überqueren. Der Baron hatte den

Einfall, für ihn eine beklanische Sklavenhandelsgenehmigung zu fälschen. In Kabin sollte er sagen, er arbeite für Lalloc, einen bekannten Kinderhändler, und stehe unter dem Schutz der Ortelganer in Bekla; er habe auf Lallocs Geheiß die Provinz Zeray über den Durchlaß bei Linsho betreten und sei durch das Land gereist, um zu sehen, ob es da Möglichkeiten für einen Raubzug und Sklavenfang gäbe. Nun sei er auf der Rückreise, um Lalloc in Bekla Bericht zu erstatten. Später könnte er dann, sobald er zur Provinz Yelda käme, die gefälschte Genehmigung vernichten. Die Geschichte war fadenscheinig, aber das Siegel auf der Genehmigung war eine sehr gute Nachahmung des beklanischen Bärensiegels (es wurde von einem bekannten Fälscher für uns hergestellt), und wir mußten nur auf etwas Glück hoffen. Elstrit überquerte vor etwa drei Monaten den Vrako, kurz nach Ende der Regenzeit, und was seither aus ihm geworden ist, wissen wir nicht – nicht einmal, ob er jemals nach Ikat gelangte.

Einen Monat später erkrankte der Baron. In Zeray werden viele Leute krank. Kein Wunder – der Schmutz in der Stadt, Ratten, Läuse, Infektionen, dauernde Beanspruchung und Angst, Schuldgefühl und der Verlust aller Hoffnung. Der Baron hatte ein schweres Leben gehabt, und nun siechte er trotz aller Abwehr dahin. Du kannst dir denken, wie wir ihn pflegten, Ankray und ich. Wir waren wie Menschen, die in einer Wildnis voll wilder Bestien nachts ein Feuer unterhalten und um das Morgengrauen beten. Doch das Feuer ging aus – es erlosch.«

Tränen standen in ihren Augen. Sie wischte sie mit einer brüsken Bewegung fort und verbarg ihr Gesicht einen Augenblick in den Händen, dann fuhr sie nach einem tiefen Seufzer fort:

»Einmal sprach er von dir. ›Dieser Kelderek‹, sagte er, ›ich hätte ihn getötet, wenn nicht die Tuginda uns in jener Nacht hätte kommen lassen. Ich wünsche ihm nicht mehr Böses, sondern hoffe um Ortelgas willen, daß er zu Ende führen kann, was er begonnen hat.‹ Einige Tage später sprach er noch zu unseren Leuten, so gut er konnte – er war damals schon sehr schwach. Er riet ihnen, keine Mühe zu scheuen, um Nachricht über Santils Absichten zu erhalten, und, wenn nur die geringste Hoffnung bestünde, in Zeray um jeden Preis Ordnung zu halten, bis er käme. ›Sonst dauert es kein Jahr mehr, bis ihr alle tot seid‹, sagte er, ›und hier wird es dann noch schlimmer sein als jemals, bevor wir begannen.‹ Danach blieben nur

Ankray und ich bei ihm, bis er starb. Er hatte einen sehr schweren Tod. Das hast du doch wohl erwartet, nicht wahr? Das letzte, was er sagte, war: ›Der Bär – sag ihnen, der Bär –‹ Ich beugte mich über ihn und fragte: ›Was über den Bären, Herr?‹, aber er sagte nichts mehr. Ich beobachtete, wie sein Gesicht – dieses furchtbare Gesicht – zerfloß wie eine verbrauchte Kerze. Als er tot war, taten wir, was wir zu tun hatten. Ich bedeckte seine Augen mit einem feuchten Tuch, und ich erinnere mich, wie das Tuch sich verschob, als wir seine Arme ausstreckten, so daß die toten Augen sich öffneten und mich anstarrten.

Du hast sein Grab gesehen. Es gab schwere Herzen und auch geängstigte Menschen hier, als er begraben wurde. Das ist über einen Monat her, und seitdem ist uns Zeray täglich etwas mehr entglitten. Noch haben wir es nicht verloren, aber ich will dir beschreiben, wie es ist. Ich erinnere mich, daß ich einmal als kleines Mädchen einem Müller zusah, der beim Kornmahlen einen Ochsen im Kreis umhertrieb. Zwei Männer, die meinten, er habe sie betrogen, begannen, mit ihm zu streiten, schleppten ihn schließlich fort und schlugen ihn. Der Ochse ging weiter mahlend im Kreis, zuerst im gleichen Tempo, dann langsamer, bis er endlich – und zwar ängstlich, das erkannte mein klares Kinderauge – den Versuch wagte zu sehen, was geschehen würde, wenn er stehenblieb. Es geschah nichts, und er legte sich nieder. Die meisten Einwohner von Zeray fragten sich, ob sie es wagen sollten, uns zu trotzen. Einige werden es schon bald versuchen. Ich kenne unsere Leute – die Leute des Barons. Ohne ihn werden sie nicht zusammenhalten. Es ist nur eine Frage der Zeit.

Jeden Abend ging ich zu seinem Grab und betete um Hilfe und Erlösung. Manchmal begleitet mich Ankray oder ein anderer, aber oft gehe ich allein. In Zeray gibt es keinen Anstand, und über Angst bin ich hinaus. Solange mich keiner beleidigt, halte ich das für ein Zeichen, daß wir die Stadt noch in der Gewalt haben; und es schadet nicht, wenn ich mich verhalte, als glaubte ich es. Manchmal betete ich, Santils Armee möge kommen, öfter jedoch forme ich keine Worte, sondern biete Gott einfach mein Hoffen und Sehnen dar und meine Gegenwart am Grab des Mannes, der mich schätzte und respektierte.

Auf Quiso lehrte uns die Tuginda, daß echtes und wahres Gottvertrauen das ganze Leben einer Priesterin ist. ›Gott kann sich leisten zu warten‹, pflegte sie zu sagen. ›Ob es gilt, die Ungläubigen zu bekehren, die Gerechten zu belohnen oder die Bösen zu bestrafen – Gott kann sich leisten zu warten. Bei Ihm kommt am Ende alles an seinen Platz. Es ist unsere Aufgabe, nicht nur das zu glauben, sondern diesen Glauben durch alles, was wir sagen und tun, zu zeigen.‹«

Melathys weinte im Weitersprechen still und anhaltend. »Ich hatte aus meinem Denken verbannt, wie und weshalb ich nach Zeray gekommen war. Meine Feigheit, meinen Verrat, meinen Frevel – vielleicht glaubte ich, meine Leiden hätten sie getilgt, hätten einen Graben ausgehoben zwischen mir und jener Priesterin, die ihre Gelübde brach, unseren Herrn Shardik verriet und die Tuginda im Stich ließ. Als ich mich heute abend umwandte und sah, wer hinter mir war, weißt du, was ich da dachte? ›Sie ist nach Zeray gekommen, um mich zu holen, entweder um mich von sich zu weisen oder um mir zu vergeben, um mich zu verurteilen oder um mich nach Quiso zurückzunehmen.‹ Als wäre ich nicht vierzigfach entehrt. Ich fiel ihr zu Füßen und flehte sie um Verzeihung an, sagte ihr, ich sei, was ich dachte, das sie getan habe, nicht wert, bat sie nur um Verzeihung, dann wollte ich sterben. Nun weiß ich, daß, was sie sagte, wahr ist. Gott« – sie ließ ihren Kopf auf die auf den Tisch gestützten Arme sinken und schluchzte bitterlich –, »Gott kann sich leisten zu warten. Gott kann es sich leisten.«

Kelderek legte seine Hand auf ihre Schulter. »Komm«, sagte er, »heute abend wollen wir nicht mehr reden. Lassen wir diese Gedanken beiseite und erledigen wir nur die dringenden, vor uns liegenden Aufgaben. Sehr oft ist das bei einer Verwirrung das beste und ein starker Trost in der Not. Kümmere dich um die Tuginda. Schlafe neben ihr, und morgen sehen wir uns wieder.«

Sobald Ankray ihm das Bett bereitet hatte, legte sich Kelderek nieder und schlief wie noch niemals, seit er Bekla verlassen hatte.

44. Offene Aussprache

Die mittäglichen Sonnenstrahlen wanderten allmählich über die Wand, und aus einiger Entfernung waren langsame Axtschläge im Wald zu hören. Die Tuginda wälzte sich mit geschlossenen Augen und mit wie durch den Lärm qualvoll gefurchter Stirn hin und her, sie schien ihre Schmerzen nicht loszuwerden. Kelderek wischte ihr wieder mit einem in den neben dem Bett stehenden Krug getauchten Tuch den Schweiß von der Stirn. Sie lag seit dem frühen Morgen zwischen Schlaf und Wachen, erkannte weder Melathys noch ihn, stieß dann und wann einige wirre Wörter hervor und trank einmal ein wenig Wein und Wasser aus einer an ihre Lippen gehaltenen Schale. Um elf Uhr war Melathys, von Ankray begleitet, zu einer Besprechung mit den früheren Gefolgsleuten des Barons gegangen, um ihnen Nachricht zu bringen. Kelderek verrammelte die Tür und wartete auf ihre Rückkehr.

Die Axtschläge verstummten, und er blieb in der Stille sitzen, manchmal nahm er die Hand der Tuginda in die seine und sprach zu ihr in der Hoffnung, sie würde erwachen und vielleicht ruhiger werden. Ihr Puls schlug schnell unter seinen Fingern, und er sah nun, daß ihr Arm geschwollen und durch nässende Schrammen entzündet war, die er als Verwundungen durch Trazadadornen erkannte. Sie hatte nichts davon gesagt, auch nichts von der tiefen Fußwunde, die Melathys am vorigen Abend gefunden und verbunden hatte.

Langsam wie die Sonnenstrahlen wanderten seine Gedanken über die letzten Ereignisse. Die seit seinem Verlassen von Bekla vergangenen Tage waren selbst, so dachte er, wie ein Zeitstreel, in den er schrittweise hinabgestiegen war und aus dem er nun für kurze Zeit emporkam, bevor er starb. Er brauchte schließlich seine Lästerung nicht zu sühnen, indem er diesen Tod suchte, denn der schien sicher, wie immer auch die Dinge ausgehen würden. Wenn Erketlis siegte, aber dennoch keine Truppen über den Vrako sandte, weil er entweder Bel-ka-Trazets Botschaft nicht erhalten oder weil sie bei ihm keinen Gefallen gefunden hatte, dann würde er früher oder später gewaltsam oder durch Krankheit den Tod erleiden, entweder in Zeray oder beim Versuch, von dort zu fliehen. Wenn aber Erketlis' Truppen den Vrako überqueren und ihn in Zeray oder anderswo treffen sollten – und es war recht wahrscheinlich, daß sie sich nach ihm umsehen würden –, hatte er Elleroths Wort dafür, daß sie ihn töten würden. Wenn Erketlis besiegt würde, war es möglich, daß Zelda und Ged-la-Dan, wenn sie nach Kabin kämen, Soldaten über den Vrako senden würden, um Shardik zu suchen. Sollte aber einmal der Tod Shardiks bekanntwerden, würden sie sich über dessen früheren Priesterkönig keine Sorgen machen. Und wenn der in Mißkredit geratene Priesterkönig versuchen sollte, aus Zeray entweder nach Bekla oder nach Ortelga zurückzukehren, würde man ihn nicht am Leben lassen.

Niemals wieder würde er sich hinstellen und die Rolle von Shardiks Vermittler für das Volk nachäffen. Und nie wieder auch könnte er der redliche Visionär werden, der furchtlos in seiner gottgewährten Freude und Erregung in den Wäldern von Ortelga neben Shardik gewandert war und geschlafen hatte. Wieso fand er dann trotz seines vor vier Tagen in Ruvits Hütte gefaßten Entschlusses, trotz seiner unverminderten Scham und Reue noch Lebenswillen? Bloße Feigheit, nahm er an. Oder vielleicht, weil ein letzter Rückstand des Stolzes, der ihn ermutigt hatte, den Gedanken an eine Sühne durch den Tod zu fassen, sich gegen die Aussicht des Todes durch ein Schwert aus Ikat oder das Messer eines Verbrechers aus Zeray sträubte. Was auch der Grund sein mochte, jedenfalls überlegte er, ob er versuchen sollte – so hoffnungslos die Chancen auch gegen ihn standen –, zuerst die Tuginda nach Quiso zurückzubringen und dann vielleicht in ein Land jenseits des Telthearnas zu entfliehen. Doch bloßer Überlebenswille, darüber wurde er sich in seinen Gedanken klar, war nicht allein das Motiv für die Wandlung seiner früheren Todesentschlossenheit.

Er sah wieder das schöne weißgekleidete Mädchen vor sich, das nachts über den von Flammen erleuchteten Altan oberhalb der Terrassen in Quiso gewandelt war, das Mädchen, dessen Furcht und Zagen in den Wäldern von Ortelga nichts als Mitleid in ihm hervorgerufen hatte und den Wunsch, sie zu schützen und zu trösten. Sie hatte, wie er, überrascht die Selbsttäuschung und Feigheit im eigenen Herzen erkannt und, nachdem sie einst zweifellos von sich geglaubt hatte, daß Shardik keine treuere und zuverlässigere Dienerin habe als sie, mit bitterer Scham erfahren, daß die Wahrheit anders aussah. Seither hatte sie noch schwerer gelitten. Sie hatte Shardik verlassen und sich der Welt anvertraut; dabei hatte sie das Elend der Welt, nie aber deren Freuden gefunden. Schuld, Grausamkeit und Furcht mußten in ihr beinahe die natürliche Kraft zerstört haben, einen Mann zu lieben oder in der Liebe eines Mannes Schutz oder Freude zu finden. Doch – und da ließ er die Hand der Tuginda los, sprang auf und schritt auf und ab durch den Raum – vielleicht ließ sich diese Fähigkeit noch retten, vielleicht war sie nicht hoffnungslos verloren, wenn einer bereit war zu zeigen, daß er sie über alles schätzte?

Die Tuginda stöhnte, ihr Gesicht verzog sich wie unter Schmerzen. Er trat zum Bett und kniete nieder, um sie mit einem Arm unter ihren Schultern zu stützen.

»Ruh dich aus, Saiyett, du bist unter Freunden. Bleib ruhig.«

Sie sprach sehr leise, und er legte sein Ohr an ihre Lippen.

»Shardik! Finden – unseren Herrn Shardik –«

Sie brach ab, und er setzte sich wieder neben sie.

Seine Liebe zu Melathys hatte, das wußte er nun, von Anfang an in seinem Herzen geschlummert. Das Mädchen auf der Terrasse, ihr breites goldenes Halsband, das im Licht der Flammen schimmerte; das Mädchen, das unverwundbar mit der Pfeilspitze und der Schwertschneide gespielt hatte wie eine Göttin mit Wasserfällen oder Blitz, das, ohne unterrichtet zu sein und ohne Fragen zu stellen, die Bedeutung seiner Ankunft in Quiso erraten hatte – diese Erinnerung hatte ihn nie verlassen. Seiner Bewunderung und Verehrung für sie war er sich gewiß bewußt gewesen, aber wie konnte er, der abgerissene, schmutzige Jäger, der aus Furcht vor dem Zauber von Quiso ohnmächtig zu Boden gestürzt war, damals ahnen, daß sich auch sinnliche Begierde in sein Herz eingeschlichen hatte? Eine Priesterin von Quiso zu begehren – der bloße Gedanke war bereits ein Frevel. Er dachte an die Vorfälle in jener Nacht – Bel-ka-Trazets Zorn, die verzauberte Landung im Dunkel auf Quiso, der Gang auf der schwankenden Brücke über die Schlucht, der Anblick von Anthred und Rantzay, die durch die glühende Asche schritten; und schwerwiegender als alles die Last der Nachricht, die er brachte. Kein Wunder, daß er sich um die Natur seiner Gefühle für Melathys wenig gekümmert hatte. Und doch hatte, unbeachtet, als sprosse sie unabhängig und allein, tief unter seiner aufreibenden Sorge um Shardik seine geheime Liebe Wurzel gefaßt. In seinem Mitleid für Melathys, das wußte er jetzt, hatte eine nicht erkannte Befriedigung gelegen, als er entdeckte, daß es sogar bei ihr eine menschliche Schwäche gab, daß sie wie andere Sterbliche Trost und Ermutigung brauchen könnte. Schließlich entsann er sich der Nacht, als er und der Großbaron ihre Flucht bemerkt hatten. »Das Mädchen war klug«, hatte der Baron gesagt. Bei den sarkastischen Worten hatte er selbst nicht nur Groll empfunden, sondern auch die schmerzliche Sorge, daß Melathys sich, wie die goldenen Melikonbeeren, als wertlos erwiesen hatte, mit dem Fluß davongetrieben wurde – auf Nimmerwiedersehen. Doch noch an ein anderes Gefühl erinnerte er sich, das sich in sein Herz geschlichen hatte – und wie, fragte er sich, konnte er nur dessen Bedeutung übersehen haben? –, ein Gefühl persönlichen Verlustes und von Verrat. Sogar damals hatte er schon unbewußt irgendwie an sie als sein Eigen gedacht und, obwohl damals stark und auf die eigene Ehrlichkeit vertrauend, weder Verachtung noch Zorn über ihre Flucht empfunden, sondern nur Enttäuschung. Seit jener Nacht hatte weder sie noch jemand anders ihn so gründlich verraten wie er sich selbst. Wenn sie auf dem Friedhof um Verzeihung geweint hatte, was wollte er da noch mehr?

Er dachte auch an seine freiwillige Keuschheit in Bekla, an seine Gleichgültigkeit gegenüber dem ihm gebotenen Luxus wie auch dem äußeren Glanz seines Königtums und an sein dauerndes Gefühl, daß es eine Wahrheit gäbe, die er noch immer nicht kannte. Das große Geheimnis, das er durch Shardik erfahren sollte, das Lebensgeheimnis, das er nie gefunden hatte – das, fühlte er, war keine Einbildung. Er hatte es nicht mit seiner unerkannten Liebe zu Melathys verwechselt. Doch – und nun runzelte er verwundert und unsicher die Stirn – auf irgendeine geheimnisvolle Weise hingen die beiden zusammen. Vielleicht hätte es ihm schließlich gelingen können, das erste mit Hilfe der zweiten zu finden.

Die Eroberung von Bekla erwies sich, wie die Tuginda vorausgesagt hatte, als unabhängig von Shardiks Wahrheit und hatte nur dazu gedient, die Suche nach dieser Wahrheit und deren göttliche Offenbarung zu verhindern. Nun, da Shardik für immer verloren war, war er, wie ein Betrunkener in einem Graben, erwacht und erinnerte sich seiner Torheit, während aus dem Zaubermädchen zwischen den Feuerschüsseln eine Entehrte und Flüchtige geworden war, die Angst, Wollust und Gewalt kennengelernt hatte. Irrtum und Schande waren, wenn er es überlegte, das unentrinnbare Los der Menschheit; aber es tröstete ihn doch der Gedanke, daß Melathys auch Teil an diesem bitteren Erbe gehabt hatte. Wenn er ihr irgendwie das Leben retten und sie sowie die Tuginda in Sicherheit bringen könnte, dann dürfte er vielleicht endlich die Verzeihung der Tuginda erbitten und, falls Melathys einwilligte, mit ihm zu kommen, weit fort reisen und alles, sogar den Namen Shardiks, vergessen, dessen er sich so unwürdig gezeigt hatte.

Er hörte Melathys auf der anderen Seite des Hofes rufen, ging hinaus und öffnete die Tür. Das Mädchen berichtete, daß Farrass und Thrild, die Gefolgsleute des Barons, die sie für die vertrauenswürdigsten hielt, bereit seien, mit ihm zu sprechen, wenn er mit ihnen zusammenkommen wollte. Er bat Ankray, ihn nochmals als Führer zu begleiten, und machte sich auf den Weg quer durch Zeray.

Er war trotz allem, was er gehört hatte, nicht gefaßt auf die Verwahrlosung und den Schmutz, auf die mürrischen Gesichter der halb Verhungerten, die ihn beim Vorbeigehen anstarrten, auf die Ausdünstungen von Not, Furcht und Gewalt, die schon aus dem Schmutz am Boden aufzusteigen schienen. Die Menschen, an denen er am Ufer vorbeikam, waren hohlwangig, saßen oder lagen mit grauen Gesichtern und starrten auf das in der Flußbettmitte vorbeiströmende böige Wasser und auf das verlassene Ostufer gegenüber. Er sah keine Läden und niemanden, der ein Handwerk ausgeübt hätte, nur ein zitterndes, dickbäuchiges Kind mit einem Korb, das knietief im seichten Wasser watete und gebückt nach etwas suchte – wonach, konnte Kelderek nicht erkennen. An seinem Ziel angelangt und wie aus einem Traum erwachend, erinnerte er sich an wenige Einzelheiten, nur an einen unbestimmten, mehr gefühlten als beobachteten Eindruck von Bedrohung und an böse Blicke, denen er nicht begegnen wollte. Er war ein paarmal stehengeblieben, um sich umzusehen, doch Ankray hatte ihm, ohne ihn ausdrücklich zu warnen, zu verstehen gegeben, sie sollten lieber ihren Weg fortsetzen.

Farrass, ein hochgewachsener Mann mit magerem Gesicht, zerrissenen Kleidern, die für ihn zu klein waren, und einer Keule am Gürtel, saß der Länge nach, einen Fuß hochgezogen, auf einer Bank, blickte Kelderek wachsam an und betupfte dauernd mit einem Fetzen eine nässende Wunde an seiner Wange.

»Melathys sagte, du seist der ortelganische König von Bekla.«

»Das ist richtig, aber ich heische hier keine Autorität.«

Thrild, ein dunkelhaariger, schlanker Mann mit raschen Bewegungen, lehnte grinsend am Fensterbrett und kaute an einem Kienspan.

»Um so besser, denn hier gibt es nicht viel davon.«

Farrass zögerte; wie jedermann östlich des Vrakos verhielt er sich bei Fragen über die Vergangenheit vorsichtig. Endlich sagte er, die Schultern hochziehend wie einer, der sich entschließt, etwas Unangenehmes hinter sich zu bringen: »Wurdest du abgesetzt?«

»Ich fiel in Kabin der Armee von Yeldashay in die Hände. Sie schonten mein Leben, schickten mich aber über den Vrako.«

»Santils Armee?«

»Ja.«

»Die sind in Kabin?«

»Vor sechs Tagen waren sie dort.«

»Weshalb haben sie dich geschont?«

»Einer ihrer leitenden Offiziere überredete sie. Er hatte seine Gründe.«

»Und du hast dich entschlossen, nach Zeray zu kommen?«

»Ich traf im Wald eine ortelganische Priesterin, eine Frau, mit der ich früher befreundet war. Sie suchte – nun, sie suchte Bel-ka-Trazet. Jetzt liegt sie krank im Hause des Barons.«

Farrass nickte. Thrild grinste wieder.

»Wir sind in vornehmer Gesellschaft.«

»In der schlechtesten«, erwiderte Kelderek. »Ich will nur mein Leben und das der Priesterin retten – vielleicht, indem ich euch helfe.«

»Wie?«

»Das müßt ihr mir sagen. Mir wurde versichert, ich müsse sterben, wenn ich nochmals der Armee aus Yeldashay in die Hände falle. Wenn also Santil Bel-ka-Trazets Angebot annimmt und Truppen nach Zeray schickt, wird es für mich wahrscheinlich schlimm ausgehen, es sei denn, ihr könnt sie überreden, mir von hier freies Geleit zu geben. Das hoffe ich mit euch auszuhandeln.«

Farrass hatte das Kinn auf eine Hand gestützt und blickte stirnrunzelnd und nachdenklich zu Boden, und wieder war es Thrild, der sprach.

»Du darfst uns nicht überschätzen. Der Baron hatte zu Lebzeiten eine gewisse Autorität, wir aber haben nun, ohne ihn, immer weniger. Vorläufig sind wir noch sicher, aber das ist auch alles. Wahrscheinlich würden sich die Leute aus Yeldashay wenig darum kümmern, was wir von ihnen wünschen.«

»Du hast uns schon durch die Nachricht, daß Santil in Kabin ist, einen Gefallen erwiesen«, sagte Farrass. »Hast du gehört, ob er die Botschaft des Barons erhalten hat?«

»Nein. Wenn aber, wie er glaubt, flüchtige Sklavenhändler diesseits des Vrakos sind, haben wahrscheinlich schon Truppen aus Yeldashay den Fluß überquert. Auf jeden Fall, glaube ich, solltest du ihm sofort noch einen Boten schicken und um jeden Preis versuchen, hier Ordnung zu halten, bis du eine Antwort bekommst.«

»Wenn er in Kabin ist«, sagte Farrass, »wäre es für uns, wenn auch vielleicht nicht für dich, das aussichtsreichste, mit Melathys hinzugehen und ihn zu ersuchen, uns nach Ikat durchzulassen.«

»Farrass hat eigentlich nie den Plan gebilligt, daß Santil nach Zeray kommen und es erobern solle«, sagte Thrild. »Da nun der Baron tot ist, bin auch ich seiner Ansicht. Der Baron hätte ihm die Stadt übergeben können – wir nicht. Für uns wäre es besser, mit den Leuten aus Ikat in Kabin zusammenzutreffen. Du mußt unsere Lage verstehen. Wir erheben keinen Anspruch, Gesetz und Ordnung einzuhalten. In Zeray kann jeder morden und stehlen, solange er nicht so gefährlich wird, daß es für uns sicherer ist, ihn zu töten, als ihn in Ruhe zu lassen. Mit wenigen Ausnahmen haben alle Menschen in diesem Ort irgendein schweres Verbrechen begangen. Wenn sie erführen, daß wir Soldaten aus Ikat eingeladen haben, hierherzukommen und die Stadt einzunehmen, würden sie auf uns losgehen wie in die Ecke getriebene Ratten. Es lohnt sich nicht für uns, den Plan des Barons weiter zu verfolgen.«

»Es gibt doch aber in Zeray keinen Reichtum. Weshalb tötet und stiehlt man hier?«

Thrild warf die Hände hoch. »Weshalb? Um zu leben, was sonst? In Zeray hungern die Menschen. Einmal ließ der Baron zwei Männer aus Deelguy hängen, weil sie ein Kind getötet und verzehrt hatten. In Zeray essen die Menschen Raupen – sie graben Schlammskapas aus dem Fluß, um daraus Suppe zu kochen. Kennst du die Gylonfliege?«

»Die Glasfliege? Ja. Ich bin ja am Telthearna aufgewachsen.«

»Im Sommer bedecken ganze Schwärme die Ufer. Die Leute schaufeln Hände voll davon zusammen und sind dankbar dafür.«

»Nur weil wir Anhänger des Barons wissen, daß wir zusammenhalten oder sterben müssen«, sagte Farrass, »hat vorläufig noch keiner von uns versucht, seine Frau zu nehmen. Ein Streit unter uns wäre unser aller Ende. Aber das kann so nicht lange bleiben. Bald wird es doch einer versuchen. Sie ist hübsch.«

Kelderek zog die Schultern hoch, sein Gesicht blieb ausdruckslos.

»Sie kann doch wohl selbst wählen, sobald sie das will?«

»Nicht in Zeray. Aber das Problem ist nun ohnehin gelöst. Wir müssen nach Kabin, und sie wird bestimmt mit uns kommen. Deine ortelganische Priesterin auch, wenn sie am Leben bleiben will.«

»Wie bald? Sie hat hohes Fieber.«

»Dann können wir nicht auf sie warten«, sagte Thrild.

»Ich bringe sie nach Norden, sobald sie sich erholt hat«, sagte Kelderek. »Ich habe dir ja erklärt, weshalb ich weder jetzt noch später nach Kabin gehen kann.«

»Wenn du nach Norden gehst, wirst du umherwandern, bis du getötet wirst. Du würdest nie durch den Durchlaß bei Linsho kommen.«

»Du sagtest, ich hätte euch gute Nachricht gebracht. Könnt ihr nichts tun, um mir zu helfen?«

»Nicht, wenn du hier bleibst. Wenn die Ikater uns Gehör schenken, werden wir versuchen, sie zu überreden, deine ortelganische Priesterin holen zu lassen, und du kannst dein Glück bei ihnen versuchen, wenn sie kommen. Was erwartest du noch? Wir sind hier in Zeray.«

45. In Zeray

»Verdammte Feiglinge«, sagte Melathys, »und der Baron liegt noch keine vierzig Tage in seinem Grab! Wäre ich General Santil, ich würde sie nach Zeray zurückschicken und am Ufer hängen lassen. Sie könnten sehr wohl den Ort sechs Tage lang halten. Das wäre Zeit genug, daß jemand nach Kabin durchkäme und mit hundert Soldaten zurückkehrte. Doch nein, sie laufen lieber davon.«

Kelderek wandte ihr den Rücken zu und starrte in den kleinen Hof. Er sagte behutsam: »Wie die Dinge liegen, solltest du mit ihnen gehen.«

Sie antwortete nicht, und nach einer Weile wandte er sich um. Sie erwartete lächelnd seinen Blick. »Nein. Es ist wirklich selten, daß einer so Unwürdigen, wie ich es bin, eine zweite Chance geboten wird. Ich beabsichtige nicht, die Tuginda ein zweites Mal im Stich zu lassen, das kannst du mir glauben.«

»Wenn du mit Farrass und Thrild nach Kabin gelangst, bist du gerettet. Sobald sie von hier fort sind, bist du nicht mehr in Sicherheit. Das mußt du dir sehr ernsthaft überlegen.«

»Unter diesen Bedingungen wünsche ich keine Sicherheit. Dachtest du, ich hätte am Grab des Barons in einem hysterischen Anfall gesprochen?«

Er wollte noch etwas sagen, da ging sie zur Tür und rief nach Ankray.

»Ankray, die Leute vom Baron gehen heute oder morgen von hier nach Kabin. Sie hoffen, dort die Armee Santil-ke-Erketlis' zu treffen. Ich glaube, du solltest, im Interesse deiner Sicherheit, mit ihnen gehen.«

»Gehst du denn auch mit, Saiyett?«

»Nein. Der Herr Kelderek und ich, wir bleiben bei der Tuginda.«

Ankray blickte von der einen zum anderen und kratzte sich am Kopf.

»Sicherheit, Saiyett? Der Baron sagte immer, General Erketlis werde eines Tages hierherkommen, nicht wahr? Deshalb schickte er den jungen Elstrit –«

»General Erketlis kommt vielleicht noch, wenn wir Glück haben. Aber Farrass und die anderen wollen lieber hingehen und ihn dort aufsuchen, wo er ist. Es steht dir frei, mit ihnen zu gehen, und wahrscheinlich wäre es für dich das sicherste.«

»Verzeih, Saiyett, wenn ich dir sage, daß ich daran zweifle – mit diesen Leuten. Ich bleibe lieber hier unter Ortelganern, wenn du verstehst, was ich meine. Der Baron sagte immer, General Santil werde kommen, und da meine ich eben, er wird kommen.«

»Wie du willst, Ankray«, sagte Kelderek. »Wenn er aber nicht kommt, wird Zeray noch gefährlicher für uns alle werden.«

»Nun, Herr, ich denke, wenn es dazu kommt, müssen wir eben allein nach Kabin gehen. Aber der Baron hätte nicht gewollt, daß ich die ortelganischen Priesterinnen ihrem Schicksal überlasse, sogar wenn du ihnen hilfst.«

»Du hast also keine Angst davor hierzubleiben?«

»Nein, Herr«, antwortete Ankray. »Der Baron und ich, wir hatten vor keinem in Zeray Angst. Der Baron sagte immer: ›Ankray, denke nur immer daran, daß du ein gutes Gewissen hast, sie aber nicht.‹ Gewöhnlich –«

»Gut«, sagte Kelderek, »ich freue mich, daß du das willst. Glaubst du aber«, fragte er, zu Melathys gewandt, »sie könnten versuchen, dich zu *zwingen*, mit ihnen zu gehen?«

Sie starrte ihn feierlich, mit weit geöffneten Augen an, so daß er wieder das Mädchen vor sich sah, das Bel-ka-Trazets Schwert gezogen und ihn gefragt hatte, was es sei.

»Sie können versuchen, mich zu *überreden*, aber ich bezweifle es.

424

Ich habe das Fieber von der Tuginda bekommen, verstehst du, und das beweist doch, daß es sehr ansteckend sein muß. Das werden wir ihnen sagen, falls sie kommen sollten.«

»Bete zu Gott, daß du es nicht wirklich bekommst«, sagte Kelderek. Er merkte mit einer Welle leidenschaftlicher Bewunderung, daß ihr eher freudig als zielstrebig gefaßter Entschluß, trotz allem, was sie über Zeray wußte, dort zu bleiben, ihr keine Angst, sondern Stolz über die Wiedererlangung ihrer Selbstachtung brachte. Ihr war das Auftauchen der Tuginda auf dem Friedhof zuerst als Wunder erschienen, dann als ein Akt kaum faßbarer Liebe und Großmut; und obgleich sie nun die wahre Geschichte von der Reise der Tuginda kannte, schrieb sie sie dennoch Gott zu. Wie ein bestrafter Soldat, dessen Kommandant ihn plötzlich aus der Haft kommen läßt, ihm seine Waffen wiedergibt und ihm befiehlt, seinen guten Namen auf dem Schlachtfeld wieder reinzuwaschen, so wurde sie von der Erkenntnis getragen, daß Feinde, Gefahr und sogar der Tod wenig galten, verglichen mit dem Elend des Schuldigen, das entgegen aller Erwartung von ihr genommen wurde. Kelderek hatte, trotz allem, was er am Grab des Barons gesehen hatte, bis jetzt nicht geahnt, daß all ihr Leiden in Zeray ihr weniger Kummer bereitet hatte als die Erinnerung an ihre Flucht aus Ortelga.

Der Tuginda schien es nicht besserzugehen, sie wurde von dauernder Ruhelosigkeit geplagt. Als es Abend wurde, blieb Ankray bei ihr, während Melathys und Kelderek im letzten Tageslicht die Schlösser und Sperrstangen kontrollierten und die Nahrungsmittel und Waffen überprüften. Melathys erklärte, daß der Baron über gewisse, sogar seinen Gefolgsleuten verschwiegene Lieferquellen verfügt habe, die er oder Ankray dann und wann des Nachts aufsuchten, um eine entwendete Ziege oder ein halbes Schaf aus einem Dorf am Fluß zu holen. Das Haus war noch ziemlich gut mit Fleisch versorgt. Es gab auch genug Salz und etwas herben Wein.

»Hat er dafür bezahlt?« fragte Kelderek mit einem befriedigten Blick auf die Keulen in Salzlake, wobei ihm einfiel, daß er nie erwartet hätte, Bel-ka-Trazet gegenüber jemals Dankbarkeit zu empfinden.

»Hauptsächlich, indem er versprach, daß die Dorfbewohner von Zeray aus nicht belästigt würden. Er hatte aber auch stets gute Einfälle, Dinge zu finden oder herzustellen, mit denen wir Tauschhandel treiben konnten. Wir fertigten zum Beispiel Pfeile und Nadeln aus Knochen an. Ich bin auch nicht ganz ungeschickt. Jede Bewerberin für Quiso muß ihre Ringe selbst schnitzen, aber jetzt kann ich noch besser Holz schnitzen, das kannst du mir glauben. Erkennst du das wieder? Ich benutze es gern.«

Es war Bel-ka-Trazets Messer. Kelderek erkannte es sofort, zog es aus der Scheide und hielt die Spitze dicht vor seine Augen. Sie beobachtete ihn verwundert, und er lachte.

»Ich habe, möchte ich sagen, allen Grund, mich besser daran zu erinnern als irgendein anderer in Ortelga. Ich sah das Messer und unseren Herrn Shardik am selben Tag zum erstenmal – an dem Tag, an dem ich dich kennenlernte. Ich werde es dir beim Abendessen erzählen. Hatte er ein Schwert?«

»Hier ist es. Und einen Bogen. Auch ich habe noch meinen Bogen. Ich versteckte ihn kurz nach meiner Ankunft in Zeray, holte ihn aber wieder hervor, als ich mich dem Baron anschloß. Mein Priesterinnenmesser wurde natürlich gestohlen, aber der Baron gab mir ein anderes – von einem Toten, nehme ich an, wenn er es mir auch nie gesagt hat. Es ist grob gearbeitet, aber die Klinge ist gut. Und hier, ich will dir etwas zeigen –«

Sie war wie ein Mädchen, das seine Aussteuer durchsieht. Es fiel ihm ein, wie er vor Jahren eine Käfigfalle für Vögel gebaut hatte und dann einen Falken darin fand. Es gab keine Nachfrage für Falken – der Händler aus Bekla wollte bunte Federn und Vögel, die man im Käfig halten konnte –, und da er keine Verwendung für ihn hatte, ließ er ihn frei und sah zu, wie er erfreut über die Wiedererlangung seines harten, gefährlichen Lebens davonflog. Nachdem Kelderek am Nachmittag durch Zeray gewandert war, glaubte er nun alles, was ihm von plötzlichen, unerwarteten Gefahren, von Wollust und Mord erzählt worden war, die unter halb verhungerter Stumpfheit lauerten wie Alligatoren im Wasser eines stinkenden Flußlaufs. Melathys jedoch, die mehr Grund als irgendwer hatte, von diesen Dingen zu wissen, befand sich sichtlich in einem so unverletzbaren Zustand der Gnade, daß all das, zumindest im Augenblick, sie nicht zu ängstigen vermochte. An ihm lag es, dafür zu sorgen, daß sie sich nicht unüberlegt in Gefahr brachte.

Die Tuginda lag noch immer in ihrem dumpfen Schlaf; einem Schlaf, so trostlos wie ersticktes, rauchendes Feuer, bei dem sie nicht Nutznießerin, sondern Opfer zu sein schien. Ihr Gesicht was passiv und eingefallen, wie Kelderek es noch nie gesehen hatte. Das Fleisch an ihren Armen und an ihrem Hals wirkte schlaff und verfallen. Ankray kochte eine Suppe aus Salzfleisch und ließ sie auskühlen, aber man konnte nur ihre Lippen befeuchten, denn sie schluckte nichts. Als Kelderek vorschlug, sie sollten ausgehen und Milch besorgen, schüttelte Ankray nur den Kopf, ohne den Blick vom Boden zu wenden.

»In Zeray gibt es keine Milch«, sagte Melathys, »keinen Käse, keine Butter. Ich habe in fünf Jahren noch keine gesehen. Aber du hast recht – sie müßte frische Nahrung bekommen. Salzfleisch und Trockenfrüchte sind keine Kur gegen Fieber. Heute abend können wir nichts mehr tun. Geh du als erster schlafen, Kelderek, ich werde dich später wecken.«

Aber sie weckte ihn nicht, offensichtlich war es ihr recht – vielleicht mit einer kleinen Schlafunterbrechung –, bis zum Morgen bei der Tuginda zu wachen. Als Ankray von einem morgendlichen Ausgang zurückkam, weckte er Kelderek mit der Nachricht, daß Farrass und seine Begleiter Zeray in der Nacht verlassen hätten.

»Ist das ganz sicher?« fragte Kelderek, der sich kaltes Wasser über Gesicht und Schultern spritzte.

»Ich glaube schon, Herr.«

Kelderek hatte nicht gedacht, daß sie ohne den Versuch fortgehen würden, Melathys gewaltsam mitzunehmen, doch als er ihr das erzählte, war sie nicht erstaunt.

»Ich glaube, jeder von ihnen dachte wohl daran, mich zu seinem Eigentum zu machen«, sagte sie, »aber auf dem Weg durch das Land, das zwischen hier und Kabin liegt, hätte meine Anwesenheit ihren Marsch verzögert und Streit verursacht – es wundert mich nicht, daß Farrass sich dagegen entschied. Wahrscheinlich erwartete er, ich würde, sobald ich durch dich von ihrem Vorhaben hörte, zu ihm kommen und ihn bitten, mich mitzunehmen. Als ich das nicht tat, wollte er mir zeigen, wie wenig ich für sie bedeutete. Sie grollten mir immer, weißt du, weil sie natürlich annahmen, der Baron sei mein Liebhaber, aber sie fürchteten ihn und brauchten ihn zu sehr, um es zu zeigen. Dennoch fragte ich mich gestern, ob sie mich nicht zwingen würden, mit ihnen zu gehen. Deshalb überließ ich es dir, ihnen zu erzählen, daß Santil in Kabin ist. Ich wollte möglichst weit entfernt sein, wenn sie das erfuhren.«

»Warum hast du mir nicht gesagt, ich solle es ihnen verschweigen? Sie hätten dich von hier fortschleppen können.«

»Wenn sie es von jemand anders erfahren hätten – und man kann nie wissen, welche Nachrichten nach Zeray gelangen –, hätten sie den ernsten Verdacht gehabt, daß wir es ihnen verschwiegen hätten. Wahrscheinlich hätten sie sich gegen uns gewandt, und das hätte übel ausgehen können.«

Sie machte eine Pause und kniete vor dem Herd nieder. Nach einer Weile sagte sie: »Vielleicht wollte ich auch, daß sie fortgehen.«

»Du bist nun, da sie fort sind, in größerer Gefahr.«

Sie lächelte und starrte weiter in die Glut. Endlich sagte sie: »Vielleicht – vielleicht auch nicht. Du erinnerst dich, was Farrass sagte – du hast es mir erzählt: ›Bald wird es einer versuchen.‹ Ich weiß jedenfalls, wo ich lieber sein möchte. Weißt du, für mich haben sich die Dinge sehr geändert.«

Später überredete er sie, im Haus zu bleiben, so daß die Leute, wenn sie sie nicht mehr sahen, annehmen mußten, sie sei mit Farrass und Thrild fortgegangen. Als er es Ankray sagte, nickte der zustimmend.

»Es wird jetzt sicher Ärger geben, Herr«, sagte er. »Wahrscheinlich wird es ein, zwei Tage dauern, bis er zum Ausbruch kommt, aber man sagt ja, wenn ein Wolf rausgeht, kommt ein anderer rein.«

»Glaubst du, man könnte uns hier angreifen?«

»Nicht unbedingt, Herr. Es wäre möglich, vielleicht auch nicht. Wir müssen abwarten, wie sich die Dinge entwickeln. Aber ich glaube, wir werden noch hier sein, wenn General Santil kommt.«

Kelderek hatte Ankray nicht gesagt, was er selbst in diesem Fall zu erwarten hätte, und er tat es auch jetzt nicht.

Am späteren Nachmittag nahm er sein Messer und Angelzeug – zwei Handangeln aus geflochtenen Fasern und Haaren, einige feuergehärtete Holzhaken und einen aus Fleischfett und Trockenfrucht zusammengekneteten Teig – und ging hinunter zum Ufer. Er konnte in den matten Bewegungen und dem ziellosen Herumlungern der Menschen, die er sah, keinen Unterschied gegenüber dem Vortag erkennen. Obgleich einige von einer Art Sandbank aus, die ins tiefere Wasser reichte, Angelleinen ausgelegt hatten, schien ihm das keine Stelle zu sein, wo er eventuell etwas fangen würde. Nachdem er ihnen eine Weile zugesehen hatte, wanderte er unauffällig stromaufwärts und kam schließlich zum Friedhof und dessen Bach. Auch dort gab es einige Fischer, doch keiner von ihnen erschien ihm geschickt oder rührig. Er wunderte sich, denn soviel er gehört hatte, ernährte sich die Stadt größtenteils von Fisch- und Vogelfang.

Er ging den Weg zurück, über den er vor zwei Tagen gekommen war, landeinwärts am Bachufer entlang, bis er eine Stelle fand, wo er mit Hilfe eines überhängenden Baumes auf die andere Seite waten konnte. Eine halbe Stunde später war er wieder am Telthearnaufer und hatte gefunden, was er suchte: einen tiefen Weiher am Ufer, bei dem Bäume und Gebüsch Deckung boten.

Er merkte erfreut, daß er seine alte Fertigkeit noch besaß. Wie ein Mann, der durch einen Prozeß, durch finanzielle Schwierigkeiten oder Sorge um eine Frau belastet ist, dennoch Vergnügen und Trost in einem geschickt geführten Spiel oder in einer Pflanze, die er zum Blühen gebracht hat, finden kann (denn das Herz ahnt genau, wenn der Verstand es auch irrezuführen versucht, wo wahre Freude zu finden ist), so fand Kelderek trotz seiner Überzeugung, daß er in Zeray sterben würde, trotz seiner Angst um die Tuginda, seines Schmerzes über die begangenen Sünden und der Hoffnungslosigkeit seines Verlangens nach Melathys (denn welche Möglichkeit konnte es noch geben, in der ihm an diesem bösen Ort noch gewährten Zeit die Wunden zu heilen, die ihr die Männer zugefügt hatten?) dennoch Trost in dem windstillen, wolkigen Nachmittag, in dem Licht auf dem Wasser, in der nur durch die leise Brise und das Rauschen des Flusses gestörten Stille und in seiner Geschicklichkeit, ohne die jeder andere die Zeit damit vergeudet hätte, am Ende einer regungslosen Angelleine zu warten. Hier gab es wenigstens etwas, das er tun konnte – und es war schade, dachte er bitter, daß er jemals davon abgelassen hatte. Wäre er nicht, wenn Shardik nicht aufgetaucht wäre, ein zufriedener Jäger und Fischer geblieben, Kelderek, der Kinderspielfreund, dem seine einsam und schwer erworbene Geschicklichkeit und die abendlichen Spiele am Ufer genügten? Er schob die Gedanken von sich und machte sich ernstlich ans Werk.

Nachdem er eine Weile lang hingestreckt versteckt gelegen und mit Grundköder den Weiher sorgfältig ausgefischt hatte, bekam er einen Fisch an den Haken, den er sehr vorsichtig mit der leichten Handleine manövrieren mußte, bis er endlich an die Oberfläche kam und sich als eine ziemlich große Forelle erwies. Nach einigen Minuten gelang es ihm, sie mit Daumen und Finger in die Kiemen zu fassen. Darauf leckte er seine blutenden Schrammen und warf die Angel wieder aus.

Bis zum frühen Abend hatte er noch drei Forellen und einen Barsch gefangen, einen Haken sowie eine Leine verloren und allen Köder verbraucht. Die Luft war feucht und kühl, der aufgeklarte Himmel wies leichte Federwolken auf, und Kelderek konnte Zeray weder hören noch riechen. Eine Zeitlang blieb er neben dem Weiher sitzen und überlegte, ob es nicht am besten für sie beide wäre, wenn sie nach Genesung der Tuginda Zeray verließen und nun, da der Sommer nahte, im Freien lebten und jagten, wie sie in Ortelga in der Zeit von Shardiks Genesung und seinen ersten Wanderungen gelebt hatten. Sie wären vor Mordanschlägen sicherer als in Zeray und mit Ankrays Hilfe imstande, sich recht gut mit Nahrung zu versorgen. Was sein Leben anlangte, so wäre, falls Erketlis' Truppen kämen, und sogar wenn sie einen Preis auf seinen Kopf setzten, seine Aussicht zu entfliehen immer noch besser, als wenn er in Zeray auf sie wartete. Er beschloß, noch am selben Abend Melathys diesen Vorschlag zu unterbreiten, rollte sorgfältig die Angelleinen auf, befestigte die Fische an einem Stock und machte sich auf den Rückweg.

Es dämmerte, als er den Bach überquerte, doch er konnte, als er durch den Nebel, der schon die Ufergegend bedeckte und nun landeinwärts zu ziehen schien, in die Richtung nach Zeray blickte, keine einzige Lampe brennen sehen. Plötzlich erfaßte ihn eine heftigere Furcht, als er bisher in dieser Aschengrube mit ausgebrannten Schurken empfunden hatte, und er schnitt sich, bevor er weiterging, einen Knüttel von einem Baum. Seit der Nacht auf dem Schlachtfeld war er nicht nach Einbruch der Dunkelheit allein im Freien gewesen, und als es stärker dunkelte, wurde er immer nervöser und unruhiger. Um dem Friedhof auszuweichen, bog er rechts ab, bald stolperte er an schlammigen Teichen und menschenkopfgroßen, groben Grasbüscheln vorbei. Als er endlich in die Vorstadt von Zeray kam, wußte er nicht, in welcher Richtung das Haus des Barons liegen mochte. Häuser und Hütten standen aufs Geratewohl umher wie Ameisenhaufen auf einem Feld. Es gab keine erkennbaren Straßen oder Gassen wie in einer wirklichen Stadt, auch keine Nichtstuer oder Spaziergänger, und obwohl er nun da und dort schwachen Lichtschein durch Türspalten und Fensterläden sehen konnte, schien es ihm unklug anzuklopfen. Eine Stunde lang – oder mehr oder weniger – wanderte er tastend im Dunkel umher, schrak bei jedem Geräusch zusammen und stellte sich schließlich mit dem Rücken an die nächste Mauer; beim Weitergehen erwartete er jeden Augenblick einen Schlag auf den Hinterkopf. Als er zu den wenigen Sternen emporblickte, die durch den Nebel sichtbar waren, und zu entscheiden versuchte, in welche Richtung er gehen sollte, merkte er plötzlich, daß das Dach, welches sich gegen den Himmel abzeichnete, zum Haus des Barons gehörte. Er eilte zum Eingang, stolperte über etwas Schmiegsames und fiel der Länge nach in den Schmutz. Sofort öffnete sich nebenan eine Tür, und zwei Männer erschienen, einer trug ein Licht. Kelderek hatte gerade noch Zeit, auf die Beine zu kommen, bevor sie bei ihm standen.

»Bist über den Strick gefallen, wie?« sagte der Mann ohne Licht, der eine Axt in der Hand trug. Er sprach beklanisch, und als er sah, daß Kelderek ihn verstand, fuhr er fort: »Dazu ist der Strick ja auch da. Was treibst du dich hier herum, he?«

»Das tue ich nicht – ich gehe heim«, sagte Kelderek, ohne sie aus den Augen zu lassen.

»Heim?« Der Mann lachte kurz. »Das erstemal, daß einer in Zeray das so nennt.«

»Gute Nacht«, sagte Kelderek. »Entschuldigt die Störung.«

»Nicht so schnell«, sagte der andere und trat zur Seite. »Bist wohl ein Fischer, wie?« Plötzlich stutzte er, hob sein Licht hoch und blickte Kelderek forschend an. »Mein Gott!« sagte er. »Ich kenne dich. Du bist der ortelganische König von Bekla!«

Nun starrte ihn der erste Mann an. »Verdammt, er ist es«, sagte er. »Stimmt es nicht? Der ortelganische König, der mit dem Bären redete?«

»Mach dich nicht lächerlich«, sagte Kelderek. »Ich weiß gar nicht, was du meinst.«

»Wir waren früher Beklaner«, sagte der zweite, »bis wir fliehen mußten, weil wir einen ortelganischen Scheißkerl erstochen haben, der's verdiente. Mir scheint, jetzt bist du an der Reihe. Hast wohl deinen Bären verloren, oder?«

»Ich war nie im Leben in Bekla, hab den Bären nie gesehen.«

»Aber du bist doch ein Ortelganer«, sagte der zweite. »Glaubst du, wir merken das nicht? Du redest genau wie diese Scheißkerle –«

»Und ich sage dir, ich war nie fort von Ortelga, bis ich hierherkommen mußte, und den Bären würde ich nicht erkennen, wenn ich ihn sähe. Zur Hölle mit dem Bären!«

»Du dreckiger Lügner!« Der erste Mann schwang seine Axt, Kelderek versetzte ihm schnell einen Schlag mit dem Knüppel, drehte sich um und rannte fort. Das Licht verlöschte ihnen, als sie ihm folgten, und sie blieben unsicher stehen. Er stand vor der Tür zum Hof, hämmerte darauf und schrie: »Ankray! Ankray!« Sofort liefen sie ihm nach. Er schrie nochmals, ließ die Fische fallen, faßte seinen Knüppel und bot ihnen die Stirn. Er hörte, wie die Riegel geöffnet wurden. Dann ging die Tür auf, und Ankray trat neben ihn, stach mit einem Speer ins Dunkel und fluchte wie ein Bauer mit einem angepflockten Stier. Die sich nähernden Schritte verlangsamten sich, Kelderek hatte noch die Geistesgegenwart, seine Fische aufzuheben, stieß Ankray durch die Tür in den Hof und schloß hinter sich ab.

»Gott sei Dank, daß es nicht schlimmer war, Herr«, sagte Ankray. »Ich warte hier draußen auf dich seit Sonnenuntergang. Ich dachte, du seist wohl in irgendwelche Schwierigkeiten geraten. Die Priesterin war in großer Sorge. Nach Einbruch der Nacht ist es immer gefährlich.«

»Ein Glück für mich, daß du gewartet hast«, sagte Kelderek. »Danke für deine Hilfe. Diese Leute scheinen die Ortelganer nicht zu lieben.«

»Das hat nichts mit Ortelganern zu tun, Herr«, sagte Ankray vorwurfsvoll. »In Zeray ist keiner sicher, sobald es dunkel wird. Der Baron hat immer —«

Melathys erschien in der Innentür, sie hielt eine Lampe über dem Kopf und starrte schweigend hinaus. Als sie näher kam, merkte er, daß sie zitterte. Er lächelte, aber sie blickte ernst, verloren und bleich wie der Mond bei Tageslicht zu ihm empor. In einer plötzlichen Regung und im Gefühl, es sei das Natürlichste auf der Welt, legte er einen Arm um ihre Schulter, neigte sich nieder und küßte sie auf die Wange. »Sei nicht böse«, sagte er, »ich verspreche dir, die Lektion werde ich mir merken — und zumindest habe ich dafür etwas vorzuweisen.« Er setzte sich beim Herd nieder und warf ein Holzscheit in die Glut. »Bring mir einen Eimer, Ankray, dann werde ich diese Fische ausnehmen. Und auch warmes Wasser, wenn du welches hast. Ich bin schmutzig.« Da wurde ihm bewußt, daß das Mädchen immer noch nicht gesprochen hatte, und er fragte sie: »Wie geht es der Tuginda?«

»Besser. Ich glaube, sie erholt sich langsam.«

Nun lächelte sie, und er merkte sofort, daß ihre natürliche Besorgnis über das Handgemenge vor dem Haus, ihr Ärger über ihn nur Wolken vor der Sonne gewesen waren. »Du auch«, dachte er, sie anblickend. Ihre Gegenwart war belebt durch einen neuen Reiz, zugleich natürlicher und bezaubernder Art, wie Schnee auf einer Bergspitze oder eine Taube auf einem Myrtenbaum. Wo ein anderer nichts bemerkt hätte, war die Änderung für ihn so klar und eindeutig wie die von Frühlingszweigen, sobald sich das erste Grün der sprossenden Blätter zeigt. Ihr Gesicht wirkte nicht mehr angespannt. Ihre Haltung und Bewegung, selbst ihr Sprechrhythmus waren ruhiger, sanfter und selbstsicherer. Als er sie nun ansah, brauchte er nicht mehr sein Gedächtnis zu bemühen, um die schöne Priesterin aus Quiso vor sich zu sehen.

»Sie erwachte am Nachmittag, und wir unterhielten uns einige Zeit. Das Fieber war gesunken, und sie konnte ein wenig essen. Nun schläft sie wieder, aber ruhiger.«

»Eine gute Nachricht«, sagte Kelderek. »Ich fürchtete, sie hätte sich angesteckt – eine Seuche. Nun glaube ich, es war nur Schock und Erschöpfung.«

»Sie ist noch schwach. Sie wird noch einige Zeit Ruhe und Schlaf brauchen; und auch frische Kost, aber die können wir hoffentlich bekommen. Bist du ein Zauberer, Kelderek, daß du in Zeray Forellen fängst? Es sind wohl die ersten, die ich sehe. Wie hast du das gemacht?«

»Ich wußte, wo man sie findet und wie man sie fängt.«

»Das ist ein gutes Vorzeichen. Glaube daran, nicht wahr, denn ich tue es auch. Aber bleib morgen hier, geh nicht wieder aus, denn Ankray soll nach Lak gehen. Wenn er vor Einbruch der Nacht zurück sein soll, braucht er den ganzen Tag.«

»Lak? Wo liegt Lak?«

»Lak ist das Dorf, von dem ich dir erzählte, zwölf oder vierzehn Kilometer nördlich von hier. Der Baron nannte es stets seinen geheimen Speiseschrank. Glabron raubte einmal Lak aus und ermordete dort einen Mann, und als der Baron Glabron getötet hatte, sorgte ich dafür, daß sie es erfuhren. Er versprach ihnen, sie würden nie wieder von Zeray belästigt werden, und als er später die Macht übernahm – oder so viel Macht, als wir eben je hatten –, schickte er immer einige Leute zur Erntezeit und für den Hüttenbau nach Lak – Leute, denen er vertrauen konnte. Schließlich bekamen ein paar die Erlaubnis, sich in Lak niederzulassen. Das gehörte zu einem weiteren Plan des Barons, der überall in der Provinz Leute aus Zeray ansiedeln wollte. Der Plan kam, wie so viele andere, nicht sehr weit, weil es an Material mangelte, aber er verhalf uns wenigstens zu etwas – zu einer privaten Speisekammer. Bel-ka-Trazet verlangte nie etwas von Lak, sondern wir machten Tauschgeschäfte, wie ich es dir erzählte, und der Dorfälteste fand es klug, ihm ab und zu Geschenke zu schicken. Seit er gestorben ist, scheinen sie jedoch abzuwarten, was geschieht, denn wir erhielten keine Nachricht, und als ich allein war, hatte ich Angst, Ankray so weit fortzuschicken. Da du nun hier bist, kann er hingehen und unser Glück versuchen. Ich habe etwas Geld, das ich ihm geben kann. Er ist in Lak natürlich bekannt, und vielleicht schicken sie uns ein wenig Frischkost, eingedenk der alten Zeiten.«

»Wären wir nicht alle vier dort sicherer als in Zeray?«

»Nun, ja – wenn sie uns dulden wollen. Wenn es Ankray morgen möglich ist, wird er dem Dorfoberhaupt von Farrass' und Thrilds Flucht sowie von der Tuginda und dir erzählen. Aber du kennst ja die Mentalität der Dorfältesten – halb Ochs, halb Fuchs, sagt man. Ihre frühere Angst vor Zeray wird wohl wieder vorherrschen; und wenn wir ihnen zu verstehen geben, daß wir eiligst von hier fortkommen wollen, werden sie sich fragen, warum, und sich noch mehr ängstigen. Wenn wir in Lak Zuflucht fänden, könnten wir einen Ausweg aus dieser Falle finden, aber wir dürfen vor allem keine Hast zeigen. Außerdem können wir erst fortgehen, wenn die Tuginda gesund ist. Ankray kann bestenfalls morgen die Lage erkunden. Sind deine Fische bereit? Gut. Ich werde drei davon braten und die anderen zwei beiseite legen. Heute abend machen wir uns ein Festessen, denn um dir die Wahrheit zu sagen« – sie senkte die Stimme vorgeblich geheimnisvoll, neigte sich lächelnd zu ihm und sagte hinter der vorgehaltenen Hand –, »Ankray und der Baron waren nie geschickt genug, um Fische zu fangen!«

Als sie gespeist hatten und Ankray mit dem herben Wein einen Trinkspruch auf den geschickten Fischer ausgebracht hatte, ging er zur Tuginda, um bei ihr zu wachen, dabei verfertigte er aus Fäden von einem alten Mantel und aus einer Haarsträhne von Melathys eine neue Angelleine; Kelderek saß dicht neben dem Mädchen, um leise sprechen zu können, und erzählte ihr alles, was seit dem Tag vorgefallen war, als Zelda ihm in Bekla zum erstenmal seine Ansicht bekanntgab, daß man Erketlis nicht besiegen könne. All das, was

ihn beinahe vernichtet hätte, die Dinge, deren er sich zutiefst schäm-
te – der Älteste, der ihn für einen Sklavenhändler gehalten hatte,
die Streels von Urtah, seine Sinnesverwirrung auf dem Schlachtfeld, Elleroths Schonung, der Grund dafür und die Art, wie er Kabin
verlassen hatte –, das erzählte er, ohne etwas zu verbergen, ins
Feuer starrend, als wäre er allein, aber ohne einen Augenblick seinen Eindruck vom Mitgefühl der Zuhörerin zu verlieren, für die
Beschmutzung, Reue und Scham längst so vertraut geworden waren
wie für ihn. Als er von der Erklärung der Tuginda für die Vorgänge bei den Streels und von dem bestimmten und unvermeidlichen
Tod Shardiks sprach, spürte er, wie Melathys sanft ihre Hand auf
seinen Arm legte. Er bedeckte sie mit seiner Hand, und es war, als
hemme seine Sehnsucht nach ihr den Fluß seiner Erzählung. Er
verstummte, und nach einer Weile sagte sie: »Und unser Herr
Shardik – wo ist er jetzt?«

»Das weiß niemand. Er überquerte den Vrako, aber ich glaube
fast, daß er schon tot ist. Auch ich wünschte mir oft den Tod, doch
jetzt –«

»Warum kamst du dann nach Zeray?«

»Richtig, warum eigentlich? Wohl aus demselben Grund wie jeder
andere Verbrecher. Für die Leute aus Yeldashay bin ich ein vogel-
freier Sklavenhändler. Ich wurde über den Vrako getrieben, und ist
man einmal auf dieser Seite, wohin kann man dann noch gehen, es
sei denn nach Zeray? Außerdem stieß ich ja, wie du weißt, auf die
Tuginda. Es gibt aber noch einen anderen Grund, das glaube ich
wenigstens. Ich habe Shardiks göttliche Kraft entehrt und verdor-
ben, so daß Gott nur sein Tod bleibt. Diese Schande und dieser Tod
werden von mir gefordert werden, und wo sollte ich warten, wenn
nicht in Zeray?«

»Und doch sprachst du davon, wir sollten, um unser Leben zu
retten, nach Lak gehen?«

»Ja, und das werde ich auch tun, wenn ich kann. Ein Mensch auf
Erden ist nur ein Tier, und welches Tier versucht nicht, sein Leben
zu retten, solange noch eine Aussicht besteht?«

Sie zog ihre Hand sanft fort. »Nun höre auf die Weisheit eines
Feiglings, der Frau eines Mörders, einer erfahrenen Priesterin aus
Quiso. Wenn du versuchst, dein Leben zu retten, wirst du es verlieren. Entweder du kannst die Wahrheit dessen hinnehmen, was du
mir erzählt hast, und demütig und geduldig warten, wie es ausgeht

– oder du wirst in diesem Land, in diesem Rattenkäfig hin und her rennen wie jeder andere Flüchtling, dich nie zur Vergangenheit bekennen und noch ein wenig mehr Betrug üben, um ein wenig mehr Zeit zu gewinnen, bis beides zu Ende ist.«

»Und das Resultat?«

»Sicher wird es ein Resultat geben. Seit ich mich umwandte und die Tuginda am Grab des Barons stehen sah, habe ich vieles verstanden – mehr als ich in Worte zu fassen vermag. Aber deshalb sitze ich eben hier mit dir und nicht mit Farrass und Thrild. Für Gottes Auge gibt es nur *eine* Zeit und nur *eine* Geschichte, zu der alle Tage auf Erden und alle menschlichen Ereignisse gehören. Das aber kann man nur selbst entdecken – es kann nicht gelehrt werden.«

Verwundert und entmutigt durch ihre Worte, tröstete es ihn doch, daß sie ihn ihrer Besorgnis für würdig hielt, wenn er auch erfaßte – oder zu erfassen glaubte –, daß sie ihm riet, sich mit dem Tode abzufinden. Nun fragte er, um die Zeit zu verlängern, die er so nahe bei ihr sitzen durfte: »Wenn die Soldaten aus Yeldashay kommen, werden sie der Tuginda vielleicht zur Rückkehr nach Quiso verhelfen. Wirst du sie dorthin begleiten?«

»Ich bin – was du weißt. Ich darf nie wieder den Fuß auf Quiso setzen. Das wäre ein Frevel.«

»Was wirst du tun?«

»Was ich dir sagte – auf das Resultat warten. Kelderek, du mußt Vertrauen zum Leben haben. Mir wurde das wiedergeschenkt. Wenn sie es nur verstünden, es ist nicht die Aufgabe der Entehrten und Schuldigen, sich abzumühen, um ihre Schuld wiedergutzumachen, sondern einfach zu warten, unaufhörlich zu harren in der Hoffnung und Erwartung der Wiedergutmachung. Viele irren, indem sie diese Hoffnung aufgeben, indem sie den Glauben verlieren, daß sie immer noch Söhne und Töchter sind.«

Er schüttelte den Kopf und starrte mit einem so bestürzten Blick in ihr lächelndes, vom Wein gerötetes Gesicht, daß sie in Lachen ausbrach und dann, indem sie sich vorneigte, um die Glut zu schüren, den Kehrreim eines alten ortelganischen Wiegenlieds, das er schon fast vergessen hatte, halb murmelte, halb sang:

>   »Wohin geht der Mond jeden Monat,
>   und wohin sind die alten Jahre entflohen?

Plag den alten Kopf doch nicht, mein Lieber,
plag ihn nicht, den armen, alten Kopf.

Du wußtest nicht, daß ich das kannte, nicht?«
»Du bist glücklich«, sagte er und beneidete sie.
»Und das wirst du auch sein«, sagte sie und griff nach seinen Händen. »Ja, obwohl wir sterben. Nun denn, jetzt haben wir uns genug Fragen gestellt für eine Nacht; es ist Zeit, schlafen zu gehen. Aber ich werde dir etwas Leichteres sagen, und das *kannst* du verstehen und glauben.« Er blickte sie erwartungsvoll an, und sie sagte mit Nachdruck: »Das war der beste Fisch, den ich jemals in Zeray gegessen habe. Fang noch mehr davon!«

46. Der Kynat

Als Kelderek am nächsten Morgen die Augen aufschlug, wußte er sofort, daß er durch einen ungewöhnlichen Klang geweckt worden war. Unsicher blieb er so still liegen wie in Erwartung eines wilden Tieres. Plötzlich kam der Ton wieder, so nah, daß er zusammenfuhr. Es war der Ruf des Kynats – zwei gleichmäßige Flötentöne, der zweite höher als der erste, gefolgt von einem zirpenden Triller, der plötzlich abbrach. Sofort war er wieder in Ortelga, der Telthearna spiegelte sich an der Innenseite des Hüttendachs, es roch nach dem Rauch von feuchtem Holz, und sein Vater schärfte pfeifend sein Messer an einem Stein. Der schöne goldene und purpurrote Vogel kam im Frühjahr zum Telthearna, blieb jedoch selten dort, sondern flog weiter nordwärts. Trotz seines prächtigen Gefieders brachte es Unglück und war von böser Vorbedeutung, ihn zu töten, denn er meldete den Sommer und schenkte Segen mit seiner Ankündigung für alle – »Kynat! Kynat tschurrrr – ak!« (»Kynat, Kynat wird es sagen!«) Der willkommene und wohlgesinnte Held vieler Lieder und Geschichten wurde einen Monat lang gehört und gepriesen, dann entschwand er und ließ hinter sich als Geschenk die beste Zeit des Jahres. Kelderek biß sich verstohlen auf die Lippe, schlich zum Fenster, hob lautlos die starke Querstange, öffnete den Laden einen Spalt weit und blickte hinaus.

Der Kynat saß kaum zehn Meter weit an der gegenüberliegenden

Seite des kleinen Hofs. Das leuchtende Purpur auf Brust und Rücken glänzte im ersten Sonnenschein prächtiger als eines Kaisers Banner. Der purpurne, golddurchsetzte Kamm war aufgestellt, und der breite Kranz des Schwanzes, dessen Federn einen Goldrand bildeten, lag ausgebreitet auf den grauen, schräg geneigten Dachziegeln, glänzte wie ein Schmetterling auf einem Stein. Aus solcher Nähe betrachtet, war er unsagbar schön, seine Pracht ließ sich für einen, der ihn nie gesehen hatte, nicht beschreiben. Der Sonnenuntergang auf dem Fluß, die über dem Moos im Schatten hängende Orchidee, die durchsichtigen, farbigen Flammen von Weihrauch und Gummi über den Kupferschalen im Tempel – nichts konnte diesen Vogel übertreffen, der sich in der Morgenstille zur Schau stellte als Vermächtnis, als sichtbares Beispiel der göttlichen Schönheit und Demut. Als Kelderek hinblickte, breitete der Vogel plötzlich seine Schwingen aus und enthüllte die weichen, safranfarbenen Daunen ihrer Unterseiten. Er sperrte den Schnabel auf und rief wieder: »Kynat! Kynat wird es sagen!« Dann flog er fort, ostwärts zum Fluß.

Kelderek öffnete den Fensterladen und stand geblendet in der Sonne, die soeben über der Mauer hochgestiegen war. In dem Augenblick wurde links von ihm ein anderer Laden geöffnet, und Melathys, im Unterhemd, mit nackten Armen und offenem Haar, beugte sich heraus, um dem Flug des Kynats nachzublicken. Als sie Kelderek sah, fuhr sie zusammen und wies dann stumm lächelnd auf den Vogel wie ein Kind, für das Gebärden natürlicher sind als Worte. Kelderek nickte und hob eine Hand mit der Geste, durch welche ortelganische Boten und heimkehrende Jäger eine gute Nachricht ankündigen. Er merkte, daß sie, wie er, den Zufall, daß er sie halb nackt sah, als etwas ganz Natürliches betrachtete; nicht daß es unwichtig gewesen wäre, wie etwa in der Verwirrung eines Brandes oder einer anderen Katastrophe, sondern eher, daß dessen Bedeutung wie an einem Festtag von einer Unanständigkeit in eine dem Anlaß angemessene Extravaganz verwandelt wurde. Einfach gesagt, dachte er, hatte der Kynat sie über sich hinausgehoben, denn das paßte zu ihrem Wesen. Und bei diesem Gedanken wurde ihm auch klar, daß er an sie nicht mehr als an die einstige Priesterin aus Quiso oder Gefährtin Bel-ka-Trazets dachte. Sein Verständnis für sie war über diese Bilder hinausgewachsen, die sich nun wie Türen öffneten und ihn zu einer wärmeren, ungeheuchelten Wirklichkeit einließen.

Von nun an würde Melathys für ihn eine Frau sein, die er kannte, und er würde, welche Fassade sie auch immer der Welt zeigen würde, ebenso wie sie selbst von innen durchblicken und viel, wenn nicht alles, wissen, das den anderen verborgen blieb. Er merkte, daß er zitterte. Lachend setzte er sich auf das Bett.

Was sich ereignet hatte, das wußte er, beinhaltete einen Widerspruch. Nach allem, was sie gelitten hatte, war sie wahrscheinlich unduldsam gegen konventionelle Anstandsbegriffe. Dessenungeachtet entsprang, was sie getan hatte, ihrem Feingefühl, nicht einer Schamlosigkeit. Durch ihre Freude an dem Kynat hingerissen, wußte sie doch sehr wohl: Kelderek würde begreifen, daß dies keine Einladung in dem Sinne war, wie sie Thrild oder Ruvit zuteil würde. Sie war sicher, er würde, was er sah, einfach als Teil ihrer gemeinsamen Freude an dem Augenblick aufnehmen. Sie hätte sich vor keinem anderen Mann so verhalten. Es war also eigentlich eine Einladung zu einem tieferen Vertrauen, wo Förmlichkeit und sogar Anstand wohl ebenso verwendet wie fallengelassen werden konnten, je nachdem, wie sie als Hilfe oder als Hindernis verstanden werden konnten. In einem solchen Rahmen konnte sinnliche Begierde warten, bis ihr der für sie bestimmte Platz zugewiesen würde.

Soviel begriff Kelderek, obgleich es neu für ihn war und außerhalb aller Erfahrungen stand, die er mit den Verbindungen zwischen Männern und Frauen gemacht hatte. Seine Erregung wuchs. Er sehnte sich nach Melathys, ihrer Stimme, ihrer Gesellschaft, ihrer bloßen Gegenwart, alles andere verlor für ihn seinen Wert. Er war nun entschlossen, ihrer beider Leben zu retten, sie aus Zeray fortzubringen, die Kriege Ikats und Beklas für immer hinter sich zu lassen ebenso wie die bittere Berufung, die ihm ungebeten zugefallen war, und die einst vergeblich gehegte Hoffnung, das große Geheimnis zu entdecken, das ihm Shardik enthüllen würde. Nach Lak zu kommen und von dort irgendwie zu entfliehen mit diesem Mädchen, das ihm den Lebenswillen wiedergeschenkt hatte – er würde es tun, wenn es sich tun ließ. Wenn es ihr möglich wäre, einen Mann zu lieben, würde er sie mit einer in der Welt einmaligen Leidenschaft und Treue gewinnen. Er erhob sich, streckte die Hände aus und begann mit leidenschaftlichem Ernst zu beten.

Er hörte das leise Klopfen eines Stocks auf dem Pflaster des Hofs, drehte sich erschrocken um und sah Ankray in Mantel und Kapuze vor dem Fenster stehen; er trug einen Sack auf der Schulter, an seinem Gürtel hing ein Schwert, und er hatte eine einfache Lanze oder einen kurzen Speer in der Hand. Er legte einen Finger an die Lippen, und Kelderek ging auf ihn zu.

»Gehst du nach Lak?« fragte er.

»Ja, Herr. Die Priesterin gab mir ein wenig Geld, und damit werde ich schon einiges besorgen können. Du mußt hinter mir das Tor abschließen. Ich wollte dir noch etwas sagen, ohne es der Priesterin mitzuteilen: auf der Straße liegt ein Toter – ein Fremder, nehme ich an, vielleicht ein Neuankömmling; die erwischt es hier meist am ehesten. Du mußt dich sehr in acht nehmen, solange ich fort bin. Ich würde an deiner Stelle nicht ausgehen, Herr, oder die Frauen allein lassen. Im Augenblick kann in der Stadt alles mögliche geschehen.«

»Aber solltest nicht gerade du achtgeben?« fragte Kelderek. »Glaubst du, daß du fortgehen kannst?«

Ankray lachte. »Ach, die können mir nichts anhaben«, sagte er. »Der Baron pflegte immer zu sagen: ›Ankray‹, sagte er, ›du schlägst sie nieder, ich hebe sie auf.‹ Aber eigentlich braucht man sie doch nicht aufzuheben, Herr, nicht wahr? Ich schlag sie also einfach nieder, es läuft aufs gleiche hinaus, verstehst du?«

Sichtlich hoch befriedigt von seiner unbestreitbaren Logik lehnte sich Ankray bequem an die Mauer. »Ja, Herr«, wiederholte er, »der Baron sagte immer: ›Ankray, du schlägst sie zu Boden –‹«

»Ich begleite dich zum Ausgang«, sagte Kelderek und entfernte sich vom Fenster. Am Hofausgang schob er die Riegel zurück und trat als erster auf die leere Straße. Der Tote lag etwa dreißig Meter entfernt mit offenen Augen und gespreizten Armen auf dem Rücken. Gesicht und Hände waren bleich und wächsern; aufgrund seiner ausgestreckten unnatürlichen Haltung und durch die wenigen zerrissenen, am Körper verbliebenen Kleidungsstücke sah er mehr wie Abfall, wie etwas Zerbrochenes und Fortgeworfenes als wie eine Leiche aus. Ein Finger war abgetrennt worden, wahrscheinlich, um einen Ring zu rauben, und der Stumpf hob sich gegen die blasse Hand als roter Kreis ab.

»Du siehst also, Herr, wie die Sache liegt«, sagte Ankray. »Ich mache mich jetzt auf den Weg. Wenn du auf mich hörst, läßt du ihn liegen. Andere werden ihn fortbringen – dessen kannst du sicher sein. Sollte ich zufällig bei Einbruch der Dunkelheit noch nicht zurück sein, sei bitte so freundlich und warte auf mich im Hof, wie ich gestern auf dich gewartet habe. Aber ich werde keine Zeit vertrödeln.«

Er schwang seinen Sack auf die Schulter, blickte sich aufmerksam um und entfernte sich.

Kelderek verriegelte die Tür und ging zurück ins Haus. Ankray hatte in der Küche saubergemacht und den Herd gereinigt, und Kelderek wusch sich in kaltem Wasser, als Melathys mit einem dunkelroten Gewand und anderen Kleidungsstücken eintrat. Kelderek war mit dem Kopf über den Eimer gebeugt, blickte lächelnd zu ihr empor und schüttelte sich das Wasser aus Augen und Ohren.

»Die haben dem Baron gehört«, sagte sie, »aber deshalb braucht man sie nicht ewig zusammengelegt im Schrank zu lassen. Sie werden dir ebenso gut passen wie deine Soldatenkleider und viel bequemer sein.« Sie legte sich nieder, füllte einen Krug für die Tuginda an und trug ihn fort.

Beim Anziehen fragte sich Kelderek, ob das vielleicht das Gewand sei, in dem Bel-ka-Trazet aus Ortelga geflohen war. Wenn nicht, konnte er es nur einem seither getöteten Feind abgenommen haben, denn es war unvorstellbar, daß ein solches Gewand in Zeray verkauft worden wäre. Elleroth selbst, dachte er, hätte es getrost tragen können. Es war aus erstklassigem Tuch, gleichmäßig dunkelrot gefärbt, und die Handarbeit war so gut, daß die Nähte fast unsichtbar waren. Es war, wie Melathys gesagt hatte, sehr bequem und weich, und allein die Tatsache, daß er es trug, schien ihn eine Stufe höher zu stellen, als er sich bei seinen schrecklichen Wanderungen und den dabei erduldeten Leiden befunden hatte.

Die Tuginda saß, abgemagert und hohläugig, aufrecht an die Wand hinter dem Bett gelehnt. Melathys kämmte ihr das Haar. Kelderek nahm eine ihrer Hände in die seinen und fragte, ob er ihr etwas zu essen bringen solle. Sie schüttelte den Kopf.

»Später«, sagte sie. Dann, nach einer Weile: »Dank dir, Kelderek, für deine Hilfe, um nach Zeray zu kommen; und ich muß dich bitten, mir zu verzeihen, daß ich dich in einer Sache täuschte.«

»Inwiefern hast du mich getäuscht, Saiyett?«

»Ich wußte natürlich, was aus dem Baron geworden war. Jede Nachricht erreicht Quiso. Ich erwartete, ihn hier zu finden, sagte es dir aber nicht. Ich merkte, daß du schwer erschüttert und erschöpft warst, und hielt es für besser, dich nicht noch mehr zu beunruhigen. Aber er hätte dir nichts zuleide getan, und auch mir nicht.«

»Du brauchst dich nicht bei mir zu entschuldigen, Saiyett, aber da du es tust, vergebe ich dir gern.«

»Melathys sagte mir, daß es nun, nach dem Tode des Barons, für uns keine Möglichkeit gibt, in Zeray Hilfe zu finden.«

Sie seufzte tief und starrte mit so enttäuschtem und hoffnungslosem Blick auf ihre sonnenbestrahlten Hände auf der Decke, daß er gerührt war und, wie man das manchmal aus Mitleid tut, mehr sagte, als er mit Sicherheit wußte.

»Mach dir keine Sorgen, Saiyett. Es ist natürlich richtig, daß es hier von Gaunern und noch Schlimmerem wimmelt, aber sobald du dich wohler fühlst, werden wir fortgehen – Melathys, du und ich und der Diener des Barons. Im Norden, nicht weit von hier, gibt es ein Dorf, wo wir hoffentlich Zuflucht finden können.«

»Melathys hat es mir erzählt. Der Diener ist heute hingegangen. Wird der Arme unverletzt bleiben?«

Kelderek lachte. »Es gibt einen Menschen, der dessen sicher ist, und das ist er selbst.«

Die Tuginda schloß müde die Augen, und Melathys legte den Kamm nieder.

»Du solltest jetzt wieder ruhen, Saiyett«, sagte sie, »und dann etwas zu essen versuchen. Ich gehe gleich in die Küche, denn bevor ich kochen kann, muß ich Feuer machen.«

Die Tuginda nickte, ohne die Augen aufzuschlagen. Kelderek folgte Melathys aus dem Zimmer. Nachdem er das Holz aufgeschichtet hatte, entzündete sie es mit einem gewölbten Stück Glas, das sie in einen Sonnenstrahl hielt. Ihm genügte es, ihr bei der Zubereitung der Mahlzeit zuzusehen, er sagte nur gelegentlich ein Wort oder reichte ihr dies oder jenes, das sie brauchte. Der Raum schien so von Ruhe und Geborgenheit erfüllt wie von Sonnenschein, und vorläufig bereitete ihm die Zukunft ebensowenig Sorge wie den Insekten, die draußen im hellen Licht fröhlich umherschwirrten.

Als es dann gegen Mittag so warm im Hof wurde wie im Sommer, schöpfte Melathys Wasser aus dem Brunnen, wusch die Alltagskleider und legte sie zum Trocknen in die Sonne. Sie kam zurück in den Hausschatten, setzte sich auf das schmale Fensterbrett und trocknete sich Hals und Stirn mit einem groben Tuch ab.

»Anderswo können Frauen ganz selbstverständlich zum Fluß gehen und dort Kleider waschen«, sagte sie. »Dafür sind Flüsse da – fürs Waschen und Schwatzen; aber nicht in Zeray.«

»Und auf Quiso?«

»Auf Quiso waren wir oftmals weniger feierlich, als du vielleicht annimmst. Aber ich dachte an irgendeine Stadt oder ein Dorf, wo gewöhnliche, ordentliche Menschen furchtlos ihren täglichen Geschäften nachgehen können, ohne, einer Kette gleich, Schande hinter sich herzuschleppen. Wäre es nicht herrlich – würde es nicht wie ein Wunder scheinen –, einfach zum Markt zu gehen, mit einem Ladenbesitzer zu handeln, auf der Straße zu schlendern und etwas zu essen, das man offen und ehrlich gekauft hat, und einer Freundin etwas davon zu geben, während man am Fluß mit ihr plaudert? Ich erinnere mich an solche Dinge – weißt du, die Mädchen auf Quiso befaßten sich recht oft mit den Geschäften der Insel; in gewisser Weise waren wir freier als andere Frauen. Der kleinen, gewöhnlichen Freuden beraubt zu sein, welche für anständige Menschen selbstverständlich sind – das ist Gefangenschaft, das ist Strafe, Kummer und Schaden. Wenn die Menschen solche Dinge richtig schätzten, würden sie einander das allgemeine Vertrauen und die Ehrlichkeit höher anrechnen, wovon sie abhängen.«

»Du hast dafür eine gewisse Entschädigung. Die meisten Frauen können nicht so sprechen«, sagte Kelderek. »Für ein Dorfmädchen ist das Leben karg: kochen, weben, Kinder, Kleider auf Steinen sauberschlagen.«

»Mag sein«, sagte sie, »vielleicht. Vögel singen in den Bäumen, finden ihre Nahrung, paaren sich, bauen Nester. Von anderem wissen sie nichts.« Sie blickte lächelnd zu ihm auf und zog das Tuch langsam an ihrem Nacken hin und her. »Das Leben der Vögel ist beschränkt. Aber fange einmal einen und stecke ihn in einen Käfig, dann findest du bald heraus, ob er das Verlorene schätzt.«

Er sehnte sich so sehr, sie in die Arme zu nehmen, daß ihm einen Augenblick lang schwindlig wurde. Um seine Gefühle zu verbergen, neigte er sich über sein Messer und den halbfertigen Angelhaken.

»Du singst auch«, sagte er, »ich habe dich gehört.«

»Ja. Wenn du willst, werde ich jetzt singen. Manchmal habe ich auch für den Baron gesungen. Er hörte gern alte Lieder, die er kannte, aber es war ihm eigentlich gleichgültig, wer sie sang – auch Ankray war ihm recht. Wirklich, du solltest ihn mal hören!«

»Nein – dich. Ankray kann ich ein andermal hören.«

Sie erhob sich, warf einen Blick auf die Tuginda, verließ den Raum und kam mit einer einfachen, schmucklosen *Hinnari* aus hellfarbigem Sestuagaholz zurück, die am Griffbrett schon sehr abgenutzt war. Sie legte sie ihm in die Hände. Das Instrument war verzogen und beträchtlich verstimmt.

»Sag nichts gegen das Instrument!« meinte sie. »Soviel ich weiß, ist es das einzige in Zeray. Man fand es auf dem Fluß treibend, und der Baron gab nach und erbettelte sich die Saiten aus Lak. Wenn sie reißen, gibt es keinen Ersatz mehr.«

Sie setzte sich wieder auf das Fensterbrett, zupfte eine Weile leise an den Saiten und stimmte geduldig die spröde *Hinnari*, so gut das möglich war. Dann blickte sie auf ihren Schoß, als sänge sie nur für sich, und sang die alte Ballade von U-Deparioth und der Silberblume von Sarkid. Kelderek kannte die Geschichte – die dort im Land noch als wahr erzählt wird –, wie Deparioth, von Verrätern in dem schrecklichen Blauen Wald verlassen, wo er allein umherwandern sollte, bis er stürbe, und längst aufgegeben von seinen Freunden und Dienern, durch ein geheimnisvolles und schönes, wie eine Königin gekleidetes Mädchen aus seiner Verzweiflung in der öden Wildnis gerettet wurde. Sie pflegte seine Wunden, suchte ihm Früchte, eßbare Pilze und Wurzeln, gab ihm neuen Mut und führte den humpelnden Mann Tag um Tag durch das Waldlabyrinth, bis sie schließlich zu einem Ort kamen, den er kannte. Als er sich aber umwandte, um sie zu seinen Freunden zu führen, die ihm entgegengelaufen kamen, war sie verschwunden, und er sah nur eine hohe Silberlilie, die dort blühte, wo sie im hohen Gras gestanden hatte. Verzweifelt schluchzend sank er zu Boden, und später sehnte er sich immer wieder zurück nach den entbehrungsreichen Tagen, die er mit ihr im Wald verlebt hatte.

> Oh, gib mir wieder jenes menschenleere Moor,
> die Brombeersträucher und die Dornen, die verletzen!
> Dort lag mein wundervolles Reich, das ich verlor.
> Des Hofes Wüste hier kann mir das nie ersetzen.

Als sie geendet hatte, schwieg sie, und auch er sprach nicht, er wußte, daß er nichts zu sagen brauchte. Sie zupfte noch eine Weile an den Saiten, dann verfiel sie, wie einer Eingebung folgend, auf das Liedchen »Katze fängt Fisch«, das Generationen von ortelganischen Kindern gekannt und am Strand gesungen hatten. Er mußte verzückt auflachen, weil er so überrascht war, denn er hatte, seit er aus

Ortelga fort war, das Lied nicht mehr gehört und nicht mehr daran gedacht.

»Hast du denn in Ortelga gelebt?« fragte er. »Ich erinnere mich deiner nicht als Kind.«

»In Ortelga – nein. Das Lied lernte ich als Kind auf Quiso.«

»Du warst schon als Kind auf Quiso?« Was ihm Rantzay einst erzählte, hatte er vergessen. »Wann also –«

»Du weißt nicht, wie ich nach Quiso kam? Ich will es dir sagen. Ich wurde auf einer Sklavenfarm in Tonilda geboren und kann mich, auch wenn ich sie gekannt haben sollte, an meine Mutter nicht erinnern. Das war vor den Sklavenkriegen, und wir waren nichts als Waren, die zum Verkauf zur Schau standen. Als ich sieben Jahre alt war, wurde die Farm von Santil-ke-Erketlis und den Heldrils erobert. Ein verwundeter Hauptmann sollte nach Quiso fahren, um von der Tuginda geheilt zu werden, und er nahm mich und ein Mädchen namens Bria mit, wir sollten zu Priesterinnen erzogen werden. Bria entfloh, ehe wir den Telthearna erreichten, und ich erfuhr nie, was aus ihr geworden ist. Aber ich wurde ein Kind der Terrassen.«

»Warst du glücklich?«

»O ja. Ein Heim zu haben und weise, gute Menschen, die für dich sorgen, nachdem du zum Bestand einer Sklavenfarm gehört hast – du kannst dir nicht vorstellen, was das heißt. Er ist nicht unheilbar, weißt du – der Schaden, der einem mißhandelten Kind zugefügt wurde. Alle waren nett zu mir, ich wurde verwöhnt. Ich kam gut vorwärts – ich war nämlich nicht dumm –, und ich wuchs in dem Glauben auf, ich sei Gottes Geschenk für Quiso. Deshalb war ich, zum gegebenen Zeitpunkt, für kein wirkliches Opfer geeignet, wie es die arme Rantzay war.« Sie schwieg eine Weile, dann sagte sie: »Aber seither habe ich gelernt.«

»Tut es dir leid, daß du nie wieder zurück nach Quiso kannst?«

»Jetzt nicht; ich sagte dir ja, es wurde mir klargemacht –«

Er unterbrach sie. »Nicht zu spät?«

»Ach ja«, antwortete sie, »es ist immer zu spät.« Sie erhob sich, ging auf dem Weg zum Zimmer der Tuginda knapp an ihm vorbei, beugte sich nieder, und ihre Lippen streiften sein Ohr. »Nein, es ist nie zu spät.« Kurz darauf rief sie ihn, er solle kommen und der Tuginda zu einem Sitz am Feuer helfen, während sie das Bett machte und im Zimmer aufkehrte.

Am Spätnachmittag wurde die Sonne schwächer und der Hof

schattig. Sie saßen draußen bei dem Feigenbaum neben der Mauer, Melathys auf einer Bank unter dem offenen Fenster der Tuginda, Kelderek auf dem Deckstein des Brunnens. Nach einer Weile erhob er sich, in seiner Erinnerung beunruhigt durch das Glucksen und Flüstern tief unten im Schacht, und begann die Kleider einzusammeln, die sie am Vormittag zum Trocknen ausgebreitet hatte.

»Einige sind noch nicht trocken, Melathys.«

Sie streckte sich lässig, wölbte den Rücken und hob ihr Gesicht gegen den Himmel.

»Sie werden schon trocknen.«

»Bis heute abend nicht mehr.«

»M'mm. Immer sorgst du dich . . .«

»Wenn du willst, breite ich sie auf dem Dach aus. Dort ist es noch sonnig.«

»Es gibt keine Treppe nach oben.«

»In Bekla hatte jedes Haus Stufen bis auf das Dach.«

»In Bekla, der Stadt, fliegt doch jedes Schwein, und plätschernd im Strom fließt vorbei der Wein –«

Er blickte die fünf oder sechs Meter hohe Mauer empor, suchte sich einen Weg, kletterte über das rauhe Mauerwerk nach oben, faßte mit beiden Händen die Brüstung und zog sich hinauf. Etwa einen halben Meter tiefer lag das flache Steindach. Er tastete vorsichtig, doch es war fest genug, und er stieg darauf. Die Steine waren von der Sonnenbestrahlung warm.

»Wirf die Kleider herauf, ich werde sie ausbreiten.«

»Das Dach muß schmutzig sein.«

»Dann wirf mir einen Besen herauf. Kannst du –«

Er brach ab, als er auf den Fluß sah.

»Was ist los?« fragte Melathys ein wenig besorgt.

Kelderek antwortete nicht, und sie fragte nochmals, dringender.

»Männer auf dem anderen Flußufer.«

»*Was*?« Sie starrte ihn ungläubig an. »Das Ufer ist unbewohnt, es gibt sechzig Kilometer weit kein Dorf, so wurde mir zumindest immer gesagt. Seit ich hier bin, habe ich dort noch keinen Menschen gesehen.«

»Also, jetzt kannst du welche sehen.«

»Was tun sie?«

»Ich kann es nicht erkennen. Sie sehen wie Soldaten aus. Die Leute auf unserer Seite scheinen so überrascht wie du.«

»Hilf mir nach oben, Kelderek!«

Mit einiger Schwierigkeit kletterte sie so hoch hinauf, daß er ihre Handgelenke fassen und sie hochziehen konnte. Sie betrat das Dach, kniete sofort hinter der Brüstung nieder und winkte ihm, das gleiche zu tun.

»Vor einem Monat hätten wir in Zeray offen auf einem Dach stehen können. Ich glaube, das würde ich jetzt nicht tun.«

Sie blickten gemeinsam nach Osten. Am Ufer von Zeray hatten sich die Bummler zu Gruppen gesammelt, sie sprachen miteinander und wiesen über den Fluß. Auf dem anderen Ufer, kaum einen Kilometer weit von der Stelle, wo sie auf dem Dach knieten, war ein Trupp von etwa fünfzig Mann zu sehen, die sich eifrig zwischen den Felsen mit etwas zu schaffen machten.

»Der Mann dort links – er erteilt Befehle, siehst du es?«

»Aber was tragen sie denn?«

»Pfosten. Siehst du den näheren dort – er ist wohl so lang wie der Mittelpfahl einer ortelganischen Hütte. Wahrscheinlich wollen sie eine Hütte bauen – aber wozu denn nur?«

»Weiß der Himmel – eines aber ist sicher, mit Zeray kann es nichts zu tun haben. Dort hat noch nie jemand die Durchfahrt überquert; die Strömung ist viel zu stark.«

»Es sind doch Soldaten, nicht wahr?«

»Ich glaube, ja – oder ein Jagdausflug.«

»Im Ödland? Sieh doch, sie fangen zu graben an. Und sie haben dort zwei große Zuschlaghämmer. Wenn sie also die Pfähle tief genug versenkt haben, um oben darauf zu schlagen, werden sie sie wohl tiefer in den Boden treiben.«

»Für eine Hütte?«

»Nun, warten wir es ab. Wahrscheinlich werden sie –«

Er brach ab, als sie ihm die Hand auf den Arm legte und ihn von der Brüstung rückwärts zog.

»Was ist los?«

»Wahrscheinlich nichts«, sagte sie leise, »aber da war ein Mann, der uns von unten beobachtete – einer von deinen gestrigen Freunden, nehme ich an. Es wäre wohl besser, nach unten zu gehen, für den Fall, daß er einzubrechen beabsichtigt. Jedenfalls, je weniger wir auffallen, desto besser, und hier ist ein guter Wahlspruch: ›Aus den Augen, aus dem Sinn.‹«

Nachdem er ihr hinuntergeholfen hatte, schloß er die Läden der wenigen Fenster in der Außenmauer und machte sie fest, trug Ankrays schweren Speer in den Hof und horchte eine Weile. Es war aber alles still, und nach einiger Zeit ging er wieder ins Haus. Die Tuginda war wach, er setzte sich an das Fußende ihres Bettes und hörte gern zu, wie sie mit Melathys von früheren Zeiten auf Quiso plauderte. Einmal sprach die Tuginda von Ged-la-Dan, und obwohl Melathys offenbar die Ausdrücke genau verstand, mit denen sie seine vergeblichen Versuche, auf die Insel zu gelangen, beschrieb, waren sie für Kelderek unbegreiflich.

Es gab auch keinen Grund dafür, dachte er, daß er sie verstehen sollte. Melathys hatte gesagt, sie würde nie dorthin zurückkehren, und das würde auch er nicht. Magie, Mystizismus, Erfüllung von Voraussagungen und die Suche nach Bedeutungen jenseits von Heim und Herd – er hatte daraus wenig genug gewonnen, es sei denn, er wollte seine schwer erworbene Erfahrung dazu rechnen. Obwohl er selbst enttäuscht war, schien Melathys, nach ihren Worten zu schließen, es nicht zu sein. Es war auch ganz klar, daß die Tuginda sie als geheilt oder wiedergewonnen betrachtete – wenn diese Ausdrücke etwas bedeuteten –, in einem Sinne, der sich auf ihn nicht anwenden ließ. Wahrscheinlich, dachte er, weil Melathys sie um Vergebung gebeten hatte. Warum war er außerstande gewesen, das zu tun?

Es würde bald dunkel sein. Noch tief in Gedanken versunken, ließ er die Frauen allein und ging in den Hof hinaus, um auf Ankray zu warten.

Er stand an die verriegelte Tür gelehnt und horchte, ob er jemanden kommen hörte, dabei überlegte er, ob er nicht wieder auf das Dach klettern sollte; als er hinaufblickte, sah er Melathys auf der Schwelle stehen. Das flammende Abendlicht beleuchtete sie von Kopf bis Fuß und ließ ihr herabfallendes Haar als ebenmäßig schimmernden Schatten wie ein geschwungenes Wellental erscheinen. Wie ein Mann, der stehenblieb, um einen Regenbogen anzusehen, seinen Weg fortsetzt, dann aber sich umdreht, um ihn nochmals zu sehen, und sofort wieder von seiner Herrlichkeit bezaubert ist, so wurde Kelderek von Melathys' Anblick bewegt. Gebannt durch seinen starren Blick, erfaßte das Mädchen gewissermaßen ihr eigenes Echo in seinen Augen und stand leise lächelnd still, wie um ihm zu sagen, daß sie ihm gern den Gefallen ließ, bis er sich imstande fände, sie aus der Fessel seines Blicks freizugeben.

»Rühr dich nicht«, sagte er, zugleich werbend und bittend, und sie zeigte weder Verwirrung noch Verlegenheit, sondern eine fröhliche, spontane und bescheidene Würde wie die einer Tänzerin. Plötzlich sah er sie in seiner Einbildung, so wie ihm damals in der Halle des Königlichen Hauses in Bekla, als er darauf gewartet hatte, daß die Soldaten Elleroth brachten, Shardik als Bär und zugleich als ferner Berggipfel erschienen war, als den hohen Zoanbaum am Ufer von Ortelga – ein Grenzbaum mit Farnblätterästen am Flußufer. Ohne den Blick von ihr zu wenden, durchquerte er den Hof.

»Was siehst du?« fragte Melathys und blickte lachend zu ihm auf; und Kelderek, der sich der Macht der Priesterinnen auf Quiso entsann, fragte sich, ob sie selbst das Bild des Zoanbaums in seine Vorstellung gezaubert hatte.

»Einen hohen Baum am Fluß«, antwortete er. »Eine Landmarke für den Heimkehrer.«

Er faßte ihre Hände und hob sie an die Lippen. Im selben Augenblick klopfte jemand heftig, dringend an die Hoftür. Darauf folgte ein häßliches Hohngelächter, dann ertönte Ankrays Stimme: »Nun aber fort von hier und rasch!«

47. Ankrays Nachricht

Kelderek ergriff den Speer, lief zur Tür und schob die Riegel zurück, und Ankray, das bloße Schwert in der Faust, duckte sich und trat rückwärts in den Hof; Kelderek schloß die Tür, und Ankray nahm den Sack von der Schulter.

»Hoffentlich ist alles wohlauf, Herr, bei dir und den Priesterinnen«, sagte er, zog den Spieß aus seinem Gürtel und setzte sich auf die Deckplatte des Brunnens, um seine schmutzigen hohen Gamaschen auszuziehen. »Ich tat mein Bestes, um möglichst schnell zurückzukommen, aber es ist ein beträchtliches Stück Weg über das unwirtliche Land.«

Kelderek konnte nicht sofort Worte finden und nickte bloß, dann legte er dem braven Kerl, der um ihretwillen sein Leben riskiert hatte und dem er nicht unhöflich erscheinen wollte, eine Hand auf die Schulter und lächelte.

»Nein, hier hat es keine Schwierigkeiten gegeben«, sagte er.

»Komm hinein, wasch dich und trink etwas zur Erfrischung. Laß mich deinen Sack nehmen – ja gut. Bei Gott, der ist schwer! Du hast also Erfolg gehabt, wie?«

»Also, ja und nein, Herr«, antwortete Ankray, bückte sich und trat durch die Türöffnung. »Ich konnte allerdings einiges bekommen. Ich habe frisches Fleisch, vielleicht will die Priesterin heute abend ein Stück essen.«

»Ich werde es kochen«, sagte Melathys. Sie brachte eine Schüssel mit warmem Wasser, stellte sie auf den Boden und preßte Kräuter hinein. »Du hast genug getan für einen Tag. Nein, Ankray, sei nicht albern, natürlich werde ich dir die Füße waschen. Ich will sie mir ansehen. Ah, da ist ja eine Wunde. Halt still!«

»Da sind drei volle Weinschläuche in dem Sack«, sagte Kelderek, der hineinsah, »außerdem das Fleisch, zwei Käse und einige Brotlaibe. Da ist auch Öl, und was ist das – Speck? Und Leder. Du mußt stark sein wie fünf Ochsen, daß du das fünfzehn Kilometer weit tragen konntest.«

»Achte auf die Angelhaken und die Messerklingen, Herr«, sagte Ankray. »Sie sind unverpackt, aber ich weiß ja, wo ich sie hintat.«

»Nun, was immer du zu berichten hast, zuerst wollen wir essen«, sagte Kelderek. »Wenn du damit dein Ja gemeint hast, wollen wir uns daran gütlich tun, bevor du mit dem Nein beginnst. Komm, trink von dem Wein, den du gebracht hast; auf dein Wohl!«

Es dauerte eine gute Stunde, bis die Mahlzeit zubereitet und verzehrt war. Ankray und Kelderek gingen rund um das Haus, kontrollierten die verriegelten Fensterläden von außen und vergewisserten sich, daß alles ruhig war; als sie zurückkamen, fanden sie, daß Melathys noch zwei Lampen aus der Küche ins Zimmer der Tuginda gebracht hatte. Die Tuginda empfing Ankray und dankte ihm, lobte seine Kraft und Tapferkeit und befragte ihn so herzlich und aufrichtig, daß er bald begann, ihr so zwanglos von den Abenteuern des Tages zu berichten, wie er es dem Baron erzählt hätte. Sie sagte ihm, er solle sich einen Schemel holen und Platz nehmen, und das tat er völlig ungezwungen.

»Erinnert man sich des Barons noch freundlich in Lak?« fragte Melathys.

»Ach ja, Saiyett«, antwortete Ankray. »Einige haben mich gefragt, ob sie gefahrlos herkommen könnten, um ihm gewissermaßen am Grab die Ehre zu erweisen. Ich sagte, ich würde einen Tag mit ihnen verabreden und mit ihnen gehen, damit sie den richtigen Platz finden. Die Leute in Lak haben eine hohe Meinung vom Baron.«

»Hattest du Gelegenheit, ihnen zu erzählen, was vorgefallen ist, oder zu erfahren, ob wir vielleicht hingehen könnten?«

»Also, das ist es ja eben, Saiyett: ich kann nicht sagen, daß mir das recht gelungen ist. Ich konnte nicht mit dem Dorfoberhaupt sprechen und auch mit keinem der Ältesten. Alle scheinen von der Bärenangelegenheit mächtig in Anspruch genommen. Sie hielten eine Art Beratung darüber ab, und die war noch im Gang, als ich mich auf den Rückweg machen mußte.«

»Der Bär?« fragte Kelderek scharf. »Welcher Bär? Was meinst du damit?«

»Niemand weiß, was er davon halten soll, Herr«, antwortete Ankray. »Man sagt, es ist Hexerei. Alle haben Angst, denn in der Gegend hat es noch nie einen Bären gegeben, und soviel ich verstehe, ist dieser kein natürliches Geschöpf.«

»Was hat man dir erzählt?« fragte Melathys, bleich bis zu den Lippen.

»Also, Saiyett, vor ungefähr zehn Tagen begannen die nächtlichen Überfälle auf das Vieh – Hürden wurden zerbrochen und Tiere getötet. Eines Morgens wurde ein Mann mit eingeschlagenem Schädel gefunden, und ein andermal war ein Baumstamm, den drei Männer nicht schleppen könnten, aus einer Öffnung gehoben worden, die er versperren sollte. Man fand die Spuren eines großen Tieres, aber keiner wußte, wovon sie stammten, und alle wollten aus Angst nicht danach suchen. Dann, vor drei Tagen, waren Männer auf dem Weg stromaufwärts zum Fischen, nicht weit vom Ufer, als der Bär zur Tränke kam. Angeblich war er so groß, daß sie ihren Augen nicht trauen konnten. Er sah krank und mager aus, sagten sie, aber sehr wild und gefährlich. Er starrte sie vom Ufer her an, und sie eilten fort. Die Männer, mit denen ich sprach, waren alle überzeugt, es sei ein Teufel, ich aber würde mich vor ihm nicht fürchten, es ist doch klar, wer er ist.«

Ankray machte eine Pause. Keiner der Zuhörer sprach, und er fuhr fort:

»Es war der Bär, der den Baron als jungen Mann verwundete; und als wir nach den Kämpfen Ortelga verließen – hatte all das, soviel mir zu verstehen gegeben wurde, etwas mit Zauberei und mit einem Bären zu tun. Der Baron sagte oft zu mir: ›Ankray‹, sagte er, ›mir wäre es besser ergangen, wenn ich ein Bär wäre, das ist sicher. So macht man ein Königreich aus dem Nichts, glaube mir.‹ Ich hielt das natürlich für einen Scherz, aber jetzt – nun, Saiyett, wenn ein Mensch als Bär wiederkommen sollte, dann doch kein andrer als der Baron, glaubst du nicht? Die ihn sahen, sagten, er sei schrecklich narbig und verwundet, entstellt um Nacken und Schultern, und mir scheint, das ist ein Beweis. In Lak wagt sich keiner weit fort, alles Vieh ist in einem gemeinsamen Gehege, und man läßt das Feuer in der Nacht brennen. Keiner wagt es, hinauszugehen und den Bären zu jagen. Es gibt sogar seltsame Gerüchte, wonach er lebendigen Leibes aus der Hölle gekommen sei.«

Die Tuginda sagte: »Danke, Ankray, du warst sehr tüchtig, und wir verstehen völlig, warum du nicht mit dem Oberhaupt sprechen konntest. Du hast es dir verdient, daß du dich nun gut ausschläfst. Arbeite heute nichts mehr.«

»Sehr wohl, Saiyett. Gern geschehen, glaub mir! Gute Nacht, Saiyett. Gute Nacht, Herr.«

Er ging hinaus und nahm die Lampe mit, die ihm Melathys wortlos reichte. Als seine Schritte verklangen, saß Kelderek regungslos und starrte zu Boden, wie ein Mann in einer Kneipe oder in einem Laden hofft, unerkannt zu bleiben, indem er den Blick zur Seite wendet, wenn unerwartet ein Gläubiger oder ein Feind eintritt. Drüben im Raum fiel ein Holzscheit ins Feuer, und durch die Fensterläden kam der ferne, lärmende Klang der in der Nacht quakenden Frösche. Er saß immer noch da, und noch immer sprach niemand. Als Melathys durch das Zimmer ging und sich neben dem Bett auf die Bank setzte, merkte Kelderek, daß seine Haltung unnatürlich und verkrampft geworden war, wie die eines Hundes, der sich aus Angst vor einem Nebenbuhler steif an die Wand drückt. Immer noch blickte er keine der Frauen unmittelbar an, erhob sich, nahm die zweite Lampe vom Bord neben sich und ging zur Tür.

»Ich – komme wieder – etwas – nur kurze Zeit –«

Seine Hand lag auf der Klinke, und mit einem ungewollten kurzen Blick streifte er das Gesicht der Tuginda, das sich gegen die dunkle Wand abhob. Sie begegnete seinem Blick, und er wandte sich ab. Er ging hinaus und blieb im nächsten Zimmer ein wenig vor der Feuerglut stehen. Er beobachtete, wie deren Höhlen, Klippen und Terrassen verbrannten, zerbröckelten und anderen Platz machten. Dann und wann drangen die Stimmen der Frauen, die nur wenig und leise sprachen, an seine Ohren, bis er schließlich, da er noch mehr allein sein wollte, in das Zimmer ging, wo er schlief; dort angelangt, stellte er die Lampe nieder und stand still wie ein Ochse auf einem Feld.

Welchen Einfluß, welche Macht besaß Shardik immer noch über ihn? War er seinem eigenen Willen oder dem Shardiks gefolgt, als er im Wald neben ihm geschlafen hatte, kopfüber in den tiefen Telthearna gesprungen war und schließlich Bekla und sein Königreich verlassen hatte, um durch Todesangst und Demütigung, von der keiner je erfahren würde, nach Zeray zu kommen? Er hatte geglaubt, Shardik sei tot, oder wenn nicht tot, doch irgendwo weit fort und dem Tode nah. Aber er war nicht tot, nicht weit entfernt; und die Nachricht von ihm war nun – war es sein Wunsch, daß es geschah? – zu dem Mann gedrungen, den Gott von Anfang erwählt hatte, um ihn zu vernichten, genau wie die Tuginda vorausgesagt hatte. Er hatte von Priestern in anderen Ländern gehört, welche die Gefangenen ihrer Götter und ihres Volkes waren und in ihren Tempeln oder Palästen eingeschlossen blieben bis zum Tag ihres rituellen Opfertodes. Er hatte, obzwar er ein Priester war, keine solche Gefangenschaft durchgemacht. Doch hatte er sich getäuscht in seiner Annahme, es stünde ihm frei, Shardik aufzugeben, sein Leben durch die Flucht zu retten und um der Frau willen, die er liebte, am Leben zu bleiben? War er wirklich wie ein Fisch, gefangen in einem schwindenden, von Land umschlossenen Teich zur Zeit der Trockenheit, dem es freistand zu schwimmen, wohin er konnte, der aber trotz aller Bemühungen dazu bestimmt war, schließlich nach Luft schnappend im Schlamm zu liegen? Gleich Bel-ka-Trazet hatte er angenommen, er sei fertig mit Shardik, doch Shardik, das befürchtete er nun, war nicht fertig mit ihm.

Er fuhr beim Klang von Schritten zusammen, und schon betrat Melathys das halbdunkle Zimmer. Wortlos nahm er sie in die Arme und küßte sie wieder und wieder – ihre Lippen, ihr Haar, ihre Augenlider –, als wollte er sich hinter Küssen verbergen. Sie schmiegte sich an ihn, ohne zu sprechen, mit ihrer Einwilligung als einziger Antwort, wie eine Frau, die in einem Weiher badet und entzückt, atemlos unter dem Wasserfall stehen bleibt, der ihn speist. Langsam wurde er ruhiger, liebkoste mit den Händen ihr Antlitz und fühlte an den Fingern ihre Tränen, die er im Lampenlicht nicht gesehen hatte.

»Meine Liebste«, flüsterte er, »meine Prinzessin, mein strahlendes Kleinod, weine nicht! Ich bringe dich fort von Zeray. Was immer geschehen mag, nie, niemals werde ich dich verlassen. Wir gehen fort, zusammen, an einen sicheren Ort. Glaube mir nur!« Er blickte lächelnd auf sie nieder. »Ich habe nichts auf der Welt und werde alles um deinetwillen opfern.«

»Kelderek.« Nun küßte sie ihn sanft, mehrmals, dann legte sie ihren Kopf an seine Schulter. »Liebster. Mein Herz ist dein, bis die Sonne ausgebrannt ist. Ach, gab es jemals einen so traurigen Ort und eine so unglückselige Stunde für eine Liebeserklärung?«

»Wie denn?« fragte er. »Wie denn sollten zwei Menschen wie wir einander als Liebende erkennen, wenn nicht am Ende der Welt, wo aller Stolz dahin ist und Rang und Stand zerstört sind?«

»Ich werde mich Hoffnung lehren«, sagte sie. »Ich werde jeden Tag, an dem du fort sein wirst, für dich beten. Nur schicke mir Nachricht, sobald du kannst.«

»Fort?« fragte er. »Wo denn?«

»Nun, in Lak, bei unserem Herrn Shardik, wo sonst?«

»Mein Lieb«, sagte er, »mach dir keine Sorgen. Ich versprach dir, ich würde dich nie verlassen. Mit Shardik bin ich fertig.«

Da trat sie zurück, breitete beide Arme weit hinter sich aus, stützte die Handflächen an die Wand und blickte ungläubig zu ihm auf.

»Aber – aber du hast doch gehört, was Ankray sagte – wir alle haben ihn gehört! Unser Herr Shardik hält sich im Wald bei Lak auf – verwundet – vielleicht sterbend! Oder glaubst du nicht, daß es unser Herr Shardik ist?«

»Einstmals – ja, und es ist noch nicht lange her – wollte ich den Tod durch Shardik suchen als Sühne für das Böse, das ich ihm und der Tuginda zugefügt habe. Aber jetzt habe ich die Absicht, für dich zu leben, wenn du mich haben willst. Hör mich an, Liebste. Shardiks Zeit ist für immer vorbei und, soviel ich weiß, auch die Zeit Beklas und Ortelgas. Diese Dinge sollten uns jetzt nicht mehr berühren. Unsere Aufgabe ist es, unser Leben zu bewahren – das Leben der Menschen hier im Hause –, bis wir nach Lak gehen und dann der Tuginda zu einer sicheren Rückkehr nach Quiso verhelfen können. Dann werden wir beide, du und ich, frei sein! Ich werde dich mitnehmen: wir gehen nach Deelguy oder Terekenalt – noch weiter fort, wenn du willst, irgendwohin, wo wir ein stilles, bescheidenes Leben führen können als die einfachen Menschen, als welche wir geboren wurden. Vielleicht wird Ankray mit uns kommen. Wenn wir nur fest entschlossen sind, wird uns die Chance geboten werden, endlich glücklich zu sein, fern von Lasten, für die der menschliche Geist nie geschaffen wurde, und von Mysterien, in die er keine Einsicht haben sollte.«

Sie schüttelte nur trübselig den Kopf, die Tränen tropften immerfort aus ihren Augen.

»Nein«, flüsterte sie, »nein. Du mußt dich morgen bei Tagesanbruch auf den Weg nach Lak machen, und ich muß hier bei der Tuginda bleiben.«

»Aber was soll ich denn tun?«

»Das wird dir offenbart werden. Vor allem aber mußt du ein demütiges, aufnahmewilliges Herz bewahren und die Bereitschaft, zu hören und zu gehorchen.«

»Es ist nichts als Aberglaube und Wahnsinn!« rief er aus. »Wie kann gerade ich noch weiter Shardiks Diener bleiben – ich, der ich ihn mehr als jeder andere gekränkt und ihm Schaden zugefügt habe, sogar noch mehr als Ta-Kominion? Denke nur an die Gefahr für dich und die Tuginda, wenn ihr allein mit Ankray hier bleibt! Es wimmelt jetzt in dem Ort von Gefahren. Es kann jeden Augenblick so sein, als würden fünfzig Glabrons aus dem Grab auferstehen –«

Sie schrie laut auf, sank bitterlich schluchzend zu Boden und bedeckte ihr Gesicht mit den Armen, als wolle sie sich vor seinen unerträglichen Worten schützen. Sie tat ihm leid, er kniete neben ihr nieder, streichelte ihre Schultern, sprach ihr Trost zu wie einem Kind und versuchte, ihr hochzuhelfen. Nach einiger Zeit erhob sie sich und nickte mit einer Art müder Hoffnungslosigkeit, alle wolle sie gelten lassen, was er über Glabron gesagt hatte.

»Ich weiß«, sagte sie, »ich bin krank vor Angst beim Gedanken an Zeray. Ich könnte das nie wieder überleben – jetzt nicht mehr. Dennoch mußt du fortgehen.« Plötzlich schien sie Mut zu fassen, gleichsam durch einen Zwang aus eigenem Willen. »Du wirst nicht lange allein bleiben. Die Tuginda wird gesund werden, und dann kommen wir zu dir nach Lak. Ich glaube daran! Ich glaube daran! Ach, mein Liebster, wie ich mich danach sehne – wie ich für dich beten werde! Gottes Wille geschehe!«

»Ich sage dir, Melathys, ich gehe nicht fort. Ich liebe dich. Ich werde dich nicht hier lassen.«

»Wir beide haben unseren Herrn Shardik einmal enttäuscht«, sagte sie, »aber wir werden es nicht wieder tun – jetzt nicht. Er bietet uns beiden Wiedergutmachung, und wir werden sie annehmen, selbst wenn es das Leben kostet!« Sie reichte ihm ihre Hände und blickte ihn mit dem Ausdruck der Autorität an, wenn auch das schwache Lampenlicht die Tränenspuren auf ihren Wangen zeigte.

»Komm, mein teurer und einzig Geliebter, wir gehen nun zu der Tuginda und sagen ihr, daß du nach Lak gehst.«

Einen Augenblick zögerte er, dann zog er die Schultern hoch.

»Also gut. Aber ich warne dich, ich werde ihr sagen, was ich denke.«

Sie nahm die Lampe, und er folgte ihr. Das Feuer war niedergebrannt, und als sie an dem Herd vorbeigingen, hörte er das leise, scharfe, schwindende Klirren der erkaltenden Steine und der erlöschenden Asche. Melathys klopfte an die Tür des Zimmers der Tuginda, wartete ein wenig, dann trat sie ein. Kelderek folgte ihr. Das Zimmer war leer.

Melathys stieß ihn in ihrer Hast zur Seite und lief zur Hoftür. Er rief: »Warte! Es ist unnötig –« Aber sie hatte schon die Riegel zurückgeschoben, und als er zur Tür kam, sah er das Licht ihrer Lampe auf der anderen Hofseite, reglos in der windstillen Luft. Er hörte sie rufen und lief hinüber. Die Klinke der Außentür war geschlossen, aber die Riegel waren zurückgeschoben worden. Auf dem Holz war ein anscheinend hastig mit einem Kohlenstift gezeichnetes krummliniges, sternenähnliches Symbol zu sehen.

»Was ist das?« fragte er.

»Das auf dem Terethstein eingeritzte Symbol«, flüsterte sie bestürzt. »Es ruft die Kraft Gottes an und erbittet seinen Schutz. Nur die Tuginda vermag es zu zeichnen, ohne daß es ein Frevel ist. O Gott! Sie mußte die Riegel offen lassen, aber dies konnte sie noch für uns tun, ehe sie fortging.«

»Rasch!« rief Kelderek. »Sie kann noch nicht weit sein.« Er lief über den Hof, schlug auf einen der Fensterläden und rief: »Ankray! Ankray!«

Der Mond gab genug Licht, und sie brauchtes nicht weit zu suchen. Sie lag, wo sie gefallen war, im Schatten einer Lehmmauer auf halbem Wege zum Flußufer. Als sie herankamen, verschwanden zwei Männer, die über sie gebeugt standen, lautlos wie Katzen. Sie hatte eine breite, bläuliche Beule am Nacken und blutete aus Mund und Nase. Der Mantel, den sie über ihren hastig angezogenen Kleidern getragen hatte, lag nebenan im Schmutz, wo ihn die Männer hatten fallen lassen.

Ankray hob sie wie ein Kind auf, und sie eilten zusammen zurück; Kelderek hielt das Messer bereit und blickte wiederholt über seine Schulter, um zu sehen, ob sie verfolgt würden. Doch es belästigte sie niemand, und Melathys wartete an der Hoftür, die sie öffnete. Als Ankray die Tuginda auf ihr Bett gelegt hatte, entkleidete Melathys sie und fand keine schweren Verletzungen außer dem Schlag unter dem Hinterkopf. Sie wachte die ganze Nacht bei ihr, aber die Tuginda hatte bei Tagesanbruch das Bewußtsein noch nicht wiedererlangt.

Eine Stunde später machte sich Kelderek, bewaffnet und ausgerüstet mit Geld, Proviant und Bel-ka-Trazets Siegelring, auf den Weg nach Lak.

48. Jenseits von Lak

Am nächsten Nachmittag war es so warm, daß sogar zu dieser Jahreszeit, zu Frühlingsanfang, die Vögel schwiegen und aus dem Wald ein dampfender, feuchter Duft nach jungen Blättern und sprossender Vegetation aufstieg. Der Telthearna schimmerte, wie er sich in schnellem, lautlosem Strom nach Lak und zu der weiter unten liegenden Enge von Zeray hindurchwand. Nördlich von Lak erstreckte sich ein mehrere Kilometer breites Waldgebiet weiter nach Norden bis zu dem offenen Land um den Durchlaß von Linsho, der es von den dahinterliegenden Hügeln und Bergen trennte. Von der Südgrenze dieses Waldes aus, einer dicht bewachsenen und großenteils weglosen Gegend, hatte der Bär die Schuppen und Herden von Lak überfallen.

Das Ufer war in dieser Gegend unterbrochen, nur unklar begrenzt und wand sich in einer Reihe hügelartiger Vorsprünge. Dazwischen drang der Fluß in kleine Buchten und Schluchten ein, die er mit Wasser füllte und von denen manche fast einen Kilometer weit landeinwärts führten. Die Vorsprünge, Grashügel, auf denen Bäume und Büsche wuchsen, erstreckten sich vom Ufer, bis sie zwischen dichterem Unterholz jäh an Böschungen endeten, die wie kleine Klippen über den Innensümpfen standen. Es gab viele Frösche und Schlangen, und in der Dämmerung, wenn die watenden Vögel ihre Mahlzeit beendet hatten, kamen große Fledermäuse aus dem Wald und stürzten sich über dem offenen Fluß auf die Insekten. Es war ein öder Ort, der selten aufgesucht wurde, es sei denn von Fischern, die in ihren Kanus in Ufernähe arbeiteten.

Kelderek lag am Fuß eines Ollacondabaumes, fast verborgen zwischen den dicken, freiliegenden Wurzeln, die sich wie Seile um ihn wanden. Es war windstill, und außer dem Summen der Insekten kam kein Ton aus dem Wald. Das nackte, felsige gegenüberliegende Ufer lag dunstig im Sonnenschein, fast so fern, wie er es in Ortelga gesehen hatte. Auf der Wasserfläche bewegten sich nur Vögel.

In der heißen, schattigen Stille und Einsamkeit erwog er eine so verzweifelte Tat, daß er sogar jetzt, da er sich dazu entschlossen hatte, noch im stillen hoffte, sie könnte durch das plötzliche Auftauchen von Fischern oder einem Wanderer am Ufer verzögert oder vereitelt werden. Wenn Fischer kämen, würde er es als Omen betrachten, meinte er – er würde sie anrufen und bitten, ihn in ihrem Kanu zurück nach Lak mitzunehmen. Es würde keiner dadurch etwas erfahren, denn er hatte niemandem gesagt, was er beabsichtigte. Es war tatsächlich für seinen Zweck unumgänglich, daß niemand davon wußte.

Wenn die Tuginda noch lebte, würde Melathys sie nie verlassen, das wußte er. Sie würde in Zeray bleiben und die Gefahren dieses üblen Ortes ertragen; und wenn die Tuginda sich später erholte, würde sie sie nach Lak begleiten, nicht um aus Zeray zu entfliehen, sondern nur, um Shardik näher zu sein – vielleicht sogar, um selbst nach ihm zu suchen. Sollte aber die Tuginda sterben – vielleicht war sie schon tot –, würde sich Melathys, obgleich nicht mehr Priesterin in Quiso, nicht von dem Glauben abbringen lassen, daß sie selbst nun die Pflicht der Tuginda übernehmen müsse, Shardik zu finden: ja, überlegte er bitter, Gottes Willen zu erraten suchen aus den Zufällen, die in den letzten Tagen eines wilden, sterbenden Tieres zu erwarten sein mochten. Dieser Rest einer unfruchtbaren, sinnlosen Religion, die ihm schon so viel Leid gebracht hatte, stand nun zwischen ihm und jeglicher Chance, mit der Frau, die er liebte, aus Zeray zu entkommen.

Und ein solches Tier? Konnte es wirklich eine Zeit gegeben haben, in der er Shardik geliebt hatte? Hatte er tatsächlich um seinetwillen Bel-ka-Trazet getrotzt, ihn für die Inkarnation von Gottes Kraft gehalten und zu ihm gebetet, er möge sein Leben hinnehmen? Lak, wo er am Vortag zu Mittag angekommen war und wo er die Nacht verbracht hatte, war so erfüllt von Haß gegen Shardik wie ein Feuer von Hitze. Man redete von nichts anderem als von der Schädlichkeit, Geschicklichkeit und Wildheit des Bären. Er war gefährlicher als Hochwasser, seine Angriffe waren schwerer vorauszusehen als die Wirkung einer Seuche, ein Fluch, wie noch kein Dorf ihn je erlebt hatte. Er hatte nicht nur Tiere getötet, sondern mutwillig die geduldige Arbeit von Monaten zerstört – Gehege, Zäune, Koben, als Fischfallen gebaute Felsenbecken. Die meisten hielten ihn für einen Teufel und fürchteten ihn dementsprechend. Zwei Männer, erfahrene Jäger, die sich in der Hoffnung, ihm eine Falle zu stellen oder ihn zu töten, in den Wald gewagt hatten, waren tödlich verletzt gefunden worden; er hatte sie offenbar überrascht. Die Fischer, die ihn am Ufer gesehen hatten, erklärten einstimmig, sie seien in seiner bloßen Gegenwart durch das Gefühl von etwas Bösem wie von einer Schlange oder einer Giftspinne geängstigt worden.

Kelderek wies das Siegel Bel-ka-Trazets vor, sagte aber von sich nur, er sei aus Zeray geschickt worden, um Hilfe bei der Planung einer Reise der Überlebenden aus dem Haushalt des Barons nach Norden zu suchen; er hatte mit dem Ältesten gesprochen, einem alternden Mann, der sichtlich wenig oder nichts von Bekla, seiner ortelganischen Religion oder seinem Krieg mit dem fernen Yeldashay wußte. Der hatte Kelderek als einem Gefolgsmann Bel-ka-Trazets eine vorsichtige Höflichkeit bezeugt, sich so eingehend, wie er es für annehmbar hielt, über die Lage in Zeray erkundigt und darüber, was dort wahrscheinlich geschehen würde. Offensichtlich war er der Ansicht, daß nun, da der Baron tot war, aus einer Hilfe für die Frau des Barons wenig Vorteil für das Dorf zu gewinnen sei.

»Was die Reise nach Norden anlangt«, sagte er und verzog das Gesicht, kratzte sich zwischen den Schultern und winkte einem Diener, er solle Kelderek mehr von dem herben, trüben Wein einschenken, »ist eine solche Unternehmung unmöglich, solange wir so geplagt werden. Die Männer wollen sich nicht in den Wald oder stromaufwärts wagen. Vielleicht wenn die Bestie fortginge oder gar stürbe –« Er verstummte, blickte zu Boden und schüttelte den Kopf. Nach kurzer Pause sprach er weiter: »Ich dachte, wir könnten im Hochsommer – in der Hitze – vielleicht den Wald in Brand stecken, aber das wäre gefährlich. Der Wind – oftmals weht der Wind von Norden.« Er brach wieder ab und fügte dann hinzu: »Linsho – ihr wollt nach Linsho gehen? In Linsho läßt man diejenigen durch, die zahlen können. Davon leben die Bewohner.« Sein Ton war nicht ohne Neid.

»Wie steht es mit dem Überqueren des Flusses?« fragte Kelderek, aber das Dorfoberhaupt schüttelte nur wieder den Kopf. »Ein öder Ort – Raub und Mord –« Plötzlich blickte er auf, sein Auge blitzte wie der hinter Wolken hervorkommende Mond. »Wenn wir anfingen, Menschen über den Fluß zu setzen, würde das in Zeray bekannt werden.« Und er goß die Rückstände seines Weins auf den schmutzigen Boden.

Während Kelderek vor Sonnenaufgang wach lag (und sich so be-
hend kratzte wie der Dorfälteste), fiel ihm das verzweifelte und geheime Projekt ein. Wenn Melathys jemals sein und nur sein werden
sollte, mußte Shardik sterben. Wollte er einfach darauf warten, daß
Shardik stürbe, war es sehr wohl möglich, daß Melathys vorher
starb. Shardiks Tod mußte bekannt werden – die Nachricht mußte
nach Zeray gelangen –, aber es durfte nicht bekannt werden, daß er
einen gewaltsamen Tod erlitten hatte. Nur der Dorfälteste durfte ins
Vertrauen gezogen werden, bevor Shardik getötet wurde. Für ihn
würde die Geheimhaltung Bedingung sein, und Kelderek würde als
Lohn für den Beweis seines Erfolgs eine Eskorte nach Linsho für
ihn, die zwei Frauen und ihren Diener verlangen sowie die nötige
Hilfe bei der Bezahlung ihrer Überquerung des Durchlasses bei
Linsho.

Wenige Stunden später machte er sich, immer noch über seinem
Plan brütend und ohne zu sagen, wohin er ging, auf den Weg nach
Norden den Fluß entlang. Er mußte die Spuren, die Shardik vielleicht hinterlassen hatte, ohne einen Führer finden. Ihn zu töten
wäre, wenn es überhaupt möglich war, eine äußerst schwierige und
gefährliche Aufgabe, die man ohne Kenntnis des Waldes und der
bei seinem Kommen und Gehen bei Lak besuchten Orte nicht versuchen konnte. Als Kelderek zu der ersten Bucht zwischen den
inselartigen Hügelchen kam, begann er, sorgfältig nach Spuren,
Dung und anderen Zeichen von Shardiks Gegenwart zu suchen.

Nicht daß er im weiteren Verlauf des einsamen Morgens auch nur
einen Augenblick frei gewesen wäre von einer wachsenden, bedrük-
kenden Furcht und Scheu: die Furcht führte ihm seine von den
mächtigen Bärenklauen zerfetzte, blutende und verstümmelte Leiche deutlich vor Augen, die Scheu enthüllte zwar nichts, hing jedoch
wie ein Nebel am Rand seiner Gedanken und erfüllte ihn mit arg-
wöhnischer Sorge. Wie ein Dieb oder Flüchtling, der an einem
Wachtturm oder Wächterhaus vorbeigehen muß, seinen Weg fortsetzt, sich aber doch nicht enthalten kann, aus dem Augenwinkel
zu den Mauern zu schielen, auf denen niemand zu sehen ist, so setzte
Kelderek seine Wanderung fort, ohne den Gedanken aufgeben oder
völlig ausschließen zu können, daß er aus einem für ihn nicht über-
sehbaren, übernatürlichen Gebiet beobachtet und überwacht wurde.

Shardiks Kraft lag im Schwinden, Sinken, Vergehen. Sein Tod war
bestimmt, war gefordert von Gott. Warum also sollte nicht sein Prie-

ster beschleunigen, was unvermeidlich war? Und dennoch, ihm als Feind zu nahen, seinen Tod zu beabsichtigen – er dachte an jene, die es getan hatten, an Bel-ka-Trazet, an Gel-Ethlin, an Mollo, an jene, welche die Streels von Urtah bewachten. Er dachte auch an Ged-la-Dan, der großsprecherisch ausgezogen war, um Quiso seinen Willen aufzuzwingen. Und dann, als er schon umkehren, seinen Entschluß aufgeben wollte, sah er wieder Melathys' tränenüberströmtes Antlitz vor sich, das sich im Lampenlicht zu ihm emporwandte, und spürte ihren Körper, der sich an ihn klammerte – diesen verwundbaren Leib, der in Zeray geblieben war wie ein von Hirten auf einem wilden Berghang verlassenes Mutterschaf. Keine natürliche oder übernatürliche Gefahr war zu groß, um ihr zu trotzen, wenn er nur dadurch rechtzeitig zurückkehren könnte, um sie zu retten und zu überzeugen, daß nichts wichtiger war als die Liebe, die sie für ihn fühlte. Er kämpfte gegen seine wachsende Unruhe an und setzte seine Suche fort.

Kurz vor Mittag kam er ans andere Ende eines der inselähnlichen Vorsprünge und sah unter sich einen Teich an der Mündung eines Baches. Er kletterte über die Böschung nach unten, kniete zwischen den Steinen nieder, um zu trinken, und sah, als er den Kopf hob, knapp vor sich, wenige Meter weit auf dem gegenüberliegenden schlammigen Bachufer Bärenspuren, klar wie ein Siegel auf Wachs. Er sah sich um – sicher war dies die Stelle, von der die Fischer gesprochen hatten. Es war sichtlich eine regelmäßig benutzte Tränke, so unverkennbar vom Bären gezeichnet, daß es ein Kind erkannt hätte; und er war bestimmt irgendwann seit dem Vortag dort gewesen.

Die Spuren erblickt zu haben, bevor die eigenen Füße sich im Schlamm abgedrückt hatten, war ein Glücksfall, der es zu einer bloßen Geduldfrage machen sollte, den Bären selbst zu Gesicht zu bekommen. Er brauchte dafür nur ein sicheres Versteck, von dem aus er beobachten konnte. Er watete durch das Seichtwasser zurück zur nächsten Bucht, einen Steinwurf von dem Teich entfernt, wo er sich zum Trinken hingekniet hatte. Von da stieg er auf den Vorsprung zu dem Ollacondabaum, vergewisserte sich, daß er das Bachufer beobachten konnte, und legte sich unter den Wurzeln hin, um zu warten. Der Wind wehte, wie der Dorfälteste gesagt hatte, aus Norden, der Wald zu seiner Linken war so dicht, daß nichts herankommen konnte, ohne daß er es hören würde; und als letzten Ausweg könnte er sich in den Fluß retten. Hier war er so sicher, wie es sich billigerweise erhoffen ließ.

Langsam verstrich die Zeit, die Wolken zogen dahin, und er überlegte beim Summen der Insekten, den plötzlichen schrillen Rufen und dem Vorbeitrippeln der Wasservögel am Fluß, wie sich das Töten Shardiks bewerkstelligen ließe. Wenn er recht hatte und es eine Tränke war, zu welcher der Bär regelmäßig zurückkehrte, mußte sie ihm eine gute Gelegenheit bieten. Er hatte sich noch nie am Erlegen eines Bären beteiligt und auch mit Ausnahme des Adeligen, von dem Bel-ka-Trazet erzählt hatte, noch nie von jemandem gehört, der es versucht hätte. Ein einziger Bogenschuß schien doch zu gefährlich und zu unsicher. Wie immer sich der Beklaner das vor dreißig Jahren vorgestellt haben mochte, er jedenfalls glaubte nicht, daß man einen Bären allein damit mit Sicherheit töten könne. Mit Gift ließe es sich vielleicht machen, aber er hatte keines. Irgendeine Art von Falle zu bauen, kam nicht in Frage. Je mehr er über seine Schwierigkeiten nachdachte, desto klarer wurde ihm, daß das Unternehmen erfolglos bleiben mußte, es sei denn, des Bären Wachsamkeit und Kraft wären so gering geworden, daß er hoffen konnte, ihn mit einer Schlinge lange genug festzuhalten, um ihn mit mehreren Pfeilen zu durchbohren. Wie aber konnte man einen Bären mit der Schlinge fangen? Es gingen ihm andere, bizarre Einfälle durch den Kopf – Giftschlangen zu fangen und sie irgendwie aus einem Sack von oben auf den Bären fallen zu lassen, während er an der Tränke seinen Durst stillte, oder einen schweren Speer aufzuhängen. Ungeduldig unterbrach er seine Gedanken – diese kindischen Pläne waren unausführbar. Im Augenblick konnte er nichts anderes tun, als auf den Bären zu warten, dessen Zustand und Verhalten beobachten und sehen, ob sich irgendein neuer Plan fassen ließe.

Etwa drei Stunden später hatte er in seiner Wachsamkeit schon ein wenig nachgelassen, die schweißbedeckte Stirn auf den Unterarm gelegt und fragte sich, die Augen zum Schutz gegen das Schimmern des Flusses geschlossen, wie Ankray sich weiteren Proviant beschaffen würde, wenn die Vorräte im Haus zur Neige gingen, da hörte er, wie ein Geschöpf durch das Unterholz auf der anderen Seite des Bachs herankam. Im nächsten Augenblick – so still und rasch können sich die verhängnisvollsten und lang erwarteten Ereignisse verwirklichen – stand Shardik geduckt vor ihm am Teichufer.

Wenn der Krieg über ein Bauerngut oder einen Landsitz hinweggegangen und weitergezogen ist, kommt die Zeit, da Dorfbewohner oder Nachbarn, die in Furcht geraten sind, weil sie die Insassen nicht mehr gesehen haben, zu dem Haus gehen. Auf dem Weg über die geschwärzten Felder oder den Pfad hinauf sehen sie sich in der unnatürlichen Stille um. Da sie keinen Rauch bemerken und ihre Rufe unbeantwortet bleiben, fürchten sie bald das Schlimmste, weisen wortlos auf die Schuppen mit ihren freiliegenden, vom Stroh entblößten Dachsparren. Sie beginnen zu suchen, und auf den plötzlichen Aufschrei eines der Ihren hin laufen sie zu einer offenen, knarrenden Tür, wo die Leiche einer Frau vornübergestreckt auf der Schwelle liegt. Die Ratten huschen davon, und ein Junge wendet sich schnell ab, er ist bleich, ihm wird übel. Einige Männer beißen die Zähne zusammen, gehen hinein und kommen mit zwei Kinderleichen zurück und einem dritten Kind, das schon gar nicht mehr weinen kann und irr um sich starrt. So wie diese Farm, die sie früher kannten, den Männern erscheinen mag, so wirkte Shardik nun auf Kelderek; und so wie sie auf Jammer und Zerstörung blicken, so betrachtete Kelderek Shardik, der aus dem Teich trank.

Das strubbelige, verschmutzte Geschöpf war hager, schien halb verhungert. Sein Pelz glich einem schlecht errichteten Zelt, das unbeholfen über den Knochenrahmen gespannt worden war. Seine Bewegungen verrieten eine zittrige, zögernde Müdigkeit, wie bei einem alten, durch Entbehrung und Krankheit geschwächten Bettler. Die halb geheilte Wunde in seinem Rücken war mit einer großen rotbraunen Kruste bedeckt, die gesprungen war und sich bei jeder Kopfbewegung öffnete und schloß. Die offene, nässende Wunde im Nacken war sichtlich quälend, entzündet und durch das Kratzen des Tieres aufgerissen. Die blutunterlaufenen Augen starrten wild und mißtrauisch umher, als suchten sie jemanden, an dem sich der Bär für sein Elend rächen könnte; bald jedoch sank der Kopf beim Trinken, als wäre sein Hochhalten unerträglich anstrengend, nach vorn ins seichte Wasser.

Nach einiger Zeit erhob sich der Bär, blickte von einer Richtung zur anderen und starrte einen Augenblick unmittelbar auf die Masse der Wurzeln, zwischen denen Kelderek versteckt lag. Er schien aber nichts zu sehen, und während Kelderek ihn durch eine schmale Öffnung wie durch ein Schlüsselloch beobachtete, kam er zu der Ansicht, daß das Tier sich eher mit dem Schnuppern der Luft und mit Lauschen befaßte als mit dem, was es sehen konnte. Obwohl es ihn nicht in seinem Versteck erblickt hatte, schien es durch etwas anderes unruhig zu werden, etwas, das nicht weit entfernt im Wald vorging. Doch schien es nicht so weit beunruhigt, daß es geflohen wäre. Es blieb eine Weile im seichten Wasser und ließ noch mehrmals wie vorher seinen Kopf sinken, um, wie Kelderek nun merkte, die Wunde in seinem Nacken zu baden und zu kühlen. Dann watete der Bär, zu Keldereks Verwunderung, von dem Teich in tieferes Wasser. Er sah erstaunt zu, wie Shardik zu einem etwas weiter draußen im Fluß liegenden Felsen schwamm. Seine Brust, die breit wie eine Tür war, tauchte ins Wasser, dann seine Schultern, und schließlich schwamm er, wenn auch unter Schwierigkeiten, zu dem Felsen und schleppte sich auf einen Vorsprung hinauf. Dort saß er nun, dem Fluß und dem fernen Ostufer zugekehrt. Nach einiger Zeit schien er mitten in die Strömung tauchen zu wollen, blieb aber zweimal stehen. Dann überkam ihn anscheinend eine Lustlosigkeit. Er kratzte sich verdrossen und legte sich auf den Felsen, wie ein alter, halbblinder Hund sich in den Staub kauert, und bedeckte seinen Kopf mit den Vordertatzen. Kelderek erinnerte sich an die Worte der Tuginda – »Er versucht, in seine Heimat zurückzukehren. Er strebt zum Telthearna und wird ihn, wenn er kann, überqueren.« Wenn ein solches Geschöpf weinen konnte, dann weinte Shardik jetzt.

Zu sehen, wie Kraft versagt, wie Wildheit hilflos wird, wie Macht und Herrschaft durch Schmerz wie Pflanzen durch Trockenheit verwelken – solche Erscheinungen lassen nicht nur Mitleid, sondern auch – und ebenso natürlich – Widerwillen und Verachtung aufkommen. Unser Schmerz um unseren sterbenden Hauptmann ist durchaus aufrichtig, dennoch müssen wir eiligst dieses niedergebrannte Feuer verlassen, bevor die wachsende Kälte unser eigenes Schicksal beschließt. Trotz all seiner glorreichen Vergangenheit ist es nur richtig, ihn zu verlassen, denn wir müssen leben und alle anderen Überlegungen aufgeben; tatsächlich ist er für die Dinge, die uns nun eigentlich angehen, belanglos geworden. Wie merkwürdig, daß anscheinend bisher niemand erkannte, daß er schließlich nie besonders weise, nie besonders tapfer, nie besonders redlich, besonders wahrheitsliebend, besonders sauber war.

Wieder blitzte vor Keldereks innerem Auge die im Licht der untergehenden Sonne stehende Gestalt Melathys' auf, der einstmals Unerreichbaren, die ihn noch vor zwei Tagen in den Armen gehalten und ihm unter Tränen gesagt hatte, daß sie ihn liebe; sie, deren fröhlicher Mut die abscheuliche Gefahr und das Unheil gering schätzte, in dem er sie gezwungenermaßen verlassen und ihrem Schicksal ausliefern mußte, sie, die sein verlorenes Königreich und sein verpfuschtes Schicksal mehr als aufwog. Haß stieg in ihm hoch gegen die räudige, verbrauchte Bestie auf dem Felsen, Ursprung und Abbild des Aberglaubens, der aus Melathys eine Räuberhure und aus Bel-ka-Trazet einen Flüchtling gemacht hatte, die Tuginda dem Tode nahe brachte und nun zwischen ihm und seiner Liebe stand. Daß dieses elende Geschöpf noch die Macht haben sollte, ihm in die Quere zu kommen und ihn mit sich ins Verderben zu reißen! Er dachte an alles, was er verloren hatte, und an alles, was er noch verlieren konnte – wahrscheinlich verlieren würde –, schloß die Augen und nagte in zorniger Enttäuschung an seinem Handgelenk.

»Zum Kuckuck mit dir!« rief er lautlos im Geist. »Fluch dir, Shardik, und deiner angeblich göttlichen Kraft! Warum rettest du uns nicht aus Zeray, uns, die wir um deinetwillen alles verloren haben, was wir besaßen, uns, die du zugrunde gerichtet und getäuscht hast? Nein, du kannst uns nicht retten, du kannst nicht einmal die Frauen retten, die ihr Leben lang dir gedient haben! Weshalb stirbst du nicht und gehst uns aus dem Weg? Stirb, Shardik, stirb, stirb!«

Plötzlich drang etwas, das wie leise Menschenrede klang, von irgendwo aus dem Wald an sein Ohr. Furcht überkam ihn, denn seit der Nacht auf dem Schlachtfeld war in ihm ein Schauder vor fernen Stimmen unsichtbarer Personen verblieben. Auch das waren fremdartige, geheimnisvolle und schwer erklärbare Laute, eher Kinder- als Männerstimmen – sie schienen vor Schmerz oder Elend zu weinen. Er sprang auf, und dabei hörte er, deutlicher als die Stimmen, ein lautes Platschen aus der Nähe. Er blickte rückwärts und sah zu seinem Schrecken, wie der Bär am Fuß der Böschung unter ihm an Land watete. Er starrte zu ihm herauf, schüttelte sich das Wasser aus dem Pelz und bleckte wütend die Zähne. In panischer Angst wandte sich Kelderek um und bahnte sich, an den hindernden Büschen und Schlingpflanzen reißend, den Weg durch das Unterholz. Ob der Bär ihn verfolgte, wußte er nicht. Er wagte nicht, sich umzudrehen, sondern kämpfte sich weiter über die Anhöhe, dabei spürte er kaum die Schnitt- und Kratzwunden, die seine Glieder bedeckten. Als er sich durch ein Gewirr von Zweigen zwängte, hatte er plötzlich keinen Boden mehr unter den Füßen. Er klammerte sich an

einen Ast, der unter dem Gewicht abbrach, verlor das Gleichgewicht und stürzte vorwärts auf die steile Uferböschung des Baches, der den Hügel auf der Landseite umrandete. Seine Stirn schlug auf eine Baumwurzel, er rollte darüber und blieb bewußtlos auf dem Rücken und halb unter Wasser in Schlamm und seichtem Wasser liegen.

49. Der Sklavenhändler

Schmerzen, Durst, blendend grünes Licht und ein Gemurmel wiederkehrender Geräusche. Kelderek schloß seine halbgeöffneten Augen wieder, runzelte dabei die Stirn und spürte etwas Enges und Rauhes, das um seinen Kopf geschlungen war. Er hob eine Hand, und seine Finger strichen über ein grobes Stoffband, das sich von einer Schläfe über die Stirn oberhalb der Augenbraue zog. Er drückte darauf, und hinter seinen Augäpfeln blitzte Schmerz auf wie eine Stichflamme. Er stöhnte und ließ die Hand sinken.

Nun erinnerte er sich an den Bären, hatte aber keine Angst mehr vor ihm. Irgend etwas – was? – hatte ihm bereits gesagt, daß der Bär fort war. Das Tageslicht – das wenige, das er unter seinen Lidern ertragen konnte – war fortgeschritten, es mußte schon einige Zeit seit seinem Sturz vergangen sein; aber nicht das war es, was ihn beruhigt hatte. Sein Bewußtsein klärte sich, und dabei spürte er wieder den rauhen Stoff auf seiner Stirn. Und wie ein unheilvolles Geräusch, das man zuerst von fern her und dann lauter aus der Nähe vernimmt, bei der Wiederholung dem Mann, der es zuerst gleichgültig vernommen hat, seine erschreckende Bedeutung offenbart, so zwängte sich Keldereks schärfer werdendem Bewußtsein die Bedeutung des Stoffes an seiner Stirn auf.

Er wandte den Kopf, hielt eine Hand vor die Augen und schlug sie auf. Er lag am Bachufer nahe der seichten, schlammigen Stelle, in die er gestürzt war. Der Abdruck seines Körpers war noch deutlich im Schlamm zu erkennen, auch die von seinen Füßen stammenden Furchen, als man ihn dorthin geschleppt hatte, wo er jetzt lag. Auf seiner anderen, dem Ufer zugewandten Seite saß ein Mann und beobachtete ihn. Als Keldereks Blick dem des Mannes begegnete, sprach der nicht, sondern starrte ihn nur weiter an. Er war abgerissen und schmutzig, hatte struppiges sandfarbenes Haar und einen etwas dunkleren Bart, schwere Lider und eine weiße Narbe seitlich am Kinn. Sein Mund war leicht geöffnet, was ihm ein nachdenkliches Aussehen verlieh und seine verfärbten Zähne zeigte. In einer Hand hielt er ein Messer, mit dessen Spitze er immer wieder spielerisch über die Fingerspitzen der anderen Hand strich.

Kelderek lächelte und stützte sich trotz des stechenden Schmerzes zwischen seinen Augen auf seine Ellbogen. Er spie Schlamm aus und sagte mit einiger Mühe auf beklanisch:

»Wenn *du* mich hier herausgeschleppt und mir den Kopf verbunden hast, danke ich dir. Du wirst mir das Leben gerettet haben.«

Der andere nickte zweimal ganz leicht, ließ aber weiter nicht erkennen, daß er gehört hatte. Sein Blick blieb zwar auf Kelderek gerichtet, doch seine Aufmerksamkeit schien sich darauf zu beschränken, daß er die Messerspitze rhythmisch nacheinander auf seine Fingerspitzen drückte.

»Dann ist der Bär also fort«, sagte Kelderek. »Wie kommst du hierher? Bist du auf der Jagd oder auf Reisen unterwegs?«

Der Mann antwortete noch immer nicht, und es fiel Kelderek ein, daß er diesseits des Vrakos war; er fluchte seiner Narrheit, weil er Fragen stellte. Er war immer noch schwach und benommen, aber vielleicht würde das vergehen, wenn er auf den Beinen war. Am besten wäre es, vor Sonnenuntergang zurück nach Lak zu gehen und festzustellen, inwieweit er nach einer Mahlzeit und einer durchschlafenen Nacht wieder auf dem Damm war. Er streckte eine Hand aus und sagte: »Würdest du mir bitte auf die Beine helfen?«

Nach einer Weile sagte der Mann, ohne sich zu rühren, in gebrochenem, aber verständlichem Ortelganisch: »Du bist weit entfernt von deiner Insel, nicht wahr?«

»Woher weißt du, daß ich ein Ortelganer bin?« fragte Kelderek.

»Weit entfernt«, wiederholte der Mann.

Nun dachte Kelderek an den Beutel, in dem er das Geld bei sich trug, das er aus Zeray mitgenommen hatte. Er war fort, ebenso wie sein Proviant und sein Messer. Das überraschte ihn nicht besonders, wohl aber etwas anderes. Warum hatte ihn der Mann, wenn er ihn beraubt hatte, aus dem Bach gezogen und seinen Kopf verbunden? Warum war er hier geblieben, um bei ihm zu wachen, und warum sprach er, der sichtlich nicht Ortelganer war, mit ihm Ortelganisch? Er sagte wieder, diesmal auf ortelganisch: »Willst du mir auf die Beine helfen?«

»Ja, steh auf«, sagte der Mann auf beklanisch, als antworte er auf eine andere Frage. Sein vorher halbes Interesse schien unmittelbarer zu werden, und er beugte sich lebhaft vor.

Kelderek stützte sich auf eine Hand, zog langsam sein linkes Bein hoch und spürte ein plötzliches Zerren am rechten Fußgelenk. Er blickte hin. Seine Fußgelenke waren mit Schellen gefesselt und durch eine dünne Kette, ungefähr von Unterarmlänge, miteinander verbunden.

»Was soll das heißen?« fragte er plötzlich erschrocken.

»Steh auf«, sagte der Mann wieder. Er erhob sich und machte mit dem blanken Messer in der Hand ein paar Schritte auf Kelderek zu.

Kelderek erhob sich auf die Knie und dann auf die Füße, wäre aber hingefallen, wenn der Mann ihn nicht am Arm gefaßt hätte. Er war kleiner als Kelderek, krummbeinig und blickte mit stoßbereitem Messer zu ihm hoch.

»Dort hinüber«, sagte er auf ortelganisch.

»Warte«, sagte Kelderek. »Einen Augenblick. Sag mir –«

Während er sprach, ergriff der Mann Keldereks linke Hand und stieß ihm die Messerspitze unter einen Fingernagel. Kelderek schrie auf und riß seine Hand zurück.

»Dort hinüber«, sagte der Mann mit einer neuerlichen Kopfbewegung und fuchtelte mit dem Messer vor Keldereks Gesicht hin und her, so daß dieser zuerst auf der einen, dann auf der anderen Seite zuckte.

Kelderek wandte sich um und begann, mit der Hand des Mannes auf seiner Schulter, durch den Schlamm zu stolpern. Bei jedem Schritt spannte sich die Kette zwischen seinen Knöcheln und verkürzte seine natürliche Schrittlänge. Er strauchelte mehrmals und verfiel schließlich in eine Art schleppenden Gang, wobei er auf Bodenerhöhungen achtete, über die er fallen könnte. Der Mann schritt neben ihm und pfiff irgendwie tonlos durch die Zähne; wenn er gelegentlich stärker pfiff, zuckte Kelderek in Erwartung eines neuen Angriffs zusammen. Sonst wäre er wahrscheinlich aus Schwäche und Übelkeit, verursacht durch die Wunde unter seinem Nagel, zusammengebrochen.

Was für ein Mann mochte das sein? Nach seiner Kleidung zu schließen und der Kenntnis der ortelganischen Sprache, schien es wenig glaubhaft, daß es sich um einen Soldaten der Truppe aus Yeldashay handelte. Wodurch war es zu erklären, daß er sich die Mühe gemacht hatte, ihn in einer einsamen Gegend aus dem Sumpf zu retten, einen mittellosen Fremdling, den er schon beraubt hatte? Kelderek saugte an seinem Finger, unter dessen abgelöstem Nagel Blut hervorsickerte. Wenn der Mann irrsinnig war – und warum nicht, jenseits des Vrakos? Was war denn Ruvit gewesen? –, mußte man wachsam bleiben und auf eine Gelegenheit warten, die sich vielleicht bieten würde. Aber die Kette würde eine schwere Behinderung bedeuten, und der Mann selbst war trotz seines kleinen Wuchses sichtlich ein höchst widerwärtiger Gegner.

Er hörte Stimmen und blickte hoch. Sie konnten nicht weit gegangen sein – vielleicht nur einen Bogenschuß weit von dem Bach. Der Boden war noch schlammig und der Wald dicht. Vorne lag eine Lichtung zwischen den Bäumen, und dort konnte er Menschen erkennen, die umhergingen, obwohl er kein Feuer oder ein anderes Anzeichen eines Lagers erblickte. Der Mann stieß einen einzelnen, unartikulierten Ruf aus – eine Art Bellen –, wartete aber nicht auf Antwort, sondern führte ihn bloß weiter wie zuvor. Sie hatten die Lichtung erreicht, als Kelderek wieder über die Kette stolperte und zu Boden fiel. Der Mann ließ ihn liegen, wo er gestürzt war, und ging weiter.

Schwer atmend und mit Schlamm bedeckt, wälzte sich Kelderek herum und blickte von der Stelle, wo er lag, seitlich nach oben. Er bemerkte sofort eine beträchtliche Menschenansammlung und erschrak bei dem Gedanken, daß er vielleicht wieder den Truppen aus Yeldashay in die Hände gefallen war, setzte sich auf und starrte um sich.

Von dem Mann abgesehen, der nicht weit von ihm saß und in einem Ledertornister kramte, gab es auf der Lichtung nur Kinder. Keines schien über dreizehn oder vierzehn Jahre alt zu sein. Ein Junge starrte Kelderek an, er hatte eine Hasenscharte und Wunden am Kinn, sein Blick war leer, schläfrig, als sei er eben erst erwacht. Etwas weiter entfernt blickte ein Knabe mit dauernd zuckendem Kopf, weit aufgerissenen Augen und vor Schreck aufgesperrtem Mund herüber. Als Kelderek sich umsah, merkte er, daß viele der Kinder verunstaltet oder irgendwie entstellt waren. Alle waren mager und schmutzig und sahen teilnahmslos und ungesund aus, wie halbverhungerte Katzen auf einem Müllabladeplatz. Fast alle waren, wie er, mit Ketten an den Knöcheln gefesselt. Von den zwei

Jungen, die nicht gefesselt waren, hatte der eine ein gelähmtes Bein, während über den Knöcheln des anderen die aufgesprungenen Striemen, welche die abgenommenen Beinschellen hinterlassen hatten, voller eitriger Wunden waren. Die Kinder saßen oder lagen stumm auf dem Boden, eines schlief, eines hockte dort und entleerte sich, eines zitterte dauernd, eines suchte das Gras nach Insekten ab und verzehrte sie. Sie verliehen der in grünlichem Licht liegenden Stelle ein unheimliches Aussehen, als wäre sie ein Weiher und die Kinder Fische in einer stummen Welt, in der sich jeder nur um Selbsterhaltung kümmerte und die anderen nicht mehr beachtete, als unbedingt erforderlich war.

Der Mann mußte also ein Sklavenhändler sein, der Kinder verkaufte. Die Zahl der im beklanischen Reich dazu Berechtigten war festgelegt worden. Nach Erkundigungen, welche die Provinzgouverneure einzogen, erhielt jeder einzelne von Kelderek die Genehmigung zum Kauf bestimmter Kontingente zu anerkannten Preisen an bestimmten Orten, durfte jedoch an demselben Ort erst nach Ablauf einer bestimmten Frist neue Einkäufe tätigen. Die Händler arbeiteten durch Vermittlung der Provinzgouverneure und unter deren Schutz, mußten sich ihnen gegenüber jedoch verpflichten, nicht mehr als ihr Kontingent zu nehmen und die anerkannten Preise zu bezahlen; dafür erhielten sie, wo es nötig war, bewaffnete Eskorten für ihre Reise zu den Märkten in Bekla, Dari-Paltesh oder Thettit-Tonilda. Wahrscheinlich war dieser Mann mit einer Gruppe Kindersklaven, die für Bekla bestimmt waren, durch den Vormarsch der Truppen aus Yeldashay abgeschnitten worden und hatte angesichts des Wertes seiner Gefangenen beschlossen, sie nicht aufzugeben, sondern mit ihnen über den Vrako zu fliehen. Das würde die erbärmliche Verfassung der Kinder erklären. Aber welcher von den Sklavenhändlern war dieser Mann? Es waren nicht viele Genehmigungen erteilt worden, und Kelderek, der möglichst viel über den zu erwartenden Gewinn und den Steuerwert des Handels erfahren wollte und selbst dann und wann mit den meisten Händlern gesprochen hatte, versuchte, sich an die einzelnen Gesichter zu erinnern. Keines davon entsprach diesem Mann. Es waren niemais mehr als siebzehn Berufsgenehmigungen im Reich gültig gewesen, und kaum eine davon war nach der Erteilung einem zweiten Inhaber übertragen worden; wer würde denn auch eine so einträgliche Beschäftigung, wenn er sie einmal in die Hände bekommen hatte, weitergeben? Von den höchstens zwanzig Namen konnte er sich an den dieses Mannes nicht erinnern. Er mußte aber doch einer von ihnen sein. Oder war er – und da durchfuhr Kelderek eine böse Ahnung –, konnte er einer von den unbefugten Sklavenhändlern sein, vor denen man ihn gewarnt und für die er die schwersten Bestrafungen ausersehen hatte? Solche, die sich ihre Sklaven überall herholten, durch Entführung, durch Betrug und Terror in entfernten Dörfern oder indem sie die Schwachköpfigen, Verunstalteten oder aus anderen Gründen Unerwünschten den verkaufswilligen Verwandten abnahmen? Dann brachten sie sie möglichst unauffällig über Land und verkauften sie heimlich an die befugten Händler oder an andere Interessenten. Daß solche Männer im Reich arbeiteten, wußte er und kannte auch ihren Ruf als unbarmherzige und grausame Menschen, als skrupellose Betrüger, die sich nahmen, was und wo sie es finden mochten. »Alle Sklavenhändler sind Händler mit dem Elend«, hatte ein gefangener Offizier aus Yeldashay ihm einmal gesagt, als er ihn verhörte, »aber es gibt einige – von denen du angeblich nichts weißt –, die dreckigen Ratten gleich durch das Land schleichen und für unbedeutenden Profit wahrlich den elendigsten Unrat zusammenkratzen; für die machen wir dich auch verantwortlich, denn wer eine Scheune baut, weiß, daß die Ratten kommen werden.« Kelderek ließ ihn reden, und der Offizier enthüllte unwissentlich ziemlich viele nützliche Informationen.

Plötzlich wurden Keldereks Erinnerungen durch völlig unerwartete Laute unterbrochen – Kinderlachen. Er blickte auf und sah ein kleines, vielleicht fünfjähriges Mädchen, das ungefesselt über die Lichtung lief und über seine Schulter zu einem großen, blonden Jungen zurückblickte. Der Junge lief ihr trotz seiner Kette nach, sichtlich zum Spaß, denn er blieb zurück und gab vor, wie man es beim Spiel mit ganz kleinen Kindern tut, daß es ihr gelang, ihm zu entkommen. Das Kind war zwar mager und blaß, sah aber weniger bedauernswert aus als die Knaben, zwischen denen es umherlief. Die Kleine war beinahe schon bei Kelderek angelangt, als sie stolperte und vornüber fiel. Der große Junge kam heran, hob sie auf und schaukelte sie in seinen Armen auf und nieder, um sie zu trösten und vom Weinen abzulenken. Damit beschäftigt, drehte er sich einen Augenblick Kelderek zu, und ihre Blicke kreuzten einander.

Wenn jemand plötzlich ein Lied vernimmt, das er seit Jahren nicht gehört hat, oder Blumen riecht, die bei der Tür blühten, wo er einstmals spielte, mag er sich zurückversetzt fühlen – ob er will oder nicht und manchmal unter Tränen – in die tiefste Vergangenheit, dabei ist ihm für Augenblicke, als wäre er ein anderer Mensch, den das Leben mit einem leiseren Druck belastete, als er seither zu ertragen gelernt hat. Mit nicht geringerer Erschütterung empfand sich Kelderek wieder als Auge Gottes, als Crendrik, der Priesterkönig von Bekla – und spürte im Augenblick wieder die Düfte von Nebel und schwelender Kohle, den bitteren Geschmack im Mund und vernahm das Murmeln hinter sich, als er vor dem Gitter im Königlichen Hause versuchte, in Augen zu blicken, denen er nicht zu begegnen vermochte: die Augen des verurteilten Elleroth. Dann war die Vision vorbei, und er starrte verwirrt auf den Jungen, der das blonde Kind in seinen Armen auf und ab bewegte.

In diesem Augenblick erhob sich der Sklavenhändler und rief: »He! Schreihals! Bled! Vorwärts!« Er ließ den Tornister liegen, ging quer über die Lichtung und schnalzte mit den Fingern, um die Kinder auf die Beine zu bringen und sie ohne ein weiteres Wort am anderen Ende zu einer Gruppe zusammenzutreiben. Er blieb neben dem großen Jungen stehen, der ihn, mit dem kleinen Mädchen in den Armen, anblickte. Die Kleine wandte sich ab und verbarg ihr Gesicht, der Junge legte ihr eine Hand auf die Schulter.

Nach einer Weile wurde es klar, daß der Sklavenhändler ihn durch Anstarren aus der Fassung bringen und ohne ein Wort oder einen Schlag gefügig machen wollte. Der Junge erwiderte seinen Blick verkrampft und vorsichtig, dann sagte er auf beklanisch mit einem starken Yeldashay-Akzent: »Sie ist nicht stark genug, um das noch lange auszuhalten, und du hast keinen Vorteil davon, wenn sie stirbt. Warum läßt du sie nicht vor dem nächsten Dorf zurück?«

Der Händler zog sein Messer. Als dann der Junge immer noch auf eine Antwort wartete, holte er ein eisernes Ding aus dem Gürtel, das aus zwei Halbkreisen bestand, die an beiden Enden mit stumpfen Stacheln versehen und durch einen kurzen Steg verbunden waren. Der Junge zögerte kurz, dann senkte er den Blick, preßte die Lippen zusammen und ging, immer noch mit der Kleinen in den Armen, zu den anderen Kindern hinüber.

Im selben Moment kam ein finster blickender Junge, etwas älter als die anderen, der auf einem Auge schielte und ein Muttermal im Gesicht hatte, auf Kelderek zugelaufen. Er trug eine zerrissene Lederjacke und einen armlangen, biegsamen Stock in der Hand.

»Vorwärts, du auch!« sagte der Junge in einer Art wütendem Bellen, wie ein Bauer, der mit einem Stück Vieh flucht, über das er sich ärgert: »Aufstehen, vorwärts!«

Kelderek erhob sich und blickte auf den Jungen nieder.

»Was willst du von mir?« fragte er.

»Keine freche Widerrede!« schrie der Junge und hob den Stock. »Geh dort hinüber, und beeil dich!«

Kelderek zog die Schultern hoch und ging langsam zu der Kindergruppe am anderen Ende der Lichtung. Es mußten etwa zwanzig oder fünfundzwanzig Knaben verschiedenen Alters sein, zwischen neun oder zehn und vierzehn Jahren, soviel er sehen konnte, aber sicher war er dessen nicht, denn sie waren in einer schrecklichen Verfassung und sahen um so viel jämmerlicher aus als selbst die ärmsten Kinder, die er jemals in Bekla oder Ortelga gesehen hatte. Sie strömten höchst unangenehme Ausdünstungen aus, und über ihren Köpfen flog eine Wolke von Fliegen umher. Ein Knabe hustete dauernd, an einen Baumstumpf gelehnt, und krümmte sich zusammen, dabei strömte ein schleimiger, ruhrartiger Ausfluß an der Innenseite seiner Beine hinunter. Eine Fliege setzte sich auf sein Ohr, und er schlug darauf. Kelderek sah, daß das Ohrläppchen ein ausgefranstes Loch aufwies. Er blickte ein anderes Kind an: auch dessen Ohr war durchbohrt. Verwundert bemerkte er, daß auch bei allen anderen Kindern das rechte Ohrläppchen durchbohrt war.

Der Sklavenhändler, der nun seinen Tornister sowie einen schweren Bogen an dessen Seite trug, ging an ihm vorbei zur Spitze der Gruppe. Dort wartete ein zweiter Junge. Auch der trug, wie der, welcher Kelderek angeschrien hatte, einen Stock und eine Lederjacke. Vierschrötig und klein gewachsen, glich er eher einem Zwerg als einem Kind. Sein Rücken war irgendwie verkrümmt, und sein langes Haar bedeckte seine Schultern, vielleicht um seine Mißgestalt zu verbergen. Als sich die Kinder, dem Händler folgend, mühsam vorwärts schleppten, bemerkte Kelderek, daß alle beim Vorbeigehen an dem zwergenhaften Jungen die Augen senkten. Der starrte jeden an, neigte sich mit angespanntem Körper und leicht gebeugten Knien zu ihnen vor, als könne er sich kaum beherrschen und müsse hinspringen und auf sie einschlagen. Kelderek spürte eine Berührung an seinem Rücken, drehte sich um und begegnete dem Blick des hochgewachsenen Jungen, der das kleine Mädchen wie einen Sack über der Schulter trug und sie an den Fußgelenken hielt.

»Gib acht, daß du Bled beim Vorbeigehen nicht ansiehst«, flüsterte der Junge. »Wenn er deine Augen sieht, geht er auf dich los.« Als Kelderek dann verwundert die Stirn runzelte, fügte er hinzu: »Er ist verrückt, oder fast verrückt.«

Mit abgewandtem Kopf gingen sie an dem Buckligen vorbei und folgten den sich mühsam dahinschleppenden Kindern in den Wald. Das Marschtempo war so langsam, daß Kelderek jedesmal, wenn seine Kette hängenblieb, Zeit hatte, sich zu bücken und sie loszumachen. Nach kurzer Zeit flüsterte der Junge wieder: »Es ist leichter, wenn du genau hinter dem vor dir gehenden Jungen gehst und deine Füße unmittelbar hintereinander aufsetzt. Dann verfängt sich die Kette nicht so leicht.«

»Wer ist dieser Mann?« flüsterte Kelderek.

»Mein Gott, weißt du das nicht?« sagte der Junge. »Genshed — du mußt doch von ihm gehört haben.«

»Einmal, in Kabin, hab ich den Namen gehört; aber woher kommt er? Er ist kein beklanischer Sklavenhändler.«

»Er ist — er ist der schlimmste von allen. Ich hatte von ihm gehört, lange bevor ich ahnte, daß ich ihn je sehen, geschweige denn in seine Hände fallen würde. Hast du gesehen, wie er mir vorhin, als ich mit ihm wegen der kleinen Shara sprechen wollte, mit dem Fliegenfänger drohte?«

»Fliegenfänger?« fragte Kelderek. »Was ist das?«

»Das Ding an seinem Gürtel. Es zwängt einem den Mund auf — weit auf —, und man kann ihn nicht schließen. Ich weiß, es klingt gar nicht schlimm, nicht wahr? Das dachte ich früher auch. Mein Vater würde sich meiner wahrscheinlich schämen, aber ich könnte es nicht noch einmal zwei Stunden lang ertragen —«

»Aber —«

»Gib acht, daß Schreihals dich nicht hört!«

Sie verstummten, als der düster blickende Junge an ihnen vorbeilief, um die Kette eines Knaben freizumachen, der gestrauchelt und sichtlich zu schwach war, um sie selbst loszumachen. Als sie etwas später weitergingen, sagte Kelderek: »Erzähle mir mehr über diesen Mann und wieso du ihm in die Hände gefallen bist. Du bist aus Yeldashay, nicht wahr?«

»Ich heiße Radu und bin der Erbe Elleroths, des Statthalters von Sarkid.«

Kelderek erkannte, daß er von Anfang an gewußt hatte, wer der

Junge sein mußte. Er antwortete nicht, und der Junge sagte nach einer Weile:

»Glaubst du mir nicht?«

»Doch, ich glaube dir. Du siehst deinem Vater sehr ähnlich.«

»Wieso, kennst du ihn denn?«

»Ja – das heißt, ich habe ihn gesehen.«

»Wo? In Sarkid?«

»In – Kabin.«

»In Kabin am Stausee? Wann war er dort?«

»Es ist noch nicht lange her. Er ist vielleicht jetzt noch dort.«

»Mit der Armee? Du meinst, General Santil ist in Kabin?«

»Vor kurzem war er dort.«

»Wenn mein Vater nur hier wäre, würde er dieses Schwein sofort töten.«

»Ruhig!« sagte Kelderek, denn die Stimme des Jungen war unbeherrscht angeschwollen. »Da, laß mich das kleine Mädchen nehmen. Du hast sie schon lange genug getragen.«

»Sie ist an mich gewöhnt – vielleicht wird sie weinen.«

Doch Shara lag, halb eingeschlafen, ebenso ruhig an Keldereks Schulter wie vorher an der Radus. Er spürte ihre Knochen, sie war sehr leicht. Zum zwanzigstenmal blieben sie stehen und warteten, bis die Kinder vorne weitergingen.

»Ich habe in Kabin gehört«, sagte Kelderek, »daß du diesem Mann in die Hände gefallen bist. Wie kam es dazu?«

»Mein Vater war auf einem Geheimbesuch bei General Santil – sogar ich wußte nicht, wohin er gegangen war. Ich hörte von einem unserer Pächter, daß Genshed in der Provinz war. Ich fragte mich, was mein Vater von mir erwarten würde – was er bei seiner Rückkehr gerne über mich hören würde. Ich beschloß, meiner Mutter nichts von Genshed zu erzählen – sie hätte mir verboten, mich von unserem Gut zu entfernen. Es erschien mir richtig, zu meinem Onkel Sildain zu gehen, dem Mann der Schwester meines Vaters, und mit ihm zu sprechen. Wir haben uns immer gut verstanden. Ich dachte, er würde wissen, was ich tun solle. Ich machte mich in Begleitung meines Dieners auf den Weg.« Er machte eine Pause.

»Und du bist dem Sklavenhändler zufällig begegnet?« fragte Kelderek.

»Ich benahm mich wie ein Kind, das ist mir jetzt klar. Torok und ich, wir machten in einem Wald Rast, ohne Wache zu halten.

Genshed schoß Torok durch die Kehle – er versteht es, seinen Bogen zu gebrauchen. Ich kniete noch neben Torok, als Schreihals und Bled über mich herfielen und mich niederschlugen. Genshed hatte keine Ahnung, wer ich war – ich hatte keine besondere Kleidung angelegt, verstehst du. Als ich es ihnen sagte, war Schreihals dafür, mich freizulassen, bevor ihnen die ganze Gegend auf den Pelz rückte, aber Genshed wollte nicht. Ich nehme an, er will wieder irgendwie zurück nach Terekenalt und dann ein Lösegeld verlangen. Er würde dabei mehr bekommen, als er je bekäme, wenn er mich als Sklaven verkaufte.«

»Aber offensichtlich wollte er deinen Diener nicht fangen?«

»Nein, und es ist merkwürdig, daß er dich gefangengenommen hat. Es ist bekannt, daß er nur mit Kindern handelt. Er hat einen bestimmten Markt dafür, weißt du.«

»Einen bestimmten Markt?«

»In Terekenalt. Weißt du, was er tut? Nicht einmal die anderen Händler wollen so arbeiten wie er. Die Knaben werden kastriert und an – nun ja, an Leute verkauft, die sie kaufen wollen. Und die Mädchen – ich glaube – ich glaube, für die Mädchen muß es noch schlimmer sein.«

»Aber hier sind keine Mädchen – nur diese Kleine.«

»Früher waren Mädchen dabei. Ich will dir erzählen, was geschehen ist, nachdem ich eingefangen wurde. Genshed zog nach Osten weiter – er ging nicht zurück nach Paltesh. Wir erfuhren natürlich nie, warum, aber ich vermute, daß ganz Sarkid hinter ihm her war, um mich zu suchen. Alle Wege nach Paltesh dürften überwacht worden sein. Als wir nach Ost-Lapan kamen, hatte er über fünfzig Kinder beisammen, Knaben und Mädchen. Da war ein Mädchen, ungefähr in meinem Alter, sie hieß Reva – ein nettes, scheues Mädchen, das noch nie von daheim fort gewesen war. Ich habe nicht erfahren, wieso sie an Genshed verkauft wurde. Schreihals und Bled, die haben sie – du weißt schon.«

»Das ließ Genshed zu?«

»O nein, sie sollten es natürlich eigentlich nicht tun. Aber er ist ihrer nicht ganz sicher, verstehst du. Auf einer Expedition kann er ohne sie nicht auskommen, und außerdem wissen sie zuviel – wahrscheinlich könnten sie ihn, wenn sie wollten, den Behörden ausliefern. Genshed verwendet keine Aufseher wie andere Sklavenhändler. Er kennt da einen besseren Trick. Er sucht sich besonders

grausame oder herzlose Jungen aus und schult sie als Aufseher. Sobald er wieder in Terekenalt ist, glaube ich, entledigt er sich ihrer und
holt sich neue für die nächste Reise. So habe ich zumindest gehört.«

»Warum arbeiten sie dann für ihn?«

»Teils weil es besser ist, ein Aufseher zu sein als ein Sklave, aber
das ist nicht alles. Er hat Gewalt über die Jungen, die er aussucht,
weil sie ihn bewundern und so sein wollen wie er.«

»Und das Mädchen, von dem du mir erzählt hast?«

»Sie beging Selbstmord.«

»Wie?«

»Eines Nachts, als Bled mit ihr zusammen war. Es gelang ihr, ihm
das Messer aus dem Gürtel zu ziehen. Er war zu sehr beschäftigt,
um es zu merken, und sie erstach sich.«

»Schade, daß sie nicht ihn erstach und dann davonlief.«

»Das wäre Reva nie eingefallen. Sie war hilflos und außer sich.«

»Wo habt ihr den Vrako überquert?« fragte Kelderek. »Und wie,
da wir schon davon sprechen?«

»Wir trafen in Ost-Lapan mit einem anderen Sklavenhändler zusammen – ein gewisser Nigon, der eine ortelganische Handelsgenehmigung besaß. Ich hörte, wie Nigon Genshed warnte, daß Santils
Armee in Eilmärschen nach Norden käme, und er solle verschwinden, solange er noch könnte. Nigon selbst wollte nach Bekla zurückkehren.«

»Er kam aber nicht bis dorthin. Er wurde von den Truppen aus
Yeldashay gefangengenommen.«

»Wirklich? Das freut mich. Nun, es hatte keinen Sinn für Genshed, nach Bekla zu kommen. Er hatte keine Genehmigung, verstehst du, deshalb ging er, wohin er konnte – nach Tonilda. Wir
liefen wie ein Waldbrand, aber jedesmal, wenn wir haltmachten,
hörten wir, daß die Truppen aus Yeldashay uns näher gekommen
waren.«

»Wie konnte das kleine Mädchen hier am Leben bleiben?«

»Sie wäre in wenigen Tagen gestorben, aber ich trug sie fast die
ganze Zeit – ich und ein anderer Junge namens Hase. Ich bin ihr
gegenüber eidlich verpflichtet, weißt du. Sie ist die Tochter eines
unserer Pächter daheim. Mein Vater würde von mir erwarten, daß
ich mich um jeden Preis um sie kümmere, und das tat ich.«

Der junge Bled war ihnen nachgekommen, und sie wanderten
einige Zeit schweigend weiter. Kelderek sah, wie die Kinder vor

ihnen mit gebeugten Köpfen vorwärts hinkten und stolperten, wortlos und apathisch wie Vieh. Als Bled weiter nach vorn ging und seinen Stock durch die Luft pfeifen ließ, hob keiner den Blick.

»Als wir in die Nähe von Thettit-Tonilda kamen, erfuhr Genshed, daß die Truppen aus Yeldashay schon westlich von uns waren und weiter nach Norden marschierten. Sie hatten uns praktisch von Gelt und Kabin abgeschnitten. In Thettit verkaufte er alle Mädchen außer Shara; er wußte, daß sie den von ihm geplanten Marsch nicht überleben könnten.«

Shara regte sich und wimmerte an Keldereks Schulter. Radu beugte sich vor, streichelte sie und flüsterte in ihr Ohr – vielleicht einen den beiden wohlbekannten Scherz, denn die Kleine kicherte, versuchte zu wiederholen, was er gesagt hatte, und verfiel wieder in leichten Schlaf.

»Warst du jemals in der Gegend nördlich von Tonilda?« fragte der Junge.

»Nein – ich weiß, sie ist wild und einsam.«

»Es gibt dort keine Straßen, und nachts war es bitter kalt. Wir hatten keine Decken, und Genshed wollte kein Feuer anzünden aus Furcht vor den Patrouillen aus Yeldashay. Doch damals hatten wir noch ein wenig Brot und auch getrocknetes Fleisch. Nur ein Knabe brach zusammen. Es war am Abend, und Genshed hängte ihn an einen Baum und ließ uns rundum stehen, bis er tot war. Ich weiß nicht, wieviel er für diesen Jungen erhalten hätte, aber man hätte doch annehmen können, er werde ihn die Nacht über ruhen lassen und abwarten, ob er am Morgen weitergehen könne. Ich sage dir, ihm kommt es nicht auf das Geld an. Ich glaube, der gibt sein Leben dafür hin, grausam sein zu können.«

»Ich nehme an, er wurde böse – verlor die Geduld.«

»Es läßt sich nicht feststellen, ob er die Geduld verliert. Seine Gewalttätigkeit ist wie die eines Insektes: plötzlich und kalt, und dennoch fühlst du, sie ist natürlich – natürlich für etwas Unmenschliches, das ganz ruhig wartet und dann blitzartig zuschlägt. So!«

Sie waren am Ufer eines Baches angelangt, und dort trieb Schreihals die Kinder nacheinander ins Wasser. Genshed stand in der Mitte, bis zum Gürtel im Wasser, faßte jedes der zappelnden Kinder am Arm und schob es zum anderen Ufer, wo Bled es hinauszog. Kelderek, der das kleine Mädchen in den Armen hielt, glitt auf dem dicken Schlamm aus und wäre hingefallen, hätte ihn Genshed nicht gefaßt. Die jungen Aufseher schimpften und fluchten unaufhörlich mit den Kindern, doch Genshed gab kein Wort, keinen Laut von sich. Als schließlich alle drüben waren, streckte er die Hand zu Bled aus, zog sich mit seiner Hilfe hinaus und blickte sich, mit den Fingern schnippend, unter den Kindern um. Wer sich hingelegt hatte, kam mühsam auf die Beine, und kurz darauf machte sich der Sklavenhändler wieder auf den Weg in den Wald.

»Als wir tatsächlich den Vrako sahen, hatten wir große Angst. Es war ein tosender Strom, eine halbe Bogenschußweite breit und voll großer Felsen. Ich konnte mir nicht denken, daß Genshed ihn mit dreißig erschöpften Kindern überqueren wollte.«

»Aber unterhalb von Kabin ist der Vrako unpassierbar«, sagte Kelderek. »Das ist doch allgemein bekannt.«

»Er hatte die Überquerung in Thettit geplant. Er schickte Schreihals, als Viehtreiberjunge verkleidet, nach Kabin hinauf und gab ihm Geld, um die Wache an der Furt zu bestechen; sie ließen ihn durch. Schreihals sollte bei der Biegung des Flusses, wo er sich nach Osten wendet, am jenseitigen Ufer auf uns warten; dennoch brauchte Genshed eineinhalb Tage, um ihn zu finden. Es ist nämlich eine wilde, verlassene Gegend, weißt du.«

»Was hatte er aber vor?«

»Genshed hatte in Thettit eine große Rolle geteerte Schnur und 200 Meter ortelganisches Seil gekauft. Er zerschnitt das Seil in mehrere Teile, und wir alle mußten sie auf dem Marsch tragen. Er spleißte die Stücke selbst wieder zusammen – er brauchte dazu eineinhalb Tage; er war sehr gründlich. Als alles bereit war, schoß er einen Pfeil über den Fluß, an den er ein Ende der Schnur befestigt hatte. Dann band er das Seil an die Schnur, und Schreihals zog es hinüber und machte es fest. Das war aber, der Strömung wegen, alles, was er tun konnte. Sie spannten das Seil, so stark sie konnten, indem sie es auf beiden Seiten mit Holzpflöcken verdrehten, die sie dann in die Erde schlugen. Infolge der Strömung und seines Gewichts war das Seil keineswegs gespannt, aber so überquerten wir den Vrako.«

Kelderek stellte sich den betäubenden Lärm des Stromes und die geängstigten Kinder vor, wie sie die Böschung hinunterstolperten.

»Sieben von uns ertranken. Der Hase ertrank – er verlor den Halt und ging unter wie ein Stein. Ich sah ihn nicht wieder hochkommen. Als ich die Hälfte der Flußbreite hinter mir hatte, war ich sicher, ich würde selbst den Halt verlieren.«

»Shara?«

»Das war der Grund. Ich hatte ihre Handgelenke um meinen Nacken festgebunden und ihr aus einem zusammengerollten Rindenstück eine Art Rohr verfertigt, das ich ihr in den Mund steckte, damit sie atmen konnte, auch wenn ihr Kopf unter Wasser käme. Aber sie bekam natürlich Angst, begann zu zappeln, und so wären wir beide beinahe umgekommen. Ich werde sie jetzt wieder nehmen.«

Kelderek gab ihm das Kind, und Radu wiegte es in den Armen, leise summend, den Mund nah an ihrem Ohr. Nach einiger Zeit fuhr er fort:

»Ich lernte etwas dabei – ich lernte, wie stark ein böser Mensch wird. Genshed ist stark, weil er böse ist. Das Böse schützt ihn, so daß er dessen Arbeit tun kann. In ein paar Tagen wirst du erkennen, was ich meine.« Nach einer Pause sagte er: »Aber Genshed ist nicht der einzige, der an unserem Elend schuld ist.«

»Wieso – wer sonst?«

»Der Feind; die Ortelganer, die den Sklavenhandel wieder eingeführt haben.«

»Sie haben Genshed keine Genehmigung gegeben.«

»Nein, aber was durften sie sich denn erwarten? Wenn du Hunde ins Haus nimmst, läßt du Flöhe hinein.«

Kelderek blieb ihm eine Antwort schuldig, und sie gingen lange in ihrem schleppenden Schneckentempo hinter den Kindern her und bückten sich alle paar Meter, um die verhedderten Ketten freizumachen. Endlich sagte Radu: »Bist du sicher, daß General Santils Heer in Kabin ist?«

»Ja – ich bin von dort gekommen.«

»Und du hast tatsächlich meinen Vater gesehen?«

»Ja.«

Sie senkten die Köpfe, um an Bled vorbeizugehen, der mit gebeugten Knien und halb gehobenem Stock dort stand. Erst als der sie wieder überholt hatte und ein Stück weiter vorn war, nahm Kelderek das Gespräch erneut auf.

»Es muß bald dämmern. Wann macht er gewöhnlich halt?«

»Bist du müde?« fragte Radu.

»Ich bin von meiner Kopfwunde noch benommen, und mein Finger schmerzt sehr. Genshed hat mich mit dem Messer unter dem Nagel gestochen.«

»Ich habe schon oft gesehen, wie er das macht«, sagte Radu. »Laß es mich ansehen. Das muß man verbinden.« Er riß einen Streifen von seinen Lumpen und wand ihn um Keldereks Finger. »Vielleicht können wir ihn später waschen. Ich bezweifle, daß er heute abend noch viel weiter gehen wird.«

»Hast du eine Ahnung, warum Genshed mich behalten will?« fragte Kelderek. »Du sagtest mir, er habe deinen Diener getötet und er handle nur mit Kindern. Hat er jemals, soviel du weißt, erwachsene Männer oder Frauen eingefangen?«

»Nein, keinen einzigen. Aber es wird, was immer es ist, ein gerissener und böser Grund sein.«

Bald darauf machten sie auf einem schlammigen Stück freien Landes halt, das sich rechts bis zum Telthearnaufer erstreckte. Kelderek rechnete, daß sie seit seiner Gefangennahme ungefähr zehn Kilometer zurückgelegt haben mochten. Er nahm an, daß Genshed nach Linsho kommen wollte, um dort, wenn er sich den Weg durch den Durchlaß erkauft hätte, zu Lande oder zu Wasser westwärts nach Terekenalt zu gelangen. Wenn es ihm selbst nicht glückte, zuvor zu entfliehen, wäre Melathys für ihn für immer verloren, und er würde höchstwahrscheinlich nie erfahren, was mit ihr oder der Tuginda geschehen war.

Auf den Befehl anzuhalten, ließen sich alle Kinder, wo sie gerade waren, nieder. Einige schliefen sofort ein. Manche duckten sich zusammen und sprachen im Flüsterton miteinander. Keines außer Shara zeigte die geringste Energie oder Tatkraft. Sie war erwacht, wanderte umher und hob glänzende Blätter oder bunte Steine auf, die ihr gefielen. Radu machte ihr aus den Blättern ein Halsband in der Art einer Margeritenkette und hängte es ihr um den Hals. Kelderek saß daneben und versuchte, sich mit dem kleinen Mädchen anzufreunden – denn es schien von ihm ein wenig eingeschüchtert –, da plötzlich sah er Genshed, gefolgt von Schreihals und Bled, herankommen. Der Sklavenhändler trug ein Werkzeug, das in Fetzen gewickelt war. Die drei gingen hinter Kelderek vorbei, und er hatte sich wieder zu Shara gewandt, da spürte er, wie er an den Schultern gepackt und rückwärts zu Boden geworfen wurde. Seine Arme wurden nach beiden Seiten gezerrt, und er schrie auf, als Genshed und Bled sich auf seine Muskeln knieten. Der Sklavenhändler beugte sich über ihn und sagte: »Mund auf, oder ich schlage dir die Zähne aus!«

Kelderek gehorchte keuchend, und dabei erblickte er Schreihals, der seine Fußgelenke festhielt und zu Genshed hinauf grinste. Der Sklavenhändler drückte Kelderek eine Handvoll Lumpen in den Mund und riß ihm den um den Kopf gewundenen Verband ab.

»Vorwärts, ans Werk!« sagte er zu Bled. »Dreh seinen Kopf hier herüber!«

Bled drehte Keldereks Kopf nach links, und der spürte sofort, wie sein rechtes Ohrläppchen gezwickt, dann zusammengedrückt und durchbohrt wurde. Ein akuter Schmerz durchzuckte ihn qualvoll vom Hals bis zu den Schultern. Sein ganzer Körper krampfte sich zusammen, fast hätte er die zwei Jungen abgeschüttelt. Als er wieder zu sich kam, hatten die drei ihn losgelassen und entfernten sich.

Kelderek zog sich die Lumpen aus dem Mund und faßte mit der Hand an sein Ohr. Die Finger wurden blutig, und Blut tropfte über seine Schulter. Das Ohrläppchen war durchbohrt. Er senkte den Kopf, atmete tief, als der schlimmste Schmerz nachzulassen begann. Er blickte auf und sah Radu neben sich. Der Junge schüttelte sein langes, verfilztes Haar zur Seite und zeigte ihm sein durchbohrtes Ohr.

»Ich habe dich nicht gewarnt«, sagte Radu. »Du bist kein Kind, und ich war nicht sicher, ob er es bei dir tun würde oder nicht.«

Kelderek biß sich in eine Hand und faßte sich soweit, daß er sprechen konnte.

»Was ist das – ein Sklavenmerkmal?«

»Es ist zum – zum Schl – zum Schlafen«, murmelte ein bleicher, zwinkernder Knabe neben ihm. »Ja, ja – zum Schlafen.« Er lachte ausdruckslos, schloß die Augen und legte den Kopf in einer albernen Gebärde auf seine gefalteten Hände.

»Geh bald h-heim«, sagte er plötzlich, öffnete die Augen wieder und wandte sich an Radu.

»Den ganzen Weg«, antwortete Radu wie einer, der ein Stichwort aufnimmt.

»Unterirdisch«, schloß der Knabe ab. »Bist du hungrig?« Radu nickte, und der Knabe verfiel wieder in sein träges Schweigen.

»Nachts ziehen sie allen eine Kette durch die Ohren«, sagte Radu. »Schreihals sagte mir einmal, daß jedes Kind, das einmal durch Gensheds Hände gegangen ist, ein durchbohrtes Ohr hat.«

Er erhob sich, um nach Shara zu sehen, die sich beim Herankommen des Sklavenhändlers im Gebüsch versteckt hatte.

Bald darauf verteilten Schreihals und Bled je eine Handvoll getrocknetes Fleisch und eine Handvoll Trockenfrüchte an die Kinder. Manche gingen bis zum Fluß, um Wasser zu holen, doch die meisten tranken aus den schmutzigen, mit Schilf bewachsenen Wasserlöchern in der Nähe. Als Kelderek und Radu mit Shara zum Fluß gingen, kam Schreihals, den Stock in der Hand, zu ihnen.

»Muß auf dich achtgeben«, sagte er zu Kelderek mit einer Art tückischer Freundlichkeit. »Du gewöhnst dich schon ein, wie? Macht's Spaß? So ist's recht.«

Kelderek hatte schon bemerkt, daß zwar alle Kinder sich vor Bled fürchteten, der sichtlich geistesgestört, fast irrsinnig war, manche aber sich mit Schreihals irgendwie zu vertragen schienen, der dann und wann – ob er nun im Augenblick gewalttätig war oder nicht – eine gewisse, bei Schindern und Tyrannen nicht ungewöhnliche rauhe Gutmütigkeit in seinem Verhalten zeigte.

»Kannst du mir sagen, weshalb ich hier bin?« fragte er. »Wozu kann mich Genshed denn gebrauchen?«

Schreihals kicherte. »Du sollst verkauft werden, Freundchen«, sagte er. »Ohne deine Eier, denke ich.«

»Was geschah mit dem Aufseher, dessen Stelle du einnimmst?« fragte Kelderek. »Ich nehme an, du kanntest ihn.«

»Kannte ihn? Ich habe ihn erschlagen«, antwortete Schreihals.

»Ach, wirklich?«

»Er war total erledigt, als wir nach Terekenalt zurückkamen, nicht wahr?« sagte Schreihals. »Er war kaputt. Eines Tages zerkratzte ein Mädchen aus Dari ihm das Gesicht. Er konnte sich ihrer nicht erwehren. In der Nacht war Genshed betrunken und sagte, wenn einer mit ihm kämpfen und ihn töten würde, bekäme er seinen Posten. Ich tötete ihn wirklich – erwürgte ihn mitten in Gensheds Hof, etwa fünfzig Kinder sahen zu. Der alte Genshed unterhielt sich königlich. Und so behielt *ich* meine Eier, verstehst du?«

Sie kamen zum Flußufer, Kelderek watete bis zu den Knien hinein, trank und wusch sich. Doch sein ganzer Körper schmerzte weiter. Als er seine Lage und die von Melathys und der Tuginda überdachte, überkam ihn Verzweiflung, und er konnte sich auf dem Rückweg zu keinem weiteren Gesprächsversuch mit Schreihals aufraffen. Auch der Junge schien nachdenklich geworden zu sein, denn er sagte nichts mehr, befahl nur, Radu solle Shara tragen.

Im Dämmerlicht und im aufsteigenden Nebel stand Genshed und

schnipste mit den Fingern, um einen Knaben nach dem anderen zu sich zu rufen. Er untersuchte an jedem Knaben, sobald der vor ihm stand, die Augen, Ohren, Hände, Füße und Fußschellen sowie die festgestellten Wunden und Verletzungen. Obwohl viele Kinder offene Wunden hatten und einige dem Zusammenbruch nahe schienen, erhielt keines eine Behandlung, und Kelderek schloß daraus, daß Genshed bloß seinen Bestand musterte und die Fähigkeit der Kinder zum Weitermarsch abschätzte. Die Kinder standen regungslos, mit gesenktem Kopf und herabhängenden Armen vor ihm, nur darauf bedacht, möglichst schnell wieder fortzukommen. Ein Knabe, der dauernd zitterte und bei jeder Bewegung Gensheds zusammenzuckte, mußte stehen bleiben, wo er war, während der Händler die anderen hinter ihm prüfte. Ein zweiter, der nicht stillbleiben konnte, sondern dauernd murmelte und an den Wunden in seinem Gesicht und den Schultern zupfte, wurde mit Hilfe der Fliegenfalle zum Schweigen gebracht, bis Genshed mit ihm fertig war.

Schreihals und Bled nahmen die Knaben, sobald sie den Sklavenhändler verließen, in Empfang und fesselten sie mit dünnen, durch ihre Ohrläppchen gezogenen Ketten zu dritt oder zu viert aneinander. Jede Kette wurde an dem einen Ende an einer kurzen Metallstange befestigt, das andere wurde am Gürtel oder Handgelenk eines Aufsehers eingehakt. Als diese Vorbereitungen beendet waren, legten sich alle, wo sie auf dem Sumpfboden standen, zum Schlafen nieder.

Kelderek war von Radu getrennt und, wie die anderen, angekettet worden; er lag zwischen zwei viel jüngeren Knaben und erwartete jeden Augenblick, daß eine Bewegung des einen oder anderen die Kettenglieder wie Sägezähne durch sein wundes Ohrläppchen ziehen würde. Bald merkte er jedoch, daß seine Gefährten, die mehr Übung als er darin besaßen, das Elend erträglich zu machen, ihn wahrscheinlich weniger stören würden als er sie. Sie bewegten sich selten und kannten den Trick, ihre Köpfe zu drehen, ohne dabei die Kette zu spannen. Nach kurzer Zeit stellte er fest, daß beide, jeder auf seiner Seite, nah an ihn herangerückt waren.

»Daran bist du noch nicht gewöhnt, wie?« flüsterte der eine Knabe im breiten Paltesher Dialekt, den Kelderek kaum verstand. »Er hat dich heute gekauft, nicht wahr?«

»Er hat mich nicht gekauft, sondern im Wald gefunden – ja, es war heute.«

»Dachte ich mir. Du riechst nach frischem Fleisch – das tun Neue oft, es hält nicht lange an.« Er brach ab, hustete, spuckte zwischen ihnen auf den Boden und sagte dann: »Der Trick ist, dicht beisammen zu liegen. Es ist wärmer, und die Kette bleibt schlaff, verstehst du, wenn sich einer bewegt, zerrt sie nicht.«

Beide Kinder hatten Ungeziefer und kratzten sich dauernd an den feuchten, schmutzigen Lumpen, die ihre mageren Körper bedeckten. Bald aber merkte Kelderek ihren Geruch nicht mehr, sondern nur den des Schlamms, in dem er lag, und das Pochen seines verwundeten Fingers. Um seine Gedanken abzulenken, flüsterte er dem Knaben zu: »Wie lange bist du schon bei dem Mann?«

»Fast zwei Monate, glaube ich. Er kaufte mich in Dari.«

»Kaufte dich? Von wem?«

»Von meinem Stiefvater. Vater ist mit General Gel-Ethlin gefallen, als ich noch sehr klein war. Mutter wohnte dann im vorigen Winter bei diesem Mann, und er mochte mich nicht, weil ich nicht rein bin. Als die Händler kamen, verkaufte er mich.«

»Versuchte deine Mutter nicht, ihn daran zu hindern?«

»Nein«, antwortete der Knabe gleichgültig. »Du hattest wohl Proviant, nicht wahr, aber er nahm ihn dir fort?«

»Ja.«

»Schreihals sagte, es ist fast gar nichts mehr von dem Scheißfraß übrig«, flüsterte der Knabe. »Sagte, sie wollten noch etwas einkaufen, aber hier gibt es keinen Drecksort, wo man etwas bekommt.«

»Weißt du, warum Genshed in diesen Wald kam?« fragte Kelderek.

»Soldaten, sagte Schreihals.«

»Was für Soldaten?«

»Weiß ich nicht. Nur mag er keine Soldaten. Deshalb spannte er das Seil über den Fluß; um von den Soldaten fortzukommen. Bist du hungrig?«

»Ja.«

Er versuchte zu schlafen, aber es gab keine Ruhe. Die Kinder wimmerten, redeten im Schlaf, schrien in Alpträumen auf. Die Ketten rasselten, es bewegte sich etwas zwischen den Bäumen. Plötzlich sprang Bled auf und schnatterte wie ein Affe, dabei riß er an allen Ketten, die an ihm befestigt waren. Kelderek hob den Kopf und konnte unweit die bucklige Gestalt des Sklavenhändlers sehen, der die Arme um seine Knie geschlungen hielt. Er sah nicht aus wie jemand, der Schlaf sucht. War er sich – wie Kelderek – der Gefahr wilder Tiere bewußt, oder war es vielleicht möglich, daß er keinen Schlaf brauchte, daß er nie schlief?

Nach einiger Zeit verfiel er in Halbschlaf, und als er erwachte – er wußte nicht, nach wie langer Zeit –, merkte er, daß das Kind neben ihm fast lautlos weinte. Er streckte die Hand aus und berührte es. Sofort hörte das Weinen auf.

»Es kann noch viel geschehen«, flüsterte Kelderek. »Hast du an deine Mutter gedacht?«

»Nein«, antwortete der Knabe, »an Sirit.«

»Wer ist Sirit?«

»Ein Mädchen, das bei uns war.«

»Was geschah mit ihr?«

»Ging nach Schlag-auf-Lee.«

»Schlag-auf-Lee? Wo liegt das?«

»Weiß nicht.«

»Woher weißt du dann, daß sie hinging?«

Der Knabe sagte nichts.

»Was ist Schlag-auf-Lee? Wer hat dir davon erzählt?«

»Dorthin gehen sie, verstehst du?« flüsterte der Knabe. »Wenn einer fortgeht, sagen wir, er ist nach Schlag-auf-Lee gegangen.«

»Ist es weit von hier?«

»Weiß nicht.«

»Nun, wenn es mir gelänge fortzulaufen und er würde mich morgen zurückbringen, wäre ich dann in Schlag-auf-Lee gewesen?«

»Nein.«

»Warum nicht?«

»Weil man von Schlag-auf-Lee nicht zurückkommt.«

»Du meinst, Sirit ist tot?«

»Weiß nicht.«

Sie verstummten. Ein Mann mag gezwungen sein, in die bittere Kälte hinauszugehen, und sich dabei bewußt sein, daß die Zukunft aussichtslos und seine Überlebenschance gering ist. Doch diese bloße Überlegung in dem Augenblick wird allein nicht genügen, um seinen Mut zu brechen oder sein Herz in Verzweiflung zu stürzen. Es ist, als trüge er noch um den Kern seines Mutes eine letzte Schicht aus schützendem Vertrauen und Wärme, die erst allmählich, Stunde um Stunde, vielleicht Tag um Tag, durch Einsamkeit und Kälte durchdrungen und zerstört werden muß, bis die letzten Reste zerstreut sind und er die schreckliche Wahrheit, die er anfänglich nur verstandesmäßig erfaßte, in seinem Körper fühlt und in seinem Herzen fürchtet. So erging es Kelderek. Nun, des Nachts, da ihn die scharfen, häßlichen Elendslaute überall umgaben und der Schmerz wie Küchenschaben in einem dunklen Haus über seinen Körper kroch, schien er hinabzusteigen, seine Lage aus einer noch tieferen Ebene zu überschauen, ihre jeder wirklichen Hoffnung bare Natur tiefer zu spüren und deutlicher zu erfassen. Nun wurde ihm klar, was vor ihm lag – der Durchgang bei Linsho und die lange Reise stromaufwärts auf dem Telthearna, vorbei an Quiso und Ortelga, nach Terekenalt; und dann die Sklaverei, vorher vielleicht noch die abscheuliche Verstümmelung, von der Schreihals gesprochen hatte. Am allerschlimmsten war der Verlust Melathys' und der Gedanke, daß sie beide nie erfahren würden, was dem anderen zugestoßen war.

In diese Lage hatte ihn Shardik gebracht – Shardik, der ihn mit übernatürlicher Feindseligkeit verfolgte, der rächte, was sein Priesterkönig an Mißbrauch und Ausbeutung an ihm verschuldet hatte. Mit Recht wurde er von Shardik verflucht und hatte nicht nur Melathys, sondern auch die Tuginda selbst bei seiner Bestrafung mitgerissen – sie, die ihr möglichstes angesichts jedes Hindernisses, das ihr in den Weg gelegt wurde, getan hatte, um Shardik vor Verrat zu schützen. Mit diesem bitteren Gedanken schlief er wieder ein.

50. Radu

Als er erwachte, ging die Sonne auf, und als er sich bewegte, schlängelte sich ein dunkelroter, gekrümmter Tausendfüßler, so lang wie seine Hand, unter ihm hervor. Schreihals zog die Ketten heraus und rollte sie in seinen Sack. Der Wald hallte von Vogelrufen wider. Schon dampfte der Boden, wo die Sonnenstrahlen auftrafen, und überall summten Fliegen über Flecken von nächtlichem Kot und Urin. Unweit hustete ein Knabe unaufhörlich, und rundum erhoben die Kinder ihre dünnen Stimmen und riefen gemeine Worte und Flüche. Zwei Knaben stritten wegen eines Lederstücks, das der eine dem anderen gestohlen hatte, bis Bleds Stock die Fluchenden auf die Beine trieb.

Schreihals verteilte Trockenobst und sah zu, während es verzehrt wurde, mit dem Stock schlagbereit gegen jedes Mausen oder Balgen. Er zwinkerte Kelderek zu und gab ihm heimlich eine zweite Handvoll Obst.

»Sieh zu, daß du es selbst ißt«, flüsterte er, »und beeil dich!«

»Ist das alles bis heute abend?« fragte Kelderek erschrocken bei dem Gedanken an den Tagesmarsch.

»Es ist so ziemlich alles, was noch übrig ist«, sagte Schreihals, immer noch leise. »Er sagt, wir können nichts mehr bekommen, bis wir in Linsho sind, und das soll morgen abend sein. Mir scheint, er wußte selbst nicht, was das hier für eine Gegend ist. Wir werden Glück haben, wenn wir lebend davonkommen.«

Kelderek warf rasch einen Blick nach rechts und links und flüsterte: »Ich könnte dich lebend hinausbringen.«

Ohne auf eine Antwort zu warten, stapfte er zu der Stelle, wo Radu aus seiner eigenen Ration Shara fütterte.

»Das kannst du dir nicht leisten«, sagte er. »Wenn du dich um sie kümmern willst, mußt du deine eigene Kraft erhalten.«

»Das hab ich schon einmal getan«, antwortete Radu. »Solange es ihr gutgeht, halte ich auch durch.« Er wandte sich an das kleine Mädchen. »Wir gehen bald heim, nicht wahr?« sagte er. »Dann zeigst du mir das neue Kalb, ja, wenn wir zu Hause sind?«

»Den ganzen Weg, unterirdisch«, sagte ein danebenstehender Junge, aber Shara nickte nur und begann wieder, mit ihren Steinen Muster zu legen.

Bald machten sie sich auf den Weg und folgten Genshed zum Flußufer. Dort angelangt, wandte sich der Sklavenhändler stromaufwärts an dem offenen, steinigen Ufer entlang.

Da sie nun nicht mehr zwischen den eng beieinanderstehenden Bäumen gingen, konnte Kelderek die ganze Kolonne überblicken und verstehen, was er am Vortag nicht verstanden hatte, warum ihr Marsch so oft unterbrochen wurde und so langsam war. Was er vor sich hatte, war ein Haufen Erschöpfter, der gewiß der völligen Auflösung nahe war. Jeden Augenblick blieb das eine oder andere Kind stehen, lehnte sich vornüber an einen Felsen oder an eine Böschung, und wenn Bled oder Schreihals herankamen, um ihm zu drohen, starrte es zurück, zu benommen, sich auch nur zu fürchten. Dann und wann fiel ein Knabe hin, und Genshed, Schreihals oder Bled zog ihn auf die Beine und schlug ihn oder spritzte ihm Wasser ins

Gesicht. Der Sklavenhändler selbst schien sich der jämmerlichen Verfassung seines Warenbestandes bewußt. Er sparte mit Schlägen und machte häufig halt, um die Kinder trinken und ihre Füße baden zu lassen. Als Bled einmal in einem Wutanfall auf einen Knaben losging, der am Fuß einer Felsenmasse herumtappte und zauderte, jagte ihn Genshed mit Schlägen und fluchend fort mit der Frage, wo er einen toten Sklaven denn verkaufen könne.

Als er später neben Radu lag und auf den in der Mittagssonne schimmernden Fluß hinausblickte, sagte Kelderek mit vorsichtig gesenkter Stimme: »Schreihals muß doch wissen, daß er aus Genshed alles, was möglich war, herausgeholt hat. Und er fürchtet sich bestimmt vor der Rückkehr nach Terekenalt, oder? Für ihn wäre es am besten, abzuhauen und uns mitzunehmen. Ich weiß, wie man in einem solchen Land überlebt. Ich könnte sein und unser Leben retten, wenn er mir nur vertrauen wollte. Glaubst du, Genshed hat ihm etwas versprochen?«

Radu antwortete eine Weile nicht, blickte seitwärts ins seichte Wasser und streichelte Sharas Hände. Endlich sagte er: »Ihm bedeutet Genshed mehr, als du glaubst. Er hat ihn bekehrt, verstehst du?«

»Bekehrt?«

»Deshalb fürchte ich mich vor Genshed. Ich weiß, wir alle fürchten seine Grausamkeit, ich aber fürchte mehr als das.«

»Du darfst dich nicht durch Genshed entmutigen lassen«, sagte Kelderek. »Er ist nichts als ein verächtlicher Rohling – ein Gelegenheitsdieb, bösartig und beschränkt.«

»Das war er früher«, sagte Radu, »bevor er die Macht erhielt, um die er betete.«

»Wie meinst du das, welche Macht?«

»Bei ihm geht es nicht mehr darum, ob er ein Dieb oder ein ehrlicher Mensch ist«, sagte Radu. »Darüber ist er hinaus. Früher einmal war er nichts als ein grausamer, bösartiger Langfinger in den Slums. Aber das Böse hat ihn stark gemacht. Er hat den Preis bezahlt, und dafür erhielt er die Macht des Bösen. Noch spürst du es nicht, aber das kommt noch. Er hat die Fähigkeit erworben, andere böse zu machen – sie dazu zu bringen, an die Stärke des Bösen zu glauben, sie anzustiften, so böse zu werden wie er selbst. Was er bietet, ist die Freude am Bösen, nicht bloß Geld oder Sicherheit oder irgend etwas, das du oder ich begreifen könnten. Er kann manche Menschen dazu bringen, daß sie ihr Leben dem Bösen weihen wollen. Das machte er mit Bled, nur war Bled dem nicht gewachsen, und es machte ihn wahnsinnig. Schreihals – der war nur ein armer, verlassener Junge, der von seinen Eltern verkauft wurde. Es geht nicht darum, wie lange er es bei Genshed aushält oder was ihm bevorsteht. Er bewundert ihn, er will ihm alles geben, was er hat – er denkt nicht an Belohnung. Er will sein ganzes Leben lang schlagen, Schmerz bereiten, ängstigen. Er weiß, daß er dazu noch nicht recht taugt, aber er hofft, Fortschritte zu machen.«

Der Hunger hing wie ein Nebel zwischen ihnen in der Luft. Kelderek blickte sich nach Shara um und sah sie in der Nähe an einem Teich, wie sie lange Streifen von hellgelben und dunkelroten Wasserpflanzen herauszog, die sie nebeneinander auf die Steine legte.

»All das ist nur deine Phantasie«, sagte er. »Du bist schwindlig vor Hunger und Entbehrungen.«

»Ich bin schwindlig, das ist schon richtig«, antwortete Radu, »aber deshalb sehe ich nur klarer. Wenn du nicht glaubst, daß es wahr ist, warte nur ab.« Er nickte in Richtung zu Shara. »Nur um ihretwillen habe ich nicht eingewilligt«, sagte er. »Genshed wollte, ich solle anstelle von Bled Aufseher werden. Bled ist zu einer Plage für ihn geworden – man kann sich nicht darauf verlassen, daß Bled nicht einen Jungen zum Krüppel oder totschlägt. Seit Lapan hat Bled drei Jungen getötet, weißt du.«

»Würde es dir nicht eine Fluchtmöglichkeit bieten, wenn du Aufseher würdest?«

»Vielleicht – bei jedem anderen als Genshed.«

»Aber hat er denn nur versucht, dich zu überreden, Aufseher zu werden? Hat er dir nicht gedroht? Du sagtest mir, er habe einmal die Fliegenfalle bei dir verwendet.«

»Das war, weil ich Schreihals schlug, um ihn daran zu hindern, sich mit Shara zu befassen. Genshed würde niemals einen Jungen bedrohen, um ihn zu veranlassen, Aufseher zu werden. Wenn einer Aufseher werden soll, muß er es selbst wollen. Er muß Genshed aus eigenem Antrieb bewundern und sich seiner würdig erweisen wollen. Natürlich will Genshed Lösegeld für mich bekommen, aber wenn er mich überreden könnte, Aufseher zu werden, würde das noch mehr für ihn bedeuten, glaube ich. Er will das Gefühl haben, daß es ihm gelungen ist, den Sohn eines Adeligen so schlecht zu machen, wie er selbst es ist.«

»Aber du wirst ihm doch wohl nicht nachgeben, solange er dich nicht bedroht?«

Radu schwieg, er schien zu zögern, bevor er sich Kelderek anvertraute. Dann sagte er ruhig: »Gott hat nachgegeben. Entweder ist es so, oder Er hat keine Macht über Genshed. Ich will dir etwas erzählen, das ich nie vergessen werde. Vor Thettit gab es einen Jungen bei uns – ein ungeschlachter, watschelnder Kerl namens Bellin. Er hätte den Vrako nie überqueren können, er war unbeholfen und ein wenig einfältig. Genshed bot ihn zusammen mit den Mädchen zum Verkauf an. Der Mann, der ihn kaufte, sagte Genshed, er wolle einen Berufsbettler aus ihm machen; er habe mehrere solche und lebe von ihren Einkünften. Er wollte Bellin verstümmeln lassen, damit er beim Betteln Mitleid erregte. Genshed hackte Bellins Hände ab und steckte dessen Gelenke in kochendes Pech, um die Blutung zu stoppen. Er ließ sich dafür von dem Mann dreiundvierzig Meld bezahlen; das sei sein Tarif für diese Arbeit.«

Er wandte sich ab, riß eine Handvoll Blätter von einem Busch und begann, sie zu essen. Nach einer Weile tat Kelderek das gleiche. Die Blätter waren sauer und faserig, und er kaute sie gierig.

»Vorwärts! Vorwärts!« brüllte Schreihals und schlug mit dem Stock auf die Wasserfläche. »Auf eure Dreckfüße! Nach Linsho – dort gibt es was zu essen, nicht hier!«

Radu erhob sich, schwankte ein wenig und taumelte gegen Kelderek.

»Der Hunger«, sagte er. »Es ist gleich wieder vorbei.« Er rief Shara, die herangelaufen kam; sie hatte einen Streifen aus farbigem Wasserkraut um einen ihrer dünnen Arme gewunden. »Eines hab ich gelernt: Hunger ist die eine Form der Marter. Wenn wir nach Linsho kommen und es gibt dort für Aufseher mehr zu essen als für Sklaven, könnte ich vielleicht doch Aufseher werden. Grausamkeit und Böses – die liegen bei keinem sehr tief unter der Oberfläche; man muß nur danach graben, weißt du.«

51. Der Durchlaß bei Linsho

Später am Nachmittag kamen sie zu einer großen Flußbiegung, und Genshed hielt sich wieder landeinwärts, um die Halbinsel zu überqueren. Die feuchte Hitze des Waldes wurde eine Qual. Den Kindern, von denen einige nicht einmal mehr die Energie besaßen, die Fliegen von ihren Gesichtern zu scheuchen, wurde befohlen, nahe beisammen zu bleiben und einander an den Schultern zu fassen, so daß sie gleich einer gespenstischen Kette blöder Krüppel vorwärts krochen; viele hielten ihre von Insekten geschwärzten Lider gesenkt. Der vor Kelderek gehende Knabe schluchzte dauernd leise und rhythmisch vor sich hin – »Ah-hu! Ah-hu!« –, bis schließlich Bled sich auf ihn stürzte und unter einem Strom von Flüchen mit seiner Stockspitze auf die Beine des Knaben losstach. Der Knabe fiel blutend zu Boden, und Genshed mußte den Zug anhalten lassen, um die Wunden zu stillen. Darauf setzte er sich mit dem Rücken an einen Baum, pfiff durch die Zähne und kramte in den Tiefen seines Bündels.

Kelderek trat impulsiv zu ihm hin.

»Kannst du mir sagen, warum du mich eingefangen hast und wieviel du daran zu verdienen hoffst? Ich kann dir eine große Summe für meine Freilassung versprechen – mehr, als du bekämst, wenn du mich als Sklaven verkaufst.«

Genshed blickte nicht hoch und antwortete nicht. Kelderek beugte sich über das rotblonde Haar des Sklavenhändlers und sprach eindringlicher.

»Du kannst mir glauben. Ich biete dir mehr, als du auf irgendeine andere Weise für mich bekommen kannst. Ich bin nicht, wer ich zu sein scheine. Sage mir, wieviel du haben willst, um mich freizulassen.«

Genshed schloß seinen Tornister, erhob sich langsam und wischte seine schwitzenden Hände an den Schenkeln ab. Einige der Kinder blickten auf und warteten ängstlich auf das Schnipsen seiner Finger. Er sah Kelderek nicht an, und der hatte den seltsamen Eindruck, der andere habe ihn gehört und doch auch wieder nicht, wie jemand ein Hundebellen überhören kann, der in Gedanken über seine eigenen Angelegenheiten versunken ist.

»Du kannst mir glauben«, wiederholte Kelderek beharrlich. »In Ortelga, wo du doch wohl vorbeikommen willst, kann ich –«

Plötzlich schoß Gensheds Hand mit der Schnelligkeit eines Fisches, der sein Opfer packt, nach oben und faßte Keldereks durchbohrtes Ohrläppchen zwischen Daumen und Zeigefinger. Als sein Daumennagel sich in die Wunde bohrte, schrie Kelderek auf und versuchte, Gensheds Handgelenk zu fassen. Bevor ihm das gelang, stieß ihm der Sklavenhändler das Knie in die Leistengegend, zugleich ließ er das Ohr los, so daß sich Kelderek zusammenkrümmte und zu Boden fiel. Dann bückte er sich, ergriff seinen Tornister, steckte die Arme durch die Schulterriemen und hob ihn auf den Rücken.

Einige Kinder zitterten unsicher. Ein Knabe warf einen Stock auf Kelderek. Genshed schnipste, immer noch mit zerstreuter Miene, mit den Fingern, und als die Kinder einander auf die Beine halfen, ging er an die Spitze des Zuges und nickte dem ersten Knaben zu, er solle sich an seinem Gürtel festhalten.

Kelderek schlug die Augen auf und sah Shara, die auf ihn hinunterblickte.

»Er hat dir weh getan, nicht wahr?« sagte sie in ihrem Yeldashay-Dialekt.

Er nickte und erhob sich schwerfällig.

»Er tut uns allen weh«, sagte sie. »Eines Tages wird er fortgehen. Radu hat es mir gesagt.«

Schmerz und Hunger umnebelten seine Sinne wie aufgewühlter Schlamm in einem Teich.

»Radu hat es mir gesagt«, wiederholte sie. »Sieh mal, da ist ein roter Stein, und ich hab noch einen blauen, so einen blauen. Bist du hungrig? Du kannst doch Raupen finden, nicht wahr? Radu findet Raupen.«

Schreihals kam heran, faßte Keldereks Hand und legte sie auf Radus Schulter, der vor ihm ging.

Nach einer Stunde waren sie wieder am Ufer und machten halt für die Nacht. Kelderek hatte keine genaue Vorstellung davon, welche Strecke sie im Laufe des Tages zurückgelegt hatten. Höchstens sechzehn Kilometer, nahm er an. Morgen wollte Genshed den Durchlaß bei Linsho überqueren. Würde es dort Proviant geben, und würden sie sich ausruhen können? Genshed mußte doch sehen, daß sie Ruhe brauchten. Der Hunger verwischte seine Gedanken, wie Regen die Sicht auf eine Ebene trübt; sie glitten vorbei wie nasse Finger, sie konnten nichts erfassen. Würde es in Linsho etwas zu essen geben? Würde das Dahinschleppen, das Bücken, um die Kette freizumachen, eine Weile aufhören? Vielleicht würde Genshed ihn in Linsho nicht wieder verletzen, und der Schmerz in seinem Finger würde nachlassen. Das waren erhoffenswerte Dinge

– aber er mußte versuchen, darüber hinauszublicken – überlegen – er mußte überlegen, was am besten zu tun wäre –

»Woran denkst du?« fragte Radu.

Kelderek versuchte zu lachen und schlug sich auf den Kopf.

»In meiner Heimat pflegte man zu sagen: ›Du kannst auf Holz klopfen, aber werden die Insekten herauskommen?‹«

»Wo war das?«

Er zögerte. »In Ortelga. Aber das spielt jetzt keine Rolle.«

Nach einer Pause sagte Radu: »Wenn du jemals wieder dorthin kommst –«

»Den ganzen Weg, unterirdisch«, sagte Kelderek.

»Weißt du, was wir meinen, wenn wir das sagen?«

Shara kam am Ufer zu ihnen gelaufen. Sie faßte Radus Hand und schnatterte schneller, als Kelderek verstehen konnte, und wies in die Richtung, aus der sie gekommen war. Unweit von ihnen hing ein dichtes Gewirr von Schlingpflanzen, bedeckt mit grellgefärbten, trompetenförmigen Blüten, wie ein Vorhang zwischen dem Strand und dem Wald. Sie blickten in die von Shara gewiesene Richtung und sahen, daß die ganze Masse bebte, leise und schnell mit einer merkwürdigen, unerklärbaren Energie vibrierte. Es war kein Vogel oder Tier zu sehen, dennoch zitterten die Blätter auf einer Breite wie die einer Hüttenwand krampfhaft, und die langen Ranken bewegten sich heftig in leisen, schnellen Wellen. Das kleine Mädchen starrte ängstlich und doch gebannt hinter Radus Schulter hervor. Auch einige andere Kinder sammelten sich um sie und blickten neugierig hin. Radu selbst war sichtlich unsicher, ob da nicht ein seltsames Geschöpf auftauchen werde.

Kelderek hob das kleine Mädchen zu sich hoch.

»Da ist nichts zu befürchten«, sagte er. »Ich werde es dir zeigen, wenn du willst. Es ist nur eine Gottesanbeterin, die jagt – wahrscheinlich sind es mehrere.«

Radu folgte ihnen am Ufer entlang. Aus der Nähe strömten die Blüten der Schlingpflanze einen starken Duft aus, und in der Dämmerluft flogen große Nachtfalter mit handbreiten, dunkelblauen Flügeln umher. Hoch oben, unter einer geöffneten Blüte, wehrte sich ein solcher Falter im Griff einer Fangheuschrecke, die auf Beute lauernd zwischen den Blüten hockte. Sie konnten die langen Schenkel des halb in den Blättern versteckten Insektes sehen; in seinen Vorderbeinen hielt es den Falter, den es sichtlich gepackt hatte, als er die Blüte umschwebte. Sie drehte den Kopf hin und her mit einer grausigen Andeutung von Intelligenz, der verzweifelten Abwehr ihres Opfers folgend, die so heftig war, daß die Heuschrecke und die Schlingpflanzen, an die sie sich klammerte, in einem leichten und ebenso schnellen Rhythmus geschüttelt wurden wie der Flügelschlag selbst. Sooft der Schmetterling müde wurde, zog ihn die Heuschrecke an ihre Mundwerkzeuge, und darauf begann er wieder, um sich zu schlagen. Während Kelderek und Shara zusahen, wurde ein paar Meter weiter ein zweiter Falter unter einer Blüte erfaßt, riß sich aber nach wenigen Sekunden los, und diese Heuschrecke stürzte, als ihr Griff gesprengt wurde, vorwärts zwischen die Blüten unterhalb ihres Sitzes. Inzwischen erlahmte der erste Falter, seine schönen Flügel schlugen nicht mehr, und gleich darauf zog ihn die Heuschrecke an sich und begann, ihn zu fressen. Die abgerissenen Flügel schwebten nacheinander zu Boden.

»Kommt heraus von dort, verdammt!« schrie Schreihals, der am Ufer näher kam. »Was treibt ihr denn dort, zum Teufel?«

»Keine Angst«, sagte Radu, als sie zu den anderen Kindern zurückgingen, die sich schon um Schreihals drängten, um ihre Handvoll Nahrung zu bekommen. »Wir würden schwerlich weit kommen, weißt du.«

Es wurde dunkel, und den Kindern, die sich zur Nachtruhe hinlegten, wurde erneut die Kette durch die Ohren gezogen. Kelderek war wieder von Radu getrennt und lag am Ende einer Kette; an einer Seite lag Schreihals, an der anderen der Knabe, der am Nachmittag von Bled verletzt worden war. Der begann im Dunkel wieder sein dauerndes, eintöniges Schluchzen, doch Schreihals glaubte wahrscheinlich – falls er ihn hörte –, daß kein Vergnügen dabei zu finden wäre, ihn vom Schluchzen abzuhalten. Nach einer Weile streckte Kelderek seine Hand zu dem Knaben aus, doch der zuckte nur zurück und begann nach kurzem Schweigen, noch lauter zu schluchzen. Schreihals sagte noch immer nichts, und Kelderek fürchtete sich vor ihm, er war zu erschöpft und mutlos, um mit seinen unbeholfenen Tröstungsversuchen fortzufahren; so ließ er sein Mitleid und die übrigen Fragmente seines Denkens in Schlaf übergehen, während sich die Mücken ungehindert an seine Gliedmaßen hefteten.

Die alte Frau aus Gelt kam langsam am Ufer herauf, in ihren Lumpen spielte das Mondlicht, ihr Schritt war lautlos auf den Steinen. Kelderek beobachtete, wie sie näher kam, zuerst verwundert, dann aber, als er sie erkannte, beruhigt in dem Bewußtsein, daß es eine Traumgestalt war. Vorsichtig zog sie die Kette aus seinem Ohr, und er schien sogar den Schmerz zu fühlen, als die einzelnen Glieder nacheinander durch das entzündete Ohrläppchen kamen. Dann kniete sie über ihm und murmelte mit ihrem eingefallenen Mund:

»Die glauben, es sieht keiner. Glauben, niemand sieht es«, flüsterte sie. »Aber Gott sieht.«

»Was willst du, Großmutter?« fragte Kelderek. »Was ist geschehen?«

Sie trug das tote Kind in den Armen, wie damals, vor Jahren, doch nun war es fest eingewickelt, von Kopf bis Fuß umhüllt. Es war nur eine Form unter ihrem Mantel.

»Ich suche den Statthalter von Bekla«, sagte sie. »Ich werde ihm sagen – aber es ist schon lange her –«

»Du kannst es mir sagen«, sprach er. »Ich bin der Statthalter von Bekla, und all dieses Elend ist mein Werk, alles.«

»Ah«, sagte sie. »Ah, Herr, sei gesegnet. Sei gesegnet. Sieh doch, Herr, ja, dann wirst du sie sehen wollen.«

Sie legte ihre Last auf den Boden. Die Hüllen waren mit der Kette aus seinem Ohr am Kopf befestigt, aber sie wickelte sie los, rollte sie zusammen und schob die Hülle vom Gesicht.

Die Augen waren geschlossen, die Wangen glanzlos und wächsern; aber das tote Kind auf den Steinen war Melathys. Ihre Lippen waren ein wenig geöffnet, doch das Blatt, das ihr die Alte vor den Mund hielt, blieb unbewegt. Weinend blickte er hoch und sah unter der zerrissenen Kapuze, daß es Rantzay war.

»Sie ist nicht tot, Rantzay!« schrie er. »Weck sie auf, Rantzay, du mußt sie aufwecken!«

Rantzay antwortete nicht, und als ihre mageren Finger seine Schulter faßten und schüttelten, begriff er, daß auch sie tot war. Er riß sich von ihr los, übermannt von einem schrecklichen Gefühl des Verlustes und der Verzweiflung.

»Wach auf! Komm, wach auf!«

Es war Schreihals' Gesicht über dem seinen, er flüsterte drängend, sein übler Atem stank, Insektenbisse juckten, Steine stachen unter seinem Rückgrat, und jenseits des Telthearnas stahl sich das erste Tageslicht in den Himmel. Kinder wimmerten im Schlaf, Ketten klirrten an Steinen.

»Ich bin es, du Scheißtrottel. Mach keinen Lärm! Ich habe dir die Kette aus dem Ohr gezogen. Wenn du nicht nach Terekenalt willst, dann vorwärts, in Gottes Namen!«

Kelderek erhob sich. Seine Haut war eine einzige Fläche aus juckenden Bissen, und der Fluß schwamm vor seinen Augen. Noch halb im Traum, blickte er suchend nach der Toten im seichten Wasser, aber sie war fort. Er machte einen Schritt voran, glitt aus und fiel auf die Steine. Jemand anders, nicht Rantzay und auch nicht Schreihals, sagte:

»Was hattest du vor, Schreihals, ha?«

»Nichts«, antwortete Schreihals.

»Hast die Kette rausgezogen, oder? Wohin wolltest du?«

»Er wollte scheißen, nicht? Meinst du, ich soll mich von ihm anmachen lassen?«

Genshed gab keine Antwort, sondern zog sein Messer und fing an, die Spitze gegen einen Finger nach dem anderen zu drücken. Nach einer Weile öffnete er seine Kleidung und urinierte auf Schreihals; der Junge stand währenddessen stockstill.

»Du erinnerst dich doch an Kevenant?« murmelte Genshed.

»Kevenant?« sagte Schreihals mit vor beginnender Hysterie umschlagender Stimme. »Was hat Kevenant damit zu schaffen? Wer redet von Kevenant?«

»Erinnerst du dich, wie er aussah, als wir mit ihm fertig waren?«

Schreihals antwortete nicht, doch als Genshed sein Ohrläppchen zwischen Daumen und Zeigefinger nahm, begann er unbändig zu zittern.

»Sieh mal, du bist bloß ein blödes Bürschchen, Schreihals, nicht wahr?« sagte Genshed und drehte langsam das Ohr, so daß Schreihals auf die Steine in die Knie sank. »Bloß ein blödes Bürschchen, nicht wahr?«

»Ja«, flüsterte Schreihals.

Die Messerspitze strich über sein geschlossenes Augenlid, und er versuchte, den Kopf zurückzuziehen, aber er wurde durch das Drehen seines Ohres daran gehindert.

»Du siehst gut, nicht wahr, Schreihals?«

»Ja.«

»Bist du sicher, daß du gut siehst?«

»Ja! Ja!«

»Verstehst du, was ich meine, ja?«

»Ja!«

»Aber ich komme überallhin, nicht wahr, Schreihals? Wenn du dort drüben wärst, wäre ich auch dort, oder?«

»Ja.«

»Deine Arbeit gut machen, Schreihals, kannst du das?«

»Ja, ich kann! Ja, ich kann!«

»Komisch, ich dachte, vielleicht kannst du es nicht. Wie Kevenant.«

»Doch, ich kann es! Ich behandle sie schlimmer als Bled. Sie haben alle Angst vor mir!«

»Halt still, Schreihals! Ich werde dir einen Gefallen erweisen. Ich werde nur mit der Messerspitze den Schmutz unter deinen Nägeln entfernen. Ich möchte aber nicht, daß mir die Hand ausrutscht.«

Der Schweiß strömte über Schreihals' Gesicht, über seine Oberlippe, über seine zwischen die zusammengebissenen Zähne eingezogene Unterlippe, über sein besabbertes Kinn. Als Genshed endlich von ihm abließ und fortging, indem er das Messer in die Scheide an seinem Gürtel schob, warf sich Schreihals ins seichte Wasser, stand aber gleich wieder auf. Schweigend wusch er sich, zog die Kette wieder durch Keldereks Ohr, befestigte sie an seinem Gürtel und legte sich nieder.

Eine halbe Stunde später verteilte Genshed selbst die letzten Proviantreste: Krumen und Bruchstücke, die er aus dem Boden des Tornisters schüttelte.

»Das nächste Mal gibt es in Linsho etwas zu essen, verstanden?« sagte Schreihals zu Radu. »Sieh zu, daß sie es alle begreifen. Entweder kommen wir heute in das Scheiß-Linsho, oder wir fangen an, uns gegenseitig aufzufressen.«

Kelderek kämmte Sharas Haar mit den Fingern und suchte ihren Kopf nach Läusen ab. Obwohl er gegessen hatte, was er bekam, war er so schwach und von Hunger gequält, daß sein Bewußtsein sich trübte. Melathys' tote Gestalt schien in seinem Auge zu haften, und sooft sie erschien, wandte er schnell den Kopf und fuchtelte mit den Händen umher, bis Shara unruhig wurde und am Ufer weiterwanderte.

»Es hat ihr jemand die bunten Steine gestohlen, nachdem wir heute morgen losgekettet wurden«, sagte Radu.

Kelderek antwortete nicht, da er plötzlich die wichtige Entdeckung gemacht hatte, daß beim Reden unnütz Energie vergeudet wurde. Das Reden erforderte, das wurde ihm klar, so viel nutzlose Mühe – sich die Worte ausdenken, die Lippenbewegungen, um sie auszusprechen, Horchen auf eine Antwort und Begreifen, was sie bedeutet –, daß es unsinnig war, seine Kraft daran zu verschwenden. Aufrecht stehen, gehen, die Kette freimachen, nicht vergessen, Bleds Blick nicht auf sich zu lenken – das waren die Dinge, für welche Energie aufgespart werden mußte.

Man bewegte sich wieder, bestimmt, denn es war seine Kette, die da über die Steine klirrte. Aber es war nicht das gleiche Gehen. Worin unterschied es sich? Inwiefern hatten sie sich alle verändert? Im Geist schien er von oben auf sie hinunterzublicken, während sie längs des Ufers dahinkrochen. Sie gingen hin und her, wie Ameisen über einen Stein, nur viel langsamer; wie träge Käfer im Herbst auf ihren Kletterreisen auf und ab über Kilometer von Grashalmen. Und plötzlich erkannte er klar, wenn auch teilnahmslos, was geschehen war: sie gehörten nunmehr der Insektenwelt an, in der alles einfach war; und von nun an würden sie, durch keinerlei eigenen Willen angetrieben, einfach das Leben hinnehmen. Sie brauchten keine Sprache, keine Gefühle, kein Gehör, kein Bewußtsein ihrer Nächsten. Sie würden sogar tagelang keine Nahrung brauchen. Sie würden nicht wissen, ob sie häßlich oder schön, glücklich oder unglücklich, gut oder schlecht waren, denn diese Begriffe waren sinnlos. Appetit und Sättigung, drängende Energie und regungslose Trägheit, Grausamkeit und Hilflosigkeit – dies waren ihre Pole. Ihr kurzes Leben würde bald enden – ein Opfer des Winters, Opfer größerer Geschöpfe, Opfer von ihresgleichen; aber auch das war nicht beachtenswert.

Immer noch fasziniert und in Anspruch genommen von seiner neuen Einsicht, überstieg er ein Hindernis, das ihn beinahe zu Fall gebracht hätte. Etwas ziemlich Schweres und Glattes, das aber nachgab. Etwas mit Stecken darin – ein Lumpenbündel mit Stecken, nein, seine Kette war hängengeblieben, bück dich, nun war sie frei, ja, natürlich, das Hindernis war ein menschlicher Körper – das hier war der Kopf – nun war er darüber gestiegen, es war fort, und da waren wieder Steine wie zuvor. Er schloß die Augen gegen das Schimmern des Flusses und machte sich verbissen daran, aufrecht zu bleiben und Schritte zu machen; ein Schritt, noch ein Schritt, dann wieder einer.

Plötzlich ertönte hinter ihm ein Schrei.

»Stehenbleiben! Stehenbleiben!«

Wie eine Luftblase aus dunkler Brühe stieg sein Bewußtsein langsam in die frühere Welt des Hörens, Sehens, Begreifens empor. Er wandte sich um und erblickte Radu, daneben Shara, die über einem Körper auf den Steinen knieten. Wie er durch den Schrei erschrocken, waren mehrere Knaben stehengeblieben und bewegten sich unsicher auf sie zu. Vorne schrie Schreihals irgendwoher: »Was ist denn geschehen, zum Teufel?«

Er hinkte zurück. Radu hielt den Kopf des Knaben auf einem Arm und spritzte ihm Wasser ins Gesicht. Es war der Knabe, den Bled am Vortag mißhandelt hatte. Seine Augen waren geschlossen, und Kelderek konnte nicht erkennen, ob er atmete oder nicht.

»Du bist über ihn gegangen«, sagte Radu. »Du bist auf seinen Körper gestiegen. Hast du das nicht gespürt?«

»Doch – nein. Ich wußte nicht, was ich tat«, antwortete Kelderek dumpf.

Shara berührte die Stirn des Knaben und versuchte, die Lumpen über dessen Brust zusammenzuziehen.

»Umgefallen, nicht wahr?« sagte sie zu Radu. »Er hat keine Kette«, fuhr sie in einer Art Singsang fort. »Er hat keine Kette auf dem Weg nach Schlag-auf-Lee –« Dann brach sie beim Anblick Gensheds ab. »Radu, er kommt!«

Genshed blieb neben dem Knaben stehen, stieß ihn mit dem Fuß an, ließ sich auf ein Knie nieder, schob eines seiner Augenlider zurück und befühlte seinen Herzschlag. Dann stand er auf, blickte auf die anderen Knaben und nickte befehlend. Sie entfernten sich, und Genshed stand neben der Leiche Kelderek und Radu gegenüber.

Wie Feuer durch das Flußufer, wie das Wachstum der Weinranken durch den einsetzenden Winter unterbrochen wird, so erstarb ihr Mitgefühl und schwand angesichts von Genshed. Er sagte nichts, seine Gegenwart genügte, um ihr Gefühl der Hilflosigkeit, dem Knaben beizustehen oder ihn zu trösten, wie durch eine Linse auf einen Punkt zu konzentrieren. Wie zwecklos war ihr Mitleid, was konnte es erreichen? Genshed war überall um sie: in ihrer Erschöpfung, in dieser Waldwildnis ohne Nahrung und Obdach, in dem schimmernden Fluß, der sie einschloß, in dem leeren Himmel. Er sagte nichts, ließ sie durch seine bloße Gegenwart zu dem Schluß gelangen, daß sie einfach die geringen Reste ihrer Energie vergeudeten. Als er mit den Fingern schnipste, senkten sie den Blick und folgten, von Shara begleitet, den Knaben: sie blickten nicht einmal zurück. Sie und Genshed waren nun völlig einer Meinung.

Etwas weiter hatte Schreihals am Ufer haltmachen lassen. Sie legten sich zu den Kindern nieder, aber niemand fragte sie etwas. Genshed kam zurück, wusch sein Messer im Wasser, befahl Bled, als Aufsicht zurückzubleiben, und entfernte sich mit Schreihals stromaufwärts. Er kam nach einer halben Stunde zurück und führte die Gruppe sofort landeinwärts in die Wälder.

Als es Abend wurde, schleppten sie sich über eine lange, allmähliche Steigung aufwärts, der Wald rundum lichtete sich zusehends. Kelderek sah zwischen den Bäumen im Westen eine rote Sonne und stellte fest, daß das in ihm eine dumpfe Verwunderung hervorrief. Bei weiterer Überlegung wurde ihm klar, daß er seit der Abreise aus Lak kein einziges Mal die Sonne nach der Mittagszeit gesehen hatte. Sie mußten nun am Nordrand des Waldes angekommen sein.

Auf der Höhe wartete Genshed, bis alle Kinder ausnahmslos nach oben gekommen waren, bevor er den Weg durch das Unterholz in der unmittelbaren Umgebung des Waldes bahnte. Plötzlich blieb er stehen, blickte voraus und schirmte seine Augen gegen die Sonne ab. Kelderek und Radu, die hinter ihm standen, blickten auf das Nordende des schwierigen Landstrichs nieder, den sie nun von einem Ende zum anderen, vom Ufer des Vrakos bis zum Durchlaß von Linsho, durchquert hatten.

Die Luft war dick wie Honig, und darin bewegte sich langsam ein blendendes, goldenes Licht. Myriaden Stäubchen und Körnchen schwebten da und dort, ihr Glitzern schien das Licht vom Himmel zum Boden zu saugen und dort zu zersplittern und zu vermehren. Die abendlichen Sonnenstrahlen glänzten auf Blättern, auf den Flügeln umherschwirrender Fliegen und auf der Oberfläche des in anderthalb Kilometer Entfernung am Fuß des Hügels fließenden Telthearnas. Unmittelbar nördlich vor ihnen war die Aussicht in der Ferne durch die Berge begrenzt – zackige, eisenblaue Höhen, auf denen sich steile Waldkeile streifenförmig von den grünenden Vorhügeln nach oben zogen. Bei dem Blick auf dieses gewaltige Hindernis fiel Kelderek ein, daß er einmal – wie lange war das her? – die Kraft besessen hatte, Shardik in solche Berge wie diese zu folgen. Jetzt könnte er nicht einmal über das Flachland bis zum Fuß der Berge humpeln.

Wolken umhüllten die am weitesten östlich liegende Spitze, die turmartig über dem Telthearna aufragte und deren abschüssige Vorderseite fast senkrecht zum Fluß abfiel. Zwischen dem Wasser und den bewaldeten Felsen am Fuß der Berge erstreckte sich ein schmales Stück Flachland von wenig mehr als Bogenschußbreite – der Durchlaß von Linsho. Kelderek konnte Hütten erkennen und abendliche Rauchfahnen, die in Richtung der Deelguyer Wildnis zum anderen Flußufer zogen. Aus dem Durchlaß führte ein Weg hinaus, lief eine kurze Strecke neben dem Wasser und wandte sich dann landeinwärts die Hügel hinauf, überquerte sie in kaum einem Kilometer Entfernung und verschwand jenseits des Waldrandes links nach Südwesten. Auf dem offenen Rasen waren Ziegen angepflockt und eine Kuhherde graste – eine Kuh trug eine dumpf klappernde Glocke am Hals –, gehütet von einem kleinen Jungen, der auf einer Holzpfeife blies; und ein alter Ochse rupfte das grünste Gras ab, das er bei straff gezogenem Halteseil erreichen konnte.

Aber Genshed starrte nicht auf das goldene Licht, auf das Vieh oder das flötende Kind, sein schlaffes Teufelsgesicht trug die Spur eines schmerzlichen Verlusts. Neben dem Weg war ein Grundstück mit Holzpalisaden eingezäunt worden, und in einem seichten Graben brannte ein Feuer. Davor hockte ein Soldat mit Lederhelm und säuberte Töpfe, ein anderer spaltete Holz mit einem gekrümmten Messer. Neben dem Zaun war ein hoher Pfahl errichtet worden, an dem eine Fahne hing – drei Getreidegarben auf blauem Grund. Daneben waren noch zwei dem Wald zugekehrte Soldaten zu erkennen; einer saß auf dem Rasen und verzehrte sein Abendessen, der andere stand an einen langen Speer gelehnt. Die Situation war klar. Der Durchlaß war von einer Abteilung aus Sarkid von der Armee Santil-ke-Erketlis' besetzt worden.

»Verdammt noch mal!« flüsterte Genshed und starrte auf die friedliche, flammenhelle Stille des Hügellandes. Schreihals kam von hinten heran, hielt den Atem an und starrte gebannt hin wie ein Mann auf die brennenden Trümmer seines Hauses. Die Kinder schwiegen, manche verständnislos in ihrer Schwäche und Erschöpfung, andere fühlten Gensheds Zorn und Verzweiflung, da er wortlos seine Fäuste ballte und wieder öffnete.

Plötzlich stürzte Radu vorwärts, seine Lumpen umflatterten ihn, und er riß beide Arme hoch über den Kopf, wie ein im Anfall zuckendes, schwachsinniges Kind.

»Ach! Ach!« krächzte er. »Sark-« Er wankte, fiel nieder und erhob sich nacheinander auf beide Knie wie eine Kuh. »Sarkid!« flüsterte er und streckte die Hände aus, dann wiederholte er, nur ein wenig lauter: »Sarkid! Sarkid!«

Genshed faßte entschlossen den Bogen, der seitlich an seinem Tornister hing, und legte einen Pfeil auf die Saite. Dann lehnte er sich an einen Baum und wartete, während Radu tief atmete. Als der Ruf des Jungen ertönte, war er wie der eines kranken Kindes, verzerrt und schwach. Nochmals rief er, wie ein Vogel, dann sank er schluchzend und händeringend im Unterholz in die Knie. Genshed zog Schreihals an der Schulter zurück, wie ein Mann, der auf einen Freund wartet, bis der das Gespräch mit einem Vorbeigehenden auf der Straße beendet hat.

»Oh, Gott!« weinte Radu. »Gott, hilf uns doch! O Gott, bitte hilf uns!«

Shara erwachte halb auf Keldereks Rücken und murmelte: »Schlag-auf-Lee! Nach Schlag-auf-Lee gegangen!« und schlief wieder ein.

Wie ein zur Richtstatt geführter Mann vielleicht stehenbleibt, um dem Gesang eines Mädchens zu lauschen, wie der Blick eines Menschen, der soeben erfahren hat, daß er todkrank ist, vielleicht aus dem Fenster schweift und einen Augenblick auf einem buntgefiederten Vogel zwischen den Bäumen verweilt, wie ein verwegener Bursche vielleicht auf dem Schaffott ein Glas hinunterstürzt und einen Tanz vollführt – so schien Genshed nicht nur durch seinen Hang, sondern auch aus Selbstachtung dazu verleitet, in diesem für ihn katastrophalen Moment sich eine Weile an der seltenen und außergewöhnlichen Verzweiflung Radus zu weiden. Er blickte sich unter den Kindern um, als wolle er alle herausfordern, die vielleicht versuchen wollten, ob sie noch genug Stimmkraft besäßen, um nach den Soldaten zu rufen. Kelderek, der ihn beobachtete, wurde von tödlichem Entsetzen erfaßt, wie ein Mädchen beim Anblick der zuckenden, blanken Erregung des Frauenschänders. Seine Zähne klapperten, und er spürte, wie sein leerer Darm sich lockerte. Er sank zu Boden, gerade noch genug Herr seiner selbst, um das kleine Mädchen von seinem Rücken zu heben und neben sich auf den Boden zu legen.

In diesem Augenblick ertönte aus dem Gebüsch nebenan eine heisere Stimme.

»Gensh! Gensh, hallo, Gensh!«

Genshed wandte sich jäh um und starrte mit von der Sonne geblendeten Augen in den düsteren Wald hinter sich. Es war nichts zu sehen, doch kurz darauf ertönte die Stimme wieder.

»Gensh! Geh nicht dort hinunter, Gensh! Um Himmels willen, hilf mir!«

Aus einer Stelle im Unterholz kräuselte sich eine schwache Rauchfahne empor, sonst aber war alles stiller als der Grashang draußen. Genshed winkte Schreihals mit einer Kopfbewegung, und der Junge ging langsam und widerstrebend, unter Aufbietung seines ganzen Mutes, voran. Er verschwand im Gebüsch, und bald darauf hörte man ihn ausrufen: »Verdammte Scheiße!«

Genshed sagte noch immer nichts, sondern nickte nur Bled zu, er solle Schreihals folgen. Er selbst behielt Radu und Kelderek im Auge, bis endlich die beiden Jungen aus dem Gebüsch auftauchten: sie stützten einen beleibten, dicklippigen Mann mit kleinen Augen, der mit schmerzverzerrtem Gesicht zwischen ihnen heranhinkte und ein Bündel hinter sich über den Boden schleppte. Das linke Bein seiner einst weiß gewesenen Kniehose war blutdurchtränkt, und die Hand, die er Genshed entgegenstreckte, war rot und klebrig.

»Gensh!« sagte er. »Gensh, du kennst mich doch, nicht wahr, du wirst mich nicht hier lassen, du wirst mich wegbringen? Geh nicht dort hinaus, Gensh, die werden dich so fangen wie mich; wir können auch nicht hier bleiben – sie werden kommen, Gensh, gleich werden sie kommen!«

Kelderek, der ihn vom Boden aus anstarrte, erinnerte sich plötzlich, wer der Mann war. Dieser blutbefleckte Feigling war der reiche Sklavenhändler Lalloc aus Deelguy; ein fetter, geckenhafter Schmeichler mit dem familiären und zugleich untertänigen Benehmen eines ehrgeizigen Dieners. Früher, in Bekla, pflegte er, auffallend gekleidet, lächelnd und umgeben von seinen unglücklichen, sorgfältig herausgeputzten Verkaufsobjekten, von sich als von »dem hervorragenden Sklavenhändler, Lieferanten für den Adel; Sonderwünsche werden diskret behandelt« zu sprechen. Kelderek erinnerte sich auch, daß er sich gern »U-Lalloc« genannt hatte, bis ihm Gedla-Dan bedeutete, er solle seine Frechheit zügeln und in seinen Schranken bleiben. Nun hatte er recht wenig von dem Halbweltstutzer an sich, wie er, bebend vor Angst und Erschöpfung, mit schmutzbeschmiertem Gewand und getrocknetem Blut an seinem fetten Hintern, zu Gensheds Füßen kauerte. Die Schnur seines Bündels war um sein Handgelenk gewunden, und in einer Hand hielt er krampfhaft den geflochtenen Riemen eines tönernen Rauchfasses oder Feuertopfes, wie ihn manche Reisende mit glimmendem Moos und Zweigen auf einsamen Wanderungen tragen. Aus diesem stieg der Rauch hoch.

Kelderek erinnerte sich, wie Lalloc einmal in Bekla zwecks Erneuerung seiner Genehmigung in den Palast der Barone gekommen war und die bösen Taten der unrechtmäßigen Sklavenhändler beklagt hatte. »Ich muß Eurer gnädigen Majestät nicht erst versichern, daß meine Kollegen und ich nur im Interesse des Gewerbes handeln und sich niemals mit solchen Männern abgeben würden. Für uns ist der Profit Nebensache. Wir betrachten uns als Diener Eurer Majestät, in deren Diensten wir die von Euch bestimmten Kontingente im Reiche erheben, wie es Euch genehm ist. Darf ich nun vorschlagen –«, und seine Ringe hatten geklirrt, als er die Hände faltete und sich nach der Art von Deelguy verneigte. Und wo, fragte sich Kelderek, wo hatte er sich wirklich die hübschen Kinder besorgt, die in seinem Verkaufsstand auf dem Markt, gespannt und ohne zu weinen, gestanden hatten, und gewußt, wie er sie herausputzen solle? Kelderek hatte nie danach gefragt, denn die Steuern für Lallocs Umsatz hatten sehr große Summen eingebracht, die alle vorschriftsmäßig bezahlt wurden – sie genügten für die Löhnung und Ausrüstung von mehreren Speerträger-Kompanien.

Lallocs Augen schweiften kurz über die Kinder und blieben einen Augenblick auf Kelderek haften; aber seine plötzliche Überraschung, das merkte Kelderek, war nur darauf zurückzuführen, daß er unter den Sklaven einen Erwachsenen erblickte. Er erkannte nicht – wie sollte er? – den einstigen Priesterkönig von Bekla.

Genshed schwieg immer noch und blickte nachdenklich auf den blutenden Lalloc, als frage er sich – was er wahrscheinlich tat –, auf welche Weise er dieses unerwartete Zusammentreffen zu seinem Vorteil ausnutzen könne. Endlich sagte er: »Warst wohl 'n bißchen in Schwierigkeiten, wie, Lalloc?«

Der andere breitete seine blutigen Hände aus, zog Schultern und Augenbrauen hoch und wackelte mit dem Kopf.

»Ich war in Kabin, als die Ikats nach Norden kamen. Ich dachte, ich hätte noch Zeit genug, um nach Bekla zurückzukommen, verließ aber die Stadt zu spät – hast du je gehört, Gensh, daß Soldaten so schnell marschieren? Wurde abgeschnitten, konnte nicht zurück nach Bekla« (eine Hand hieb mit einer abtrennenden Gebärde nach unten), »kein Statthalter in Kabin – der neue, ein gewisser Mollo, war angeblich in Bekla getötet worden: der König erschlug ihn mit eigener Hand –, keiner wollte Geld nehmen, um mich zu schützen. So gehe ich über den Vrako. Ich denk mir: ›Ich bleibe dort, bis es vorbei ist, ich und meine Knaben, die ich gekauft habe.‹ Also bleiben wir in einem gräßlichen Dorf. Ich muß immerfort zahlen und zahlen, nur um nicht ermordet zu werden. Eines Tages höre ich, die Soldaten aus Ikat kommen über den Vrako und suchen überall nach Sklavenhändlern. Ich gehe nach Norden – ach, eine entsetzliche Reise –, denke mir, bei Linsho erkauf ich mir den Übergang. Aber ich geh nicht durch den Wald, sondern komme direkt über die Straße, und da stoße ich geradeaus auf die Soldaten! Wie soll ich wissen, daß die Ikats früher dort waren? Dreckige Diebe – nehmen mir meine Jungs ab, für die ich so viel bezahlt habe. Ich lasse alles liegen und laufe in den Wald. Dann trifft mich ein Pfeil in den Schenkel, mein Gott, das schmerzt! Sie suchen mich, nicht lange. Nein, nein, die brauchen nicht zu suchen, schlaue Schweinehunde.« Er spuckte aus. »Die wissen, hier gibt es nichts zu essen, kein Obdach, keinen Weg irgendwohin. O mein Gott, Gensh, was sollen wir jetzt tun? Wenn du durch die Bäume hinausgehst, haben sie dich – sie warten auf uns. Man sagte mir, sie haben Nigon erschlagen, Mindulla erschlagen –«

»Nigon ist tot«, sagte Genshed.

»Ja, ja. Du hilfst mir hinaus, Genshed? Wir gehen über den Telthearna, nach Deelguy! Du weißt doch noch, wie viele Kinder ich dir immer abgekauft habe, Genshed, und ich sag nicht, wo—«

Plötzlich stieß Schreihals einen Pfiff aus und zupfte Genshed am Ärmel. »Sieh mal, dort, die Schweine!« sagte er, mit dem Daumen hinunterweisend.

Kaum einen Kilometer entfernt kamen zwanzig oder dreißig Soldaten über den sonnigen Hang, wo das Wächterhaus stand, auf den Wald zu, ihre Speere hinter sich im Gras herziehend. Auf ein Signal ihres Offiziers schwärmten sie, als sie sich dem Waldrand näherten, nach rechts und links aus.

Es fiel keinem der Kinder und auch nicht Radu oder Kelderek ein, daß sie doch jetzt rufen oder sich den Soldaten bemerkbar machen könnten. Hatte Genshed ihnen nicht vor kurzem gezeigt, daß sie es nicht konnten?

Seine Herrschaft – jene böse Macht, von der Radu gesprochen hatte – lag über allen wie Frost, unangreifbar, nur in ihrer Wirkung erkennbar, und durchdrang ihre Seelen mit ihrer stummen, betäubenden und bezwingenden Kraft. Sie lag in ihnen – in ihren verhungerten Körpern, in ihren Herzen, in ihren erstarrten Seelen. Nicht einmal Gott vermochte diese Starre zu lösen oder auch nur den geringsten Teil von Gensheds Willen zunichte zu machen. Kelderek wartete, bis Bled anderswohin blickte und sein langsames, unbeholfenes Sichmühen nicht sah, nahm Shara wieder in seine Arme, faßte Radu, der sich nicht sträubte, an der Hand und folgte dem Sklavenhändler zurück in den Wald.

Sie gingen über die Erhebungen, an dem Kamm der niedrigen Hügelkette entlang, die sie am frühen Nachmittag erstiegen hatten. Lalloc humpelte neben Genshed und flehte dauernd, man solle ihn nicht zurücklassen. Während er flüsternd und in durch Kurzatmigkeit unterbrochenen Sätzen plapperte, antwortete Genshed kein Wort. Obwohl es aber den Kindern ebenso wie dem dicken Lieferanten netter Knaben schien, als gäbe er nicht acht, hatte Kelderek den Eindruck, daß Genshed dennoch höchst wachsam blieb; er war wie ein großer Fisch, der unter einem Riff lauert und zugleich nach der geringsten Chance Ausschau hält, um zwischen den Beinen der watenden Netzfischer hindurchzuschießen – da wartet er regungslos in der Hoffnung, sie durch seine Unbeweglichkeit glauben zu machen, er sei schon wieder fort.

52. Das zerstörte Dorf

Und nun begann unter den Kindern die endgültige Auflösung, die nur die Angst vor Genshed so lange hinausgezögert hatte. Trotz des Nebels aus Unwissenheit und Furcht, der sie umgab, war allen eines klar: Gensheds Pläne waren gescheitert; er wie seine Aufseher hatten Angst und wußten nicht, was sie als nächstes tun sollten. Bled ging allein, gebückt und murmelnd, mit auf den Boden geheftetem Blick. Schreihals kaute dauernd an seiner Hand, dann und wann ließ er den Kopf mit offenem Mund und geschlossenen Augen vorwärts sinken wie ein Ochse, der seine Last nicht mehr tragen kann. Von allen dreien stieg Verzweiflung auf wie Fledermäuse, die bei sinkendem Tageslicht in immer dichteren Scharen aus einem Keller geflattert kommen. Die Kinder begannen, sich zu zerstreuen. Manche blieben liegen, wo sie zu Boden gefallen waren oder sich hingelegt hatten, denn Genshed und seine Einpeitscher, die nun unter der gleichen bösen Verwirrung litten wie ihre Opfer, hatten keine Absicht und keine Lust, sie mit Schlägen auf die Beine zu bringen.

Es war klar, daß es Genshed nicht mehr kümmerte, ob die Kinder am Leben blieben oder starben. Er scherte sich nicht um sie, sondern beschleunigte nur sein Marschtempo, einzig darum besorgt, die Soldaten hinter sich zu lassen; und wenn einzelne Kinder, die hingefallen waren und sahen, wie er vor ihnen verschwand, mühsam wieder auf die Füße kamen und es irgendwie schafften, ihn wieder einzuholen, hatte er auch keinen Blick für sie übrig. Er bewachte nur Kelderek und Radu dauernd, denen er, mit gezücktem Messer, befahl, vor ihm zu gehen und keinesfalls stehenzubleiben.

Wie nach dem Kampf zweier Tiere das unterlegene beim Davonschleichen zu schrumpfen scheint, so hatte sich Radu, seit sie vom Waldrand zurückkamen, von einem Jüngling wieder zum Kind zurückgebildet. Die stolze Haltung, mit der er seine Lumpen und Wunden getragen hatte, als wären sie Ehrenmale des Hauses von Sarkid, waren einer erschöpften Trübsal, gleich der eines Überlebenden bei einer Katastrophe, gewichen. Er bewegte sich unsicher dahin und dorthin, anscheinend außerstande, selbst seinen Weg zu finden, und einmal bedeckte er sein Gesicht mit den Händen und überließ sich einem Weinkrampf, der erst endete, als ihm der Atem ausging. Er hob den Kopf und begegnete Keldereks Blick mit dem verzweifelten Ausdruck eines gefangenen Tieres.

»Ich fürchte mich vor dem Sterben«, flüsterte er.

Kelderek konnte keine Antwort finden.

»Ich will nicht sterben«, wiederholte Radu verzweifelt.

»Weitergehen!« sagte Genshed scharf hinter ihnen.

»Das waren meines Vaters Soldaten!«

»Ich weiß«, sagte Kelderek stumpf. »Vielleicht finden sie uns noch.«

»Nein. Genshed wird uns noch vorher umbringen. O Gott, er macht mir solche Angst! Ich kann es nicht mehr verbergen.«

»Wenn uns die Soldaten finden, werden sie mich bestimmt töten«, sagte Kelderek. »Ich war deines Vaters Feind, weißt du. Das scheint jetzt seltsam.«

Erschrocken warf ihm Radu einen schnellen Blick zu, doch im selben Augenblick erwachte Shara endlich, bewegte sich unruhig auf Keldereks Schultern und wimmerte leise vor Elend und Hunger.

»Mach, daß sie still ist«, sagte Genshed sofort.

Radu nahm sie mit einigen Schwierigkeiten von Kelderek in Empfang, glitt aber dabei aus, so daß die Kleine einen lauten Angstschrei ausstieß. Genshed war in vier Sprüngen neben Radu, faßte ihn mit einer Hand an der Schulter und brachte die Kleine mit der anderen, die er ihr auf den Mund preßte, zum Schweigen.

»Noch einmal, und ich mach sie kalt«, sagte er.

Radu wand sich von ihm los und flüsterte Shara eindringlich zu. Sie wurde still, dann hinkten sie wieder zwischen den Bäumen weiter.

»Ich werde nicht sterben«, sagte Radu nun entschlossener. »Nicht, solange sie mich braucht. Du weißt ja, ihr Vater ist einer unserer Pächter.«

»Du hast es mir erzählt.«

Es war beinahe dunkel und von Verfolgung nichts zu hören. Kelderek hatte keine Ahnung, wie viele Kinder noch bei ihnen waren. Er versuchte, sich umzusehen, konnte aber zuerst nichts erkennen, und dann erinnerte er sich nicht mehr, was er suchte; die durch den Hunger verursachte Schwäche schien sein Seh- und Hörvermögen zerstört zu haben. Sein Verstand war verschwommen, und durch seinen Kopf stach fiebriger Schmerz. Als er vor sich Steinwände erblickte, wußte er nicht, ob sie Wirklichkeit waren oder Einbildungen seines zersplitterten Bewußtseins.

Schreihals schüttelte ihn am Arm.

»Stehenbleiben! Bleib stehen, verdammt noch mal! Bist du scheißtaub oder was? Er sagt stehenbleiben! Da«, sagte der Junge mit einem Anflug menschlichen Mitgefühls, »setz dich hin, Kumpel, du mußt dich ausruhen, wirklich. Setz dich hierher.«

Dann saß er auf einem Steinvorsprung. Rundum, in einer ehemaligen Lichtung, lagen von Schlingpflanzen und Kräutern überwucherte Baumstümpfe. Da standen Mauern aus aufgeschichteten Flußsteinen und Geröll ohne Mörtel, manche waren umgestürzt, andere standen noch; Bauernhöfe und Ställe, alle ohne Türen, mit eingefallenen Dächern, mit Löchern, durch welche die rauchgeschwärzten Kamine sichtbar waren. Unweit erhob sich ein niedriger Felsen, der wahrscheinlich früher als Steinbruch für den Bau der

Wohnstätten verwendet worden war, und an dessen Fuß rieselte eine Quelle in einen seichten Teich, aus dem das Wasser durch eine Öffnung in der steinernen Einfriedung talwärts zu dem fernen Telthearna floß. Auf der anderen Seite war die Einfriedung halb bedeckt von den langen Ranken einer Trepsisrebe, an denen schon einige rote Blüten entfaltet waren.

»Wo sind wir?« fragte Kelderek. »Schreihals, wo sind wir?«

»Wie zum Teufel soll ich das wissen?« antwortete Schreihals. »Ein verlassenes Dorf oder dergleichen, nicht? Seit vielen Jahren war keiner mehr hier. Was ist denn?« fuhr der Junge immer heftiger fort. »Wir sind alle so gut wie tot. Ist doch egal, ob wir hier oder anderswo sterben, nicht?«

»Für mich«, sagte Kelderek. »Es ist meinetwegen. Hier sieht es aus wie an einem anderen Ort, den ich kannte – dort war ein Teich und Trepsis –«

»Er ist fort«, sagte Radu. »Ja, Shara, Liebling, geh ein wenig trinken. Ich komme bald nach.«

»Gehen wir bald heim?« fragte die Kleine. »Du hast gesagt, wir gehen heim, nicht wahr? Ich bin hungrig, Radu. Ich bin hungrig.«

»Wir gehen bald heim, Liebling«, sagte Radu. »Nicht heute abend, aber sehr bald. Weine nicht. Sieh doch, die großen Jungen weinen nicht. Ich kümmere mich um dich.«

Shara legte beide Hände auf seinen Unterarm und blickte zu ihm hoch, ihr bleiches, schmutziges Gesicht unter dem verfilzten Haar war ernst.

»Es ist dunkel«, sagte sie. »Vati zündete immer eine Lampe an, glaube ich. Ja, er zündete eine Lampe an, wenn es dunkel wurde.«

»Ich erinnere mich an die Lampen«, sagte Radu. »Ich bin auch hungrig. Am Ende wird alles endlich wieder gut sein, das verspreche ich dir.«

»Genshed ist böse, nicht wahr? Er tut uns weh. Wird er nach Schlag-auf-Lee gehen?«

Radu nickte und hielt den Finger an die Lippen. »Die Soldaten kommen«, flüsterte er, »die Soldaten aus Sarkid. Sie werden uns nach Hause bringen. Aber das ist ein Geheimnis zwischen dir und mir.«

»Mir ist übel«, sagte sie. »Bin krank. Möchte trinken.« Sie küßte ihn auf den Arm mit trockenen Lippen und stolperte zum Teich hinüber.

»Ich muß sie behüten«, sagte Radu. Er strich sich mit der Hand über die Stirn und schloß die Augen. »Ihr Vater ist einer unserer Pächter, weißt du. Ach, das hab ich dir schon gesagt. Mir ist auch übel. Ist es eine Seuche, was meinst du?«

»Radu«, sagte Kelderek, »ich werde sterben. Sicherlich. Der Teich und die Trepsis – sie wurden mir als Zeichen gesandt. Sogar wenn die Soldaten kommen, werde ich dennoch sterben, denn sie werden mich töten.«

»Genshed«, sagte Radu, »Genshed will uns sicher umbringen. Oder der Teufel, der jetzt seinen Körper benutzt – er will uns töten.«

»Du bist wirr im Kopf, Radu. Hör mich an. Ich muß dich etwas fragen.«

»Nein, das mit dem Teufel ist wahr. Ich sehe es klar, weil ich wirr im Kopf bin. Wenn einer die Hölle liebt und Höllenarbeit verrichtet, dann nehmen die Teufel seinen Leib in Besitz, bevor er stirbt. Das hat mir unser alter Pförtner in Sarkid einmal gesagt. Damals wußte ich nicht, was er meinte, aber jetzt weiß ich es. Genshed ist ein Teufel geworden. Er ängstigt mich fast zu Tode – sein bloßer Anblick; ich glaube, wenn er es sich vornähme, könnte er mich durch Angst töten.«

Kelderek tastete wie ein Blinder nach Radus Arm.

»Hör mich an, Radu. Ich möchte dich um Verzeihung bitten und deinen Vater auch, bevor ich sterbe.«

»Meinen Vater? Du kennst doch meinen Vater nicht! Du bist ebenso wirr im Kopf wie ich.«

»Du mußt mir im Namen deines Vaters verzeihen und im Namen von Sarkid. Ich war deines Vaters größter Feind. Du hast mich nie nach meinem Namen gefragt. Ich heiße Kelderek aus Ortelga, aber du kanntest mich früher unter dem Namen Crendrik.«

»Crendrik, der Priesterkönig von Bekla?«

»Ja, ich war einmal König von Bekla. Kümmere dich nicht darum, wieso ich hier bin. Es ist Gottes Gerechtigkeit, denn ich war es, der den Sklavenhandel wieder nach Bekla brachte und den Sklavenhändlern Genehmigungen erteilte, für Geld, mit dem ich den Krieg gegen Santil-ke-Erketlis bezahlte. Wenn es wahr ist, daß der Tod alle Schulden und alles Unrecht tilgt, dann bitte ich dich um Verzeihung. Ich bin nicht mehr der Mann, der diese Taten begangen hat.«

»Werden wir wirklich sterben, bist du sicher? Gibt es denn keine Hilfe?« Es war ein geängstigtes Kind, das im letzten Tageslicht zu Kelderek emporstarrte.

»Meine Todesstunde ist gekommen – das weiß ich jetzt. Die Soldaten von Ikat hätten mich in Kabin getötet, aber dein Vater verhinderte es. Als er mich über den Vrako schickte, sagte er mir, wenn sie mich je wiederfänden, würden sie mich töten. Ich werde also sterben, entweder von der Hand der Soldaten oder durch Genshed.«

»Wenn dir mein Vater damals verzeihen konnte, Crendrik, kann ich das jetzt auch. Ach, was macht es denn aus? Das Mädchen wird sterben, Genshed wird es töten – ich weiß es«, rief der Junge weinend.

Ehe Kelderek antworten konnte, stand Genshed stumm über ihnen im Dunkel. Er schnipste mit den Fingern, und beide erhoben sich langsam und mühselig, zitternd und schaudernd wie Tiere vor einem grausamen Herrn. Er wollte etwas sagen, als Lalloc herankam, und er wandte sich ihm zu und ließ die beiden stehen.

»Du würdest nicht viel für sie kriegen, Gensh«, sagte Lalloc. »Also mach dir keine Sorgen. Sogar ich könnte dir für die nicht viel bezahlen. Du verlierst sehr wenig, wirklich sehr wenig.«

»Dennoch behalte ich die beiden bei mir«, antwortete Genshed.

»Hat doch keinen Sinn, die zu behalten, Gensh, jetzt nicht. Die kriegst du niemals heraus, und wenn wir mit ihnen gefaßt werden, was dann, ha? Wird schwer genug sein, überhaupt rauszukommen, aber wir haben nichts zu essen, Gensh, wir müssen versuchen rauszukommen. Wir versuchen, nach Deelguy hinüberzukommen, das ist unsere einzige Chance.«

Genshed setzte sich auf die zerbrochene Mauer und starrte teilnahmslos vor sich hin. Lallocs Ringe klirrten, als er seine Hände nervös aneinander rieb.

»Gensh, heute abend können wir es nicht versuchen. Wir versuchen es morgen früh, sobald es hell ist. Komm dort hinein, da ist ein Stück Dach darauf. Wir machen ein Feuer – das wird man draußen nicht sehen. Hör zu, Gensh, ich hab noch was zu trinken – 'n gutes, starkes Getränk. Wir bleiben hier, allmählich wird es Morgen, dann gehen wir über den Fluß, gut?«

Genshed erhob sich langsam und drückte die Spitze seines Messers nacheinander auf seine Fingerspitzen. Schließlich wies er mit dem Kopf auf Radu und sagte: »Ich behalte ihn bei mir.«

»Also, wie du willst, Gensh, ja, ja, aber er ist dir jetzt zu nichts nütze, keiner von ihnen hat noch einen Wert für dich. Laß sie doch, wir brauchen sie nicht mehr, im Dunkel kommen die nirgends mehr hin, sie sind erschöpft, erledigt. Morgen verschwinden wir.«

»Ich behalte ihn bei mir«, wiederholte Genshed.

Shara kam langsam auf Radu zu. Als sie ihre Hand in die des Jungen legte, blickte Genshed auf sie nieder, seine Augen waren, wie die einer Schlange, von allgemeiner, kalter Bosheit erfüllt. Radu bückte sich, um sie aufzuheben, war aber zu schwach dazu, ließ sich auf ein Knie sinken und begegnete dabei Gensheds Blick. Er erhob sich halb, anscheinend um fortzulaufen, doch als Genshed sein durchbohrtes Ohr erfaßte, keuchte er: »Nein! Nein! Ich will nicht –«

»Hör mal, Radu, du bist nur ein dummer kleiner Junge, nicht wahr?« sagte Genshed, das Ohr langsam drehend, so daß Radu auf die Knie sank. »Nur ein dummer kleiner Junge, das bist du doch?«

»Ja.«

Genshed führte die Spitze seines Messers an Radus Augenlid entlang, doch dann schien er plötzlich des Unterfangens überdrüssig, steckte es wieder in die Scheide, zog Radu hoch und führte ihn zu dem verfallenen Häuschen, wo Lalloc bereits kniete und seinen rauchenden Feuertopf zu einer Flamme blies. Shara trottete neben ihnen, ihr Weinen wurde, als sie durch den Eingang traten, unhörbar. Kelderek, der allein im Dunkel geblieben war, sank auf dem offenen Gelände zu Boden; später aber – er wußte nicht, um wieviel später – kroch er auf Händen und Knien in die nächste Hütte. Und dort schlief er ein.

53. Nachtgespräch

Man hatte ihm ein Bündel Kindersklaven gegeben, die er in den Palast der Barone schaffen sollte, aber sie waren so schwer, daß er sie nicht tragen konnte und sie Schritt um Schritt hinter sich herschleifen mußte. Der Weg führte auf einen Berg, und er folgte seinem Herrn Shardik hinauf durch die steilen, trostlosen Wälder, in denen die Geister der toten Soldaten zwischen den Ästen flatterten und schwatzten. Zuletzt wurde der Weg so steil und die Last so schwer, daß er auf Händen und Knien kriechen mußte und auf diese Weise endlich zur Höhe kam. Der Palast der Barone stand auf dem äußersten Gipfel, doch merkte er im Näherkommen, daß es nur gestrichenes Holz auf einem Rahmen war, und als er stehenblieb und es ansah, brach es in Stücke und fiel über den Bergrücken hinunter.

Er erwachte, kroch ins Freie und versuchte, einen kurzen Blick auf die Sterne zu bekommen; entweder Blätter oder Wolken verdunkelten sie. Er überlegte, so gut er konnte. Wenn es nun sehr spät wäre – Mitternacht oder noch später –, mochten Genshed und Lalloc schlafen; dann könnte er vielleicht Radu und Shara befreien – ja, vielleicht sogar Genshed mit dessen Messer erstechen.

Es war eine stockdunkle Nacht, aber aus einer Richtung konnte er in der Ferne den teilweise, anscheinend durch eine Art Vorhang verdeckten Schein eines Feuers erkennen. Er machte einige Schritte darauf zu und merkte, daß er die Entfernung falsch eingeschätzt hatte, denn es war nah – ganz nah. Man hatte quer über den türlosen Eingang, durch den Genshed Radu bei Einbruch der Nacht geführt hatte, einen Mantel befestigt. Er trat näher, kniete nieder und blickte durch einen der Schlitze, durch welche die Glut sichtbar war.

Leere Steinwände, ein gepflasterter Fußboden – sonst nichts, und in dem Kamin gegenüber brannte ein niedriges Feuer. Er fragte sich, wer wohl das Holz gesammelt hätte. Die Sklavenhändler mußten es sich geholt haben, während er schlief. In der hinteren Ecke schliefen Radu und Shara auf den bloßen Steinen. Radu lag regungslos, aber Shara wimmerte dauernd, sie war unruhig und sichtlich krank. An der Wand neben ihr hüpfte ihr Schatten auf und nieder, er übertrieb jede Bewegung des kranken Kindes, wie das Echo in einer Schlucht den Ruf eines am Rande stehenden Mannes verstärkt und zurückwirft.

Genshed saß, einen langen Stock in einer Hand, auf seinem Tornister, starrte in die Flammen und kratzte verdrossen an einem Häufchen von Insekten, die sich auf der Spitze eines brennenden Holzscheits gesammelt hatten. Wieder befiel Kelderek die Vorstellung, daß er nie schliefe oder, wie ein Insekt, nur in einer bestimmten Jahreszeit eine Art Winterschlaf hielt. Ihm gegenüber saß Lalloc unbeholfen auf einem Holzscheit, sein verwundetes Bein ruhte auf einem zweiten. An Gensheds Tornister lehnte ein lederner Weinschlauch, den der Sklavenhändler nach einiger Zeit ergriff, daraus trank und ihn Lalloc reichte. Kelderek sah, daß jeder Fluchtgedanke aussichtslos war, und wollte wieder davonschleichen, als er Lalloc sprechen hörte. Trotz seines verwirrten Kopfes und der quälenden Insektenbisse hörte er neugierig zu.

»Du warst nicht immer in diesem Geschäft, nicht wahr?« fragte Lalloc und beugte sich vor, um sein Bein zu reiben. »Wie lange kenne ich dich schon, Gensh – drei Jahre?«

»Nein, nicht immer«, antwortete Genshed.

»Was hast du gemacht – warst du vielleicht Soldat?«

Genshed neigte sich vor und schob einen Käfer in die Flammen. »Ich war Henkersknecht in Terekenalt.«

»Is das 'n guter Posten? Verdient man viel?«

»Man konnte leben«, sagte Genshed.

Es trat eine Pause ein.

»War ganz unterhaltend, wie?«

»Kinderei«, antwortete Genshed. »Bekam es satt. Man lernt es schnell genug und darf nur tun, was einem befohlen wird.«

»Das ist nicht viel, oder?«

»Also, es geht – man betrachtet ihr Gesicht, wenn sie herausgebracht werden, verstehst du, wenn sie alles sehen, was man speziell für sie vorbereitet hat – die Daumen- und Fußschrauben und dergleichen.«

»Zuerst die Fußschrauben, wie?«

»Können auch die anderen sein«, sagte Genshed, »wenn nur die Finger gebrochen werden. Aber du darfst dich nur dann und wann gehenlassen.«

»Was heißt dann und wann?«

Genshed trank wieder und überlegte.

»Wenn einer verurteilt ist, kannst du nichts anderes tun, als das Urteil vollstrecken. Das geht ja, aber es ist nicht besser als Knaben oder Tiere, nicht wahr? Das hab ich schließlich eingesehen.«

»Wieso – was kannst du denn noch mehr tun?«

»Vom Schreien und Weinen wirst du überdrüssig«, sagte Genshed. »Es ist schon etwas anderes, wenn man Informationen braucht. Das richtige ist, man bricht dem Mann den Mut, so daß er tut, was man will, und so bleibt, sogar wenn man schon mit ihm fertig ist.«

»Und das kannst du?«

»Dazu gehört Verstand«, sagte Genshed. »Natürlich hätte ich es gekonnt, ich habe Verstand, aber die Schweine gaben mir keine

Chance. So ein Job wird dem gegeben, der ihn kaufen kann, nicht wahr? Die wollen keine Qualität. Ich wußte, was ich wert war, ich wollte nicht mein Leben lang bloß für meinen Lebensunterhalt ein Folterknecht bleiben. Zuerst nahm ich den Gefangenen ab, was ich kriegen konnte – weißt du, um sie dafür gnädig davonkommen zu lassen –, oder ich nahm bloß das Geld und ließ sie nicht davonkommen – was sollten sie tun? Dadurch verlor ich meinen Job. Nachher ging es mir eine Weile schlecht. Die Leute wollen einen nicht anstellen, wenn man einmal diese Arbeit gemacht hat – die Narren!«

Lalloc warf noch einen Zweig auf das Feuer und trank wieder aus dem Weinschlauch. In der Ecke krümmte sich Shara auf dem Boden, plapperte einige Worte und leckte ihre trockenen Lippen, ohne zu erwachen.

»Und die Ortelganer haben dir 'ne Chance gegeben, wie mir, wie?«

»Die Schweinehunde wollten mir keine Genehmigung geben. Das weißt du ja.«

»Warum nicht?«

»Zu viele Kinder verwundet, sagten sie. Aber wahrscheinlich eher, weil ich nicht genug Geld hatte, um die Genehmigung zu bezahlen.«

Lalloc kicherte, brach aber ab, als Genshed ihn scharf anblickte.

»Nein, nein, ich lache nicht, Gensh, aber man braucht schon einen gewissen Stil, um Sklavenhändler zu sein, weißt du. Warum hast du keine richtigen Aufseher? Und dann darfst du deine Kinder nicht sterben lassen, darfst sie nicht an Stellen verletzen, wo man es merkt. Sie müssen gut aussehen, und du mußt ihnen beibringen, daß sie für die Kunden ein wenig Theater spielen.«

Genshed schlug mit der Faust in die andere Handfläche.

»Ja, du hast es leicht. Ich muß billig arbeiten. Für die Kinder braucht man keine Aufseher; man sucht sich dazu zwei von ihnen aus – die verkauft man, sobald sie mehr wissen, als einem paßt. Du kaufst nur von anderen Händlern, nicht wahr, du arbeitest mit Kapital. Ich muß rausgehen und sie mir billig besorgen, die ganze Mühe, die Gefahren, keine Genehmigung, dann kaufst du sie mir ab und verkaufst sie mit Profit, nicht wahr?«

»Aber so viele gehen dir kaputt, Gensh, oder?«

»Man muß darauf gefaßt sein, einige zu verstümmeln – und auch, einige zu verlieren. Du mußt ihren Mut brechen, so daß sie gar nicht mehr daran denken können fortzulaufen. Schlag einen oder zwei zu Tode, wenn du mußt – dann sind die übrigen halb toll vor Angst. Ich brauche nicht mehr so viel zu tun wie früher – jetzt, wo ich den Trick beherrsche. Ich habe Jungs zum Wahnsinn getrieben, ohne sie auch nur anzurühren – das nenne ich Stil.«

»Aber du kannst sie doch nicht verkaufen, wenn sie irrsinnig sind, Gensh.«

»Nicht so teuer«, räumte Genshed ein, »aber ich kann für fast alle einen Preis bekommen, und für die Differenz hab ich ein wenig Spaß gehabt. Übergeschnappte, Häßliche, alle, die reiche Händler wie du nicht nehmen – die kann ich immer noch den Bettlerbesitzern verkaufen. Man hackt ihnen die Hände oder die Füße ab, weißt du, so etwas, und schickt sie betteln. Einer in Bekla hatte achtzehn oder zwanzig, von denen er lebte, die meisten kaufte er von mir. Zum Betteln schickte er sie auf den Karawanenmarkt.«

»Nun, vielleicht ist das dein Stil, Gensh, aber viel verdient man dabei nicht. Du mußt sie hübsch ausstatten, bloß bis der Kunde sie gekauft hat, weißt du. Du mußt auch herausfinden, was der reiche Kunde sucht, du mußt mit den Kindern sprechen, ihnen sagen, daß es zu ihrem Vorteil ist, wenn sie den Kunden anreizen, verstehst du?«

Seine Stimme klang leicht herablassend. Genshed schürte schweigend das Feuer.

»Wozu behältst du das kleine Mädchen?« fragte Lalloc. »Du hast mir gesagt, du hast in Tonilda alle Mädchen abgestoßen. Warum hast du sie nicht verkauft?«

»Ach – um *ihn* zu bändigen, deshalb«, sagte Genshed, mit dem Daumen auf Radu weisend.

»Wieso das?«

»Der ist ein komischer Kerl«, sagte Genshed. »Das Klügste, was ich je tat, das größte Risiko, das ich je einging; wenn es gelingt, verdiene ich ein Vermögen, und es ist noch immer möglich. Er ist ein junger Adeliger – eine Lösegeldgeschichte, wenn ich ihn nach Terekenalt bringe. Wenn ich nur ihn behalte, darf ich die anderen verlieren. Ich kann ihn nicht brechen – nicht völlig –, bei solchen kann man es nie wissen, sogar wenn sie selbst glauben, sie sind gebrochen. Die Kleine – die kann ihn am besten zähmen. Solange er sich vorgenommen hat, sie zu schützen, wird er nichts anzustellen versuchen, nicht wahr? Das komische war, er kam in Thettit selbst zu mir und sagte, wir sollten sie behalten – er brachte sie über den Vrako. Das war ein gewisses Risiko – er hätte ertrinken können; aber es lohnte sich, um keine Schwierigkeiten mit ihm zu haben. Solche Kerle können eine Menge Ärger bedeuten. Stolz – o ja, er ist zu gut für Männer wie du und ich. Aber ich werde ihn schließlich brechen, den feinen jungen Herrn – ich werde ihn Knaben peitschen lassen, um sein Abendessen zu verdienen, und keinen Finger zu rühren brauchen, um ihn zu zwingen – du wirst schon sehen.«

»Wer ist er?« fragte Lalloc.

»Ah! Wer er ist?« Genshed machte eine Pause, der Wirkung halber. »Der Erbe des Statthalters von Sarkid, das ist er.«

Lalloc stieß einen Pfiff aus. »Ach, Gensh, dann ist es kein Wunder, daß es hier überall von Ikats wimmelt, ha? Du hast es richtig gemacht, Gensh, jetzt wissen wir, warum sie unaufhörlich suchen, wie? Wir haben dir eine Menge zu verdanken, Gensh.«

»Zweihunderttausend Meld«, sagte Genshed. »Ist das nicht ein Risiko wert? Und du sagtest, morgen früh überqueren wir den Fluß, nicht wahr?«

»Wer ist der andere, Gensh – der Mann? Ich dachte, du arbeitest nur mit Knaben und Mädchen?«

»Das weißt du nicht?« antwortete Genshed. »Solltest es aber wissen, du schmieriger, schleichender, bestechender Schweinehund.«

Lalloc unterbrach sein Trinken und blickte mit hochgezogenen Brauen und nachdenklichen Augen über den Weinschlauch. Dann schwappte der Wein in seinem hohlen Behälter, als er den Kopf und den Schlauch zugleich schüttelte.

»Das ist König Crendrik«, sagte Genshed. »Der, welcher Priesterkönig von Bekla war. Der mit dem Bären.«

Lalloc hätte beinahe den Weinschlauch fallen lassen, faßte ihn gerade noch rechtzeitig und senkte ihn mit langsamer, verwunderter Gebärde.

»Ich fand ihn bewußtlos in einem Sumpf, fünfzig Kilometer südlich von hier«, sagte Genshed. »Weiß nicht, wie er dorthin kam, aber ich erkannte ihn gleich. Hatte ihn in Bekla gesehen, genau wie du. Also, der läuft nicht fort. Er weiß, die Ikats sind hinter ihm her.«

Lalloc starrte ihn fragend an.

»Die Sache liegt so«, sagte Genshed, das Feuer schürend. »Ich bin schlau. Ich behalte ihn und den Jungen – lasse die anderen laufen, aber die zwei behalte ich um jeden Preis. Nun, wir wissen, daß der Statthalter von Sarkid für die Ikats kämpft. Sollten mich die Ortelganer jemals fangen – vergiß nicht, ich habe keine Genehmigung –, kann ich ihnen sagen, ich habe den Sohn des Statthalters und übergebe ihn ihnen, höchstwahrscheinlich werden sie dann so froh sein, daß sie mich freilassen. Und wenn uns die Ikats erwischen, kann ich ihnen Crendrik geben. Sie wären froh, ihn zu bekommen, vielleicht würden sie uns dann laufenlassen. Crendrik hat natürlich keinen anderen Wert, aber der Junge ist viel wert, wenn wir nur entkommen können. So wie das Glück sich nun gewendet hat, ist es eher wahrscheinlich, daß wir von den Ikats als von den Ortelganern gefaßt werden, deshalb behalte ich Crendrik.«

»Aber wenn die Ikats dich mit dem Jungen fangen, Gensh?«

»Das werden sie nicht«, sagte Genshed. »Dafür sorge ich schon. Sie werden mich mit keinem einzigen Kind erwischen – und auch die Leichen werden sie nicht finden.«

Er erhob sich jählings, brach einige Zweige über seinem Knie und warf sie ins Feuer. Kelderek hörte, wie Sharas Hinterkopf gegen die Steine schlug, als sie sich hin und her wälzte und im Schlaf weinte.

»Was planst du also?« fragte Genshed nun. »Wie willst du über den Telthearna kommen?«

»Ein großes Risiko, Gensh, aber es ist unsere einzige Chance. Wir müssen es versuchen, sonst kriegen uns die Ikats wirklich. Dort unten liegt ein Dorf, es heißt Tissarn, ein Fischerdorf – am Fluß, weißt du.«

»Ich weiß – gestern ging ich landeinwärts, um ihm auszuweichen.«

»Also, ganz früh am Morgen gehen wir hier fort, lassen alles stehen – geradeaus dorthinunter, wir suchen uns einen Mann, ich zahle ihm alles, was ich habe, er gibt uns ein Kanu, ein Boot, irgend etwas, bevor die Ikats kommen. Wir fahren hinüber nach Deelguy. Die Strömung ist stark, wir werden weit abgetrieben, aber wir kommen hinüber. Wir müssen es jedenfalls versuchen.«

»Wird das Dorf nicht bewacht sein? Deshalb bin ich ihm ausgewichen.«

»Wir müssen es versuchen, Gensh.«

»Den Jungen nehmen wir mit.«

»Das gefällt mir nicht. In Deelguy werde ich gesucht, weißt du.

Ich will nicht, daß uns jemand sieht, vielleicht erfahren sie, wer der Junge ist, finden heraus, daß wir Sklavenhändler sind. In Deelguy ist das verboten.«

Genshed schwieg.

»Gensh, ich bin sehr schwer verwundet. Du bist mein Freund, Gensh, du hältst zu mir? Du hilfst mir?«

»Ja, natürlich helfe ich dir, keine Sorge.«

»Nein, aber du schwörst es mir, Gensh? Schwörst mir, daß du mein Freund bist, daß du mir beistehst, mir immer hilfst, ja? Bitte schwöre es, Gensh!«

Genshed trat auf ihn zu und gab ihm die Hand.

»Ich schwöre dir, Lalloc, daß ich dein Freund bin, daß ich dir beistehen werde, so wahr mir Gott helfe.«

»Gott sei Dank, Gensh, Gott sei Dank, daß ich dich getroffen habe. Wir werden uns sicher retten. Jetzt schlafen wir ein wenig, aber gleich wenn es Tag wird, gehen wir los. Keine Zeit zu verlieren, weißt du.«

Er wickelte sich unbeholfen in seinen Mantel, legte sich neben das Feuer und schien sofort einzuschlafen, in Schlaf zu versinken wie ein Stein in einen Teich.

Kelderek kroch davon ins Dunkel, aber seine durch den Feuerschein zusammengezogenen Pupillen vermittelten ihm nicht das geringste Bild der ihn umgebenden Nacht. Er wartete, und dabei wurde ihm klar, daß er nicht nur nicht wußte, wohin er gehen könnte, sondern daß es auch nichts ausmachte. Genshed würde nicht schlafen – dessen war er sicher. Er konnte entweder waffenlos in den Wald kriechen und hungern, bis die Soldaten ihn fänden, oder bleiben und auf Gensheds Willkür bei Tagesanbruch warten. Soll ein Ochse im Schlachthaus nach rechts oder links gehen? »Wir nehmen den Jungen mit.« Aber ihn, Kelderek, würde Genshed nicht mitnehmen über den Telthearna – darin läge für ihn kein Vorteil. Wenn er ihn nicht tötete, würde er ihn am Ufer auf die Soldaten warten lassen.

Es erfaßte ihn schreckliche Verzweiflung und eine panische Angst – die Angst eines Mannes, der weiß, daß alles, was er befürchtet hat, nun bevorsteht und unausweichlich ist, daß die Tür verschlossen ist und die Wasser steigen. Er erhob sich, streckte die Arme aus, starrte ins Dunkel und versuchte, die Umrisse der Ruinen rundum zu erkennen. Eine konnte er ausmachen – eine dunkle Masse rechts von ihm, niedrig, doch gerade noch erkennbar gegen etwas, das wie eine Lücke zwischen den Bäumen aussah. Er bückte sich, dann kniete er nieder und versuchte, sie klarer gegen den Himmel zu sehen. Als er hinstarrte, bewegte sie sich, und im selben Augenblick stieg ihm ein Geruch in die Nase, der ihn sofort an das Stroh, die rauchenden Fackeln und die mit Ziegeln ausgefüllten Arkaden des Königlichen Hauses in Bekla erinnerte – der scharfe, stinkende Geruch des Bären.

Längere Zeit hindurch dachte Kelderek, er müsse schon tot sein. Er hatte den Teich und die Trepsis als Anzeichen seines Todes hingenommen. Daß Genshed wußte, wer er war – es von Anfang an gewußt hatte –, das hatte ihm seine Hilflosigkeit richtig zu Bewußtsein gebracht, die stets die Entdeckung begleitet, daß etwas, das wir für geheim hielten, in Wirklichkeit dem Feind immer schon bekannt war. Und nun, in dieser seiner höchsten Not, war Shardik, den er vor drei Tagen weit fort im Süden gesehen hatte, ungesehen, ungehört aus den Weiten des Waldes aufgetaucht. Es fiel Kelderek nicht ein, sich zu fragen, ob er aus Rache oder aus Mitleid gekommen war; sein geschwächter Sinn wurde einfach von Entsetzen vor dem Unglaublichen überflutet.

Wieder bewegte sich die dunkle Masse gegen den Himmel, und nun bewies ein tiefes Knurren, daß er in der Nähe war – näher, als es den Anschein gehabt hatte, nur wenige Schritte entfernt. Kelderek wich zurück bis an die Mauer der Unterkunft der Sklavenhändler, bedeckte sein Gesicht mit den Händen und wimmerte vor Furcht.

Da ertönte ein entsetzlicher Schrei aus dem Inneren. Ein zweiter folgte, dann noch einer; Flüche, Schläge, der dumpfe Aufschlag eines schweren Gegenstands, krampfhaftes Zappeln und schließlich ein langgezogenes, ersticktes Stöhnen. Der über dem Eingang befestigte Mantel wurde zur Seite gerissen, und der Feuerschein strahlte heraus, beleuchtete einen Augenblick zwei rote, im Dunkel glühende Augen und eine große, schwarze Form, die kehrtmachte, davonstolperte und zwischen den zerstörten Mauern verschwand. Dann trat wieder Stille ein, nur unterbrochen durch ein ruckweise ziehendes Geräusch, das schließlich aufhörte, und das schwere Atmen von jemandem, der sein Werk durch neuerliches Befestigen des Mantels über dem Eingang zu Ende führte. Der Feuerschein war eingeschlossen, und Kelderek, der nichts weiter erfaßte, als daß Shardik fort und er selbst am Leben war, kroch in die erste Spalte,

die er fand, und blieb dort liegen, ohne zu wissen, ob er schlief oder
wachte.

54. Der gespaltene Felsen

Im ersten Licht, das sich am Himmel zeigte, lag der Fluß in stumpfem, trübem Grau, und aus der Höhe, in der die Wildgänse auf ihrem Flug nach Norden schwebten, war die Wasserfläche glatt, die Strömung unmerkbar. Südlich des Durchlasses von Linsho lag regungslos der Wald und bedeckte wie ein zottiger Pelz den Leib der Erde, auf der er wuchs. Noch störte kein umherschwirrender Vogel die Stille. Es wehte keine Brise, es wurde noch kein schimmerndes Licht von den Bäumen zurückgeworfen. Die Flügel der großen Schmetterlinge waren noch gefaltet.

Da und dort war der Waldpelz braun verfilzt mit Büscheln alter, toter Schlingpflanzen, die sich bis in die obersten Zweige gewunden hatten und hochgeklettert waren, bevor sie abstarben; da und dort lag er, gleichsam abgefressen und räudig, offen und zeigte die darunterliegende schmutzige Haut, die von Felskanten schwielig, von Morasten eitrig, mit Buschwerk und Dornen verkrustet war. An einer solchen offenen Stelle enthüllte das graue Licht eine krätzige Kruste, die Reste einer älteren, tieferen Wunde: gestürzte Steine, zerbrochene Mauern, Steinblöcke rund um einen Teich am Fuß eines gleich einem vorstehenden Knochen nackten Felsens. Auch auf dieser Kruste wimmelte es von taumelnden, schmutzigen Geschöpfen – menschlichen Kindern –, die aus den Ritzen krochen wie Käfer aus dem Holz, ziellos hin und her trotteten, abstoßend in ihrer Stumpfheit und Qual; sie luden zu Grausamkeit ein, so deutlich hilflos waren sie geschaffen, um leichter der Vernichtung anheimzufallen. Bald würde das gewaltige Geschöpf, auf dessen Leib sie krochen und sich nährten, sie als Reizung empfinden, sich kratzen und ihr sinnloses Leben zerquetschen.

Die Leiche Lallocs lag bäuchlings vor der Schwelle, über die er, mit Gensheds Messer im Rücken, getaumelt war. Er war gestolpert, und seine gebogenen Knie waren durch die Schwere des korpulenten Leibes in die weiche Erde gedrückt worden. Die Arme waren vorgestreckt, der eine lag mit der Handfläche nach unten auf dem

Boden, die Finger in die Erde gebohrt, der andere war hochgestreckt wie bei einem Schwimmer, jedoch im Tode erstarrt. Der Kopf war seitwärts verdreht, und der Mund stand offen. Zwei Stiche hatten die linke Wange beinahe losgetrennt, sie hing zackig über das Kinn nach unten und entblößte die aneinandergepreßten, zersplitterten Zähne. Die Kleider waren so sehr mit altem und frischem Blut getränkt, daß sie kaum mehr eine andere Farbe erkennen ließen.

Genshed kniete neben dem Teich, spülte seine Arme im Wasser und säuberte sich mit der Messerspitze die Nägel. Sein Tornister lag offen hinter ihm auf der Erde, und er hatte einige Fußketten daraus entnommen. Diese behielt er, warf jedoch allerlei anderes Gerät, das er sichtlich zurücklassen wollte, zur Seite. Nachdem er den leichter gewordenen Tornister verschlossen und geschultert hatte, spannte er den Bogen, steckte mehrere Pfeile in den Gürtel und ergriff dann den noch schwelenden Feuertopf, den er mit Moos und grünen Zweigen anfüllte.

Seine Bewegungen waren lautlos, und dann und wann machte er zur Vorsicht eine Pause und lauschte im Dämmerlicht auf die Geräusche des erwachenden Waldes. Als er endlich im Unterholz jenseits des Teiches leise Schritte hörte, trat er sofort zur Seite und wartete schon versteckt, mit einem Pfeil auf dem Bogen, als Schreihals unter den Bäumen hervortrat.

Genshed senkte den Bogen und ging zu der Stelle, wo der Junge auf die Leiche vor dem Eingang starrte. Schreihals wandte sich um, fuhr zusammen und trat, eine Hand zum Mund gehoben, zurück.

»Du wolltest wohl einen Nachtspaziergang machen, Schreihals, oder?« sagte Genshed fast flüsternd. »Hast du Soldaten gesehen, wie? Hast du Soldaten gesehen, Schreihals?«

Schreihals war offensichtlich aus Furcht, Hunger oder Schlaflosigkeit oder aus allen drei Ursachen halb betäubt. Obwohl er zu antworten versuchte, brachte er eine Weile nichts Verständliches hervor. Schließlich sagte er: »Also gut, aber ich bin zurückgekommen, nicht wahr? Ich will doch am Leben bleiben, verdammt noch mal!«

»Deshalb bist du also zurückgekommen?« sagte Genshed, der ihn mit einer Art zögernder Neugier betrachtete.

»Natürlich bin ich wiedergekommen«, rief Schreihals. »Im Wald – dort draußen –« Er brach ab und wies zum Wald. »Das ist kein lebendes Geschöpf«, platzte er heraus. »Es ist deinetwegen gekommen – es wurde dir geschickt –« Er fiel auf die Knie. »Ich war es nicht, der Kevenant erschlug. Das hast du getan.« Er warf einen raschen Blick über die Schulter. »Das Ding – das Geschöpf – wenn es ein Geschöpf ist und kein Teufel – es war größer als dieser Felsen, sag ich dir. Es erschütterte den Boden bei jedem Schritt. Ich stieß beinahe im Dunkel dagegen. Gott, bin ich gerannt!«

»Deshalb bist du also zurückgekommen?« wiederholte Genshed.

Schreihals nickte. Dann erhob er sich langsam, sah sich nach der Leiche um und sagte gleichgültig: »*Ihn* hast du also getötet?«

»Für uns hat er doch keinen Wert, oder?« sagte Genshed. »Wenn man uns mit *ihm* zusammen fängt, wären wir erledigt. Aber ich habe sein Geld. Vorwärts, weck sie auf, zum Abmarsch!«

»Du willst sie mitnehmen?« fragte Schreihals erstaunt. »Um Gottes willen, warum laufen wir nicht einfach irgendwohin?«

»Weck sie auf!« wiederholte Genshed. »Schließ sie alle mit den Handgelenken an eine Kette und sorg dafür, daß sie sich dabei still verhalten!«

Seine Herrschaft erfüllte alles wie eine Überschwemmung, entwurzelte oder ertränkte jeden anderen Willen. Die Kinder, welche, von Hunger und Entbehrung benommen, die Nacht in den Ruinen verbracht hatten und nun, unfähig, an Flucht oder Verstecken auch nur zu denken, Schreihals gehorchten, wie sie ihm schon so lange gehorchten, spürten, als sie ins Freie wankten, daß von Genshed eine noch bösere Macht ausstrahlte als bisher. Im Zusammenbruch seines Glücks war nun seine Grausamkeit von den früher durch seine Hoffnung auf Profit aufgezwungenen Hemmungen befreit, und er wanderte unter den Kindern mit einer eifrigen, helläugigen Erregung, vor der sie entsetzt zurückschreckten. Kelderek kroch aus der Spalte, in der er gelegen hatte, und fühlte sich von der gleichen Kraft zuerst auf die Beine und dann mit unsicheren Schritten zum Teichrand getrieben, wo Genshed ihn erwartete. Er kannte Gensheds Willen und blieb wortlos stehen, als Schreihals ihm eine Handschelle anlegte und ihn an einen glatthaarigen Jungen kettete, dessen Augen dauernd hin und her wanderten. Der Junge wurde an einen anderen geketten und so fort, bis alle untereinander verbunden waren. Kelderek wunderte sich nicht darüber, daß Schreihals zurückgekommen war oder wie Lalloc geendet hatte. Derlei Dinge brauchten keine Erklärung, das war ihm nun klar. Sie und alles übrige auf der Welt – Hunger, Krankheit, Elend und Qual – unterstanden Gensheds Willen.

Schreihals blickte nach dem Befestigen der letzten Handschelle hoch, nickte und trat zurück. Genshed stand, mit der Spitze seines Messers spielend, lächelnd im heller werdenden Tageslicht.

»Nun«, sagte Schreihals endlich, »brechen wir jetzt nicht auf?«

»Hol Radu«, antwortete Genshed, auf die Hütte weisend.

Der Lärm im Wald ringsum nahm zu, die Vögel schrien, die Insekten summten. Eines der Kinder schwankte, hielt sich am nächsten fest und fiel dann hin, wobei es zwei andere mit sich zog. Genshed beachtete sie nicht, und die Kinder blieben liegen.

Radu stand neben Kelderek, der mit einem Seitenblick in Radus ganzer Haltung die Furcht erkannte, von der er am Vortag gesprochen hatte. Seine Schultern waren gebeugt, die Hände an seiner Seite geballt und die Lippen fest aufeinandergepreßt.

»Guten Morgen, Radu«, sagte Genshed höflich.

Man kann von dem gewöhnlichen Henker, in dessen Hände ein einstmals feiner Herr geliefert wurde, der nun blaß vor Furcht, gebrochen und aufgegeben ist, billigerweise nicht erwarten, daß er allen persönlichen Gefallen und seine natürliche Neigung für Belustigung aus seiner Arbeit ausschließt. In seine Hände ist eine Seltenheit gefallen, ein hilfloser, jedoch noch empfindungsfähiger Vertreter der Menschen, die er bedient, beneidet, fürchtet, umschmeichelt und womöglich betrügt. Die Gelegenheit ist erfreulich und erfordert, um ihr gerecht zu werden, Überlegung und auch Spott, dazu natürlich ein wenig zynische Nachäffung des gekünstelten Benehmens der Adeligen.

»Bitte geh mit Schreihals, Radu«, sagte Genshed. »Würdest du mir freundlichst die Leiche aus den Augen schaffen?«

»Verdammte Scheiße, wie lange noch –« rief Schreihals, begegnete Gensheds Blick und brach ab. Kelderek wandte den Kopf mit Gensheds stillschweigender Erlaubnis und beobachtete die zwei Jungen, die mit Mühe die dicke, blutgetränkte Leiche aufhoben und sie wieder zurück über die Schwelle schleppten, über die Lalloc gefallen war, ehe er starb. Als sie zurückkamen, trat Genshed vor und faßte Radu freundlich an den Schultern. »Nun, Radu«, sagte er mit einer Art höherer Freude, »geh und bring Shara her. Beeil dich!«

Radu starrte ihn an.

»Man darf sie nicht fortbringen! Sie ist krank! Vielleicht stirbt sie!« Nach einer kurzen Pause rief er: »Das weißt du!«

»Still jetzt«, sagte Genshed. »Sei still! Geh und hol sie, Radu!«

In der umwölkten Benommenheit von Keldereks Sinnen gab es keine morgendlichen Laute, keine Steinhütten, keinen umgebenden Wald. Ein zerstörtes, ödes Land lag in der Überschwemmung. Das letzte Licht schwand, der Regen fiel in braunes, alles verwischendes Wasser; und während er auf diese hoffnungslose Landschaft blickte, zerbröckelte das Inselchen, das Radu war, und verschwand unter plätscherndem, gelbem Schaum.

»Geh und hol sie, Radu!« sagte Genshed nochmals sehr ruhig.

Kelderek hörte schon Sharas Weinen, bevor er Radu erblickte, der sie in seinen Armen trug. Sie wehrte sich, und der Junge vermochte sie kaum zu halten. Er bemühte sich, sie zu beruhigen und zu trösten, seine Stimme war, überdeckt von ihrem halb fiebrigen, ängstlichen Weinen, kaum zu hören.

»Nicht, Radu, nicht, laß mich in Frieden, Radu, ich will nicht nach Schlag-auf-Lee!«

»Still, Liebling, still«, sagte Radu, der sie unbeholfen festhielt. »Wir gehen heim. Ich hab es dir versprochen, erinnerst du dich?«

»Tut weh«, weinte das Kind. »Geh fort, Radu, es tut weh.«

Sie starrte Genshed an, ohne ihn zu erkennen, ihr eigener Schmutz bedeckte sie wie Trümmer die Straßen einer zerstörten Stadt. Schmutziger Speichel floß über ihr Kinn, und sie zupfte schwach an der schuppigen Kruste rund um ihre Nasenlöcher. Plötzlich schrie sie wieder, offenbar vor Schmerz, auf und ließ einen dünnen, wolkigen und milchweißen Urinstrom über die Arme des Jungen fließen.

»Komm her, gib sie mir, Radu«, sagte Genshed und streckte die Hände aus.

Kelderek blickte hoch und sah, wie seine Augen, glänzend und gefräßig wie die eines Riesenaals, zu beiden Seiten über seinem offenen Mund starrten.

»Sie macht zuviel Lärm«, flüsterte Genshed und leckte sich über die Lippen. »Gib sie mir, Radu!«

In dem Augenblick, da Kelderek einen Schritt vorwärts machen wollte, merkte er, daß Radu sich geweigert hatte, Genshed zu gehorchen. Er spürte den scharfen Ruck der Kette an seinem Handgelenk und hörte den Jungen, an den er gekettet war, fluchen. Zugleich wandte sich Radu um und stolperte davon, wobei Sharas Kopf schlaff an seiner Schulter hin und her rollte.

»Nein, nein, Radu«, sagte Genshed im gleichen ruhigen Ton. »Komm hierher zurück!«

Radu achtete nicht auf ihn und ging langsam, mit über seiner Bürde geneigtem Kopf weiter.

Plötzlich zog Genshed knurrend sein Messer und warf es nach dem Jungen. Er verfehlte ihn, stürzte auf ihn los, riß ihm das Kind aus den Armen und schlug ihn zu Boden. Einen Augenblick blieb er regungslos stehen und hielt Shara in beiden Händen vor sich. Dann versenkte er seine Zähne in ihren Arm, und bevor sie noch schreien konnte, warf er sie in den Teich. Schreihals lief vorwärts, wurde zur Seite gestoßen, und Genshed sprang ihr nach ins Wasser.

Sharas Körper fiel mit einem lauten Klatschen auf die Wasserfläche. Sie versank, hob dann aber den Kopf heraus, richtete sich auf und kniete in dem seichten Wasser. Kelderek sah, wie sie die geballten Fäuste hochwarf und wie ein Baby Atem holte, um zu schreien. Als sie das tat, watete Genshed durch den Teich, zog sie nach hinten und trat sie mit dem Fuß unter Wasser. Er stellte einen Fuß auf ihren Hals, blickte um sich und kratzte sich die Schultern, während der Aufruhr zuerst von starken, dann von schwachen Wellen im Wasser abflaute. Bevor das Wasser wieder ruhig war, hatte Shara, in den Kies und die farbigen Steine auf dem Grund gedrückt, aufgehört, um sich zu schlagen.

Genshed stieg aus dem Teich, und die Leiche kam, mit dem Gesicht nach oben, an die Oberfläche; ihr vom Wasser dunkel gefärbtes Haar schwamm rund um ihren Kopf. Genshed ging schnell auf Radu zu, der noch auf dem Boden lag, riß ihn auf die Füße, hob sein Messer auf, schnipste dann mit den Fingern Schreihals zu und wies bergab zum Fluß. Kelderek hörte den Jungen keuchend zur Spitze des Zuges laufen.

»Vorwärts, vorwärts«, murmelte Schreihals, »bevor er uns alle erschlägt. Nur weiter, nur weiter!«

Von selbst hätten die Kinder keine hundert Schritte gehen können, sich nicht aufrecht auf eine Bank setzen oder ihre verlausten Lumpen ablegen können. Lahm, krank, ausgehungert, kaum fähig, ihre Umgebung wahrzunehmen, wußten sie dennoch nur zu gut, daß ihr Schicksal in Gensheds Händen lag. Nur er hatte die Macht, die Lahmen zum Gehen, die Kranken zum Aufstehen und die Hungrigen zur Überwindung ihrer Schwäche zu veranlassen. Sie hatten sich ihn nicht ausgesucht, sondern er sie. Ohne ihn konnten sie nichts tun, aber jetzt hielt er an ihnen fest und sie an ihm. Er hatte die Welt überwältigt, so daß das Leben eine einfache Sache wurde, die darin bestand, unausweichlich seinem Willen gemäß dem Ziel zuzustreben, das er gesetzt hatte. Gensheds Wille trieb so weit an, wie es für seine Zwecke nötig war, und schloß Hoffnung und Furcht vor allem anderen ebenso aus wie jeden Sinn für weitere Einblicke oder Klänge – für Erinnerungen vom Vortag, für Schreihals' offenkundige Angst, die merkwürdige Abwesenheit Bleds und für die Leiche des kleinen Mädchens, die zwischen den Trepsisranken am Teichrand schwamm. Die Kinder waren sich dieser Dinge kaum mehr bewußt als die Fliegenschwärme, welche die von Lallocs Blut getränkten Stellen auf dem Boden bedeckten. Es kümmerte sie nicht, welche Zeit oder Jahreszeit Genshed in seine Gewalt gebracht hatte. Ihnen genügte es, seinem Willen zu gehorchen.

Kelderek, der sich zwischen den Bäumen bergab schleppte, konnte nicht mehr wahrnehmen als die übrigen. »Das Kind ist tot«, dachte er. »Genshed hat es getötet. Nun, solche Dinge sind bei uns alltäglich geworden; und dadurch weiß ich, daß meine eigene Sündhaftigkeit ihr Werk in mir vollendet hat. Würde ich nicht aufschreien, wenn ich noch ein Herz in der Brust hätte? Ich will aber gar. nichts, nur weitere Qual vermeiden.«

Bleds Leiche lag halb verborgen im Unterholz, mitten unter Zeichen der Gewalttätigkeit – zertrampelte Erde und gebrochene Äste. Bleds Augen waren offen, aber der irre Glanz war im Tode verschwunden, auch seine Gliedmaßen wiesen nicht mehr ihre barbarisch geduckte Haltung auf. Das war es gewesen, was Bled größer erscheinen ließ, wie eine lebende Spinne in den Augen der Leute, die sie fürchten, durch ihre wachsame Spannung und die Möglichkeit des plötzlichen und sehr schnellen Laufs auf ihren gekrümmten Beinen vergrößert wird. Bled sah nun aus wie eine tote Spinne – klein, häßlich und harmlos; ja und auch zerschlagen, denn eine Kopfseite war zertrümmert, und der Körper war schlaff und zerknittert, als wäre er im Griff eines Riesen zerdrückt worden. Die linke Seite seiner Jacke war aufgerissen, und das freiliegende Fleisch durchzogen fünf klaffende, parallellaufende und tiefe Rißwunden.

Sogar wenn er noch fiebriger und schwächer gewesen wäre, hätte Kelderek die Spuren unweit der Leiche erkannt. Sie waren undeutlich, denn den Boden bedeckten Moos und Schlingpflanzen, aber er hätte sie erkannt, auch wenn sie noch schwächer gewesen wären.

Der Junge mußte vor kurzem, vor kaum zwei Stunden gestorben sein, und in dieser Erkenntnis ermahnte er die Kinder zum Schweigen und lauschte selbst gespannt.

Schreihals ließ sich jedoch nicht beruhigen und warf sich in abergläubischem Entsetzen auf den Boden. Genshed kam mit dem an seinen Gürtel geketteten Radu heran und konnte Schreihals nur mit Mühe auf die Füße ziehen.

»Verdammte Hölle!« weinte der Junge, sich sträubend. »Hab ich's dir nicht gesagt? Es ist der Teufel, Genshed, er kommt uns alle holen! Ich habe ihn gesehen, sag ich dir, im Dunkel sah ich ihn –«

Genshed schlug ihm ins Gesicht, und er fiel gegen Radu, der stockstelf dort stand und blind vor sich hinstarrte, als Schreihals sich plärrend an seine Hände klammerte. Kelderek, der es für höchst wahrscheinlich hielt, daß Shardik in Hörweite war, beobachtete, ob Genshed den Spuren Beachtung schenken oder sie als das, was sie waren, erkennen würde. Er zweifelte daran, und Gensheds erste Worte gaben ihm recht.

»Sieht aus, als hätte ihn ein wildes Tier niedergeschlagen«, sagte Genshed. »Geschieht ihm recht, wenn er sich versteckt und vor Tagesanbruch abzuhauen versucht! Vorwärts, reiß dich zusammen, Schreihals, ich gebe dir eine Chance. Ich will gut zu dir sein, Schreihals. Es gibt keinen Teufel, du bist nur ein blöder kleiner Scheißkerl, und du mußt dich vor den Ikats hüten. Jetzt müssen wir uns beeilen, verstanden? Du gehst dort nach links, so weit du kannst, von dort werden sie kommen. Wenn du welche kommen siehst, geh zurück zu dem Felsen dort am Ufer – der mit der Spalte, siehst du ihn? –, ich werde dort sein. Wenn du Lust haben solltest, dich den Ikats zu ergeben, versuche das lieber nicht. Die hängen dich an einen Baum, bevor du mucksen kannst. Verstanden?«

Schreihals nickte, Genshed versetzte ihm noch einen Stoß, und er verschwand nach links in der Richtung parallel zum Telthearna, der nun unter ihnen in Sicht war und in dessen Wasser in Ufernähe sich das Grün der überhängenden Bäume spiegelte.

Es ging bergab, jeder Pulsschlag war ein schmerzender Stich von hinten gegen seine Augäpfel, er preßte die Hand auf ein Auge, die Kettenglieder schnitten in sein Handgelenk, seine Sicht war verschwommen, so anstrengend war das Konzentrieren auf die richtige Einstellung. Hinabstolpern – da, ein Weinen wie von einem Mädchen: es mußte eine Illusion sein. Nicht weinen, Melathys, mein

Lieb, weine nicht um meinen Tod. Wohin wirst du nun gehen, was wird aus dir werden? Und sind die Soldaten jemals bis Zeray gekommen? Eine Botschaft – aber er wird mich ja nicht den Soldaten überlassen, er wird mich selbst töten. Unser Herr Shardik – letzten Endes werde ich noch vor unserem Herrn Shardik sterben –, ich werde nie den hohen Zweck erfahren, für welchen Gott seinen Tod brauchte. Ich habe ihn verraten – ich wollte ihn töten. Melathys auf Quiso, Melathys spielt mit des Barons Schwert. Wir konnten keine Schonung erwarten, ein gewöhnlicher Mann und ein Mädchen, die in Dinge verwickelt wurden, an die sie nicht heranragten. Wenn ich nur auf der Gelter Straße auf die Tuginda gehört hätte! Saiyett, verzeih mir nun; in einer Stunde werde ich tot sein. Wenn das kleine Mädchen sterben konnte, kann ich es auch. Dieser grausame Mann – ich war es, der ihm seine Arbeit ermöglichte, ich war es, der Lalloc und seinesgleichen nach Bekla brachte.

Bergab, nicht ausrutschen, nicht an der Kette zerren! Die Sonne muß aufgegangen sein, sie strahlt herab auf das Wasser am Ufer, sie flimmert unter den Bäumen. Wie der Schmerz von dem verwundeten Finger über meine Hand ausstrahlt! Hunderte habe ich zu Elend und Tod verführt, sie alle hätte die Tuginda retten können. Ich hatte Angst vor Ta-Kominion; aber jetzt ist es zu spät. Radu ist es, der weint, Genshed hat ihn schließlich gebrochen. Der wird am Leben bleiben und noch andere Kinder ermorden, er wird schon jenseits des Flusses sein, wenn die Soldaten das tote Mädchen im Teich finden. Hast Du es gesehen, o Gott? Siehst Du, wie die Kinder leiden? Mich nannte man einst Kelderek, den Kinderspielfreund. Warum hast Du Shardik, unseren Herrn, einem Mann wie mir offenbart, der ihn verriet und Deine Absicht durchkreuzte?

In Flußnähe wurde das Unterholz dichter. Als Kelderek zögernd haltmachte, überholte ihn Genshed, der in einer Hand den Bogen und mit der anderen Radu an der Schulter gefaßt hielt. Er hatte den Jungen mit einem Stück Seil geknebelt. Radus Kopf war auf seine Brust gesunken, und seine Arme hingen an seinen Seiten hinunter. Genshed ging durch das Unterholz zum Flußufer und winkte Kelderek und den Kindern, ihm schweigend zu folgen.

Kelderek trat ans Ufer. Die Sonne glitzerte vom anderen Ufer über das Wasser. Er stand knapp oberhalb einer kleinen Bucht, einer halbkreisförmigen Einfahrt, die von einer etwa doppelt mannshohen, steilen Böschung umgeben war. Rund um den Rand war das

Unterholz in zwei oder drei Schritt Breite beschnitten worden, um einen Pfad zu bilden, der zu beiden Seiten der Bucht ans Ufer führte. Wenige Meter weit rechts stand breit über diesem Pfad, den er halb absperrte, der hohe, gespaltene Felsen, den Genshed von oben aus dem Wald gesichtet hatte. Links, an der stromaufwärts liegenden Ecke der Einfahrt festgemacht, lag ein Kanu mit Netzen, Speeren und anderem Gerät an Bord. Es war keine Seele zu sehen, aber in einiger Entfernung hinter dem Kanu konnte man eine Gruppe von Hütten erkennen; aus einigen stieg schon Rauch empor.

»Verdammter Mist!« flüsterte Genshed mit einem raschen Blick durch die Bäume. »So einfach ist das!«

Aus dem Wald ertönte plötzlich ein lauter, flötender, in seiner konsonantischen Deutlichkeit fast menschlicher Ruf. Gleich darauf schoß ein purpurgoldener Blitz durch die Bäume. Es war ein Vogel, so lebhaft im Sonnenschein, daß ihn sogar die ausgehungerten, fiebrigen Kinder verwundert anstarrten.

»Kynat!« schrie der Vogel. »Kynat chrrrr-ak! Kynat, Kynat wird es sagen!«

Die wie ein Alchimistenfeuer safranfarbig schimmernden Unterseiten seiner Flügel wurden beim Fliegen abwechselnd enthüllt und verborgen, er umkreiste die kleine Bucht, schwebte eine Zeitlang, breitete seinen goldberandeten Schwanz aus und ließ sich auf dem Heck des vertäuten Kanus nieder.

»Kynat wird es sagen!« rief er lebhaft, mit strahlenden Augen den ausgemergelten, bedauernswerten Menschen am Ufer zu, als wäre er tatsächlich mit der Absicht gekommen, ihnen und sonst niemandem seine Botschaft zu bringen.

Kelderek hörte den Ruf und sah sich nach dem Vogel um, konnte aber nur wirbelndes Grau und Grün, von goldenen Sonnenstrahlen durchstochen, erkennen. Dann, als der Vogel wieder rief, sah er vor sich den Hof in Zeray und Melathys, die sich zwischen den Fensterläden vorneigte. Während er hinblickte, verschwand sie schon, und ihm war, als sähe er sich selbst, wie er sich durch den dunklen Wald schleppte, während seine wie von einer Klippe zur anderen fallenden Tränen schließlich in eine äußerste Dunkelheit, älter als die Welt, verschwanden.

»Kynat wird es sagen!« rief der Vogel, und Kelderek kam zu sich, erblickte ihn, wie er über dem Wasser saß, und Genshed, der mit gespanntem Bogen, so daß die Pfeilspitze den Bogen berührte, dort stand. Plötzlich und unbeholfen, wie ein verkohltes Holzscheit ins Feuer fällt, warf er sich vorwärts: die Kette spannte sich, und er fiel auf Genshed, als dieser abschoß. Der abgelenkte Pfeil schlug ins Heck des Kanus, so daß es schaukelte und sich an der Vertäuung drehte, die Wellen wanderten über die Bucht. Der Vogel öffnete seine wundervollen Flügel, erhob sich in die Luft und flog stromabwärts.

»Die bringen vierhundert Meld ein!« schrie Genshed. Dann rieb er sich das linke Handgelenk, wo die losgeschnellte Bogensaite es gepeitscht hatte, und sagte sehr leise: »Ach, Herr Crendrik, ich muß mir für dich ein wenig Zeit nehmen, nicht wahr? Ja, das muß ich.«

Er war nun in einer gehobenen Stimmung des Selbstvertrauens, die noch schrecklicher war als seine Grausamkeit – die gehobene Stimmung des Diebs, der erkennt, daß im Hause nur eine hilflose Frau ist, die er daher berauben und auch noch vergewaltigen kann; des Mörders, der zusieht, wie sein allzu vertrauensvoller Gefährte fortgeführt wird, um der Anklage zu begegnen, die er, dank der Verschlagenheit seines vermeintlichen Freundes, nun nicht zu widerlegen vermag. Tatsächlich hatte er teuflisches Glück, aber er wußte genau, Glück hat eben der Tüchtige – der Mann mit Fähigkeit und Stil. Das Boot lag fahrbereit, es wehte kein Wind, das Wasser war ruhig. Lallocs Geld steckte sicher in seinem Gürtel, und an sein Handgelenk gekettet war eine Geisel, die mehr wert war als das Ergebnis von zehn Sklavenjagden. Zu seinen Füßen lag, hilflos, aber zum Glück nicht bewußtlos, der Mann, der ihm einst eine beklanische Sklavenhandelsgenehmigung verweigert hatte.

Mit der durch langjährige Übung erworbenen Schnelligkeit und Geschicklichkeit machte Genshed Kelderek und Radu los, verlängerte ihre Ketten mit Hilfe einer anderen, die er durch ihre durchbohrten Ohren zog, und befestigte die beiden an einem Baum. Kelderek kauerte sich zusammen, starrte auf das Wasser und ließ nicht erkennen, daß er wußte, was vorging. Dann schnipste der Sklavenhändler zum letztenmal mit den Fingern, führte die Kinder links über einen Pfad und nach unten zum stromaufwärts gelegenen Ende der Bucht.

Das Kanu lag am Ufer, an einem schweren, durchlöcherten Stein festgemacht – von der Art, wie sie oft von Fischern als Anker verwendet werden. Genshed beugte sich vor, legte zuerst seinen Tornister in das Boot und dann zwei Paddel, die nahe am Ufer lagen.

Schließlich zog er eine Kette durch den Ankerstein und zurück zum Handgelenk des nächsten Kindes. Nun waren seine Vorbereitungen beendet, er ließ die Kinder zurück und stieg schnell den Hang hinauf.

Gerade als er zu Radu und Kelderek kam, stürzte Schreihals aus dem Unterholz. Wild um sich blickend, lief er über den Pfad zu der Stelle, wo Genshed mit dem Messer in der Hand stand.

»Die Ikats, Genshed, die Ikats! Sie kommen in Schwarmlinie durch den Wald! Sie müssen gleich, als es Licht wurde, die Suche nach uns begonnen haben!«

»Wie lange dauert es noch, bis sie hier sind?« fragte Genshed.

»Sie lassen sich Zeit, durchsuchen alles genau, jedes Gebüsch; aber keine Sorge, sie werden bald genug hier sein!«

Genshed antwortete nicht, sondern wandte sich wieder Kelderek und Radu zu, befreite sie, nahm den Feuertopf ab, den er noch in einer Hand trug, und blies die schwelenden Zweige und das Moos zu einer Glut. Darin tauchte er die Spitze seines Messers.

»Nun hör mir mal zu, Radu!« sagte er. »Zuerst wirst du dieses Messer in Herrn Crendriks Augen stechen – in beide. Wenn du es nicht tust, steche ich es in deine Augen, verstanden? Dann wirst du mit mir dort hinuntergehen, die Vertäuung losmachen und den Stein ins Wasser schleudern. Das wird mit dem Bestand aufräumen, den wir zurücklassen müssen. Dann können wir, du und ich und vielleicht Schreihals, wenn ich mich nicht anders besinne, uns fortmachen. Die Zeit drängt, also beeile dich.«

Er packte Keldereks Schulter und zwang ihn auf die Knie vor Radus Füßen. Radu war noch immer mit dem Seil geknebelt, er ließ das Messer fallen, das ihm Genshed in die Hand legte. Es blieb im Boden stecken, aus einem durchbohrten und glimmenden Stück Holz stieg eine Rauchfahne hoch. Genshed ergriff das Messer, erhitzte es nochmals und gab es Radu wieder, dem er zugleich die linke Hand auf den Rücken drehte und den Knebel aus dem Mund nahm; den Knebel warf er ins Wasser.

»Um Himmels willen!« rief Schreihals verzweifelt. »Ich sage dir, Genshed, es ist keine Zeit für solche Späße! Kannst du nicht mit dem Zeitvertreib warten, bis wir wieder in Terekenalt sind? Die Ikats, die Scheißikats kommen! Erschlag das Schwein, wenn du mußt, aber komm schon!«

»Erschlag die ganze Drecksbande!« flüsterte Genshed entzückt.

»Vorwärts, Radu, tu es! Tu es, Radu! Wenn du willst, führe ich deine Hand, aber du mußt es tun!«

Radu hatte schon, gleichsam in Trance und willenlos, das Messer gehoben, als er sich plötzlich mit einer krampfhaften Bewegung aus Gensheds Griff loswand.

»Nein!« schrie er. »Kelderek!«

Kelderek erhob sich langsam, als hätte ihn der Schrei geweckt. Sein Mund stand offen, und er hielt eine Hand, deren gespaltener Fingernagel mit einer wulstigen, schmutzigen Kruste bedeckt war, in einer schwachen Verteidigungsgebärde vor sich. Dann blickte er Genshed an, sprach aber unsicher wie zu jemand anderem: »Gottes Wille muß geschehen, Herr. Die Sache ist größer als selbst dein Messer.«

Genshed entriß Radu das Messer, stieß nach Kelderek, und der Stich riß eine lange Wunde an dessen Unterarm. Er gab keinen Laut von sich und blieb stehen, wo er war.

»Ach, Crendrik«, sagte Genshed, faßte ihn am Handgelenk und hob wieder das Messer, »Crendrik von Bekla –«

»Ich heiße nicht Crendrik, sondern Kelderek, der Kinderspielfreund. Laß den Jungen in Frieden!«

Genshed stach ein zweites Mal auf ihn ein. Die Messerspitze drang zwischen den kleinen Ellbogenknochen ein und riß Kelderek wieder in die Knie. Zur selben Zeit wies Schreihals mit einem Aufschrei auf das Ufer.

Auf halbem Weg zwischen den an den Stein geketteten Kindern und der höher liegenden Stelle, wo Genshed über der Mitte der Bucht stand, teilte sich das Unterholz, und ein großer Ast fiel nach vorn über den Pfad, überschlug sich und glitt langsam ins Wasser. Gleich darauf öffnete sich der Spalt weiter und enthüllte den Leib eines riesigen, zottigen Geschöpfes. Dann stand Shardik am Ufer und äugte nach oben auf die vier über ihm stehenden Menschen.

Ach, unser Herr Shardik, der Höchste, Göttliche, gesandt von Gott aus Feuer und Wasser: unser Herr Shardik von den Terrassen! Du, der du zwischen den Trepsisranken in den Wäldern von Ortelga erwachtest, um der Habgier und Bosheit im Herzen des Menschen anheimzufallen! Shardik, der Sieger, der Gefangene von Bekla, Herr der blutigen Wunden; du, der die Ebene durchquerte, der lebend aus den Streels hervorkam, unser Herr Shardik aus Wald und Bergen, Shardik vom Telthearna! Hast auch du gelitten bis zum Tode,

hilflos wie ein Kind in den Händen grausamer Menschen, und will der Tod nicht kommen? Shardik, unser Herr, rette uns! Gedenke der brennenden und eitrigen Wunden, des Schwimmens durch den tiefen Fluß deines Drogenrausches und des wilden Sieges, deiner langen Gefangenschaft und der erschöpfenden, vergeblichen Reise, deiner Not und Qual, des Verlustes und der Bitternis deines frommen Todes: rette deine Kinder, die dich nicht fürchten noch kennen! Bei Farn und Felsen und Fluß, bei der Schönheit des Kynats und der Weisheit der Terrassen, o höre uns, besudelt und verloren, die wir dein Leben zerstörten und dich anrufen! Laß uns sterben, unser Herr Shardik, laß uns mit dir sterben, nur rette deine Kinder vor diesem bösen Mann!

Es war klar, daß der Bär dem Tode nahe war. Seine gewaltige, durch Entbehrung entstellte und abgemagerte Gestalt war nur mehr ein räudiger Pelz über starrenden Knochen. Eine Klaue hing gespalten und gebrochen herab, und das bildete sichtlich einen Teil einer größeren Fußwunde, denn die Tatze wurde unbeholfen über dem Boden hochgehalten. Die Lippen und die trockene Schnauze waren gesprungen, und das entstellte Antlitz ließ auf eine Art Schrumpfung oder Zerfall der Züge schließen. Der riesige Körperbau, aus dem so deutlich das Leben schwand, war einem zerstörten Vogelhaus ähnlich, aus dem die bunten Vögel entflogen sind und die wenigen verbliebenen nur noch das Gefühl von Verlust und Schmerz in den Herzen der Menschen steigern.

Der Bär schien durch einen Aufruhr im Wald hinter ihm aufgestört worden zu sein, denn er drehte den Kopf dahin und dorthin, bevor er am Rand der Bucht entlanghinkte, wie um seine offenbare Flucht vor Eindringlingen fortzusetzen. Als er sich den Kindern näherte, duckten sie sich, vor Angst wimmernd, zur Seite; daraufhin blieb er stehen, machte kehrt, ging an der Stelle vorbei, wo er herausgekommen war, und machte einige zögernde, suchende Schritte bergauf. Schreihals begann, außer sich vor Angst, an den dicken Schlingpflanzen und Dornsträuchern zu reißen, konnte sich keinen Weg bahnen und stürzte zu Boden.

»Verdammtes Dreckstück!« sagte Genshed zwischen den Zähnen. »Es ist doch schon halb tot, das Vieh! Vorwärts!« schrie er und schwenkte die Arme, als treibe er Vieh. »Vorwärts! Weg von hier!« Er machte einen Schritt vorwärts, aber darauf knurrte der Bär und erhob sich unsicher auf die Hinterbeine. Genshed trat zurück.

»Warum laufen wir nicht fort?« stöhnte Schreihals. »Bring uns fort von hier, Genshed, um Himmels willen!«

»Was, wegen diesem Tier?« sagte Genshed. »Und das Boot und jede Chance, die uns noch bleibt, hier lassen? Wir laufen ja den Ikats in die Arme. Wir lassen uns nicht von diesem verdammten Tier ein- schüchtern, jetzt nicht mehr. Ich sag dir, es ist schon halb tot. Wir müssen es bloß töten, das ist alles.«

Sein Bogen lag noch, wo er ihn nach seinem Schuß auf den Kynat hingelegt hatte; er hob ihn auf und zog einen Pfeil aus seinem Gür- tel. Kelderek, der noch kniete und aus dessen Arm Blut strömte, faßte ihn am Knöchel.

»Nicht!« keuchte er. »Er wird angreifen – er wird uns alle in Stücke reißen, glaub mir!«

Genshed schlug ihn ins Gesicht, und er fiel seitwärts um. In die- sem Augenblick ertönten Stimmen im Wald – ein Mann rief einen Befehl, und ein anderer antwortete.

»Hab keine Angst«, sagte Genshed. »Keine Sorge, Bursche, ich jage ihm drei Pfeile in den Leib, bevor er noch an einen Angriff denken kann. Ich kenne ein paar Tricks, sag ich dir. Auf mich wird der nicht losgehen.«

Ohne den Bären aus den Augen zu lassen, griff er nach hinten und riß einen langen Streifen von Radus Lumpen. Den knotete er rasch um den Schaft knapp unter der Spitze des schweren Pfeils und ließ beide Enden wie die einer Girlande oder eines Bandes im Haar eines Mädchens hängen.

Beim Klang der Stimmen war der Bär auf alle vier Pfoten gesun- ken. Eine Weile trottete er wütend von einer Seite zur anderen, ließ das aber dann, wohl aus Schwäche, sein und stand wieder still gegen- über dem Sklavenhändler auf dem Pfad.

»Schreihals«, sagte Genshed, »blas den Feuertopf an!«

Schreihals begriff die Absicht, blies den Topfinhalt zu einer Glut an und hielt ihn mit zitternden Händen hoch.

»Halt ihn ruhig!« sagte Genshed leise.

Der Pfeil lag bereits auf der Saite, und er senkte den Bogen, so daß ein Streifenende in den offenen Feuertopf fiel. Es fing sofort Feuer, und als die Flamme weiterbrannte, spannte Genshed den Bogen und ließ los. Die Flamme strömte rückwärts, und der ganze Schaft schien im Flug zu brennen.

Der Pfeil durchbohrte den Bären tief unter dem linken Auge und heftete den brennenden Lumpenstreifen an sein Gesicht. Mit einem unnatürlichen Klagelaut fuhr er, nach seinem brennenden Antlitz greifend, zurück. Der trockene, gesträubte Pelz fing Feuer und brannte – zuerst die Ohren, dann eine dreschende Tatze, die Brust, auf die Fetzen des brennenden Lumpens geworfen wurden. Der Bär schlug auf die Flammen und kläffte wie ein Hund. Als er zurückwankte, schoß Genshed einen zweiten Pfeil ab, der knapp unter dem Hals in die rechte Schulter eindrang.

Kelderek erhob sich wie in Trance. Wieder stand er, wie ihm schien, auf dem Schlachtfeld im Vorgebirge, umgeben von schreienden Soldaten, von trampelnden Flüchtlingen, vom Geruch des zerstampften Bodens. Er konnte deutlich die beklanischen Soldaten vor sich sehen, und in seinen Ohren hallte Shardiks Gebrüll, als er unter den Bäumen hervorbrach. Shardik war eine lodernde Fackel, die sie alle verzehren würde, ein heranstürmendes Feuer, vor dem es kein Entrinnen gab. Shardiks Zorn erfüllte Erde und Himmel, seine Rache würde den Feind verbrennen und zertrampeln. Er sah, wie Genshed kehrtmachte, über den Pfad zurücklief und sich in die Felsspalte zwängte. Er sah, wie Schreihals zur Seite geschleudert und Radu auf ihn geworfen wurde. Mit einem Satz vorwärts schrie er:

»Shardik! Shardik, Gottes Kraft!«

Shardik, dem der Pfeil aus dem Gesicht ragte, kam zu dem Felsen, in den sich Genshed zum Schutz gezwängt hatte. Aufrecht stehend schob er eine geschwärzte Tatze in den Spalt. Genshed stach danach, und der Bär zog sie brüllend zurück. Dann schlug er zu und spaltete den Felsen.

Die Kuppe des Felsens zerbrach wie eine Nußschale und barst dann, als Shardik ein zweites Mal hinschlug, in drei Teile, die umkippten und hinunter ins tiefe Wasser stürzten. Nochmals schlug er zu – ein letzter Schlag, seine Klauen zerfetzten dem Feind Kopf und Schultern. Dann schwankte er, klammerte sich schaudernd an den Felsen und brach langsam über dessen zersplittertem, gebrochenem Unterteil zusammen.

Kelderek und Radu, die ihn beobachteten, sahen eine Gestalt aus der Spalte kriechen. Radu schrie auf, und die Gestalt wandte sich einen Augenblick ihm zu, als könne sie ihn hören. Vielleicht konnte sie es, doch sie hatte keine Augen, kein Gesicht – nur eine große Wunde, ein blutiger Fleischbrei mit da und dort hervorragenden Zähnen und Knochensplittern, in dem keine menschlichen Züge erkennbar waren. Dünne, wimmernde Schreie, wie die einer Katze, kamen aus ihr, doch keine Worte, denn sie hatte keinen Mund, keine Lippen. Sie stolperte gegen einen Baum und wich laut kreischend zurück; in der weichen roten Fleischmaske staken Rindenstücke und Zweige. Blindlings hob sie beide Hände, wie um die Schläge eines grausamen Peinigers abzuwehren; doch es war keiner in der Nähe. Dann machte die Gestalt drei stolpernde Schritte, strauchelte und stürzte lautlos über den Uferrand. Das Klatschen des Aufschlags war zu hören. Radu kroch vor und blickte über den Rand, doch es stieg nichts an die Oberfläche. Die Messerscheide schwamm im Blut auf dem Wasser, und neben dem abgebrochenen Felsen lag die zerschlagene Fliegenfalle – das war alles, was von dem bösen, grausamen Sklavenfänger übrig war, der sich gerühmt hatte, er könne ein Kind durch Furcht, schlimmer als Schläge, zum Irrsinn treiben.

Kelderek schleppte sich zu dem Felsen, kniete daneben hin und schlug weinend auf den Stein. Eine gewaltige Vordertatze, dick wie ein Dachsparren, hing vor seinem Gesicht herunter. Er nahm sie in seine Hände und rief: »Ach, Shardik, Shardik, mein Herr, verzeih mir! Ich hätte mich für dich in die Streels gewagt! Wollte Gott, ich wäre für dich gestorben! O Shardik, unser Herr, stirb nicht, stirb nicht!«

Aufblickend sah er die pflockähnlichen, gebleckten Zähne, das offenstehende, regungslose Maul, die Fliegen, die schon über die vorstehende Zunge wanderten, das bis zur Haut verbrannte Fell, den aus dem Gesicht ragenden Pfeil. Die spitze Schnauze stand keilförmig gegen den Himmel. Kelderek schlug mit seinen Händen an den Stein und schluchzte vor Verlust und Verzweiflung. Er wurde durch eine Hand aufgeschreckt, die ihn an der Schulter packte und ihn grob schüttelte. Langsam hob er den Kopf und erkannte den Mann, der neben ihm stand, als einen Offizier der Armee aus Yeldashay, auf der einen Schulter trug er das Abzeichen der Kornähren von Sarkid. Hinter ihm stand sein junger, zäher Treisatt mit gezücktem Schwert für den Fall, daß es Ärger geben sollte; bestürzt starrte er verständnislos auf den riesigen Leichnam, der über dem Felsen zusammengebrochen war, und auf die drei schmutzigen Landstreicher unterhalb davon.

»Wer seid ihr?« fragte der Offizier. »Vorwärts, antworte mir, Mann! Was tut ihr hier, und warum sind die Kinder dort an den Stein gekettet? Was hattet ihr vor?«

Kelderek, der seinem Blick folgte, sah Soldaten neben den Kindern am Ufer stehen und weiter drüben unter den Bäumen eine Gruppe Dorfbewohner, die starrten und flüsterten.

Der Offizier roch wie ein sauberer Fleischerladen – der Geruch des Fleischessers für jemanden, der keines ißt. Die Soldaten standen so mühelos dort wie Bäume im Frühling. Ihre Riemen waren geölt, ihre Rüstungen schimmerten, ihre Augen wanderten schnell hin und her, ihre ruhigen Stimmen verbanden sie wie Götter in ruhigem Einverständnis. Kelderek wandte sich an den Offizier.

»Ich heiße Kelderek, der Kinderspielfreund«, sagte er stockend, »und mein Leben – mein Leben gehört bereits den Yeldashayern. Ich bin zu sterben bereit und bitte nur um die Erlaubnis, eine Botschaft nach Zeray zu senden.«

»Was meinst du?« fragte der Offizier. »Warum sagst du, dein Leben sei verwirkt? Bist du der Sklavenhändler, der diese unsagbaren Verbrechen begangen hat? Wir fanden Kinder im Wald – krank – verhungert – sterbend, wenn ich mich nicht täusche. Ist das dein Werk?«

»Nein«, sagte Kelderek. »Nein, ich bin kein Sklavenhändler. Der ist tot – durch Gottes Kraft.«

»Wer bist du denn?«

»*Ich*? Ich bin der Herrscher von Bekla.«

»Crendrik, König von Bekla? Der Bärenpriester?«

Kelderek nickte und legte die Hand auf den massigen, struppigen Pelz, der wie eine Wand vor ihm hochragte.

»Der bin ich. Aber der Bär – der Bär wird euch nichts mehr zuleide tun. In Wirklichkeit war er es nie, der euch Kummer bereitete, sondern es waren irregeführte, sündige Menschen, und ich war der allerschlimmste. Sag deinen Soldaten, sie sollen den Toten nicht verhöhnen. Er war Gottes Kraft, die zu den Menschen kam und von Menschen mißbraucht wurde; und zu Gott ist er nun zurückgekehrt.«

Befremdet und verwundert hielt es der Offizier für das beste, nicht weiter mit dieser blutenden, stinkenden Vogelscheuche zu sprechen, die da von Gott und ihrer Todesbereitschaft redete. Er wandte sich an seinen Treisatt, doch da zupfte eine andere Gestalt an seinem Arm, ein Junge mit verfilztem Haar und ausgemergeltem Körper, mit geschwärzten, gebrochenen Fingernägeln und einer Kette zwischen den Fußgelenken. Der Junge blickte zu ihm hoch und sagte im Befehlston in Yeldashay, seiner Muttersprache: »Du darfst diesem Mann nichts tun, Hauptmann. Wo immer mein Vater sein mag, schick bitte sofort jemanden zu ihm mit der Nachricht, daß du uns gefunden hast. Wir –«

Er brach ab und wäre hingefallen, hätte ihn der Offizier, der nun völlig verwirrt war, nicht mit dem Arm um die Schultern genommen.

»Ruhig, mein Junge, faß dich. Was soll das alles heißen? Wer ist dein Vater – und wer bist dann du?«

»Ich – bin Radu, Sohn von Elleroth, dem Statthalter von Sarkid.«

Der Offizier fuhr zusammen, und dabei entschlüpfte der Junge seinem Griff, fiel zu Boden, preßte seine Hände an den zerbrochenen Felsen und schluchzte: »Shara! Shara!«

55. Tissarn

Ein trockener Mund. Wasserglitzern unter einem Dach aus Schilf und Pfählen. Rotes, träges Abendlicht. Eine Art gewebter Decke, die sich am Körper rauh anfühlt. Ein leises, hartnäckiges Kratz-geräusch – eine Maus in der Nähe, ein Mensch weiter entfernt? Schmerzen, viele Schmerzen, nicht heftig, aber tief und beharrlich, der Körper durchdrungen von Schmerz, Finger, Ohr, Arm, Kopf, Magen, kurzer Atem vor Schmerz. Müde, eine Müdigkeit gegenüber Bewußtsein und Schmerzgefühl. Ausgeleert, ausgehungert, der Mund von Durst ausgetrocknet. Und dennoch Erleichterung, das Gefühl, in den Händen von Menschen zu sein, die nichts Böses im Sinn hatten. Wo er war, wußte er nicht, nur daß er nicht mehr bei Genshed war. Der war tot. Shardik hatte ihn vernichtet, und Shardik war tot.

Die ihn umgaben, die – wer immer sie waren – sich die Mühe gemacht hatten, ihn in dieses Bett zu legen, würden sich wahr-scheinlich damit begnügen, ihn vorläufig hier zu lassen. Weiter konnte er nicht denken, konnte nicht an die Zukunft denken. Wo immer er war, er mußte in den Händen der Männer aus Yeldashay sein. Radu hatte mit dem Offizier gesprochen. Vielleicht würden sie ihn nicht töten, nicht nur – und das war sehr unklar, eine Art kindlicher Intuition dessen, was möglich war und was nicht –, nicht nur weil Radu mit dem Offizier gesprochen hatte, sondern auch wegen seiner Not und Leiden. Er fühlte sich mit seinen Leiden ver-bunden, als verleihe ihm das eine Art Immunität. Was sie mit ihm tun würden, wußte er nicht, aber er war beinahe sicher, daß sie ihn nicht töten würden. Seine Gedanken schweiften ab – keine Kraft, sie weiter zu verfolgen – ein Gänseschnattern auf dem Fluß – er mußte sehr nahe vom Wasser sein – ein Geruch von Holzrauch – der pochende Schmerz unter dem Fingernagel war das schlimmste – sein Unterarm war verbunden, aber zu fest. Nichts war von ihm übrig als passive, zusammengefegte und in eine Ecke geworfene Fragmente, Shardik tot, Töne, Gerüche, unklare Erinnerungen, die

Decke kratzte am Hals, der Kopf drehte sich schmerzend hin und her, Shardik tot, der Widerschein des Abendlichts schwand zwischen den Dachpfosten über ihm.

Er stöhnte mit geschlossenen Augen, leckte seine trockenen Lippen, die Schmerzen waren lästig wie Fliegen. Als er die Augen wieder aufschlug – nicht aus einem bewußten Wunsch zu sehen, sondern wegen der momentanen Erleichterung, welche die Änderung bringen würde, bevor der Schmerz sie überwand und wieder über seinen Körper kroch –, sah er neben dem Bett eine alte Frau stehen, die in beiden Händen eine Tonschale hielt. Er wies schwach darauf und dann auf seinen Mund. Sie nickte lächelnd, schob eine Hand unter seinen Kopf und hielt ihm die Schale an die Lippen. Es war Wasser. Er trank und keuchte: »Noch!« Darauf nickte sie, entfernte sich und kam mit der gefüllten Schale wieder. Das Wasser war frisch und kühl; sie mußte es direkt vom Fluß geholt haben.

»Ist dir sehr schlecht, armer Junge?« fragte sie. »Du mußt ruhen.«

Er nickte und flüsterte: »Aber ich habe Hunger.« Dann merkte er, daß sie in einem dem Ortelganischen ähnlichen Dialekt gesprochen hatte und daß er gedankenlos in der gleichen Sprache geantwortet hatte. Er sagte lächelnd: »Ich bin aus Ortelga.« Sie sagte: »Flußbewohner wie wir« und wies, wie er annahm, stromaufwärts. Er versuchte wieder zu reden, aber sie schüttelte den Kopf und legte für einen Augenblick, bevor sie ihn verließ, eine weiche, runzlige Hand auf seine Stirn. Er verfiel in Halbschlaf – Genshed – Shardik tot – wie lange war es her? Nach einiger Zeit kam sie wieder mit einer Tasse Suppe aus Fisch und einem Gemüse, das er nicht kannte. Er aß kraftlos, so gut er konnte. Sie spießte die Fischstücke auf ein spitzes Stöckchen und fütterte ihn, seine Hand haltend, und schnalzte bedauernd mit der Zunge beim Anblick seines verwundeten Fingers. Wieder verlangte er noch mehr, doch sie sagte: »Später – später – vorerst nicht zuviel – schlaf jetzt wieder!«

»Wirst du hierbleiben?« fragte er wie ein Kind, und sie nickte. Dann wies er auf die Tür und sagte: »Soldaten?«

Sie nickte wieder, und da fielen ihm die Kinder ein. Als er aber versuchte, nach ihnen zu fragen, wiederholte sie nur: »Schlaf jetzt!« Und tatsächlich fand er es, mit gestilltem Durst und der warmen Nahrung im Leib, leicht, ihr zu gehorchen; er glitt hinweg in die Tiefen, wie die Forelle, die der Fischer flüchtig erblickt hat, aus dessen Sicht entschwindet.

Einmal erwachte er im Dunkel und sah sie bei einer kleinen rauchenden Lampe sitzen, deren Flamme grün durch ein Gitterwerk dünner Binsen schien. Wieder half sie ihm beim Trinken und dann bei seiner Entleerung, wobei sie sein Zögern und Schamgefühl mit einer Gebärde abtat. »Warum gehst *du* jetzt nicht schlafen?« fragte er. Sie antwortete lächelnd: »Ja – du wirst doch das Kind jetzt noch nicht kriegen«, woraus er schloß, daß sie die Dorfhebamme sein mußte. Ihr Scherz erinnerte ihn an die Kinder. »Die Kinder?« fragte er sie. »Die Sklavenkinder?« Aber sie drückte nur wieder ihre alte, weiche Hand auf seine Stirn. »Weißt du, man nannte mich Kelderek, den Kinderspielfreund«, sagte er. Dann schwamm sein Kopf – hatte sie ihm ein Schlafmittel gegeben? –, und er schlief wieder ein.

Als er erwachte, wußte er, daß es Nachmittag war. Die Sonne war noch immer außer Sicht, irgendwo jenseits seiner Füße, aber höher und weiter links als am Vortag, da er zum erstenmal erwacht war. Sein Kopf war klarer, und er fühlte sich leichter, sauberer und irgendwie weniger von Schmerzen geplagt. Er wollte schon die alte Frau rufen, da merkte er, daß bereits jemand neben dem Bett saß. Er wandte den Kopf. Es war Melathys.

Er starrte sie ungläubig an, und sie erwiderte seinen Blick mit einem Ausdruck wie jemand, der einem geliebten Wesen ein kostbares und unerwartetes Geschenk gebracht hat. Sie legte einen Finger an die Lippen, doch als sie gleich darauf merkte, daß dies als Bitte um Zurückhaltung nicht genügen würde, glitt sie auf den Knien neben dem Bett vor und legte ihre Hand auf die seine.

»Ich bin wirklich, keine Erscheinung«, flüsterte sie, »aber du sollst dich nicht aufregen. Du bist krank – Wunden und Erschöpfung. Kannst du dich erinnern, wie schlecht es dir ging?«

Er antwortete nicht, führte nur ihre Hand an die Lippen. Nach einer Weile sagte sie: »Erinnerst du dich, wie du hierher kamst?«

Er versuchte, den Kopf zu schütteln, gab es aber auf und schloß vor Schmerzen die Augen. Dann fragte er sie: »Wo bin ich?«

»Der Ort heißt Tissarn – ein Fischerdorf, ganz klein – kleiner als Lak.«

»Nahe – nah von dort, wo –«

Sie nickte. »Du kamst zu Fuß hierher – die Soldaten brachten dich. Kannst du dich nicht daran erinnern?«

»An nichts.«

»Du hast dreißig Stunden geschlafen. Willst du wieder schlafen?«

»Nein, noch nicht.«

»Brauchst du etwas?«

Er lächelte schwach. »Schick mir lieber die alte Frau.«

Sie erhob sich. »Wie du willst.« Doch dann lächelte sie ihm über die Schulter zu und sagte: »Als ich herkam, warst du schmutzig – aber so etwas bemerkt doch in Tissarn kein Mensch! Ich zog dich aus und wusch dich von Kopf bis Fuß. Aber ich schick sie dir doch, wenn dir das lieber ist.«

»Bin ich gar nicht erwacht?«

»Sie sagte mir, sie habe dir ein Schlafmittel gegeben. Ich verband auch deinen Arm wieder; sie hatten es viel zu eng gemacht.«

Später, als es Abend wurde und die Enten in den Spiegelbildern des Daches zu platschen und zu jagen begannen – es wurde ihm klar, daß die Hütte fast unmittelbar über dem Wasser stehen mußte –, kam sie wieder, um ihn zu füttern, und setzte sich dann neben ihn ans Bett. Sie trug, wie ein Mädchen aus Yeldashay, das lange blaue *Metlan*, ein unter dem Busen gerafftes, bodenlanges Kleid. An ihrer Schulter steckte eine schöne Spange mit einem Emblem – die Ähren von Sarkid, in Silber gearbeitet. Seinem Blick folgend, lachte sie, nahm die Spange ab und legte sie auf das Bett.

»Nein, ich habe meine Zuneigung nicht geändert. Nur gehört das zu einem anderen Teil der Geschichte. Wie geht es dir jetzt?«

»Ich bin schwach, habe aber weniger Schmerzen. Erzähle mir alles. Weißt du, daß unser Herr Shardik tot ist?«

Sie nickte. »Man hat mich zu dem Felsen geführt, um seine Leiche zu sehen. Was soll ich sagen? Ich habe um ihn geweint. Wir dürfen jetzt nicht davon sprechen – vor allem mußt du dich jetzt ausruhen und dich nicht beunruhigen.«

»So wollen mich denn die Yeldashayer nicht töten?«

Sie schüttelte den Kopf. »Dessen kannst du sicher sein.«

»Und die Tuginda?«

»Bleib ruhig liegen, und ich werde dir alles erzählen. Die Soldaten aus Yeldashay kamen am Morgen nach deiner Abreise nach Zeray. Wenn sie dich dort gefunden hätten, wärst du zweifellos getötet worden. Sie durchsuchten die Stadt nach dir. Es war Gottes Fügung, daß du zur rechten Zeit fortgegangen warst.«

»Und ich – ich fluchte ihm für diese Gnade! Hat sie denn Farrass hierhergebracht?«

»Nein, Farrass und Thrild bekamen, was sie verdienten. Sie trafen die Truppe aus Yeldashay auf halbem Weg nach Kabin und wurden zurückgebracht unter dem Verdacht, flüchtige Sklavenhändler zu sein. Ich mußte mich für sie verwenden, erst dann ließen die Soldaten sie frei.«

»Ich verstehe. Und du selbst?«

»Das Haus des Barons wurde von einem Offizier von Elleroths Stab requiriert – von einem Mann namens Tan-Rion.«

»Ich hatte in Kabin mit ihm zu tun.«

»Ja, das sagte er mir, aber das war später. Zuerst war er kalt und unfreundlich, bis er hörte, daß unsere kranke Frau die Tuginda aus Quiso war. Darauf stellte er uns alles, was er hatte, zur Verfügung – Ziegen und Milch, Hühner und Eier. Die Soldaten aus Yeldashay scheinen es sich im Feld recht gut gehen zu lassen, aber sie kamen ja nur aus Kabin, das sie, soviel ich verstehen konnte, anscheinend gründlich ausgebeutet haben.

Als erstes erzählte mir Tan-Rion, daß mit Bekla ein Waffenstillstand abgeschlossen wurde und daß Santil-ke-Erketlis mit Zelda und Ged-la-Dan in einem Ort unweit von Thettit verhandelt. Soviel ich weiß, ist er noch immer dort.«

»Warum schicken dann die Yeldashayer Truppen über den Vrako? Warum?« Er hatte noch immer Angst.

»Reg dich nicht länger auf, Liebling, beruhige dich, und ich werde es dir erklären. Es stehen alles in allem nur zweihundert Mann aus Yeldashay diesseits des Vrakos, und Tan-Rion sagte mir, daß Erketlis davon erst erfuhr, als sie Kabin verlassen hatten. Er war es nämlich nicht, der den Befehl erteilte, verstehst du.«

Sie hielt inne, aber Kelderek war gehorsam und sagte kein Wort mehr.

»Elleroth erteilte den Befehl aus eigener Initiative. Er erklärte Erketlis, das habe er aus zwei Gründen getan: erstens um flüchtige Sklavenhändler zu fangen, insbesondere Lalloc und Genshed – die schlimmsten von allen, wie er sagte, und er sei entschlossen, sie zu erwischen –, und zweitens, um dafür zu sorgen, daß jemand die Leute aus Deelguy empfing, wenn es ihnen gelang, den Fluß zu überqueren. Er wußte, daß sie die Arbeiten für die Fähre in Angriff genommen hatten.«

Neuerliche Pause; und wieder schwieg Kelderek.

»Elstrit kam tatsächlich nach Ikat, weißt du. Ich hätte mir denken können, daß es ihm gelingen würde. Er übergab Erketlis die

Botschaft des Barons, und der Einfall der Fähre gefiel anscheinend dem Anführer der Abteilung aus Deelguy, die bei Erketlis stand, so gut, daß er sofort an den König von Deelguy Nachricht sandte, man solle Pioniere ans Ostufer des Telthearnas, gegenüber von Zeray, schicken und versuchen, die Fähre in Gang zu bringen. Ich nehme an, er dachte, daß Verstärkungen von Deelguy, die zu der Armee nach deren Marsch nach Norden stoßen sollten, die Überquerung der Gelter Berge vermeiden könnten. Jedenfalls waren das die Männer, die wir beide damals am Nachmittag vom Dach aus sahen. Sie sind noch dort, aber als ich fortging, hatte noch niemand die Durchfahrt überquert. Ich kann mir eigentlich nicht vorstellen, wie man es schaffen soll.

Elleroth hatte aber einen dritten und, wie Tan-Rion mir sagte, wichtigeren Grund – jedenfalls war er für ihn persönlich wichtiger. Er wollte seinen armen Sohn finden, oder wenn ihm das nicht gelang, wollte er unbedingt alles Erdenkliche versucht haben. Insgesamt waren bei der Kompanie aus Sarkid, die nach Zeray kam, acht Offiziere, die alle, bevor sie Kabin verließen, Elleroth geschworen hatten, sie würden seinen Sohn finden, und wenn sie auch jeden Fußbreit Boden in der Provinz durchsuchen müßten. Nach vierundzwanzig Stunden in Zeray hatten sie alles herausbekommen, was es zu erfahren gab – nämlich daß Genshed nicht dort war und daß ihn niemand gesehen oder von ihm gehört hatte –, und machten sich auf den Weg stromaufwärts. Sie hatten schon bei ihrem Anmarsch eine Abteilung nach Norden geschickt, um den Linsho-Durchlaß zu sperren. Er muß zwei Tage, nachdem du aus Zeray weggingst, geschlossen worden sein.«

»Dann war es nur gerade noch zur rechten Zeit«, sagte Kelderek.

»Ich ging mit den Soldaten aus Yeldashay nach Norden, und zwar auf den ausdrücklichen Befehl der Tuginda. Gegen Abend, an dem Tag deiner Abreise, gewann sie das Bewußtsein wieder. Sie war sehr schwach, und damals befürchteten wir natürlich noch, das Haus könnte von den Schurken überfallen werden, die sie verwundet hatten. Sobald aber die Yeldashayer kamen und die Angst, ermordet zu werden, von uns genommen war, begann sie, wieder Pläne zu machen. Sie ist sehr stark, weißt du.«

»Das weiß ich – wer sollte es besser wissen?«

»In der Nacht vor dem Abmarsch der Soldaten aus Zeray sagte sie mir, was ich zu tun hätte. Da Ankray und zwei Offiziere bei ihr blieben, meinte sie, sei sie völlig in Sicherheit; und ich müsse nach Norden gehen. Ich erinnerte sie daran, daß keine andere Frau im Hause war.

›Dann kannst vielleicht du oder Tan-Rion mir aus Lak ein ordentliches Mädchen schicken‹, sagte sie, ›du aber mußt sicher nach Norden gehen, meine Liebe. Die Yeldashayer suchen nicht Shardik; sie suchen Elleroths Sohn. Wir aber, du und ich, wissen, daß Shardik ebenso wie Kelderek irgendwo zwischen hier und Linsho umherwandern. Kein Mensch kann sagen, welcher von Gott geweihte Tod unserem Herrn Shardik bestimmt ist, doch der kommt. Was Kelderek anlangt, der ist in großer Gefahr; und ich weiß so gewiß, als hättest du es mir erzählt, wie es zwischen dir und ihm steht. Die Soldaten aus Yeldashay halten ihn und Shardik für ihre Feinde. Du wirst als Freundin und zugleich als Priesterin gebraucht, und wenn du mich fragst, was du tun sollst, so antworte ich: Gott wird es dir offenbaren.‹

›Priesterin?‹ sagte ich. ›Du nennst *mich* eine Priesterin?‹

›Du *bist* eine Priesterin‹, antwortete sie. ›*Ich* sage, daß du eine Priesterin bist, und du hast eine Vollmacht von mir, als solche zu handeln. Als meine Priesterin sollst du mit den Soldaten nach Norden gehen und tun, was dir zu tun bestimmt ist.‹«

Melathys machte eine kurze Pause, um sich wieder zu fassen. Dann fuhr sie fort:

»So also – so machte ich mich als Priesterin von Quiso auf den Weg. Wir gingen nach Lak, und dort erfuhr ich zuerst von Shardik und dann, daß du dort gewesen und fortgegangen warst. Mehr wußte man nicht über dich. Tags darauf marschierten die Yeldashayer nordwärts gegen Linsho und durchsuchten auf ihrem Marsch den Wald. Tan-Rion hatte der Tuginda versprochen, er werde sich um mich kümmern, und er schenkte mir dieses Metlan aus Yeldashay. Er hatte den Stoff – ich glaube, er hatte ihn in Kabin gekauft, ich wüßte gern, für wen –, und eine Frau in Lak nähte es nach seinen Angaben. ›Wenn du aussiehst wie ein Mädchen aus Yeldashay, wirst du mit den Männern keine Schwierigkeiten haben‹, sagte er. ›Sie wissen, wer du bist, aber sie werden dann meinen, daß sie dich respektieren und beschützen müssen.‹ Er schenkte mir auch dieses Emblem.«

Sie ergriff es lächelnd. »Ein beliebtes Mädchen. Soll ich es in den Fluß werfen?«

Er schüttelte den Kopf. »Das ist unnötig. Außerdem könnte es mich erregen, nicht wahr? Erzähl weiter.«

Sie legte es wieder auf die Decke.

»Am zweiten Tag nach dem Abmarsch aus Lak fanden wir am Morgen eine Kindesleiche, die am Ufer lag – ein zehnjähriger Knabe. Er war schrecklich mager. Er war erstochen worden. Er hatte ein durchbohrtes Ohr und Kettenmale an den Fußknöcheln. Die Soldaten tobten vor Zorn. Damals fragte ich mich, ob du vielleicht von dem Sklavenhändler getötet wurdest. Ich war außer mir vor Sorge, und, Gott helfe mir, ich dachte mehr daran als an unseren Herrn Shardik.

An jenem Nachmittag wanderte ich mit Tan-Rion und seinem Treisatt am Ufer entlang, als zwei Kanus stromabwärts kamen, bemannt mit einem Offizier aus Yeldashay, zwei Soldaten und zwei Dorfbewohnern aus Tissarn. Von ihnen erfuhren wir, daß Radu gefunden wurde und daß Genshed und Lalloc tot waren. Der Offizier erzählte uns, wie unser Herr Shardik sein Leben geopfert hatte, um Radu und die Kinder zu retten, und wie er den Felsen in Stücke schlug. Es war wie ein Wunder, sagte er, wie ein altes, unglaubwürdiges Märchen.

Natürlich dachten die Yeldashayer nur an Radu, aber ich fragte den Offizier aus, bis ich erfuhr, daß du bei Genshed gewesen warst und daß Shardik auch dich gerettet hatte. ›Verwundet, fiebernd und halb von Sinnen‹, sagte der Offizier, aber sie glaubten nicht, daß du sterben würdest.

Eines der Kanus fuhr weiter nach Zeray, und ich ließ mir von Tan-Rion einen Platz in dem anderen geben, das zurückfuhr. Wir paddelten die ganze Nacht am Ufer entlang stromaufwärts gegen die Strömung und kamen bald nach Morgengrauen nach Tissarn. Ich ging zuerst zu unserem Herrn Shardik, wie es meine Ehre und Schuldigkeit verlangte. Es hatte ihn niemand berührt; und genau, wie die Tuginda gesagt hatte, wußte ich, was ich zu tun hatte. Tan-Rion hatte bereits die Vorbereitungen getroffen. Er machte keine Schwierigkeiten, als ich mich an ihn wandte. Die Leute aus Yeldashay denken jetzt völlig anders über unseren Herrn Shardik, weißt du.

Aber nun spreche ich schon zu lange, mein Liebster. Ich darf dich heute abend nicht länger anstrengen.«

»Eine Frage«, sagte Kelderek, »nur eine. Was ist aus Radu und den Kindern geworden?«

»Sie sind noch hier. Ich lernte Radu kennen. Er sprach von dir als seinem Freund und Kameraden. Er ist schwach und sehr unglücklich.« Sie machte eine Pause. »Es gab da ein kleines Mädchen?«

Kelderek holte scharf Atem und nickte.

»Man hat nach Elleroth geschickt«, sagte sie. »Die anderen Kinder – ich habe sie nicht gesehen. Einige erholen sich, aber ich höre, daß es mehreren sehr schlecht geht, den armen Kleinen. Zumindest sind sie in guten Händen. Jetzt mußt du wieder schlafen.«

»Und du auch, meine nachtreisende Liebste. Wir müssen beide schlafen.«

»Gute Nacht, Kelderek, Kinderspielfreund. Sieh doch, es ist schon ganz dunkel geworden. Ich werde die alte Dirion bitten, Gott segne sie, ihre Lampe hereinzubringen und sich zu dir zu setzen, bis sie sicher ist, daß du schläfst.«

56. Shardiks Totenfeier

Obwohl es nun völlig dunkel war, hörte er aus einiger Entfernung den Lärm von arbeitenden Männern – gemeinsame, rhythmische Rufe, wie wenn schwere Gegenstände an ihren Platz geschleppt werden, Hammerschläge, Splittern und Axthiebe. Von irgendwoher unweit des Flusses war ein schwacher Fackelschein erkennbar. Als einmal ein heftiger Aufschlag von besonders lauten Rufen gefolgt wurde, schnalzte die neben ihrer Lampe sitzende Dirion mißbilligend mit der Zunge. Sie sagte aber nichts zur Erklärung, und nach einiger Zeit fragte er sich nicht mehr, welchem dringenden Kriegserfordernis die Soldaten an diesem abgelegenen Ort wohl nachkämen, wo, soviel er wußte, kein Feind in bedrohlicher Nähe war. Er schlief ein, und als er erwachte, sah er den Widerschein des Mondlichts auf den Dachsparren und Melathys, die neben der Lampe saß. Irgendwo draußen rief ein Yeldashay-Wachtposten: »Alles in Ordnung« in dem ausdruckslosen, vorgeschriebenen Ton des Routine-Beobachters.

»Du solltest schlafen«, flüsterte er. Sie fuhr zusammen, kam ans Bett, beugte sich nieder und küßte ihn leicht, dann nickte sie lächelnd zum Nebenzimmer hinüber, wie um anzudeuten, sie wolle dort schlafen; in diesem Augenblick kam Dirion zurück. Als er jedoch viel später in der Nacht aus einem Traum von Genshed erwachte, schrie und sich wehrte, saß immer noch Melathys bei ihm. Er hatte irgendwie seinen verletzten Fingernagel angeschlagen. Es schmerzte stark, und sie tröstete ihn, wie man Kleinkinder oder Tiere beruhigt: »Schon gut, schon gut, bald ist der Schmerz fort, bald ist er fort, wart nur, wart ein wenig«, bis er fühlte, daß tatsächlich sie den Schmerz zum Schwinden brachte. Als das Dunkel ins erste Tageslicht überging, lag er wach und lauschte dem Fluß und den beginnenden Morgengeräuschen – den Vögeln, dem Klirren eines Topfes und dem Krachen von Zweigen, die jemand über dem Knie zerbrach.

Er wurde sich bewußt, daß er zum erstenmal, seit er Ortelga verlassen hatte, Freude an diesen Klängen fand und daß sie ihn, wie einst vor langer Zeit, mit Erwartung auf den kommenden Tag erfüllten. Eine Mahlzeit zu verzehren, sein Tagewerk zu vollenden, müde zum Feuer heimzukehren, eine Frau zu begrüßen, zu plaudern und zuzuhören – wenn man all das ungehindert tun konnte, dachte er, sollte man sein Glück tragen wie einen Kranz.

Als er aber gegessen und Melathys seine Verbände gewechselt hatte, schlief er wieder ein und erwachte erst kurz vor Mittag, da ein zufälliger Sonnenstrahl auf seine Augen fiel. Er fühlte sich kräftiger, hatte zwar noch Schmerzen, war aber kein hilfloses Opfer mehr. Nach einer Weile stellte er einen Fuß auf den Boden, erhob sich benommen, hielt sich am Bett fest und blickte sich um.

Sein Zimmer und ein zweites bildeten den Oberstock einer ziemlich großen Hütte; Bretterfußboden und -wände mit einem Dach in ortelganischem Stil aus Schilfrohr auf Zetlapapfählen. Auf der Ostseite, hinter dem Kopfende seines Bettes, lief ein Korridor, der durch eine Halbmauer abgeschlossen und zu dem fast unmittelbar darunter fließenden Strom offen war.

Er humpelte zur Korridormauer, lehnte sich daran und blickte über den Telthearna auf das Deelguy-Ufer in der Ferne. Draußen fischten Männer, ihr Netz hatten sie zwischen zwei Kanus ausgespannt. Die Strömung in der Flußmitte glitzerte, und nahebei, ein wenig zu seiner Linken, standen einige magere Ochsen und tranken im seichten Wasser. Es war so still, daß nach einer Weile ein Atemgeräusch an sein Ohr drang. Er wandte sich um und sah im Nebenzimmer Melathys schlafend auf einem niedrigen, groben Bett liegen, das dem seinen glich. Sie war nicht weniger schön im Schlaf mit geschlossenen Lippen, glatter Stirn und ihren langen, geschwungenen Lidern mit den dunklen Wimpern. Das war das Mädchen, das um seinetwillen in der letzten Nacht nur wenig und in der Nacht vorher gar nicht geschlafen hatte. Er war ihr durch Shardik wiedergegeben worden, den er einst verflucht hatte und töten wollte.

Er wandte sich wieder dem Fluß zu und blieb lange an die Halbmauer gelehnt, beobachtete die langsam segelnden Wolken und ihre Spiegelbilder im Fluß. Das Wasser war so glatt, daß die Spiegelbilder zweier Enten, die über eine weiße Wolke flogen, am Himmel kehrtmachten und stromaufwärts verschwanden, ebenso klar waren wie sie selbst. Er sah das mit dem vagen Gefühl, es schon früher einmal gesehen zu haben, konnte sich aber nicht entsinnen, wo.

Er richtete sich auf, um zu beten, konnte aber seinen verwundeten Arm nicht heben und mußte sich nach kurzer Zeit, da ihn die Schwäche überwältigte, wieder auf die Halbmauer stützen. Seine Gedanken ließen sich lange nicht in Worte fassen, sie kreisten nur um seine frühere Einfältigkeit und seinen Eigenwillen. Doch seltsamerweise waren diese Gedanken günstig für ihn, sie brachten keine Schmach oder Trübsal mit sich und verwandelten sich schließlich in einen Strom von Demut und Dankbarkeit. Das geheimnisvolle Geschenk von Shardiks Tod, das wußte er nun, ging über alle persönliche Scham und Schuld hinaus und mußte hingenommen werden, ohne bei der eigenen Unwürdigkeit zu verweilen – ebenso wie ein seines Vaters Tod betrauernder Prinz seinen Schmerz beherrschen und stark sein muß, um als heiliges Vermächtnis die Verantwortung und die Sorgen des Staates zu übernehmen, die auf ihn gefallen sind. Trotz des Widerstands der Menschheit und allen Wahnsinns hatte Shardik sein Werk vollendet und war zu Gott zurückgekehrt. Es würde für seinen einstigen Priester, wenn er sich von seinem Schmerz und seiner Zerknirschung überwältigen ließe, nur bedeuten, daß er ihn nochmals enttäuschte, denn die diesem Werk innewohnende heilige Wahrheit war dem ureigenen Wesen nach ein Geheimnis, das weiter durch Gebet und Meditation erfaßt werden mußte. Und dann? dachte er.

Unter ihm lagen die Steine sauber an dem verlassenen Ufer. Die Welt, überlegte er, war sehr alt. »Tu mit mir, was Du vorhast«, flüsterte er laut. »Ich erwarte es.«

Die Fischer hatten den Fluß verlassen; unten im Dorf schien kein Mensch zu sein. So viel Stille am frühen Nachmittag erschien seltsam. Als er die Soldaten heranmarschieren hörte, erkannte er das Geräusch vorerst nicht. Da sie dann näher kamen, zerfiel das vorher einheitliche Geräusch in viele – Trampeln von Füßen, Klirren von Ausrüstungen, Stimmen, ein Husten, ein gerufener Befehl, eine scharfe Ermahnung des Treisatts. Es mußten viele Soldaten sein – mehr als hundert, schätzte er, und nach dem Lärm zu schließen, bewaffnet und ausgerüstet. Melathys schlief noch, als sie, für ihn unsichtbar, auf der Landseite der Hütte vorbeizogen.

Als ihre Schritte verklangen, hörte er plötzlich Stimmen, die unten Yeldashay sprachen. Dann wurde geklopft; Dirion öffnete die Tür und sagte einige Worte, aber so leise, daß er sie nicht verstand. In der Annahme, daß die Soldaten das Dorf verließen, fragte er sich, ob Melathys davon wußte, und wartete; bald darauf kam Dirion über die Leiter zum anderen Ende des Korridors heraufgestiegen. Als sie das Zimmer halb durchquert hatte, sah sie ihn, fuhr zusammen und schalt ihn, er solle ins Bett zurückgehen. Er fragte lächelnd: »Was gibt es? Was geht denn vor?«

»Nun, natürlich der junge Offizier«, antwortete sie. »Er ist hier wegen der Saiyett – um sie zum Ufer mitzunehmen. Sie sind bereit für die Verbrennung, und ich muß sie wecken. Nun leg dich wieder ins Bett, mein Lieber.«

In diesem Augenblick erwachte Melathys so lautlos und schnell, wie der Mond hinter Wolken hervorkommt, schlug die Augen auf und blickte ohne eine Spur von Schläfrigkeit zu ihnen hin. Zu seiner Überraschung beachtete sie ihn nicht, sondern sagte schnell zu Dirion: »Ist es Nachmittag? Ist der Offizier gekommen?« Dirion nickte und ging zu ihr hinüber. Kelderek folgte langsamer, trat ans Bett und ergriff ihre Hand.

»Was geht hier vor?« wiederholte er. »Was wollen sie?«

»Unser Herr Shardik«, antwortete sie und blickte ihm ernst in die Augen. »Ich muß tun – was bestimmt ist.«

Er begriff und holte tief Atem. »Die Leiche?«

Sie nickte. »Der vorgeschriebene Brauch ist sehr alt – so alt wie Quiso. Sogar die Tuginda konnte sich nicht der ganzen Zeremonie entsinnen, aber es ist klar genug, was getan werden muß, und Gott wird das Beste, das wir zu bieten haben, nicht zurückweisen. Shardik, unser Herr, wird wenigstens eine passende und rühmliche Totenfeier bekommen.«

»Wie wird er bestattet?«

»Hat es dir die Tuginda nie gesagt?«

»Nein«, antwortete Kelderek traurig. »Nein; auch das habe ich zu lernen versäumt.«

»Er treibt auf einem brennenden Floß stromabwärts über den Fluß.« Sie erhob sich, ergriff seine beiden Hände und sagte: »Kelderek, Geliebter, ich hätte dir davon erzählen sollen, aber es ließ sich nicht mehr länger aufschieben, und du schienst mir sogar heute morgen noch zu müde und schwach.«

»Mir geht es gut genug«, sagte er fest. »Ich komme mit dir. Widersprich mir nicht!« Sie schien antworten zu wollen, doch er sagte: »Ich werde um jeden Preis mitkommen.«

Er wandte sich an Dirion. »Wenn der Offizier aus Yeldashay noch unten ist, bestelle ihm meinen Gruß und bitte ihn, heraufzukommen und mir über die Leiter zu helfen.« Sie schüttelte den Kopf, ging aber ohne Widerspruch, und er sagte zu Melathys: »Ich will dich nicht aufhalten, aber ich muß irgendwie ordentlich gekleidet sein. Was wirst du tragen?«

Sie wies mit einem Nicken zu einer roh behauenen, unpolierten Truhe, die auf der anderen Seite des leeren Zimmers stand, und er sah, daß darauf ein einfaches, sauberes Kleid lag, hochgeschlossen und mit losen Ärmeln, ein wenig ungleichmäßig rot gefärbt – das Sonntagsgewand eines Bauernmädchens.

»Es sind gütige Menschen«, sagte sie. »Die Frau des Dorfältesten gab mir den Stoff – er gehörte ihr –, und ihre Frauen nähten gestern das Kleid.« Sie lächelte. »Jetzt sind mir schon zwei neue Kleider in diesen fünf Tagen geschenkt worden.«

»Die Leute mögen dich gern.«

»Das kann nützlich sein. Aber komm, Liebster, da ich nicht versuchen werde, dich in deinem Entschluß umzustimmen, müssen wir uns beeilen. Wie steht es mit deiner Kleidung?«

»Die Yeldashayer werden mir helfen.« Er hinkte zur Leiter, als Dirion mit einem Holzeimer voll kaltem Wasser mühselig zum zweitenmal nach oben kam. Melathys sagte auf beklanisch: »Mit dem Waschen ist es wie mit den Kleidern. Aber sie ist eine freundliche Seele. Sag dem Offizier, ich komme bald.«

Der Offizier war Dirion bis zur halben Höhe der Leiter gefolgt, und Kelderek, der nun hinunterblickte, erkannte Tan-Rion.

»Bitte gib mir die Hand«, sagte er. »Ich bin schon soweit wiederhergestellt, um heute mit dir und der Priesterin zu kommen.«

»Davon wußte ich nichts«, antwortete Tan-Rion, sichtlich überrascht. »Es wurde mir gesagt, du könntest es nicht schaffen.«

»Mit deiner Hilfe wird es schon gehen«, sagte Kelderek. »Ich bitte dich, tu mir diesen Gefallen. Für mich ist diese Pflicht heiliger als Geburt und Tod.«

Als Antwort streckte Tan-Rion seine Hand aus. Als Kelderek sich über die Leiter hinunter tastete, sagte er: »Du bist deinem Bären von Bekla zu Fuß bis hierher gefolgt?«

Kelderek zögerte. »Gewissermaßen – ja, ich glaube schon.«

»Und der Bär hat Graf Elleroths Sohn gerettet.«

Kelderek, der Schmerzen hatte, ließ sich zu einer leichten Ungeduld hinreißen. »Ich war dabei.« Er war matt und lehnte sich an die Wand des dunklen unteren Zimmers, in das er hinuntergestiegen war. »Kannst du – könnten deine Leute vielleicht – mir Kleider besorgen? Irgend etwas Sauberes und Anständiges genügt mir.«

Tan-Rion wandte sich zu den beiden an der Tür wartenden Soldaten und redete in seiner Muttersprache. Einer antwortete ihm, stirnrunzelnd und sichtlich irgendwie unsicher. Der Offizier sagte wieder etwas in schärferem Ton, und die Soldaten eilten fort.

Kelderek bewegte sich mühsam aus der Hütte zum Strand, zog das grobe, sackartige Hemd aus, das er im Bett getragen hatte, und kniete nieder, um sich mit einer Hand im Seichten zu waschen. Das kalte Wasser machte ihn völlig munter, und er setzte sich, nun mit recht klarem Kopf, auf eine Bank, während Tan-Rion ihn, in Ermanglung von etwas Besserem, mit dem Hemd abtrocknete. Die Soldaten kamen zurück, der eine trug ein in einen Mantel gewickeltes Bündel. Kelderek bemühte sich zu verstehen, was sie sagten.

»– ganze Dorf leer, Herr«, hörte er, »– brave Leute – können uns nicht einfach selbst bedienen – das Bestmögliche getan –«

Tan-Rion nickte und wandte sich ihm wieder zu. »Sie haben ein paar ihrer eigenen Kleider gebracht. Sie schlagen vor, daß du sie anziehst und den Nachtmantel eines Wachtpostens darüber trägst. Ich glaube, das ist das Beste, was wir in so kurzer Zeit schaffen können. Es wird ganz gut aussehen.«

»Ich bin ihnen dankbar«, sagte Kelderek. »Könnten sie – könnte jemand – mich vielleicht stützen? Ich bin leider schwächer, als ich dachte.«

Einer der Soldaten, der seine Unbeholfenheit und seine sichtbare Angst bemerkt hatte, den schwer verbundenen linken Arm zu verletzen, war bereits mit spontaner Gefälligkeit vorgetreten, um ihm in die ungewohnten Kleider zu helfen. Es war die vorschriftsmäßige Uniform eines Infanteristen aus Yeldashay. Der Mann befestigte den Mantel an seinem Hals und legte dann Keldereks gesunden Arm über seine Schultern. In diesem Augenblick kam Melathys über die Leiter nach unten, verneigte sich ernst vor Tan-Rion, berührte kurz Keldereks Hand und ging dann voraus auf die Dorfstraße.

Sie trug die geflochtenen Ringe einer Priesterin aus Quiso. Er überlegte, ob es wohl ihre eigenen waren, die sie während ihrer ganzen Wanderungen versteckt und in Sicherheit gehalten hatte, oder hatte die Tuginda sie ihrer begnadigten Priesterin beim Verlassen von Zeray geschenkt? Ihr langes schwarzes Haar war um ihren Kopf gewunden und mit zwei schweren Holznadeln befestigt – sicherlich das Allerbeste, was Dirion ihr borgen konnte. Das dunkelrote Kleid, das sonst gerade wie ein Hemd von den Schultern nach unten gefallen wäre, war an der Taille durch einen Gürtel aus weichem, grauem Leder mit Kreuzmuster aus Bronzeknöpfen zusammengehalten, und darunter trug sie einen leicht schwingenden Rock, der bis zu den Knöcheln reichte. Sogar in diesem Augenblick fragte sich Kelderek, wie sie zu dem Gürtel gekommen sein mochte. Hatte sie ihn aus Zeray mitgebracht, oder war er ein Geschenk von Tan-Rion oder einem anderen Offizier aus Yeldashay?

Draußen, zwischen den Hütten, wartete eine doppelte Soldatenreihe aus Sarkid in vollständiger Rüstung. Alle Männer trugen die Kornähren an der linken Schulter. Es waren Speerträger, und beim Herankommen der Priesterin von Quiso, gefolgt von ihren Offizieren und dem hinkenden, bleichen ortelganischen Priesterkönig, der als Kamerad mit dem Sohn ihres Statthalters gelitten hatte, grüßten sie mit den Bronzeenden ihrer Speere, die sie mit dumpfem, rollendem Klopfen auf die festgetretene Erde schlugen. Melathys verneigte sich vor dem Treisatt und nahm ihren Platz an der Spitze und zwischen den beiden Reihen ein. Kelderek, der sich noch immer auf die Schultern des Soldaten stützte, nahm einige Schritte hinter ihr Aufstellung. Nach kurzer Zeit wandte sie sich um und kam zu ihm zurück.

»Hast du es dir nicht anders überlegt, Liebster?« flüsterte sie.

»Wenn wir langsam gehen, kann ich es schaffen.«

Mit einem dankenden Kopfnicken an seinen Soldaten kehrte sie an ihren Platz zurück, blickte sich rasch um und setzte sich mit dem gleichen feierlichen, schleifenden Schritt in Bewegung; der Treisatt und seine Leute folgten ihr. Kelderek kam hinkend, schwer atmend und auf die Schulter des Soldaten gestützt hinterher. Der Telthearna lag links von ihnen, und er merkte, daß sie südwärts aus dem Dorf auf die Stelle zugingen, wo Shardik gestorben war. Sie kamen an bebauten Feldern, einem Schuppen für Ochsen, vor dem ein großer Misthaufen lag, einem Rahmen, auf dem Netze zum Trocknen hingen, und an einem hochkant auf einem Ende stehenden Kanu vorbei, das geflickt war und dessen frische Kalfaterung schwarz in der Sonne glänzte. Während er zwischen den beiden Soldatenreihen weiterhinkte, erinnerte er sich, wie er einst mit seinen scharlachgewandeten Priesterinnen, die ihm die Schleppe seiner mit farbigen Streifen verzierten Robe nachgetragen hatten, durch die Straßen Beklas geschritten war. Er konnte wieder das Gewicht der gebogenen, von den Fingern seiner Handschuhe hängenden Silberklauen spüren, den Gongschlag hören und die Eleganz der ihn umgebenden Begleiterinnen sehen. Er empfand kein Bedauern. Jene große Stadt würde er nie, niemals wiedersehen, das wußte er; und auch die Illusion war dahin, die ihn unter Blutvergießen dorthin getragen und ihn von dort, allein und verlassen, zu Leid und Selbsterkenntnis geführt hatte. Aber das Geheimnis, das große Geheimnis des Erdenlebens, das Geheimnis, das Shardik vielleicht einem demütigen, selbstlosen, lauschenden Herzen hätte vermitteln können – mußte auch das für immer verloren sein? »Ach, mein Herr Shardik«, betete er still, »das Reich war Stolz und Torheit. Ich bereue meine Blindheit, und ich bedaure auch, daß du so viel durch mich erduldet hast. Doch um anderer, nicht um meinetwillen flehe ich dich an, laß uns nicht für immer ohne die Wahrheit zurück, die zu enthüllen du kamst. Nicht weil wir es verdienen, sondern aus Barmherzigkeit und deinem Mitgefühl für die Hilflosigkeit der Menschen!«

Sein Fuß glitt aus, und er stolperte und klammerte sich schnell an die Schulter seines Begleiters.

»Geht's wieder, Kamerad?« flüsterte der Soldat. »Halte dich fest. Sieh nur, wir sind bald dort.«

Er hob den Kopf und blickte nach vorne. Die beiden Reihen gingen nun auseinander, während Melathys allein weiterschritt. Nun erkannte er, wo er war. Sie waren bei dem Uferteil angelangt, der zwischen dem südlichen Ausläufer des Dorfes und der bewaldeten Bucht lag, wo Shardik gestorben war. Er sah, daß er voller Menschen war, konnte aber vorerst die Leute nicht erkennen, welche den steinigen, offenen Platz umgaben, zu dem er Melathys folgte. Plötzlich wurde er von Angst erfaßt.

»Warte!« sagte er zu dem Soldaten. »Warte einen Augenblick!«

Er blieb, immer noch auf den Mann gestützt, stehen und blickte sich um. Von allen Seiten waren ihm Gesichter zugewandt und starrten Augen erwartungsvoll. Er merkte, warum er sich erst gefürchtet hatte. Er hatte sie schon früher gekannt – die Augen, die Stille. Aber jetzt blickte ihn jeder, wie um die Flüche umzukehren, die er aus Kabin mitgenommen hatte, bewundernd, mitleidig und dankbar an. Links von ihm standen die Dorfbewohner: Männer, Frauen und Kinder in Trauer, mit bedeckten Köpfen und nackten Füßen. Hinter der Soldatenreihe, die haltgemacht hatte und nun in geöffneter Ordnung im Halbkreis versammelt stand, füllten sie den Strand bis zum Wasserrand. Obwohl sie aus natürlicher Ehrfurcht und Gefühl für den Anlaß nicht vorwärts drängten, ließ es sich nicht vermeiden, daß sie sich hin und her bewegten, als sie einander die schöne Priesterin aus Quiso und den heiligen Mann zeigten, der so bittere Not und Grausamkeit erduldet hatte, um die Wahrheit und Gottes Kraft zu verteidigen, und die Kinder emporhoben, damit sie sie sähen. Viele von den Kindern trugen Blumen – Trepsis und Feldlilien, Planella, grünblühende Weinranken und lange Zweige mit Melikonblüten. Plötzlich kam aus eigenem Antrieb ein kleiner Junge heran, starrte ernst zu Kelderek hoch, legte ihm seinen Strauß zu Füßen und lief zu seiner Mutter zurück.

Rechts standen die Yeldashayer Soldaten – die ganze Abteilung aus Sarkid, die von Kabin anmarschiert war, um den Durchlaß bei Linsho zu sperren. Auch ihre Reihe reichte bis zum Wasserrand, und ihre polierten Waffen schimmerten prächtig im Licht der sich nach Westen neigenden Sonne. Vorne hielt ein junger Offizier das Kornährenbanner hoch, doch als Melathys an ihm vorbeiging, sank er auf ein Knie und senkte es langsam, bis der blaue Stoff ausgebreitet auf den Steinen lag.

Mit einem außergewöhnlichen Gefühl ernster, feierlicher Freude, wie er es noch nie erlebt hatte, raffte sich Kelderek auf und ging über den Strand. Er konnte den Fluß noch immer nicht sehen, denn zwischen ihm und Melathys stand ihm eine dritte Gruppe gegenüber – eine einfache Reihe parallel zum Wasserrand, die sich zwischen den Dorfbewohnern und den Soldaten hinzog. In ihrer Mitte stand

Radu, bleich und angespannt, wie Melathys in dörflicher Tracht; sein Gesicht war durch blaue Flecke entstellt, und er trug einen Arm in der Schlinge. Zu beiden Seiten von ihm standen je fünf oder sechs Sklavenkinder – offenbar alle, die die Kraft zum Stehen und Gehen aufbringen konnten. Tatsächlich schien es Kelderek, als er sie anblickte, daß einige von ihnen es kaum schafften, denn zwei oder drei stützten sich wie er selbst auf Gefährten – es schienen Dorfkinder zu sein –, während hinter der Reihe Bänke standen, von denen sie sich offensichtlich beim Herankommen der Priesterin erhoben hatten. Er sah den Knaben, mit dem er in der Nacht gesprochen hatte und der ihm von Schlag-auf-Lee erzählt hatte. Dann fuhr er plötzlich zusammen, als er am Ende der Reihe den Schreihals erkannte, der ihm einen Moment ins Auge sah und dann schnell fortblickte.

Als Melathys stehenblieb, räumten die Soldaten die Bänke fort, die Kinder entfernten sich nach beiden Seiten, und nun sah Kelderek zum erstenmal das Ufer und den dahinter strömenden Fluß.

Auf den Steinen, ein Stück vor dem Ende der Soldatenreihe auf der Uferseite, brannte ein Feuer. Es war hell und klar, fast ohne eine Spur von Rauch, und darüber war die Luft zittrig und verzerrte den Blick in die Ferne. Dies merkte er aber kaum und starrte wie ein Kind mit zum offenen Mund erhobener Hand auf das, was unmittelbar vor ihm lag.

Im seichten Wasser war ein schweres Floß vertäut – es war größer als der Fußboden einer Wohnhütte und aus jungen, mit Schlingpflanzen verbundenen Baumstämmen zusammengebaut. Es war mit hoch aufgeschichtetem Reisig, Holzklötzen und -bündeln bedeckt, auf die man Blumen und grüne Zweige gestreut hatte. Auf diesem großartigen Bett lag Shardiks Leiche; sie drückte es nieder wie eine Festung den Grund, auf dem sie steht. Shardik lag auf einer Seite, so zwanglos, als ob er schliefe, eine Vordertatze war ausgestreckt, die Klauen hingen fast bis ins Wasser. Die Augen waren geschlossen – vielleicht zugenäht, dachte Kelderek, der bemerkte, mit welcher Sorgfalt und Mühe die Dorfbewohner und Soldaten ihre Vorbereitungsarbeiten für die Bestattung von Gottes Kraft ausgeführt hatten –, aber der lange Keil seiner Schnauze hatte, falls er einmal geschlossen gewesen war, seine Verschnürung gesprengt, so daß die von den Lippen freigelegten spitzen Zähne zu sehen waren. Das arme, verwundete Gesicht war gesäubert und versorgt worden, doch es war den Soldaten nicht gelungen, für jemanden, der sie einmal ge-

sehen hatte, die Spuren von Shardiks Wunden und Leiden zu entfernen. Auch konnte das lange, sorgfältige Kämmen, die Beseitigung
von Dornen und Stacheln und das Einreiben mit Öl die jämmerlich
verhungerte Körperverfassung nicht verbergen. Klein konnte Shardik unmöglich wirken, aber er sah weniger kolossal aus und war im
Griff des Todes gewissermaßen geschrumpft. Er strömte einen leichten Aasgeruch aus, und Kelderek wurde klar, daß Melathys, sobald
sie die Nachricht gehört hatte, die Notwendigkeit schnellen Handelns
erfaßt und gewußt haben mußte, daß sie nur knapp Zeit haben würde, alles auszuführen, was die Tuginda wünschen würde. Sie hatte
alles gut erledigt, dachte er, mehr als gut. Als er dann noch einige
schmerzende Schritte machte, sah er, was ihm vorher verborgen gewesen war.

Zwischen Shardiks Vorderpranken lag Sharas Leiche. Die ausgestreckte Tatze bedeckte ihre Füße, und ihr erhobener Kopf ruhte
auf der anderen. Sie war barhaupt, in ein weißes Hemd gehüllt, und
ihre Hände umklammerten einen Strauß aus scharlachroten Trepsisblüten. Ihr blondes Haar war über ihre Schultern gekämmt, und um
ihren Hals lag eine Schnur aus durchbohrten, farbigen Steinen. Obwohl ihre Augen geschlossen waren, sah sie nicht aus, als schliefe
sie. Ihr magerer Körper und ihr Gesicht waren die eines toten Kindes, blutleer und wächsern und sauberer, stiller und ruhiger, als Kelderek sie je im Leben gesehen hatte. Er ließ seinen Kopf auf den
Arm des Soldaten sinken und schluchzte so hemmungslos, als wäre
das Ufer menschenleer.

»Nur ruhig, Kamerad, nur ruhig«, flüsterte der freundliche Bursche, übersah alles außer dem armen Fremden, der sich an ihn
klammerte. »Nun, sie sind nicht hier, weißt du. Das ist nichts, gar
nichts. Sie sind irgendwo anders, wo es besser ist, sicherlich. Wir
müssen bloß tun, was richtig ist und sich gehört, nicht wahr?«

Kelderek nickte, stützte sich auf den hilfreichen Arm und wandte
sich, als Melathys auf dem Weg zu Tan-Rion nahe an ihm vorbeikam, nochmals dem Floß zu. Trotz allem, was sie den Yeldashayern
zu verdanken hatten, sprach sie, wie es richtig war, mit der ihr zu-
stehenden Autorität und nicht wie jemand, der um eine Gunst bittet.

»Hauptmann«, sagte sie, »dem alten Gesetz von Quiso gemäß
dürfen an einem unserem Herrn Shardik geweihten Platz keine Waffen getragen werden. Ich sage dir das, überlasse es aber natürlich
dir, die dir geeignet erscheinenden Befehle zu erteilen.«

Tan-Rion nahm es sehr gut auf. Er zögerte nur einen Augenblick, nickte, ließ dann die Soldaten kehrtmachen und führte sie am Ufer entlang in eine gewisse Entfernung. Dort legten alle ihre Speere nieder und daneben Gürtel, Kurzschwert und Messer. Dann kamen sie zurück, machten halt und bildeten ihre Reihe; Melathys trat ins seichte Wasser und stand regungslos, mit zu Shardik und dem toten Kind ausgestreckten Armen vor dem Floß.

Wie oft ist diese Szene schon abgebildet worden – in Relief auf Stein gehauen, auf Wände gemalt, mit Pinsel und Tinte auf Schriftrollen gezeichnet, mit spitzen Stöcken in den feuchten Sand des Telthearnaufers gekratzt? Auf der einen Seite die Fischer und Bauern, auf der anderen die unbewaffneten Soldaten, die Handvoll Kinder neben dem Feuer (jene zuallererst, die unseres Herrn Shardiks Namen preisen sollen), der MANN, auf den Arm des Soldaten gestützt, die FRAU, allein stehend vor den Leichen auf dem schwimmenden Scheiterhaufen? Die Bildhauer und Maler taten, was von ihnen verlangt wurde, fanden Mittel, um Ehrfurcht und Staunen in den Herzen von Menschen wiederzubeleben, welche die Geschichte seit ihrer Kindheit kannten. Das Fischervolk, schöne, starke junge Männer, stattliche alte Patriarchen und deren würdevolle Frauen, stehen den prächtigen Soldaten gegenüber in ihren roten Mänteln, jeder ein Krieger, der tausend Herzen erobert. Des MANNES ungeheilte Wunden färben mit ihrem Blut die Steine rot, die FRAU trägt Gewänder wie eine Göttin; von unseres Herrn Shardiks Leib strömt Licht auf die knienden Kinder, und das kleine Mädchen, zwischen die starken, schützenden Pranken gekuschelt, lächelt wie im Schlaf. Das Feuer brennt züngelnd, die Wellen schlagen weiß wie Wolle an den Strand. Vielleicht – wer weiß? – ist dies wirklich die Wahrheit, einer Eiche gleich aus der längst in der Erde verschwundenen Eichel entsprungen: die zerlumpten, murmelnden Bauern (von denen manche schon zu der abendlichen Hausarbeit fortschleichen), die nur halb begriffenen Befehlen gehorchenden Soldaten, deren gewissenhaft ausgebesserte und polierte Kleidung und Rüstung alle Merkmale eines harten Feldzugs und Eilmarsches zeigen, der Schreihals, der sich ums halbe Leben abmüht, ein paar Tränen herauszuquetschen, Keldereks unüberwindliches Zittern, Melathys' müde, dunkel umschattete Augen und ihr Wollkleid, der schmutzige Dorfabfall, der im seichten Wasser treibt, und der klägliche Wirrwarr auf dem Floß. Alles wurde damals nicht bemerkt oder empfunden und ist längst verschwunden – bloße Körper, über denen der mächtige Stamm gewachsen ist und unter dem sich gewaltige Wurzeln ausgebreitet haben. Und verlorengegangen sind auch die von Melathys gesprochenen Worte – man kann sie nur mehr erraten.

Melathys sprach ortelganisch, eine den Yeldashayern weitgehend unbekannte Sprache, wenn sie auch von den Tissarner Dorfbewohnern recht gut verstanden wurde. Sie begann mit der auf Quiso traditionellen Anrufung unseres Herrn Shardik, dann folgte eine Reihe von Gebeten, deren archaische und schöne Satzgefüge ohne Zögern von ihren Lippen flossen. Dann wandte sie sich an ihre Zuhörer und erzählte ihnen mit ruhiger Stimme von der Auffindung Shardiks auf Ortelga und seiner Lebensrettung durch die Priesterinnen von Quiso; wie er lebend aus dem Streel zurückgekommen war, von seinem gottgewollten Leiden und seinem frommen Tod, durch den er Sarkids Erben und die versklavten Kinder aus der Macht des Bösen rettete. Kelderek hörte zu und staunte, weniger über ihre Selbstbeherrschung als über die von ihrer Stimme und Haltung ausstrahlende Autorität und Bescheidenheit. Es war, als habe sich die Frau, die er kannte, aufgegeben und sei ein bis zum Rand mit Worten – alt, allgemein und geschliffen wie Steine – volles Behältnis geworden, um durch sie der Menschheit Kummer und Mitgefühl für den Tod, das allen Geschöpfen gemeinsame Los, nicht von ihr ab-, sondern durch sie hindurch fließen zu lassen. Es schien, als sprächen aus ihrem Mund die Toten zu den Ungeborenen, wie ein Sandkorn nach dem anderen durch die schmalste Stelle des Stundenglases rinnt. Schließlich ging der Sand zur Neige, und das Mädchen stand regungslos, mit gesenktem Kopf da.

Die Stille wurde durch die Stimme des jungen Fähnrichs unterbrochen, der wie ein Vorsänger das schöne Yeldashayer Klagelied anstimmte, das mitunter »Deparioths Gram« genannt wird, aber vielleicht unter dem Namen »Die Tränen von Sarkid« in weiteren Kreisen bekannt ist. Es erzählt von der heiligen Geburt und der Jugend U-Deparioths, des Befreiers von Yelda und Gründers des Hauses Sarkid, und wird bis heute gesungen, allerdings hat es sich im Lauf der Jahrhunderte vielleicht verändert; so wie angeblich die Formen der Sternbilder Änderungen unterliegen, doch kein Mensch lebt lange genug, um sie wahrzunehmen. Die Soldaten nahmen das Klagelied im Chor auf, ihr feierlicher Gesang wurde lauter und hallte vom Deelguyer Ufer wider.

> Zwischen den hohen Ähren legte sie sich nieder,
> in bittrem Schmerz lag das verlaßne Mädchen dort.
> Allein, verwundet, mit dem Fluch des Streels belastet,
> gebar sie Held Deparioth, als Yelda lag in Ketten.

Der Soldat neben Kelderek sang mit den anderen, die Worte fielen ihm gedankenlos von den Lippen, für ihn drückten sie sein Gefühl aus, daß er nur ein Teil von etwas Größerem war, von seinem Volk, seiner Heimat und seinen Erinnerungen, die keinem anderen gehörten und die seinen kleinen Anteil am menschlichen Leben bedeuteten.

> Er kannte nicht Vater, nicht Mutter.
> Als Sklave mühte er sich unter fremden Menschen,
> verbannt, in einem Land, das nicht das seine,
> der Graf Deparioth, als Gottes Schwert berufen.

Der Fähnrich trat vor und hielt das Kornähren-Banner vor sich; von der gegenüberstehenden Reihe kam ihm ein Dorfbewohner der ein Fischernetz in den Armen trug, entgegen. Zusammen wandten sie sich flußwärts und schritten auf Melathys zu, gingen an ihren beiden Seiten vorbei und wateten ins seichte Wasser, um ihre Bürden auf das Floß zu legen. Radu folgte ihnen, legte seine Hand für einen Augenblick zuerst auf Shardiks graue Klauen, dann auf Sharas Stirn. Er ging zurück ans Ufer, zog ein brennendes Scheit aus dem Feuer und blieb wartend, das brennende Holz vor sich hochhaltend, stehen.

> Könnt' ich dich treffen, mächt'ger Graf Deparioth,
> könnt' ich dich treffen, deine Hand mit meiner fassen,
> ich sagte dir: unvergessen sind in Yelda deine Taten,
> noch immer fließen dir zu Ehren Sarkids Tränen.

Der Gesang wurde leiser und verstummte. Da hob Melathys ihren Kopf mit einem langen, wehklagenden Schrei, der Kelderek sofort an die Stadt Bekla erinnerte, wie sie still in heiligem Dunkel gelegen hatte, an das Gewicht seiner schweren Kleidung und das plötzliche Auflodern der Flamme im Nachthimmel.

»Shardik! Unseres Herrn Shardiks Feuer!«

»Unseres Herrn Shardiks Feuer!« erwiderten die Dorfbewohner.

Langsam kam Radu über die Steine heran und reichte Kelderek das brennende Holz.

Momentan verwirrt durch seine lebhafte Erinnerung, zögerte Kelderek, unfähig zu begreifen, was man von ihm verlangte. Als sich dann sein Sinn klärte, fuhr er zusammen, trat einen Schritt zurück und hob eine Hand wie zu einer Weigerung. Radu ließ sich auf ein Knie nieder und hielt ihm immer noch das Feuer entgegen.

»Anscheinend meinen sie, Ihr müßt es tun, Herr!« flüsterte der Soldat. »Glaubt Ihr, Ihr könnt es schaffen?«

Kelderek vernahm in der Stille nur das Knistern der Flamme und dahinter den Wellenschlag des Flusses. Er heftete den Blick auf das Floß, trat vor, ergriff den Feuerbrand aus Radus Hand und schritt zum Ufer, wo Melathys noch immer mit gesenktem Kopf wartete.

Nun war er allein im Wasser, niemand stand zwischen ihm und dem toten Kind, er war Shardik näher als jemals seit dem Tag, da er lebend aus dem Streel gekommen war. Die Leichen lagen vor ihm: die des Bären mächtig wie ein Mühlenrad vor der Mühlenwand, gezeichnet von den Seilen, mit denen er herangeschleppt worden war, und durch die Pfeilwunde in dem ausgehungerten, erstarrten Tierantlitz.

Er fragte sich, ob man von ihm erwarte, daß er spreche oder bete; dann sah er, daß ihm keine Zeit verblieb, denn der Feuerbrand war schon fast erloschen und mußte sofort benutzt werden.

»*Senandril*, mein Herr Shardik!« rief er. »Nimm hin unser Leben, Shardik, unser Herr, der für die Kinder starb!«

Bis zum Gürtel im Wasser, hielt er sich mit seiner verwundeten Hand am Floßrand fest und schleuderte den Feuerbrand in den vor ihm liegenden Haufen aus Reisig und Spänen. Er fing sofort Feuer und loderte in undurchsichtig gelben Flammen empor. Kelderek zog den Feuerbrand wieder heraus und zündete den Reisig- und Stöckehaufen noch an mehreren Stellen an. Als schließlich das Ende abbröckelte und ihm die Finger versengte, warf er es in einem Funkenschauer auf die Spitze des Scheiterhaufens. Es lag brennend ein wenig höher als die Stelle, wo Shara lag.

Langsam drehte sich das Floß von ihm fort. Er ließ es unbeholfen los und zuckte bei dem Schmerz in seinem Arm, als er sich aufrichtete, zusammen. Hinter ihm hatten die Soldaten die Halteseile gelöst, die nun zu beiden Seiten an ihm vorbeitrieben und Wellen verursachten, aber in dem schmutzig seichten Wasser unsichtbar waren.

Denn nun brannte die ganze, dem Ufer zugewandte Seite des Scheiterhaufens und bildete eine lodernde Wand heißer, durchscheinender, grün, rot, orange mit schwarzen Flecken gefärbter Flammen. Das Feuer lief zurück in den Kern des Scheiterhaufens und enthüllte dessen Tiefe wie Sonnenlicht die Distanz zwischen Bäumen im Wald; und als es höher brannte, bis hinauf in die grünen Äste und Blüten, wo Shardik lag, bildete sich ein dicker, weißer Rauch, der zum Ufer trieb und Kelderek und den hinter ihm Stehenden beinahe alle Sicht nahm.

Er würgte und rang nach Luft. Seine Augen brannten und tränten, doch er blieb weiter stehen, wo er war. »Lassen wir es dabei«, dachte er. »So ist es am besten, denn ich könnte nicht zusehen, wie die Leichen brennen.« Als er dann im Qualm einer Ohnmacht nahe war, drehte sich das schwere Floß schneller, so daß die Leichen und die ganze Seite, an der er das Feuer entzündet hatte, stromaufwärts gerichtet waren. Einige junge Fischer hatten das Haltetau an einem Kanu festgemacht und zogen das Floß zur Flußmitte hinaus.

Als es in Fahrt kam, ergoß sich ein Flammenstrom rückwärts durch den Scheiterhaufen. Das Knistern wurde zu einem heißen, stürmischen Dröhnen, Funken und Asche fegten hüpfend und schwankend wie flüchtende Vögel empor. Holzscheite veränderten ihre Lage und fielen nieder, da und dort stürzten brennende Teile zischend ins Wasser. Dann drang mitten durch den Lärm des Zusammenbruchs, wie eine Pflugschar durch schweren Boden, wieder der Gesang. Die Dorfbewohner am Ufer ermutigten und feuerten die jungen Leute an den Rudern an, die nun eifrig paddelnd weiter in die Strömung hinaus kamen und mit dem Floß stromabwärts getrieben wurden.

> Am Morgen kommen wir zum Strand, die Boote loszumachen.
> Ist uns das Glück geneigt, so hungert keiner heute nacht.
> Wer hat sein Netz und wer ist tüchtig mit dem Speer?
> Der arme Mann muß sich zu helfen wissen.

Nun war das Floß einen halben Bogenschuß weit vom Land und ebenso weit stromabwärts von der Stelle, wo Kelderek stand, doch noch immer stachen die Paddler rhythmisch ins Wasser, und die Rauchfahne wirbelte uferwärts, während sie weiter zur Flußmitte strebten.

Es ist der Menschen Los, die Weisheit teuer zu bezahlen
und bestens zu verwenden, was gelernt sie haben.
Was aber nenn' ich Glück? Ein Feuer, einen vollen Magen,
ein Mädchen für dein Bett und Kinder, die dein Handwerk lernen.

Sie klatschten und stampften beim Singen im Rhythmus der Paddel, und doch war es ein ernster, nicht unpassender Laut, der einer
vertrauten und gewandten Moll-Melodie, der einfachen Volks-
musik. Nun war das Floß weit draußen und ein großes Stück stromabwärts, so weit, daß man sehen konnte, wie die Paddel in der Ferne
beim Einsatz dem Gesangsrhythmus nachhinkten. Die jungen Leute
hatten den Bug halb stromaufwärts in die Strömung gedreht, so daß
das Floß stromabwärts von ihnen schwamm und die Seite, wo die
Leichen gelegen hatten, wieder dem Ufer zugekehrt war. Kelderek
konnte, als er hinblickte, nichts auf dem brennenden Scheiterhaufen
erkennen. Er war in der Mitte zusammengestürzt, die zwei glühenden Hälften breiteten sich zu beiden Seiten aus wie die Flügel eines
großen Schmetterlings. Shardik war nicht mehr.

»Zweimal«, rief Kelderek, »folgte ich dir in den Telthearna, mein
Herr Shardik. Nun kann ich dir nicht mehr folgen.«

Zur Heimkehr abends leuchten Feuer uns am Ufer.
Wenn eins das deine ist, bist du ein Mann mit Glück.
Niemand soll in der Dunkelheit allein gelassen werden.
Und stirbst du, Bruder, sollen deine Kinder bei meinem
Feuer sitzen.

Die Paddler warfen das Seil fort und drehten ab in Richtung zum
Ufer stromabwärts, um im Stillwasser nahe der Sandbank leichter zurückzukehren. Das Floß war nicht mehr zu sehen, doch weit draußen
schien ein Punkt an der Flußoberfläche zu brennen, er rauchte und
überzog die Wasserfläche mit einer breiten dahinziehenden Wolke.

Wir nehmen die Fische aus, und die Kinder braten sie am Spieß.
»Hallo, mein Sohn, mein großer, junger Zoanbaum!
Was hast du deinem Vater heute abend denn zu sagen?«
»Wenn ich ein Mann bin, paddle ich ein Boot wie du!«

Der strömende Rauch war fort. Bäume verdeckten ihn. Kelderek
schloß die Augen; er wandte sich ab, bemerkte den Soldaten neben

sich, spürte dessen Arm unter seinen Schultern und ließ sich durch das seichte Wasser zum Ufer tragen. Tan-Rion rief seine Leute zusammen und ließ sie ihre Waffen holen. Dann marschierten sie ab; und auch die Dorfbewohner begannen sich zu zerstreuen, zwei Matronen nahmen Radu und die anderen Kinder in ihre Obhut. Doch einige von ihnen kamen, bevor sie fortgingen, heran – manche ein wenig zögernd, da sie ehrfurchtsvolle Scheu vor Kelderek empfanden –, um ihm die Hände zu küssen und seinen Segen zu erbitten. Jeder heilige Mann mag die Macht haben, Glück zu bringen, und man darf keine Chance vorbeigehen lassen. Er stand schweigend vorgeneigt wie ein Reiher, nickte ihnen aber zu und blickte jedem ins Auge, der an ihm vorbeikam – einem alten Mann mit gelähmtem Arm, einem hochgewachsenen jungen Mann, der die Hand an die Stirn hob, einem Mädchen, das der unweit stehenden Priesterin scheu zulächelte und ihr die Blumen gab, die es trug. Als letzte kam eine abgerissene alte Frau, die ein schlafendes Kind in den Armen hielt. Kelderek fuhr zusammen und wäre fast zurückgeschreckt, sie aber zeigte keine Bedenken und keine Überraschung, ergriff seine Hand, küßte sie, sagte lächelnd einige Worte und humpelte über die Steine davon.

»Was hat sie gesagt?« fragte er Melathys. »Ich hab es nicht verstanden.«

»Sie sagte: ›Segne mich, junger Herr, und nimm meinen Segen zum Dank hin.‹«

Er lag auf seinem Bett im oberen Zimmer und beobachtete die elastischen Spiegelbilder, die zwischen den Dachpfählen breiter wurden, verschmolzen und zusammenschrumpften. Melathys saß neben ihm und hielt seine gesunde Hand zwischen ihren. Er war wieder matt und fiebrig, zittrig und fröstelnd. Es gab nichts Bemerkenswertes mehr auf der Welt. Alles war leer und kalt, erstreckte sich fort zum Horizont und zum leeren Himmel.

»Hoffentlich fandest du unseren Gesang nicht unangebracht, Herr«, sagte Tan-Rion. »Die Priesterin sagte, es wäre günstig, wenn wir etwas singen könnten, aber die Schwierigkeit bestand darin, etwas Passendes zu finden, das die Jungs singen konnten. ›Die Tränen‹ kennen sie natürlich alle.«

Kelderek fand einige lobende Dankesworte, und bald darauf merkte ihm der Offizier die Erschöpfung an und verabschiedete sich.

Dann kam Radu, vom Hals bis zu den Knöcheln in einen Mantel gehüllt, und setzte sich für eine Weile gegenüber Melathys nieder.

»Ich höre, mein Vater ist auf dem Weg hierher«, sagte er. »Ich hatte gehofft, er würde noch vor der Bestattung hier sein. Wenn er es bloß gewußt hätte, wäre er gern heute nachmittag hier am Ufer gewesen.«

Kelderek lächelte und nickte wie ein alter Mann, er begriff nur teilweise, was gesagt wurde. Aber Radu sagte eigentlich wenig, saß lange Minuten wortlos und biß sich einmal auf die Hand, um sein Zähneklappern zu unterdrücken. Kelderek verfiel in eine Art Halbschlaf und erwachte, als Radu gerade Melathys antwortete:

»– aber sie werden sich erholen, glaube ich.« Und dann nach einer Pause: »Schreihals ist krank, weißt du – angeblich sehr krank.«

»Schreihals?« fragte Melathys erstaunt.

»Wirklich?« sagte Kelderek. »Ich habe ihn doch am Strand gesehen.«

»Ja, ich glaube, er hielt es für klüger, dort zu sein – nicht daß es einen Unterschied macht –, aber es geht ihm heute schlecht. Ich glaube, es ist bei ihm hauptsächlich Angst. Er fürchtet sich, teils vor den anderen Kindern, aber auch vor den Dorfbewohnern. Die wissen, wer er ist – oder wer er war –, und wollen ihm nicht helfen. Er liegt allein in einem Schuppen, aber ich glaube, er würde, wenn er könnte, davonlaufen.«

»Wer ist Schreihals?« fragte Melathys.

»Werden sie ihn töten?« fragte Kelderek. Radu antwortete nicht gleich, und er drang weiter in ihn. »Was willst *du* mit ihm tun?«

»Es hat noch niemand wirklich etwas gesagt; aber wozu sollte es gut sein, ihn zu töten?«

»Ist das tatsächlich deine Ansicht – nach allem, was du gelitten hast?«

»Jedenfalls glaube ich, daß es meine Ansicht sein sollte.« Er schwieg wieder eine Zeitlang, dann sagte er: »*Dich* wird keiner töten. Tan-Rion hat es mir gesagt.«

»Ich – ich werde mit Schreihals sprechen«, sagte Kelderek und wollte sich erheben. »Wo ist der Schuppen?«

»Bleib liegen, Liebster«, sagte Melathys. »Ich werde hingehen. Da mir niemand über ihn Auskunft gibt, muß ich Schreihals selbst aufsuchen – oder ihn anhören.«

57. Elleroths Tischgesellschaft

Als er erwachte, saß sein Yeldashayer Soldat neben ihm und besserte im schwindenden Tageslicht ein Stück Leder aus. Als er sah, daß Kelderek wach war, nickte er grinsend, sagte aber nichts. Kelderek schlief wieder ein und wurde erst geweckt, als Melathys sich neben ihn legte.

»Wenn ich mich nicht hinlege, falle ich um. Ich gehe bald zu Bett, aber es bedeutet mir so viel, wieder einmal ein wenig mit dir allein zu sein. Wie fühlst du dich?«

»Leer – verzweifelt. Unser Herr Shardik – ich kann es nicht fassen.« Er brach ab, dann sagte er: »Du warst heute großartig. Die Tuginda hätte es nicht besser machen können.«

»Doch, sie könnte es, und sie hätte es getan. Aber was geschah, war Bestimmung.«

»Bestimmung?«

»Ich glaube es. Noch habe ich dir etwas, das mir die Tuginda vor meinem Fortgehen sagte, nicht erzählt. Ich fragte sie, ob ich dir, wenn ich dich fände, eine Botschaft von ihr überbringen solle, und sie sagte: ›Er grämt sich über das, was er vor Jahren bei Monduntergang auf der Straße nach Gelt getan hat. Er war nicht imstande, um Vergebung zu bitten, obwohl er es wünscht. Sag ihm, ich verzeihe ihm aus eigenem Antrieb.‹ Und dann sagte sie: ›Auch ich bin schuldig – des Hochmuts und der Dummheit.‹ Ich fragte: ›Wieso, Saiyett? Wie ist das möglich?‹ – ›Nun, du weißt ja‹, sagte sie, ›so gut wie ich, was wir gelehrt wurden und was wir anderen beibrachten. Wir wurden gelehrt, daß Gott Shardiks Wahrheit durch zwei erwählte Werkzeuge, einen Mann und eine Frau, offenbaren werde; und daß Er diese Werkzeuge in Stücke brechen und für Seine Zwecke neu formen werde. Ich hatte in meinem dummen Stolz angenommen, ich selbst sei die Frau, und habe oft gedacht, daß ich tatsächlich das Zerbrechen erleide. Ich hatte unrecht. Es war nicht ich, mein liebes Kind‹, sagte sie mir. ›Nicht ich war es, sondern eine andere Frau, die Er zu zerbrechen auserkor und die Er nun neu geformt hat.‹«

Melathys weinte, und er legte den Arm um sie, Schock und Verwunderung raubten ihm die Sprache. Doch es gab für ihn keinen Zweifel, und als ihm die Erkenntnis zu dämmern begann, was ihre Worte bedeuteten, war es, als blicke er aus zu einem unbekannten, in frühmorgendlichem Zwielicht und Nebel halb verborgenen Land.

»Wir müssen zurück zur Tuginda«, sagte sie schließlich. »Sie wird eine Nachricht nach Quiso senden müssen und Hilfe bei den Vorbereitungen ihrer Reise brauchen. Und Ankray – man muß etwas für ihn tun. Aber der verdammte Junge dort draußen –«

»Er ist ein Mörder.«

»Ich weiß. Möchtest du ihn töten?«

»Nein.«

»Mir fällt es leichter, ihn zu bemitleiden – ich war ja nicht dabei. Aber er war ein Sklave wie die übrigen, nicht wahr? Ich nehme an, er hat keine Verwandten?«

»Wir werden wahrscheinlich feststellen, daß es mehr solche gibt. Es sind die Ungeliebten und Verlassenen, die als Sklaven verkauft werden, weißt du.«

»Ich muß es wohl wissen.«

»Ich auch. Gott verzeih mir! O Gott, verzeih mir!«

Sie brachte ihn mit dem Finger, den sie ihm an die Lippen hielt, zum Schweigen. »Neu geformt für Seinen Zweck. Ich glaube, ich beginne es endlich zu begreifen.«

Sie hörten, wie Dirion die Leiter bestieg. Melathys erhob sich, beugte sich über ihn und küßte ihn auf die Lippen. Er ließ ihre Hand nicht los und sagte:

»Was sollen wir also tun?«

»Ach, Kelderek! Mein liebster Kelderek, wie oft fragst du noch? Es wird uns gezeigt werden, uns gezeigt, *gezeigt* werden, was wir tun sollen!«

Am nächsten Tag waren seine Wunden wieder entzündet und schmerzhaft. Er hatte Fieber und blieb im Bett, aber am darauffolgenden Morgen fühlte er sich wohl genug, um in der Sonne zu sitzen und auf den Fluß zu blicken, während er seinen Arm in warmem, mit Kräutern versetztem Wasser badete. Der Pflanzenduft vermengte sich mit Holzrauch von Dirions Feuer; unten spielten einige Kinder und balgten sich beim Auslegen der Netze, die am Strand trocknen sollten. Melathys war gerade mit dem Verbinden seines Armes fertig geworden und knüpfte eine Schlinge dafür, als sie plötzlich in einiger Entfernung vom Dorfrand Beifallsrufe hörten. Es gibt so viele Arten von Beifall wie von Kinderweinen; man erkennt an dem Lärm ganz deutlich, ob die Ursache tief oder seicht, groß oder klein ist. Dies waren keine ironischen Beifallsrufe, auch kein Jubel für sportliche Leistungen eines Kameraden oder Helden, sondern tiefe, andauernde Freudenrufe bei der Erfüllung langgehegter Hoffnung und Erleichterung. Sie blickten einander an, Melathys ging zur Leiter und rief zu Dirion hinunter. Die Beifallsrufe verbreiteten sich durch das ganze Dorf, sie hörten eilige Schritte und Männerstimmen, die aufgeregt Yeldashay sprachen. Melathys stieg nach unten, und er hörte, wie sie jemanden rief, der sich in einiger Entfernung befand. Lärm und Aufregung loderten um das Haus auf wie ein Feuer, und er war schon fast entschlossen hinunterzusteigen, als sie hurtig wie ein Eichhörnchen die Leiter emporstieg. Sie ergriff seine gesunde Hand und kniete neben ihm auf dem Boden hin.

»Elleroth ist hier«, sagte sie, »und es heißt, daß der Krieg vorbei ist – aber ich weiß ebensowenig wie du, was das bedeutet.«

Er küßte sie, und sie warteten schweigend. Melathys legte ihren Kopf auf seine Knie, und er streichelte ihr Haar; ihn wunderte, daß ihm sein Schicksal so gleichgültig war. Er dachte an Genshed, an die Sklavenkinder, an Shara und ihre bunten Steine, an Shardiks Tod und an das brennende Floß. Es schien wenig auszumachen, was darauf folgen mochte, außer daß er, mochte kommen, was da wolle, Melathys nicht verlassen würde. Schließlich sagte er: »Hast du Schreihals heute morgen gesehen?«

»Ja. Es geht ihm zumindest nicht schlechter. Gestern habe ich eine Frau bezahlt, die sich um ihn kümmern soll. Sie scheint ehrlich zu sein.«

Etwas später hörten sie, daß unten Männer eintraten, dann sprach Tan-Rion ein paar schnelle Worte, die sie nicht verstehen konnte. Kurz darauf erschien er oben auf der Leiter, gefolgt von Radu. Beide blieben wartend stehen und blickten hinunter auf jemanden, der nach ihnen heraufkam. Es dauerte ein wenig, dann kletterte Elleroth in den Raum, streckte seine unbehandschuhte Hand nach Hilfe aus und stieg dann von den Sprossen.

Kelderek und Melathys erhoben sich und standen nebeneinander, als der Statthalter von Sarkid und seine Begleiter auf sie zukamen. Elleroth, der so sauber und tadellos gekleidet war wie bei ihrem letzten Zusammentreffen in Kabin, reichte Kelderek die Hand, die dieser nach kurzem Zaudern ergriff, wenn er auch den Blick des anderen nur zögernd erwiderte.

»Heute treffen wir als Freunde zusammen, Crendrik«, sagte Elleroth. »Das heißt, wenn du dazu so bereit bist wie ich.«

»Dein Sohn ist mein Freund«, sagte Kelderek. »Das kann ich wahrhaft sagen.«

»Das hat er mir erzählt. Ich habe noch wenig darüber gehört, aber ich weiß, daß du bei seiner Verteidigung verwundet wurdest und daß du ihm wahrscheinlich das Leben gerettet hast.«

»Was geschah«, sagte Kelderek zögernd, »war – war verworren. Aber es war unser Herr Shardik, der sein Leben opferte – er war es, der uns alle rettete.«

»Auch das hat Radu mir erzählt. Nun, ich merke, daß ich noch viel zu hören haben werde – und vielleicht auch zu lernen.« Er lächelte Melathys zu.

»Kelderek, unser Herr, war schwer krank«, sagte sie, »und ist noch immer schwach. Ich glaube, wir sollten uns hinsetzen. Es tut mir nur leid, daß dieses Quartier so unbequem ist.«

»In den zwei letzten Nächten war ich noch schlimmer untergebracht«, antwortete Elleroth munter, »und es erschien mir keineswegs als Mühsal, das versichere ich dir. Du bist wohl eine Priesterin aus Quiso, nehme ich an.«

Melathys war ein wenig verlegen, und Kelderek antwortete statt ihrer.

»Das ist die Priesterin Melathys, die von der Tuginda aus Quiso als ihre Stellvertreterin gesandt wurde, um die letzten Zeremonien für unseren Herrn Shardik zu leiten. Die Tuginda wurde in Zeray verwundet und liegt noch immer krank dort.«

»Das tut mir sehr leid«, sagte Elleroth, »denn sie wird als heilkundige Frau von Ikat bis Ortelga hoch geschätzt. Aber auch sie nahm zu viele Gefahren auf sich, als sie den Vrako überquerte. Hätte ich, als sie mich in Kabin aufsuchte, gewußt, daß sie nach Zeray zu gehen gedachte, so hätte ich das verhindert. Hoffentlich ist sie bald wieder gesund.«

»So walte Gott«, antwortete Melathys. »Als ich sie verließ, war sie außer Gefahr, und es ging ihr bereits besser.«

Sie setzten sich zusammen auf die groben Bänke in dem Korridor mit dem Blick auf den Telthearna; einer von Tan-Rions Soldaten brachte Nüsse, Schwarzbrot und Wein. Elleroth, der vor Erschöpfung nahe dem Zusammenbruch schien, drückte Besorgnis wegen Keldereks Wunden aus und erkundigte sich nach den Bestattungszeremonien für Shardik.

»Deine Soldaten taten, was sie konnten, um uns zu helfen«, sagte

Kelderek. »Sie und die Dorfbewohner.« Er wollte vermeiden, über die Einzelheiten der Zeremonie ausgefragt zu werden, und fuhr fort: »Du bist aus Kabin hierher marschiert? Du mußt ein sehr schnelles Tempo angeschlagen haben. Es ist doch erst vier Tage her, daß unser Herr Shardik starb.«

»Die Nachricht kam noch am selben Abend stromabwärts nach Zeray«, antwortete Elleroth, »und erreichte mich am nächsten Mittag in Kabin. Für einen Mann, dessen Sohn und Erbe tot war und wieder lebendig wurde, war ein Marsch von neunzig Kilometern in zweieinhalb Tagen langsam, aber es ist ein rauhes Land, in dem man schwer vorankommt, wie du wohl selbst weißt.«

»Aber du bist noch kaum eine Stunde in Tissarn«, sagte Melathys. »Du hättest essen und ruhen sollen, bevor du dir die Mühe machtest hierherzukommen.«

»Im Gegenteil«, erwiderte Elleroth, »ich wäre schon früher hier gewesen, bin aber so eitel, daß ich mir die Zeit nahm, mich zu waschen und umzuziehen, wenn ich auch gestehen muß, daß ich nicht wußte, ich würde eine der schönen Priesterinnen von Quiso treffen.«

Melathys lachte wie ein Mädchen, das gewohnt ist, geneckt zu werden und es zu vergelten.

»Warum dann die Eile? Sind Yeldashayer Adelige immer so förmlich?«

»Yeldashay, Saiyett? Ich bin aus Sarkid mit den Ähren.« Dann sagte er ernst: »Nun, ich hatte einen Grund. Ich war der Ansicht, daß du, Crendrik, es verdientest, meinen Dank entgegenzunehmen und die Nachricht so schnell zu hören, wie ich beide herbringen konnte.«

Er machte eine Pause, doch Kelderek schwieg, und nach einer Weile fuhr Elleroth fort: »Solltest du deinetwegen noch in irgendwelcher Sorge sein, wirst du sie nun hoffentlich fallenlassen. Als ich dir in Kabin sagte, wir würden dich töten, falls wir dich wiederträfen, konnten wir nicht wissen, daß du das Elend der Sklaverei mit dem Erben von Sarkid teilen und an seiner Lebensrettung Anteil haben würdest.«

Kelderek erhob sich unvermittelt, tat einige Schritte, blieb, Elleroth den Rücken kehrend, stehen und blickte auf den Fluß hinaus. Tan-Rion zog die Brauen hoch und erhob sich halb, doch Elleroth schüttelte den Kopf und wartete, ergriff Radus Hand und sprach leise mit ihm, bis Kelderek sich wieder gefaßt haben würde.

Endlich wandte sich Kelderek um und sagte rauh: »Und bedenkst du auch, daß ich es war, der die Leiden deines Sohnes und den Tod des kleinen Mädchens verschuldete?«

»Mein Vater weiß noch nichts von Shara«, sagte Radu.

»Wenn du Reue empfindest, Crendrik«, sagte Elleroth, »kann ich darüber nur froh sein. Ich weiß, daß du gelitten hast – wahrscheinlich mehr, als du je erzählen könntest, denn das wahre Leiden ist geistig, und das schlimmste darin ist die Reue. Auch ich habe Leid und Angst gelitten – wochenlang litt ich unter dem Verlust meines Sohnes und glaubte ihn für mich verloren. Nun sind wir alle drei – er, du und ich – erlöst und, ob es tatsächlich ein Wunder war oder nicht, ich bin nicht so niedrig gesinnt, dem armen Bären meine Dankbarkeit zu versagen, der wie Graf Depariothos Mutter lebend aus dem Streel kam, oder gegen einen Mann, der meinem Sohn Gutes tat, Groll zu hegen. Ich erkläre alle Schuld getilgt durch Shardiks Tod – seinen geheiligten Tod, denn als solchen müssen wir ihn betrachten. Aber ich habe auch noch einen anderen Grund für Freundschaft zwischen uns – einen, wenn du willst, politischen Grund. Es herrscht nun Frieden zwischen Ikat und Bekla, und während wir sprechen, kehren alle Gefangenen und Geiseln nach Hause zurück.« Er lächelte. »Es wäre also keineswegs passend für mich, nicht wahr, Rachegefühle gegen dich zu hegen.«

Kelderek setzte sich auf die Bank. Vom Strand her drangen die Rufe einiger junger Fischer herauf, die ihre Kanus ins Wasser setzten.

»Als du in Kabin warst«, sagte Elleroth, wobei er ziemlich erfolglos versuchte, ein Gähnen zu unterdrücken, »führte General Santilke-Erketlis persönlich eine Abteilung unserer Truppen, mit der er eine Sklavenkolonne auf dem Marsch westlich von Thettit überholen und befreien wollte. Es gelang ihm, brachte ihn jedoch in unmittelbare Nähe der beklanischen Armee, die, wie du wissen dürftest, uns von der Yeldashayer Grenze an verfolgt hatte. Bei seinem Rückmarsch mit den befreiten Sklaven traf er auf eine Abordnung beklanischer Offiziere, die gleichfalls auf dem Weg nach Kabin waren, um mit uns zu verhandeln. Sie standen unter Führung von General Zelda und beabsichtigten, einen sofortigen Waffenstillstand und Verhandlungen über die Friedensbedingungen vorzuschlagen.

Vor drei Tagen nahm ich mit Erketlis an der Besprechung mit den Ortelganern teil, da traf die Nachricht aus Zeray über die dortigen Ereignisse ein. Ich machte mich sofort auf den Weg nach Tissarn, bin jedoch sicher, daß man sich inzwischen über die Bedingungen geeinigt hat. Ich brauche dich – wenigstens vorläufig – nicht mit allen Details zu ermüden, aber die Hauptsache ist, daß Yelda, Lapan und Belishba von Bekla unabhängig werden. Die Ortelganer sollen Bekla sowie die übrigen Provinzen behalten und sich dafür verpflichten, den Sklavenhandel abzuschaffen und bei der Rückstellung aller Sklaven in ihre Heimat mitzuhelfen.«

Kelderek starrte in seinen Weinbecher und schwenkte ihn hin und her. Dann nickte er bedächtig, blickte auf Elleroth und sagte:

»Ich bin froh, daß der Krieg zu Ende ist, und noch mehr darüber, daß man den Sklavenhandel abschaffen wird.« Er legte eine Hand über seine Augen. »Es ist schön von dir, daß du so schnell mit der Nachricht hergekommen bist. Wenn ich dir keine bessere Antwort zu geben vermag, liegt es daran, daß ich noch schwach bin und mein Kopf wirr ist. Ich hoffe, wir können wieder miteinander sprechen – vielleicht morgen.«

»Ich bleibe noch einige Tage hier«, sagte Elleroth, »und wir werden gewiß wieder zusammentreffen, denn ich habe noch einige Pläne im Kopf – im Augenblick sind es bloß Einfälle, aber vielleicht wird etwas daraus. Mein Gott« – er reckte den Hals –, »die jungen Fischer dort draußen zerschneiden ja wirklich den Telthearna – wahrscheinlich erwärmt das die Armen in diesem bitteren nördlichen Klima. Und wer weiß? Vielleicht fangen sie sogar noch einen Fisch, ehe man sich's versieht?«

Bald darauf nahm er Abschied, und Kelderek, den die Begegnung ermüdet, verwirrt und erregt hatte, schlief mehrere Stunden und erwachte erst wieder am Spätnachmittag.

Nach einigen Tagen fühlte er sich kräftiger, und sein verwundeter Arm schmerzte etwas weniger. Er machte Spaziergänge an den Strand und durch das Dorf, einmal ging er fast anderthalb Kilometer weit nach Norden bis zu dem offenen Land beim Durchlaß. Er hatte vordem nicht bemerkt, wie arm das Dorf war: dreißig oder vierzig Hütten und zwanzig Kanus an einem schattigen, ungesunden Stück Strand unterhalb eines bewaldeten Kammes – jenes Kammes, über den er am Morgen von Shardiks Tod heruntergehumpelt war. Es gab wenig bebautes Ackerland, die Dorfbewohner lebten hauptsächlich von Fischen, halbwilden Schweinen, Wasserhühnern und sonstigen Waldtieren, die sie jagen konnten. Es gab fast gar keinen Handel, der Ort war weitgehend isoliert, und die Ergebnisse jahrelanger Inzucht waren nur allzu sichtbar. Aber die Dorfinsassen waren recht freundlich, und er fand Gefallen daran, sie in ihren Hütten zu besuchen und mit ihnen über ihre Fertigkeiten und Bedürfnisse und die Schwierigkeiten ihres harten, primitiven Lebens zu plaudern.

Als er eines Nachmittags mit Melathys außerhalb des Dorfes spazierenging, begegneten sie einigen von den früheren Sklavenkindern, die zwischen den Bäumen müßig die Zeit verbrachten. Sie blickten Kelderek aufmerksam an, aber keines kam heran oder sprach mit ihm. Er rief sie an, ging näher hin und bemühte sich, mit ihnen wie mit Kameraden zu sprechen – denn er betrachtete sie als solche –, aber er hatte an dem Tag keinen Erfolg bei ihnen und auch noch an mehreren Tagen danach nicht. Sie unterschieden sich mit ihrem Schweigen oder den kurzen, ernsten Antworten sehr von den Kindern in Ortelga, an die er sich erinnerte. Nach und nach begriff er, daß für fast alle die Leiden bei Genshed nur die letzten in einem jämmerlichen Leben der Verlassenheit, Vernachlässigung und Mißhandlung gewesen waren. Ohne Eltern, freund- und hilflos waren sie schon versklavt gewesen, ehe sie Genshed kennenlernten.

Nach ein oder zwei Besuchen hielt er es für das beste, sich von Schreihals vorläufig fernzuhalten. Der Junge war bei Shardiks Angriff auf Genshed verletzt worden, und die Vernachlässigung seiner Wunden hatte zu einem von Delirien begleiteten Fieber geführt; man hatte bis vor wenigen Tagen erwartet, er werde daran sterben. Er war von Angst verzehrt und überzeugt, die Yeldashayer hätten ihm einen grausamen Tod zugedacht; der Anblick eines der Menschen, die er selbst mißhandelt hatte, verstärkte sein Schuldgefühl und seine panische Furcht. Kelderek überließ ihn Melathys und der Frau aus dem Dorf, konnte aber nicht umhin, sich zu fragen, was aus ihm werden solle. Würde es ihm vielleicht gelingen, zurück nach Terekenalt zu wandern, dort selbst für sich zu sorgen und einen neuen Verbrecher als Herrn zu finden? Oder würde er schon vorher, wie er es sichtlich erwartete, in Tissarn von denen getötet werden, die allen Grund hatten, ihn zu hassen?

Auch die Sarkider Abteilung blieb in der Gegend, teils in Quartieren in Tissarn, teils dort, wo er sie zuerst gesehen hatte, zur Bewachung der Zugänge zum Linshoer Durchlaß. Als er Tan-Rion nach dem Grund dafür fragte, wurde ihm erklärt, die Yeldashayer suchten immer noch die Provinz nach flüchtigen Sklavenhändlern ab, und die Sarkider Truppe bildete von der Vrakomündung in den Telthearna bis zum Durchlaß den Schlußteil des Netzes. Am nächsten Abend wurden zwei weitere Sklavenhändler einzeln aufgebracht; sie befanden sich im äußersten Stadium der Not und Erschöpfung, da sie mehrere Tage vor den vorrückenden Soldaten nach Norden geflohen waren. Am nächsten Morgen kamen die Spähtrupps selbst nach Linsho, und damit war die Jagd zu Ende.

Einige Tage später kehrte Kelderek mit Melathys von einem einstündigen Fischerausflug zurück – zu mehr war er noch nicht fähig –, da trafen sie Elleroth und Tan-Rion unweit von der Stelle, wo Shardiks Bestattungsfloß gelegen hatte. Er war trotz Elleroths Bemerkung bei ihrem letzten Gespräch nicht mehr mit ihm zusammengetroffen, hatte das jedoch nicht als dessen Versäumnis betrachtet. Der Statthalter von Sarkid war mehrere Tage lang bei seinen verschiedenen Vorposten und Feldlagern gewesen, jedenfalls war sich Kelderek aber bewußt, daß er von Elleroth nicht die Wärme oder eine Wiederholung der förmlichen Höflichkeit erwarten durfte, die ihm dieser am Morgen seiner Ankunft gezeigt hatte. Zufällig hatte es sich ergeben, daß der Ex-König von Bekla zusammen mit Elleroths Sohn gelitten und bei dessen Lebensrettung mitgeholfen hatte. Das hatte ihm selbst das Leben gerettet; nichtsdestoweniger war er aber jetzt für den Statthalter von Sarkid wertlos, der bereits alles, was man für seine Pflicht halten konnte, getan hatte.

Elleroth begrüßte die beiden mit seiner üblichen Liebenswürdigkeit, erkundigte sich nach Keldereks Genesung und gab seiner Hoffnung Ausdruck, daß Melathys das Leben im Dorf nicht allzu hart und unbequem fände. Dann sagte er: »Die meisten meiner Leute – und auch ich – werden übermorgen nach Zeray abmarschieren. Ich nehme an, ihr beide wollt mit uns kommen? Ich persönlich reise auf dem Fluß und bin sicher, daß wir Plätze für euch finden können.«

»Wir werden dir dankbar sein«, sagte Kelderek, der sich unwillkürlich seines Minderwertigkeitsgefühls diesem Mann gegenüber und seiner Abhängigkeit von dessen gutem Willen bewußt war. »Es ist nun an der Zeit für uns, nach Zeray zurückzukehren, und ich bin leider noch nicht kräftig genug, um mit den Soldaten zu gehen. Du sagst, ›die meisten meiner Leute‹. Gehen nicht alle mit dir?«

»Ich hätte es euch früher erklären sollen«, antwortete Elleroth.

»Gemäß den mit den Ortelganern vereinbarten Bedingungen übernehmen wir die Kontrolle dieser Provinz – des gesamten Landes östlich des Vrakos. Das ist durchaus gerecht und vernünftig, da Bekla es nie beherrscht hat und der letzte – eigentlich der einzige – Baron von Zeray, der Ortelganer Bel-ka-Trazet, es uns erst vor wenigen Monaten ausdrücklich nahegelegt hat, es zu annektieren. Für eine Weile, bis wir das Land in Ordnung gebracht haben, wird eine Besatzungsmacht mit Vorposten an den geeigneten Orten hierbleiben.«

»Ich wundere mich nur, daß ihr das für lohnend erachtet«, sagte Kelderek, entschlossen, einer eigenen Ansicht Ausdruck zu verleihen. »Wird das irgendeinen Gewinn bringen?«

»Den Gewinn werden wir Bel-ka-Trazet verdanken«, antwortete Elleroth. »Ich kannte ihn nicht, er muß aber ein bemerkenswerter Mann gewesen sein. Wenn ich nicht irre, hat er als erster den Plan gefaßt, von dem ich glaube, daß er eine Neuerung von größter Wichtigkeit darstellt.«

»Er *war* ein bemerkenswerter Mann«, sagte Melathys. »Er war ein Mann, der aus einem Grundstück voll Asche Gewinn ziehen konnte.«

»Er riet uns«, sagte Elleroth, »einen Fährbetrieb über den Durchlaß bei Zeray einzurichten, und gab uns sogar an, wie sich das machen ließe – ein Gedanke, der ausschließlich von ihm stammt, soviel ich feststellen kann. Gemeinsam mit Leuten aus Deelguy befassen sich unsere Pioniere derzeit damit, aber wir mußten uns an einige Ortelganer Seiler um Hilfe wenden. Das wird überaus wichtig sein. Niemand versteht soviel von der Verwendung und den Eigenschaften von Seilen wie die Ortelganer. Wenn die Fähre vollendet ist, wird Zeray gewiß eine bedeutende Handelsstadt werden, denn es wird dann eine neue und direkte Straße, sowohl für Ikat wie für Bekla, über den Telthearna nach Osten geben. Welche Länder immer dort liegen werden, die Fähre wird zweifellos völlig neue Märkte eröffnen.« Er machte eine Pause. »Wenn ich mich recht entsinne, Crendrik, hast du dich, als du in Bekla warst, für Handel interessiert, nicht wahr? Nein, nein« – er hob die Hand –, »ich habe keine Bosheit im Sinn und wollte dich nicht verletzen, das versichere ich dir. Bitte glaub das nicht. Ist es aber nicht richtig, daß du bei der Handelspolitik des Reiches eine entscheidende Rolle gespielt hast?«

»Doch, das ist richtig«, antwortete Kelderek. »Ich bin kein Adeliger, wie du weißt, ich habe nie Land besessen; und für Menschen, die keine Bauern oder Soldaten sind, ist der Handel lebenswichtig, wenn sie überhaupt Erfolg haben wollen. Das habe ich in Bekla begriffen, im Gegensatz zu unseren Generälen, die es nicht konnten. Daraus entstand das Übel – aber auch Gutes.«

»Ja, ich verstehe«, sagte Elleroth etwas zerstreut und begann, mit Melathys über die wahrscheinlichen Erfordernisse der Tuginda zu sprechen.

Die Dorfbewohner erfuhren mit Bedauern, daß die Soldaten abziehen würden, denn die hatten sich im großen ganzen gut benommen und korrekt alles bezahlt, was sie bekamen. Überdies hatten sie willkommene Abwechslung und Antrieb in das normale, elende Leben von Tissarn gebracht. Es gab die übliche Geschäftigkeit, als Waffen und Ausrüstung gesammelt und inspiziert, die Quartiere verlassen, Lasten verteilt und eine Vorhut in Marsch gesetzt wurde, die das erste Nachtlager vorbereiten sollte (denn nur Elleroth und einige Offiziere mit ihren Dienern reisten zu Wasser, da es nur wenige verfügbare Kanus gab).

Am Nachmittag nahm Kelderek, des Lärms und Tumults überdrüssig, Angelleinen und Köder und machte sich längs des Ufers auf den Weg. Er war noch nicht weit gegangen, als er neun oder zehn von den Sklavenkindern traf, die am Ufer herumplanschten. Er schloß sich ihnen an, fand sie in besserer Stimmung, als er erwartet hatte, und hatte sogar Vergnügen an ihrer Gesellschaft, die ihn nun ein wenig an die alten Zeiten in Ortelga erinnerte. Einer der Knaben, ein dunkelhaariger, etwa zehnjähriger Junge mit flinken Bewegungen, lehrte sie ein Gesangspiel aus Paltesh. Das führte zu anderen, bis schließlich Kelderek, den sie neckten und aufforderten, er solle etwas beitragen, ihnen das erste ortelganische Spiel zeigte, das ihm einfiel.

> Katze fängt 'n Fisch im Schaum in dem Fluß;
> Katze fängt 'n Fisch, den sie heimbringen muß.
> Lauf, Katze, lauf und schlepp ihn, daß es flitzt –

Als er die Linien mit einem Stock in den Sand kratzte und einen grünen Zweig als Fisch hinlegte, spürte er wieder, wie schon seit Jahren nicht mehr, die Heiterkeit, Unmittelbarkeit und Inanspruchnahme, die ihn einst veranlaßt hatte, Kinder »Gottesflammen« zu nennen.

> Bring ihn der hübschen Maid, die dort am Feuer sitzt!

Und dann humpelte er schleppend davon, langsam genug, denn er war, wie er Elleroth gesagt hatte, noch bei weitem nicht geheilt; in seinem Herzen aber ging er wie einst in den Tagen, da er ein junger Einfaltspinsel war, der lieber mit den Kindern spielte als mit den Männern trank.

Als er nicht mehr dran war, die Katze zu spielen, zog er sich zurück. Er blieb unauffällig hinter einem Felsen stehen, da merkte er, daß der Junge, der müßig neben ihm stand, Schreihals war, aber so mager und blaß, daß er ihn zuerst nicht erkannt hatte. Er nahm an dem Spiel nicht teil, sondern starrte niedergeschlagen zu Boden, ging auf und ab und stach zornig mit einem Stock auf die Steine los. Ein zweiter Blick auf ihn zeigte Kelderek, daß er, wenn er nicht tatsächlich schon weinte, wahrscheinlich so nahe daran war, wie es für einen Jungen möglich war, der mehrere Monate in Gensheds Diensten verbracht hatte.

»Geht es dir besser?« fragte Kelderek, als Schreihals ein wenig näher kam.

»Wär ja scheißblöde«, antwortete Schreihals, der kaum den Kopf wandte.

»Komm her!« sagte Kelderek scharf. »Was hat dich hier hinausgeführt? Was ist los?« Der Junge antwortete nicht, und er faßte ihn am Arm und sagte nochmals: »Vorwärts, sag es mir, was ist los?«

»Sie sind froh, daß sie fortgehen, nicht wahr?« sagte Schreihals in einer Art wütendem Keuchen. »Entweder sie haben Glück, oder sie sind zu scheißblöde, um zu wissen, daß sie es nicht haben.«

»Warum, gehen sie denn nicht heim?« fragte Kelderek.

»Heim? Die Hälfte von ihnen hat nie ein Heim gehabt. Wenn sie's gehabt hätten, wären sie doch nicht hier, oder?«

»Nur weiter«, sagte Kelderek, ohne seinen Arm loszulassen. »Warum nicht?«

»Das weißt du so gut wie ich; Kinder, deren Mütter sie nicht haben wollen, die Väter sind abgehauen, sie leben, wie sie können, nicht wahr, eines Tages verkauft sie jemand für vierzig Meld, um sie loszuwerden – genau wie mich. Für manche das Beste, was ihnen je geschehen ist, es sei denn, sie wären gestorben. Sklaven – die waren doch immer nur Sklaven, oder?«

»Was glaubst du dann, wohin sie jetzt gehen werden?«

»Wie zum Teufel soll ich das wissen?« brüllte Schreihals – es klang wie ein Rückfall in seine alte Form. »Schlag-auf-Scheißlee, das würde mich nicht wundern. Warum läßt du mich nicht in Ruhe? Ich fürchte mich nicht vor dir.«

Kelderek ließ Angelleine und Köder zurück und ging zu Dirions Haus. Melathys erwartete ihn an der Tür, sie trug ihr Yeldashayer *Metlan* mit dem Kornährenemblem.

»Du hast Elleroth verpaßt«, sagte sie, »den Statthalter persönlich. Er hat uns für heute abend zum Essen eingeladen und gesagt, er hoffe sehr, du würdest nicht zu müde sein. Es kommt sonst niemand, und er freut sich darauf, dich zu sehen, das bedeutet wohl, daß es eine dringende Einladung ist.« Dann sagte sie noch: »Er blieb eine Weile hier in der Erwartung, du würdest zurückkommen, und ich – ich benutzte die Gelegenheit, um ihm zu erzählen, wie es zwischen uns beiden steht. Ich nehme an, er wußte es bereits, er war aber so höflich vorzugeben, daß es ihm neu sei. Ich erzählte ihm, wie ich nach Zeray kam und von Bel-ka-Trazet. Er fragte, was ich nun vorhätte, und ich erklärte – oder versuchte zu erklären –, was unseres Herrn Shardiks Tod für uns bedeutet. Ich sagte ihm, du seist der festen Meinung, daß eine Rückkehr nach Bekla für dich nie mehr in Frage kommen könne.«

»Ich freue mich, daß du es ihm gesagt hast«, meinte Kelderek. »Du sprichst mit ihm und seinesgleichen unbeschwerter, als ich es je könnte. Das erinnert mich an Ta-Kominion; und *dem* war ich nicht gewachsen. Elleroth könnte uns wahrscheinlich helfen, aber ich beabsichtige nicht, ihn darum zu bitten. Ich verdanke ihm mein Leben, kann mich aber doch nicht entschließen, einem dieser Yeldashayer die Chance zu geben, mir zu sagen, ich hätte Glück, noch am Leben zu sein. Aber – aber –«

»Aber was, mein Liebster?« fragte sie, hob den Kopf und küßte ihn auf das durchbohrte Ohrläppchen.

»Du sagtest: ›Es wird uns gezeigt werden, was wir tun sollen‹, und ich habe eine Ahnung, als könnte noch etwas geschehen, bevor wir Tissarn verlassen.«

»Was?«

»Nein«, sagte er lächelnd, »*du* bist doch die hellseherische Priesterin aus Quiso, nicht ich.«

»Ich bin keine Priesterin«, antwortete die junge Frau ernst.

»Die Tuginda sagte etwas anderes. Aber morgen abend wirst du sie noch mal fragen können, und übrigens auch Ankray.«

»›Also, Saiyett, der Baron, der pflegte zu sagen –‹« Es war eine vortreffliche Nachahmung, aber sie brach plötzlich ab. »Schon gut, da kommt Dirion. Laß mich jetzt deinen Arm verbinden. Was hast du denn oben am Fluß gemacht? Der Verband ist viel zu schmutzig, um damit zum Essen mit Elleroth zu gehen.«

Es war angenehm, so viel Licht im Zimmer zu haben, dachte Kelderek, während er zusah, wie Elleroths Diener die Lampen wechselte und den Herd säuberte. Er hatte seit Bekla keinen Raum mehr nach Einbruch der Dunkelheit so hell gesehen. Allerdings wurde durch das Licht keine elegante Einrichtung, kein Prunk bestrahlt – eigentlich nur die Ärmlichkeit des Raums, denn Elleroths Quartier war ähnlich wie Keldereks: ein schuppenähnliches Holzhaus unweit vom Ufer mit zwei kahlen Räumen in jedem Stockwerk; es zeigte aber auch, daß Elleroth, wie zu erwarten, seine Gäste großzügig, ja sogar verschwenderisch bewirten wollte und ohne Gedanken an eine Gegenleistung, denn es waren, wie er versprochen hatte, außer ihm selbst nur Melathys, Tan-Rion, ein anderer Offizier und Radu anwesend. Der Junge sah zwar noch blaß und abgemagert aus, hatte sich aber verändert, wie ein Musiker sich verändert, wenn er sein Instrument zur Hand nimmt. Der armselige Sklavenjunge hatte sich, wie im Märchen, wieder in den Erben von Sarkid verwandelt; ein junger, guterzogener Herr, respektvoll gegen seinen Vater, freundlich zu dessen Offizieren, der schweigend dem Gespräch der älteren folgte und sich in jeder Weise seiner Stellung gemäß benahm. Doch war es nicht nur Höflingsgespräch, sondern er redete auch eine Zeitlang ernsthaft mit Kelderek über die Sklavenkinder und auch über die Zeremonie am Ufer; und als Elleroths Diener, nachdem er seinem einhändigen Herrn das Fleisch vorgeschnitten hatte, für Kelderek das gleiche tun wollte, kam ihm Radu zuvor und überging Keldereks Protest mit der Bemerkung, es sei weniger, als Kelderek für ihn getan habe.

Die Mahlzeit war so gut, wie tüchtige Militärdiener im aktiven Dienst sie herstellen konnten: Fisch (er selbst hätte einen besseren fangen können), Ente, faseriges Schweinefleisch mit Wasserkresse, heiße Gerstenmehlkuchen und Ziegenkäse, und zum Abschluß ein Soufflé mit Nüssen und Honig. Der Wein aber stammte aus Yeldashay, er war vollmundig und mild, und Kelderek lächelte für sich beim Gedanken, daß Elleroth in der verzweifelten Eile zum Abmarsch auf Kabin auf die Nachricht hin, daß sein Sohn am Leben

sei, noch Zeit gefunden hatte, Befehl zu erteilen, man solle genug
von dem Wein mitnehmen. Daß Elleroth, abgesehen von seiner aristokratisch betonten Gleichgültigkeit, ein edles und ehrliches Herz
hatte, dafür hatte er genug Beweise, unter anderen den, daß er, Kelderek, noch lebte; auch war er selbst nicht so neidisch oder klein-
lich, um zu denken, daß Reichtum und Stil unbedingt von Teil-
nahmslosigkeit gegenüber den Gefühlen ärmerer Menschen zeug-
ten. Zwar war Elleroth ein Adeliger, aber er besaß auch das Pflichtgefühl eines Adeligen, und zwar in beträchtlich wärmerem Maße
als Ta-Kominion oder Ged-la-Dan. Ihm wären seine Soldaten in die
Streels von Urtah gefolgt. Dennoch fühlte sich Kelderek, trotz aller
wirklichen Dankbarkeit für diesen Mann, der die frühere Feind-
schaft aufgegeben und ihn als Freund und Gast behandelte, nicht
im Einklang mit Elleroths gleichmäßiger Selbstbeherrschung, mit
dem ruhigen, gesetzten Ton seiner Stimme und seiner Fähigkeit,
Keldereks ziemlich redselige Gesprächsart in seinen Stil objektiver,
unpersönlicher Deutung umzuwandeln. Er war überaus höflich und
rücksichtsvoll gewesen, für Kelderek jedoch verriet sein Sprechen
und Benehmen ein wenig den Ton des Gesandten, der halbzivilisier-
te Ausländer pflichtgemäß bewirtet. Lag vielleicht ein geheimer
Zweck hinter seiner Einladung? Doch welcher Zweck sollte das
sein, da doch nun alles gelöst und abgemacht war? Radu war am
Leben – und Shardik war tot. Zwischen Ikat und Bekla herrschte
Frieden, Melathys und ihm stand es frei zu gehen, wohin sie wollten.
Auch Schreihals und die Sklavenkinder waren frei – frei wie Flie-
gen, frei wie Herbstblätter oder wie Aschenstäubchen im Wind.
Nein, nun gab es keine Knäuel mehr zu entwirren.

Es war ein Glück, dachte er, daß zumindest Melathys Freude an
dem Beisammensein hatte. Wenn er an alles dachte, was sie gelitten
hatte, war sie in einer Hinsicht glücklich zu nennen, denn trotz
ihrer Ergebenheit für die Tuginda und ihrer Entschlossenheit, ihren
vor langer Zeit erfolgten Verrat an Shardik zu sühnen, war sie doch
nicht für die Zurückgezogenheit einer Inselpriesterin geschaffen. Im
Augenblick flirtete sie mit Tan-Rion – und hänselte ihn damit, daß
sie nach Sarkid kommen und alles erzählen werde, was er auf dem
Feldzug getan habe. Kelderek empfand keinerlei Eifersucht, er war
nur froh. Er kannte sie als warmherzig, munter, sogar leidenschaftlich. Sie hatte ihre eigene Art, das Böse zu überwinden, das ihr an-
getan worden war, und inzwischen konnte er sich in Geduld fassen,

trotz des beginnenden Verlangens, das ihm verriet, daß sich wenigstens sein Körper erholte.

Ja, überlegte er, sein Körper erholte sich. Das würde sein Herz schwerlich tun. Er hatte in die Tiefe eines Streels, tiefer als Urtah, geblickt, ein Teufelsloch, in dem Shara sinnlos ermordet lag und Schreihals sich fluchend umhertrieb. Das war die Welt der Menschen – die Welt, die Elleroth vor allem in Form von Herrscherproblemen mit Gesetz und Ordnung sah; die Welt, in der unser Herr Shardik sein heiliges Leben gegeben hatte, um durch menschliche Selbstsucht und Nachlässigkeit zur Sklaverei verurteilte Kinder zu retten.

Elleroth sprach nun wieder vom politischen Gleichgewicht zwischen Ikat und Bekla, von den Friedensaussichten und der Notwendigkeit, alle noch bestehenden feindlichen Gefühle zwischen den beiden Völkern zu überwinden. Wohlstand, sagte er, sei ein großer Herd- und Herzenswärmer, und bei dieser selbstverständlichen Wahrheit konnte Kelderek ruhig zustimmend nicken. Dann schaltete Elleroth eine Pause ein und blickte, gleichsam überlegend, zu Boden. Er schwenkte den in seinem Becher verbliebenen Weinrest hin und her, winkte aber dem aufmerksamen Soldaten ab, der ihn mißverstand und herantrat, um den Becher nachzufüllen; bald darauf entließ er ihn. Als der Mann hinausging, blickte Elleroth lächelnd auf und sagte:

»Nun, Crendrik – oder Kelderek Zenzuata, wie ich dich nach Melathys' Ansicht nennen sollte –, du hast mir viel zu denken gegeben; oder jedenfalls *habe* ich nachgedacht, und du hast viel damit zu schaffen.«

Ein wenig unsicher, aber durch den Wein aus Ikat gestärkt, antwortete Kelderek nichts; doch er war wenigstens imstande, den Blick seines Gastgebers höflich erwartungsvoll und mit einer gewissen Fassung zu erwidern.

»Eines unserer Probleme – und nicht das geringste – wird vorerst die Einführung einer richtigen Herrschaft über Zeray und dann die Entwicklung dieser ganzen Provinz sein. Wenn du jemals irgendwo recht hattest, Kelderek, war es mit deinen Worten von der Notwendigkeit des Handels für den Wohlstand der einfachen Leute. Zeray wird für Bekla ebenso wie für Ikat eine wichtige Handelsstraße werden. Wir könnten sie, selbst wenn wir das wollten, nicht monopolisieren, denn der Handel wird auch über Kabin gehen, und die Kabinesen wünschen nicht, von Bekla unabhängig zu werden. Wir werden also jemanden brauchen, der sich um Zeray kümmert, am besten keinen völlig Fremden, sondern einen Mann, der weder Bekla noch Ikat den Vorzug gibt, jemanden, der sich für den Handel interessiert und dessen große Bedeutung begreift.«

»Ich verstehe«, sagte Kelderek höflich.

»Und dann brauchen wir natürlich jemanden mit persönlicher Erfahrung des Telthearnas«, fuhr Elleroth fort. »Vielleicht bist du dir darüber nicht im klaren, Kelderek, weil du ihn selbst so gut kennst, aber nicht jedermann versteht es, die Eigenheiten eines großen Flusses richtig zu beobachten und zu respektieren, Wassermangel und Hochwasser, Nebel, Strömungen und Untiefen – eines Flusses, wo eine lebenswichtige Handelsfähre eine schnell strömende und gefährliche Engstelle überquert. Das erfordert Erfahrung und Kenntnis, die zur zweiten Natur geworden sind.«

Kelderek trank seinen Weinbecher aus. Es war ein Holzbecher bäurischer Handwerkskunst, der fast sicher, dachte er, hier in Tissarn hergestellt war. Auf der Schale hatte jemand mit großem Eifer ein recht annehmbares Abbild eines fliegenden Kynats geschaffen.

»Auch wäre es höchst wünschenswert«, sagte Elleroth, »daß dieser Gouverneur bereits über Erfahrung im Herrschen und in der Ausübung von Autorität verfügt. Zeray wird wahrscheinlich, sogar mit militärischer Hilfe, eine Zeitlang ein schwieriger Ort sein, in Anbetracht seines derzeitigen Zustands und der Lage der ganzen Provinz. Und ich meine, hier muß wirklich jemand ernannt werden, der aus unmittelbarem Kontakt etwas von rauhen, ungehobelten Menschen versteht – jemand, der unsanfte Behandlung erlebt hat und in der Lage ist, selbst ein wenig dabei mitzumischen. Ich bezweifle, ob wir einen adeligen Landbesitzer oder auch nur einen Berufsoffizier finden können, der zur Übernahme dieses Postens bereit wäre. Fast alle verachten den Handel, und wer wäre übrigens willens, Land und Güter zu verlassen und nach Zeray zu gehen? Und welcher Provinzgouverneur wäre bereit hierherzukommen? Schwierig, nicht wahr, Tan-Rion?«

»Ja, Herr«, sagte Tan-Rion. »Sehr schwierig.«

»Das Land muß auch kolonisiert werden«, sagte Elleroth. »Arbeitswillige Hände werden dringend nötig sein. Ich glaube, wir müßten junge Menschen suchen, die nicht viel zu verlieren haben – denen man eine Chance im Leben geben muß und die nicht allzu wählerisch sind. Es würde aber nichts nützen, sie einfach nach Zeray herunterzuschicken; sie würden es zu schwierig finden und die kriminelle Bevölkerung nur noch vergrößern. Sie müßten von einem wohlwollenden Gouverneur überwacht werden, der Verständnis für sie hat und weiß, wie man aus Menschen, mit denen niemand anders viel anzufangen weiß, etwas machen kann. Jemand, der selbst einiges erlitten hat, nehme ich an. Meine Güte, es *ist* ein Problem! Ich kann mir wirklich nicht vorstellen, wo wir einen Menschen finden können, der all diesen verschiedenen Erfordernissen gerecht wird. Hast du eine Ahnung, Melathys, meine Liebe?«

»Seltsamerweise«, antwortete Melathys, deren Augen im Lampenlicht glänzten, »glaube ich es. Es muß Hellsehen sein – oder ist es dem ausgezeichneten Wein zuzuschreiben?«

»Ich werde Santil-ke-Erketlis von Zeray aus schreiben«, sagte Elleroth, »und ich bin sicher, daß er meine Befürwortung annehmen wird. Radu, mein lieber Junge, es ist Zeit für dich, schlafen zu gehen, und auch für Kelderek, wenn ich mir den Hinweis gestatten darf. Ihr wart beide krank und seht übermüdet aus. Wir sollten uns morgen, womöglich schon am frühen Vormittag, auf den Weg machen.«

58. Siristru

»– Dies ist nun schon der zehnte Tag, seit wir von der Westgrenze des Reiches Eurer Majestät durch eines der unwirtlichsten Landgebiete, die ich je gesehen habe, gereist sind. Zuerst hielten wir uns in Ufernähe des Varinflusses (den unser Führer in seiner Sprache ›Tiltharna‹ nennt), wo es Wald und felsiges Buschland gibt – eigentlich eine Fortsetzung des Geländes an der Westgrenze vom Reich Eurer Majestät, nur wilder und, soweit wir gesehen haben, unbewohnt. Natürlich gibt es keine Straßen, und wir sind auf keinen einzigen Pfad gestoßen. Bei einem großen Teil der Reise mußten wir absteigen und die Pferde zusammen mit den Packmaultieren an der Hand führen, so steinig und unsicher war der Boden. Wir sahen auch kein Fahrzeug auf dem Fluß, das überraschte uns aber nicht, da, wie Eure Majestät weiß, noch nie ein Boot aus dem Land stromaufwärts nach Zakalon gekommen ist. Der Führer sagt uns, daß unterhalb seines Landes eine Klamm liege (er nannte sie Bereel), voll von Stromschnellen und halb überspülten Felsen, so daß es unmöglich ist, auf dem Flußweg zu uns zu reisen. Die Tatsache, daß dieser Mann und seine Begleiter die ganze Reise zu Fuß gemacht haben – da der Gebrauch von Pferden seinem Volk unbekannt ist –, zeigt meiner Ansicht nach teils, daß das unbekannte Land, in das wir nun reisen, ein hartes und entschlossenes Volk hervorbringt, teils, daß die Einwohner – oder einige davon – begierig sind, Handelsbeziehungen mit uns aufzunehmen.

Wir überquerten zwei Zuflüsse des Varins über Furten, und zwar, da wir auf beide nahe der Mündung stießen, mit einigen Schwierigkeiten. Tatsächlich verloren wir bei der zweiten Überquerung ein Maultier und eines unserer Zelte. Das war vorgestern, und bald darauf verließen wir die waldige Wildnis und kamen in die Wüste, durch die wir nun reisen. Es ist ein Land mit Dornbüschen und feinem Flugsand – für Pferde und Maultiere schlecht gangbar – und schwarzen Felsen, die ihm ein abschreckendes Aussehen verleihen. Es gibt hier ein flachleibiges, stachelbeiniges Tier, ein Mittelding zwischen Krabbe und Spinne, etwa mannsfaustgroß, das langsam über den Sand kriecht. Anscheinend ist es harmlos, aber ich hätte es lieber nicht gesehen. Zum Trinken verwenden wir das Wasser des Varins, aber es ist sandig und warm, denn die Wüste verliert sich in Teiche und seichte Tümpel, hinter denen der richtige, strömende Fluß mehr oder minder unzugänglich ist. Laut Angaben unseres Führers bildet dieses Land den südlichsten Teil eines Landes namens Deelguy – soweit ich verstehen kann, ein halb barbarisches Königreich von räuberischen Kriegern und Viehdieben, die zwischen Wäldern und Hügeltälern leben. Das bewohnte Deelguy liegt jedoch gut fünfundzwanzig Kilometer weiter nördlich. In Wahrheit scheint diese Wüste, ein Land, das keiner haben will, dem Namen nach dem Gebiet des Königs von Deelguy anzugehören, eines Monarchen, dessen Grenzen (und Autoritätsbereich) jedenfalls von unklarer Ausdehnung sind.

Eure Majestät erinnert sich gewiß, daß Tan-Rion, unser jetziger Führer, bei der Audienz mit Euch zu verstehen gab, er komme aus einem Land jenseits des Varins, das über Mittel für den Handel verfüge; die Räte Eurer Majestät und, wie ich zugebe, auch ich fanden es kaum glaublich, daß es ein solches Land geben könne, ohne daß wir früher davon Kenntnis hatten. Die Schwierigkeit dieser Reise sowie der Umstand, daß es den Einwohnern erst im letzten Jahr gelang, eine Überquerung des Varins an einer von Zakalon erreichbaren Stelle zu ermöglichen, machen dies jedoch glaubhafter für mich; kurz, ich bin allmählich überzeugt, daß sich dieses Land sehr wohl, wie Ihr sagtet, als reich an Schätzen erweisen könnte, die unsere Beachtung verdienen. Tan-Rion hat – wenn ich ihn recht verstanden habe – Bergwerksbetriebe für die Gewinnung von Eisen und mehreren Edelsteinarten beschrieben, ebenso Holzschnitz- und Bildhauerarbeiten – allerdings muß ich gestehen, daß ich nicht genau weiß, um welche Art von Produkten es sich handelt. Er sprach auch von Getreide, Wein und Vieh. Ich glaube, vieles von den möglichen Handelsobjekten wird entweder bis zum Bau einer Straße oder bis zum Ausbau eines Wasserweges zurückgestellt werden müssen. (Es könnte sich später als möglich erweisen, Güter über den Varin zu schaffen und sie dann wieder an einer geeigneten Stelle auf diesem Ufer, unterhalb der Stromschnellen, zu verschiffen.) Was den Tauschhandel anlangt, darf ich Eure Majestät daran erinnern, daß das ganze Land offensichtlich nichts von Pferden weiß und keiner dieser Leute jemals die See gesehen hat.

Ich kann zum Glück sagen, daß ich in ihrer Sprache ein wenig Fortschritte mache. Tatsächlich scheinen jenseits des Varins vor allem zwei Sprachen gesprochen zu werden: die eine heißt Beklanisch, das in den nördlichen Teilen, die andere Yeldashay, das mehr im Süden gesprochen wird. Sie haben gewisse Ähnlichkeiten, aber ich konzentriere mich auf Beklanisch, in dem ich mich nun schon ein wenig verständigen kann. Sie verwenden die Schrift nur sehr selten, und es scheint meinen Instruktionsoffizier zu faszinieren, wenn ich seine Worte phonetisch aufschreibe. Er erzählt mir, es sei erst drei Jahre her, seit ein Bürgerkrieg zu Ende ging – er hatte etwas mit der Invasion Beklas durch einen fremden Stamm zu tun, der anscheinend Sklaverei betrieb –, aber ich gestehe, daß ich nicht alles verstehen konnte. Jetzt herrscht aber Frieden, und da sich die Beziehungen zwischen Norden und Süden gebessert haben, scheinen die Aussichten für die Entsendung von Gesandten zur Zeit recht günstig zu sein.

Heute werden wir – wenn ich richtig verstanden habe – tatsächlich den Varin überqueren und zu einer Stadt gelangen, von der aus wir zu Lande nach Bekla reisen können. Ich werde natürlich Eure Majestät weiter auf dem laufenden halten –«

Siristru, der Sohn Balkos, des Sohnes von Mereth von den Zwei Seen, Oberster Rat Ihrer Erhabenen Majestät König Luins von Zakalon, überflog den unvollendeten Brief, gab ihn dem Diener, er solle ihn zu dem übrigen Gepäck legen, und schritt hinaus zu den an einem von Gebüsch umsäumten Fleck angepflockten Pferden. Wie oder wann der Brief abgeliefert werden konnte, wußte der Himmel allein, aber es würde gut aussehen, wenn er ziemlich regelmäßig Aufzeichnungen notierte, die bewiesen, daß er ständig an den König und dessen Interessen dachte. Er hatte sich eine Erwähnung des gräßlichen Trinkwassers gestattet, jedoch nichts von seinem verdorbenen Magen und dem Durchfall gesagt, von dem er täglich fürchtete, er könne sich in Ruhr verwandeln. Ein diskreter Hinweis auf Ungemach würde eindrucksvoller sein als zu viele Einzelheiten. Er würde seine Blutblasen nicht erwähnen und schon gar nicht seine wachsende nervöse Furcht, je weiter sie von Zakalon in das unbekannte Land jenseits des Flusses reisten. Da er die Hoffnungen des Königs kannte, hatte er klug seinem Vertrauen zu den Handelsaussichten Ausdruck verliehen. Sie schienen nun tatsächlich beträchtlich zu sein, und sogar wenn sie sich schließlich anders erweisen sollten, könnte es nicht schaden, anfänglich Besseres erhofft zu haben. Trotzdem wünschte er, der König hätte nicht ihn zum Führer dieser Expedition ernannt. Er war kein Mann der Tat. Er war überrascht gewesen, daß man ihn gewählt hatte, und hatte sich, seine Befürchtungen als Bescheidenheit tarnend, nach den Gründen erkundigt.

»Nun, wir brauchen einen unvoreingenommenen, vorsichtigen Mann, Siristru«, hatte der König geantwortet und die Hand auf seinen Arm gelegt, als sie durch die lange Galerie gingen, von der man den Blick über die schöne Bienenterrasse genoß. »Auf keinen Fall möchte ich einen streitsüchtigen Soldaten oder einen habgierigen jungen Abenteurer schicken, der auf Profit aus ist und diese Ausländer aus der Fassung bringt, indem er sich alles anzueignen versucht. Auf diese Weise würde es von Anfang an böses Blut geben. Ich möchte einen gebildeten Mann ohne Gier nach persönlichem Gewinn hinschicken, jemanden, der imstande ist, die Lage objektiv zu beurteilen und mir die Wahrheit zu berichten. Tu das, und ich versichere dir, es wird dein Schaden nicht sein. Wie immer diese Menschen geartet sein mögen – die Dinge müssen so gehandhabt werden, daß sie uns vertrauen und respektieren können. Bei der Katze, sie haben ihre Leute weit genug geschickt, um uns zu finden!«

Und so hatte er, zum Bienengesumm in dem goldenen Stock, seine Ernennung angenommen.

Nun, das war soweit in Ordnung; und um dem König nicht unrecht zu tun – Luins Urteil war gerecht und klug; er war, gewissermaßen, ein guter König. Die Schwierigkeit war wie gewöhnlich, seinen ausgezeichneten Ideen die praktische Durchführung folgen zu lassen. Wenn es darauf ankam, wären streitsüchtige Soldaten und habgierige junge Abenteurer bei der Durchquerung der Wildnis und der Wüsten um so viel tüchtiger, hätten sich so viel weniger gefürchtet als ein achtundvierzigjähriger objektiver, vorsichtiger Ratgeber, ein Schulmann mit einem Hang zu Metaphysik und zum Studium der Ethik. Davon gab es dort, wohin er ging, herzlich wenig. Die Sitten und Bräuche von halbzivilisierten Völkern waren gewiß bis zu einem bestimmten Grad interessant, aber damit hatte er sich als junger Mann ausreichend befaßt. Nun war er vor allem ein Lehrer, der die Schriften der Weisen studierte, vielleicht selbst ein Weiser würde – wenn er lange genug lebte. Gut und schön, der König hatte gesagt, es werde sein Schaden nicht sein. Aber er brauchte eigentlich nichts, was der König zu schenken hatte. Doch Luin war kein Mann, gegen den man ungefällig war, und es wäre gefährlich gewesen, durch Weigerung seine Wünsche zu durchkreuzen oder auch nur den Eindruck zu erwecken, daß man zögere.

»Es macht mir nicht soviel aus, von Barbaren in Stücke gehauen zu werden«, sagte er laut und schlug mit seiner Peitsche gegen einen Dornbusch, »aber ich wehre mich gegen Langeweile« (Schlag), »Verdruß« (Schlag), »Eintönigkeit« (Schlag) –

»Habt Ihr gerufen, Herr?« fragte sein Diener, der von den Zelten auftauchte.

»Nein, nein«, sagte Siristru hastig; er war eingeschüchtert wie immer, wenn ihn jemand bei einem Selbstgespräch überraschte. »Nein, nein, ich wollte nur nachsehen, ob du zum Abmarsch bereit bist, Thyval. Heute sollen wir zu dem Flußübergang kommen, ich glaube, das habe ich dir gesagt. Ich weiß nicht, wie weit es ist, würde aber lieber noch bei Tageslicht das andere Ufer erreichen, damit wir uns ein Urteil über die Stelle bilden können, bevor es dunkel wird.«

»Ja, Herr, das wäre wohl richtig. Die Jungs packen eben ihre Sachen zusammen. Wie steht es mit der Stute? Soll ich sie zusammen mit den Maultieren führen lassen?«

»Das wird sich nicht umgehen lassen, wenn sie noch lahmt«, antwortete Siristru. »Komm zu mir und sag es mir, sobald ihr bereit seid.«

Tatsächlich kamen sie, nach einem kaum fünfstündigen Marsch, kurz vor der Mittagszeit am Ostufer an. Sie waren zuerst fast genau nördlich gezogen und hatten sich völlig von den Teichen und Wasserläufen am Südrand der Wüste entfernt, welche im breiten, trügerischen Flachland zwischen dem Ufer und dem jenseits liegenden Fluß lagen. Nachdem sich Tan-Rion vergeblich bemüht hatte, sich verständlich zu machen, nahm er schließlich einen Stock und zeichnete einen Plan auf den Boden. Zuerst wies er darauf, dann nach Südwesten über den Sand, und so gelang es ihm, Siristru und seinen Begleitern zu erklären, daß der Fluß in dieser Richtung eine große Biegung machte, so daß sein Lauf einen Viertelkreis um sie beschrieb und nicht nur südlich, sondern auch westlich von der Stelle verlief, wo sie sich im Augenblick befanden. Auf diesem Plan zeichnete er ein Stück oberhalb der Biegung eine Linie ein, um die Stelle ihrer beabsichtigten Überquerung zu markieren; dann zeigte er wieder nach Nordwesten, um zu erklären, in welcher Richtung diese Stelle lag.

In dieser Gegend war das Frühjahr noch nicht in den Sommer übergegangen, es wurde aber dennoch bald heiß, und der Wind frischte genügend auf, um den Sand unangenehm umherzublasen. Siristru schleppte sich mühsam neben der lahmen Stute dahin, ließ den Kopf hängen, schloß halb die Augen und versuchte, während der Sand zwischen seinen Zähnen knirschte, an seine Metaphysikschüler in Zakalon zu denken. Man mußte die Vorteile der Lage wahrnehmen. Es gab wenigstens keinen Mangel an warmem Wasser, um den Sand fortzuwaschen. Tan-Rion war ausgezeichneter Laune bei der Aussicht auf Heimkehr und ließ seine Leute Yeldashayer Lieder singen. Das war gutes, lärmendes Zeug, aber nach Siristrus Geschmack kaum als Musik zu bezeichnen.

Plötzlich bemerkte er – und freute sich, sie als erster gesehen zu haben, denn seine Augen waren nicht mehr die alten – in der Ferne Gestalten auf dem Sand. Er blieb stehen und blickte gespannt nach vorne. Das Land war noch immer Wüste, aber nicht mehr flach. Es gab Abhänge und lange, steile Dünen, auf denen die Schatten weißer Steine, regungslos und zeitlos, wie nur Wüstenhügel scheinen können, wie Flecken in der Sonne lagen. Links davon stand eine

Hüttengruppe, eine Art schäbige Vorstadt, die neu und unfertig aussah; und dort waren die sich bewegenden Gestalten zu sehen. Dahinter fiel der Boden unsichtbar ab, und es schien eine Art zurückgestrahltes Glitzern in der Luft zu sein. Durch den noch weiter entfernten Dunst am Horizont – er blinzelte, konnte aber nicht besser sehen – tauchte undeutlich ein Grün auf, das vielleicht ein Wald sein mochte.

Eine Stunde später machten sie am linken Flußufer halt und blickten hinüber zu der Stadt am Westufer, die Tan-Rion Zeray nannte. Rund um sie sammelte sich eine erstaunte Menge, Soldaten und Deelguyer Bauern, Einwohner der schäbigen Vorstadt und Arbeiter der Fähre auf dem diesseitigen Ufer. Es war allen sichtlich klar, daß diese Fremden aus einem fernen, unbekannten Land kamen und daß Tan-Rion, den sie vor drei Monaten aufbrechen sahen, die Fremden mitgebracht hatte. Das schrille Geplapper wuchs, ebenso das Umherschieben, Zeigen und die erstaunten Ausrufe, als man merkte, daß die langnasigen Tiere künstliche Geschirre trugen und den Menschen gehorchten wie Ochsen.

Entschlossen, in dem ihn umdrängenden Gewirr, in dem er kein Wort verstand, keine Nervosität zu zeigen, stand Siristru stumm und unbekümmert neben seinem Pferd, bis Tan-Rion herankam und ihn bat, ihm zu folgen; er schlug sich buchstäblich mit der flachen Schwertscheide seinen Weg durch die Menge. Sie zerstreute sich lachend und schwatzend wie Kinder in einer halb vorgetäuschten und halb echten Furcht, dann folgte sie den Neuankömmlingen tanzend und singend, als Tan-Rion zu einer größeren Hütte voranging, die den Deelguyer Offizieren als Quartier diente. Er schlug einmal kräftig an die Tür und trat ein. Siristru hörte ihn einen Namen rufen, dann kehrte er sich ab, da er Gleichgültigkeit zeigen wollte, als die Menge ihn wieder umringte, und blickte über den Fluß auf die Stadt am gegenüberliegenden Ufer.

Sie lag jenseits einer etwa vierhundert Meter breiten Engstelle mit trübem, gelblichem Wasser, das in der Mitte, soweit er beurteilen konnte, zu schnell floß, um von irgendeinem Boot befahren zu werden. Er beobachtete einen großen, belaubten Ast, der fast so schnell stromabwärts trieb, als segelte er durch die Luft. Er konnte das untere Ende der Engstelle nicht sehen, aber stromaufwärts floß der Strom auf der gegenüberliegenden Seite zurück in eine Bucht, wo er etwas zu erkennen glaubte, das wie ein unter Bäumen an der

Mündung eines Baches liegender Friedhof aussah. Die Stadt selbst lag näher, unmittelbar ihm gegenüber und auf einem stumpf vorspringenden Teil stromabwärts von der Bucht. Er hatte noch nie im Leben eine Stadt gesehen, die so völlig gottverlassen gewirkt hätte. Sie war nicht groß. Es gab einige alte Häuser aus Stein und auch aus Holz, aber keine, die sich durch Ausmaß, Stil oder gefällige Proportionen auszeichneten. Die neueren Häuser, von denen es mehr als alte zu geben schien, wirkten, ob fertig oder noch unvollendet, wie schnell aufgestellte Nutzbauten und waren gewiß nicht planmäßig angeordnet oder entworfen worden. Es gab eine Anzahl Bäume, manche blühten, manche nicht, aber sichtlich nirgends so etwas wie einen öffentlichen Garten. Unweit vom Ufer arbeiteten Männer – und sie wirkten sogar auf diese Entfernung merkwürdig klein gewachsen – an zwei beinahe fertiggestellten größeren Gebäuden, die wie Lagerhäuser aussahen. Vor diesen stand ein Landungssteg und auch in und neben dem Wasser ein Komplex von kräftigen Pfählen und Tauen, deren Verwendung er sich nicht erklären konnte. Das Ganze hatte einen grauen Himmel und grünes, wild aussehendes Land als Hintergrund, in dem da und dort kleinere Anbauflächen sichtbar waren.

Siristru stöhnte, und seine Stimmung wurde noch niedergeschlagener. Es war schlimmer, als er erwartet hatte. Er hatte in Tan-Rion einen intelligenten und kultivierten Mann kennengelernt, offensichtlich das Produkt einer geordneten Gesellschaft mit bestimmten Werten. Die Stadt, die er nun vor sich sah, ähnelte einem von Kindern eines Riesengeschlechts mit Stöcken und Steinen im Spiel zusammengeworfenen Ding. Abgesehen davon, daß man sicher kein Buch oder zivilisierte Musikinstrumente in dem ganzen Ort finden würde, mußte man sich fragen, ob er und seine Leute hier überhaupt in Sicherheit sein würden. Aber Angst war eines Metaphysikers und Obersten Rates von Zakalon unwürdig, und schließlich wäre sein Tod von geringer Bedeutung – außer, dachte er bitter, für seine Frau und Kinder, deren jüngstes, ein fünfjähriges Mädchen, er zärtlich liebte. Ein kräftiger Arbeiter trat vor und betastete den Stoff seines Ärmels. Er zog den Ärmel mit einem Stirnrunzeln fort, und der Mann lachte verlegen.

Tan-Rion erschien an der Tür, gefolgt von zwei Männern mit dichten schwarzen Schnurrbärten und langem Haar, gekleidet und bewaffnet, als wollten sie in einem Theaterstück als wandernde Räuber auftreten. Vielleicht war das annähernd richtig, dachte Siristru, nur daß sie hier in keinem Theaterstück waren. Sie blieben stehen und starrten ihn, die Hände an den Hüften, von oben bis unten an. Dann spuckte der eine auf den Boden. Siristru erwiderte ihren Blick, überlegte, ob er lächeln und ihnen die Hand reichen sollte, verwarf beides und verneigte sich kühl. Darauf verneigte sich der Mann, der nicht gespuckt hatte, gleichfalls, legte eine gewaltige, schmutzige Hand auf des Fremden Schulter und sagte in einem, wie Siristru merkte, schauderhaften Beklanisch:

»Ho, jo, jo! Mocht nichts! Mocht nichts!« Und dann mit starker Betonung und erhobenem Zeigefinger: »Du – mußt – zohlen!«

Tan-Rion unterbrach ihn mit einem so schnellen, empörten Redeschwall, daß man ihm nicht folgen konnte. »Gesandte«, hörte Siristru. »Handelsmission – wichtige Ausländer – dürfen nicht beleidigt werden!« Und schließlich, langsamer und eindringlicher, so daß es völlig zu verstehen war: »Graf Kelderek wird euch bezahlen, wenn ihr darauf besteht. Ihr könnt mit uns hinüberkommen und mit ihm sprechen.«

Darauf zogen die zwei Banditen die Schultern hoch und beratschlagten. Dann nickte einer und wies zum Fluß mit der Bemerkung: »Föhre beroit.« Sie gingen stromaufwärts voran, die Menge der Einheimischen folgte ihnen wie zuvor.

Sie verließen den Ort und schritten wieder durch den leeren Sand, nun aber am Flußufer entlang. Siristru fiel es auf, wie unnatürlich gerade und regelmäßig die Wasserlinie war, und sah auch, daß der Uferrand nivelliert und fast wie eine Straße gepflastert worden war – an manchen Stellen mit Steinen und sonst mit dicken, runden Holzscheiten, die nebeneinandergelegt und in den Boden gestampft worden waren. Es gab darauf zahlreiche Abdrücke von Ochsenhufen. Er wies darauf, schüttelte den Kopf und lächelte Tan-Rion zu, um seine Verwunderung auszudrücken, doch dieser nickte nur und erwiderte das Lächeln.

Sie gingen nicht sehr lange, bis sie ihren Bestimmungsort erreichten. Im stillen Wasser am Ufer lag ein flaches Floß aus schweren Baumstämmen mit einer Deckfläche aus Planken; es maß ungefähr dreieinhalb bis vier Meter im Quadrat und hatte auf der stromaufwärts gerichteten Seite einen spitzen Bug. Es gab keinerlei Geländer oder Brüstung, aber in der Mitte waren drei dicke Pfosten aufrecht in die Stämme gerammt und mit Holzstreben und rohen Eisenklammern befestigt. Auf jedem Pfosten war oben ein Eisenring mit Scharnier verbolzt, und durch alle drei lief ein starkes Seil über das Floß. Vom Heck lief es weiter zum Ufer, wo es an einer im Boden eingeschlagenen Eisenstange festgemacht war. Kurz vorher führte es aber durch eine Art Sperre oder Verschluß, in welchem es um mehrere freistehende Pflöcke festgehakt war. Eine Seitenwand des Verschlusses war offen, und drei Männer drehten mit aller Kraft den Pfosten im Inneren, um die Seilspannung zu verstärken. Siristru sah, wie das triefende Seil jenseits des Floßes nach und nach aus dem Wasser stieg und durch die Ringe zurücklief; da erkannte er mit einem leichten Schreck, daß es offensichtlich über den Fluß und stromabwärts bis zu dem auf dem anderen Ufer liegenden Zeray führte – seiner Schätzung nach kaum weniger als einen Kilometer weit. Von diesem Seil würde binnen kurzem ihr Leben abhängen. Das Floß würde hinübergezogen werden, wobei die Kraft der Strömung in einem sehr spitzen Winkel darauf drückte.

Thyval zupfte an seinem Ärmel. »Verzeiht, Herr, wollen die uns auf dem Ding hinüberbefördern?«

Siristru blickte ihm ins Auge und nickte ein paarmal bedächtig und düster.

»Die Pferde können das nicht überstehen, Herr, und es gibt auch gar keinen Platz für sie.«

»Auch für *ein* Pferd nicht, was meinst du, Thyval? Diese Leute wissen gar nichts von Pferden, und ich würde gern möglichst mit einem ankommen.«

»Nun, Herr, ich würde es mit einem allein riskieren, der Haken ist nur, wenn es stürmisch wird – und ich glaube, dort drüben sieht es nicht gut aus –, sind wir alle zusammengedrängt, und es gibt kein Geländer, gar nichts –«

»Ja, ja, gewiß«, sagte Siristru hastig, die Schilderung war schon zuviel für seinen bereits zittrigen Magen. »Es wird am besten sein, wenn du mit mir kommst, Thyval, und auch Baraglat – du hast doch keine Angst, Baraglat, nicht wahr? –, nein, natürlich nicht, ein braver Junge, und die übrigen bleiben bis morgen mit den Pferden hier. Ich werde zurückkommen – der Himmel weiß wie, gegen diese Strömung, aber ich werde kommen – und mich um alles kümmern. Was nun das Gepäck anlangt – wie sollen wir es am besten aufteilen? – und wir müssen Tan-Rion ersuchen, einige seiner Männer bei den unseren zu lassen – wir können unsere Leute mit diesen

Banditen nicht allein lassen – und man muß ihnen eine Hütte als Stall zuweisen – da können wir keinen Unsinn gestatten – Tan-Rion, einen Augenblick, bitte –«

Metaphysiker oder nicht, es fehlte Siristru keineswegs an Entschlußkraft und praktischem Sinn, und seine Leute hatten Vertrauen zu ihm. Es besteht ein großer Unterschied zwischen der Unfähigkeit, etwas zu tun, und dem bloßen Widerwillen dagegen, und König Luin hatte immer bei der Auswahl seiner Leute eine gute, wenngleich ein wenig unorthodoxe Hand gezeigt. In einer halben Stunde war das Gepäck aufgeteilt, Tan-Rion hatte dem Ersuchen stattgegeben und drei verläßliche Yeldashayer, von denen einer Deelguy sprach, bestimmt, mit Siristrus Männern und den Pferden zurückzubleiben; den Deelguyer Offizieren war gesagt worden, was sie an Quartieren bereitstellen sollten, und die Männer waren für die Überfahrt an Bord genommen worden.

Außer den Reisenden war da eine Mannschaft von sechs Deelguyer Arbeitern, deren Aufgabe es war, Schulter an Schulter zu stehen und das Seil zu ziehen. Sie machten sich unter rhythmischem Gesang hinter ihrem Anführer an die Arbeit, und das Floß, das fast direkt stromabwärts glitt, kam allmählich in die Mittelströmung.

Für Siristru war die Überquerung ein nervenaufreibendes Erlebnis. Abgesehen von dem Seil und dessen von Ringen gekrönten Pfählen, neben denen nur die Mannschaft Platz zum Stehen hatte, gab es nichts, woran man sich festhalten konnte, als das schwere Floß unter dem Druck der Heckströmung wie der Deckel auf einem kochenden Topf tanzte. Er hockte sich auf das Gepäck, umfaßte seine Knie und versuchte, seinen offensichtlich verängstigten Männern ein beruhigendes Beispiel zu geben. Tan-Rion stand mit gespreizten Beinen neben ihm und hielt sich auf dem schwankenden, rüttelnden Deck im Gleichgewicht. Das Wasser strömte über die Deckplanken wie aus umgestürzten Eimern. Bei dem Gesang, der dauernd fortgesetzt wurde, und dem unaufhörlichen Schlagen und Klatschen des Flusses unter den Baumstämmen war das Sprechen nur mit Unterbrechungen und schreiend möglich. Als sie weiter draußen auf dem Fluß waren, begann ein kalter Wind Sprühwasser aufzupeitschen. Siristru wurde durchnäßt und schlug sich mit den Armen, um nicht zu zittern, für den Fall, daß jemand meinen sollte, er fürchte sich – was er tat. Er konnte sich, selbst als es schon klar war, daß sie die Überquerung ungefährdet beenden und nichts

Schlimmeres als Unbequemlichkeit erleiden würden, nicht enthalten, sich auf die Lippe zu beißen und sich bei jedem Schlingern zu verkrampfen, während er die zu beiden Seiten so furchtbar weit entfernten Ufer auf und nieder schaukeln sah. Einer von der Gruppe aus Zakalon, ein sechzehnjähriger Junge, war seekrank, lehnte jedoch mit jungenhaft verschämtem Unwillen Siristrus tröstenden Arm ab und murmelte: »Es geht mir schon gut, Herr« zwischen seinen klappernden Zähnen.

»Was ist das, was sie singen?« schrie Siristru Tan-Rion zu.

»Ach, das reimen sich die Matrosen zusammen – es soll sie nur in Schwung halten. Ich glaube, dieses Lied habe ich schon mal gehört.«

»*Shardik a moldra konvay gau!*« sang der Führer, als seine Leute sich vorneigten und aufs neue anpackten.

»Shardik! Shardik!« sang die Mannschaft, als Begleitung zu zwei kräftigen Zügen.

»Was heißt das?« fragte Siristru, der aufmerksam den wiederholten Silben lauschte.

»Also, das heißt: ›Shardik gab sein Leben für die Kinder, Shardik fand sie, Shardik rettete sie‹ – es muß nur zum Rhythmus passen, verstehst du.«

»Shardik – wer ist das?«

Wieder ein mächtiges Schlingern. Tan-Rion grinste, hob beide Hände in einer Gebärde der Hilflosigkeit und zog die Schultern hoch. Bald darauf rief er: »Gleich sind wir dort!«

Allmählich kamen sie in stilles Wasser. Auf den letzten hundert Metern hörten die Männer zu singen auf und zogen das Floß mit weniger Anstrengung weiter. Ein aufgerolltes Seil wurde vom Landungssteg geworfen, und kurz darauf legten sie an. Siristru ergriff eine ihm dargebotene Hand und stieg, zum erstenmal im Leben, auf das rechte Ufer des Varins.

Das Floß war in eine Art Dock gezogen worden, das aus kräftigen, im seichten Wasser in den Grund geschlagenen Pfählen bestand. Das war es, was er am Morgen vom anderen Ufer her staunend gesehen hatte. Als die Deelguyer Arbeiter an Land kletterten, sprangen sechs oder sieben höchstens dreizehnjährige Jungen an Bord, luden das Gepäck aus, öffneten die Scharnierringe, lösten das Seil und stießen das Floß an dem Dock entlang zu einem ähnlichen Seil am anderen Ende. Siristru wandte sich ab und sah Tan-Rion, der auf ihn und seine Begleiter wies. Er stand ein wenig abseits und sprach mit einem schwarzhaarigen Jungen, der eine gewisse Autorität auf der Landungsbrücke zu haben schien, denn plötzlich unterbrach er Tan-Rion und rief den Kindern auf dem Floß einen Befehl zu. Es sammelte sich eine Menschenmenge an. Die an den halb vollendeten, lagerhausartigen Schuppen arbeitenden Leute hatten offenbar ihr Werkzeug fortgelegt, um heranzukommen und die Ankömmlinge anzustarren. Siristru starrte sie seinerseits ziemlich überrascht an, denn die meisten von ihnen waren Jungen. Er hatte aber keine Gelegenheit, weiter darüber nachzudenken, denn Tan-Rion näherte sich, begleitet von dem schwarzhaarigen Jungen, der sich förmlich verneigte und ihm die Hand entgegenstreckte. Er war häßlich, sogar abstoßend, er schielte und hatte ein Muttermal im Gesicht; sein Benehmen war jedoch, als er einige Begrüßungsworte sagte, artig und sehr entgegenkommend. Er trug eine Art Abzeichen oder Emblem – ein Bärenkopf zwischen zwei Kornähren –, und Siristru, der sein Beklanisch nicht verstand (es klang nicht wie die Muttersprache des Jungen), lächelte, nickte und berührte es mit seinem Zeigefinger – eine freundliche Geste.

»Dieser Junge ist der Werkführer der Hafenburschen«, sagte Tan-Rion. »Er heißt Kominion, doch die meisten von uns nennen ihn einfach Schreihals. Ich habe einen Mann zum Statthalter geschickt, um deine Ankunft zu melden und zu ersuchen, man möge dir ein Haus zur Verfügung stellen. Sobald wir wissen, wo es liegt, wird Schreihals das Gepäck hinschaffen lassen – du kannst es ruhig in seiner Obhut lassen. Es wird natürlich eine Weile dauern; auch wirst du dein Quartier leider ein wenig unbequem finden, du weißt ja, dies hier ist eine Grenzstadt. Ich kann aber zumindest dafür sorgen, daß man dir eine Mahlzeit und ein Feuer bereitet, während du wartest. Es gibt hier ein anständiges Gasthaus, wo du bequem und ungestört sein kannst – es heißt ›Der Grüne Hain‹. Nun vorwärts, geht wieder an die Arbeit, Jungs«, rief er. »Laßt die Fremden jetzt in Frieden!«

Siristru war froh, nach der Wasserfahrt über die Engstelle endlich festen Boden unter den Füßen zu haben, und ging neben seinem Führer, von seinen Leuten gefolgt, am Ufer entlang zur Stadt, die, betriebsam und verlottert, wie ein Massenquartier wirkte.

»– mußte die Pferde am Ostufer lassen und beabsichtige, diesen Brief nach meiner Rücküberquerung mit zwei oder drei Reitern abzusenden; sie werden mir allerdings fehlen, denn all meine Begleiter haben sich unter harten Bedingungen ausgezeichnet bewährt, und ich empfehle sie dem Wohlwollen Eurer Majestät.

Was nun die Fähre über den Varin anlangt, welche diese Leute gebaut haben, so ist sie klug erdacht und läßt mich hoffen, daß wir aus dem Handel mit einem so erfindungsreichen Volk Nutzen ziehen können. Hier ist der Varin verhältnismäßig schmal, die Engstelle zwischen der Stadt Zeray und dem gegenüberliegenden Ufer hat eine Gesamtbreite von etwa vierhundert Metern. Infolgedessen ist die Strömung sehr stark, für die Schiffahrt allzu schnell, und stromabwärts liegt die gefährliche Bereeler Klamm, über die ich bereits schrieb und die sehr gefürchtet ist. Sie haben sich aber diese Strömung nutzbar gemacht, indem sie zwei Seile quer über den Fluß zogen, eines zu einer Stelle etwa tausend Meter stromaufwärts von Zeray am gegenüberliegenden Ufer und das andere ebenso weit stromabwärts. Das erfolgte, wie man mir berichtet, unter großen Schwierigkeiten, indem man zunächst ein Ende jedes Seils mehrere Meilen weit stromaufwärts in ruhigerem Wasser über den Fluß beförderte und dann die beiden Enden nach und nach am Ufer entlang zu ihren jetzigen Ankerstellen brachte. Jedes Seil ist etwa zwölfhundert Meter lang, und die Herstellung dauerte mehrere Monate.

Es gibt drei Fährflöße, jedes etwa fünf oder sechs Schritt im Quadrat, die regelmäßig drei Fahrten machen. Zuerst wird das Überfahrtseil durch Eisenringe festgemacht und das Floß von Zeray über den Fluß gezogen; der Punkt am gegenüberliegenden Ufer liegt so weit stromabwärts, daß das Floß fast mit der Strömung fährt. Nach der Landung wird das Floß vom Seil losgemacht, entladen und im stillen Wasser knapp am Ufer von Ochsen stromaufwärts gezogen. Die Entfernung muß etwa zwei Kilometer betragen und wurde auf ihrer vollen Länge ausgebaggert und am Ufer gesäubert, die Uferlinie wurde begradigt und für die Viehhufe gepflastert. An dem stromaufwärts liegenden Punkt, tausend Meter oberhalb von Zeray, wird das Floß an dem zweiten Seil befestigt und macht so die Rückfahrt, wieder unter dem Druck der Strömung.

Wie ich höre, müssen die Seile einmal jährlich erneuert werden, und das bedeutet, daß die Herstellung eines zwei Kilometer langen Seiles alljährlich eine Hauptsorge der Instandhaltung darstellt. Die Flöße – es sind die ersten, die gebaut wurden – sind noch recht plump und primitiv, erfüllen aber ihren Zweck. Die Hauptbehinderung stellen, wie ich erfuhr, schwimmende Äste und dergleichen dar, die auf dem Fluß treiben, die Seile beschädigen und entfernt oder losgeschnitten werden müssen; man kann ihnen aber bis zu einem gewissen Grad ausweichen, indem man die Seile, wenn sie nicht verwendet werden, schlaff läßt.

Wir wohnen nun hier in einem Haus, das – die ganze Stadt ist noch im Rohzustand – recht dürftig, aber immerhin intakt und sauber ist. Am Spätnachmittag treffe ich mit dem Statthalter zusammen, dem ich natürlich Euer Majestät Freundschaftsgruß überbringen werde. Bald darauf werden wir, glaube ich, in eine fünfzig oder sechzig Kilometer westlich von hier liegende Stadt namens Kabin reisen, wo es, wenn ich recht verstanden habe, einen Wasserspeicher gibt, der die Stadt Bekla speist. Dort und in einer anderen Stadt, die Igat oder Ikat heißt, hoffen wir mit der Regierung über den Handel mit Zakalon zu sprechen.

Etwas in dieser Stadt würde Eure Majestät sicher ebenso überraschen wie mich, das sind die vielen Kinder, die manchmal ohne die Leitung eines Erwachsenen zu arbeiten scheinen und einen Großteil der Geschäfte des Ortes selbständig durchführen. Wo eine Aufgabe fachmännische Führung erfordert, wie zum Beispiel beim Bau der neuen Lagerhäuser am Ufer, arbeiten sie unter der Leitung von Maurern, bei anderen, einfachen Arbeiten scheinen sie aber ihre eigenen Vorarbeiter zu haben, ältere Kinder, die sie ohne sonstige Überwachung dirigieren. Ihre Arbeit ist, soviel ich gesehen habe, zwar brauchbar, aber grob, für diesen Ort jedoch durchaus ausreichend, und die Kinder scheinen zumeist guter Stimmung zu sein. In diesem Hause werden wir von drei höchstens elf- oder zwölfjährigen Mädchen betreut, die ihre Aufgabe sehr ernst nehmen und es sichtlich als eine Ehre betrachten, für die Bedienung ausländischer Gäste ausgewählt worden zu sein. Meine Leute starren sie an, aber die Mädchen lassen sich nicht aus der Fassung bringen. Sie sprechen einen Dialekt, und ich kann nur wenig davon verstehen, aber das macht nichts.«

Es wurde leise an die Tür geklopft. Siristru blickte auf, und da ihm der beklanische Ausdruck für »Herein« nicht einfiel, brummte er etwas in der Hoffnung, es werde als Ermutigung und Zustimmung zum Eintreten betrachtet werden. Eines der dienenden Mädchen öffnete die Tür, hob die Hand an die Stirn und trat zur Seite, um den größten Mann einzulassen, den Siristru je gesehen hatte. Sein mit dem Bärenemblem und Kornähren geziertes Lederwams schien auf seiner massiven Brust zum Platzen gespannt, und seine Lederhose – offenbar für einen Mann von normaler Größe gemacht – reichte ungefähr bis zur Hälfte seiner Waden. Auf einer Schulter trug er anscheinend unbeschwert einen großen und sehr voll wirkenden Sack. Er grinste Siristru freundlich zu, hob die Hand an die Stirn und sagte: »*Crendro.*«

Siristru kannte das Wort nicht, da es aber offenbar ein Gruß war, erwiderte er: »*Crendro*« und wartete. Die nächsten Worte seines Besuchers waren ihm völlig unverständlich, er sprach also wohl in einer fremden Sprache oder in einem Dialekt.

»Kannst du Beklanisch?« fragte er stockend. »Ich verstehe – ein wenig Beklanisch.«

»Ich auch, Herr«, antwortete der Riese und verfiel, wieder liebenswürdig lächelnd, in ein entstelltes, aber verständliches Beklanisch. »Wenn man hier lebt, lernt man unwillkürlich ein wenig. Ja, es ist eine merkwürdige Stadt, tatsächlich. Ihr seid also der fremde Fürst, nicht wahr, der mit der Fähre gekommen ist? Ihr sollt uns allen Glück bringen – das sagt man uns. Meine ergebenste Hochachtung, Herr.«

Nun hatte Siristru schon gemerkt, daß sein Besucher eine Art Diener war – seinem Benehmen nach zu schließen, ein bevorzugter, aber doch einer, den man in seine Schranken weisen mußte, wenn er nicht allzu geschwätzig oder gar anmaßend werden sollte. Deshalb sagte er, ohne zu lächeln und geschäftsmäßig: »Hast du eine Botschaft für mich?«

»Ja, so ist es, Herr«, antwortete der Mann. »Ich heiße Ankray – ich diene dem Statthalter und seiner Gemahlin. Der Statthalter kam zwei Stunden nach der Mittagszeit aus Lak zurück und hörte, daß Ihr hier seid; also sagte er mir: ›Ankray‹, sagt er, ›wenn du zum Strand gehst, könntest du mir einen Sack voll von den dicken Blökken bringen, die man dort verwendet – die letzthin aus Tonilda gekommen sind –, und auf dem Heimweg kannst du vielleicht zu dem fremden fürstlichen Herrn gehen und ihm sagen, ich werde ihn gern empfangen, wann immer es ihm paßt, zu mir zu kommen.‹ Wenn es Euch also genehm ist, Herr, könnt Ihr jetzt mit mir kommen, da Ihr den Weg nicht kennt, und ich werde Euch führen.«

»Jedenfalls scheint es *dir* zu passen«, sagte Siristru, unwillkürlich lächelnd.

»Wie bitte, Herr?«

»Schon gut«, sagte Siristru, der nun mit freundlicher Klugheit begriffen hatte, daß der Mann ein bißchen einfältig war. »Ich werde gleich bereit sein, mit dir zu kommen.«

Es war nicht die Art Einladung, die er von seiten des Statthalters erwartet hatte, aber das war nebensächlich, dachte er; dies war eine kleine Stadt, es gab hier nichts Wichtiges zu hören oder zu tun, die richtige Diplomatie würde später in den westlichen Städten kommen. Dessenungeachtet mußte man zu dem Statthalter höflich sein, der vielleicht sogar der Mann war, dem die Planung und der Bau der Fähre zu verdanken waren. Er seufzte in Gedanken an die wahrscheinliche Zahl solcher ihm bevorstehender Gespräche – ganz abgesehen von den Unbequemlichkeiten der Reise. König Luin hatte auf seine Weise den Philosophen Ehre erwiesen, indem er einen von ihnen aussandte, um sich über den Handel zu informieren. Aber nach des Königs Ansicht war es nicht der Handel, sondern Einfälle, die tatsächlich die Zivilisation förderten, und davon gab es wahrscheinlich in diesem Land ungefähr so viele wie Sterne in einem Tümpel. Er seufzte wieder, faltete den unvollendeten Brief an den König zusammen und steckte ihn ein; dann rief er Thyval, er solle ihm seinen schönen Mantel bringen und sich bereitmachen, ihn zum Hause des Statthalters zu begleiten.

Der Riese ging voran und plauderte leichthin in seinem schauderhaften Beklanisch, anscheinend völlig unbekümmert darum, ob Siristru ihn verstand oder nicht; er trug seinen schweren Sack so leicht, als wäre es der Kescher eines Fischers.

»Ach ja, Herr, diese Stadt hat sich gewaltig verändert. Der Baron pflegte immer zu sagen: ›Ankray‹, sagte er, ›wenn wir mal diese Fähre über den Fluß gebaut haben, wird sie uns eine Menge Fremde ins Land bringen, die holen werden, was sie finden können –‹ Ihr entschuldigt doch, Herr. ›Die werden alles mögliche mitbringen, und das wird unseren Wohlstand gründen, merk dir das.‹ Natürlich wäre der Baron sicher ganz erstaunt, wenn er jetzt so viele Kinder hier sähe; aber ich mag sie gern, und es läßt sich nicht leugnen, daß sie oft alles mögliche richtig machen, sobald sie verstehen, worauf es ankommt. Ich hätte es nie für möglich gehalten, aber das sind eben diese neumodischen Ideen, versteht Ihr, vom Statthalter. Erst letzthin drüben am Strand –«

In diesem Augenblick merkten sie, daß ihnen eine Gruppe von etwa acht sehr jungen Kindern nachgelaufen kam und durch Rufe ihre Aufmerksamkeit zu wecken suchte. Zwei davon trugen dicke, schwere Blumenkränze. Siristru blieb erstaunt stehen, und die Kinder kamen keuchend angelaufen.

»U-Ankray«, sagte eines, ein dunkelhaariges, etwa zwölfjähriges Mädchen, und legte seine Hand in die des Riesen, »ist das der fremde Fürst – der Fürst, der über den Fluß kam?«

»Nun ja, das ist er«, antwortete Ankray, »und was soll's? Er ist auf dem Weg zum Statthalter, also halte ihn jetzt nicht auf, mein Kind!«

Das Mädchen wandte sich an Siristru, hob die Hand an die Stirn und sprach ihn an mit einer Art frohem Selbstvertrauen, das ihn bannte und zugleich erstaunte.

»Als wir hörten, Herr«, sagte sie, »daß Ihr hier seid, banden wir Kränze, um Euch und Eure Diener in Zeray willkommen zu heißen. Wir brachten sie zu Eurem Haus, aber Lirrit sagte uns, Ihr hättet Euch auf den Weg zum Statthalter begeben. ›Wenn ihr lauft‹, sagte sie, ›könnt ihr ihn erreichen‹, daher kamen wir Euch nach, um Euch die Kränze zu bringen und zu sagen: ›Willkommen, Herr, in Zeray.‹«

»Was sagen sie, Herr?« fragte Thyval, der die Kinder erstaunt angestarrt hatte. »Wollen sie uns die Blumen verkaufen?«

»Nein, anscheinend ist das ein Geschenk«, antwortete Siristru. Sosehr er Kindern zugetan war, das war eine Situation, in der er keine Erfahrung besaß und daher ein wenig ratlos war. Er wandte sich an das dunkelhaarige Mädchen.

»Besten Dank«, sagte er, »ihr seid alle sehr lieb.« Es fiel ihm ein, daß er wahrscheinlich versuchen sollte, etwas mehr zu erfahren. Vielleicht erwartete der Urheber dieser recht reizvollen Artigkeit später von ihm eine weitere Anerkennung. »Sag mir, wer hat euch aufgetragen, mir diese Kränze zu bringen? War es der Statthalter?«

»Ach nein, Herr, wir haben die Blumen selbst gepflückt. Es hat uns niemand geschickt. Wir arbeiteten nicht weit vom Strand im Garten, weißt du, und da hörten wir –«, und sie erging sich in einer plappernden, fröhlichen Erklärung, der er nicht zu folgen vermochte, während zwei ihrer Begleiterinnen sich auf die Zehenspitzen stellten, um ihm und Thyval einen Kranz um den Hals zu hängen. Die meisten Blumen waren von gleicher Art, klein, lavendelblau, und dufteten leicht und scharf.

»Wie heißen diese hier?« fragte er lächelnd und die Blumen betastend.

»Planella«, antwortete sie und küßte seine Hand. »Wir nennen sie Planella. Und die roten sind Trepsis.«

»Singen wir ihnen etwas vor«, rief ein hinkender, dunkelhäutiger Junge hinten in der Gruppe. »Kommt, laßt uns etwas singen!«

Und darauf begann er, die anderen stimmten ein wenig atemlos und in verschiedenen Tonarten in das Lied ein. Thyval kratzte sich den Kopf.

»Was singen sie, Herr, könnt Ihr es verstehen?«

»Nur ganz wenig«, antwortete Siristru. »Sie singen in einer anderen Sprache, nicht beklanisch – wenn auch das eine oder andere Wort gleich klingt. ›Irgend etwas – fängt – einen Fisch‹ (glaube ich) ›am Fluß –‹ Ach, du kennst ja die Art Lieder, welche die Kinder überall singen.«

»Gleich werden sie Geld haben wollen, nehm ich an«, sagte Thyval.

»Hast du schon irgendwelches Geld von ihnen in der Hand gehabt?«

»Nein, Herr.«

Aber das Lied ging zu Ende, und die Kinder faßten einander bei der Hand und liefen lachend und winkend davon, wobei sie den lahmen Knaben trugen, und ließen Siristru in der Sonne zurück, der ihnen, umgeben vom Duft des Planellakranzes um seinen Hals, nachstarrte.

»Ein komisches Spiel«, murmelte Thyval und wollte den Kranz abnehmen.

»Nicht abnehmen!« sagte Siristru schnell. »Wir dürfen nichts riskieren, was diese Leute beleidigen könnte.«

Thyval zog seine duftenden Schultern hoch, und sie gingen weiter. Ankray wies den Weg zu einem Steinhaus, das auf einem Hügel stand. Es war neu gebaut, aber nicht sehr groß oder eindrucksvoll, fand Siristru, auf den Oberstock blickend, der über der Umrandungsmauer sichtbar war. In Zakalon würde ein solches Haus vielleicht für einen wohlhabenden Kaufmann, einen Marktvorsteher oder dergleichen angemessen sein. Es war nicht das Haus eines Adeligen. Aus Ankrays Worten ging aber hervor, daß die Stadt erst in jüngster Zeit zu wachsen begonnen hatte, wahrscheinlich nach Fertigstellung der Fähre. Vielleicht war der Statthalter, wenn nicht selbst der Planer der Fähre, ein alter Soldat oder irgendein Praktiker, der mit der Aufgabe betraut worden war, der ersten, groben

Aufgabe beim Aufbau eines brauchbaren Hafens. Wer immer er war, von Stil verstand er gewiß nicht viel.

Das Tor in der Mauer – ein schweres, mit den breiten Köpfen von Eisennägeln beschlagenes, aus gekreuzten Blockplatten bestehendes Ding – stand halb offen, und Siristru folgte Ankray, der ohne Umstände eintrat, in einen Hof, der halb dem eines Bauernhofs, halb dem eines Baumaterialhändlers glich. Überall standen Materialien aller Art umher – Säcke, die nach Saatkorn aussahen und auf Lattenplanken lagen, welche vom Boden erhöht standen, mehrere frisch geformte Ochsenjoche und Lederriemen, ein eiserner, halbvoller Regenwassertank, zwei Steinhaufen, groß und klein sortiert, ein Pflug, ein Holzstoß und ein anderer aus langen Pfählen, ein Dutzend grobe Paddel und ein Haufen Abdichtmaterial, einige aufgerollte Seile und ein Stoß Holzplanken. An der Nordseite des Hofes stand an der Südmauer des Hauses eine Zimmermannsbank; dort hielt ein grauhaariger älterer Mann, der wie ein ehemaliger Soldat aussah, einen Pfeil in einer Hand hoch und befestigte sorgfältig einen getrimmten Gänsekiel unter der Kerbe. Ein jüngerer Mann und eine kleine Gruppe ziemlich abgerissen wirkender Jungen umstanden ihn, und es war klar, daß er sie in der Pfeilherstellung unterwies, denn er sprach und erläuterte dabei, was er meinte, indem er den zwischen Zeigefinger und Daumen gehaltenen Pfeil vorstieß, um die Wirkung dieser Art der Befiederung zu demonstrieren. Einer der Jungen stellte eine Frage, und der Mann beantwortete sie, indem er auf eine Einzelheit des Pfeiles wies und dann dem Jungen, offenbar lobend, auf die Schulter klopfte.

Als Siristru weiter in den Hof kam, immer noch Ankray folgend und mit ungewöhnlich unbehaglichem Gefühl, da ihn der große Kranz an den Ohrläppchen kitzelte, blickten sich alle zu ihm um, und sofort trat der jüngere Mann aus der kleinen Gruppe hervor, kam heran, klopfte sich Sägemehl von den Händen und sagte über die Schulter: »Gut, Kavass, mach nur weiter. Wenn du fertig bist, sieh dir doch bitte die dicken Blöcke an, die Ankray gebracht hat.«

Da Ankray anscheinend nichts zur Ankündigung ihrer Ankunft sagen wollte, nahm Siristru sein fehlerhaftes Beklanisch zusammen und sagte vorsichtig: »Ich bin hier, um mit dem Statthalter zu sprechen.«

»Ich bin der Statthalter«, sagte der Mann lächelnd. Er neigte den Kopf, hob die Hand an die Stirn und wischte sie dann ein wenig nervös mit dem Ärmel ab, bevor er sie Siristru reichte, der sie instinktiv, aber mit einer gewissen Verwunderung ergriff. Vielleicht hatte er nicht das richtige Wort für »Statthalter« verwendet? Er versuchte es nochmals.

»Der – äh – der Herrscher der Stadt.«

»Ja, der bin ich. Nicht wahr, Ankray?«

»Ja, Herr. Ich habe die dicken Blöcke gebracht und diesen fremden Fürsten, wie du verlangt hast. Und der junge Schreihals läßt dir sagen –«

»Das erzählst du mir später. Willst du der Saiyett mitteilen, daß der Fürst hier ist; und dann ersuche Zilthe, Nüsse und Wein ins Empfangszimmer zu bringen, ja? Sorg dafür, daß alles klappt, und nimm den Diener des Fürsten mit und kümmere dich um ihn.«

»Sehr wohl, Herr Graf.«

Siristru ging neben seinem Gastgeber in das Haus und murmelte: »Wenn ich die Bedeutung des Wortes recht verstehe, muß ich dir sagen, daß ich kein Fürst bin.«

»Kümmere dich nicht darum«, erwiderte der Statthalter munter. »Wenn die hiesigen Leute dich dafür halten, freut es sie und hilft dir zugleich.«

Siristru lachte zum erstenmal seit mehreren Tagen, und da er nun seinen Gastgeber unmittelbar anblicken konnte, ohne allzu neugierig oder ungezogen zu erscheinen, versuchte er, sich eine Meinung über ihn zu bilden. Auf den ersten Blick wirkte er etwa dreißigjährig, aber man konnte dessen nicht sicher sein, denn trotz seines munteren Benehmens lag in seinem Verhalten eine Art Ernst und Verantwortlichkeit, die darauf hinwies, daß er älter sein mochte. Es war auch nicht leicht zu erraten, ob er in erster Linie ein Mann des praktischen Lebens war oder ein Denker, denn sein Gesicht verriet dem scharfsinnigen Siristru Erfahrung in Gefahren und ebenso – wenn man Worte finden sollte – in Schmerz, vielleicht im Leiden. Um auf weniger unrealistische Dinge zu kommen – er war fast sicher kein Adeliger. Erstens war er, um die Wahrheit zu sagen, nicht besonders sauber, wenn auch seine rauhen Hände, der Schweiß und die Schmutzstreifen auf den Handwerksmann und nicht auf einen Flegel schließen ließen. Er hatte aber noch etwas an sich – einen gewissen ernsten Eifer, ein Auftreten, das darauf hindeutete, die Welt sei noch nicht ganz so, wie er sie sich wünschte und wie sie seinem Wunsch gemäß werden sollte –, das noch weniger aristokratisch war als irgendwelcher Schmutz. Alles in allem, dachte der diplomatische Siristru, ein einigermaßen rätselhafter und sonderbarer Mann, den man wohl vorsichtig behandeln mußte. Eines seiner Ohrläppchen war durchbohrt, das häßliche, ausgezackte Loch trug keinen Ohrring, und er hielt seinen linken Arm steif, als leide er an einer alten Wunde. Wie mochte seine Vergangenheit gewesen sein, und wie war er Statthalter von Zeray geworden? Er schien kein grober Kerl zu sein, der sich die Taschen füllte, und auch kein zielbewußter Streber. Ein Idealist? Der einzige Mann, der zur Übernahme des Postens bereit gewesen war? Nun ja, dachte Siristru, man wußte ohnehin nichts über das ganze Land, und der Mann war, wie immer seine Vergangenheit sein mochte, für das Netz, das auszubreiten ihn König Luin ausgesandt hatte, ein zu kleiner Fisch. Es würde später andere geben, die wichtiger waren, wenn auch der Eindruck, den er hier machte, ihm ins Inland vorauseilen würde.

Sie betraten einen einfachen, sauberen Raum mit Steinboden und Binsenbelag, in dem ein blasses, in der Nachmittagssonne matt wirkendes Feuer brannte. Vorsichtig und wieder lächelnd hob der Statthalter den Kranz von Siristrus Schultern und legte ihn neben sich auf den Tisch; er war nicht sehr fest gewunden und begann sich bereits aufzulösen.

»Einige eurer Kinder aus der Stadt kamen zu mir und schenkten ihn mir auf dem Weg hierher«, sagte Siristru.

»Wirklich – weißt du zufällig, welche Kinder es waren?« fragte der Statthalter.

»Es war Klein-Vasa, Herr«, sagte eine Mädchenstimme. »Ankray sagte es mir, und einige ihrer ortelganischen Freunde. Soll ich den Wein nun eingießen?«

Eine junge Frau war mit Silberbechern und einem Krug auf einem Tablett eingetreten. Als sie die Dinge hinstellte, wandte sie sich Siristru zu, hob die Hand an ihre Stirn, und er merkte mit einem plötzlichen mitleidigen Schauer, daß sie nicht ganz richtig im Kopf war. Ihre großen, lächelnden Augen begegneten seinem Blick mit einer bestürzenden Offenheit – unpassend für eine Dienerin, unpassend auch für eine Frau, und wandten sich mit dem gleichen Ausdruck zuerst einem Schmetterling zu, der an der sonnigen Wand seine Flügel ausbreitete, und dann dem Statthalter, der liebevoll ihre beiden Hände ergriff.

»Ach, war es Vasa? Dann hatte der Fürst Glück, nicht wahr?

Danke, Zilthe, ja, gieß bitte gleich den Wein ein. Aber ich muß mich noch für eine Weile entschuldigen – ich werde mich zuerst waschen und umkleiden. Ich darf doch deinen Besuch nicht entehren, weißt du«, sagte er, zu Siristru gewandt. »Deine Ankunft in Zeray ist für uns alle von größter Wichtigkeit – eigentlich für das ganze Land. Ich habe bereits einen Boten mit der Nachricht nach Kabin geschickt. Willst du mich für kurze Zeit entschuldigen? Wie du siehst« – er breitete die Hände aus –, »bin ich nicht in der Verfassung, dich zu empfangen, aber meine Frau wird sich um dich kümmern, bis ich zurückkomme. Sie wird gleich hier sein. Inzwischen hoffe ich, daß dir dieser Wein munden wird. Es ist einer unserer besten, wenn ihr auch wahrscheinlich in deiner Heimat bessere habt. Er kommt aus Yelda, im Süden.«

Er verließ den Raum, und Zilthe machte sich daran, das Feuer zu schüren und den Herd zu fegen. Siristru stand im Sonnenschein, er roch noch immer den scharfen Blütenduft der Planella in dem Kranz und hörte einen Augenblick in der Ferne den interessanten Ruf eines unbekannten Vogels – zwei Pfeiftöne, gefolgt von einem Triller, der plötzlich abbrach. Es war gewiß ein erstaunlich guter Wein, so gut wie nur irgendeiner in Zakalon; zweifellos würde König Luin über ein Handelsabkommen, in dem eine Sendung davon inbegriffen war, entzückt sein. Das mußte er sich merken. Er blickte rasch auf, als eine zweite junge Frau eintrat.

Siristru hatte, ob er nun im mittleren Alter stand oder nicht, einen Blick für Frauen, und diese verdiente wirklich sein Augenmerk. Bei ihrem Eintritt fiel ihm nur die erstaunliche Anmut ihrer Bewegungen auf – eine Art elegantes, fast zeremonielles Schreiten, das Ruhe und Selbstbeherrschung ausdrückte. Als sie dann näher kam, sah er, daß sie zwar nicht mehr in der ersten Jugendblüte stand, aber auffallend schön war; sie hatte große, dunkle Augen, und ihr lose zusammengefaßtes Haar fiel ihr über die eine Schulter. Auf die Vorderseite ihres dunkelroten, futteralartigen Kleides war von den Schultern bis zu den Knöcheln auf einen sorgfältig gearbeiteten Bildhintergrund mit Bäumen und Wasser die drohend aufgerichtete Gestalt eines Bären in Gold- und Silberfäden gestickt. Die in kraftvollem, fast barbarischem Stil gehaltene Zeichnung war in Farbe und Ausarbeitung so interessant, daß Siristru einen Moment lang beinahe über den Schuh den Fuß vergessen hätte, wie es im Sprichwort heißt. Eine solche Handarbeit würde, nach Zakalon importiert, zweifellos einen bereitwilligen Käufermarkt finden. Inzwischen aber fragte er sich, wie man sich wohl in diesem Lande gegenüber Frauen von Rang zu verhalten habe. Offensichtlich ungezwungen, denn der Statthalter hatte ihm seine Frau allein zur Gesellschaft geschickt und erwartete daher zweifellos, daß er sich mit ihr unterhielt. Nun, er wollte sich nicht beklagen. Vielleicht hatte er das Land doch verkannt, obwohl es, dachte er, nach dem wenigen, das er in Zeray gesehen hatte, überraschend wäre, hier eine kultivierte Frau zu finden.

Die junge Frau begrüßte ihn anmutig und würdevoll, wenn auch ihr Beklanisch ein wenig stockend wirkte; er nahm an, daß sie, wie der riesenhafte Diener, eine andere Muttersprache hatte. Man konnte von dem Fenster, wo sie stand, die einen halben Kilometer unter ihnen liegenden Schuppen und den Landungssteg vor dem rasch dahinwogenden Wasser an der Engstelle sehen. Sie fragte ihn lächelnd, ob er sich bei der Überfahrt gefürchtet habe. Siristru antwortete, ja, das habe er gewiß.

»Ich bin ein großer Feigling«, sagte sie und goß ihm ein zweites Glas Wein sowie eines für sich ein. »Mich wird man, solange ich hier lebe, niemals auf die andere Seite bringen.«

»Ich weiß, daß diese Seite Zeray heißt«, sagte Siristru. »Hat die Stelle auf der gegenüberliegenden Seite auch schon einen Namen?«

»Wie du gesehen hast, existiert sie noch kaum«, antwortete sie, ihr langes Haar zurückwerfend. »Ich weiß nicht, wie die Deelguyer sie nennen – ich nehme an, Jo Herr oder so ähnlich. Aber wir nennen sie Bel-ka-Trazet.«

»Der Name klingt schön. Hat er eine Bedeutung?«

»Es ist der Name des Mannes, der den Gedanken der Fähre faßte und die Möglichkeit erkannte, wie sie funktionieren könnte. Aber er ist schon tot, weißt du.«

»Wie schade, daß er ihre Vollendung nicht erlebt hat. Ich trinke auf sein Wohl.«

»Ich auch.« Und sie berührte mit ihrem Silberbecher den seinen, so daß sie leise klirrten.

»Sag mir«, er fand die Worte langsam und unter Schwierigkeiten, »– du verstehst, daß ich von eurem Land nichts weiß und möglichst viel darüber lernen muß – welche Rolle spielen die Frauen in – äh – nun, im Leben, das heißt im öffentlichen Leben? Dürfen sie Landbesitz haben, kaufen und verkaufen – zu Gericht gehen und so weiter – oder leben sie mehr – mehr zurückgezogen?«

»Nein, das alles tun sie nicht.« Sie war erstaunt. »Tun sie es in deiner Heimat?«

»Nun ja, diese Dinge sind für eine Frau sicher möglich – zum Beispiel für eine Frau mit einem Besitz, deren Mann gestorben ist, die auf ihrem Recht besteht und ihre Geschäfte selbst führen will, verstehst du.«

»Ich habe noch nie von so etwas gehört.«

»Aber du – entschuldige – mir fehlt das Wort – deine *Art* läßt mich vermuten, daß die Frauen hier ziemlich viel Freiheit haben.«

Sie lachte, sichtlich erfreut. »Du darfst dich nicht nach mir richten, wenn du nach Bekla kommst, sonst wird dich ein Ehemann erdolchen. Ich bin ein wenig ungewöhnlich, es würde zu lange dauern zu erklären, wieso. Ich war einmal Priesterin, aber davon abgesehen habe ich ein – völlig anderes Leben geführt als die meisten Frauen. Und dann sind wir hier noch in einer abgelegenen, halbzivilisierten Provinz, und mein Mann kann fast jeden, Mann oder Frau, gebrauchen – besonders wenn es darauf ankommt, den Kindern zu helfen. Ich handle frei für ihn, und die Menschen lassen es sich gefallen, teils weil ich es bin, und teils weil wir jeden Kopf und jedes Paar Hände brauchen, das uns zur Verfügung steht.«

Sollte sie einmal eine Art geheiligte Prostituierte gewesen sein? dachte Siristru. Es erschien ihm nicht wahrscheinlich. Sie hatte etwas Zartes und Empfindsames an sich, das anderes vermuten ließ.

»Eine Priesterin?« fragte er. »Des Gottes von diesem Land?«

»Von unserem Herrn Shardik. Ich bin gewissermaßen noch immer seine Priesterin – jedenfalls seine Dienerin. Das Mädchen, das du vorhin sahst, Zilthe, war früher einmal auch seine Priesterin. Sie wurde im Dienst schwer verwundet – dadurch wurde sie so, wie du sie jetzt siehst, die Arme. Sie kam aus Bekla hierher. Bei uns fühlt sie sich sicherer und glücklicher.«

»Ich verstehe. Aber Shardik – seinen Namen höre ich heute zum zweitenmal. ›Shardik gab sein Leben für die Kinder, Shardik rettete sie.‹« Siristru hatte ein ausgezeichnetes phonetisches Gedächtnis.

Erstaunt klatschte sie in die Hände. »Aber das ist ja Deelguy, was du da sprichst! Wo hast du das gehört?«

»Die Fährleute sangen es heute morgen auf dem Floß.«

»Die Deelguyer? Wirklich?«

»Ja. Aber wer ist Shardik?«

Sie stellte sich ihm genau gegenüber und breitete die Arme aus.

»Das ist Shardik.«

Siristru war ein wenig verlegen, blickte aber das Kleid genau an. Die Handarbeit war gewiß etwas Besonderes. Der riesige, rotäugige Bär stand, gewellt wie eine Flamme, mit gebleckten Zähnen vor einem mit einem Bogen bewaffneten Mann, während sich dahinter eine Gruppe zerlumpter Kinder auf einem anscheinend mit Bäumen bewachsenen Flußufer zusammengekauert hatte. Es war gewiß eine grausame Szene, für deren Sinn es aber keinen Hinweis gab. Tieranbetung? Vielleicht Menschenopfer? Er fürchtete, vielleicht in allzu tiefes Wasser zu geraten, und seine Beherrschung der Sprache war noch immer mangelhaft. Man mußte um jeden Preis vermeiden, die Gefühle dieser stolzen jungen Frau zu verletzen, die wahrscheinlich großen Einfluß bei ihrem Mann besaß.

»Ich hoffe, noch mehr über ihn zu erfahren«, sagte er schließlich. »Das ist zweifellos ein herrliches Kleid – wunderschöne Handarbeit. Wurde es in Bekla gemacht? Oder hier in der Umgebung?«

Sie lachte wieder. »Sicher hier. Der Stoff kam aus Yelda, aber meine Frauen und ich haben es hier im Hause bestickt. Es dauerte ein halbes Jahr.«

»Eine herrliche Arbeit – wunderbar! Ist es – äh – geweiht?«

»Nein, nicht geweiht, aber ich bewahre es für – nun, für wichtige Anlässe auf. Ich habe es, wie du siehst, für dich angezogen.«

»Das ehrt mich, und – und das Kleid verdient die Dame. Nun ja – in einer Sprache, die ich erst seit zwei Monaten lerne!« Siristru hatte Spaß daran.

Sie sagte nichts, ihre einzige Antwort war ein scharfer, strahlender und lustiger Blick, wie der eines Sperlings. Er verspürte einen plötzlichen Stich. Verletzt oder nicht – der Statthalter war jünger als er.

»Solche Kleider – natürlich nicht so prächtig wie deines, aber in dieser Art –, meinst du, daß man sie in mein Land liefern könnte?«

Nun neckte sie ihn, rieb sich die Hände und verneigte sich unterwürfig wie ein schmieriger alter Händler, der einem reichen Kunden schmeichelt.

»Ja gewiß, werter Herr, ganz ohne Zweifel. Mit größter Freude. Wie viele wünschst du?« Dann ernsthaft: »Diesbezüglich wirst du meinen Mann fragen müssen. Du wirst feststellen, daß du mit ihm durchaus fachmännisch über alles sprechen kannst, was von Ortelga oder Ikat erzeugt oder verkauft wird. Er hat eine leidenschaftliche Liebe für den Handel, er hält sehr viel davon – er nennt ihn das

Blut, das im Körper der Welt zirkuliert; er hat noch viele andere Bezeichnungen dafür – besonders wenn er diesen Yeldashayer Wein trinkt. Darf ich dir noch einschenken?« Sie ergriff wieder den Krug. »Wie lautet der Name deiner Heimat?«

»Zakalon. Ein sehr schönes Land – Städte voll mit Blumengärten. Hoffentlich wirst du es einmal besuchen, wenn du deinen Widerwillen gegen die Überquerung der Engstelle im Fluß überwinden kannst.«

»Vielleicht. Ich bin ja noch sehr wenig gereist. Ich war noch nicht einmal in Bekla, ganz zu schweigen von Ikat-Yeldashay.«

»Ein Grund mehr, um als erste Frau nach Zakalon zu reisen. Komm und mache unsere Damen eifersüchtig. Wenn du Feiern gerne magst, mußt du zum großen – äh – Hochsommerfest kommen, wenn das so richtig ausgedrückt ist.«

»Ja, das ist richtig. Bravo! Nun, vielleicht – vielleicht. Sag mir, Herr –«

»Siristru – Saiyett.« Er lächelte. Soeben war ihm ›Saiyett‹ eingefallen.

»Sage mir, U-Siristru, gedenkst du, einige Tage hierzubleiben, oder willst du gleich weiter nach Kabin?«

»Nun, das entscheidet eigentlich der Statthalter. Vorerst aber muß ich natürlich meine Leute und auch die Pferde herüberbringen aus – aus – Belda-Brazet –«

»Bel – ka – Trazet.«

»– aus Bel-ka-Trazet. Auch bin ich selbst nach der Reise gesundheitlich nicht in bester Verfassung. Ich glaube, es wird einige Tage dauern, ehe wir zur Abreise nach Kabin bereit sind. Die Wildnis und die Wüste waren sehr anstrengend, und die Männer brauchen Ruhe und vielleicht ein wenig – ich kenne das Wort nicht – weißt du, Spiel, Trinken –«

»Zerstreuung?«

»Das ist es. Zerstreuung. Ich will es mir aufschreiben.«

Sie lächelte und sah ihm kopfschüttelnd zu, wie er schrieb.

»Wenn du also in fünf Tagen noch hier bist«, sagte sie, »kannst du mit deinen Leuten unserer Frühlingsfeier beiwohnen. Es ist ein sehr großer Anlaß, es wird eine Menge – Zerstreuung geben und eine wunderschöne Feier am Flußufer; für uns zumindest, besonders für die Kinder, bedeutet sie sehr viel. Sharas Tag – da sieht man Gottes Flammen strahlen wie Sterne.«

»Gottes Flammen?«

»Das ist ein Scherz meines Mannes. Er nennt die Kinder ›Gottes Flammen‹. Aber ich sprach von der Feier. Ein großes Holzfloß wird mit Blumen und grünen Zweigen geschmückt, und dann schwimmt es brennend den Fluß hinunter. Manchmal sind drei oder vier Flöße beisammen. Und die Kinder formen Bären aus Ton und bestecken sie mit Blumen – Trepsis und Melikon, weißt du –, und dann, am Ende des Tages, legen sie sie auf flache Holzstücke und lassen sie stromabwärts treiben.«

»Ist das eine Art Gedenkfeier?«

»Nun ja – es erinnert an unseren Herrn Shardik und an Shara. Dieses Jahr kommt eine unserer alten Freundinnen zu Besuch hierher – wenn alles gutgeht, wird sie in zwei oder drei Tagen hier sein. Sie unterrichtete mich vor langer Zeit, als ich noch ein Kind war –«

»Das ist nicht lange her.«

»Danke. Ich mag Komplimente, besonders jetzt, da ich selbst zwei Kinder habe. Wenn du nicht gesund bist, würde ich dir raten hierzubleiben, dann kannst du sie um Hilfe bitten. Sie ist die größte Heilkundige in unserem ganzen Land. Tatsächlich kommt sie zum Teil aus diesem Grund – nicht nur zu der Feier, sondern um nach unseren kranken Kindern zu sehen. Gegen Ende des Winters gibt es immer eine ganze Anzahl.«

Siristru wollte sie noch mehr fragen, da betrat der Statthalter wieder den Raum. Er hatte sich umgekleidet und trug nun ein einfaches schwarzes Gewand, auf dem nur auf der Brust der Bär mit den Kornähren in Silber gestickt war und das im Gegensatz zu dem prächtigen Kleid seiner Frau durch seine Schlichtheit seine ernsten, gefurchten Züge und seine beinahe mystisch wirkende Gelassenheit betonte. Siristru betrachtete sein Gesicht, als er den Blick senkte, um sich Wein einzugießen. Plötzlich wurde ihm klar, daß auch der Statthalter, wenn er auch nicht fließend sprach und keine Gedanken artikulierte, von metaphysischer Gemütsart war. Seltsamerweise fielen ihm die Zeilen des zakalonischen Dichters Mitran ein, die der Held Serat zu seiner Gemahlin nach der Liebesnacht spricht – »Ich wünsche nichts, ich brauche nichts, ich stehe im Mittelpunkt der Welt, wo Kummer Freude ist.« Doch bald blickte der Statthalter auf, die Becher klirrten und dröhnten auf dem Tablett, und der Zauber war gebrochen.

Siristru machte eine schmeichelhafte Bemerkung über den Wein.

Melathys entschuldigte sich und verließ sie, und der Statthalter lud ihn ein, Platz zu nehmen; gleich darauf begann er, von den Handelsaussichten zu sprechen, wie ein Bräutigam von seiner bevorstehenden Hochzeit reden mag. Siristru hatte sich von dem robusten Befehlshaber einer Grenzstadt wenig oder gar nichts erwartet, sah sich aber nun zu neuer Überlegung veranlaßt. Die Fragen des Statthalters folgten pfeilschnell aufeinander. Wie weit war es nach Zakalon? Wie viele ständige Lager oder Zwischenstationen würden für den Unterhalt einer dauernden Handelsroute erforderlich sein? Wie konnte Siristru sicher sein, daß es in der Wildnis keine feindseligen Einwohner gab? Angenommen, man konnte den Telthearna für den Transport stromabwärts benutzen, wie stand es damit stromaufwärts? Das Sprachenproblem – er könnte nötigenfalls vierzig ältere Kinder nach Zakalon schicken, um als Führer und Dolmetscher geschult zu werden. Kinder lernen rascher als Erwachsene; manche von seinen Schützlingen würden sich eine solche Chance nicht entgehen lassen. Welche Güter hatte Zakalon anzubieten? Pferde – was war das eigentlich genau? Er blickte Siristru erstaunt an, der es zu erklären versuchte, dann verwickelten sich beide in Sprachprobleme und lachten schließlich, als Siristru versuchte, mit dem Finger im vergossenen Wein ein Pferd zu zeichnen. Dann versprach er dem Statthalter, er werde gleich am nächsten Tag auf der einen oder anderen Flußseite einen Mann auf einem Pferd doppelt so schnell reiten sehen, wie er laufen könnte. Wenn das wahr sei, erwiderte der Statthalter, brauche Zakalon in den nächsten Jahren nicht weiter nach Waren zu suchen, die es für den Tauschhandel anbieten könnte. Was aber halte Siristru, ganz unverbindlich natürlich, für den wahrscheinlichen Handelswert dieser Pferde – natürlich unter angemessener Berücksichtigung der Kosten und Mühen ihres Transportes von Zakalon zum Telthearna? Nun versuchten sie, die entsprechenden Werte von Wein- und Eisenlieferungen sowie feiner Handwerkserzeugnisse wie etwa das Kleid, das er vorhin bewundert hatte, abzuschätzen.

Der Statthalter bestellte noch Wein, und das geistig labile Mädchen bediente sie; sie spürte ihre Erregung und lächelte wie eine alte Freundin, die sich über die glückliche Geschäftigkeit des Statthalters freute. Siristru trank auf Zerays, der Statthalter trank auf Zakalons Wohl. Sie beglückwünschten einander zu ihrem günstigen Treffen und träumten weiter von einer Zukunft, in der die Menschen, frei wie die Vögel in der Luft, reisen und Güter von den entferntesten Punkten der Erde durch Zeray kommen würden. Der Statthalter trug Siristru eine Strophe des Liedes vor, das die Kinder gesungen hatten, und erläuterte, daß es tatsächlich seine Muttersprache – Ortelganisch – war; die Zeilen gehörten zu einem gesungenen Spiel von einer Katze, die einen Fisch gefangen hat.

»Was aber deine Reise nach Bekla anlangt«, sagte der Statthalter, plötzlich in die Wirklichkeit zurückkehrend, »die Straße von hier nach Kabin ist noch nicht fertig, weißt du. Dreißig Kilometer sind schon recht gut, aber die übrigen dreißig sind nichts als ein schlammiger Pfad.«

»Wir werden es schon schaffen, keine Angst. Aber vorher möchte ich eurem Fest beiwohnen – ihr nennt es doch Sharas Tag, nicht wahr? Deine Frau sprach davon. Sie erzählte mir von dem brennenden Floß – für Herrn Shardik, nicht wahr? Ich glaube auch, ich sollte mir den Vorteil des Zusammentreffens mit eurer Freundin, der weisen Frau, nicht entgehen lassen – ich war während der Reise nicht ganz gesund, und deine Frau sagt, sie ist eine großartige Ärztin.«

»Die Tuginda?«

»Ich glaube, ich habe ihren – ihren Namen nicht gehört – oder ist es ein Titel?«

»In ihrem Fall ist es beides.«

»Kommt sie über die halbfertige Straße, von der du sprachst?«

»Nein, sie kommt auf dem Wasserweg. In dieser Stadt haben wir das Glück, den Fluß als Hauptstraße für Reisen aus dem Norden zu haben. Ein Großteil der Provinz ist noch halb wild, wenn auch weniger wild als früher. Wir legen da und dort neue Siedlungen an, natürlich in den entfernteren Teilen niemals mit Kindern. Aber auf der Straße nach Kabin gibt es ein Kinderdorf; auf der Reise nach Bekla wirst du daran vorbeikommen. Es ist noch nicht sehr groß – zehn alte Soldaten und ihre Frauen sorgen für ungefähr hundert Kinder –, aber wir wollen es vergrößern, sobald das Land halbwegs imstande ist, eine größere Zahl zu erhalten. Es liegt an einer sicheren Stelle.«

»Ich wundere mich über die Kinder«, sagte Siristru, »über das wenige, das ich von ihnen gesehen habe. Eure Stadt scheint voll von Kindern – ich sah sie am Landungssteg und an euren Lagerhäusern arbeiten. Zwei Drittel der Einwohner sind offenbar Kinder.«

»Zwei Drittel – ja, das ist ungefähr richtig.«

»Dann sind nicht alle Kinder von hiesigen Einwohnern?«

»Ach, es hat dir noch keiner von den Kindern erzählt?« sagte der Statthalter. »Nein, natürlich, es war kaum Zeit dazu. Sie kommen aus vielen verschiedenen Orten – Bekla, Ikat, Thettit, Dari, Ortelga –, einige sogar aus Terekenalt. Alle haben aus dem einen oder anderen Grund die Eltern oder ihre Familie verloren. Viele wurden leider einfach verlassen. Sie werden nicht gezwungen hierherzukommen, wenn es auch für viele, nehme ich an, besser ist, als Not zu leiden. Es ist auch das ein hartes Leben, aber sie haben wenigstens das Gefühl, daß wir sie brauchen und schätzen. Das allein hilft ihnen schon beträchtlich.«

»Wer schickt sie her?«

»Nun, ich habe die verschiedensten Verbindungen – Leute, die für mich arbeiteten und mir Nachrichten schickten, als ich – in Bekla lebte; und auch der Statthalter von Sarkid hat uns sehr geholfen.«

Siristru empfand unwillkürlich einen gewissen Widerwillen. In seiner Begeisterung für den Handel baute dieser junge Statthalter offensichtlich seine Provinz aus und machte aus Zeray einen Hafen durch die Arbeit von mittellosen Kindern.

»Wie lange müssen sie hier bleiben?« fragte er.

»Sie müssen nicht, sie können jederzeit gehen, wohin sie wollen, aber die meisten wüßten nicht, wohin sie gehen könnten.«

»Dann würdest du sie nicht als Sklaven bezeichnen?«

»Sie sind Sklaven, wenn sie herkommen – vernachlässigte, verlassene, manchmal mißhandelte Sklaven. Wir versuchen, sie zu befreien, aber es ist oft gar nicht leicht.«

Siristru begriff allmählich den Zusammenhang zwischen diesem Tatbestand und gewissen Dingen, welche die junge Frau ihm bei ihrem vorangegangenen Gespräch gesagt hatte.

»Hat es etwas mit eurem Herrn Shardik zu tun?«

»Was hast du denn von unserem Herrn Shardik gehört?« fragte der Statthalter mit erstaunter Miene.

»Deine Frau sprach von ihm und auch von der Feier. Auch sangen die Fährleute auf dem Floß heute morgen – ›Shardik gab sein Leben für die Kinder.‹ Es würde mich interessieren, etwas mehr über den Shardikkult zu hören, wenn du mir davon erzählen wolltest. Mich interessieren solche Dinge, und ich war in meiner Heimat ein – nun, ich nehme an, du würdest mich einen Lehrer nennen.«

Der Statthalter starrte in seinen Silberbecher, ließ den Wein darin kreisen, blickte auf und grinste.

»Das ist mehr, als ich bin oder je sein werde. Ich bin nicht sehr geschickt mit Worten – ein Glück, daß ich sie nicht brauche, um unserem Herrn Shardik zu dienen. Die Lehre, wie du es nennst, lautet einfach, daß es kein verlassenes oder unglückliches Kind auf der Welt geben darf. Schließlich ist das die einzige Sicherheit der Welt: Kinder sind die Zukunft, verstehst du. Wenn es keine unglücklichen Kinder gäbe, wäre die Zukunft gesichert.«

Er sprach mit einer Art bescheidener Selbstsicherheit, wie ein Bergführer zu Reisenden von Pässen und Gipfeln spricht, die er trotz ihrer einsamen Wildheit gut kennt. Siristru hatte nicht alles Gesagte verstanden, und da es ihm schwerfiel, Fragen in der Sprache seines Gegenübers zu formulieren, half er sich durch die Wiederholung der Worte, die er aus dem Munde des anderen gehört hatte.

»Du sagtest, vernachlässigte und verlassene Sklaven? Was heißt das?«

Der Statthalter erhob sich, ging langsam zum Fenster und blickte zum Hafen hinaus. Seine nächsten Worte kamen zögernd, und Siristru erkannte mit einiger Überraschung, daß er wohl selten oder nie Gelegenheit gehabt hatte, sich über dieses Thema auszulassen.

»Kinder – sie werden aus Vergnügen und Freude geboren – oder sollten es werden. Und Gott will, daß sie – wasserdicht, wie ein fehlerfreies Kanu aufwachsen, geeignet für Arbeit und Spiel, Kauf und Verkauf, Lachen und Weinen. Sklaverei – wirkliche Sklaverei bedeutet die geraubte Chance der vollen Entwicklung. Die Unerwünschten, die Beraubten und Imstichgelassenen, die sind wirklich Sklaven – auch wenn sie es selbst nicht wissen.«

Siristru wünschte nicht, sich allzusehr hineinziehen zu lassen. Man konnte gewiß ein höfliches Interesse für fremde Religionen und Bräuche zeigen, etwas anderes war es aber, als Zielscheibe für den Eifer eines unkultivierten Mannes angesehen zu werden.

»Nun ja – vielleicht gibt es verlassene Kinder, denen das nicht soviel ausmacht.«

»Wer von ihnen hat dir das gesagt?« fragte der Statthalter mit einer so komischen Nachahmung echten Interesses, daß Siristru unwillkürlich lachen mußte. Er fragte sich aber, wie er diesen Teil des Gespräches am besten beenden könnte. Er selbst hatte ihn durch seine Fragen aufs Tapet gebracht, und es wäre unhöflich, nun einfach das Thema zu wechseln. Er würde lieber einen anderen Aspekt der Sache ins Auge fassen und dann auf weniger heiklen Boden hinübergleiten. Bei der Diplomatie kam es sehr darauf an, die Menschen nicht aus der Fassung zu bringen.

»Shardik – du sagst doch, er war ein *Bär*?«

»Ja, unser Herr Shardik war ein Bär.«

»Und er war – kam von Gott? Den Ausdruck kenne ich leider nicht.«

»Gottgesandt.«

»Ach ja, danke.«

»Er war Gottes Kraft, aber er war ein wirklicher Bär.«

»Vor langer Zeit?«

»Nein – ich selbst war dabei, als er starb.«

»*Du*?«

Der Statthalter sagte nichts mehr, und nach einer Weile versuchte es der nun ehrlich interessierte Siristru mit der Frage: »Ein *Bär* – und doch sprichst du von seiner Lehre. Wie lehrte er?«

»Er tat uns durch seinen frommen Tod die Wahrheit kund, die wir nie verstanden hatten.«

Siristru war nun schon ein wenig unsicher, unterließ ein Hochziehen der Schultern, konnte sich aber nicht enthalten, mit scheinbarer Offenheit und Selbstanklage zu fragen:

»Wäre es nicht für einen dummen Menschen möglich – es wäre natürlich dumm, aber vielleicht läßt es sich annehmen – einzuwenden, daß all die Vorfälle zufällige Fügungen waren – und daß der Bär nicht von Gott gesandt war –?«

Er brach einigermaßen erschrocken ab. Jetzt hatte er bestimmt mehr gesagt, als er sollte. Er mußte vorsichtiger sein.

Der Statthalter schwieg so lange, daß Siristru schon fürchtete, ihn beleidigt zu haben. Das wäre höchst unangenehm, und er würde den Schaden wiedergutmachen müssen. Er wollte gerade wieder sprechen, da blickte der Statthalter halb lächelnd auf, wie jemand, der zwar weiß, was er sagen will, der aber über die eigene Ausdrucksschwierigkeit lachen muß. Dann sagte er endlich: »Eure Tiere, von denen du sprachst, die wir euch abkaufen sollen – auf deren Rükken ihr sitzt und die euch in schnellem Lauf tragen –«

»Die Pferde. Ja?«

»Sie müssen wohl gescheit sein – klüger als Ochsen, nehme ich an.«

»Das ist schwer zu sagen – vielleicht ein wenig klüger. Warum?«

»Wenn in ihrer und unserer Hörweite Musik gespielt würde, würden ihre Ohren doch wohl alle Töne hören, die du und ich vernehmen würden. Dennoch würden sie sie kaum verstehen. Du und ich, wir würden vielleicht weinen, sie nicht. Die Wahrheit – wer sie hört, zweifelt nicht daran. Es gibt aber immer andere, die tatsächlich wissen, daß nichts Ungewöhnliches vorgefallen ist.«

Er bückte sich und warf ein Holzscheit ins Feuer. Das Licht des Nachmittags begann zu schwinden. Der Wind hatte sich gelegt, und Siristru konnte durch das Fenster sehen, daß der Fluß nun ruhig am Ufer vorbeiströmte. Wenn die morgige Überfahrt frühzeitig stattfand, würde sie vielleicht weniger furchterregend sein.

»Ich bin sehr weit gewandert«, sagte der Statthalter nach einer Weile. »Ich sah, wie die Welt geschmäht und zerstört wurde. Aber heute habe ich keine Zeit, dabei zu verweilen. Die Kinder, weißt du – die brauchen unsere Zeit. Früher einmal pflegte ich zu beten: ›Nimm mein Leben hin, Shardik, unser Herr!‹ – das Gebet wurde erhört. Er nahm es an.«

Nun fühlte sich Siristru endlich auf vertrautem Boden. In seiner Erfahrung war die Beseitigung eines Schuldgefühls die Funktion der meisten, wenn nicht aller Religionen.

»Du glaubst, daß Shardik fortnimmt – äh – daß er dir verzeiht?«

»Nun, das weiß ich nicht«, sagte der Statthalter. »Aber wenn màn weiß, was man zu tun hat, spielt die Verzeihung eine geringere Rolle – die Arbeit ist zu wichtig. Gott weiß, ich habe gesündigt, aber das ist jetzt alles vorbei.«

Er brach ab, als eine Bewegung an der Tür des dunkelnden Raumes vernehmbar wurde. Ankray trat ein und blieb erwartungsvoll stehen. Der Statthalter rief ihn zu sich.

»Es sind einige Kinder da, die dich sprechen wollen, Herr«, sagte der Mann. »Ein paar neue, die gestern kamen – Kavass hat sie hergebracht. Und der Junge am Landungssteg, dieser Schreihals –«

»Kominion?«

»Nun ja, manche nennen ihn so«, räumte Ankray ein. »Also der Baron hätte –«

»Gleichviel, was will er?«

»Er sagt, er braucht Order für morgen, Herr.«

»Gut, ich werde zu ihm gehen und zu den anderen auch.«

Der Statthalter wandte sich zur Tür, da kam zögernd ein vielleicht sechsjähriger Knabe herein, blickte sich unsicher um, blieb stehen und starrte ernst zu ihm hinauf. Siristru beobachtete ihn belustigt.

»Tag«, sagte der Statthalter, den Blick des Kindes erwidernd. »Was suchst du?«

»Ich such den Herrn Statthalter. Die Leute draußen sagten –«

»Nun, ich bin der Herr Statthalter, und du kannst mit mir kommen, wenn du willst.« Er hob das Kind mit einem Schwung hoch, da trat Melathys ein. Sie schüttelte lächelnd den Kopf.

»Wo bleibt deine Würde, mein liebster Kelderek, du Kinderspielfreund? Was soll der Gesandte denken?«

»Er wird denken, ich sei eines der flinken Tiere, die er uns verkaufen wird. Sieh doch!« Und er lief mit dem Kind auf den Schultern aus dem Zimmer.

»Du wirst doch mit uns zu Abend essen, nicht wahr?« sagte Melathys, zu Siristru gewandt. »Es wird noch eine Stunde dauern, du brauchst nicht fortzugehen. Wie können wir dich bis dahin unterhalten?«

»Bitte sorg dich nicht um mich«, antwortete Siristru erfreut, wieder in der Gesellschaft dieser reizenden Frau zu sein, die er persönlich als zu gut für ihren Mann betrachtete, sosehr diesem auch der Handel am Herzen lag. »Ich muß meinen Brief an den König von Zakalon zu Ende schreiben. Da wir nun endlich in euer Land gekommen sind, will ich ihm morgen einen Boten mit einem Bericht über unsere Ankunft und alles, was vorgefallen ist, schicken. Es paßt mir durchaus, daß ich die Zeit bis zum Abendessen damit ausfüllen kann. Unser König wartet sicher begierig auf Nachrichten, verstehst du?« Er lächelte. »Ich kann mich irgendwohin setzen, wo ich niemandem im Weg bin.«

Sie sah ihn erstaunt an.

»Du wirst wirklich den Brief *schreiben*? Du selbst?«

»Nun – ja – wenn ich darf.«

»Gewiß darfst du – wenn wir finden können, womit und worauf du schreibst. Und das bezweifle ich eher. Darf ich dir dabei zusehen? Die einzigen, die ich je schreiben sah, waren die Tuginda und Elleroth, der Statthalter von Sarkid. Wo aber sollen wir finden, was du brauchst?«

»Mach dir keine Mühe; mein Diener ist hier. Er kann in meine Wohnung gehen.«

»Ich lasse ihn dir hereinschicken. Ich glaube, es ist für dich am bequemsten, wenn du hier im Zimmer bleibst. Draußen wird es jetzt kalt, und das einzige Feuer außer diesem ist in der Küche; Zilthe wird erst später eines in dem anderen Raum anzünden. Wenn es eine Gesellschaft gibt, können wir unsere Sache ebenso gut machen wie jeder alte Dorfälteste. Aber du wirst uns doch alle reich machen, nicht wahr?« Und sie lächelte ihm wieder zu, als wäre ihr Mangel an Luxus der beste Spaß.

»Du hast mir doch gesagt, du hast Kinder, oder?«

»Zwei – sie sind noch sehr klein. Der älteste ist kaum drei Jahre alt.«

»Willst du sie mir nicht zeigen, während mein Diener das Schreibzeug holt?«

»– war angenehm überrascht festzustellen, daß der junge Statthalter von Zeray über unsere Handelsaussichten sehr gut unterrichtet ist. Er versichert mir, daß die wichtigsten Städte uns verschiedene Güter anzubieten vermögen: Metalle, sicher Eisen und vielleicht auch Gold, wenn ich ihn richtig verstanden habe, sowie ihren Wein – der ausgezeichnet ist, wenn er nur die Reise verträgt – und, ich glaube, verschiedene Edel- und Halbedelsteine, da bin ich nicht ganz sicher. Dafür könnten wir meiner Ansicht nach vor allem Pferde liefern. Die wird man, da besteht für mich kein Zweifel, gut bezahlen, da sie keine besitzen und noch nichts von ihnen wissen. Tatsächlich wird man, scheint mir, überlegen müssen, wie man diesen Handel regeln soll, der sicher eine tiefgehende Veränderung ihrer Lebensweise bewirken und für den, in nächster Zukunft, eine fast unbeschränkte Nachfrage bestehen wird.

Die Leute selbst, von denen ich bis jetzt noch nicht viele gesehen habe, gefallen mir eher. Sie sind natürlich Halbbarbaren, unwissend und ungebildet, aber ihre Kunst scheint mir, zumindest auf manchen Gebieten, vorzüglich und bemerkenswert. Es wurde mir erzählt, daß es in Bekla einige schöne Gebäude gibt, und das will ich gern glauben. Einige ihrer Kunstprodukte – zum Beispiel die gestickten Nähereien, die ich gesehen habe – würden zweifellos, wenn sie in Zakalon verkauft würden, sehr gesucht sein.

Eure Majestät kennt mein Interesse für religiöse und metaphysische Dinge und wird mich verstehen, wenn ich nun sage, daß ich zu meiner beträchtlichen Verblüffung hier auf einen seltsamen Kult gestoßen bin, der unzweifelhaft nicht nur das Leben in dieser Provinz, sondern auch, soweit ich feststellen kann, das der weiter im Westen liegenden Städte stark beeinflußt hat. Ich kann ihn am besten als eine Mischung von Aberglauben und visionärer Nächstenliebe beschreiben und hätte ihn, wären die durch ihn erzielten Ergebnisse nicht sichtbar, gewiß kaum geglaubt. Diese Menschen verehren, wenn ich den Statthalter richtig verstanden habe, einen riesenhaften Bären, den sie für gottgesandt halten. Natürlich ist die barbarische Verehrung eines großen und wilden Tieres, ob nun Bär, Schlange, Stier oder ein anderes Geschöpf, ebensowenig einzigartig wie der Begriff des Nutzens aus einem frommen Tod. In ihrem Glauben hat der Tod dieses Bären irgendwie – wie, weiß ich nicht – dazu verholfen, gewisse Sklavenkinder zu befreien, und aus diesem Grunde betrachten sie die Sicherheit und Zufriedenheit aller Kinder als für den Bären überaus wichtig und deren Wohlergehen als heilige Pflicht. Man könnte sagen, daß sie Kinder wie eine reifende Ernte ansehen, von der nichts vergeudet oder verloren werden darf. Die Schädigung eines Kindes, zum Beispiel durch Trennung der Eltern, durch Verlassen des Kindes, oder irgendeine Beeinträchtigung seiner Sicherheit und Widerstandskraft im Leben wird als ebensolches Unrecht betrachtet, als würden es die Eltern in die Sklaverei verkaufen. Alle Anhänger Shardiks – so nennen sie den Bären – haben die Pflicht, für obdachlose oder verlassene Kinder zu sorgen, wo immer sie sie finden. In dieser Stadt gibt es viele solche Kinder, Waisen oder Vernachlässigte, die aus den weiter westlich liegenden Provinzen hierhergebracht wurden und mehr oder minder gewissenhaft betreut werden. Der Statthalter – ein alles in allem, scheint mir, tüchtiger, wenn auch in seinem Land nicht besonders hoch geachteter und vielleicht in seiner Art ein wenig seltsamer Mann – und seine junge Frau nehmen eine bedeutende Stellung in dem Kult ein und haben tatsächlich die Stadt rund um die Kinder organisiert, die zwei Drittel der Einwohnerschaft ausmachen. Sie arbeiten teils unter der Leitung von Erwachsenen, teils unter der ihrer eigenen Anführer, und obwohl viele Arbeiten erwartungsgemäß unfachmännisch, unvollständig oder unbeholfen ausgeführt sind, macht das in einer Provinz wie dieser wenig aus, wo es vor allem auf schnelle Erfolge ankommt und wo die gute Qualität weit hinter der Nützlichkeit und der Befriedigung dringender Erfordernisse zurücksteht. Niemand könnte leugnen, daß dieser erstaunlich wohltätige Kult Edelmut und Selbstaufopferung erfordert, wobei der Statthalter und sein

Haushalt gewiß ein Beispiel geben, denn sie leben sichtlich ebenso einfach wie die anderen. Die Bedingungen sind für die Kinder mehr schlecht als recht, aber der Statthalter genießt die gleichen Bedingungen und scheint viel dazu zu tun, das Gefühl für eine echte Kameradschaft zu fördern. Ich muß einfach annehmen, daß in diesem Gedanken trotz der abergläubischen Bärenverehrung echter Wert steckt. Es ist interessant zu beobachten, wie die Vernunft aus der Legende zum Vorschein kommt und einen Zustand erreicht, der sich ungefähr dem des Landes Eurer Majestät nähert; Eure Majestät wird gewiß verstehen, daß ich den Mangel an zivilisierter Bequemlichkeit äußerst stark empfinde.«

Siristru machte eine Pause, streckte seine Finger und blickte auf. Das Tageslicht war beinahe erloschen. Er erhob sich, schob die Bank zurück, auf der er gesessen hatte, ging ans Fenster und blickte nach Westen. Das Wohnhaus des Statthalters stand fast am Stadtrand, und zwischen ihm und dem Land dahinter lag nur eine schmale Straße und eine Palisade, die offenbar die Rolle der Stadtmauer spielte. In dem gelblichen Abendrot erstreckte sich eine Landschaft von Wald und Sümpfen bis in die dunkelnde Ferne. Im Vordergrund gab es da und dort Flecken gepflügten Landes, einige Bewässerungskanäle, breite Schilfgebiete und gelegentlich Wasserstreifen, die in fahlerem Gelb als der Himmel glänzten. Es wurde kühl. Im Inland schien sich der Wind wieder zu erheben, denn Siristru konnte weiter draußen, in der trostlosen Einsamkeit, die Bewegung der wild wuchernden Wälder erkennen. Die Nacht senkte sich über das traurige, unwirtliche Land, in dem er, so weit er blicken konnte, weder Licht noch Rauch sah. Er erschauerte und wollte ins Zimmer zurückgehen, als er über die Straße das Herannahen von Schritten vernahm. Er wartete in müßiger Neugier, und bald erschien eine alte, schwarz gekleidete Frau, die ein zusammengebundenes Holzbündel auf dem Rücken trug. Sie trottete heimwärts, ihre nackten Füße patschten auf dem Boden, das Bündel hob und senkte sich auf ihrem Rücken. In den Armen trug sie ein kleines, blondes Mädchen, und Siristru hörte, wie sie in einem ruhigen, gemächlichen Rhythmus, ausdruckslos und tröstend wie das Geräusch eines Mühlrads oder Vogelgesangs, dem Kind zumurmelte. Als sie unter dem Fenster vorbeikamen, blickte das Kind nach oben, sah ihn und winkte mit der Hand. Er winkte zurück, und dabei spürte er, daß hinter ihm jemand im Zimmer stand. Er wandte sich ein wenig verlegen um und sah das Mädchen Zilthe, das auf ihn zukam und einige Worte sagte, die er nicht verstehen konnte. Als sie das merkte, hob sie das Tablett mit unentzündeten Lampen, das sie trug, lächelnd hoch und nickte in Richtung zum Feuer.

»Ja, gewiß, zünde sie doch an«, antwortete er. »Du störst mich nicht.«

Sie nahm einen brennenden Zweig und entzündete nacheinander die Dochte, stutzte sie und stellte mehrere Lampen auf, bis der Raum hell und gut beleuchtet war. Die übrigen trug sie fort, und Siristru setzte sich, allein geblieben, vor das Feuer, hielt seine Hände in die Wärme und dachte, wie einst als Kind, an Bilder und Formen – an eine Insel, ein glühendes Messer, einen Gitterkäfig, an das Aussehen einer alten Frau, einer tiefen Schlucht, eines zottigen Bären. Das Feuer brannte mit sanftem Geräusch, und ein Holzknoten zerbarst laut. Die Scheite bewegten sich, die Asche zerfiel, die Bilder waren fort.

Melathys kam hereingeeilt, sie trug eine Schweinelende auf einem Spieß; ihr schönes Kleid hatte sie mit einer langen grauen Küchenschürze vertauscht. Als sie näher kam, erhob er sich lächelnd.

»Darf ich auch etwas tun?« fragte er.

»Vielleicht später – an einem anderen Abend, wenn du schon ein alter Freund geworden bist, was bestimmt geschehen wird. Sieh doch, was du uns mit deinem Besuch für einen großartigen Anlaß zu einem Festmahl gibst. Ist dir warm genug, U-Siristru? Soll ich noch einige Scheite Holz auflegen?«

»Nein, bitte mach dir keine Mühe«, antwortete Siristru. »Es ist ein prächtiges Feuer.«

DAS BEKLANISCHE REICH

WILDNIS

TELTHE

GEL

TEREKENALT   KATRIA

KERIL

DARI

B

PALTESH

WÜSTE

BELISHBA

HERL

Dank

Ich möchte an dieser Stelle Dank sagen
für die Hilfe, die mir durch meine Freunde
Reg. Sones und John Apps zuteil wurde, welche das Buch vor seiner Veröffentlichung
lasen, konstruktive Kritik übten und wertvolle
Anregungen gaben.

Das Manuskript wurde von Mrs. Margaret
Apps und Mrs. Barbara Cheeseman geschrieben.
Für ihre Geduld und ihre Genauigkeit
danke ich ihnen von ganzem Herzen.

Anmerkung

Damit niemand glaubt, ich hätte mir
besondere Mühe geben müssen, um Gensheds
Grausamkeiten zu erfinden, stelle ich hiermit
fest, daß ich von allem hier Erwähnten
bereits gehört und manches sogar – und ich wünschte,
es wäre nicht so – selbst erlebt habe.

Richard
Adams

Unten am Fluß
Watership
Down

Roman

Ullstein Buch 3508

Die weltbekannte Saga vom
Exodus der Kaninchen ent-
hält in ungewöhnlicher
Frische alles, was die
Abenteuer eines wandernden
Volkes ausmacht: Bedrohung
der alten Heimat, Prophe-
zeiung des Untergangs,
Auszug unter einem jungen
Heißsporn, Abenteuer ohne
Zahl im feindlichen wie im
gelobten Land, Meuterei,
Treuebruch und Heldenmut,
Schlachten mit hohem
Blutzoll – und schließlich
Einzug ins Land der Freiheit,
des Friedens und allgemeinen
Glücks.
»Richard Adams erzählt
glänzend ... Es ist ein
Vergnügen, diese Geschichte
zu lesen.« (Sybil Gräfin
Schönfeldt in DIE ZEIT)
Die Frankfurter Allgemeine
Zeitung nannte diesen
Weltbestseller »lecker wie
frische Salatblätter« und
empfahl ihn den Liebhabern
behaglicher Erzählkunst und
trockenen englischen
Humors.

ein Ullstein Buch

Joy
Adamson

Die Löwin Elsa und ihre Jungen

Mit 88 Abbildungen

Ullstein Buch 3322

Durch den Film, das Fern-
sehen und eine Gesamtauflage
von über zehn Millionen
wurde dieser Bericht be-
kannt. In aller Welt nimmt
man Anteil an dieser
bewegenden Freundschaft
zwischen Mensch und Tier.
Joy Adamson und ihrem
Mann gelang es, die junge
Löwin Elsa aufzuziehen und
zu ihrer Freundin zu machen.
Dieser Tatsachenbericht
beginnt damit, wie Elsa als
stolze Mutter dreier Jungen
aus dem Busch zurückkehrt.

Safari bei Ullstein